资治通鉴

全本全注全译

第五册

汉纪

[宋]司马光 编著
张大可 韩兆琦 等 注译

浙江人民出版社

浙江省版权局
著作权合同登记章
图字:11-2023-344号

图书在版编目（CIP）数据

资治通鉴全本全注全译. 第五册 /（宋）司马光编著 ；张大可等注译. -- 杭州 ：浙江人民出版社，2024. 10（2025. 6重印）.

ISBN 978-7-213-11663-6

Ⅰ. K204. 3

中国国家版本馆CIP数据核字第2024MW9744号

资治通鉴全本全注全译　第五册

ZIZHI TONGJIAN QUANBEN QUANZHU QUANYI

［宋］司马光　编著　　张大可　韩兆琦　等　注译

出版发行：浙江人民出版社（杭州市环城北路 177 号　邮编　310006）
市场部电话：（0571）85061682　85176516
选题策划：胡俊生
项目统筹：潘海林　魏　力
责任编辑：陈　源　王子佳
营销编辑：陈雯怡
责任校对：王欢燕　马　玉　汪景芬
责任印务：程　琳　幸天骄
封面设计：北京之江文化传媒有限公司
电脑制版：北京之江文化传媒有限公司
印　　刷：浙江新华数码印务有限公司
开　　本：710 毫米 ×1000 毫米　1/16　　印　　张：40.5
字　　数：790 千字　　插　　页：4
版　　次：2024 年 10 月第 1 版　　印　　次：2025 年 6 月第 2 次印刷
书　　号：ISBN 978-7-213-11663-6
定　　价：124.00 元

目　录

卷第四十三　汉纪三十五

起柔兆涒滩（丙申，公元三六年），尽柔兆敦牂（丙午，公元四六年），凡十一年。

【题解】

本卷记事起公元三六年，迄公元四六年，凡十一年史事，是光武帝执政的中期，当建武十二年至建武二十二年。此时期，光武帝平定公孙述，完成全国统一。但北方疆土始终不宁，匈奴扶植傀儡政权卢芳对抗东汉，继之联合乌桓、鲜卑侵扰北方，直到建武二十二年，匈奴单于栾提舆死，又发生大旱、蝗灾，人畜饥疫损失过半，乌桓攻击，匈奴远遁，北疆粗安。西域各国归附，光武帝辞以天下未宁，不复置都护，莎车王称大。这一时期，交趾夷人、西南夷相继叛乱，内地亦不时发生民变。马援讨平交趾，西南夷亦平服，天下称治。光武帝巡幸各

【原文】

世祖光武皇帝中之下

建武十二年（丙申，公元三六年）

春，正月，吴汉破公孙述将魏党、公孙永于鱼涪津①，遂围武阳。述遣子婿史兴救之，汉迎击，破之，因入，犍为界诸县皆城守②。诏汉直取广都，据其心腹③。汉乃进军攻广都，拔之，遣轻骑烧成都市桥④。公孙述将帅恐惧，日夜离叛，述虽诛灭其家，犹不能禁。帝必欲降之，又下诏谕述曰："勿以来歙、岑彭受害自疑，今以时自诣⑤，则宗族完全。诏书手记⑥，不可数得。"述终无降意。

秋，七月，冯骏拔江州，获田戎。

帝戒吴汉曰："成都十余万众，不可轻也。但坚据⑦广都，待其来攻，勿与争锋。若不敢来，公转营⑧迫⑨之，须其力疲，乃可击也。"汉乘利，遂自将步骑二万进逼成都；去城十余里，阻江⑩北[1]营⑪，

地，考察民情，抑制豪强，检括户口，丈量田土，惩治贪吏，诛杀大司徒欧阳歙，以及郡守十余人。奖励直臣，有怀县令赵憙、洛阳令董宣，两人敢于抗旨惩凶，光武帝嘉之。光武帝又巡幸太学，重赏经师桓荣等，重视教育。这一时期，光武帝还开创性地办了两件大事。其一，保护开国功臣，封以爵邑，不问政事，食其租赋，颐养天年。大功臣贾复等不任三公，只是奉朝请。其二，更易太子，立贤不以嫡，打破宗法传统，意义重大，惜其未能影响深远。本卷记述窦融、吴汉、马援风采，寓意良深。

【语译】

世祖光武皇帝中之下

建武十二年（丙申，公元三六年）

春，正月，吴汉在鱼涪津击败公孙述的将领魏党、公孙永，随即包围了武阳县。公孙述派女婿史兴救援武阳，吴汉迎击，打败了史兴，趁势进入犍为郡，犍为郡各县都闭城坚守。光武帝下诏吴汉直接攻取广都，占领心腹要地。吴汉于是进军攻打广都，攻取了广都，派遣轻骑兵焚烧成都市桥。公孙述的将领很害怕，日夜叛逃，公孙述虽然诛灭叛逃者的家属，还是不能阻止。光武帝坚持想使公孙述投降，又下诏书劝谕公孙述说："不要因为来歙、岑彭受害就自我疑虑，现在你及时亲自前来，宗族就能保全。诏书和亲笔信，你不可能多次得到。"公孙述始终无意投降。

秋，七月，冯骏攻下江州，俘虏了田戎。

光武帝告诫吴汉说："成都有十多万人，不可轻视。你只需坚守广都，等待公孙述来进攻，不要与敌争胜负。如果公孙述不敢来进攻，你就转移营垒逼近敌人，等到敌人疲困，才可以进攻。"吴汉乘胜利之机，亲自率领步骑两万人逼近成都；离城十余里，依托岷江，在江北岸扎营，架设浮桥，派副将武威将军刘尚率领一万余

作浮桥，使副将武威将军刘尚将万余人屯于江南，为营相去二十余里。帝闻之大惊，让汉曰："比敕公千条万端，何意临事勃乱！既轻敌深入，又与尚别营，事有缓急，不复相及。贼若出兵缀⑫公，以大众攻尚，尚破，公即败矣。幸无他⑬者，急引兵还广都。"诏书未到，九月，述果使其大司徒谢丰、执金吾袁吉将众十许万⑭，分为二十余营，出攻汉，使别将将万余人劫⑮刘尚，令不得相救。汉与大战一日，兵败，走入壁，丰因围之。汉乃召诸将厉⑯之曰："吾与诸君逾越险阻，转战千里，遂深入敌地，至其城下。而今与刘尚二处受围，势既不接，其祸难量；欲潜师就尚于江南，并兵御之。若能同心一力，人自为战，大功可立；如其不然，败必无余。成败之机，在此一举。"诸将皆曰："诺。"于是飨士秣马⑰，闭营三日不出，乃多树幡旗⑱，使烟火不绝，夜，衔枚⑲引兵与刘尚合军。丰等不觉，明日，乃分兵拒水北，自将攻江南。汉悉兵迎战，自旦⑳至晡㉑，遂大破之，斩丰、吉。于是引还广都，留刘尚拒述，具以状上㉒，而深自谴责。帝报曰："公还广都，甚得其宜，述必不敢略㉓尚而击公也。若先攻尚，公从广都五十里悉步骑赴之，适㉔当值㉕其危困，破之必矣！"自是汉与述战于广都、成都之间，八战八克㉖，遂军㉗于其郭㉘中。

臧宫拔绵竹㉙，破涪城㉚，斩公孙恢，复攻拔繁、郫㉛，与吴汉会于成都。

李通欲避权势㉜，乞骸骨，积㉝二岁，帝乃听上㉞大司空印绶，以特进㉟奉朝请㊱。后有司奏封皇子，帝感通首创大谋，即日，封通少子雄为召陵侯。

公孙述困急，谓延岑曰："事当奈何？"岑曰："男儿当死中求生，可坐㊲穷㊳乎！财物易聚耳，不宜有爱。"述乃悉散金帛，募敢死士五千余人以配㊴岑。岑于市桥伪建旗帜，鸣鼓挑战，而潜遣奇兵出吴汉军后，袭击破汉；汉堕水，缘马尾得出。汉军余七日粮，阴㊵具船㊶，欲遁去；蜀郡太守南阳张堪㊷闻之，驰往见汉，说述必败、不宜退师之策。汉从之，乃示弱以挑敌。

人在江南岸扎营，所扎营寨相距二十余里。光武帝得到消息大吃一惊，责备吴汉说：“刚刚千叮万嘱，你为什么事到临头却违背乱来！既轻敌深入，又与刘尚分别扎营，事情一旦紧急，不能互相照应。敌人如果出兵牵制你，用重兵攻击刘尚，刘尚被打败，你也跟着失败。幸亏没有别的变故，赶快率领军队返回广都。”诏书还没有到达，九月，公孙述果然派他的大司徒谢丰、执金吾袁吉率领约十万之众，分为二十余营，出城进攻吴汉，另派别的将领率兵一万余人威逼刘尚，使他不能去救援吴汉。吴汉与蜀兵大战一整天，兵败，逃入营垒，谢丰乘势包围了吴汉。吴汉便召集众将领勉励说：“我和各位将军越过无数险阻，转战千里，深入敌境，到达敌人城下。如今我们与刘尚两地都被包围，互相不能接应，祸患难以预料；我想秘密发兵到江南，与刘尚合兵抵抗敌军。如果大家同心合力，每人努力作战，大功可成；如果不这样，必定失败。成与败的关键，在此一举。”众将领都说：“好。”于是慰劳士兵，喂饱战马，紧闭营门，三天不出战，并多处竖立旌旗，使烟火不绝，到了夜晚，人马都口中衔枚，悄悄带兵与刘尚会合。谢丰等人没有发觉，第二天，谢丰就分出部分兵马拒守江北，自己率军进攻江南。吴汉率领全军迎战，从早晨一直战斗到下午申时，大败谢丰军，杀了谢丰和袁吉。于是吴汉率军退回广都，留刘尚对抗公孙述。吴汉把详情报告皇上，深深自责。皇上回报说：“你回到广都，十分得当，公孙述必定不敢越过刘尚进攻你。如果他先攻击刘尚，你从广都率领全部步兵骑兵前往，有五十里路程，赶到正好碰上敌人疲困之时，一定能打败他们！”从此，吴汉与公孙述在广都与成都之间交战，吴汉八战八胜，于是驻军成都外城。

臧宫占领了绵竹县，攻下了涪城，杀了公孙恢，又攻占了繁县、郫县，与吴汉在成都会师。

李通想避开权势的职位，请求辞职，经过两年，光武帝才同意让他上交大司空的印章绶带，赐他以特进名义定期参与朝会。后来，主管部门上奏请求册封皇子，光武帝有感李通首创兴汉大谋，当天就册封李通的小儿子李雄为召陵侯。

公孙述困危，对延岑说：“当前的事该怎么办呢？”延岑说：“男儿要在死中求活，怎能坐等被困呢！财物容易聚结，不应当吝啬。”公孙述便拿出全部黄金绢帛散发，招募了敢死队五千多人分配给延岑。延岑在市桥竖立旌旗，伪装成主力，击鼓挑战，却秘密派出奇兵在吴汉军的背后发起偷袭，大败吴汉军；吴汉落水，抓着马尾才逃脱。吴汉的军队剩余七天的粮食，暗中准备船只，想要逃走；蜀郡太守南阳人张堪知道后，急忙驰马去见吴汉，说明公孙述必败、不应撤军的看法。吴汉听从了他的意见，就外示势弱而向敌人挑战。

冬，十一月，臧宫军咸阳门㊸。戊寅㊹，述自将数万人攻汉，使延岑拒宫。大战，岑三合三胜，自旦及日中，军士不得食，并疲。汉因使护军高午、唐邯将锐卒数万击之，述兵大乱；高午奔陈㊺刺述，洞㊻胸堕马，左右舆㊼入城。述以兵属延岑，其夜，死；明旦，延岑以城降。辛巳㊽，吴汉夷㊾述妻子，尽灭公孙氏，并族㊿延岑，遂放兵大掠，焚述宫室。帝闻之怒，以谴汉，又让(51)刘尚曰："城降三日，吏民从服，孩儿、老母，口以万数，一旦放兵(52)纵火，闻之可为酸鼻。尚宗室子孙，尝更[2]吏职(53)，何忍行此！仰视天，俯视地，观放麑、啜羹(54)，二者孰仁？良(55)失斩将吊民(56)之义也！"

【段旨】

以上为第一段，写汉军平灭公孙述。光武帝责备吴汉治兵不严，克敌后纵兵抢掠。建武二年（公元二六年）吴汉征南阳，亦因纵兵暴虐，逼反邓奉。吴汉之过，真可诛矣。

【注释】

①鱼涪津：津名，位于犍为郡南安县北，在今四川乐山市北。②城守：据城固守。③心腹：喻指接近统治中心的地方。④市桥：桥名，在今四川成都西校场东北同仁路口附近。⑤以时自诣：指及时亲自前来归降。⑥手记：亲笔信。⑦坚据：固守。⑧转营：移营。⑨迫：逼近。⑩阻江：依江。⑪北营：扎营江水北岸。⑫缀：牵制。⑬幸无他：侥幸没有别的变故。意指尚未遭敌进攻而破败。⑭十许万：大约十万。许，表约数。⑮劫：威逼；用武力控制。⑯厉：同"励"，勉励。⑰秣马：喂饱战马。⑱幡旗：泛指旌旗。⑲衔枚：古代行军时士卒衔于口用以禁止喧哗的器具。形状如筷子，横衔口中，两端有带子，系结于颈后。⑳旦：天亮。㉑晡：时辰名，即申时，相当于今十五时至十七时。㉒具以状上：将情况全部呈报朝廷。㉓略：越过。㉔适：恰好。㉕值：遇到。㉖克：战胜。㉗军：驻军；扎营。㉘郭：外城。此言吴汉率军进至成都外城。㉙绵竹：县名，县治在今四川绵竹东南。㉚涪城：涪县城。涪县县治在今四

冬，十一月，臧宫驻军在成都咸阳门。十八日戊寅，公孙述亲自率数万人进攻吴汉，派延岑抵抗臧宫。双方大战，延岑三战三胜，从早晨到中午，官兵没有进食，都很疲劳。吴汉于是派护军高午、唐邯率领精锐士兵数万人攻击公孙述，公孙述的军队大乱；高午直奔敌阵刺杀公孙述，公孙述的胸脯被刺穿落马，他身边的人把他抬进城。公孙述把军队托付给延岑，当天夜里就去世了；第二天，延岑举城归降。二十一日辛巳，吴汉杀了公孙述的妻子儿女，灭了整个公孙家族，还杀了延岑全族，纵兵大肆抢掠，火烧公孙述的宫室。光武帝听到了很生气，指责吴汉，又责备刘尚说："全城归降已经三天，官民顺服，仅孩子、老母就有万余口，突然有一天纵兵放火，听到这消息，令人悲伤至极。你是汉宗室的子孙，又曾经亲历吏职，怎么忍心做这种事！抬头看看天，低头看看地，想一想秦西巴释放小鹿，乐羊吃自己儿子的肉羹，两个人哪一个仁慈呢？你们的所作所为，的确失去斩杀敌将、抚慰百姓的道义！"

川绵阳东北。㉛繁、郫：皆县名。繁县，县治在今四川彭州市西北。郫县，县治在今四川成都市郫都区。㉜欲避权势：此指自己想避开权势之位。㉝积：经过。㉞听上：同意上交。㉟特进：官名，授予列侯中有特殊地位的人，位在三公下；但仅为加官，无实权。㊱奉朝请：加官名，定期参加朝会。汉代退职大臣、将军及皇室、外戚等多以奉朝请名义参加朝会。㊲坐：坐等。㊳穷：指处境困窘。㊴配：分派；调拨。㊵阴：暗地里。㊶具船：准备船只。㊷张堪：字君游，南阳郡宛县人，历任郎中、谒者、蜀郡太守、骑都尉、渔阳太守等职。传见《后汉书》卷三十一。㊸咸阳门：成都城北门名。《后汉书·臧宫传》作"咸门"。㊹戊寅：十一月十八日。㊺奔陈：冲向敌阵。㊻洞：穿透。㊼舆：抬。㊽辛巳：十一月二十一日。㊾夷：杀。㊿族：灭族。51让：责备。52放兵：纵兵。53吏职：官职。此指刘尚曾经担任治理民事的官职。54放麑、啜羹：典出《韩非子·说林上》："孟孙猎得麑，使秦西巴持之归，其母随之而啼。秦西巴弗忍而与之。""乐羊为魏将而攻中山。其子在中山，中山之君烹其子而遗之羹，乐羊坐于幕下而啜之，尽一杯。"麑，小鹿。啜，喝。55良：确实。56吊民：抚慰百姓。

【校记】

［1］北：张敦仁《通鉴刊本识误》以为"北"下脱"为"字。［2］尝更：原作"更尝"。据章钰校，十二行本、乙十一行本、孔天胤本二字皆互乙，今据改。〖按〗《后汉书·公孙述传》亦作"尝更"。

【原文】

初，述征广汉李业[57]为博士，业固称疾不起。述羞不能致，使大鸿胪尹融奉诏命以劫业，"若起则受公侯之位，不起赐以毒酒"。融譬旨[58]曰："方今天下分崩，孰知是非，而以区区之身试于不测之渊[59]乎！朝廷贪慕名德，旷官缺位[60]，于今七年，四时珍御[61]，不以忘君。宜上奉知己，下为子孙，身名俱全，不亦优乎！"业乃叹曰："古人危邦不入，乱邦不居[62]，为此故也。君子见危授命[63]，何乃诱以高位重饵哉！"融曰："宜呼室家计之。"业曰："丈夫断之于心久矣，何妻子之为[64]！"遂饮毒而死。述耻有杀贤之名，遣使吊祠[65]，赙[66]赠百匹，业子翚逃，辞不受。述又聘巴郡谯玄[67]，玄不诣，亦遣使者以毒药劫之。太守自诣玄庐[68]，劝之行，玄曰："保志全高[69]，死亦奚恨[70]！"遂受毒药。玄子瑛泣血叩头于太守，愿奉[71]家钱千万以赎父死，太守为请，述许之。述又征蜀郡王皓、王嘉[72]，恐其不至，先系[73]其妻子，使者谓嘉曰："速装[74]，妻子可全。"对曰："犬马犹识主，况于人乎！"王皓先自刎，以首付使者。述怒，遂诛皓家属。王嘉闻而叹曰："后之哉！"乃对使者伏剑而死。犍为费贻不肯仕述，漆身为癞[75]，阳狂[76]以避之。同郡任永、冯信皆托[77]青盲[78]以辞征命。帝既平蜀，诏赠常少为太常，张隆为光禄勋。谯玄已卒，祠以中牢[79]，敕所在还其家钱，而表李业之闾[80]。征费贻、任永、冯信，会永、信病卒，独贻仕至合浦[81]太守。上以述将程乌、李育有才干，皆擢用之，于是西土咸悦，莫不归心焉。

初，王莽以广汉文齐为益州[82]太守，齐训农[83]治兵[84]，降集群夷，甚得其和。公孙述时，齐固守拒险，遂拘其妻子，许以封侯，齐不降。闻上即位，间道遣使自闻。蜀平，征为镇远将军，封成义侯。

十二月辛卯[85]，扬武将军马成行大司空事。

【语译】

当初，公孙述征召广汉人李业为博士，李业坚称有病不应征聘。公孙述因不能招来李业而感到羞辱，派大鸿胪尹融拿着诏书去威逼李业，“如果应聘，就授予公侯的高位；如果不应聘，就赐予毒酒”。尹融解释旨意说：“现在天下四分五裂，谁知道是非对错，而你却要用小小的身体去试探不测深渊吗！公孙述仰慕你的名声德行，空出官位等待你，到现在已经七年，四季供御用的珍贵食物，没有忘记赐你一份。你应该对上侍奉知己，对下替子孙打算，性命和名声都保全，这不是好事吗！”李业便叹息说：“古人说：不进入有危险的国家，不居住在发生祸乱的国家，就是这个原因。君子在危难关头肯付出生命，为什么要用高官厚禄引诱呢！”尹融说：“你应当喊妻子来商量一下此事。”李业说：“大丈夫心中早有决断了，何必与妻子商量！”于是喝下毒酒而死。公孙述怕落下杀贤的恶名，就派使节吊祭李业，还送去丧礼一百匹绢帛，李业的儿子李翚逃走，拒不接受。公孙述又征聘巴郡人谯玄，谯玄不肯前往，公孙述也派使节用毒药威吓。巴郡太守亲自到谯玄家，劝谯玄动身，谯玄说：“保全高尚的意志节操，死而无憾！”于是接受毒药。谯玄的儿子谯瑛向太守磕头痛哭，希望奉献家产一千万钱以赎父亲的死罪，太守替谯玄求情，公孙述才放过谯玄。公孙述又征蜀郡人王皓、王嘉，生怕他们不来，先拘禁他们的妻儿。使者对王嘉说：“赶快准备行装，妻儿才可保全。”王嘉回答说：“犬马还认得主人，何况是人呢！”王皓先割颈自杀，让人把他的头交给使者。公孙述发怒，便杀了王皓家属。王嘉听说后叹息说：“我落后了！”便面对使者以剑自杀。犍为郡人费贻不肯做公孙述的官，用漆涂身长满癞疮，装疯卖傻躲避公孙述。同郡人任永、冯信都假托患了青光眼，用来推辞征召。光武帝平定蜀郡以后，下诏追赠常少为太常，张隆为光禄勋。谯玄已死，就用少牢的祭品祭祀谯玄，命令所在地方官府还给他家一千万钱，在李业的里门刻石，表彰他的道德气节。征召费贻、任永、冯信，恰巧任永、冯信病逝，只剩费贻一人，官至合浦郡太守。光武帝因为公孙述的将领程乌、李育有才干，都提拔任用，蜀地上下都很高兴，无不心向光武帝。

当初，王莽任命广汉人文齐为益州太守，文齐劝导农耕，训练军队，招降各部夷族，益州很安定和谐。公孙述称帝时，文齐坚守益州，占据险要对抗公孙述，公孙述拘禁文齐的妻子儿女，许诺封文齐为侯，文齐不投降。听说光武帝即位，就派使者走小路去洛阳上奏情况。蜀地平定后，光武帝征召文齐为镇远将军，封成义侯。

十二月初一日辛卯，任命扬武将军马成代理大司空。

【段旨】

以上为第二段，写蜀中士大夫高风亮节，不与公孙述合作，宁死不仕。光武帝兴汉征聘蜀中贤士，民心归附。

【注释】

㊼李业（？至公元三六年）：字巨游，广汉郡梓潼县（今四川梓潼）人，汉平帝时曾为郎官。王莽时辞官家居。公孙述欲征为博士，遂以死拒。传见《后汉书》卷八十一。㊽譬旨：解说旨意使之知晓。㊾不测之渊：深渊。此喻指危险的境地。㊿旷官缺位：空着官职之位。(61)珍御：供御用的珍贵食物。(62)危邦不入二句：语出《论语·泰伯》载孔子之言，"笃信好学，守死善道。危邦不入，乱邦不居。天下有道则见，无道则隐。邦有道，贫且贱焉，耻也；邦无道，富且贵焉，耻也"。(63)见危授命：语出《论

【原文】

是岁，参狼羌(86)与诸种(87)寇武都，陇西太守马援击破之，降者万余人，于是陇右清静。援务(88)开(89)恩信，宽以待下，任吏以职，但总大体(90)，而宾客故人日满其门。诸曹(91)时白(92)外事，援辄曰："此丞、掾(93)之任，何足相烦！颇哀老子(94)，使得遨游(95)，若大姓(96)侵小民，黠吏(97)不从令，此乃太守事耳。"傍县尝有报仇者，吏民惊言羌反，百姓奔入城，狄道(98)长诣门，请闭城发兵。援时与宾客饮，大笑曰："虏何敢复犯我！晓(99)狄道长，归守寺舍(100)。良怖急者，可床下伏！"后稍(101)定，郡中服(102)之。

诏："边吏力不足战则守，追虏料敌(103)，不拘以逗留法(104)。"

山桑节侯王常、牟平烈侯耿况、东光成侯耿纯皆薨。况疾病(105)，乘舆数自临幸，复以弇弟广、举并为中郎将。弇兄弟六人(106)，皆垂青紫(107)，省侍(108)医药，当世以为荣。

卢芳与匈奴、乌桓连兵，数寇边。帝遣骠骑大将军杜茂等将兵镇守北边，治飞狐道(109)，筑亭障(110)，修烽燧，凡(111)与匈奴、乌桓大小数十百战，终不能克。

语·宪问》。所载孔子之言，意谓遇到危险情况，肯付出生命以维护道义。㊿何妻子之为：何必与妻子商议。65 吊祠：吊祭。66 赙：以财物助办丧事。67 谯玄（？至公元三五年）：字君黄，巴郡阆中县（今四川阆中市）人，西汉末年，历任议郎、太常丞、绣衣使者。王莽时家居不仕。不应公孙述征聘，隐遁乡野。传见《后汉书》卷八十一。68 庐：房舍。69 保志全高：保全高尚的意志节操。70 奚恨：何恨。71 奉：进献。72 王皓、王嘉：汉平帝时，皓为美阳县令，嘉为郎。王莽废汉建新，二人皆弃官归乡。73 系：拘禁。74 速装：意谓赶快准备行装。75 漆身为癞：以漆涂身，使皮肤腐烂生疮。癞，恶疮、麻风。此指形如生恶疮、患麻风病的人。76 阳狂：假装疯癫。77 托：假托。78 青盲：眼病名，俗称青光眼，重者失明。79 中牢：即少牢，谓猪、羊二牲。80 表李业之闾：在李业的里门刻石以表彰其功德。闾，里门。81 合浦：郡名，治所在今广西合浦东北。82 益州：郡名，治所在今云南昆明市晋宁区东北。83 训农：劝导农耕。84 治兵：治军；练兵。85 辛卯：十二月初一日。

【语译】

这一年，参狼羌和其他羌人部落侵犯武都，陇西郡太守马援击败羌人，投降的有一万余人，从此陇山以西平静无事。马援致力于展示恩德信义，对待部属宽厚，按职责要求各级官吏，他只总揽大局，宾客故人每天盈门。各部门的郡吏有时向马援报告外面的事情，他总是说："这是丞、掾分内的事情，哪值得麻烦我！要好好可怜我这个老夫，让我能尽情游乐，如果豪族大姓侵犯小民，狡诈的官吏不听从命令，这才是太守该管的事。"邻县曾有人去报仇，有官吏和百姓受惊说羌人反叛，百姓逃进城内，狄道县县长就到郡府衙门，请求关闭城门，发兵征讨。马援当时正和宾客们饮酒，大笑说："羌人怎么敢再来侵犯我！晓谕狄道县县长，回去看好官舍。实在害怕的话，就躲到床底下去！"后来逐渐平静，郡里人都佩服马援。

皇上下诏说："边塞官吏对来犯的敌人，如果兵力不足以战胜它，就防守，应估量敌人的情况再追击，不要受逗留法条文的约束。"

山桑节侯王常、牟平烈侯耿况、东光成侯耿纯都去世。耿况病重时，皇上多次亲临看望，又任命耿弇的弟弟耿广、耿举为中郎将。耿弇兄弟六人，都做高官，探望侍奉医药，满门青紫，当时人们认为很荣耀。

卢芳与匈奴、乌桓的军队联合，多次侵扰边境。光武帝派骠骑大将军杜茂等率军镇守北方边境，整治飞狐通道，修建堡垒、烽燧，总计与匈奴、乌桓大大小小交战数十近百次，终究未能取胜。

【段旨】

以上为第三段，写马援安抚西羌，总大体，不问苛细，成效显著。北境卢芳勾引匈奴、乌桓侵扰，仍未安定。

【注释】

㊅参狼羌：羌族的一支，分布在武都一带，又称武都羌。㊆诸种：指多个羌人种姓或分支。㊇务：致力。㊈开：展示。㊉大体：大要；有关大局的事情。91诸曹：郡置诸曹掾、史，分掌众事。92时白：有时禀报。93丞、掾：丞，郡丞，为郡守副职，协助郡

【原文】

上诏窦融与五郡太守入朝。融等奉诏而行，官属宾客相随，驾乘千余两，马牛羊被野。既至，诣城门，上印绶。诏遣使者还侯印绶，引见，赏赐恩宠，倾动京师。寻拜融冀州牧。又以梁统为太中大夫，姑臧[112]长孔奋[113]为武都郡丞。姑臧在河西最为富饶，天下未定，士多不修检操[114]，居县[115]者不盈数月，辄致丰积。奋在职四年，力行清洁[116]，为众人所笑，以为身处脂膏[117]不能自润[118]。及从融入朝，诸守、令财货[119]连毂[120]，弥竟[121]川泽，唯奋无资，单车就路[122]，帝以是赏之。

帝以睢阳令任延[123]为武威太守，帝亲见，戒之曰："善事上官，无失名誉。"延对曰："臣闻忠臣不和[124]，和臣不忠。履正[125]奉公[126]，臣子之节；上下雷同[127]，非陛下之福。善事上官，臣不敢奉诏[128]。"帝叹息曰："卿言是也！"

【段旨】

以上为第四段，写光武帝召窦融入朝，蒙受殊礼。窦融识时归附，隆贵超过中兴征战功臣，是乱世英雄中最大的赢家。

【注释】

[112]姑臧：县名，县治在今甘肃武威。[113]孔奋：字君鱼，扶风茂陵县人，历任姑臧长、武都郡丞、武都太守等。传见《后汉书》卷三十一。[114]检操：节操。[115]居县：任

守治理一郡政务。掾，诸曹吏员。⑭老子：老年人自称，犹老夫。⑮遨游：游乐。⑯大姓：大族。⑰黠吏：狡诈之吏。⑱狄道：县名，县治在今甘肃临洮。⑲晓：告知使明白。⑩寺舍：官舍。⑪稍：逐渐。⑫服：佩服。⑬料敌：估量、判断敌情。⑭逗留法：汉法，军行逗留畏懦者斩。此言追敌或近或远，根据对敌情的判断而或进或退，不拘泥于军法，而只以能够取胜敌人为目的。⑮疾病：病重。⑯弇兄弟六人：即弇、舒、国、广、举、霸。⑰青紫：指印绶。汉代公、侯之印紫绶，卿、郡守等秩比二千石以上者之印青绶。此以“青紫”借指位居高官显爵。⑱省侍：探望侍奉。⑲飞狐道：道名，在今河北涞源与山西广灵之西，为汉代自今河北中部到达北部边境地区的重要通道。⑩亭障：在边塞要地设置的堡垒。⑪凡：总共。

【语译】

光武帝诏令窦融和五郡太守都入京朝见。窦融等奉诏启程，官属、宾客随行，车驾一千多辆，马牛羊遍野。窦融到达洛阳后，前往城门，奉上印章绶带。光武帝派使节发还窦融的侯爵印章绶带，并接见他，给予隆重的恩宠礼遇和重赏，震动了京城。不久，任命窦融为冀州牧。又任命梁统为太中大夫，姑臧县长孔奋升任武都郡丞。姑臧县在河西各郡中最富饶，在战乱时，士人做官多不修节操，做县令不满几个月，就能积累丰厚的财富。孔奋任职四年，清正廉洁，被众人讥笑，说他身居富裕境地却不知享用。等到跟随窦融入京朝见，各郡太守、县令的财货都是一车接一车，布满山川河谷，唯独孔奋没有钱物，只一辆车子上路，光武帝因此奖励他。

光武帝任命睢阳县令任延做武威郡太守，皇上亲自接见，告诫他说：“好好侍奉长官，不要让名誉受损。”任延回答说：“臣听说忠臣不随声附和，随声附和的臣子就不是忠臣。走正路，一心为公，是臣子的节操；上下官员随声附和，那不是陛下的福分。要臣好好侍奉长官，臣不敢奉行诏令。”光武帝叹息说：“你说得对啊！”

县职。指为县长、令者。⑯力行清洁：一身清廉。力行，身体力行。清洁，清廉。⑰脂膏：喻指富裕的境地。⑱润：滋润，此指享受。⑲财货：财物。⑳毂：车轮的中心部分，有圆孔，用以插轴。此指车。㉑弥竟：布满。㉒就路：上路。㉓任延（公元五至六七年）：字长孙，南阳郡宛县人，历任会稽都尉、九真太守、睢阳令、武威太守、河内太守等。传见《后汉书》卷七十六。㉔和：附和。㉕履正：走正路；躬行正道。㉖奉公：奉行公事而不徇私。㉗雷同：随声附和。㉘奉诏：奉行诏令。

【原文】

十三年（丁酉，公元三七年）

春，正月庚申⑫⑨，大司徒侯霸薨。

戊子⑬⓪，诏曰："郡国献异味⑬①，其令太官⑬②勿复受！远方口实⑬③所以荐宗庙，自如旧制。"时异国有献名马者，日行千里，又进宝剑，价直百金。诏以剑赐骑士，马驾鼓车⑬④。上雅⑬⑤不喜听音乐，手不持珠玉。尝出猎，车驾夜还，上东门⑬⑥候⑬⑦汝南郅恽⑬⑧拒关⑬⑨不开。上令从者见面于门间，恽曰："火明辽远。"遂不受诏。上乃回，从东中门⑭⓪入，明日，恽上书谏曰："昔文王⑭①不敢槃⑭②于游田⑭③，以万民惟正之供⑭④。而陛下远[3]猎山林，夜以继昼，其如社稷宗庙何⑭⑤！"书奏，赐恽布百匹，贬东中门候为参封⑭⑥尉⑭⑦。

二月，遣捕虏将军马武屯虖沱河⑭⑧以备匈奴。

卢芳攻云中，久不下。其将随昱留守九原，欲胁芳来降。芳知之，与十余骑亡入匈奴，其众尽归随昱，昱乃诣阙降。诏拜昱五原太守，封镌胡侯。

朱祐奏："古者⑭⑨人臣受封，不加王爵。"丙辰⑮⓪，诏长沙王兴、真定王得、河间王邵、中山王茂皆降爵为侯⑮①。丁巳⑮②，以赵王良为赵公，太原王章为齐公，鲁王兴为鲁公。是时，宗室及绝国⑮③封侯者凡一百三十七人。富平侯张纯⑮④，安世⑮⑤之四世孙⑮⑥也，历王莽世，以敦谨⑮⑦守约保全前封；建武初，先来诣阙，为侯如故。于是有司奏："列侯非宗室不宜复国⑮⑧。"上曰："张纯宿卫十有余年，其勿废！"更封武始侯，食富平之半。

庚午⑮⑨，以绍嘉公孔安为宋公⑯⓪，承休公姬常为卫公⑯①。

三月辛未⑯②，以沛郡太守韩歆为大司徒。

丙子⑯③，行大司空马成复为扬武将军。

吴汉自蜀振旅而还，至宛，诏过家上冢，赐谷二万斛；夏，四月，至京师。于是大飨将士，功臣增邑更封凡三百六十五人，其外戚、恩泽⑯④封者四十五人。定封⑯⑤邓禹为高密侯，食四县；李通为固始侯、贾复为胶东侯，食六县；余各有差。已殁者益封其子孙，或更封支庶⑯⑥。

【语译】

十三年（丁酉，公元三七年）

春，正月初一日庚申，大司徒侯霸去世。

正月二十九日戊子，光武帝下诏令说："各郡、国进献的奇异美味，太官不要再接受。远方的食品，凡是用来祭祀宗庙的，自应按照惯例执行。"当时，有外国进献名马，日行千里，又进献了宝剑，价值百金。诏令把宝剑赐给骑士，名马用来驾皇家仪仗用的鼓车。皇上平素不喜听音乐，手不执珠玉，曾外出打猎，深夜才回城，上东门候汝南人郅恽关闭城门，不肯打开。光武帝命随从在门缝和郅恽相见，郅恽说："看不清是谁。"仍拒绝诏令开城门。光武帝只好回转，从东中门进城。第二天，郅恽上书谏阻说："从前周文王不敢游猎寻乐，因为耗费天下万民供奉的赋税，而陛下却到很远的山林中打猎，夜以继日，这对国家、宗庙有什么好处呢！"奏书呈上，皇上赏赐郅恽一百匹布，把东中门候贬为参封县尉。

二月，派捕虏将军马武驻屯虖沱河以防备匈奴。

卢芳进攻云中郡，久攻不下。他的将领随昱留守在九原郡，想挟持卢芳前来投降东汉。卢芳得知后，就和十余名骑兵逃入匈奴，卢芳的部下全都归附随昱，随昱就到洛阳归降。光武帝下诏任命随昱为五原郡太守，封为镌胡侯。

朱祜上奏："古代臣子受到封赏，不加封王爵。"二月二十七日丙辰，诏令长沙王刘兴、真定王刘得、河间王刘邵、中山王刘茂都降封为侯爵。二十八日丁巳，改封赵王刘良为赵公，太原王刘章为齐公，鲁王刘兴为鲁公。这时，刘氏宗室以及绝嗣的封国而得封侯的共一百三十七人。富平侯张纯是张安世的第四代孙子，经历王莽时代，因敦厚谨慎、勤俭节约而保持爵位；建武初年，张纯首先来到皇上殿庭，所以侯爵照旧。这时，主管部门上奏："列侯不是刘氏宗室，不应该恢复封国。"光武帝说："张纯守卫宫廷十余年，不要废除！"改封为武始侯，以富平县的一半做封地。

庚午日，下诏改封绍嘉公孔安为宋公，又改封承休公姬常为卫公。

三月十二日辛未，任命沛郡太守韩歆为大司徒。

十七日丙子，代理大司空马成重新被任命为扬武将军。

吴汉从蜀地整顿部队回朝，到达宛县，诏令他回家祭祀祖坟，赐谷二万斛；夏，四月，吴汉回到京师。于是光武帝设宴犒赏将士，增加食邑更改封号的功臣，共三百六十五人，其中以外戚、恩泽受封的有四十五人。确定封邓禹为高密侯，以四个县做封邑；李通为固始侯、贾复为胶东侯，以六个县做封邑；其他封爵的土地各有等差。已死者加封他们的子孙，或改封庶子。

帝在兵间久，厌武事，且知天下疲耗[167]，思乐息肩[168]，自陇、蜀平后，非警急，未尝复言军旅。皇太子[169]尝问攻战之事，帝曰："昔卫灵公问陈[170]，孔子不对，此非尔所及[171]。"邓禹、贾复知帝偃干戈[172]，修文德，不欲功臣拥众[173]京师，乃去[174]甲兵，敦[175]儒学。帝亦思念，欲完[176]功臣爵土，不令以吏职为过[177]，遂罢左、右将军官。耿弇等亦上大将军、将军印绶，皆以列侯就第，加位特进，奉朝请。

邓禹内行[178]淳备[179]，有子十三人，各使守一艺，修整闺门，教养子孙，皆可以为后世法，资用国邑[180]，不修产利[181]。

贾复为人刚毅方直，多大节，既还私第，阖门[182]养威重[183]。朱祜等荐复宜为宰相，帝方以吏事责三公，故功臣并不用。是时，列侯唯高密、固始、胶东三侯与公卿参议国家大事，恩遇甚厚。帝虽制御[184]功臣，而每[185]能回容[186]，宥[187]其小失。远方贡珍甘[188]，必先遍赐诸侯，而太官无余，故皆保其福禄，无诛谴者。

益州传送公孙述瞽师[189]、郊庙乐器、葆车[190]、舆辇[191]，于是法物[192]始备。时兵革既息，天下少事，文书[193]调役[194]，务从简寡，至乃十存一焉。

甲寅[195]，以冀州牧窦融为大司空。融自以非旧臣，一旦入朝，在功臣之右[196]，每朝[4]会进见，容貌辞气，卑恭[197]已甚，帝以此愈亲厚之。融小心，久不自安，数辞爵位，上疏曰："臣融有子，朝夕教导以经艺，不令观天文，见谶记，诚欲令恭肃[198]畏事[199]，恂恂[200]守道，不愿其有才能，何况乃当传以连城广土，享故诸侯王国哉！"因复请间求见，帝不许。后朝罢，逡巡[201]席后，帝知欲有让，遂使左右传出[202]。他日会见，迎诏融曰："日者[203]知公欲让职还土，故命公暑热且自便。今相见，宜论他事，勿得复言。"融不[5]敢重陈请。

五月，匈奴寇河东。

【段旨】

以上为第五段，写光武帝奖励直臣，保护功臣，开创功臣不任职事，避免犯过的先例。窦融为大司空，优礼有加，因窦融不是开国功臣，又极谦恭，特用之为朝臣榜样。

光武帝久经战阵，讨厌战争，而且知道百姓疲困损耗，乐意休养生息，自从陇西郡、蜀郡平定之后，不是紧急警报，不再提及军事。皇太子刘强曾问打仗之事，光武帝说：“从前卫灵公曾向孔子询问战阵之事，孔子不回答，这不是你应该考虑的。”邓禹、贾复知道皇上想停止战争，实施礼乐统治，不愿功臣拥兵京师，便放弃军权，崇尚儒家学说。光武帝也想保全功臣们的爵位食邑，不让他们因担任官职而犯错，就撤销左、右将军的官职。耿弇等也交出大将军、将军印章绶带，都以列侯的身份回到自己的府第，皇上加封他们特进之位，准予参与朝会。

邓禹平时居家操行淳美无缺，有十三个儿子，使他们各自掌握一艺，管理好家务，教养子孙，为后代树立榜样。所有用度都取自封邑，不治产业。

贾复为人刚毅正直、看重大节，回到府第后，闭门修养威严厚重的德行。朱祐等推荐贾复任宰相，光武帝正以官吏职守向三公问责，所以功臣一律不用，以免问责。这时，列侯中只有高密侯邓禹、固始侯李通、胶东侯贾复三人和公卿们参与朝议国家大事，享有特别丰厚的待遇。光武帝虽然控制有功之臣，但常常曲法宽容，宽恕他们的小过失。远方进献珍奇美味，一定先赏赐所有诸侯，而太官却没有剩余的，所以各功臣诸侯都保全了他们的福泽爵禄，没有被诛杀或贬谪的。

益州郡把公孙述的盲乐师、郊庙乐器、用羽毛做车盖的车，以及皇帝乘的专车，全部送到洛阳，于是朝廷的仪仗用具与祭祀器物齐备。当时战争已经停止，天下少事，各种文书，征调差役，都力求从简从少，以至只占从前的十分之一。

四月二十六日甲寅，任命冀州牧窦融为大司空。窦融自知不是刘秀的旧臣，一旦入朝当官，官位还在功臣的上面，因此每次朝会晋见，面色语气，极为谦卑恭敬，光武帝因此更加亲近厚待他。窦融小心谨慎，长期内心不安，屡次请求辞去官职和爵位，上奏说：“臣有儿子，早晚用经典教导他，不准观天文，看图谶传记，真心想使他恭敬严肃，诚敬做事，温顺恭谨，坚守原则，不希望他有才能，更何况要继承广大的连城封邑，享受继承的诸侯王国呢！”窦融上奏后又多次要求单独晋见，光武帝不同意。后来有一次朝会完毕，窦融在座席的后面迟疑徘徊，光武帝知道他要谈辞官还乡之事，就命身边的人传旨窦融出宫。过后有一天光武帝见到窦融，迎面对他说：“往日朕知道你想辞官回乡，所以命令你，天气太热，暂且出去，随意方便。今天见面，应该说些其他事情，不要再提辞职的事了。”窦融不敢陈辞请求。

五月，匈奴侵扰河东郡。

【注释】

⑫⑨庚申：正月初一日。⑬⓪戊子：正月二十九日。⑬①异味：奇异美味。⑬②太官：官名，属少府，执掌帝后饮食。⑬③口实：指食品。⑬④鼓车：载鼓之车。古代皇帝外出时的仪仗之一。⑬⑤雅：平素。⑬⑥上东门：洛阳城东面北头门。⑬⑦候：官名，洛阳城四面，每面三门，共十二门，每门置候一人掌管。⑬⑧郅恽：字君章，汝南郡西平县（今河南西平西）人，历任洛阳上东门候、长沙太守等。传见《后汉书》卷二十九。⑬⑨拒关：闭门。⑭⓪东中门：洛阳城东面中门。⑭①文王：指周文王。⑭②槃：同“盘”，快乐。⑭③游田：游玩打猎。田，通“畋”。⑭④惟正之供：这是一个宾语前置的句式，即“惟供正”。此言周文王不敢用民众所供赋税游猎玩乐。正，通“征”，赋税。供，进献。⑭⑤如社稷宗庙何：如何对待社稷宗庙呢。⑭⑥参封：县名，西汉属琅邪郡，东汉省。其地不详。⑭⑦尉：官名，县尉执掌军事，负责维持治安。⑭⑧虖沱河：即滹沱河。⑭⑨古者：指秦代前。⑮⓪丙辰：二月二十七日。⑮①诏长沙王兴句：胡注，“但封长沙、真定、河间、中山者，与帝同出于景帝也。长沙，舂陵之大宗；真定，常山王宪之后改封者。今复降爵为侯，以服属已疏也”。⑮②丁巳：二月二十八日。⑮③绝国：绝嗣的封国。⑮④张纯（？至公元五六年）：字伯仁，京兆杜陵县人，历任太中大夫、五官中郎将、太仆、大司空等。初袭前封为富平侯，后更封武始侯。传见《后汉书》卷三十五。⑮⑤安世：张安世（？至公元前六二年），字子孺，汉武帝时名臣张汤之子。仕武、昭、宣三帝，官至大司马车骑将军，领尚书事，封富平侯。传附《汉书》卷五十九《张汤传》。⑮⑥四世孙：据《汉书》，安世为纯曾祖之祖，自安世至纯共六世。《后汉书》云安世为纯之高祖父，此据《后汉书》云纯为安世之四世孙，比《汉书》所载世系少一世。⑮⑦敦谨：敦厚谨慎。⑮⑧复国：指恢复西汉时的封国。⑮⑨庚午：二月庚寅朔，无庚午日。丁巳后为戊午。本月为改定爵号，三下诏书。第一、二两次为前后日；若第三次与第二次也是前后日，则“庚午”当为“戊午”，即二月二十九日。⑯⓪以绍嘉公孔安为宋公：汉成帝绥和元年（公元前八年）封殷

【原文】

十四年（戊戌，公元三八年）

夏，邛谷王任贵遣使上三年计[204]，即授越巂太守。

秋，会稽大疫。

莎车王[6]贤、鄯善[205]王安皆遣使奉献。西域苦匈奴重敛，皆愿属汉，复置都护，上以中国新定，不许。

太中大夫梁统上疏曰：“臣窃见元帝初元五年，轻[206]殊死[207]刑

后孔吉为殷绍嘉公，平帝元始四年（公元四年）改称宋公。光武帝建武五年（公元二九年）封孔吉后裔孔安为殷绍嘉公，今又改称宋公。⑯承休公姬常为卫公：汉武帝元鼎四年（公元前一一三年）封周后姬嘉为周子南君，元帝初元五年（公元前四四年）改称周承休侯，成帝绥和元年晋爵为公，平帝元始四年改称郑公。光武帝建武二年（公元二六年）封姬嘉后裔姬常为周承休公，今改称卫公。⑯辛未：三月十二日。⑯丙子：三月十七日。⑯恩泽：帝王或朝廷给予的恩惠。⑯定封：确定爵位、封地。⑯支庶：嫡子以外的旁支。⑯疲耗：困顿损耗。⑯息肩：谓休养生息。⑯皇太子：指刘强（公元二五至五八年），郭皇后生。建武二年立为皇太子；十九年（公元一九年）废，封为东海王。⑰卫灵公问陈：《论语·卫灵公》，"卫灵公问陈于孔子。孔子对曰：'俎豆之事，则尝闻之矣；军旅之事，未之学也'"。陈，通"阵"。⑰非尔所及：不是你应该考虑的。⑰偃干戈：停息用武。⑰拥众：拥有军队。⑰去：抛弃。⑰敦：崇尚。⑰完：保全。此言不使功臣因犯过失而丧失爵位、封地。⑰以吏职为过：因担任官职在治理政事中出现过失。⑰内行：平日家居的操行。⑰淳备：谓纯美无缺。⑱资用国邑：此言用度皆取资于封地的收入。国邑，指诸侯的封地。⑱产利：产业。⑱阖门：闭门。⑱威重：威严厚重的德行。⑱制御：控制。⑱每：常常。⑱回容：曲法宽容。⑱宥：宽恕。⑱珍甘：指珍奇甘美的食品。⑱瞽师：盲乐师。⑲葆车：用羽毛作车盖的车。⑲舆辇：天子乘坐的车。⑲法物：帝王用于仪仗、祭祀的器物。⑲文书：公文。⑲调役：征发徭役。⑲甲寅：四月二十六日。⑲右：上。⑲卑恭：谦卑恭敬。⑲恭肃：恭敬严肃。⑲畏事：指诚敬做事。⑳恂恂：温顺恭谨的样子。⑳逡巡：迟疑徘徊，欲行又止。⑳传出：传旨使出。⑳日者：往日。

【校记】

［3］远：据章钰校，孔天胤本作"游"。［4］朝：据章钰校，十二行本、乙十一行本皆作"召"。［5］不：据章钰校，十二行本、孔天胤本此上皆有"乃"字。

【语译】

十四年（戊戌，公元三八年）

夏，邛谷王任贵遣使上报三年的治理情况，当即任命为越嶲太守。

秋，会稽郡发生瘟疫。

莎车王贤、鄯善王安都遣使奉献。西域各国苦于匈奴沉重的税敛，都希望归属东汉，重新设置都护，光武帝因为中国刚刚安定，没有准许。

太中大夫梁统上书说："臣看到汉元帝初元五年，减轻殊死判决的有三十四件，

三十四事，哀帝建平元年，轻殊死刑八十一事，其四十二事手杀人者，减死一等。自是之后，著[208]为常准[209]，故人轻[210]犯法，吏易[211]杀人。臣闻立君之道，仁义为主，仁者爱人，义者正理[212]。爱人以除残为务[213]，正理以去乱为心；刑罚在衷[214]，无取于轻。高帝受命，约令[215]定律[216]，诚得其宜，文帝唯除省肉刑、相坐之法[217]，自余皆率由旧章[218]，至哀、平继体[219]，即位日浅[220]，听断尚寡[221]。丞相王嘉轻[222]为穿凿[223]，亏除[224]先帝旧约成律，数年之间百有余事，或不便于理[225]，或不厌[226]民心，谨表[227]其尤害于体[228]者，傅奏[229]于左[230]。愿陛下宣诏有司，详择其善，定不易之典！”事下公卿。光禄勋杜林奏曰：“大汉初兴，蠲除[231]苛政，海内欢欣；及至其后，渐以滋章[232]。果桃菜茹[233]之馈，集以成赃，小事无妨于义，以为大戮。至于法不能禁，令不能止，上下相遁[234]，为敝弥深。臣愚以为宜如旧制，不合[235]翻移[236]。”统复上言曰：“臣之所奏，非曰严刑。《经》曰：‘爰制百姓，于刑之衷[237]。’衷之为言，不轻不重之谓也。自高祖至于孝宣，海内称治。至初元、建平而盗贼浸多[238]，皆刑罚不衷，愚人易犯之所致也。由此观之，则刑轻之作，反生大患，惠加奸轨[239]，而害及良善也！”事寝[240]，不报[241]。

【段旨】

以上为第六段，写光武帝君臣讨论法制建设，梁统建言适量加重死刑的奏议被搁置。

【注释】

[204]上三年计：呈报三年的治理情况。战国、秦、汉时期，地方官于年终将境内户口、赋税、盗贼、狱讼等项编造计簿，遣吏逐级上报，奏呈朝廷，借以考核政绩，谓之上计。[205]鄯善：西域国名，本名“楼兰”。位于西域东部，在今新疆若羌一带。[206]轻：减轻。[207]殊死：死刑之一。汉代死刑，根据施刑对象、手段和尸体处理方法的不同，分为夷三族、殊死、枭首、腰斩、弃市等几种。[208]著：确定。[209]常准：定法。[210]轻：轻视。[211]易：轻易。[212]正理：端正事理。[213]务：事。[214]衷：适当。[215]约令：简省法令。汉

汉哀帝建平元年，减轻殊死判决的有八十一件，其中四十二件是亲手杀人，作减刑一等免死。从此以后，被确定为正常法条，所以人民轻视犯法，官吏轻易杀人。臣听说选立君主的正道是以仁义为主要标准，仁是爱人，义是端正事理。爱人以消除残暴为事，端正事理就要把除去祸乱放在心上；刑罚的设立在于适中，不是无原则地减轻。汉高祖受命建国，简化法令，制定律条，恰到好处，汉文帝只是除去肉刑和连坐律的法令，其余都遵循旧制。到了汉哀帝、平帝继位，由于在位时间短暂，听事决断较少。丞相王嘉轻率牵强附会，删减先帝旧有法令法规，几年之间就减除一百余条，有的不便于治理，有的不合民意，臣谨表述其中对国家政体特别有害的陈奏在后边。希望陛下诏令主管部门，选择其中好的，制定成永久的法典！”光武帝把梁统的奏章交给公卿讨论。光禄勋杜林奏报说：“汉朝最初兴起，废除苛政，天下百姓高兴；到后世，法令增多。馈送果桃蔬菜，累积起来判为贪赃，不损害大义的小事，也要处以死刑。以至于有法不能禁，有令不能止，上下互相回避，积弊越来越深。臣认为应当按照旧制，不该更改。”梁统再次上奏说：“臣所上奏的，并不是说要使用严酷的刑法。《尚书》上说：‘要治理好百官，刑法就要适中。’适中的意思，即轻重合适。从汉高祖到汉宣帝，天下太平。到了汉元帝、汉哀帝时，盗贼逐渐增多，这都是由于刑法不适中，愚人轻易犯法造成的。由此看来，刑法过轻，反而产生大祸，对违法作乱的人施加恩惠，便祸害到善良的人！”这件事被光武帝搁置，没有批复。

高祖刘邦率军入关灭秦，与秦父老约法三章：“杀人者死，伤人及盗抵罪。”216 定律：制定法律。汉高祖刘邦时期，命相国萧何参酌秦律合于时者，定律九章，史称《九章律》。217 文帝唯除省肉刑、相坐之法：汉文帝二年（公元前一七八年）除相坐法，十三年（公元前一六七年）除肉刑。218 率由旧章：遵循、沿用旧制。219 继体：继位。220 日浅：日短；日子不长。221 听断尚寡：听事决断的事情不多。谓办事少，缺经验。222 轻：轻率，态度不严肃认真。223 穿凿：牵强附会。224 亏除：删减。225 理：治理。226 厌：合于民意。227 表：表述；述说。228 体：政体。229 傅奏：陈奏。230 左：后。古时由右向左竖行书写，所以“左”指后面。231 蠲除：废除；免除。232 滋章：增多。233 茹：蔬菜的总称。234 遁：回避。235 不合：不该。236 翻移：改变。237 爰制百姓二句：语出《尚书·吕刑》，今本作“士制百姓，于刑之中”。爰，助词，无义。制，控制。百姓，百官。238 浸多：渐多。239 奸轨：即“奸宄”，指违法作乱的人。240 寝：搁置。241 不报：不批复。

【校记】

［6］莎车王：张敦仁《通鉴刊本识误》以为“莎”上脱“冬”字。

【原文】

十五年（己亥，公元三九年）

春，正月辛丑㉔²，大司徒韩歆免。歆好直言，无隐讳，帝每不能容。歆于上前证岁将饥凶，指天画地，言甚刚切，故坐免归田里。帝犹不释，复遣使宣诏责之；歆及子婴㉔³皆自杀。歆素有重名㉔⁴，死非其罪，众多不厌㉔⁵，帝乃追赐钱谷，以成礼㉔⁶葬之。

臣光曰："昔高宗[247]命说[248]曰：'若药弗瞑眩[249]，厥疾弗瘳。'夫切直之言，非人臣之利，乃国家之福也。是以人君日[7]夜求之，唯惧弗得闻。惜乎，以光武之世而韩歆用直谏死，岂不为仁明之累[250]哉！"

丁未[251]，有星孛[252]于昴[253]。

以汝南太守欧阳歙[254]为大司徒。

匈奴寇钞日盛，州郡不能禁。二月，遣吴汉率马成、马武等北击匈奴，徙雁门、代郡、上谷吏民六万余口置居庸[255]、常山关[256]以东，以避胡寇。匈奴左部遂复转居塞内，朝廷患之，增缘边兵，部[257]数千人。

夏，四月丁巳[258]，封皇子辅[259]为右翊公，英[260]为楚公，阳[261]为东海公，康[262]为济南公，苍[263]为东平公，延[264]为淮阳公，荆[265]为山阳公，衡[266]为临淮公，焉[267]为左翊公，京[268]为琅邪公。癸丑[269]，追谥兄缜为齐武公，兄仲为鲁哀公。帝感缜功业不就，抚育二子章、兴，恩爱甚笃。以其少贵[270]，欲令亲[271]吏事[272]，使章试守[273]平阴[274]令，兴缑氏令；其后章迁梁郡太守，兴迁弘农太守。

帝以天下垦田多不以实自占[275]，又户口、年纪互有增减，乃诏下州郡检核[276]。于是刺史、太守多为诈巧[277]，苟以度田[278]为名，聚民田中，并度庐屋、里落[279]，民遮道啼呼。或[280]优饶[281]豪右[282]，侵刻[283]羸弱[284]。

时诸郡各遣使奏事，帝见陈留吏牍[285]上有书[286]，视之云："颍川、弘农可问，河南、南阳不可问。"帝诘吏由趣[287]，吏不肯服，抵言[288]"于

【语译】

十五年（己亥，公元三九年）

春，正月二十三日辛丑，大司徒韩歆被免职。韩歆性好直言，没有什么隐讳，光武帝经常不能容忍。韩歆当着光武帝的面论证今年将出现饥荒，指天画地，言辞十分直切，所以被免职回乡。光武帝还不释怀，又派遣使臣传旨斥责韩歆；韩歆及儿子韩婴都自杀。韩歆一向有大名声，死非其罪，很多人不服，光武帝就追赠钱谷，按正规的礼仪安葬他。

司马光说："从前商王武丁对宰相傅说说：'如果吃了药不头晕目眩，疾病就不能痊愈。'严厉直率的话，对臣子不利，却是国家之福。因此国君要日夜求得直言，唯恐听不到。可惜啊，在汉光武时代韩歆却因直言进谏而死，难道不是有损于仁德圣明吗！"

正月二十九日丁未，彗星出现在昴宿星区。

任命汝南太守欧阳歙为大司徒。

匈奴侵扰边塞越来越厉害，州、郡不能阻止。二月，朝廷派遣吴汉率领马成、马武等北上攻打匈奴，把雁门郡、代郡、上谷郡的官民六万余人迁到居庸关、常山关以东的地方，避开匈奴的抢夺。匈奴左部又进入边塞以内居住，朝廷为此忧虑，在边塞增加军队，每支部队数千人。

夏，四月丁巳日，光武帝封皇子刘辅为右翊公，刘英为楚公，刘阳为东海公，刘康为济南公，刘苍为东平公，刘延为淮阳公，刘荆为山阳公，刘衡为临淮公，刘焉为左翊公，刘京为琅邪公。初七日癸丑，光武帝追谥皇兄刘縯为齐武公，刘仲为鲁哀公。光武帝感叹刘縯的功业未成，抚育刘縯的两个儿子刘章、刘兴，恩惠宠爱有加。因为两兄弟从小娇贵，想让他们亲身接触吏事，就派刘章暂时代理平阴县令，刘兴代理缑氏县令；后来，刘章升为梁郡太守，刘兴升为弘农郡太守。

光武帝因为全国自报的耕地面积很多不真实，户口、年纪也常有增减，就下诏令各州、郡检查核实。刺史、太守多行诈伪机巧，假借丈量田地的名义，把民众集聚到田中，连房屋、村落用地都丈量为耕地面积，民众拦在路上呼号啼哭。有的地方长官宽待富家豪绅，侵害贫弱百姓。

当时各郡派使者到京都奏事，光武帝发现陈留郡呈递的公文木牍上面另写有字，细看上面写的是："颍川、弘农郡可询问，河南、南阳郡不可询问。"光武帝责问陈留郡使者木牍的来源和文字的意思，陈留郡使者欺骗说是"在长寿街上捡的"，光武帝

长寿街[289]上得之”，帝怒。时东海公阳年十二，在幄[290]后言曰：“吏受郡敕[291]，当[292]欲以垦田相方[293]耳。”帝曰：“即[294]如此，何故言河南、南阳不可问？”对曰：“河南帝城，多近臣；南阳帝乡，多近亲。田宅逾制，不可为准。”帝令虎贲将[295]诘问吏，吏乃实首服，如东海公对，上由是益奇爱阳。

遣谒者考实二千石长吏[296]阿枉不平[297]者。冬，十一月甲戌[298]，大司徒歙[299]坐前为汝南太守，度田不实，赃罪[300]千余万，下狱。歙世授《尚书》，八世为博士[301]，诸生[302]守阙[303]为歙求哀[304]者千余人，至有自髡剔[305]者。平原礼震，年十七，求代歙死，帝竟不赦，歙死狱中。

十二月庚午[306]，以关内侯戴涉[307]为大司徒。

卢芳自匈奴复入居高柳。

是岁，骠骑大将军杜茂坐使军吏杀人，免。使扬武将军马成代茂，缮治[308]障塞[309]，十里一候[310]，以备匈奴。使骑都尉张堪领杜茂营，击破匈奴于高柳。拜堪渔阳太守。堪视事八年，匈奴不敢犯塞，劝民耕稼，以致殷富。百姓歌曰：“桑无附枝，麦穗两岐[311][8]。张君为政，乐不可支[312]！”

安平侯盖延薨。

交趾麊泠县[313]雒将[314]女子征侧[315]，甚雄勇，交趾太守苏定以法绳[316]之，征侧忿怨。

【段旨】

以上为第七段，写光武帝检核人口、丈量田土、惩治贪吏，使政治走上轨道。匈奴犯边之害仍未解除。

大怒。当时东海公刘阳只有十二岁，在帷帐后面说："使者是受郡守敕令，该是想打听其他郡丈量耕地的情况，进行比较。"光武帝说："即使如此，为什么说河南、南阳两郡不可询问?"刘阳回答说："河南郡是京师所在地，有很多皇上亲近的臣僚；南阳郡是皇上的故乡，有很多皇亲国戚。这田宅超过规定，不能作为标准。"光武帝命令虎贲中郎将责问使者，使者才从实招来，正如东海公刘阳所说的那样，从此光武帝更珍爱刘阳。

皇上派谒者考核查实徇私不公正的二千石长吏。冬，十一月初一日甲戌，大司徒欧阳歙因以前做汝南郡太守时，犯有丈量土地不实之罪，贪污受贿一千多万，被捕入狱。欧阳歙世代教授《尚书》，八代人都为博士，约有一千多弟子守在宫门替欧阳歙乞求哀怜，甚至有人剃光头发。平原人礼震，十七岁，请求代替欧阳歙去死，光武帝最终没有赦免，欧阳歙死在狱中。

十二月二十七日庚午，任命关内侯戴涉为大司徒。

卢芳从匈奴回来，重新进入国内，盘踞在高柳。

这一年，骠骑大将军杜茂犯下指使军官杀人之罪，被免职。任命扬武将军马成接替杜茂的职务，马成整治边境堡塞，每隔十里设置一个哨所，用来防备匈奴。光武帝又派骑都尉张堪率领杜茂的军队，在高柳县打败匈奴。任命张堪为渔阳郡太守。张堪任职八年，匈奴不敢侵犯边塞，张堪鼓励民众耕稼，以致生活富足。百姓歌唱说："桑树没有附枝，麦子却有两穗。张君当太守，百姓乐不可支!"

安平侯盖延去世。

交趾郡麊泠县雒将的女儿征侧，特别英勇，交趾郡太守苏定用法令约束她，征侧非常怨恨。

【注释】

㉔② 辛丑：正月二十三日。㉔③ 婴：歆子名。㉔④ 重名：大名。㉔⑤ 不厌：不服。㉔⑥ 成礼：规定的礼仪规格。㉔⑦ 高宗：指殷高宗武丁。㉔⑧ 说：指傅说。殷朝人，相传原隐于傅岩之地，武丁访得，举之为相，致使殷朝衰而复兴。于是命之以傅为姓，号傅说。㉔⑨ 瞑眩：头晕目眩。语出伪古文《尚书·说命上》，意谓如果服药后不出现头昏目眩的反应，那病就痊愈不了。这里用以喻指忠直之言虽然听之逆耳，却有利于修德行事。㉕⓪ 累：损失；伤害。㉕① 丁未：正月二十九日。㉕② 星孛：指彗星。孛，指彗星出现时光芒四射的现象。㉕③ 昴：星宿名，二十八宿之一。西方白虎七宿的第四宿，有七颗亮星。古代以天文附会人事，认为彗星主兵，彗星出现预示人间将有战乱；又认为昴星主边兵，一说昴星

主狱事。《后汉书·天文志上》记载了这次"彗星见昴"的天文现象，且对史事多所附会。㉔欧阳歙（？至公元三九年）：字正思，乐安郡千乘县人，其家世传《伏生尚书》。历任河南尹、汝南太守、大司徒等，封夜侯。夜，今山东烟台。后以赃罪下狱死。传见《后汉书》卷七十九上。㉕居庸：关名，其地在今北京市昌平区西北。㉖常山关：关名，其地在今河北涞源南。㉗部：每部。㉘丁巳：四月丁未朔，初七日为癸丑，而丁巳为十一日。这里先丁巳，后癸丑，误。袁宏《后汉纪》"丁巳"作"戊申"，为初二日，当是。㉙辅：刘辅（？至公元八四年），光武子，郭皇后生。建武十五年封右翊公，十七年徙封中山王，二十年徙封沛王。传见《后汉书》卷四十二。㉖英：刘英（？至公元七一年），光武子，许美人生。建武十五年封楚公，十七年晋爵为王。后因谋逆罪自杀。传见《后汉书》卷四十二。㉖阳：刘阳（公元六至七五年），即汉明帝。光武子，阴皇后生。原名阳，建武十九年（公元四三年）立为皇太子，改名庄。继光武帝立，在位十八年（公元五八至七五年）。事见《后汉书》卷二。㉖康：刘康（？至公元九七年），光武子，郭皇后生。建武十五年封济南公，十七年晋爵为王。传见《后汉书》卷四十二。㉖苍：刘苍（？至公元八三年），光武子，阴皇后生。建武十五年封东平公，十七年晋爵为王。苍好经书，有智思。明帝时为骠骑将军，居宰相之位，与公卿议定礼制。传见《后汉书》卷四十二。㉖延：刘延（？至公元八九年），光武子，郭皇后生。建武十五年封淮阳公，十七年晋爵为王。明帝永平十六年（公元七三年）谋反事败露，徙封阜陵王。章帝建初元年（公元七六年）又因谋反罪贬爵为侯，章和元年（公元八七年）又晋爵为王。传见《后汉书》卷四十二。㉖荆：刘荆（？至公元六七年），光武子，阴皇后生。建武十五年封山阳公，十七年晋爵为王。明帝永平元年（公元五八年）徙为广陵王。后因谋逆事败露自杀。传见《后汉书》卷四十二。㉖衡：刘衡（？至公元四一年），光武子，阴皇后生。传见《后汉书》卷四十二。㉖焉：刘焉（？至公元九〇年），光武子，郭皇后生。建武十五年封左翊公，十七年晋爵为王，三十年徙封中山王。传见《后汉书》卷四十二。㉖京：刘京（？至公元八一年），光武子，阴皇后生。建武十五年封琅邪公，十七年晋爵为王。传见《后汉书》卷四十二。㉖癸丑：四月初七日。㉗少贵：年少时即处尊贵之位。㉗亲：亲身接触。㉗吏事：政事。㉗试守：试用；暂时代理。㉗平阴：县名，县治在今河南洛阳市孟津区东北。㉗占：计数上报。㉗检核：检查核实。㉗诈

【原文】

十六年（庚子，公元四〇年）

春，二月，征侧与其妹征贰反，九真[317]、日南[318]、合浦[319]蛮俚[320]皆应之，凡略[321]六十五城，自立为王，都麊泠。交趾刺史及诸太守仅得自守。

巧：诈伪机巧。㉗⑧度田：丈量土地。㉗⑨里落：村落。㉘⓪或：有的。㉘①优饶：宽待。㉘②豪右：豪强大族。㉘③侵刻：侵害。㉘④羸弱：指贫弱无依的百姓。㉘⑤牍：写字用的木板。㉘⑥书：字。㉘⑦由趣：指木牍来源和上面文字的意思。㉘⑧抵言：谎言。㉘⑨长寿街：洛阳城中街名。㉙⓪幄：帷帐，此指幄坐，即垂帐的帝、后座位。㉙①受郡敕：接受郡守的命令。㉙②当：该是。㉙③相方：相比。此言陈留吏该是想求问颍川、弘农二郡的垦田数目来相比较。㉙④即：即使。㉙⑤虎贲将：虎贲中郎将。职官名。㉙⑥长吏：指俸禄多、职位高的官吏。据《汉书·景帝纪》记载，汉代，吏六百石以上，皆称长吏。㉙⑦阿枉不平：阿枉，徇私不正直。不平，不公正。㉙⑧甲戌：十一月初一日。㉙⑨歙：欧阳歙。㉚⓪赃罪：贪污受贿罪。㉚①歙世授《尚书》二句：西汉初年，济南伏生传《尚书》给千乘县欧阳生。自欧阳生至歙八世，皆传授《尚书》，为博士。㉚②诸生：众弟子。㉚③守阙：守候在宫门。㉚④求哀：乞求哀怜。㉚⑤髡剔：剃去头发。剔，通“剃”。㉚⑥庚午：十二月二十七日。㉚⑦戴涉（？至公元四四年）：字叔平，清河郡人，官至大司徒，封关内侯。后因所举人盗金下狱被杀。㉚⑧缮治：整治；修整。㉚⑨障塞：边境险要处戍守的堡垒。㉛⓪候：古“堠”字。边境伺望、侦察敌情的设施，如哨所、土堡。㉛①岐：通“歧”，分支、分岔。蚕月采桑，砍去繁枝，留下特长的枝条，以待来年桑叶生长茂盛；麦子一般是一茎一穗，很少有一茎两穗的。如今桑无附生在主枝上的细小枝条，麦子一茎上端分为两支，长出两个麦穗，所以视为祥瑞。㉛②乐不可支：高兴得不得了。㉛③麊泠县：县名，县治在今越南首都河内西北。㉛④雒将：胡注引《交州外域记》说，“交趾昔未有郡县之时，土地有雒田，民垦食其田，因名为雒民，设雒王、雒侯，主诸郡县。县有雒将，铜印青绶”。㉛⑤征侧：麊泠县雒将之女。建武十六年（公元四〇年）春，与妹征贰起事反汉，攻占六十余城，自立为王。十九年为马援击败，二征被杀。㉛⑥绳：约束。

【校记】

［7］日：据章钰校，十二行本、乙十一行本、孔天胤本皆作“夙”。［8］麦穗两岐：原作“麦秀两岐”。胡三省注云：“麦率一茎一穗，罕有两岐者，故以为瑞。”据章钰校，十二行本、乙十一行本“秀”皆作“穗”，“岐”从“止”。《后汉书·张堪传》作“麦穗两岐”，今据改。

【语译】

十六年（庚子，公元四〇年）

春，二月，征侧和她妹妹征贰造反，九真、日南、合浦的蛮夷俚民全都响应，共攻占了六十五座城，征侧自立为王，建都麊泠县。交趾郡刺史以及各郡太守只能勉强自保。

三月辛丑晦㉜，日有食之。

秋，九月，河南尹张伋及诸郡守十余人皆坐度田不实，下狱死。后上从容谓虎贲中郎将马援曰："吾甚恨前杀守、相多也！"对曰："死得其罪，何多之有！但死者既往，不可复生也！"上大笑。

郡国群盗处处并起，郡县追讨，到则解散，去复屯结㉓，青、徐、幽、冀四州尤甚。冬十月，遣使者下郡国，听㉔群盗自相纠擿㉕，五人共斩一人者，除其罪。吏虽㉖逗留㉗回避故纵㉘者，皆勿问，听以禽讨为效㉙。其牧守令长坐界内有盗贼而不收捕者，又以畏愞捐城㉚委守㉛者，皆不以为负㉜，但取获贼多少为殿最㉝，唯蔽匿㉞者乃罪㉟之。于是更相追捕，贼并解散，徙其魁帅㊱于他郡，赋田㊲受禀㊳，使安生业㊴。自是㊵牛马放牧不收㊶，邑门㊷不闭。

卢芳与闵堪使使请降，帝立芳为代王，堪为代相，赐缯二万匹，因使和集㊸匈奴。芳上疏谢，自陈思望㊹阙庭㊺，诏报㊻芳朝㊼明年正月。

初，匈奴闻汉购求芳，贪得财帛，故遣芳还降。既而芳以自归为功，不称匈奴所遣，单于复㊽耻㊾言其计，故赏遂不行。由是大恨，入寇尤深。

马援奏，宜如旧铸五铢钱，上从之，天下赖其便。

卢芳入朝，南及昌平，有诏止，令更朝㊿明岁。

【段旨】

以上为第八段，写光武帝继续整顿吏治，诛杀贪官污吏，平定因度田引发的叛乱。南方交趾夷人反叛，北边卢芳终于归服。

【注释】

⑰九真：郡名，治所在今越南河内南。⑱日南：郡名，治所在今越南广治。⑲合浦：郡名，治所在今广西合浦。⑳蛮俚：古代少数民族蛮人的别称。㉑凡略：共攻占。㉒辛丑晦：三月三十日。㉓屯结：集结。㉔听：听任；任凭。㉕纠擿：检举揭发。㉖虽：即

三月三十日辛丑，发生日食。

秋，九月，河南尹张伋和其他各郡太守十余人都犯丈量土地不确之罪，关进监狱而死。后来，光武帝闲谈时对虎贲中郎将马援说："我很后悔前些时候杀那么多太守、国相！"马援说："犯死罪而死，怎么能说多呢！再说，人已经死了，活不过来啦！"光武帝大笑。

各郡、国的盗贼到处兴起，郡、县派兵围剿，征讨军队一来，盗贼四散，军队离去，盗贼重又聚集，青、徐、幽、冀四州尤其严重。冬，十月，皇上派遣使臣到各郡、国，宣布听任盗贼相互检举揭发，五人共杀一个人，就免除这五人的罪行。对于那些逗留不前、躲避盗贼、故意放任的官员，一律不追究，听任他们现在讨贼立功。州牧、郡守、县令、长吏在所辖界内有盗贼而未收捕，又因胆小怯懦、放弃城池、放弃职守的，都不认定为罪责，只看现在捕获盗贼的多少核定业绩的优劣，只对隐藏盗贼的人定罪。于是，官府和盗贼都追捕盗贼，成群的盗贼全都解散，把他们的头领迁到其他郡、县，分给田地，赐给粮食，使他们安于生业。从此以后，放牧的牛马晚上不必赶回，村落的城门也不必关闭。

卢芳与他的大将闵堪派遣使者到洛阳请求投降，光武帝封卢芳为代王，任命闵堪为代相，赏赐缯绢两万匹，趁机派卢芳去和睦团结匈奴。卢芳上奏谢恩，陈述自己思念朝廷，盼望能亲自入朝，皇上诏书回复卢芳明年正月进京朝见。

当初，匈奴听说东汉朝廷悬赏缉拿卢芳，匈奴单于贪图钱财绢帛，所以派卢芳回去投降。不久，卢芳因自己主动归服而居功，不提匈奴派遣，单于又羞愧说出是自己的主意，所以匈奴最终没有得到奖励。因此匈奴非常恼恨，进入边境寇掠尤为严重。

马援上奏，应像西汉那样铸造五铢钱，光武帝采纳了这一建议，全国百姓都感到方便。

卢芳入汉朝见，向南到达了昌平，接到诏令停止下来，让他改在明年朝见。

使。㉗逗留：停留不前。㉘故纵：有意放任。㉙效：成绩；效果。㉚捐城：弃城。㉛委守：放弃职守。㉜负：罪责。㉝殿最：优劣；上下。古代考核政绩或军功，下等称为殿，上等称为最。㉞蔽匿：隐藏；藏匿。㉟罪：治罪。㊱魁帅：首领。㊲赋田：分给土地。㊳受禀：受，同"授"，赐给。禀，粮食。㊴生业：职业。㊵自是：从此以后。㊶放牧不收：放牧到野外，晚上不赶回栏厩。㊷邑门：城门。㊸和集：和睦团结。此言使卢芳做与匈奴和睦相处的工作。㊹思望：思念渴望。㊺阙庭：朝廷。㊻报：回答。㊼朝：朝见。㊽复：又。㊾耻：羞愧。㊿更朝：改变朝见时间。

【原文】

十七年（辛丑，公元四一年）

春，正月，赵孝公良薨。初，怀县大姓李子春二孙杀人，怀令赵憙[351]穷治[352]其奸[353]，二孙自杀，收系[354]子春。京师贵戚为请[355]者数十，憙终不听。及良病，上临视[356]之，问所欲言，良曰："素与李子春厚[357]，今犯罪，怀令赵憙欲杀之，愿乞其命。"帝曰："吏奉法律，不可枉[358]也。更道[359]他所欲。"良无复言。既薨，上追思良，乃贳出子春，迁憙为平原太守。

二月乙未晦[360]，日有食之。

夏，四月乙卯[361]，上行幸章陵。五月乙卯[362]，还宫。

六月癸巳[363]，临淮怀公衡薨。

妖贼李广[364]攻没[365]皖城[366]，遣虎贲中郎将马援、骠骑将军段志讨之。秋，九月，破皖城，斩李广。

郭后宠衰，数怀怨怼[367]，上怒之。冬，十月辛巳[368]，废皇后郭氏，立贵人阴氏为皇后。诏曰："异常[369]之事，非国休福[370]，不得上寿称庆[371]。"郅恽言于帝曰："臣闻夫妇之好，父不能得之于子，况臣能得之于君乎！是臣所不敢言。虽然，愿陛下念[372]其可否之计[373]，无令天下有议社稷而已。"帝曰："恽善恕己[374]量主[375]，知我必不有所左右[376]而轻天下也！"帝进郭后子右翊公辅为中山王，以常山郡益中山国，郭后为中山太后；其余九国公皆为王。

甲申[377]，帝幸章陵，修园庙，祠旧宅，观田庐，置酒作乐，赏赐。时宗室诸母因酣悦[378]相与语曰："文叔少时谨信[379]，与人不款曲[380]，唯直柔[381]耳，今乃能如此！"帝闻之，大笑曰："吾治天下，亦欲以柔道[382]行之。"十二月，还自章陵。

是岁，莎车王贤复遣使奉献，请都护；帝赐贤西域都护印绶及车旗、黄金、锦绣。敦煌太守裴遵上言："夷狄不可假[383]以大权，又令诸国失望。"诏书收还都护印绶，更赐贤以汉大将军印绶；其使不肯易，遵迫夺[384]之。贤由是始恨，而犹诈称大都护，移书[385]诸国，诸国悉服属[386]焉。

匈奴、鲜卑[387]、赤山[388]乌桓数连兵入塞，杀略吏民，诏拜襄贲[389]令

【语译】

十七年（辛丑，公元四一年）

春，正月，赵孝公刘良去世。当初，怀县大族李子春的两个孙子杀人，怀县令赵熹彻底查办他们的罪行，两个孙子自杀，拘禁了李子春。在洛阳的皇亲国戚数十人为李子春求情，赵熹始终不答应。等到刘良病重，光武帝亲自前往探望，问他还有什么话要说，刘良说："我一向和李子春交情深厚，如今他犯罪，怀县令赵熹打算杀他，希望饶他一命。"光武帝说："官吏按法律办事，法律是不可以违背的。你再说其他要求。"刘良不再言语。刘良去世后，光武帝追念他，就赦免李子春，迁升赵熹为平原郡太守。

二月二十九日乙未，发生日食。

夏，四月乙卯日，皇上巡幸章陵。五月二十一日乙卯，皇上回到洛阳宫。

六月二十九日癸巳，临淮怀公刘衡去世。

妖贼李广攻占皖城，皇上派虎贲中郎将马援、骠骑将军段志征讨。秋，九月，攻破皖城，杀了李广。

郭皇后失宠，常怀怨望，光武帝很生气。冬，十月十九日辛巳，废皇后郭氏，立贵人阴氏为皇后。诏书说："这不是正常的事，不是国家的福瑞，不准献酒祝贺。"郅恽对光武帝说："臣听说夫妻亲爱，连做父亲的都不能驾驭儿子，何况做臣属的能控制皇上吗！所以，臣不敢说什么。即使这样，臣还是希望陛下想一个可行的办法，不要让天下人议论。"光武帝说："郅恽善于用自己的心揣度君主的心意，知道我一定不会有所向背而轻视天下人的反应！"皇上就封郭皇后的儿子右翊公刘辅为中山王，把常山郡并入中山国，封郭后为中山太后；其余的九位皇子，都从公爵晋封为王。

十月二十二日甲申，光武帝幸临章陵县，修整宗庙，祭祀旧宅，视察田地和房舍，置酒作乐，赏赐宗室。当时宗室的伯母、叔母们趁喝酒高兴相互议论说："刘文叔小时谦恭诚实，不善于应酬，只是坦率温和罢了，他现在竟然能这个样子！"光武帝听了，大笑说："我治理天下，也要施行温和谦顺之道。"十二月，光武帝从章陵县回到洛阳。

这一年，莎车王贤又派遣使者来洛阳奉献珍宝财物，请求设置都护；皇上赐给贤西域都护的印章绶带以及车旗、黄金、锦绣。敦煌郡太守裴遵上书说："对于狄夷部落不能授予大权，给大权将使其他西域各国失望。"于是下诏收回西域都护的印章绶带，改赐贤为东汉大将军的印章绶带；莎车王的使者不肯改换，裴遵强行改换了。莎车王贤从此怨恨东汉，仍然诈称是大都护，致书给西域各国，各国都归顺他。

匈奴、鲜卑、赤山乌桓屡次联合起来侵入边塞，杀戮掠夺官民，光武帝下诏任

祭肜[390]为辽东太守。肜有勇力，虏每犯塞，常为士卒锋[391]，数破走之。肜，遵之从弟[392]也。

征侧等寇乱[393]连年，诏长沙、合浦、交趾具车船，修道桥，通障溪[394]，储粮谷。拜马援为伏波将军，以扶乐侯刘隆为副，南击交趾。

【段旨】

以上为第九段，写豪强大臣勾结皇亲国戚，廉吏惩治豪强，十分艰难。交趾北疆，仍未安宁。光武帝废立皇后，郭后失宠被废，阴贵人入主正宫。

【注释】

㉛赵憙（公元前四至公元八〇年）：字伯阳，南阳郡宛县人，历任怀县令、平原太守、太尉、太傅、录尚书事等，封节乡侯。传见《后汉书》卷二十六。㉜穷治：彻底查办。㉝奸：罪恶。㉞收系：拘禁。㉟为请：替他求情。㊱临视：亲临探视。㊲厚：交情深厚。㊳枉：违背。㊴更道：再说。㊵乙未晦：正月二十九日。㊶乙卯：四月丙寅朔，无乙卯日。㊷乙卯：五月二十一日。㊸癸巳：六月二十九日。㊹李广：其师维汜，妖言称神，被杀。李广声称维汜神化不死，于建武十七年聚众攻占皖城，自称南岳大师。马援击广，广兵败被杀。㊺攻没：攻陷。㊻皖城：皖县城。皖，县名，县治在今安徽潜山。㊼怨怼：怨恨。㊽辛巳：十月十九日。㊾异常：不同于寻常。㊿休福：吉

【原文】

十八年（壬寅，公元四二年）

二月[9]，蜀郡守将史歆反，攻太守张穆，穆逾城走；宕渠[395]杨伟等起兵以应歆。帝遣吴汉等将万余人讨之。

甲寅[396]，上行幸长安。三月，幸蒲坂[397]，祠后土[398]。

马援缘海而进，随山刊道[399]千余里，至浪泊[400]上，与征侧等战，大破之，追至禁溪[401]，贼遂散走。

夏，四月甲戌[402]，车驾还宫。

戊申[403]，上行幸河内。戊子[404]，还宫。

命襄贲县令祭肜为辽东太守。祭肜勇猛有力，每次胡人侵犯边塞，他常是身先士卒，多次打跑敌人。祭肜是祭遵的堂弟。

征侧等人为寇连年作乱，光武帝诏令长沙、合浦、交趾三郡准备车辆船只，修建道路桥梁，打通高山深谷，储备粮食。任命马援为伏波将军，派扶乐侯刘隆为副将，南攻交趾。

庆、福瑞。㊲上寿称庆：献酒道贺。㊳念：考虑。㊴可否之计：指可以做与不可以做的办法。㊵恕己：推己及人。㊶量主：指审度君主的思想。㊷左右：向背。㊸甲申：十月二十二日。㊹酣悦：饮酒而乐。㊺谨信：谦恭诚实。㊻款曲：殷勤应酬。㊼直柔：坦率温和。㊽柔道：温和谦顺之道。㊾假：授予。㊿迫夺：以势威逼而改换。(385)移书：致书；发送公文。(386)服属：服从归属。(387)鲜卑：古族名，东胡族的一支。东胡原居匈奴以东，西汉初年被匈奴冒顿单于击败，一支退居乌桓山（今内蒙古阿鲁科尔沁旗西北），后称乌桓；一支退居鲜卑山（今内蒙古科尔沁右翼中旗西），后称鲜卑。(388)赤山：山名。《后汉书·乌桓传》："死者神灵归赤山。赤山在辽东西北数千里，如中国人死者魂神归岱山也。"(389)襄贲：县名，县治在今山东兰陵县南。(390)祭肜（？至公元四〇年）：字次孙，颍川郡颍阳县人，历任襄贲令、辽东太守、太仆等。传见《后汉书》卷二十。(391)锋：先锋。此言祭肜身先士卒，冲杀在前。(392)从弟：堂弟。(393)寇乱：为寇作乱。(394)通障溪：贯通高山深谷。障，通"嶂"，耸立如屏障的山峰。此言山溪险阻难行，修治道路桥梁以便通行。

【语译】

十八年（壬寅，公元四二年）

二月，蜀郡守将史歆反叛，攻打郡守张穆，张穆翻城墙逃走；宕渠县人杨伟等起兵响应史歆。光武帝派遣吴汉等率军万余人征讨。

甲寅日，光武帝幸临长安。三月，幸临蒲坂，祭祀后土。

马援沿着南海进军，依山开道一千余里，到达浪泊，同征侧等交战，大败征侧，追到禁溪县，征侧部众便逃散了。

夏，四月十五日甲戌，光武帝返回洛阳宫。

戊申日，皇上幸临河内郡。二十九日戊子，返回洛阳宫。

五月，旱。

卢芳自昌平还，内自疑惧，遂复反，与闵堪相攻连月。匈奴遣数百骑迎芳出塞。芳留匈奴中十余年，病死。

吴汉发广汉、巴、蜀三郡兵，围成都百余日。秋，七月，拔之，斩史歆等。汉乃乘桴[405]沿江下巴郡，杨伟等惶恐解散。汉诛其渠帅，徙其党与数百家于南郡、长沙而还。

冬，十月庚辰[406]，上幸宜城；还，祠章陵。十二月，还宫。

是岁，罢州牧，置刺史。

五官中郎将张纯与太仆朱浮奏议："礼，为人子[407]，事大宗，降其私亲[408]。当除今亲庙四[409]，以先帝四庙代之。"大司徒涉[410]等奏"立元、成、哀、平四庙"。上自以昭穆[411]次第[412]，当为元帝后[413]。

【段旨】

以上为第十段，写光武巡幸疆土，建立太宗太庙。马援进兵交趾平叛，卢芳复叛逃入匈奴。

【注释】

㉟宕渠：县名，县治在今四川渠县东北。㊱甲寅：二月辛酉朔，无甲寅日。袁宏《后汉纪》作"壬午"。壬午，二月二十二日。㊲蒲坂：县名，县治在今山西永济西黄河东岸。㊳后土：土地神。㊴刊道：开辟道路。㊵浪泊：交趾郡封溪县地名，其地在今越南河内西北。㊶禁溪：地名，在麊泠县西南。㊷甲戌：四月十五日。㊸戊申：四月

【原文】

十九年（癸卯，公元四三年）

春，正月庚子[414]，追尊宣帝曰中宗。始祠昭帝、元帝于太庙，成帝、哀帝、平帝于长安[415]，舂陵节侯以下于章陵；其长安、章陵，皆太守、令、长侍祠[416]。

五月，大旱。

卢芳从昌平县回去后，自己内心又猜疑又害怕，于是再次反叛，同闵堪互相攻打几个月。匈奴派数百名骑兵把卢芳接到塞外。卢芳留在匈奴，十余年后病死。

吴汉征调广汉、巴、蜀三个郡的兵力，包围成都一百多天。秋，七月，攻占成都，杀了史歆等人。吴汉于是乘着竹木筏顺着江水直达巴郡，杨伟等人恐惧解体。吴汉杀了他们的首领，将他们的党徒数百家迁移到南郡、长沙郡，然后回师。

冬，十月二十四日庚辰，光武帝幸临宜城；返回时，祭祀章陵。十二月，回到洛阳宫。

这一年，废除州牧，改置刺史。

五官中郎将张纯与太仆朱浮上奏建议："按照礼制，既为别人的继承人，就应尊奉大宗，降低自己亲生父母的地位。应当撤除陛下在洛阳立的四座亲庙，用四位西汉先帝庙来代替。"大司徒戴涉等上奏"立元帝、成帝、哀帝、平帝四庙"。光武帝认为依照宗庙中辈分，他自己应当是继元帝之后。

庚申朔，无戊申日。《后汉书·光武帝纪下》殿本《考证》改作"甲申"。甲申，四月二十五日。㊸④ 戊子：四月二十九日。㊸⑤ 桴：小的竹木筏子。㊸⑥ 庚辰：十月二十四日。㊸⑦ 为人子：即为人后。古代宗法制度，庶子立为大宗的继承人，称为人后。㊸⑧ 私亲：自己的亲属。㊸⑨ 亲庙四：建武三年，在洛阳立四亲庙，奉祀父、祖、曾祖、高祖。㊹⓪ 涉：戴涉。㊹① 昭穆：古代宗法制度，宗庙或宗庙中神主的排列次序，始祖居中，以下父子递为昭穆，左为昭，右为穆。㊹② 次第：次序。㊹③ 为元帝后：光武帝为高祖九世孙，元帝为高祖八世孙，光武帝既继大宗，所以当为元帝后，以元帝为父，继元帝而为九世。

【校记】

［9］二月：张敦仁《通鉴刊本识误》以为"二"上脱"春"字。

【语译】

十九年（癸卯，公元四三年）

春，正月十五日庚子，光武帝追尊汉宣帝为中宗。开始在洛阳太庙祭祀昭帝、元帝，在长安祭祀成帝、哀帝、平帝，在章陵县祭祀皇上亲高祖父舂陵节侯刘买以下祖先；那些在长安、章陵两地的宗庙，都由当地太守、县令、县长奉祀。

马援斩征侧、征贰。

妖贼单臣、傅镇[417]等相聚入原武[418]城，自称将军。诏太中大夫臧宫将兵围之，数攻不下，士卒死伤。帝召公卿、诸侯王问方略，皆曰："宜重其购赏。"东海王阳独曰："妖巫相劫，势无久立，其中必有悔欲亡者，但外围急，不得走耳。宜小挺缓[419]，令得逃亡，逃亡，则一亭长足以禽矣。"帝然之，即敕宫彻[420]围缓贼，贼众分散。夏，四月，拔原武，斩臣、镇等。

马援进击征侧余党都阳[421]等，至居风[422]，降之，峤南[423]悉平。援与越人申明旧制以约束之，自后骆越[424]奉行马将军故事。

闰月戊申[425]，进赵、齐、鲁三公爵皆为王。

郭后既废，太子强意不自安。郅恽说太子曰："久处疑位[426]，上违孝道，下近危殆，不如辞位以奉养母氏。"太子从之，数因左右及诸王陈其恳诚[427]，愿备藩国。上不忍，迟回[428]者数岁。六月戊申[429]，诏曰："《春秋》之义，立子以贵[430]。东海王阳，皇后之子，宜承大统。皇太子强，崇执[431]谦退，愿备藩国，父子之情，重[432]久违之。其以强为东海王，立阳为皇太子，改名庄。"

> 袁宏[433]论曰[434]："夫建太子，所以重宗统[435]，一[436]民心也，非有大恶于天下，不可移[437]也。世祖中兴汉业，宜遵正道以为后法[438]。今太子之德未亏[439]于外，内宠既多，嫡子[440]迁位，可谓失矣。然东海归藩，谦恭之心弥亮[441]。明帝[442]承统，友于[443]之情愈笃[444]。虽长幼易位，兴废不同，父子兄弟，至性[445]无间[446]。夫以三代之道处[447]之，亦何以过[448]乎！"

帝以太子舅阴识守执金吾，阴兴为卫尉，皆辅导太子。识性忠厚，入虽极言[449]正议[450]，及与宾客语，未尝及国事。帝敬重之，常指识以敕戒[451]贵戚，激厉左右焉。兴虽礼贤[452]好施，而门无游侠[453]，与同郡张宗[454]、上谷鲜于裒[455]不相好，知其有用[456]，犹称所长而达[457]之。友人张汜、杜禽，与兴厚善[458]，以为华而少实，但[10]私[459]之以财，终不为言[460]，是以世称其忠[461]。

马援杀了征侧、征贰。

妖贼单臣、傅镇等聚众攻入原武县，自称为将军。光武帝诏令太中大夫臧宫率兵围剿，屡次攻城不克，士兵或死或伤。光武帝召集公卿、侯王们询问谋略，大家都说："应重金悬赏捉拿。"唯独东海王刘阳说："妖巫劫掠，势必不能长久，其中一定有后悔造反想逃跑的人，只是城外围攻太紧，未能逃走罢了。应该稍稍放松包围，让他们逃走。妖贼逃亡，那么，一个亭长就可以抓获他们的头领了。"皇上认为说得很对，就下令臧宫撤除包围放松妖贼，妖贼分散逃走。夏，四月，官兵攻陷原武城，杀了单臣、傅镇等。

马援继续进击征侧余党都阳等，到达居风县，都阳等投降，岭南地区全部平定。马援向南越人申明旧有法律来约束他们，从此以后，骆越部落一直奉行马援的有关规定。

闰四月二十五日戊申，晋封赵公刘栩、齐公刘章、鲁公刘兴爵位都为王。

郭皇后被废后，皇太子刘强内心不安。郅恽劝告太子说："长久地处在被猜疑的位置上，上违背孝道，下接近危险，不如辞去太子之位来奉养母亲。"皇太子刘强听从劝说，多次通过父皇身边的人和其他亲王，向父皇陈述诚意，希望退居诸侯国。光武帝于心不忍，犹豫了几年。六月二十六日戊申，光武帝下诏："根据《春秋》大义，册立太子是依据地位尊贵。东海王刘阳，是皇后阴氏的儿子，应继承皇位。皇太子刘强，坚持退让，愿意回到诸侯国，父子之情，很难违背他的意愿。封刘强为东海王，立刘阳为皇太子，改名刘庄。"

袁宏评论说："册立太子，为的是尊重嫡统，统一民心，皇太子没有大的过错闻于天下，不应改变。世祖光武帝复兴汉家大业，应当遵行正道而成为后世的楷模。如今太子的品德对外无所欠缺，对内又多恩宠，像这样的嫡子被改换，可以说是一个错误。然而东海王刘强回到诸侯国，谦让恭敬之心更加显著。明帝继承帝位，兄弟友爱之情更加深厚。虽然长幼改变地位，一兴一废结局不同，而父子兄弟之间，品性卓绝，亲密无间。即使拿夏、商、周三代的道义来衡量，又怎么能超过啊！"

光武帝任命皇太子的舅舅阴识代理执金吾，阴兴为卫尉，一起辅导太子。阴识性情忠厚，上朝时虽直言正议，等到和宾客交谈时，不曾涉及国家大事。光武帝敬重他，常以阴识为榜样而训诫皇亲国戚，激励近臣。阴兴虽然礼待贤士，喜好施与，但宾客中无游侠，阴兴和同郡人张宗、上谷人鲜于裒关系不好，但知道他们是有用的人才，仍然称赞他们的优点而向皇上引荐。阴兴的朋友张汜、杜禽与阴兴友情深厚，阴兴认为这两人华而不实，但只在钱财上私下资助他们，始终不替他们说一句话。因此，世人都赞扬阴兴忠诚无私。

【段旨】

以上为第十一段，写马援平定交趾叛乱，恢复岭南秩序。光武帝立贤不立嫡，平和地废立太子，受到史家的称赞。

【注释】

⑭庚子：正月十五日。⑮成帝、哀帝、平帝于长安：光武帝继大宗，为元帝后，则于成帝为兄弟，哀帝为父辈，平帝为祖辈，所以成、哀、平三帝不入太庙，另于长安建庙奉祀。⑯侍祠：奉祀宗庙。⑰单臣、傅镇：巫师维汜的两个弟子。⑱原武：县名，县治在今河南原阳。⑲挺缓：宽缓；放松。⑳彻：撤除。㉑都阳：《后汉书·马援传》作"都羊"。㉒居风：县名，县治在今越南清化东北。㉓峤南：五岭以南。㉔骆越：古族名，百越之一。㉕戊申：闰四月二十五日。㉖疑位：被猜忌的职位。㉗恳诚：诚恳。㉘迟回：迟疑不决。㉙戊申：六月二十六日。㉚《春秋》之义二句：《公羊传》隐公元年，"立嫡以长不以贤，立子以贵不以长"。㉛崇执：崇尚和坚持。㉜重：难。㉝袁宏（公元三二八至三七六年）：字彦伯，东晋陈郡阳夏县（今河南太康）人，历任桓温府记室、吏部郎、东阳郡太守等。少孤贫，有逸才，文章绝美，撰《后汉纪》三十卷。传

【原文】

上以沛国桓荣[462]为议郎，使授太子经。车驾幸太学，会诸博士论难[463]于前，荣辨明经义，每以礼让相厌[464]，不以辞长胜人，儒者莫之及，特加赏赐。又诏诸生雅歌[465]击磬[466]，尽日乃罢。帝使左中郎将汝南钟兴[467]授皇太子及宗室诸侯《春秋》，赐兴爵关内侯。兴辞以无功，帝曰："生[468]教训太子及诸王侯，非大功耶？"兴曰："臣师少府丁恭。"于是复封恭，而兴遂固辞不受。

陈留董宣[469]为雒阳令。湖阳公主苍头[470]白日杀人，因匿主家，吏不能得。及主出行，以奴骖乘，宣于夏门亭[471]候之，驻车[472]叩马[473]，以刀画地，大言[474]数[475]主之失；叱奴下车，因格杀之。主即还宫诉帝，帝大怒，召宣，欲棰杀[476]之。宣叩头曰："愿乞一言而死。"帝曰："欲何言？"宣曰："陛下圣德中兴，而纵奴杀人，将何以治天下乎？臣不须

见《晋书》卷九十二。㊹ 论曰：袁宏所撰《后汉纪》，是编年体东汉史。有时于记述某一事件之后发表史论，冠以“袁宏曰”。这里所引，见《后汉纪》卷七。㊺ 宗统：宗族嫡系。㊻ 一：统一。㊼ 移：改变。㊽ 后法：后世的榜样。㊾ 亏：欠缺。㊿ 嫡子：正妻所生之子，多指嫡长子。㊶ 弥亮：更加显著。㊷ 明帝：太子刘庄在光武帝之后嗣位，即明帝。㊸ 友于：指兄弟友爱。㊹ 愈笃：更加深厚。㊺ 至性：指天赋的卓绝品性。㊻ 无间：没有隔阂，关系极为亲密。㊼ 处：审度；衡量。㊽ 过：超过。㊾ 极言：直言；竭力陈说。㊿ 正议：公正地议论。㊶ 敕戒：训诫。㊷ 礼贤：以礼敬待贤德之人。㊸ 游侠：指豪爽好结交、轻生重义、勇于排难解纷的人。㊹ 张宗（？至公元五九年）：字诸君，南阳郡鲁阳县（今河南鲁山）人，历任偏将军、河南都尉、琅邪相等。传见《后汉书》卷三十八。㊺ 鲜于裒：王莽末年曾任京兆尹、高唐长。㊻ 有用：指有用的人才。㊼ 达：向人举荐。㊽ 厚善：交情深厚。㊾ 私：私交。㊿ 为言：替他们说话，指举荐他们为官。㊶ 忠：忠诚无私。

【校记】

［10］但：原作“俱”。据章钰校，十二行本、乙十一行本、孔天胤本皆作“但”，今据改。

【语译】

光武帝任命沛国人桓荣为议郎，命他教授太子刘庄经书。光武帝幸临太学，集合众位博士在眼前辩论经学疑义。桓荣辨明经书的精义，总是以礼相待使人心服，而不用激烈的言辞取胜别人，其他儒生没有人赶得上。光武帝特加赏赐。光武帝又命学生们唱《雅》歌，敲乐磬，过了一整天才结束。光武帝命左中郎将汝南人钟兴给皇太子以及宗室诸侯王教授《春秋》，赐钟兴为关内侯。钟兴以自己没有功劳而推辞，光武帝说：“先生教导太子以及各位亲王、列侯，难道不是大功劳吗？”钟兴说：“我是从师于少府丁恭。”于是，光武帝又封丁恭为关内侯，而钟兴便坚决推辞不接受封爵。

陈留县人董宣任洛阳县令。湖阳公主的奴仆白天杀了人，就藏在公主家里，官吏不能逮捕他。等到公主出行，让这位奴仆陪同乘车，董宣在夏门亭等候。董宣截停了公主的车子，勒住了马缰绳，用刀划地，大声指责公主的过失；呵斥奴仆下车，乘机击杀了他。公主立即回宫在光武帝面前告状，光武帝大怒，把董宣招来，要用棍棒把他打死。董宣磕头说：“臣请求说一句话再死。”光武帝说：“想说什么话？”董宣说：“陛下圣明高德复兴汉室，而竟放任家奴杀人，怎能治理天下呢？臣不须用杖

棰，请得自杀！”即以头击楹⑰，流血被⑱面。帝令小黄门⑲持之，使宣叩头谢主，宣不从；强使顿⑳之，宣两手据地㉑，终不肯俯。主曰：“文叔为白衣㉒时，藏亡㉓匿死㉔，吏不敢至门；今为天子，威不能行一令乎？”帝笑曰：“天子不与白衣同！”因敕：“强项令㉕出！”赐钱三十万，宣悉以班㉖诸吏。由是能搏击㉗豪强，京师莫不震栗[11]。

九月壬申㉘，上行幸南阳；进幸汝南南顿县㉙舍，置酒会，赐吏民，复㉚南顿田租一岁。父老前叩头言：“皇考㉛居此日久，陛下识知㉜寺舍㉝，每来辄加厚恩，愿赐复十年。”帝曰：“天下重器㉞，常恐不任㉟，日复一日，安敢远期十岁乎！”吏民又言：“陛下实惜之，何言谦也！”帝大笑，复增一岁。进幸淮阳、梁、沛。

西南夷栋蚕㊱[12]反，杀长吏；诏武威将军刘尚讨之。路由越巂，邛谷王任贵恐尚既定南边，威法必行，己不得自放纵；即聚兵起营，多酿毒酒，欲先劳军，因袭击尚。尚知其谋，即分兵先据㊲邛都㊳，遂掩㊴任贵，诛之。

【段旨】

以上为第十二段，写光武帝重视教育，重奖博士经师，不徇私枉法，奖励强项令董宣。

【注释】

㊾桓荣：字春卿，沛郡龙亢县（今安徽怀远西北）人，研治《欧阳尚书》，讲论授徒。建武十九年（公元四三年），已六十余岁，始召至大司徒府任职。后历任议郎、博士、太子少傅、太常、五更等，封关内侯。明帝永平初年去世。传见《后汉书》卷三十七。463 论难：辩论诘难。464 相厌：使人心服。465 雅歌：歌唱《雅》诗。466 磬：打击乐器。状如曲尺，用玉、石或金属制成。悬挂在架子上，击之而鸣。467 钟兴：字次文，汝南郡汝阳县（今河南周口西南）人，少从丁恭学习《严氏春秋》。历任郎中、左中郎将等。传见《后汉书》卷七十九下。468 生：先生。469 董宣：字少平，陈留郡圉县（今河南杞县南）人，历任北海相、怀县令、江夏太守、洛阳县令等。传见《后汉书》卷七十

打死，让臣自杀吧！”说完就头撞厅堂前部的大柱，鲜血覆盖了面部。光武帝赶快命令小黄门拽住他，光武帝让董宣磕头向公主请罪，董宣不听从；叫人使劲摁住磕头，董宣就用两手撑着地面，始终不肯低头。湖阳公主说：“文叔当平民百姓时，窝藏逃犯、藏匿犯死罪的人，官吏不敢上门来找；现今做了天子，权威却不能行使在一个县令的身上吗？”光武帝笑着说：“天子跟平民不同呀！”接着命令：“强项令出去吧！”光武帝赏钱三十万，董宣都分给了手下官吏。从此他更能打击豪强，京城没有人不恐惧他。

九月二十一日壬申，光武帝幸临南阳郡；又前行幸临汝南郡南顿县官舍，大摆宴席，赏赐官民，免除南顿县田租一年。父老乡亲上前磕头说：“陛下的父亲在这里住了很长时间，陛下熟悉本县的官府衙门，每次亲临本县都给予深厚的恩泽，愿陛下赏赐免除田租十年。”光武帝说：“国家重任，我常担心不能承担，过一天是一天，怎敢预定十年的期限呢！”吏民们又说：“陛下实在是吝惜，为什么说得如此谦恭呢！”光武帝大笑，便又增免一年。光武帝前行，幸临淮阳国、梁国、沛国。

西南夷栋蚕部落反叛，杀死长吏；光武帝诏令武威将军刘尚率军征讨。路经越巂郡，邛谷王任贵怕刘尚平定南边后，法律制度一定会严加执行，自己不能为所欲为；于是聚集军队，建立营垒，酿制很多毒酒，准备用毒酒慰劳刘尚的军队，并趁机偷袭刘尚军。刘尚得知他的阴谋，就先分出一部军队占据邛都县，突袭任贵，杀死了他。

七。⑰⓪苍头：指奴仆。⑰①夏门亭：夏门，洛阳城门名，洛阳城四面，每面三门，每门外有一亭。夏门是洛阳城北面西头门，门外有万寿亭。⑰②驻车：停住车。⑰③叩马：勒住马。⑰④大言：大声。⑰⑤数：责备。⑰⑥棰杀：用棍棒打死。⑰⑦楹：厅堂前部的柱子。⑰⑧被：覆盖。⑰⑨小黄门：官名，宦者充任。执掌侍奉左右，关通内外。⑱⓪顿：以头叩地。⑱①据地：两手按地。⑱②白衣：指平民。⑱③亡：指逃亡者。⑱④死：指犯死罪者。⑱⑤强项令：董宣。董宣执法忠君，刚正耿直，不为湖阳公主屈身低头，所以得到“强项令”的美称。⑱⑥班：分赐。⑱⑦搏击：惩处打击。⑱⑧壬申：九月二十一日。⑱⑨南顿县：县名，县治在今河南项城西。⑲⓪复：免除。⑲①皇考：对亡父的尊称。光武帝的父亲刘钦生前任南顿县令。⑲②识知：知道。⑲③寺舍：官舍。⑲④重器：指社稷、政权。⑲⑤任：胜任。⑲⑥栋蚕：益州郡少数民族首领。王莽时期曾起兵杀郡守。建武十八年（公元四二年），又起兵反叛，杀地方官吏；二十一年，被刘尚击败，被杀。⑲⑦据：占据。⑲⑧邛都：县名，县治在今四川西昌东南。⑲⑨掩：突然袭击。

【校记】

［11］栗：原作“慓”。胡三省注云：“‘慓’当作‘栗’。”据章钰校，十二行本、孔天胤本皆作“栗”，今据改。［12］栋蚕：据章钰校，孔天胤本作“楝蚕”。下同。

【原文】

二十年（甲辰，公元四四年）

春，二月戊子[500]，车驾还宫。

夏，四月庚辰[501]，大司徒戴涉坐入[502]故太仓令[503]奚涉罪，下狱死。帝以三公连职，策免[504]大司空窦融。

广平忠侯吴汉病笃[505]，车驾亲临，问所欲言，对曰：“臣愚，无所知识，惟愿陛下慎无赦而已。”五月辛亥[506]，汉薨；诏送葬如大将军霍光故事[507]。

汉性强力[508]，每从征伐，帝未安，常侧足[509]而立。诸将见战陈不利，或多惶惧，失其常度[510]，汉意气自若，方整厉[511]器械，激扬[512]吏士。帝时遣人观大司马何为，还言方修战攻之具，乃叹曰：“吴公差强人意[513]，隐[514]若一敌国[515]矣！”每当出师，朝受诏，夕则引道[516]，初无[517]辨[13]严[518]之日。及在朝廷，斤斤[519]谨质[520]，形[521]于体貌[522]。汉尝出征，妻子在后买田业，汉还，让之曰：“军师[523]在外，吏士不足[524]，何多买田宅乎！”遂尽以分与昆弟、外家[525]。故能任职以功名终。

匈奴寇上党、天水，遂至扶风。

帝苦[526]风眩[527]，疾甚，以阴兴领侍中，受顾命[528]于云台广室[529]。会疾瘳，召见兴，欲以代吴汉为大司马，兴叩头流涕固让，曰：“臣不敢惜身，诚亏损圣德，不可苟冒[530]！”至诚发中[531]，感动左右，帝遂听之。太子太傅张湛，自郭后之废，称疾不朝，帝强起之，欲以为司徒，湛固辞疾笃，不能复任朝事，遂罢之。

六月庚寅[532]，以广汉太守河内蔡茂[533]为大司徒，太仆朱浮为大司空。壬辰[534]，以左中郎将刘隆为骠骑将军，行大司马事。

【语译】

二十年（甲辰，公元四四年）

春，二月初十日戊子，光武帝返回洛阳宫。

夏，四月初三日庚辰，大司徒戴涉犯下谋害前太仓令奚涉之罪，被捕下狱而死。光武帝认为三公的职责相连，就下策书免去了大司空窦融的职务。

广平忠侯吴汉病重，光武帝亲往探望，问他有什么话要说，吴汉回答说："臣愚笨，不懂得什么，只希望陛下千万不要赦罪罢了。"五月初四日辛亥，吴汉去世；诏令安葬礼仪按照西汉大将军霍光的规格。

吴汉性格坚忍有毅力，每次跟随光武帝出征，光武帝没有安顿好，他就小心地站在旁边。其他将领看到战斗失利，不少人惊慌失措，失去常态，吴汉却镇定自若，加紧整治兵器，振奋官兵的斗志。光武帝有时候派人去看吴汉在做什么，回报说正在准备进攻的装备，光武帝就叹息说："吴公比较使人满意，威严庄重可与一个国家相匹敌！"每次出征，吴汉都是早上接到命令，傍晚就上路，全没有置办行装的时间。等到了朝廷上，精细小心，谨慎朴实，全都显露在体态容貌上。有一次吴汉率军出征，他妻子在后方购买田产，吴汉回来后，责怪她说："军队出征在外，官兵供给不充足，我们怎么能买这么多的田地房舍呢！"于是就把这些田产全部分给兄弟、外祖父母、舅家。所以，吴汉为官任职，以功名终其身。

匈奴侵扰上党郡、天水郡，直至扶风郡。

光武帝为头痛目眩的病所苦，病得厉害，任命阴兴兼侍中，在南宫云台广德殿接受托付身后之事的临终诏命。等到病好以后，又召见阴兴，想让他代替吴汉做大司马。阴兴磕头流泪，坚决推辞说："臣不敢爱惜自己的生命，实在是担心损害陛下的圣明高德，不能苟且贪求！"阴兴的诚恳发自内心，感动了光武帝身边的人，光武帝也就顺从了他。太子太傅张湛，自从郭后被废之后，就称有病，不再上朝，光武帝勉强他上朝，想任命他为司徒，张湛借口病重，坚决推辞，说不能再承担朝廷事务，光武帝只好作罢。

六月十四日庚寅，任命广汉郡太守河内人蔡茂为大司徒，太仆朱浮为大司空。十六日壬辰，任命左中郎将刘隆为骠骑将军，代理大司马职务。

乙未535，徙中山王辅为沛王。以郭况536为大鸿胪，帝数幸其第，赏赐金帛，丰盛莫比，京师号况家为"金穴"。

秋，九月，马援自交趾还，平陵孟冀迎劳之。援曰："方今匈奴、乌桓尚扰北边，欲自请击之，男儿要当死于边野，以马革裹尸537还葬耳，何能卧床上在儿女子手中邪！"冀曰："谅538！为烈士539当如是矣！"

冬，十月甲午540，上行幸鲁、东海、楚、沛国。

十二月，匈奴寇天水、扶风、上党。

壬寅541，车驾还宫。

马援自请击匈奴，帝许之，使出屯襄国542，诏百官祖道543。援谓黄门郎梁松544、窦固545曰："凡人富贵，当使可复贱也，如卿等欲不可复贱，居高546坚自持547。勉思548鄙言549！"松，统之子。固，友之子也。

刘尚进兵与栋蚕等连战，皆破之。

【段旨】

以上为第十三段，着重写吴汉、马援两位忠诚战将的风采。吴汉善战，一生戎马，不问家事，死后蒙受隆重国葬，比照西汉中兴功臣霍光故事。马援请缨抗击匈奴，要做好男儿马革裹尸还，铿锵语言，积淀为中华军魂。

【注释】

500戊子：二月初十日。501庚辰：四月初三日。502入：指无罪而强加罪名，使受刑罚。503太仓令：官名，属大司农。执掌接收郡国运送来的粮食。504策免：用策书免去官职。505病笃：病重。506辛亥：五月初四日。507送葬如大将军霍光故事：本书卷第二十四宣帝地节二年，"光薨，上及皇太后亲临光丧，中二千石治冢，赐梓宫、葬具皆如乘舆制度"。508强力：坚忍有毅力。509侧足：形容因敬重或畏惧而不敢正立。510常度：常态。511整厉：整治。512激扬：激励振奋。513差强人意：比较使人满意。514隐：威严庄重的样子。515敌国：可以和国家相匹敌。516引道：启程；上路。517初无：全无。518辨严：办装，治备行装。辨，通"办"，治办。严，装。汉明帝名庄，为避讳，所以改"装"为"严"。519斤斤：精细谨慎的样子。520谨质：谨慎朴实。521形：显露。522体貌：体态容貌。523军师：军队。524不足：指衣、食等供应不充足。525外家：

六月十九日乙未，改封中山王刘辅为沛王。任命郭况为大鸿胪，光武帝数次临幸郭况家，赏赐金银绢帛，没有人比他更丰盛，京城人称郭况家是“金穴”。

秋，九月，马援从交趾郡回到洛阳，平陵人孟冀前往慰劳他。马援说：“当今匈奴、乌桓还在扰乱北部边境，我想请求率兵征伐，男儿应该死在边塞荒野，马革裹尸归葬故乡，怎么能躺在床上死在妇孺手中呢！”孟冀说：“确实！有志建功立业的人就应当这样！”

冬，十月二十日甲午，光武帝巡幸鲁国、东海国、楚国、沛国。

十二月，匈奴侵扰天水郡、扶风郡、上党郡。

二十八日壬寅，光武帝回到洛阳宫。

马援自己请求攻打匈奴，光武帝同意了，命令他出军驻扎襄国县，诏令文武百官饯行。马援对黄门郎梁松、窦固说：“一个人富贵以后，应当让自己能回到贫贱地位，如果你们想不再回到贫贱，那就要身居高位而牢固地把握好自己。认真思考我说的话！”梁松，是梁统的儿子。窦固，是窦友的儿子。

刘尚进兵与栋蚕各部落连续交战，全都打败了他们。

泛指母亲与妻子的娘家。㉖苦：苦于。㉗风眩：因患风疾而头晕眼花。㉘顾命：天子临终的诏命。㉙广室：广德殿。《后汉书·阴兴传》李贤注：“洛阳南宫有云台广德殿。”㉚苟冒：苟且贪求。㉛发中：出自内心。㉜庚寅：六月十四日。㉝蔡茂（公元前二五至公元四七年）：字子礼，河内郡怀县人，历任议郎、广汉太守、大司徒等职。传见《后汉书》卷二十六。㉞壬辰：六月十六日。㉟乙未：六月十九日。㊱郭况（？至公元五九年）：郭皇后的弟弟。历任黄门侍郎、城门校尉、大鸿胪、特进等职，封阳安侯。㊲马革裹尸：意谓战死沙场。㊳谅：确实。㊴烈士：有壮志建立功业的人。㊵甲午：十月二十日。㊶壬寅：十二月二十八日。㊷襄国：县名，县治在今河北邢台。㊸祖道：古代为出行者祭祀路神，并饮宴送行。㊹梁松（？至公元六一年）：字伯孙，梁统子。尚光武帝女舞阴长公主。历任虎贲中郎将、太仆等，袭爵陵乡侯。因投匿名信诽谤朝廷，下狱死。传附见《后汉书》卷三十四《梁统传》。㊺窦固（？至公元八八年）：字孟孙，窦友子。尚光武帝女涅阳公主。历任黄门侍郎、中郎将、奉车都尉、大鸿胪、光禄勋、卫尉等，袭爵显亲侯。传附见《后汉书》卷二十三《窦融传》。㊻居高：指位居尊贵的官职。㊼自持：自守。㊽勉思：认真思考。㊾鄙言：我的话。这是自谦说法。

【校记】

［13］辨：据章钰校，十二行本、乙十一行本皆作“办”。

【原文】

二十一年（乙巳，公元四五年）

春，正月，追至不韦[550]，斩栋蚕帅，西南诸夷悉平。

乌桓与匈奴、鲜卑连兵为寇，代郡以东尤被[551]乌桓之害；其居止[552]近塞[553]，朝发穹庐[554]，暮至城郭，五郡[555]民庶，家[556]受其辜[557]，至于郡县损坏，百姓流亡，边陲[558]萧条，无复人迹。秋，八月，帝遣马援与谒者分筑堡塞[559]，稍兴立郡县，或空置太守、令、长，招还人民。乌桓居上谷塞外白山[560]者最为强富，援将三千骑击之，无功而还。

鲜卑万余骑寇辽东，太守祭肜率数千人迎击之，自被甲陷陈，虏大奔，投水死者过半。遂穷追出塞，虏急，皆弃兵[561]裸身[562]散走。是后鲜卑震怖，畏肜，不敢复窥塞。

冬，匈奴寇上谷、中山。

莎车王贤浸[563]以骄横，欲兼并西域，数攻诸国，重求赋税，诸国愁惧。车师前王、鄯善、焉耆等十八国俱遣子入侍，献其珍宝。及得见，皆流涕稽首，愿得都护。帝以中国初定，北边未服，皆还其侍子，厚赏赐之。诸国闻都护不出，而侍子皆还，大忧恐，乃与敦煌太守檄，“愿留侍子以示莎车，言侍子见留，都护寻[564]出，冀且息其兵”。裴遵以状闻，帝许之。

【段旨】

以上为第十四段，写北方边境不宁，匈奴、乌桓、鲜卑联兵扰边，东汉无力西顾，莎车王称大。

【语译】

二十一年（乙巳，公元四五年）

春，正月，刘尚追击西南夷到不韦县，杀了栋蚕的首领，全部平定了西南夷。

乌桓和匈奴、鲜卑的军队联合侵犯北部边境，代郡以东受到乌桓的侵害尤其严重；乌桓居处接近边塞，早晨从他们的帐篷出发，傍晚就能抵达塞内城郭，沿边五个郡的百姓，家家遭殃，以至于郡、县城郭被破坏，百姓流离失所，边疆萧条。秋，八月，光武帝派遣马援和谒者分别修筑城堡要塞，逐渐兴建郡、县，或先设置太守、县令、县长，把民众召集回来。居住在上谷郡塞外白山县的乌桓部落最为强悍富裕，马援率骑兵三千人袭击他们，无功而返。

鲜卑一万余名骑兵寇掠辽东郡，太守祭肜率领数千人迎击，祭肜亲自披上盔甲，冲锋陷阵，鲜卑骑兵大败，投水死者过半。祭肜于是紧追不舍到了塞外，鲜卑军危急，全都抛弃兵器，赤裸身子，四散逃命。从此以后，鲜卑人震惊恐怖，畏惧祭肜，不敢再侵犯边塞。

冬，匈奴寇掠上谷郡、中山郡。

莎车王贤逐渐骄横跋扈，妄图并吞西域各国，屡次进攻其他国家，要他们缴纳沉重赋税，西域各国愁苦害怕。车师前王、鄯善、焉耆等十八个国家都派他们的儿子到东汉来侍奉皇上，贡献珍宝。等到见到光武帝，都流涕痛哭，下跪磕头，希望能再设置西域都护。光武帝认为中国刚刚平定，北方边境还没有征服，便把各国的侍子全都送回，并赏赐丰厚的礼物。西域各国听说朝廷不肯派出都护，而且把侍子全都送回，更加忧愁恐惧，就给敦煌太守裴遵呈送公文，说“希望将侍子留在敦煌郡，给莎车王看，说侍子被留下，都护不久派出，希望能暂时阻止莎车王出兵”。裴遵把情况报告朝廷，光武帝答应了。

注释】

㊿不韦：县名，县治在今云南保山市东北。551被：遭受。552居止：居处。553塞：边界。554穹庐：古代游牧民族居住的毡帐。555五郡：指代郡及其以东的上谷、渔阳、右北平、辽西五郡。556家：家家。557辜：罪。558边陲：边境。559堡塞：城堡要塞。560白山：山名，即今大马群山。在今河北张家口东北。561弃兵：扔掉兵器。562裸身：赤身裸体。563浸：逐渐。564寻：不久。

【原文】

二十二年（丙午，公元四六年）

春，闰正月丙戌[565]，上幸长安。二月己巳[566]，还雒阳。

夏，五月乙未晦[567]，日有食之。

秋，九月戊辰[568]，地震。

冬，十月壬子[569]，大司空朱浮免。癸丑[570]，以光禄勋杜林为大司空。

初，陈留刘昆[571]为江陵令，县[14]有火灾，昆向火叩头，火寻灭；后为弘农太守，虎皆负子渡河。帝闻而异之，征昆代林为光禄勋。帝问昆曰："前在江陵，反风灭火，后守弘农，虎北渡河，行何德政而致是事?"对曰："偶然耳。"左右皆笑，帝叹曰："此乃长者之言也!"顾命[572]书诸策[573]。

是岁，青州蝗。

匈奴单于舆死，子左贤王乌达鞮侯立；复死，弟左贤王蒲奴立。匈奴中连年旱蝗，赤地[574]数千里，人畜饥[575]疫[576]，死耗太半[577]。单于畏汉乘其敝，乃遣使诣渔阳求和亲，帝遣中郎将李茂报命[578]。

乌桓乘匈奴之弱，击破之，匈奴北徙数千里，幕南[579]地空。诏罢诸边郡亭候[580]、吏卒，以币帛招降乌桓。

西域诸国侍子久留敦煌，皆愁思亡归[581]。莎车王贤知都护不至，击破鄯善，攻杀龟兹王。鄯善王安上书："愿复遣子入侍，更请都护。都护不出，诚迫于匈奴。"帝报曰："今使者大兵未能得出，如诸国力不从心，东西南北[582]自在[583]也。"于是鄯善、车师复附匈奴。

班固论曰[584]："孝武之世，图制[585]匈奴，患其兼从[586]西国[587]，结党南羌[588]，乃表河曲列四郡[589]，开玉门[590]，通西域，以断匈奴右臂[591]，隔绝南羌、月氏。单于失援，由是远遁，而幕南无王庭[592]。遭值文、景玄默[593]，养民五世[594]，财力有余，士马强盛，故能睹[595]犀布[596]、玳瑁[597]，则建珠崖[598]七郡[599]；感蒟酱[600]、竹杖，则开牂柯、越巂；

【语译】

二十二年（丙午，公元四六年）

春，闰正月十九日丙戌，光武帝幸临长安。二月己巳日，返回洛阳。

夏，五月三十日乙未，发生日食。

秋，九月初五日戊辰，发生地震。

冬，十月十九日壬子，大司空朱浮被免职。二十日癸丑，任命光禄勋杜林为大司空。

当初，陈留人刘昆任江陵县令，县里发生火灾，刘昆对着火磕头，火随即熄灭；后来，刘昆做弘农郡太守，郡内老虎都背着幼虎渡过黄河离去。光武帝听说后，感到惊奇，征召刘昆替代杜林做光禄勋。光武帝询问刘昆说："你先前在江陵县，转变风向，使火熄灭，后来在弘农郡做太守，老虎向北渡过黄河，你推行的是什么德政，竟导致这样的奇事？"刘昆回答说："只是碰巧罢了。"光武帝身边的人都笑起来。光武帝叹息说："这是年长德高者说的话！"回头命令史官把这件事记载在简策上。

这一年，青州发生蝗灾。

匈奴单于舆去世，他的儿子左贤王乌达鞮侯继位；又死，乌达鞮侯的弟弟左贤王蒲奴继位。匈奴境内连年发生旱、蝗灾，赤地数千里，人畜饥饿、瘟疫，死亡过半。匈奴单于害怕东汉趁着他们的疲困进攻他们，就派使节到渔阳请求和亲，光武帝派遣中郎将李茂回访。

乌桓趁匈奴衰弱，打败了匈奴。匈奴向北迁徙数千里，沙漠以南地区成为一片空地。光武帝诏令裁除沿边各郡的亭候和边防官兵，使用币帛招降乌桓。

西域各国派出当人质的王子长期留在敦煌郡，都愁闷思乡而逃回本国。莎车王贤得知都护不来，便击败鄯善国，杀死龟兹国王。鄯善国王安上书说："希望能再派儿子入朝侍奉皇上，再次请求朝廷派都护。都护不派出来，我们就会屈逼于匈奴。"光武帝回答说："现今无力派出使节、军队，如果西域各国感到力不从心，东西南北任其自便。"于是鄯善国、车师国再次归附匈奴。

班固评论说："汉武帝时代，谋划控制匈奴，忧虑它吞并西域各国，跟南羌结成联盟，于是在黄河以西设置武威、张掖、酒泉、敦煌四郡，开通玉门关，连通西域，切断匈奴的右臂，隔绝匈奴同南羌、月氏二国的联系。单于失去援助，因此逃向远方，以致沙漠以南没有匈奴王庭。西汉经历汉文帝、景帝两代的无为而治，民众五代休养生息，财富有余，兵强马壮，所以能够看到南方的犀布、玳瑁，就设立珠崖等七郡；想到蒟酱、竹杖，就开拓牂柯、越巂两郡；

闻天马⑥⑩⑪、蒲陶⑥⑩②[15]，则通大宛⑥⑩③、安息⑥⑩④。自是殊方⑥⑩⑤异物，四面而至。于是开⑥⑩⑥苑囿⑥⑩⑦，广⑥⑩⑧宫室，盛⑥⑩⑨帷帐，美服玩⑥⑩，设酒池肉林以飨四夷之客，作鱼龙⑥⑪角抵⑥⑫之戏以观视⑥⑬之。及赂遗赠送⑥⑭，万里相奉，师旅之费，不可胜计。至于用度不足，乃榷酒酤⑥⑮，筦盐铁⑥⑯，铸白金⑥⑰，造皮币⑥⑱，算至车船⑥⑲，租及六畜⑥⑳。民力屈㉑，财用竭，因之以凶年，寇盗并起，道路不通，直指㉒之使始出，衣绣㉓杖斧㉔，断㉕斩于郡国，然后胜㉖之。是以末年遂弃轮台㉗之地，而下哀痛之诏㉘，岂非仁圣之所悔哉！

"且通西域，近有龙堆㉙，远则葱岭㉚，身热、头痛、悬度㉛之厄，淮南㉜、杜钦㉝、扬雄㉞之论，皆以为此天地所以界别区域，绝外内也。西域诸国，各有君长，兵众分弱㉟，无所统一，虽属匈奴，不相亲附。匈奴能得其马畜、旃罽㊱而不能统率，与之进退。与汉隔绝，道里又远，得之不为益，弃之不为损，盛德在我，无取于彼。故自建武以来，西域思汉威德，咸乐内属，数遣使置质于汉，愿请都护。圣上远览古今，因时之宜，辞而未许。虽大禹之序㊲西戎，周公之让白雉㊳，太宗㊴之却走马㊵，义兼之㊶矣！"

【段旨】

以上为第十五段，写北方匈奴势弱，光武帝仍然拒绝开通西域，受到史家的赞扬。当时，一个小小的莎车就能称雄西域，若东汉重置都护，无须多大力气，史家之颂，实为迂阔。光武帝坐失通西域之良机，实为失策。

【注释】

⑤⑥⑤丙戌：闰正月十九日。⑤⑥⑥己巳：二月丁酉朔，无己巳日。⑤⑥⑦乙未晦：二月三十日。⑤⑥⑧戊辰：九月初五日。⑤⑥⑨壬子：十月十九日。⑤⑦⑩癸丑：十月二十日。⑤⑦①刘昆（？至公元五七年）：字桓公，陈留郡东昏县（今河南兰考）人，历任江陵令、侍中、弘农太守、光禄勋、骑都尉等。传见《后汉书》卷七十九上。⑤⑦②顾命：回过头来命令。⑤⑦③书诸策：将此事写在简策上。诸，之于。策，简策。⑤⑦④赤地：寸草不生，光秃秃的土地。此

听说天马、葡萄，就与大宛、安息两个国家建交。从此异域奇珍异宝，从四面而来。于是，朝廷开辟畜养禽兽的苑囿，扩建宫室，铺设华丽的帷幕床帐，制作美丽的服饰和玩赏的物品，设酒池肉林以款待外国客人，又作鱼龙、角抵的游戏让他们观赏。贿赂、赏赐、赠送，万里之遥，往来相送，加上军事支出，费用不可胜计。以致入不敷出，便设置酒类专卖，盐、铁专营，铸造银币、鹿皮币，车船也要征税，六畜也要纳捐。民众贫困，财政枯竭，再加上灾年饥荒，盗贼四起，道路断绝，朝廷派出直指使者，穿着绣衣，手持大斧，到各郡、国专断诛杀，这才制服了盗贼。因此，汉武帝晚年，便放弃新疆轮台屯田，颁下怜悯百姓的诏书，这难道不是仁爱圣君的悔恨吗！

"况且通使西域，最近的是龙堆，最远的是葱岭，身热、头痛、悬度之地的艰险，淮南王刘安、杜钦、扬雄的议论，都说明那些地方是天地用来划分疆界、隔绝内外的。西域各国，各自有君王，士兵民众分散弱小，无法统一，虽然投向匈奴，并非真心归附。匈奴能得到西域各国的马羊等牲畜和毛织品，但不能统率西域，随匈奴进退。西域和汉朝互相隔绝，道路又遥远，得到西域，对汉室无益，丢弃西域，对汉朝无害，所有的恩德都出自汉朝，汉朝对西域却没有任何索取。所以，自光武帝以来，西域各国思念汉朝的威望和恩德，都乐意归汉，屡次派遣使节，把王子送到汉朝当人质，请求设置都护。圣上纵览古今，认为时机不到，没有答应。从前，虽然大禹使西戎部落顺从，周公推辞越裳进贡的白野鸡，汉文帝拒绝千里马，他们的道义，光武帝可说兼而有之了！"

指因旱灾导致遍地不生五谷。⑤⑦⑤饥：挨饿。⑤⑦⑥疫：瘟疫，即流行性急性传染病。⑤⑦⑦太半：大半。⑤⑦⑧报命：派使臣回访。⑤⑦⑨幕南：蒙古大沙漠以南。幕，通"漠"，沙漠。⑤⑧⓪亭候：边境上用以瞭望和监视敌情的岗亭、土堡。⑤⑧①亡归：逃回。⑤⑧②东西南北：指四方。⑤⑧③自在：自由。此言归附何人，任其自便。⑤⑧④班固论曰：这里所引，为《汉书》卷九十六下《西域传》的"赞"语。⑤⑧⑤图制：谋划控制。⑤⑧⑥兼从：合并；兼并联合。⑤⑧⑦西国：指西域国家。⑤⑧⑧南羌：地处匈奴之南的羌人。此指分布于今青海东部湟中一带的羌人。⑤⑧⑨表河曲列四郡：在河西设置四郡。表，外。河西四郡为武帝时开辟设置，北邻匈奴，西接西域，所以称外。河曲，王先谦《汉书补注》引王念孙曰："'曲'当为'西'字之误也。武帝所开四郡皆在河西，故云'表河西'。"列，分置。四郡，指河西地区武威、张掖、酒泉、敦煌四郡。⑤⑨⓪开玉门：开通玉门关。玉门，关名，其地在今甘肃敦煌西北。与阳关同为古代通西域的要道。⑤⑨①右臂：指西方。人面向南，西为右。此言切断匈奴与西方西域各国的联系。⑤⑨②王庭：匈奴单于所居之所。⑤⑨③玄默：指清静无为。⑤⑨④五世：指

高祖、惠帝、高后、文帝、景帝五世。⑤⑨⑤睹：看到。⑤⑨⑥犀布：王先谦《汉书补注》引王念孙曰："'犀布'连文，殊为不类。'布'当为'象'。象、布二字，篆文下半相似，故'象'讹作'布'。犀象、玳瑁皆两粤所产，故曰：睹犀象、玳瑁则建珠崖七郡也。"犀象，犀牛与象，也指犀角与象牙。⑤⑨⑦玳瑁：爬行动物，形似龟。甲壳黄褐色，有黑斑与光泽，可做装饰品；也指玳瑁的甲壳及用玳瑁甲壳制成的装饰品。⑤⑨⑧珠崖：郡名，治所在今海南海口东南。⑤⑨⑨七郡：据《汉书·武帝纪》所载，元鼎六年，"定越地，以为南海、苍梧、郁林、合浦、交趾、九真、日南、珠崖、儋耳郡"，所设置为九郡。⑥⓪⓪感蒟酱：感，思、想得到。蒟酱，用蒟子制作的酱。蒟，植物名，果实名蒟子，如桑椹，熟时色正青，可作酱食用，称蒟酱。武帝时，张骞通使西域，在大夏见到蜀地出产的竹杖和布。武帝想起张骞所说出蜀可通大夏，于是再次开发西南地区，设置武都、牂柯、越巂、沈黎、文山郡。⑥⓪①天马：骏马的美称，此指西域大宛汗血马。⑥⓪②蒲陶：葡萄。⑥⓪③大宛：西域国名，北通康居，南面和西南面与大月氏接，产汗血马（天马）。其地约在今帕米尔高原西北。⑥⓪④安息：伊朗高原古国名，汉武帝时开始派使者到安息，以后遂互有往来。⑥⓪⑤殊方：远方；异域。⑥⓪⑥开：开辟。⑥⓪⑦苑囿：畜养禽兽的园林。⑥⓪⑧广：扩大。⑥⓪⑨盛：丰盛。此处用作动词。⑥①⓪美服玩：服饰器用玩好之物，竞求华美。⑥①①鱼龙：古杂戏。《汉书》颜师古注："鱼龙者，为舍利之兽，先戏于庭极，毕，乃入殿前激水，化成比目鱼，跳跃漱水，作雾障日，毕，化成黄龙八丈，出水敖戏于庭，炫耀日光。"⑥①②角抵：古代的一种技艺表演，类似今天的摔跤。⑥①③观视：示之使观，供人娱乐。视，通"示"，给人看。⑥①④赂遗赠送：贿赂、赏赐、赠予。⑥①⑤榷酒酤：政府实行的酒专卖制度。⑥①⑥筦盐铁：政府实行的盐铁专卖制度。⑥①⑦铸白金：铸造银币。汉武帝元狩四年（公元前一一九年），以银锡合金铸造白金三品：一是圆形龙币，重八两，值三千；二是方形马币，重六两，值五百；三是椭圆形龟币，重四两，值三百。这种银币，成色不足，作价太高，私铸很多，通行一年多时间便废而不用。⑥①⑧皮币：用白鹿皮制成的货币。⑥①⑨算至车船：车船也要纳税。算，汉代赋税名，人头税或财产税。⑥②⓪租及六畜：马、牛、羊、鸡、狗、猪也都纳税。租，税。⑥②①屈：穷尽；贫困。⑥②②直指：汉武帝时朝廷设置的专管巡视、处理各地政事的官员，也称直指使者，因出巡时穿着绣衣，所以又称绣衣直指，或称直指绣衣使者。当时，民间起事者众，御史中丞督捕犹不能止，因设此官，兴兵镇压。⑥②③衣绣：穿绣衣。绣衣，朝廷派出督察地方的特使所穿的衣服。直指就要穿绣衣。⑥②④杖斧：手持斧钺，表示威权。⑥②⑤断：决断；裁决。⑥②⑥胜：制服。⑥②⑦轮台：地名，在今新疆轮台东南。汉武帝时，曾遣戍屯田于此。⑥②⑧下哀痛之诏：指武帝征和四年（公元前八九年）所下"深陈既往之悔"的诏书。见本书卷二十二。⑥②⑨近有龙堆：龙堆即白龙堆，沙漠名，其地在今新疆罗布泊东。其东即进入西域的玉门关与阳关，所以说"近"。⑥③⓪远则葱岭：古代对今帕米尔高原和昆仑山、天山西段的统称。地势极高，有"世界屋脊"之称。西域地区，西以葱岭为限，所以说"远"。⑥③①身热、头痛、悬度：皆西域地区险峻山名，今地不详。《汉书·西域传》:“又历大头痛、小头痛之山，赤土、身热之坂，令人身热无色，头痛呕吐，驴畜尽然。”“二千余里乃到悬度，畜队，未半坑谷尽靡碎，人堕，势不得相收视。”㉜淮南：指淮南王刘安（公元前一七九至前一二二年）。汉文帝弟淮南厉王刘长的长子。文帝十六年（公元前一六四年），袭父封为淮南王。好文学，招致宾客方术之士数千人，撰文立说，成《淮南子》一书。后有人告其谋反，下狱自杀。传见《史记》卷一百一十八与《汉书》卷四十四。《汉书·严助传》载淮南王刘安谏伐闽越书，其中说:“越，方外之地。”㉝杜钦：字子夏，南阳郡杜衍县（今河南南阳西南）人，少好经书，不好为吏，只担任过大将军军武库令、议郎等。后召至大将军王凤幕府，国家政事，多预计谋。传附见《汉书》卷六十《杜周传》。《汉书·西域传》载杜钦于汉成帝时说王凤之词，其中说:“圣王分九州，制五服，务盛内，不求外。”㉞扬雄:《汉书·匈奴传》载扬雄于哀帝建平四年（公元前三年）上谏拒绝单于来朝书，其中说:“本北地之狄，五帝所不能臣，三王所不能制。”㉟兵众分弱：西域城邦小国，因兵众分散而微弱。㊱旃罽：毡、毯一类毛织品。㊲序：顺从，此作使动用法，使顺从。语出《尚书·禹贡》:“织皮昆仑、析支、渠搜，西戎即叙。”㊳白雉：鸟名，俗称野鸡。《后汉书·南蛮传》:越裳国在交趾南，周成王时献白雉。周公说:“德不加焉，则君子不飨其质；政不施焉，则君子不臣其人。”白色野鸡十分稀少，被认为是吉祥之物，有德者当之。㊴太宗：指汉文帝。㊵却走马：汉文帝拒绝千里马。事见本书卷十三文帝元年。㊶义兼之：意谓大禹序西戎、周公让白雉、太宗却走马的道理，光武帝都兼而有之。

【校记】

［14］县：张敦仁《通鉴刊本识误》以为“县”下有“数”字。［15］陶：据章钰校，孔天胤本作“萄”。

【研析】

本卷史事可研析者有四件大事。

第一，光武帝护佑功臣。汉高祖统一，兴建西汉，为子孙长远计，大肆屠灭功臣，且手段残酷，淮阴侯韩信、梁王彭越、淮南王黥布，以及燕王卢绾、韩王韩信、将军陈豨等，均逼以谋反，或以谋反诛，淮阴遭族灭，彭越烹刑，狡兔死，走狗烹，令人寒心。光武帝解除功臣兵权，封以爵禄，最大者四县，令其食租赋，足以养老。不任功臣政事，以免犯过。且功臣多为武夫，治政非其所长，功臣远离政治，亦是国家之福。光武帝护佑功臣的用心和措施，值得肯定。后世帝王，宋太祖赵匡胤杯酒释兵权，可以比美光武。

第二，光武帝更易太子，立贤不立长，用心良苦。皇太子刘强，并无过错，其母郭皇后亦贤良，光武帝无端废郭皇后，立阴氏为皇后为立刘阳为皇太子扫清道路。

刘阳聪明过人，年十二便精通吏事，识破南阳郡上计使者的讽谏，受到光武帝的器重。外戚阴氏兄弟阴识、阴兴亦贤良，大臣爱之，故光武更易太子没有什么阻力。宗法制度，立嫡不立长，立长不立贤，为的是尊重嫡长，统一臣心、民心，免生争议。但嫡长不贤明或柔弱的，则非国家之福，所以立太子是一个两难选择，避免争夺，只好以宗法为依归。光武帝有鉴于元、成、哀、平诸帝之柔弱昏庸，刘氏失统，故而立贤。但仍未彻底破除宗法制度，先废皇后，使太子刘强失去嫡子之位，逼迫刘强自省逊位，和平更易，不失父子兄弟亲情，受到史家袁宏的高度称赞。于是光武之更易太子，虽立贤不立长，却仍是立嫡不立长，因之减杀立贤之意义，对后世没有产生深远影响。宗法制度以嫡统为正道，不以立贤为宗旨，故历代皇帝大多不贤，这是宗法制度的悲哀，但家天下确实也没有善法可以代替，光武之立贤，也就成了个案。

第三，检括户口，丈量田土，惩贪不抑豪强。西汉末的战乱，人民流离，社会秩序失控，光武中兴，重整纲纪。建武十五年（公元三九年），全国大规模检括户口，丈量田土，是恢复社会秩序的重大举措。可是地方各级官吏，庇护豪强，对贫弱百姓却严厉苛刻，连村落房宅都丈量为田土，激起民变，光武帝惩治贪官，诛杀了世代大儒而又任职大司徒的欧阳歙，郡太守被诛杀的有十几人，整顿吏治的力度，不可谓不强。但对豪强的抑制软弱无力，怀县豪门大姓李子春，两个孙子杀人，怀县令赵憙追究罪行，抓捕了李子春，京师几十位皇亲国戚为之说情，赵孝公刘良去世，临死叮嘱光武帝，要求施压释放李子春。结果是光武帝特下赦令，免了李子春的罪行，升迁赵憙为平原太守，把他调离怀县。光武帝护佑功臣，广施恩惠，大封爵禄，扶植了大批地方豪强。建武十三年四月，吴汉平蜀，班师回朝，光武帝欢宴将士，改封和增加食邑的功臣就达三百六十五人，其中外戚恩泽四十五人。光武帝检括户口，丈量田土，只是加强了对平民的控制，而对豪强则宽容，以致当时就有“颍川、弘农可问，河南、南阳不可问”的话头。河南帝城，多近臣；南阳帝乡，多近亲。光武帝施恩功臣、亲戚，成为既定国策，所以不可能抑制豪强。东汉世家大族的发展，源于光武帝的施政，奠定了这一历史走向的基础。

第四，光武帝不开通西域，大为失计。西汉末年，中国周边各族，主要是匈奴，均处于衰微时期，故归附汉朝，只是王莽倒行逆施，导致四方夷族叛乱，而西域遥远，未受王莽影响，因此始终安定。光武中兴，海内虚耗，匈奴犯边，为祸北疆，但也没有大规模深入，非不欲为，而力不足也。中国一统之后，其力足以制西域。先是莎车王贤入贡，请送质子，光武帝不纳。其后车师前王、鄯善等十八国请入质子，光武帝仍不纳，于是莎车称大。西域诸国请留质子在敦煌，就足以震慑莎车不敢出兵欺侮西域列国。最后，各国质子逃归，莎车王贤知汉朝都护不出，才出兵击鄯善，攻杀龟兹王，光武帝仍不施援手，于是鄯善、车师等国复附匈奴。司马光引班固之赞，认为汉武帝通西域，造成民穷财竭，而后有轮台哀痛诏令之悔，光武帝有鉴于此不通西域，是仁圣明君。武帝之世，匈奴强大，为祸中国，武帝经过数十年的努力才解除了边患，其力已屈，而非通西域造成民屈财竭，武帝通西域只是断匈奴右臂。光武之世，西域归附，而光武帝不施援手，把西域推给莎车，两者完全不可同日而语。光武帝不通西域是一大失策，班固、司马光非议汉武而赞光武之明，可以说是不明是非，不辨时势，迂腐妄论，不值一提。

卷第四十四　汉纪三十六

起强圉协洽（丁未，公元四七年），尽上章涒滩（庚申，公元六〇年），凡十四年。

【题解】

本卷记事起公元四七年，迄公元六〇年，凡十四年，当光武帝建武二十三年至汉明帝永平三年。这一时期是东汉中兴开国两任皇帝交替之际，由于两任皇帝的精明强干，天下已承平二十余年，政治稳定，国力日益强盛，百姓日渐丰裕。于是，光武帝封禅泰山，祭天告成功。明帝继位，尊礼大儒，兴起儒学，修治礼乐。初即位问民疾苦，表彰功臣，既能纳谏，又偏听偏信，政治日渐转入严苛。光武帝晚年迷信图谶，渐生骄侈心，发无名之火迫害功臣马援，未免小肚鸡肠。南匈奴归附，光武帝不接受北匈奴归附，分化匈奴，以夷制夷，边郡安宁，边民归还本土。局部地区的蛮夷仍有反叛。马援高龄出征武陵蛮，为国殉难，反遭迫害，实令人可悯。

【原文】

世祖光武皇帝下

建武二十三年（丁未，公元四七年）

春，正月，南郡蛮①叛，遣武威将军刘尚②讨破之。

夏，五月丁卯③，大司徒④蔡茂⑤薨。

秋，八月丙戌⑥，大司空⑦杜林⑧薨。

九月，辛未⑨，以陈留⑩太守[1]玉况为大司徒。

冬，十月丙申⑪，以太仆⑫张纯⑬为大司空。

武陵⑭蛮精夫⑮相单程⑯等反，遣刘尚发兵万余人溯沅水⑰入武溪⑱击之。尚轻敌深入，蛮乘险邀之⑲，尚一军悉没⑳。

初，匈奴单于舆㉑弟右谷蠡王㉒知牙师㉓以次当为左贤王㉔，左贤王次即当为单于。单于欲传其子，遂杀知牙师。乌珠留单于㉕有子曰比，为右薁鞬日逐王㉖，领南边八部。比见知牙师死，出怨言曰：“以兄弟言之，右谷蠡王次当立。以子言之，我前单于长子，我当立。”遂

【语译】

世祖光武皇帝下

建武二十三年（丁未，公元四七年）

春，正月，南郡境内蛮夷反叛，派武威将军刘尚征讨，打败了他们。

夏，五月初八日丁卯，大司徒蔡茂去世。

秋，八月丙戌日，大司空杜林去世。

九月十三日辛未，任命陈留郡太守玉况为大司徒。

冬，十月初九日丙申，任命太仆张纯为大司空。

武陵蛮首领相单程等人反叛，派刘尚征发士兵一万多人逆沅水而上，进入武溪攻击他们。刘尚轻敌，深入其地，武陵蛮凭借险要伏击他们，刘尚全军覆没。

当初，匈奴单于舆的弟弟右谷蠡王知牙师按照次序应当做左贤王，左贤王依次就应当做单于。可是单于舆想传位给自己的儿子，就杀了知牙师。乌珠留单于有个儿子叫比，做右薁鞬日逐王，统领南边八个部落。比看到知牙师被杀死，口出怨言说："按兄弟次序来说，右谷蠡王依次当立为单于。按父子次序来说，我是前单于的

内怀猜惧，庭会稀阔㉗。单于疑之，乃遣两骨都侯㉘监领比所部兵。及单于蒲奴㉙立，比益恨望，密遣汉人郭衡奉匈奴地图诣西河㉚太守求内附。两骨都侯颇觉其意，会五月龙祠㉛，劝单于诛比。比弟渐将王㉜在单于帐下，闻之，驰以报比。比遂聚八部兵四五万人，待两骨都侯还，欲杀之。骨都侯且㉝到，知其谋，亡去。单于遣万骑击之。见比众盛，不敢进而还。

是岁，鬲侯朱祜㉞薨[2]。祜为人质直，尚儒学。为将多受降，以克定城邑为本㉟，不存首级之功。又禁制士卒不得虏掠百姓。军人乐放纵，多以此怨之。

【段旨】

以上为第一段，写光武帝建武二十三年事，南郡、武陵蛮夷反叛，北部匈奴发生争位内乱。

【注释】

①南郡蛮：据《后汉书·南蛮传》，建武二十三年（公元四七年），南郡潳山蛮起事，刘尚讨破之，徙其种人七千余口，置江夏界中，后称沔中蛮。江夏郡治在今湖北黄冈。南郡，郡名，治所江陵，在今湖北荆州。②刘尚：人名，东汉朝两刘尚将军。此为光武朝刘尚，任武威将军。和帝时有刘尚，历任车骑、征西将军。③丁卯：五月初八日。④大司徒：东汉三公之一，掌民政，建武二十七年改称司徒。⑤蔡茂：字子礼，河内郡怀县（在今河南武陟西南）人，西汉哀、平间以儒学显，历官博士、议郎、侍中，建武二十年迁为司徒，建武二十三年薨。传见《后汉书》卷二十六。⑥丙戌：八月朔己丑，无丙戌，应为丙辰之误。丙辰，八月二十八日。⑦大司空：东汉三公之一，掌水利及城邑帝陵建筑，并监察百官。建武二十七年改称司空。⑧杜林（？至公元四七年）：东汉古文经学家、文字学家。字伯山，扶风茂陵（今陕西兴平东北）人，新朝败，避乱河西。光武中兴，征拜侍御史，官至大司空。传见《后汉书》卷二十七。⑨辛未：九月十三日。⑩陈留：郡名，治所陈留，在今河南开封东南。⑪丙申：十月初九日。⑫太仆：东汉九卿之一，掌皇帝车马。⑬张纯：字伯仁，京兆杜陵县（在今陕西西安东南）人，西汉宣帝时名臣张安世第四代孙，西汉末出仕至列卿，东汉中兴，仕光武帝官至大司空。传见《后汉书》卷三十五。⑭武陵：郡名，治所临沅，在今湖南常德。⑮精夫：

长子，我应当立为单于。”因此心怀猜疑、恐惧，很少参加单于庭朝会。单于怀疑他，就派左骨都侯、右骨都侯监领比所率军队。等到单于蒲奴继位，比更加怨恨，秘密派汉人郭衡携带匈奴地图到西河太守处，请求归附。左骨都侯、右骨都侯已经察觉到比的意图，恰好到了五月龙城祭祀大会，就劝蒲奴单于杀比。比的弟弟渐将王在单于帐下任职，听说此事，驰马通知比。比于是召集八个部落士兵四五万人，等到左骨都侯、右骨都侯回营时，想杀掉两人。两骨都侯快要到时，知道了比的图谋，逃走了。蒲奴单于派遣一万骑兵攻击比。看到比的属众多，不敢冒进，就返回去了。

这一年，鬲侯朱祜去世。朱祜为人朴实正直，崇尚儒学。他担任将军，接受了许多人的投降，以攻占平定城邑为根本，不鼓励以多杀人来立功。另外，朱祜禁止士兵抢掠百姓。军人喜欢恣意放纵，很多士兵因此怨恨他。

首领称谓。⑯相单程：人名。⑰沅水：今湖南沅江，注入洞庭湖。⑱武溪：沅水支流，今名武水，在今湖南泸溪县西。⑲邀之：伏击刘尚军。⑳一军悉没：全军覆没。㉑匈奴单于舆：匈奴呼都而尸道皋若鞮单于（公元一八至四六年在位），呼韩邪单于稽侯狦第六子。㉒右谷蠡王：匈奴官号名，有左谷蠡王、右谷蠡王。谷蠡王位次贤王。㉓知牙师：呼韩邪单于第七子，呼都而尸单于舆之弟，为右谷蠡王。呼韩邪单于死，约诸子以次立，知牙师依次当继单于舆为单于。匈奴以左贤王为单于后，应立知牙师为左贤王，而单于舆为了传位于子，于是以其子为左贤王，并杀了知牙师。㉔左贤王：匈奴语称贤王为屠耆王，有左贤王、右贤王。“屠耆”即“贤”之意。匈奴尚左，单于以下诸王，以左贤王最尊，为单于储副。㉕乌珠留单于：呼韩邪单于之第四子，公元前八至公元一三年在位。㉖右薁鞬日逐王：匈奴诸王号之一。日逐王比，驻牧匈奴漠南地，领有八部之众。㉗庭会稀阔：匈奴诸王在岁首正月会于单于庭，日逐王比极少与会，疏远呼都而尸单于。稀阔，极少。㉘两骨都侯：即左骨都侯、右骨都侯，辅佐单于的异姓大臣，位在谷蠡王之下。㉙单于蒲奴：呼都而尸单于舆之次子，乌达鞮侯单于之弟。公元四六年，呼都而尸单于舆死，其子乌达鞮侯单于立。不久，乌达鞮侯单于死，其弟蒲奴立为单于，日逐王比不得立为单于，更加愤恨，内附于汉。㉚西河：郡名，治所平定，在今内蒙古东胜境。东汉永和五年（公元一四〇年）移治离石，在今山西离石。㉛会五月龙祠：匈奴俗，单于每年举行三次会聚，正月会于单于庭，五月会于龙城，九月会于蹛林。五月大会龙城，祭祀祖先、天地、鬼神。㉜渐将王：匈奴王号之一。㉝且：将要。㉞朱祜：朱浮（？至公元四八年），东汉开国功臣之一。传见《后汉书》卷三十三。㉟本：根本，此为第一要务。此处指朱祜用兵，以攻克平定城邑为首要任务，不以杀人多少来计功。

【校记】

［1］太守：原无此二字。据章钰校，十二行本、乙十一行本、孔天胤本皆有此二字，张敦仁《通鉴刊本识误》同，今据补。［2］薨：原作“卒”。据章钰校，十二行本、乙十一行本皆作“薨”，今据改。

【原文】

二十四年（戊申，公元四八年）

春，正月乙亥[36]，赦天下。

匈奴八部大人共议立日逐王比为呼韩邪单于[37]，款[38]五原塞[39]，愿永为藩蔽，捍御北虏。事下公卿[40]，议者皆以为：“天下初定，中国空虚，夷狄情伪[41]难知，不可许。”五官中郎将[42]耿国独以为：“宜如孝宣故事[43]，受之，令东捍鲜卑，北拒匈奴，率厉[44]四夷，完复边郡[45]。”帝从之。

秋，七月，武陵蛮寇临沅[46]，遣谒者[47]李嵩、中山太守马成[48]讨之，不克。马援[49]请行，帝愍[50]其老，未许。援曰：“臣尚能被甲上马。”帝令试之。援据鞍顾眄[51]，以示可用。帝笑曰：“矍铄[52]哉是翁！”遂遣援率中郎将马武[53]、耿舒[54]等将四万余人征五溪[55]。援谓友人杜愔曰：“吾受厚恩，年迫日索[56]，常恐不得死国事。今获所愿，甘心瞑目，但畏长者家儿[57]或在左右，或与从事，殊难得调，介介[58]独恶[59]是耳。”

冬，十月，匈奴日逐王比自立为南单于，遣使诣阙奉藩称臣。上以问朗陵侯臧宫[60]。宫曰：“匈奴饥疫分争，臣愿得五千骑以立功。”帝笑曰：“常胜之家，难与虑敌，吾方自思之。”

【语译】

二十四年（戊申，公元四八年）

春，正月十九日乙亥，大赦天下。

南匈奴八部落首领共同商议拥立日逐王比为呼韩邪单于，到达五原郡塞，表示愿意永远做汉的藩属屏障，抵御北匈奴。光武帝把此事下到公卿讨论，议者都认为："天下刚刚平定，国内空虚，夷狄的情况真伪难知，不能答应。"只有五官中郎将耿国认为："应当仿照孝宣帝时先例，接受比的请求，命令他们东边抵御鲜卑，北边抗击匈奴，激励四夷，保全边郡完整。"光武帝采纳了耿国的意见。

秋，七月，武陵蛮侵扰临沅县，朝廷派谒者李嵩、中山太守马成讨伐他们，没有攻克。马援请求出征，光武帝担心他年老，不批准。马援说："臣还能披甲上马。"光武帝命令他试一试。马援骑在马鞍上顾看自如，以表示自己还可任用。光武帝笑着说："真是精神矍铄的老翁！"于是，派马援率中郎将马武、耿舒等带领四万多士兵征讨五溪。马援对友人杜愔说："我蒙受皇上厚恩，年事已高，时日不多，时常担心不能以身殉国。如今得偿所愿，死也甘心，只是担心那些权贵子弟，有的随侍我左右，有的担任要职，很难调和，这是唯一让我耿耿于怀心怀痛恨的事。"

冬，十月，匈奴日逐王比自立为南单于，派使臣到朝廷，以藩属对汉称臣。光武帝以此事问朗陵侯臧宫，臧宫说："匈奴正面临饥荒瘟疫，争乱不休，臣希望能率领五千骑兵出兵立功。"光武帝笑着说："经常打胜仗的人，很难与之谋划敌情，我还是自己考虑这件事吧。"

【段旨】

以上为第二段，写南匈奴归附东汉，马援老将出征武陵蛮。

【注释】

㊱乙亥：正月十九日。㊲比为呼韩邪单于：日逐王比自立为单于，匈奴始分为南北二部，以其祖父呼韩邪单于稽侯狦依汉得安，故袭用旧号，南依于汉。地位巩固后称醢落尸逐鞮单于，公元四八至五六年在位。㊳款：叩；敲击。㊴五原塞：塞名，在今内蒙古包头西。㊵事下公卿：汉制，军国大事，下移三公九卿廷议，再奏皇帝裁决，称事下公卿。此指就南匈奴内附事进行廷议。公卿，"三公九卿"的简称，为中央最高级别官员。㊶情伪：真假。㊷五官中郎将：官名，掌五官郎。汉制，中郎置五官、左、右三将，年五十以上属五官，其次分属左、右中郎将。㊸宜如孝宣故事：应该依照汉宣帝接受呼韩邪稽侯狦内附的先例，接受呼韩邪单于比的归附。事见本书《汉纪十九》宣帝甘露、黄龙间。故事，先例；旧事。㊹率厉：表率；榜样。厉，通"励"。㊺完复边郡：

【原文】

二十五年（己酉，公元四九年）

春，正月，辽东[61]徼外[62]貊[63]人寇边，太守祭肜[64]招降之。肜又以财利抚纳鲜卑大都护[65]偏何[66]，使招致异种，骆驿款塞。肜曰："审欲立功[67]，当归击匈奴，斩送头首，乃信耳。"偏何等即击匈奴，斩首二千余级，持头诣郡。其后岁岁相攻，辄送首级，受赏赐。自是匈奴衰弱，边无寇警，鲜卑、乌桓并入朝贡。肜为人质厚重毅，抚夷狄以恩信，故皆畏而爱之，得其死力。

南单于遣其弟左贤王莫[68]将兵万余人击北单于弟薁鞬左贤王，生获之。北单于震怖，却地千余里。北部薁鞬骨都侯与右骨都侯率众三万余人归南单于。三月，南单于复遣使诣阙[69]贡献，求使者监护，遣侍子[70]，修旧约。

戊申[71]晦，日有食之。

马援军至临乡[72]，击破蛮兵，斩获二千余人。

初，援尝有疾，虎贲中郎将[73]梁松[74]来候之，独拜床下，援不答。松去后，诸子问曰："梁伯孙，帝婿，贵重朝廷，公卿已下莫不惮之，大人奈何独不为礼？"援曰："我乃松父友也，虽贵，何得失其序乎！"

恢复沿边各郡领土的完整。㊻临沅：县名，武陵郡治所，故城在今湖南常德。㊼谒者：官名，掌谒见传达事宜。光禄勋等官署下均设置。㊽马成（？至公元五六年）：字君迁。东汉开国功臣之一，封全椒侯。传见《后汉书》卷二十二。㊾马援（公元前一四至公元四九年）：字文渊。东汉开国功臣之一，拜伏波将军，封新息侯。传见《后汉书》卷二十四。㊿愍：哀怜；担忧。51据鞍顾眄：跨在马鞍上转头四望，表示身体壮健。52矍铄：形容年老的人精神抖擞。53马武（？至公元六一年）：字子张。东汉开国功臣之一，拜捕虏将军，封杨虚侯。传见《后汉书》卷二十二。54耿舒：东汉开国功臣耿弇之弟。事附《后汉书·耿弇传》。55五溪：武陵境内有五溪，即雄溪（熊溪）、樠溪（朗溪）、酉溪、沅溪（武溪）、辰溪，均是武陵蛮族所居之地。56年迫日索：年近垂暮。57长者家儿：权贵子弟。58介介：耿耿于怀。59独恶：最痛恨。60臧宫（？至公元五八年）：字君翁。东汉开国功臣之一，官至左中郎将，封朗陵侯。传见《后汉书》卷十八。

【语译】

二十五年（己酉，公元四九年）

春，正月，辽东郡国境外的貊人侵扰边境，太守祭肜招降了他们。祭肜又用财货利益招抚结纳鲜卑大都护偏何，让他招徕异族，络绎不绝来到边塞内附。祭肜说：“真想立功的话，应当回去攻打匈奴，斩敌头颅送来，才可相信你们。”偏何等部就去攻打匈奴，杀了两千多人，拿着头颅到郡里。这以后，他们每年攻击匈奴，送来头颅，接受赏赐。从此匈奴衰落，边境没有入侵的警报，鲜卑、乌桓都入朝进贡。祭肜为人质朴敦厚，庄重刚毅，用恩信招抚夷狄，所以夷狄都敬畏并爱戴他，愿意为他拼死效力。

南匈奴单于派他的弟弟左贤王莫率兵一万多人攻打北单于的弟弟薁鞬左贤王，并活捉了他。北单于惊恐，后退了一千多里。北部薁鞬骨都侯和右骨都侯率领属众三万多人归附南匈奴单于。三月，南匈奴单于又派使者到朝廷进贡，请求汉朝派使者监护，允许派单于之子当侍子，重新修好以往签订的和约。

三月最后一天二十九日戊申，发生日食。

马援军到达临乡，击败蛮兵，斩杀、俘获两千多人。

当初，马援曾生病，虎贲中郎将梁松来看望他，独自跪拜在床下，马援不答礼。梁松走后，众子问道：“梁伯孙是皇帝的女婿，在朝廷位贵权重，公卿以下大臣没有不怕他的，大人为何唯独不礼敬他？”马援回答：“我是梁松父亲的朋友，梁松虽然显贵，但怎么可以失去长幼之序呢！”

援兄子严、敦[75]并喜讥议[76]，通轻侠。援前在交趾，还书诫之曰："吾欲汝曹闻人过失，如闻父母之名[77]，耳可得闻，口不可得言也。好论议人长短，妄是非政法[78]，此吾所大恶[79]也。宁死，不愿闻子孙有此行也。龙伯高[80]敦厚周慎，口无择言[81]，谦约节俭，廉公有威，吾爱之重之，愿汝曹效之。杜季良[82]豪侠好义，忧人之忧，乐人之乐，父丧致客，数郡毕至，吾爱之重之，不愿汝曹效也。效伯高不得，犹为谨敕之士，所谓刻鹄[83]不成尚类鹜[84]者也；效季良不得，陷为天下轻薄子，所谓画虎不成反类狗者也。"伯高者，山都[85]长龙述也；季良者，越骑司马[86]杜保也；皆京兆[87]人。会[88]保仇人上书，讼[89]"保为行浮薄，乱群惑众，伏波将军万里还书以诫兄子，而梁松、窦固[90]与之交结，将扇其轻伪，败乱诸夏"。书奏，帝召责松、固，以讼书及援诫书示之。松、固叩头流血，而得不罪。诏免保官，擢拜龙述为零陵[91]太守。松由是恨援。

及援讨武陵蛮，军次下隽[92]，有两道可入，从壶头[93]则路近而水崄，从充[94]则涂夷而运远。耿舒欲从充道，援以为弃日费粮，不如进壶头，扼其喉咽，充贼自破。以事上之，帝从援策。进营壶头，贼乘高守隘，水疾，船不得上。会暑甚，士卒多疫死，援亦中病，乃穿岸为室以避炎气。贼每升险鼓噪[95]，援辄曳足[96]以观之。左右哀其壮意，莫不为之流涕。耿舒与兄好畤侯弇[97]书曰："前舒上书当先击充，粮虽难运而兵马得用，军人数万，争欲先奋。今壶头竟不得进，大众怫郁[98]行死[99]，诚可痛惜！前到临乡，贼无故自致，若夜击之，即可殄灭，伏波[100]类西域贾胡，到一处辄止，以是失利。今果疾疫，皆如舒言。"弇得书奏之。帝乃使梁松乘驿责问援，因代监军。

会援卒，松因是构陷[101]援。帝大怒，追收援新息侯印绶。初，援在交趾[102]，常饵薏苡实[103]，能轻身，胜障气[104]，军还，载之一车。及卒后，有上书谮之者，以为前所载还皆明珠文犀[105]，帝益怒。

援妻孥[106]惶惧，不敢以丧还旧茔[107]，稿葬域西[108]。宾客故人，莫敢吊会[109]。严与援妻子草索相连，诣阙请罪。帝乃出松书以示之，方知所坐，

马援哥哥的儿子马严、马敦都喜欢议论批评别人，结交轻浮的游侠。马援先前在交趾时，回信告诫他们说："我希望你们听到别人的过失，就像听见父母的名字一样，耳可以听，但嘴不能说。喜好议论别人的长短，随便议论时政，这是我最痛恨的事。我宁愿死，也不希望听到子孙有这种行为。龙伯高诚朴宽厚，周全谨慎，说话让人无可挑剔，谦逊节俭，廉洁公正有威严，我喜爱他、敬重他，希望你们效仿他。杜季良豪爽侠气重情义，把别人的忧愁当作自己的忧愁，把别人的快乐当作自己的快乐，父丧时宾客会丧，几个郡的人都来了，我喜爱他敬重他，但不愿你们效仿他。效仿龙伯高不成，还能是一个谨慎自律的人，这就叫画天鹅不成还像鸭；效仿杜季良不成功，就会沦为天下轻佻浅薄之人，这就叫画虎不成反像狗。"龙伯高，是山都县长龙述；杜季良，是越骑司马杜保。二人都是京兆人。正巧碰上杜保的仇人上书，控告说"杜保行为轻薄，惑乱百姓，伏波将军在万里之外回信告诫兄长的儿子，然而梁松、窦固却与他结交，将会助长轻薄虚伪行为，败坏国家纲纪"。奏书送上，光武帝召见责备梁松、窦固，把控告书和马援的告诫信给二人看。梁松、窦固磕头至流血，才得以免罪。诏令罢免杜保的官职，提升龙述为零陵太守。梁松因此怨恨马援。

等到马援讨伐武陵蛮，军队驻扎下隽县，有两条路可进入，从壶头山走则路近但水险，从充县走则道路平坦而运输遥远。耿舒想要走充县，马援认为耗时费粮，不如进军壶头山，扼住敌人咽喉，充县的叛贼不攻自破。将这事上报朝廷，光武帝采纳了马援的策略。进军到壶头山，敌人居高守险，水流湍急，船不能上行。适逢暑天酷热，士卒多染瘟疫而死，马援也得了病，于是就开凿水岸作为屋室用来躲避暑气。叛贼每次登上险要之地击鼓呐喊，马援就拖着双腿观察他们。身边的人被他的豪壮所感动，没有不流泪的。耿舒给兄长好畤侯耿弇写信说："先前我上书说应当先进攻充县，虽然粮食难运，但兵马可用，数万军人争先恐后要杀敌。如今走壶头山竟然不能前进，大家都忧愁染上瘟疫即将死去，真令人痛惜！当初到临乡时，叛贼无故自来，如果乘夜攻击他们，就可以将他们消灭，伏波将军像西域做买卖的胡人，到一处就停下来，因此失利。如今果然染上瘟疫，都像我预料的那样。"耿弇收到书信进呈给光武帝。光武帝于是派梁松乘驿车责问马援，并留下代理监军。

适逢马援去世，梁松借机诬陷马援。光武帝大怒，收回马援新息侯的印章绶带。当初，马援在交趾，常吃薏苡仁，能使身体轻松，抵御瘴气。军队返回时，载了一车薏苡仁回来。等到马援死后，有人上书诋毁他，说车里装的都是明珠和有文采的犀牛角，光武帝更加生气。

马援的妻儿惶恐，不敢把马援的棺木运回祖坟安葬，只能在祖坟西边草草安葬。宾客旧友，没有敢去吊祭和会葬的。马严和马援的妻儿用草绳将自己捆绑连在一起，到皇宫门口请罪。光武帝于是拿出梁松的奏书给他们看，他们才知道因何获罪，

上书诉冤，前后六上，辞甚哀切。前云阳[110]令扶风[111]朱勃诣阙上书曰：“窃见故伏波将军马援，拔自西州[112]，钦慕圣义，间关险难，触冒万死，经营陇、冀[113]，谋如涌泉，势如转规[114]，兵动有功，师进辄克。诛锄先零[115]，飞矢贯胫[116]。出征交趾，与妻子生诀。间复南讨[117]，立陷临乡，师已有业，未竟而死。吏士虽疫，援不独存。夫战或以久而立功，或以速而致败，深入未必为得，不进未必为非，人情岂乐久屯绝地不生归哉！惟援得事朝廷二十二年[118]，北出塞漠[119]，南度江海，触冒害气，僵死军事，名灭爵绝，国土[120]不传。海内不知其过，众庶未闻其毁。家属杜门，葬不归墓，怨隙并兴，宗亲怖栗[121]，死者不能自列，生者莫为之讼[122]，臣窃伤之！夫明主醲于用赏，约于用刑[123]。高祖尝与陈平金四万斤以间楚军，不问出入所为，岂复疑以钱谷间哉！愿下公卿，平[124]援功罪，宜绝宜续，以厌海内之望。”帝意稍解。

初，勃年十二，能诵《诗》《书》，常候援兄况[125]，辞言娴雅[126]。援裁[127]知书，见之自失。况知其意，乃自酌酒慰援曰：“朱勃小器速成，智尽此耳，卒[128]当从汝禀学，勿畏也。”勃未二十，右扶风请试守渭城宰[129]。及援为将军封侯，而勃位不过县令。援后虽贵，常待以旧恩而卑侮之[130]，勃愈身自亲[131]。及援遇谗，唯勃能终焉。

【段旨】

以上为第三段，写辽东太守祭彤招降鲜卑，致匈奴衰弱。马援正直，结怨梁松，年迈出征殉职，反遭陷害。朱勃为其讼冤。

【注释】

61 辽东：郡名，治所襄平，在今辽宁辽阳。62 徼外：塞外。徼，边境防御设施。63 貊：北方古族名，又作“貉”。64 祭彤（？至公元七三年）：字次孙。东汉开国功臣祭遵之堂弟，时任辽东太守。传附《后汉书》卷二十《祭遵传》。65 大都护：鲜卑首领称谓。66 偏何：人名。67 审欲立功：真想立功。审，确实、当真。68 莫：左贤王之

上书诉冤，前后共六次上书，言辞非常悲切。前云阳县令扶风人朱勃到阙下上书说：“臣私下认为已故伏波将军马援，兴起于凉州，钦佩仰慕圣上的德义，历经艰难险阻，冒着万死之险，平定陇西、冀州，谋略如涌泉一样，气势如转动的圆规一样，兵卒一动就立功，队伍前进就获胜。消灭先零，飞箭射穿小腿。出征交趾，与妻儿诀别。近又南征，立即攻陷了临乡，军队已打下基础，没有完成使命而牺牲。吏士虽然染上瘟疫，马援也没有幸存。战争，有的因为久战而建立功勋，有的因为速战而导致失败，深入未必就对，不进未必就错，就人之常情而言，谁喜欢长久驻扎在绝地不生还呢！唯有马援能够为朝廷效力二十二年，北出塞外沙漠，南渡江海，冒着瘴气，死于战争，名声被毁，爵位被除，封土不能承袭。海内不知他的过失，百姓没有听说他的败毁。家属闭门，墓葬不得归祖坟，仇怨嫌隙并生，宗族亲戚恐惧，死了的人没法开口自陈，活着的人没有人替他申冤，我私下伤感于此！英明的君主多加奖赏，少用刑罚。高祖曾经给陈平四万斤黄金，用以离间楚军，不问是怎样支出的，怎么又会因钱谷方面怀疑他呢！希望能将此事下交公卿，评定马援的功过，到底是应该削除封爵，还是应该接续继承，来满足天下人的愿望。”光武帝的怒气稍稍化解。

当初，朱勃十二岁就能背诵《诗经》《尚书》，经常看望马援的兄长马况，言辞优雅。马援当时刚读书，见到他就若有所失。马况知道他的心思，就亲自酌酒安慰马援说：“朱勃是小器速成，智慧到此为止了，最终还要跟随你受教学习，不用害怕。”朱勃不到二十岁时，右扶风请他试代理渭城县令。等到马援为将封侯，朱勃的官位却未超过县令。虽然马援后来尊贵了，常因马家旧时对朱勃的恩情而照顾他，却又轻慢侮辱他，朱勃却更加亲近马援。等到马援遭受谗言，只有朱勃能始终维护他。

名，南单于比之弟。⑲遣使诣阙：派使者到京师洛阳。阙，宫门、城门前建筑，代指京师。⑳侍子：质子。古代藩属国君之子入朝陪侍天子，称“侍子”或“质子”。㉑戊申：三月二十九。㉒临乡：乡名，建武二十六年（公元五〇年）置县，名沅南县，县治在今湖南桃源东沅江南岸。㉓虎贲中郎将：掌虎贲郎。㉔梁松（？至公元六一年）：梁统之子，字伯孙，尚光武帝女舞阴长公主。传附《后汉书》卷三十四《梁统传》。㉕严、敦：马严、马敦，马援兄马余之子。二人传附《后汉书》卷二十四《马援传》。㉖讥议：论人是非。㉗闻人过失二句：听到别人的过失，如同听人呼父母之名一样深恶痛绝，表示不愿闻人之过。古人礼俗，称字不称名，以示尊重。㉘妄是非政法：轻率地讽刺时政。妄，荒谬，此指轻率、随便。㉙此吾所大恶：这是我最痛恨的事。恶，厌恶、不喜欢。㉚龙

伯高：龙述之字。㉛ 口无择言：绝不说让人挑剔的话。㉜ 杜季良：杜保之字。㉝ 刻鹄：画天鹅。刻，画。鹄，天鹅。㉞ 鹜：野鸭。㉟ 山都：县名、侯国名，县治在今湖北谷城县东南。㊱ 越骑司马：武官名，越骑校尉属官，掌军政，参谋议。越骑，由才力超群的内附越人组成的宿卫骑兵团。㊲ 京兆：京兆尹之省称，为三辅之一。治所在长安城内，今陕西西安。㊳ 会：适逢。㊴ 讼：控告。㊵ 窦固（？至公元八八年）：字孟孙，东汉扶风平陵（今陕西咸阳西北）人，尚光武帝公主，是明帝时抗击匈奴的名将。官至卫尉。传附《后汉书》卷二十三《窦融传》。㊶ 零陵：郡名，治所泉陵，在今湖南零陵。㊷ 下隽：县名，治所在今湖南沅陵东北。㊸ 壶头：山名，在下隽境内。㊹ 充：县名，县治在今湖南桑植。㊺ 鼓噪：擂鼓呐喊。㊻ 曳足：拖着沉重的脚步，摇摇晃晃地行走。㊼ 好畤侯弇：东汉开国功臣之一耿弇，最受光武帝宠信的爱将之一，官至大将军。传见《后汉书》卷十九。㊽ 怫郁：忧闷。此指军士困于险阻和瘟疫，神情沮丧。㊾ 行死：即将死去。㊿ 伏波：西汉名将路博德征南越，号伏波将军，马援仰慕其人。建武十七年（公元四一年），马援南征交趾，亦拜为伏波将军。(101) 构陷：罗织罪状陷害。(102) 交趾：郡名，治所龙编，在今越南河内东北。(103) 薏苡实：薏米仁，可入药。薏苡，俗称薏米、苡米，或薏米仁。禾木科，果实成椭圆形，仁白色。食薏米，可预防瘟疫。(104) 胜障气：阻止瘴气侵袭。障，通“瘴”。(105) 文犀：有文彩的犀牛角。(106) 妻孥：妻及子女。(107) 旧茔：祖

【原文】

谒者南阳[132]宗均[133]监援军，援既卒，军士疫死者太半，蛮亦饥困。均乃与诸将议曰：“今道远士病，不可以战，欲权[134]承制[135]降之，何如？”诸将皆伏地莫敢应。均曰：“夫忠臣出竟[136]，有可以安国家，专之可也。”乃矫制[137]调伏波司马[138]吕种守[139]沅陵长，命种奉诏书入虏营，告以恩信，因勒兵随其后。蛮夷震怖，冬，十月，共斩其大帅而降。于是均入贼营，散其众，遣归本郡，为置长吏[140]而还，群蛮遂平。均未至，先自劾矫制之罪。上嘉其功，迎[141]，赐以金帛，令过家上冢[142]。

是岁，辽西[143]乌桓大人郝旦等率众内属。诏封乌桓渠帅为侯、王、君长者八十一人，使居塞内，布于缘边诸郡。令招来种人，给其衣食，遂为汉侦候[144]，助击匈奴、鲜卑。时司徒掾[145]班彪[146]上言：“乌桓天性轻黠[147]，好为寇贼，若久放纵而无总领者，必复掠居人，但委主降掾

坟。⑩⑧稿葬域西：草草葬在祖茔西侧。稿，草。域，指茔地范围。⑩⑨莫敢吊会：没有人敢来吊丧和会葬。⑪⓪云阳：县名，县治在今陕西淳化西北。⑪①扶风：右扶风省称。为汉代三辅之一，治所槐里，在今陕西兴平。⑪②拔自西州：兴起于凉州。西州，指凉州。王莽末，马援避难凉州，依托隗嚣，曾为嚣使，奉书洛阳，于是归汉。⑪③经营陇、冀：指划策征隗嚣。陇，指陇西郡，治所狄道，在今甘肃临洮。冀，指天水郡冀县，在今甘肃甘谷。隗嚣割据地。⑪④势如转规：指马援审时度势，行动如圆规一样灵活。⑪⑤诛锄先零：建武十一年（公元三五年），马援为陇西太守，曾大破先零羌。先零，羌种族名，驻牧在青海湖地区。⑪⑥飞矢贯胫：流矢洞穿小腿。⑪⑦南讨：指出征南方武陵蛮。⑪⑧援得事朝廷二十二年：马援于建武四年为隗嚣奉书至洛阳朝见光武帝，至建武二十五年殉职武陵，是为二十二年。⑪⑨北出塞漠：指建武二十一年马援出塞讨乌桓事。⑫⓪国土：指封国食邑。⑫①宗亲怖栗：指马援宗族恐怖战栗。⑫②讼：分辨；诉冤。⑫③酺于用赏二句：对奖赏十分厚重，对处罚十分宽松。酺，原指味浓的酒。⑫④平：同“评”。⑫⑤常候援兄况：朱勃常去晋见马援的大哥马况。马援有三兄，马况、马余、马员。⑫⑥辞言娴雅：言辞优雅。⑫⑦裁：通“才”。⑫⑧卒：最终。⑫⑨试守渭城宰：为渭城县见习县令。汉制，试守者，一岁转正。渭城县旧治在今陕西咸阳东北。⑬⓪卑侮之：贱视并凌辱朱勃。⑬①勃愈身自亲：朱勃更加亲近马援。

【语译】

谒者南阳人宗均原是马援的监军，马援已死，军队士卒有大半人死于瘟疫，蛮人也饥饿困乏。宗均就和诸将商议说：“如今路远士兵多病，不能再作战，我想权宜以皇帝旨意招降他们，怎么样？”各位将领都伏地不敢回答。宗均说：“忠臣出境，只要能安定国家，就可专断行事。”于是，假托圣旨任命伏波将军马援的司马吕种代理沅陵县县长，命令吕种奉送诏书进入敌营，向他们宣告恩德信义，宗均趁机带着军队尾随其后。蛮族震惊恐惧，冬，十月，他们杀了首领归降。于是，宗均进入敌营，解散了他们的队伍，遣返原郡，为他们设立长吏返回，群蛮于是平定。宗均没到朝廷时，先自我弹劾假托圣旨的罪过。皇上嘉许他的功劳，派专使迎接他，赐给他黄金丝帛，特许他经过家乡时可以上坟祭告。

这一年，辽西郡乌桓首领郝旦等率领部众内附。皇帝下诏封乌桓的首领为侯、王、君长的有八十一人，让他们居住在边塞之内，分布在沿边各郡。命令他们招来同族人，供给他们衣食，于是他们就成为汉的侦探，帮助攻击匈奴、鲜卑。这时，司徒掾班彪上书说：“乌桓人天性轻薄狡猾，喜好做寇贼，如果长久放纵而无人管理，一定会重新掠夺中国居民，只把他们交给临时设置的受降官员来管理，恐怕难以控

吏[148]，恐非所能制。臣愚以为宜复置乌桓校尉[149]，诚有益于附集，省国家之边虑。”帝从之。于是始复置校尉于上谷[150]宁城[151]，开营府，并领鲜卑赏赐、质子，岁时互市焉。

【段旨】

以上为第四段，写马援卒后，监军宗均便宜从事，矫旨招降武陵蛮，安定一方，受到光武帝嘉奖。

【注释】

⑬²南阳：郡名，治所宛县，在今河南南阳。⑬³宗均：本名宋均，字叔庠，南阳郡安众县（今河南南阳西南）人，官至司隶校尉。时为谒者，监马援军。传见《后汉书》卷四十一。⑬⁴权：随机应变，权宜从事。⑬⁵承制：秉承皇帝旨意便宜行事。⑬⁶竟：通“境”。⑬⁷矫制：假托圣旨。此指宗均承制发布的招降令。⑬⁸伏波司马：伏波将军马援

【原文】

二十六年（庚戌，公元五〇年）

正月，诏增百官奉[152]，其千石已上，减于西京旧制，六百石已下，增于旧秩。

初作寿陵[153]。帝曰：“古者帝王之葬，皆陶人瓦器、木车茅马，使后世之人不知其处。太宗[154]识终始之义[155]，景帝能述遵孝道，遭天下反覆[156]，而霸陵[157]独完受其福，岂不美哉！今所制地[158]不过二三顷，无为[3]山陵陂池，裁令流水而已[159]。使迭兴[160]之后，与丘陇同体。”

诏遣中郎将段彬、副校尉王郁使南匈奴，立其庭，去五原西部塞[161]八十里。使者令单于伏拜受诏。单于顾望有顷，乃伏称臣。拜讫，令译晓使者曰：“单于新立，诚惭于左右，愿使者众中无相屈折也。”诏听南单于入居云中[162]，始置使匈奴中郎将[163]，将兵卫护之。

夏，南单于所获北虏薁鞬左贤王将其众及南部五骨都侯[164]，合三万

制。臣愚见认为应当恢复设置乌桓校尉，这确实有利于招集乌桓人，减轻国家对边疆的忧虑。”光武帝接受了这个建议。于是，开始在上谷郡宁城县重新设立校尉，建立军营府第，并兼管对鲜卑的赏赐和质子事宜，每年按时进行双边贸易。

的司马官。司马，将军、校尉之下所设军职，专掌领兵军务。⑬⑨守：代理。⑭⓪长吏：县长官辅佐丞、尉，秩二百石至四百石。⑭①迎：光武帝遣专使出迎宗均。⑭②令过家上冢：受朝命而出专方面的大臣，未复命不得过家。光武帝特诏宗均先过家、拜祖茔，然后复命，以示褒奖安边之功，并赦其矫制之罪。⑭③辽西：郡名，治所阳乐，在辽宁锦州西北。⑭④侦候：侦察敌情的哨探。⑭⑤司徒掾：司徒府属吏。⑭⑥班彪（公元三至五四年）：东汉史学家，字叔皮，扶风安陵（今陕西咸阳东北）人。传见《后汉书》卷四十上。⑭⑦轻黠：轻佻狡猾。⑭⑧主降掾吏：当时因事临时设置的受降官吏。⑭⑨乌桓校尉：护乌桓校尉之省称。汉武帝始置，防御乌桓，并管理内附乌桓。⑮⓪上谷：郡名，治所沮阳，在今河北怀来东南。⑮①宁城：县名。

【语译】

二十六年（庚戌，公元五〇年）

正月，光武帝下诏增加百官的俸禄，千石以上的，少于西汉时旧制；六百石以下的，多于西汉时旧制。

开始建造寿陵。光武帝说：“古代帝王的随葬品，全是陶人瓦器、木车茅马，使后代的人找不到埋葬的地方。汉文帝了解生命始终的本质，汉景帝能遵循孝道，遭遇天下更替，只有霸陵保持完好，受其福祉，难道不美好吗！如今规定陵冢的土地不超过两三顷，不要建造山陵池塘，只要有流水就行。务使朝代更替之后，坟墓仍与山丘同在。”

光武帝下诏派中郎将段彬、副校尉王郁出使南匈奴，建立王庭，离五原郡西部边塞八十里。使者要求单于伏地跪拜接受诏书。单于左顾右看了一会儿，才伏地称臣。单于拜毕，让译者告诉使者说：“单于刚刚即位，在左右下属面前实在羞愧，希望使者在众人面前不要贬损单于。”光武帝下诏允许南单于入塞居住在云中郡，开始设立使匈奴中郎将，率领军队护卫南单于。

夏，南单于先前捕获的北匈奴薁鞬左贤王率领他的部众和南部五个骨都侯，共

余人畔归，去北庭三百余里，自立为单于。月余，日更相攻击，五骨都侯皆死，左贤王自杀，诸骨都侯子各拥兵自守。

秋，南单于遣子入侍。诏赐单于冠带、玺绶⑯、车马、金帛、甲兵、什器⑯，又转河东⑯米糒⑯二万五千斛，牛羊三万六千头以赡给之。令中郎将将弛刑⑯五十人，随单于所处，参辞讼，察动静。单于岁尽辄遣奉奏⑰，送侍子入朝；汉遣谒者送前侍子还单于庭，赐单于及阏氏⑰，左、右贤王以下缯彩⑰合万匹，岁以为常。于是云中、五原、朔方⑰、北地⑰、定襄⑰、雁门⑰、上谷、代⑰八郡民归于本土⑰。遣谒者分将⑰弛刑补治城郭，发遣边民在中国⑱者布还诸县⑱，皆赐以装钱⑱，转给粮食。时城郭丘墟，扫地更为⑱，上乃悔前徙之⑱。

冬，南匈奴五骨都侯子复将其众三千人归南部，北单于使骑追击，悉获其众。南单于遣兵拒之，逆战不利。于是复诏单于徙居西河美稷⑱，因使段彬、王郁留西河拥护之，令西河长史岁将骑二千、弛刑五百人助中郎将卫护单于，冬屯夏罢，自后以为常。南单于既居西河，亦列置诸部王，助汉捍戍北地、朔方、五原、云中、定襄、雁门、代郡，皆领部众，为郡县侦逻⑱耳目。北单于惶恐，颇还所掠[4]汉民，以示善意⑱。钞兵⑱每到南部⑱下，还过亭候⑲，辄谢曰："自击亡虏薁鞬日逐耳，非敢犯汉民也。"

【段旨】

以上为第五段，写南单于归附，助东汉抗拒北匈奴，边郡安宁，边民各还本土。

三万多人反叛，逃回到北方，在距北匈奴单于庭三百多里处自立为单于。一个多月里，每天互相攻击，五个骨都侯都死了，左贤王自杀，那些骨都侯的儿子各自拥兵自守。

秋，南匈奴单于派儿子入侍朝廷。光武帝下诏赏赐南匈奴单于头冠衣服、印玺绶带、车马、黄金丝帛、武器、生活用具，又转运河东郡二万五千斛米粮、三万六千头牛羊供给救助他们。命令中郎将带领五十个除去刑具的囚徒，随从单于左右，协助单于处理诉讼案件，观察单于的动静。单于年终要派人奉上奏书，送侍子入朝；汉朝派谒者送前一个侍子回单于庭，赏赐单于和阏氏，左、右贤王以下共万匹彩色丝绸，每年成为惯例。于是云中、五原、朔方、北地、定襄、雁门、上谷、代八郡的百姓返回故乡。朝廷派谒者分路带领除去刑具的囚徒修补建筑城郭，遣送迁入中原的边民回到原籍各县，都赏给安家费，转运供给粮食。当时城郭都成了废墟，一切要从头开始，光武帝于是后悔当初迁徙边民到内地。

冬，南匈奴五个骨都侯的儿子又带领部众三千人回到南部，北匈奴单于派骑兵追击，全部俘获他们的部众。南匈奴单于派兵抵抗他们，迎战失利。于是光武帝又下诏让南匈奴单于迁徙到西河郡美稷县定居，趁机派段彬、王郁留在西河郡护卫他们，命令西河郡长史每年率领二千骑兵、五百除去刑具的囚徒辅助中郎将护卫单于，冬季屯守，夏季撤回，从此以后成为惯例。南匈奴单于居住西河郡后，也设置诸部王，帮助汉朝守卫北地郡、朔方郡、五原郡、云中郡、定襄郡、雁门郡、代郡，均统领部众，为郡县侦探巡逻充当耳目。北匈奴单于惶恐，放回了许多掳掠的汉民，以表示善意。抢掠的士兵每次到南部附近，返回路过汉朝的边塞亭障时，总是谢罪说："我们只是攻打逃亡的敌人薁鞬日逐，不敢侵犯汉民。"

【注释】

⑫ 百官奉：光武帝建武二十六年（公元五〇年）诏增吏奉。吏奉详《续汉书·百官志五》。⑬ 寿陵：汉自文帝始，皇帝预作陵墓，通称寿陵，取久长之义。皇帝死后入葬，才加陵名。光武帝刘秀墓称原陵，在今河南洛阳市孟津区西。⑭ 太宗：指汉文帝。⑮ 识终始之义：懂得人生寿考的真义。⑯ 天下反覆：指两汉之际的动乱。⑰ 霸陵：汉文帝陵。⑱ 制地：占地范围、规模。⑲ 无为山陵陂池二句：不要建造山陵陂池，依自然地势，只求流水就行。⑳ 迭兴：指未来的改朝换代。讳东汉之亡。㉑ 五原西部塞：指五原郡西部都尉治田辟，在九原之西。五原，郡名，治所九原，在今内蒙古包头西。㉒ 云中：郡名，治所云中，在今内蒙古托克托东北。㉓ 使匈奴中郎将：省称为匈奴中郎将。

管理南匈奴事务。⑯南部五骨都侯：南单于比的旧部五位骨都侯，即韩氏骨都侯、当于骨都侯、呼衍骨都侯、郎氏骨都侯、栗藉骨都侯。⑯玺绶：单于玺为黄金印，系带为绿色及紫青色。⑯什器：饮食等生活器具。⑯河东：郡名，治所安邑，在今山西夏县西北。⑯糒：干粮，用米麦制作的熟食干饭。这里泛指粮食。⑯弛刑：指弛刑徒，除去刑具服劳役的囚犯。⑰遣奉奏：遣使奉国书上奏汉帝。⑰阏氏：单于皇后。⑰缯彩：各种丝织品绫、罗、绸、缎的总称。⑰朔方：郡名，治所朔方，在今内蒙古鄂托克旗西北。⑰北地：郡名，治所富平，在今宁夏吴忠。⑰定襄：郡名，治所成乐，在今内蒙古和林格尔西北。后移治善无，在今山西右玉。⑰雁门：郡名，治所阴馆，在今山西朔州东南夏关城。⑰代：郡名，治所高柳，在今山西阳高西北。⑰八郡民归于本土：缘边八郡之民避祸匈奴侵扰内徙者，令其还归本土。⑰将：率领。⑱中国：指中原内地。⑱布

【原文】

二十七年（辛亥，公元五一年）

夏，四月戊午[191]，大司徒玉况薨。

五月丁丑[192]，诏司徒、司空并去“大”名，改大司马为太尉。骠骑大将军行大司马刘隆[193]即日罢，以太仆[194]赵熹[195]为太尉，大司农[196]冯勤[197]为司徒。

北匈奴遣使诣武威[198]求和亲，帝召公卿廷议，不决。皇太子[199]言曰：“南单于新附，北虏惧于见伐，故倾耳而听，争欲归义耳。今未能出兵而反交通北虏，臣恐南单于将有二心，北虏降者且不复来矣。”帝然之，告武威太守勿受其使。

朗陵侯臧宫、扬虚侯马武上书曰：“匈奴贪利，无有礼信，穷则稽首，安则侵盗。虏今人畜疫死，旱蝗赤地，疲困乏[5]力，不当中国一郡。万里死命，县[200]在陛下。福不再来[201]，时或易失，岂宜固守文德而堕[202]武事乎！今命将临塞，厚悬购赏，喻告高句骊、乌桓、鲜卑攻其左，发河西四郡[203]、天水、陇西[204]羌、胡击其右，如此，北虏之灭，不过数年。臣恐陛下仁恩不忍，谋臣狐疑，令万世刻石之功不立于圣世。”诏报曰：“《黄石公记》[205]曰：‘柔能制刚，弱能制强。

还诸县：分散回到各县。⑱装钱：迁徙治装费，即安家费。⑱扫地更为：扫除废墟，一切从头开始。⑱上乃悔前徙之：光武帝于是后悔当初不该强迫边民撤迁内地。徙民事见本书上卷光武十五年。⑱美稷：西河郡属县，南单于庭设此，县治在今内蒙古准格尔旗。⑱侦逻：侦探、巡逻。⑱颇还所掠汉民二句：北匈奴不断释放所俘虏的汉民，用以表示亲善汉朝。⑱钞兵：闪电式犯边的突击队。⑱南部：南匈奴所居地。⑲亭候：边郡亭障的巡哨。此句谓返还的北匈奴钞兵，每经过边郡亭障，都要向巡哨道歉。

【校记】

[3]为：原无此字。据章钰校，十二行本、乙十一行本皆有此字，张敦仁《通鉴刊本识误》同，今据补。[4]掠：据章钰校，十二行本、乙十一行本皆作“略”。

【语译】

二十七年（辛亥，公元五一年）

夏，四月二十一日戊午，大司徒玉况去世。

五月十一日丁丑，光武帝下诏把大司徒、大司空的“大”字去掉，改大司马为太尉。署理大司马职务的骠骑大将军刘隆当日罢免，任命太仆赵熹为太尉，大司农冯勤为司徒。

北匈奴单于派遣使者到武威郡请求和亲，光武帝召见公卿进行廷议，争论不决。皇太子进言说：“南单于刚刚归附，北虏害怕受到汉朝攻伐，所以竖起耳朵倾听，争着想要归附正义。现今我们不能出兵讨伐反而与北虏交往，臣担心南匈奴单于将有二心，北虏归降者将不再来了。”光武帝认为有道理，告令武威郡太守不接受北匈奴的使者。

朗陵侯臧宫、扬虚侯马武上书说：“匈奴贪图利益，没有礼仪信义，穷困就磕头臣服，安定就侵略抢夺。北匈奴现在人畜都死于瘟疫，旱灾、蝗灾使得土地荒芜，疲乏困顿，没有力量，不如中国的一个郡。万里之外，匈奴的生死，由陛下决定。福不会来两次，时机有时容易失去，怎么可以固守文治而放弃军事呢！现在命令将军到边塞，厚加悬赏，晓谕告知高句丽、乌桓、鲜卑攻击北匈奴左部，征发河西四郡、天水、陇西的羌人、胡人，攻击北匈奴的右部，这样的话，北匈奴的灭亡，用不了几年。臣担心陛下仁慈恩爱不忍心，谋议的大臣犹疑不定，使得万代不朽的功业不能立于伟大的时代。”光武帝下诏回答说：“《黄石公记》说：‘柔能克刚，弱能克强。

舍近谋远者，劳而无功；舍远谋近者，逸而有终。故曰务广地者荒[206]，务广德者强[207]，有其有者安[208]，贪人有者残[209]。残灭之政，虽成必败。’今国无善政，灾变不息，百姓惊惶，人不自保，而复欲远事边外乎！孔子曰：‘吾恐季孙之忧不在颛臾。’[210]且北狄尚强，而屯田警备，传闻之事，恒多失实。诚能举天下之半以灭大寇，岂非至愿！苟非其时，不如息民。”自是诸将莫敢复言兵事者。

上问赵熹以久长之计，熹请遣诸王就国。冬，上始遣鲁王兴[211]、齐王石[212]就国。

【段旨】

以上为第六段，写光武帝执行分化匈奴的政策，不接受北匈奴归降。

【注释】

⑲戊午：四月二十一日。⑲丁丑：五月十一日。⑲刘隆（？至公元五七年）：东汉开国功臣之一，先受封扶乐乡侯，定封慎侯。官至骠骑将军（位次大将军），代理（行）大司马职事。传见《后汉书》卷二十二。⑲太仆：九卿之一，掌皇帝车马。⑲赵熹（公元前四年至公元八〇年）：东汉初大臣，封节乡侯。传见《后汉书》卷二十六。⑲大司农：九卿之一，掌国家财政。⑲冯勤（？至公元五六年）：东汉初名臣。传见《后汉书》卷二十六。⑲武威：郡名，治所姑臧，在今甘肃武威凉州区。⑲皇太子：指光武帝第四子刘庄，建武十九年立为皇太子。⑳县：权衡；衡量。⑳福不再来：语出《左传》“大福

【原文】

是岁，帝舅寿张恭侯樊宏[213]薨。宏为人谦柔畏慎，每当朝会，辄迎期先到，俯伏待事。所上便宜[214]，手自书写，毁削草本。公朝访逮，不敢众对[215]。宗族染其化，未尝犯法。帝甚重之。及病困，遗令薄葬，一无所用。以为棺柩一藏，不宜复见，如有腐败，伤孝子之心，使与夫人同坟异藏[216]。帝善其令，以书示百官，因曰：“今不顺寿张侯意，无以彰其德。且吾万岁之后，欲以为式[217]。”

舍近图远的事，辛劳却无功；舍远谋近的事，安逸却有结果。所以说致力于拓广土地的人会导致荒废，致力于推广德义的人会强大；珍惜自己已有的人得到安定，贪图别人所有的人变得残忍。残灭的政治，即使一时成功，也一定会失败。'如今国家没有善政，灾异不断，百姓惊恐，人们不能自保，怎么还想着立功于遥远的边境之外的事情呢！孔子说：'我担心季孙的忧患不在颛臾。'况且北狄还很强盛，而屯田警备，传闻的事情，常多不真实。真能拿半个天下去消灭大敌，难道不是朕最大的愿望吗！如果时机未到，不如让百姓休息。"从此，众将没有敢再说用兵之事的。

光武帝问赵熹国家长治久安的计策，赵熹建议那些诸侯王回到自己的封国。冬，光武帝开始派遣鲁王刘兴、齐王刘石回到王国。

不再"。㉒堕：通"隳"，荒废、废弃。㉓河西四郡：凉州河西走廊四郡，即武威、张掖、酒泉、敦煌。㉔天水、陇西：两郡名。天水，郡治平襄，在今甘肃通渭西北。陇西，郡治狄道，在今甘肃临洮。㉕《黄石公记》：兵书名，即西汉张良在下邳圯上所得老父书，已佚。㉖务广地者荒：致力于开疆拓土的人，将导致荒废。㉗务广德者强：致力于发扬光大道德的人会强大。㉘有其有者安：珍惜自己已有的人，得到安定。㉙贪人有者残：贪图别人所有的人，变得凶残。㉚孔子曰二句：引语见《论语·季氏》。颛臾，春秋时鲁国的附庸小国（在今山东费县西北），靠近鲁权臣大夫季孙氏之封邑费。季孙氏将讨伐颛臾，孔子反对，说："吾恐季孙之忧，不在颛臾，而在萧墙之内也。"㉛鲁王兴：光武帝兄刘缜之次子刘兴。㉜齐王石：刘石，刘缜长子刘章之长子，刘缜的嫡长孙。

【校记】

［5］乏：据章钰校，十二行本、乙十一行本皆作"之"。

【语译】

这一年，光武帝的舅舅寿张恭侯樊宏去世。樊宏为人谦虚柔和，戒惕谨慎，每到朝会时，总是早于约定时间先到，谦恭处世。所上奏利国便民的建言，亲手书写，毁掉草稿。朝会被光武帝问及，从不敢当众回答。宗族受他感染，无人犯法。光武帝很敬重他。等到他病危，遗嘱薄葬，不用陪葬品。认为棺柩一经掩埋，不适宜再次见到，如果尸体腐败，会伤孝子的心，让人把自己和夫人埋在一个坟墓的不同墓穴中。光武帝赞赏他的遗嘱，把他的遗书出示百官，就此说："现在若不顺从寿张侯的意思，就不能彰显他的美德。而且我死后，也要以他为榜样。"

【段旨】

以上为第七段，写光武帝舅樊宏死后薄葬，受到光武帝表彰。

【原文】

二十八年（壬子，公元五二年）

春，正月己巳[218]，徙鲁[219]王兴为北海王，以鲁益东海[220]。帝以东海王强去就有礼[221]，故优以大封，食二十九县，赐虎贲[222]、旄头[223]，设钟虡之乐[224]，拟于乘舆[225]。

夏，六月丁卯[226]，沛太后郭氏[227]薨。

初，马援兄子婿王磐，平阿侯仁之子也。王莽败，磐拥富赀为游侠，有名江、淮间。后游京师，与诸贵戚友善。援谓姊子曹训曰："王氏，废姓也，子石[228]当屏居自守，而反游京师长者[229]，用气自行，多所陵折，其败必也。"后岁余，磐坐事死，磐子肃复出入王侯邸第。时禁罔尚疏[230]，诸王皆在京师，竞修名誉，招游士。马援谓司马吕种曰："建武之元，名为天下重开，自今以往，海内日当安耳。但忧国家诸子并壮，而旧防未立[231]，若多通宾客，则大狱起矣，卿曹戒慎之。"至是，有上书告肃等受诛之家，为诸王宾客，虑因事生乱。会更始之子寿光侯鲤得幸于沛王[232]，怨刘盆子[233]，结客杀故式侯恭[234]。帝怒，沛王坐系诏狱，三日乃得出。因诏郡县收捕诸王宾客，更相牵引，死者以千数。吕种亦与其祸，临命叹曰："马将军诚神人也！"

秋，八月戊寅[235]，东海王强、沛王辅、楚王英、济南王康、淮阳王延始就国[236]。

【注释】

⑬ 樊宏（？至公元五一年）：字靡卿，光武帝之舅。传见《后汉书》卷三十二。⑭ 所上便宜：所上奏利国便民的建言。⑮ 公朝访逮二句：光武帝在朝会时向樊宏询问事情，樊宏从不敢当众回答。汉文帝时，冯唐论将，谏文帝之失。汉文帝怒曰："公当众辱我，难道找不到适当的机会吗？"樊宏深识事君之道而如此。⑯ 同坟异藏：夫妻同葬一个坟墓，但不用同一个墓穴。胡三省注："古代夫妇合葬，《诗》曰：'谷则异室，死则同穴'是也。"同墓异穴，始于樊宏。⑰ 式：模式；榜样。

【语译】

二十八年（壬子，公元五二年）

春，正月己巳日，徙封鲁王刘兴为北海王，割鲁国之地扩充东海郡。皇帝因为东海王刘强进退有礼，所以优待给他大封国，食邑二十九县，赐给虎贲、旄头，摆设用木架悬挂的编钟，比拟天子之制。

夏，六月初七日丁卯，沛太后郭氏去世。

当初，马援哥哥的女婿王磐，是平阿侯王仁的儿子。王莽失败，王磐凭借大量财富做游侠，在江淮一带很有名。后来到京城游玩，和那些贵戚结交友好。马援对姐姐的儿子曹训说："王氏是败落家族，子石应该屏客独居以自保，可他反而交游京城贵戚，任气独行，凌辱了许多人，他一定会失败。"一年多后，王磐因犯罪被杀，王磐的儿子王肃又出入王侯邸第。这时禁令法律还宽疏，众多诸侯王都在京城，竞相沽名钓誉，招揽游士。马援对司马吕种说："建武之初，号称国家重新建立，从今以后，海内会日益安定了。只是担心皇帝的几个儿子都正当壮年，而过去防范诸侯王的制度还没有恢复，如果过多地交结宾客，就会出现大案，你等要戒备谨慎这件事。"这时，有人上书控告王肃等被诛杀的家族，是诸侯王的宾客，担心因事生乱。正巧更始帝刘玄的儿子寿光侯刘鲤得到沛王的宠爱，怨恨刘盆子，勾结宾客杀死前式侯刘恭。光武帝十分生气，沛王受牵连被下了诏狱，三天后才被放出来。于是下诏郡县逮捕诸侯王的宾客，互相揭发，死者数以千计。吕种也牵连到此祸中，临刑时感叹说："马将军真是神人啊！"

秋，八月十九日戊寅，东海王刘强、沛王刘辅、楚王刘英、济南王刘康、淮阳王刘延开始离开京师回到自己的封国。

上大会群臣，问谁可傅太子者。群臣承望上意，皆言太子舅执金吾㉗原鹿侯阴识㉘可。博士㉙张佚正色曰："今陛下立太子，为阴氏乎，为天下乎？即为阴氏，则阴侯可；为天下，则固宜用天下之贤才！"帝称善，曰："欲置傅者，以辅太子也。今博士不难正朕㉚，况太子乎！"即拜佚为太子太傅，以博士桓荣㉛为少傅，赐以辎车、乘马。荣大会诸生，陈其车马、印绶，曰："今日所蒙，稽古㉜之力也，可不勉哉！"

【段旨】

以上为第八段，写马援劝诫亲友不要交结权贵以避大狱，不幸言中。光武帝听从劝谏，为太子择师傅不用外戚，而用贤士。

【注释】

㉘己巳：建武二十八年（公元五二年）正月朔癸巳，是月无己巳。疑己巳为乙巳之误。乙巳，正月十三日。㉙鲁：封国名，治所鲁县，在今山东曲阜。㉚东海：刘强封国，治所郯县，在今山东郯城县。㉛东海王强去就有礼：刘强，光武帝长子，郭皇后所生。建武二年立为皇太子。建武十七年，郭皇后废，刘强自请退太子位为藩王。建武十九年封东海王。光武帝认为刘强无过，去（退太子位）就（受封东海王）有礼，故优待以大封国。传见《后汉书》卷四十二。㉜虎贲：指虎贲郎，皇帝身边的侍卫官。虎贲，勇士之称。贲，通"奔"。㉝旄头：羽林郎之一种，为皇帝仪仗先驱。㉞设钟虡之乐：陈设编钟乐器。钟，编钟，一种打击乐器。虡，悬挂钟磬的木架。㉟拟于乘舆：比

【原文】

北匈奴遣使贡马及裘，更乞和亲㊸，并请音乐㊹；又求率西域诸国胡客㊺[6]俱献见。帝下三府㊻议酬答之宜㊼。司徒掾班彪曰："臣闻孝宣皇帝敕边守尉曰：'匈奴大国，多变诈，交接得其情，则却敌折冲；应对入其数㊽，则反为轻欺。'今北匈奴[7]见南单于来附，惧谋其国，故数乞和亲。又远驱牛马与汉合市㊾，重遣名王，多所贡献，斯皆外示富强以相欺诞也。臣见其献益重，知其国益虚；归亲愈数，为惧愈多。

光武帝举行盛大宴会招待群臣，询问谁可以教导太子。群臣为迎合皇上，都说太子的舅舅执金吾原鹿侯阴识可以。博士张佚严肃地说："现在陛下立太子，是为了阴氏呢，还是为了天下呢？如果是为了阴氏，那么阴侯可以；如果是为了国家，那么本应该用天下的贤才！"光武帝称好，说："要设立傅的本意，是为了辅导太子。现在博士敢于谏正朕，何况是太子呢！"当即任命张佚做太子太傅，任命博士桓荣做少傅，赐予辎车、乘马。桓荣召集太学生大会，陈列车马、印章绶带，说："今天蒙此殊荣，都是研究古书的功劳，怎能不努力呢！"

拟天子之制。乘舆，指代天子。㉖丁卯：六月初七日。㉗沛太后郭氏：郭皇后被废，随第二子沛王刘辅居沛国，故称沛太后。㉘子石：王磐之字。㉙京师长者：指京师的王侯权贵。㉚禁罔尚疏：禁令法制还很粗疏。㉛旧防未立：旧防，指西汉防止诸侯王坐大，禁止诸王交结游士、宾客的制度。未立，还没有确立。㉜沛王：光武帝第二子刘辅，建武十七年封中山王，建武二十年徙封沛王。传见《后汉书》卷四十二。㉝刘盆子：两汉之际赤眉军拥立的皇帝。传见《后汉书》卷十一。㉞式侯恭：刘盆子兄刘恭，更始帝封为式侯。赤眉破长安杀更始，故更始子刘鲤怨刘盆子兄弟，交结沛王杀刘恭，兴起大狱。㉟戊寅：八月十九日。㊱东海王强句：东海王刘强、沛王刘辅、楚王刘英、济南王刘康、淮阳王刘延，皆光武帝之子。就国，诸王离开京师官邸回到封国。㊲执金吾：官名，掌京师皇宫外治安。㊳阴识（？至公元五九年）：外戚，光武帝阴皇后之前母兄。传见《后汉书》卷三十二。㊴博士：官名，掌通古今备顾用。汉武帝置博士弟子，博士又成为太学教官。㊵不难正朕：不以谏正皇帝为难事。㊶桓荣（？至公元五九年）：精通《欧阳尚书》，官至太常、五更。传见《后汉书》卷三十七。㊷稽古：研究古书。

【语译】

北匈奴派遣使者进贡马匹及裘皮，再次请求和亲，并想得到汉朝的乐器；又请求率领西域各国使节一起进贡朝见。光武帝下达三府商议适宜的回复。司徒掾班彪说："臣听说孝宣皇帝敕令边郡守尉说：'匈奴是大国，善变多诈，交往时如了解他们的情况，就能击退战胜他们；如果应对时中了他的圈套，就反而会被轻视欺负。'如今北匈奴看见南匈奴单于来归附，害怕图谋他的国家，所以屡次请求和亲。又从很远的地方驱赶牛马与汉人互市贸易，一再派遣有名的部王，进贡很多，这都是对外显示富强来欺骗虚夸。臣看到他们贡献越重，知道他的国家越空虚；归附次数越频繁，他们的恐

然今既未获助南，则亦不宜绝北，羁縻㊿之义，礼无不答。谓可颇加赏赐，略与所献相当，报答之辞，令必有适(251)。今立稿草并上，曰：'单于(252)不忘汉恩，追念先祖旧约(253)，欲修和亲，以辅身安国，计议甚高，为单于嘉之！往者匈奴数有乖乱，呼韩邪、郅支(254)自相雠隙，并蒙孝宣皇帝[8]垂恩救护，故各遣侍子称藩保塞。其后郅支忿戾，自绝皇泽，而呼韩附亲，忠孝弥著。及汉灭郅支，遂保国传嗣，子孙相继。今南单于携众向南，款塞归命。自以呼韩嫡长，次第当立，而侵夺失职，猜疑相背，数请兵将，归扫北庭，策谋纷纭，无所不至。惟念斯言不可独听，又以北单于比年(255)贡献，欲修和亲，故拒而未许(256)，将以成单于忠孝之义(257)。汉秉威信，总率万国，日月所照，皆为臣妾。殊俗百蛮，义无亲疏，服顺者褒赏，畔逆者诛罚，善恶之效，呼韩、郅支是也。今单于欲修和亲，款诚已达(258)，何嫌而欲率西域诸国俱来献见！西域国属匈奴与属汉何异！单于数连兵乱，国内虚耗，贡物裁(259)以通礼，何必献马裘！今赍(260)杂缯(261)五百匹，弓鞬韇丸一(262)，矢四发(263)，遗单于。又赐献马左骨都侯、右谷蠡王(264)杂缯各四百匹，斩马剑各一。单于前言"先帝时所赐呼韩邪竽、瑟、空侯(265)皆败，愿复裁赐(266)"。念单于国尚未安，方厉武节，以战攻为务，竽、瑟之用，不如良弓利剑，故未以赍。朕不爱小物，于单于便宜所欲(267)，遣驿以闻。'"帝悉纳从之。

【段旨】

以上为第九段，写北匈奴欲修和亲，光武帝采纳班彪建议，适当应对。

【注释】

(243)更乞和亲：再次请求和亲。北匈奴第一次遣使求和亲，见前建武二十七年（公元五一年）。(244)请音乐：请求赐给中国乐器，表示仰慕汉文化。(245)胡客：指西域各国使节。(246)三府：太尉、司徒、司空三公府。(247)议酬答之宜：讨论怎样应酬答复北匈奴合适。(248)入其数：中其圈套。(249)合市：互市贸易。㊿羁縻：笼络控制。(251)适：得当。此句指回报国书语言得当。(252)单于：指北匈奴单于蒲奴。(253)先祖旧约：西汉宣、元帝时南匈

惧就越多。但是现在既然没有帮助南匈奴，也就不宜拒绝北匈奴。笼络的原则，就礼节来说不能不酬答。臣认为可以稍加赏赐，大致与他们所献之物相当，答复的言辞，务必要恰如其分。现在臣拟了一个草稿一并呈上，内容说：‘单于不忘汉朝的恩德，追念先祖的旧约，想修好和亲，来辅佐自身安定国家，计策很高明，我为单于赞赏这件事！过去匈奴常有叛乱，呼韩邪、郅支互相仇恨，都受到孝宣皇帝施恩救助，所以各自派遣侍子，自称藩臣，保卫边塞。后来郅支暴戾，自行断绝皇帝的恩泽，但呼韩邪内附和亲，忠孝更加显著。等到汉朝消灭郅支，便保全了他的国家，传嗣其位，子孙相继。现在南单于率众前往南边，叩塞归顺。自认为是呼韩邪嫡长子，按次序当立，却被侵夺失去职权，受到猜疑背叛，多次请求兵卒将帅，回去扫荡北单于庭，各种计策谋略，没有不想到的。朝廷只是想到不可只听他们的一面之词，又因北单于连年进贡，要修好和亲，所以拒绝了他们的要求没有答应，想要以此成全北匈奴单于的忠孝之义。汉朝秉持威信，统领众国，日月照耀的地方，都是汉朝的藩属。不同风俗的所有蛮夷，名义上不论亲近疏远，归顺者就褒赏，叛逆者就诛罚，向善和作恶的例证，就是呼韩邪、郅支。如今单于要修好和亲，真诚已经表达，怎么会嫌弃你不率领西域众国一起来贡献朝见呢！西域各国归属匈奴与归属汉朝有什么区别呢！单于连年兵乱，国内空虚损耗，贡物只要表达礼仪就行，何必一定要进献马匹、裘皮！如今赠给各色丝绸五百匹，弓、弓套、箭套及外套各一件，箭四支，送给单于。又赐予献马的左骨都侯、右谷蠡王每人各色丝绸四百匹、斩马剑一把。单于以前说“先帝时赐送呼韩邪的竽、瑟、箜篌都坏了，希望再酌量赐给”。考虑到北单于国家还不安定，正在激励将士士气，以征战攻伐为要务，竽、瑟的用处不如良弓利剑，所以没有带来送你。朕不吝惜小东西，有单于想要的适用的东西，就派驿使上报。’”光武帝全部采纳了班彪的建议。

奴呼韩邪单于稽侯狦与汉和亲之约。事见本书宣帝甘露三年。㉔郅支：北匈奴郅支单于，呼韩邪单于之兄，遭汉与呼韩邪攻击，西迁入居康居。汉元帝时为西域都护甘延寿及副校尉陈汤所灭。㉕比年：连年。㉖拒而未许：拒绝南匈奴单于比请兵北伐北匈奴的要求。㉗将以成单于忠孝之义：想要以此成全北匈奴蒲奴单于归附中国的忠孝之义。㉘款诚已达：诚意已经表达。㉙裁：仅；只。㉚贲：馈赠。㉛杂缯：各种绸缎。㉜弓鞬韇丸一：弓以及收藏弓箭的器具各一件。据胡注，收藏弓的套称为鞬，收藏箭的套称为韇。丸，收纳整套弓箭的箭套。㉝矢四发：箭四支。㉞又赐献马左骨都侯句：同时赏赐贡献马匹给中国的左骨都侯和右谷蠡王。㉟竽、瑟、空侯：皆乐器名。㊱愿复裁赐：希望再次酌量赏赐。㊲便宜所欲：适合想要的器物。

【校记】

[6]客：原误作“洛”。据章钰校，十二行本、乙十一行本皆作“客”，熊罗宿《胡刻资治通鉴校字记》同，今据校正。[7]匈奴：原作“单于”。据章钰校，十二行本、乙十一行本、孔天胤本皆作“匈奴”，张瑛《通鉴校勘记》同，今据改。[8]孝宣皇帝：原脱“皇”字。据章钰校，十二行本、乙十一行本皆有“皇”字，今据补。

【原文】

二十九年（癸丑，公元五三年）

春，二月丁巳朔，日有食之。

三十年（甲寅，公元五四年）

春，二月，车驾东巡。群臣上言：“即位三十年，宜封禅[268]泰山。”诏曰：“即位三十年，百姓怨气满腹，‘吾谁欺？欺天乎[269]！’‘曾谓泰山不如林放乎[270]！’何事污七十二代之编录[271]！若郡县远遣吏上寿，盛称虚美，必髡[272]，令屯田。”于是群臣不敢复言。

甲子[273]，上幸鲁、济南[274]。闰月癸丑[275]，还宫。

有星孛于紫宫[276]。

夏，四月戊子[277]，徙左翊王焉[278]为中山王。

五月，大水。

秋，七月丁酉[279]，上行幸鲁。冬，十一月丁酉[280]，还宫。

胶东刚侯贾复[281]薨。复从征伐，未尝丧败，数与诸将溃围解急，身被十二创。帝以复敢深入，希令远征，而壮其勇节，常自从之[282]，故复少方面之勋[283]。诸将每论功伐，复未尝有言。帝辄曰：“贾君之功，我自知之。”

三十一年（乙卯，公元五五年）

夏，五月，大水。

癸酉晦，日有食之。

蝗。

【语译】

二十九年（癸丑，公元五三年）

春，二月初一日丁巳，发生日食。

三十年（甲寅，公元五四年）

春，二月，光武帝到东方巡视。群臣上疏说："皇帝即位三十年了，应当行泰山封禅之礼。"光武帝下诏说："即位三十年，百姓怨气满腹。'我欺骗谁？难道欺骗上天吗！''难道说泰山之神还不如林放吗！'为何要去玷污七十二代君王的史记！如果郡县老远派遣官吏祝寿，极口称赞虚假美化，定处以髡刑，让他去屯田。"于是，群臣不敢再说。

二月十三日甲子，皇上巡幸鲁、济南两封国。闰三月初三日癸丑，返回皇宫。

紫宫星区出现彗星。

夏，四月初九日戊子，改封左翊王刘焉为中山王。

五月，发洪水。

秋，七月丁酉日，皇上出巡到鲁国。冬，十一月丁酉日，返回皇宫。

胶东刚侯贾复去世。贾复跟随光武帝出征作战，从没有打过败仗，多次和众将突围解救危急，身受十二处伤。光武帝因为贾复敢于深入敌境，很少让他远征，但赞赏他的勇猛气节，经常让他跟在自己身边，所以贾复少有独当一面之功。众将每次论及战功，贾复都不说话。光武帝总是说："贾君的功劳，我自己很了解。"

三十一年（乙卯，公元五五年）

夏，五月，发洪水。

最后一天三十日癸酉，发生日食。

发生蝗灾。

京兆掾第五伦[284]领长安市[285]，公平廉介[286]，市无奸枉。每读诏书，常叹息曰："此圣主也，一见决矣[287]！"等辈[288]笑之曰："尔说将尚不能下，安能动万乘乎？"伦曰："未遇知己，道不同故耳。"后举孝廉，补淮阳王医工长[289]。

中元元年（丙辰，公元五六年）

春，正月，淮阳王入朝，伦随官属得会见。帝问以政事，伦因此酬对，帝大悦。明日，复特召[290]入，与语至夕。帝谓伦曰："闻卿为吏，篣妇公[291]，不过从兄饭[292]，宁有之邪？"对曰："臣三娶妻，皆无父。少遭饥乱，实不敢妄过人食。众人以臣愚蔽，故生是语耳。"帝大笑。以伦为扶夷[293]长，未到官，追拜会稽[294]太守。为政清而有惠，百姓爱之。

上读《河图会昌符》[295]曰："赤刘之九[296]，会命岱宗[297]。"上感此文，乃诏虎贲中郎将梁松等按索[9]《河雒谶文》[298]，言九世当封禅者凡三十六事。于是张纯等复奏请封禅，上乃许焉。诏有司求元封故事[299]，当用方石再累，玉检、金泥[300]。上以石功难就，欲因孝武故封石，置玉牒其中。梁松等争以为不可，乃命石工取完青石[301]，无必五色[302]。

丁卯[303]，车驾东巡。二月己卯[304]，幸鲁，进幸泰山。辛卯[305]，晨，燎[306]，祭天于泰山下南方，群神皆从[307]，用乐如南郊[308]。事毕，至食时[309]，天子御辇登山。日中后，到山上，更衣[310]。晡时[311]，升坛北面，尚书令[312]奉玉牒检[313]，天子以寸二分玺[314]亲封之。讫，太常[315]命驺骑[316]二千余人发坛上方石[317]，尚书令藏玉牒已，复石覆讫[318]，尚书令以五寸印封石检。事毕，天子再拜，群臣称万岁，乃复道下。夜半后[319]，上乃到山下，百官明旦乃讫。甲午[320]，禅祭地于梁阴[321]，以高后配[322]，山川群神从，如元始中北郊故事[323]。

三月戊辰[324]，司空张纯[325]薨。

夏，四月癸酉[326]，车驾还宫[327]。己卯[328]，赦天下，改元[329]。

上行幸长安。五月乙丑[330]，还宫。

六月辛卯[331]，以太仆冯鲂[332]为司空。

乙未[333]，司徒冯勤[334]薨。

京兆掾第五伦掌管长安市场，公平廉洁正直，市场上没有奸邪不正的事情。每次读诏书，常叹息说："这是圣明的君主，要有机会见皇上一面，定会得到重用！"同僚讥笑他说："你游说一个州将尚且不能说服，怎么能感动天子呢？"第五伦说："那是因为没有遇到知己，道不相同的缘故。"后被举孝廉，补任淮阳王的医工长。

中元元年（丙辰，公元五六年）

春，正月，淮阳王进京朝见，第五伦随着官属得以在朝会上见到光武帝。光武帝询问政事，第五伦乘此时回答，光武帝非常满意。第二天，又单独召他入宫，和他一直谈到黄昏。光武帝对第五伦说："听说你做官，笞打岳父，拜访堂兄，不肯留下吃饭，难道真有这些事吗？"第五伦回答说："臣三次娶妻，她们都没有父亲健在。臣小时遭遇饥荒战乱，实在不敢轻易到别人家吃饭。众人认为臣愚笨闭塞，所以才这样说。"光武帝大笑。任命第五伦做扶夷县长，还没到任，改任会稽郡太守。第五伦为政清廉而有恩惠，百姓爱戴他。

皇上读《河图会昌符》说："赤刘之九，会命岱宗。"皇上有感于这些文字，就下诏虎贲中郎将梁松等人查考《河雒谶文》，书上说第九代应当封禅的共三十六件事。于是，张纯等人再次上奏请求封禅，皇上就许可了。诏令有关机构查考元封年间旧例，应当用两块方石垒放在一起，用玉做的封检，水银和黄金和的封泥。皇上认为方石之工很难完成，想使用孝武帝封禅时用过的石头，把玉牒放在里面。梁松等人力争，认为不可以，就命石匠取用完整的两块青石，不一定非要五色石。

正月二十八日丁卯，光武帝到东方巡视。二月初十日己卯，巡幸鲁县，进而巡幸泰山。二十二日辛卯，早晨，举行燎祭，在泰山脚下南方祭天，众神都从祀，奏乐比照南郊祀礼。祭祀完毕，到吃早饭时，光武帝乘车登泰山。中午后，到达山顶，更衣。傍晚申时，登上祭坛，面向北边，尚书令捧着玉牒、玉检，光武帝用一寸二分的印玺亲自封印。完毕后，太常命令两千多骑士打开坛上的方石，尚书令把玉牒藏好，再盖好方石，尚书令用五寸的印封盖石检。封藏完毕，天子两次叩拜，群臣口呼万岁，然后从原路下山。半夜后，皇上才到山下，百官第二天早晨才全部下山。二十五日甲午，在梁父山的北面禅祭地，以高后配享，山川众神随同祭祀，比照元始年间北郊祭地旧例。

三月三十日戊辰，司空张纯去世。

夏，四月初五日癸酉，光武帝返回皇宫。十一日己卯，赦免天下罪人，更改年号。

皇上出行巡幸长安。五月二十八日乙丑，返回皇宫。

六月二十四日辛卯，任命太仆冯鲂为司空。

二十八日乙未，司徒冯勤去世。

京师醴泉涌出[335]，又有赤草[336]生于水崖，郡国频上甘露[337]。群臣奏言：“灵物仍降[338]，宜令太史[339]撰集，以传来世。”帝不纳。帝常[10]谦无德，每[11]郡国所上，辄抑[340]而不当，故史官罕得记焉。

秋，郡国三蝗[341]。

冬，十月辛未[342]，以司隶校尉[343]东莱李䜣为司徒。

甲申，使司空告祠高庙[344]，上薄太后[345]尊号曰高皇后，配食地祇。迁吕太后庙主于园[346]，四时上祭。

十一月甲子[347]晦，日有食之。

是岁，起明堂[348]、灵台[349]、辟雍[350]，宣布图谶于天下。

初，上以《赤伏符》[351]即帝位，由是信用谶文，多以决定嫌疑。给事中桓谭上疏谏曰：“凡人情忽于见事，而贵于异闻。观先王之所记述，咸以仁义正道为本，非有奇怪虚诞之事。盖天道性命，圣人[352]所难言也。自子贡[353]以下，不得而闻，况后世浅儒，能通之乎？今诸巧慧小才[354]、伎数之人[355]，增益图书[356]，矫称谶记[357]，以欺惑贪邪[358]，诖误[359]人主，焉可不抑远之哉！臣谭伏闻陛下穷折方士黄白之术[360]，甚为明矣，而乃欲听纳谶记，又何误也！其事虽有时合，譬犹卜数只偶[361]之类。陛下宜垂明听，发圣意，屏[362]群小之曲说[363]，述五经之正义。”疏奏，帝不悦。会议灵台所处[364]，帝谓谭曰：“吾欲以谶决之，何如？”谭默然，良久曰：“臣不读谶。”帝问其故，谭复极言谶之非经[365]。帝大怒，曰：“桓谭非圣无法，将下，斩之！”谭叩头流血，良久，乃得解，出为六安郡丞[366]，道病卒。

范晔[367]论曰：“桓谭以不善谶流亡，郑兴[368]以逊辞仅免，贾逵[369]能傅会文致，最差贵显。世主以此论学，悲哉！”

逵，扶风人也。

南单于比死，弟左贤王莫立，为丘浮尤鞮单于。帝遣使赍玺书拜授玺绶，赐以衣冠及缯彩，是后遂以为常。

京城涌出甘泉，水边又生长出朱草，郡国频频献上甘露。群臣上奏说：“祥瑞之物不断降临，应当令太史撰写记录，以便流传后世。”光武帝没有采纳。光武帝常常自谦没有恩德，郡国每次献上的祥瑞灵物，总是推辞不受，所以史官很少能够记载下来。

秋，三个郡国发生蝗灾。

冬，十月初六日辛未，任命司隶校尉东莱郡李䜣为司徒。

十九日甲申，命司空祭告高庙，尊称薄太后为高皇后，配祀地神。把高庙中吕太后的牌位迁到陵园中，四季祭祀。

十一月最后一天二十九日甲子，发生日食。

这一年，建起明堂、灵台、辟雍，向天下宣布图谶。

当初，皇上因《赤伏符》即皇帝位，从此相信和采用谶文，多用谶文决断有疑虑的事情。给事中桓谭上奏劝谏说：“大凡人之常情忽视常见事物，而重视奇闻轶事。观览先王所记述的，都是以仁义正道为根本，没有奇怪虚妄荒诞的事情。天道、性命，是圣人都难以言说的。从子贡以来，没有谁听到过，何况后世浅薄的儒生，怎能通晓这些呢！如今那些有雕虫小技和小聪明的人，以及方伎术数之人，增改图谶符命之书，谎称是谶记，用以欺骗迷惑，贪婪为恶，贻误国君，怎能不压制疏远他们呢！臣谭曾恭听陛下痛斥方士炼金银之术，极为英明啊，然而却想接受谶记，又是多么失误啊！谶记虽然有时会相合，但就像占卜单双数偶中一样。陛下应当明察视听，发扬圣明的思想，拒绝那些小人的邪说，讲述‘五经’的本义。”奏疏呈上，光武帝不高兴。时逢讨论灵台建址，光武帝对桓谭说：“我想用谶书来决定此事，怎么样？”桓谭沉默，好久才说：“臣不读谶书。”光武帝问其中缘故，桓谭又极力陈说谶书不是经典。光武帝大怒，说：“桓谭非议圣人，目无法纪，把他带下去，斩首！”桓谭磕头至流血，过了好久，才得解脱，贬出京城做六安郡丞，在赴任途中病死。

范晔评论说：“桓谭因非议谶书被放逐，郑兴因谦逊的言辞仅得幸免，贾逵擅长附会粉饰，最为显贵。国君以此论学问，真悲哀啊！”

贾逵，是扶风人。

南匈奴单于比死了，弟左贤王莫继位，就是丘浮尤鞮单于。光武帝派遣使者带着印玺和诏书，举行授玺绶仪式，赐给单于衣服、冠冕及彩缯，此后就成了惯例。

【段旨】

以上为第十段，写光武帝晚年封禅泰山，迷信图谶，渐生骄侈心。

【注释】

㉘封禅：古代帝王在盛世时举行的祭祀天地的大典。在泰山上筑土为坛，报天之功，称封；在泰山下的梁父山辟地为场，报地之德，称禅。㉙吾谁欺二句：我欺骗谁？难道欺骗上天吗！引语见《论语·子罕》。孔子生重病，子路让门卫假扮臣准备丧礼，孔子病愈后，对这一行为很不满。㉚曾谓泰山不如林放乎：难道泰山之神还不如林放懂礼吗？引语见《论语·八佾》。林放，鲁人，曾向孔子请教礼的本质。季孙氏僭越礼制祭祀泰山，孔子提出了这一批评。光武帝在诏书中引用孔子这两段话，意谓现在尚未达太平盛世，没有资格封禅。㉛七十二代之编录：相传古代有七十二位君王上泰山封禅。㉜必髡：一定处以髡刑。髡，剃光头发之刑。㉝甲子：二月十三日。㉞鲁、济南：两封国名。鲁国治所鲁县，在今山东曲阜；济南国治所东平陵，在今山东济南市章丘区西北。㉟癸丑：闰三月初三日。㊱有星孛于紫宫：在紫宫星区出现彗星。㊲戊子：四月初九日。㊳焉：刘焉，光武帝郭皇后所生少子，后徙封中山王。传见《后汉书》卷四十二。㊴丁酉：七月己酉朔，无丁酉。应为八月二十日。㊵丁酉：十一月丁未朔，无丁酉，应为十二月二十二日。㊶贾复（？至公元五五年）：东汉初开国功臣之一。传见《后汉书》卷十七。据《考异》载，贾复之死，本传在建武三十一年，兹从袁宏《后汉纪》。㊷常自从之：经常让贾复跟随自己身边。㊸方面之勋：独当一面之功。㊹第五伦：字伯鱼，京兆长陵（在今陕西咸阳东）人，历仕光武帝、明帝、章帝三朝，官至司空。传见《后汉书》卷四十一。㊺领长安市：兼管长安市场。㊻廉介：廉洁耿直。㊼一见决矣：只要能见圣主光武帝一面，定能得到识拔。㊽等辈：同僚。㊾补淮阳王医工长：出任淮阳王（光武帝子刘延）掌医药的官长。㊿特召：单独召见。(291)篣妇公：打岳父。篣，同“榜”，捶打。(292)不过从兄饭：过访堂兄，不肯留下吃饭。从兄，堂兄。(293)扶夷：县名，属零陵郡，县治在今湖南邵阳西。(294)会稽：郡名，治所山阴，在今浙江绍兴。(295)《河图会昌符》：纬书。用预言方式宣扬天命的符命书。(296)赤刘之九：指汉高祖九世孙刘秀。赤刘，谓汉刘姓得火德。(297)会命岱宗：指上泰山封禅。岱，指泰山，为山之尊者，故又称岱宗。(298)《河雒谶文》：一种谶纬书名。(299)求元封故事：查考汉武帝元封元年（公元前一一〇年）上泰山封禅的先例。(300)当用方石再累二句：应当用两块方石叠放，用玉封缄，金泥密封。据胡注，两块方石各方五尺，厚一尺，叠放一起，置于坛中。用玉石制作的祭天地神祇的玉牒书，长一尺三寸，宽五寸，厚五寸，藏在方石中。玉检和石检十枚放在方石四周。金泥，用水银与金屑搅拌的粘泥封口。(301)完青石：整块的青石。(302)无必五色：不非要五色石。汉武帝所用“方石再累”为五色石，按方位东方青色，南方赤色，西方白色，北方黑色，中央黄色。(303)丁卯：正月二十八日。(304)己卯：二月初十日。(305)辛卯：二月二十二日。(306)燎：燃火祭天。(307)群神皆从：众神都跟着一起被祭祀。(308)用乐如南郊：奏乐仪式仿照在京师洛阳南郊祭天礼。(309)食时：早饭之时。(310)更

衣：换上祭服。㉛ 晡时：午后申时，下午三点至五点时分。㉜ 尚书令：官名，掌官员任免及文书章奏。秩千石。属少府。㉝ 玉牒检：玉牒、玉检的合称。㉞ 寸二分玺：方一寸二分的印玺。㉟ 太常：官名，九卿之一，掌祭祀礼仪。㊱ 驺骑：驾驭车马的骑兵。㊲ 发坛上方石：开启土坛中扣合的方石。㊳ 复石覆讫：再把方石扣合好。㊴ 夜半后：午夜过后。㊵ 甲午：二月二十五日。㊶ 梁阴：梁父山北麓。在山东泰安南。㊷ 高后配：配享西汉高帝皇后吕雉。㊸ 如元始中北郊故事：仿照汉平帝元始年间在长安北郊祭地的礼仪。㊹ 戊辰：三月三十日。㊺ 张纯（？至公元五六年）：西汉名臣张安世玄孙，封武始侯。传见《后汉书》卷三十五。㊻ 癸酉：四月初五日。㊼ 还宫：从泰山还洛阳。㊽ 己卯：四月十一日。㊾ 改元：更改年号。建武三十二年改元中元。㊿ 乙丑：五月二十八日。331 辛卯：六月二十四日。332 冯鲂（公元前一至公元八五年）：字孝孙，南阳郡湖阳县（今河南唐河）人，历仕光武帝、明帝、章帝三朝。封杨邑乡侯。传见《后汉书》卷三十三。333 乙未：六月二十八日。334 冯勤（？至公元五六年）：字伟伯，魏郡繁阳县（今河南内黄东北）人，历官尚书令、大司农、司徒。传见《后汉书》卷二十六。335 醴泉涌出：涌出甜水泉。醴，甘甜。336 赤草：象征吉祥的朱草。《大戴礼记》说：朱草日生一叶，至十五日，日落一叶，周而复始。337 甘露：甜美的露水。古人认为天下太平则天降甘露。338 灵物仍降：祥瑞之物不断降临。仍，多次。339 太史：官名，掌天文星历，兼司史职，属太常。340 抑：压下来。341 郡国三蝗：有三个郡国发生蝗灾。342 辛未：十月初六日。343 司隶校尉：官名，掌察举百官及司隶州（京师等七郡）治安。344 高庙：西汉开国皇帝高祖刘邦庙。345 薄太后：高帝妃，汉文帝刘恒之母。346 迁吕太后庙主于园：把高庙中吕太后的牌位迁至陵园中。347 甲子：十一月三十日。348 明堂：古代帝王宣明政教的殿堂。349 灵台：帝王观测天象以知天意的建筑。350 辟雍：太学。351《赤伏符》：图谶书名，预言刘秀当为天子。事详本书卷四十建武元年。352 圣人：指孔子。353 子贡：孔子弟子。事详《史记·仲尼弟子列传》。子贡说："夫子之文章，可得而闻也，夫子之言性与天道，不可得而闻也。"见《论语·公冶长》。桓谭引以为证，反对图谶。354 巧慧小才：有雕虫小技和耍小聪明的人。355 伎数之人：懂得医方数术的人。356 增益图书：增添窜改图谶符命之书。357 矫称谶记：诈称是谶书。谶书，记载预示吉凶的隐语书。358 欺惑贪邪：欺骗、迷惑、贪婪、邪恶。359 诖误：贻误。诖，误、欺骗。360 黄白之术：方士的炼金术。黄白，喻指金银。361 卜数只偶：占卜的单数双数。此指偶然相合。362 屏：排斥。363 曲说：指图谶邪说。364 会议灵台所处：适逢廷议讨论建置灵台的处所。365 经：指儒家经典。366 丞：官名，汉代朝廷及地方各官署均有丞，辅佐长官。桓谭被贬出京为六安郡丞。胡注，六安，本封国名。建武十六年（公元四〇年）省，为庐江郡属县。据此，疑桓谭贬为六安郡丞，应不在此年，《通鉴》因灵台事，一并书于此年下。367 范晔（公元三九八至四四五年）：南朝刘宋史学家，字蔚宗，顺阳（今河南淅川）人，官至左卫将军、太子詹事。著《后汉书》纪传行于世。传见《宋书》卷六十九。368 郑兴：东汉经学家，字少赣，河南开封人，官太中大夫。传见《后汉书》卷三十六。光武帝亦以谶问郑兴，兴回答："臣不为谶。"光武大怒，兴随即说："臣对于书还有未学习到的，并没有非议。"光武息怒。事见本书卷四十二建武七年。㊱贾逵（公元三〇至一〇一年）：东汉经学家、天文历法家，字景伯，扶风平陵（今陕西咸阳西北）人。传见《后汉书》卷三十六。

【原文】

二年（丁巳，公元五七年）

春，正月辛未[370]，初立北郊[371]，祀后土。

二月戊戌[372]，帝崩于南宫前殿，年六十二。帝每旦视朝，日昃[373]乃罢，数引公卿、郎将讲论经理，夜分[374]乃寐。皇太子见帝勤劳不怠，承间谏[375]曰："陛下有禹、汤之明，而失黄、老养性之福。愿颐爱精神，优游自宁。"帝曰："我自乐此，不为疲也。"虽以征伐济大业，及天下既定，乃退功臣而进文吏，明慎政体，总揽权纲，量时度力，举无过事，故能恢复前烈[376]，身致太平。

太尉赵熹典丧事。时经王莽之乱，旧典不存，皇太子与诸王杂止同席[377]，藩国官属出入宫省[378]，与百僚无别。熹正色，横剑殿阶，扶下诸王以明尊卑。奏遣谒者将护官属分止他县[379]，诸王并令就邸[380]，唯得朝晡入临[381]。整礼仪[382]，严门卫，内外肃然。

太子即皇帝位，尊皇后曰皇太后[383]。

山阳王荆哭临不哀，而作飞书[384]，令苍头[385]诈称大鸿胪郭况[386]书与东海王强，言其无罪被废，及郭后黜辱，劝令东归[387]举兵以取天下，且曰："高祖起亭长，陛下兴白水[388]，何况于王，陛下长子、故副主[389]哉！当为秋霜，毋为槛羊[390]。人主崩亡，闾阎之伍，尚为盗贼，欲有所望，何况王邪！"强得书惶怖，即执其使，封书上之。明帝以荆母弟[391]，秘其事[392]。遣荆出止河南宫。

【校记】

［9］索：原作“察”。据章钰校，十二行本、乙十一行本皆作“索”，今据改。［10］常：原作“自”。据章钰校，十二行本、乙十一行本、孔天胤本皆作“常”，今从改。［11］每：原作“于”。据章钰校，十二行本、乙十一行本、孔天胤本皆作“每”，熊罗宿《胡刻资治通鉴校字记》同，今从改。

【语译】

二年（丁巳，公元五七年）

春，正月初八日辛未，开始在北郊建立地坛，祭祀土地神。

二月初五日戊戌，光武帝在南宫前殿去世，享年六十二岁。光武帝每天早晨临朝听政，到黄昏才罢朝，经常召见公卿、郎将讨论经学义理，半夜才睡。皇太子刘庄看到光武帝勤劳不懈怠，找机会劝谏说：“陛下有夏禹、商汤的英明，却失去了黄帝、老子养生的福分。希望您保养爱护精神，悠闲自安。”光武帝说：“我自己喜欢这样做，不感到疲劳。”光武帝虽然依靠征战完成大业，但到天下平定以后，就屏退功臣而进用文吏。为政明察审慎，总揽朝政大权，审时度势，量力而行，举措没有过失，因此能够恢复前代的功业，自己实现了天下太平。

太尉赵熹负责丧事。这时经过王莽之乱，旧的典制都未保存下来，皇太子和各诸侯王一同起居饮食，王国属官进出宫禁，和百官没有区别。赵熹神情严肃，在殿阶横握剑，将各诸侯王护持下殿，以区别尊卑。奏请派遣谒者护送诸侯王官属分别居住到其他县，让诸王回到自己的官邸，只有早晚入宫哭丧。整顿礼仪，严格宫门警卫，宫廷内外秩序井然。

太子即皇帝位，尊称皇后为皇太后。

山阳王刘荆哭丧时不哀伤，写匿名信，命家仆谎称是大鸿胪郭况写给东海王刘强的，说他没有罪却被废掉，以及郭后被黜受辱，劝他东归封国起兵夺取天下，并且说：“高祖起于亭长，陛下兴起自白水乡，何况东海王，您是陛下的长子、过去的皇储啊！应当做肃杀万物的秋霜，不要做关在栅栏里的羔羊。国君去世，里巷的百姓，尚且做盗贼，打算有所希望，何况是王呢！”刘强接到信惊慌恐惧，当即抓捕这个使者，密封书信上奏明帝。明帝因为刘荆是自己的同母弟，将此事保密。命刘荆出居河南宫。

三月丁卯[393]，葬光武皇帝于原陵[394]。

夏，四月丙辰[395]，诏曰：“方今上无天子[396]，下无方伯[397]，若涉渊水而无舟楫。夫万乘至重而壮者虑轻，实赖有德左右小子[398]。高密侯禹[399]，元功之首，东平王苍[400]，宽博有谋，其以禹为太傅，苍为骠骑将军。”苍恳辞，帝不许。又诏骠骑将军置长史，掾史员四十人[401]，位在三公上。苍尝荐西曹掾[402]齐国吴良，帝曰：“荐贤助国，宰相之职也。萧何[403]举韩信，设坛而拜，不复考试，今以良为议郎[404]。”

初，烧当羌[405]豪滇良[406]击破先零[407]，夺居其地。滇良卒，子滇吾立，附落转盛。秋，滇吾与弟滇岸率众寇陇西，败太守刘盱于允街[408]，于是守塞诸羌皆叛。诏谒者张鸿领诸郡兵击之。战于允吾[409]，鸿军败没。冬，十一月，复遣中郎将窦固监捕虏将军马武等二将军、四万人讨之。

是岁，南单于莫死，弟汗立，为伊伐于虑鞮单于。

【段旨】

以上为第十一段，写光武帝驾崩，明帝继位，以及羌人反叛。

【注释】

[370]辛未：正月初八日。[371]初立北郊：始立地坛于北郊。[372]戊戌：二月初五日。[373]日昃：日过中午渐向西偏时分。[374]夜分：半夜。[375]承间谏：找机会进谏。[376]恢复前烈：恢复前朝的功业。[377]杂止同席：一同起居饮食。杂止，混杂居住。[378]宫省：宫禁。[379]遣谒者将护官属句：派谒者把各诸侯王的官属分别护送到其他县居住。[380]就邸：令诸侯王回到自己的官邸。邸，诸侯设在京师的公馆。[381]朝晡入临：早晚入宫哭丧。临，临哭，丧礼仪式。[382]整礼仪：整顿仪礼。[383]皇太后：皇帝母亲称号，即明帝生母阴丽华。[384]作飞书：写匿名信。[385]苍头：家奴。[386]郭况：光武帝所废郭皇后弟，东海王刘强舅父。[387]东归：东海国治所鲁城，即今山东曲阜，在京师之东。东海王刘强归国则向东。[388]白水：南阳舂陵

三月初五日丁卯，将光武皇帝葬于原陵。

夏，四月二十四日丙辰，明帝下诏说：“现在上没有英明天子，下没有辅佐重臣，就像渡深渊而没有船桨。皇帝地位至关重要，而年轻的人思虑不周，实在需要依赖有德行的人辅佐我。高密侯邓禹，为元勋之首，东平王刘苍，宽厚有谋略，任命邓禹为太傅，刘苍为骠骑将军。”刘苍恳切推辞，明帝不同意。又下诏令骠骑将军设置长史，掾史员额四十人，官位在三公之上。刘苍曾经推荐西曹掾齐国人吴良，明帝说：“推荐贤才辅助国家，是宰相的职责。萧何举荐韩信，设坛拜为大将，不再考试，现今任命吴良为议郎。”

当初，烧当羌首领滇良打败先零羌，夺取他们的土地居住。滇良死后，儿子滇吾继位，部落逐渐强盛。秋，滇吾和弟弟滇岸率领部众侵略陇西，在允街击败太守刘盱，于是守卫边塞的各部羌人全都反叛。诏令谒者张鸿率领各郡军队攻击他们。在允吾县交战，张鸿全军覆没。冬，十一月，又派遣中郎将窦固监领捕虏将军马武等两个将军，率领四万人讨伐羌人。

这一年，南匈奴单于莫去世，他的弟弟汗继立，也就是伊伐于虑鞮单于。

县所属乡名，光武帝起兵之所。㊴故副主：过去为皇储太子。㊵当为秋霜二句：应为秋天严霜，肃杀万物，不要做栅栏里的绵羊，任人宰割。㊶母弟：同母弟。山阳王刘荆与明帝刘庄同为阴后所生。㊷秘其事：将此事保密。㊸丁卯：三月初五日。㊹原陵：光武帝陵，在今河南洛阳市孟津区西。㊺丙辰：四月二十四日。㊻上无天子：指光武帝崩，上无明天子。㊼下无方伯：下无辅佐重臣。方伯，原指诸侯之长，借指重臣。㊽小子：明帝谦称。㊾高密侯禹：邓禹，字仲华，南阳郡新野人，东汉开国功臣之一，封高密侯。传见《后汉书》卷十六。㊿东平王苍：明帝刘庄同母弟刘苍。(401)掾史员四十人：掾属四十人。三公府掾史数均不到四十人，明帝特批东平王刘苍可置四十人，以示优宠。(402)西曹掾：掌选任府史的掾史。(403)萧何：西汉初开国功臣。传见《汉书》卷三十九。(404)议郎：光禄勋所属郎官之一，掌顾问应对，秩比六百石。(405)烧当羌：居于今青海境内湟水流域的西羌。烧当，西汉元帝时的羌豪，使其部强大，故其子孙以烧当为种号。(406)滇良：西汉末烧当羌豪，烧当之玄孙。(407)先零：羌种名，居湟水以南及青海湖西北。(408)允街：县名，属金城郡，治所在今甘肃永登南，庄浪河西岸。(409)允吾：县名，金城郡治。县治在今青海民和。

【原文】

显宗孝明皇帝[410]上

永平元年（戊午，公元五八年）

春，正月，帝率公卿已下[411]朝于原陵，如元会仪[412]。乘舆拜神坐，退，坐东厢。侍卫官皆在神坐后，太官[413]上食，太常奏乐。郡国上计吏[414]以次前，当神轩[415]占[416]其郡谷价及民所疾苦。是后遂以为常。

夏，五月，高密元侯邓禹薨。

东海恭王强病，上遣使者太医乘驿视疾[417]，骆驿不绝。诏沛王辅、济南王康、淮阳王延诣鲁省疾[418]。戊寅[419]，强薨。临终，上书谢恩，言："身既夭命，孤弱复为皇太后、陛下忧虑，诚悲诚惭！息政[420]，小人也，猥当袭臣后，必非所以全利之也，愿还东海郡。今天下新罹大忧[421]，惟陛下加供养皇太后，数进御餐。臣强困劣，言不能尽意，愿并谢诸王，不意永不复相见也。"帝览书悲恸，从太后出幸津门亭[422]发哀，使大司空持节护丧事[423]，赠送以殊礼。诏楚王英、赵王栩、北海王兴及京师亲戚皆会葬。帝追惟强深执谦俭，不欲厚葬以违其意，于是特诏："遣送之物，务从约省，衣足敛形，茅车瓦器[424]，物减于制[425]，以彰王卓尔独行之志[426]。"将作大匠[427]留起陵庙。

秋，七月，马武等击烧当羌，大破之，余皆降散。

山阳王荆私迎能为星者[428]，与谋议，冀天下有变。帝闻之，徙封荆广陵王，遣之国。

辽东太守祭肜使偏何讨赤山[429]乌桓，大破之，斩其魁帅，塞外震詟[430]，西自武威，东尽玄菟[431]，皆来内附，野无风尘[432]，乃悉罢缘边屯兵。

东平王苍以为中兴[433]三十余年，四方无虞，宜修礼乐，乃与公卿共议定南北郊冠冕、车服制度及光武庙登歌、八佾舞数[434]，上之。

好畤愍侯耿弇薨。

【语译】

显宗孝明皇帝上

永平元年（戊午，公元五八年）

春，正月，皇帝率领公卿以下到光武帝原陵上朝，如同元旦朝会礼仪。明帝向光武帝牌位跪拜，礼毕，坐在寝殿东厢。侍卫官都站在牌位后面，太官献上食物，太常奏响音乐。各郡国上计吏依次上前，向光武帝牌位奏报本郡谷价和百姓困苦。此后便成为惯例。

夏，五月，高密元侯邓禹去世。

东海恭王刘强病重。皇上派使者、太医乘驿车探望病情，络绎不绝。皇上下诏沛王刘辅、济南王刘康、淮阳王刘延到鲁城去看望他的病情。五月二十二日戊寅，刘强去世。临终前，上书谢恩，说："我就要死了，遗孤子孙又要让皇太后、陛下操心，实在悲伤惭愧！儿子刘政还年幼，愧当承袭臣的爵位，这并非保全他对他好，希望归还东海郡。如今国家刚遭遇先帝驾崩，希望陛下更好地侍奉皇太后，多进献膳食。臣刘强困顿愚笨，言语不能完全表达臣的心意。希望一并感谢各位诸侯王，没想到永远不能再相见了。"明帝看了奏书很悲伤，跟随太后一起出宫到津门亭发丧，派大司空执持符节督办丧事，赠送特殊的礼仪。诏令楚王刘英、赵王刘栩、北海王刘兴以及京城里的亲戚都来参加葬礼。明帝追思刘强坚持谦逊节俭，不愿厚葬违背他的心意，于是特颁诏书："送葬的物品，务求简单节省，寿衣能遮住身体就行，使用茅车、瓦器，丧葬用物要少于正常规定，以彰显东海王卓越独行的志节。"留下将作大匠建筑陵墓庙寝。

秋，七月，马武等人进攻烧当羌，大败羌人，余部有的投降，有的逃散。

山阳王刘荆私下迎来擅长占卜星象的人，和他谋议，希望天下发生变故。皇帝听说此事，改封刘荆为广陵王，遣送他回封国。

辽东太守祭肜派偏何讨伐赤山乌桓，大败乌桓，杀了他们的首领，塞外震惊恐惧，西自武威，东到玄菟，都来中国归附，野外没有战争，于是全部撤除了边境屯防军队。

东平王刘苍认为东汉建立三十多年了，四方没有忧患，应修治礼乐，就和公卿共同商议制定南北郊祭礼的冠冕、车服制度，以及光武庙的祭礼歌曲、八佾舞数量，呈给明帝。

好畤愍侯耿弇去世。

【段旨】

以上为第十二段，写汉明帝初即位，在光武帝陵举行元会，问民疾苦。东海王刘强薨。辽东太守祭肜派偏何打败赤山乌桓。

【注释】

⑩ 显宗孝明皇帝：东汉第二代皇帝，公元五八至七五年在位，幼名刘阳，后改名刘庄。光武帝第四子。《伏侯古今注》说，“庄”之字曰“严”。⑪ 已下：以下。⑫ 如元会仪：如同元旦朝会礼仪。此指明帝朝光武帝陵，使用生时朝会之仪，事死如事生。⑬ 太官：官名，少府属官，掌皇帝饮食。⑭ 上计吏：各郡国掌管上计的掾。秦汉时地方官年终将境内户口、赋税、狱讼、盗贼等情况编造成册，称计簿，遣吏上报朝廷，进行考课，称上计。⑮ 当神轩：面对光武帝神主。⑯ 占：报告所统计的数据。⑰ 上遣使者太医乘驿

【原文】

二年（己未，公元五九年）

春，正月辛未[435]，宗祀光武皇帝于明堂[436]。帝及公卿列侯始服冠冕[437]、玉佩[438]以行事。礼毕，登灵台，望云物[439]。赦天下。

三月，临辟雍，初行大射礼[440]。

冬，十月壬子[441]，上幸辟雍，初行养老礼，以李躬为三老，桓荣为五更[442]。三老服都纻大袍[443]，冠进贤[444]，扶玉杖[445]，五更亦如之，不杖。乘舆到辟雍礼殿，御坐东厢，遣使者安车[446]迎三老、五更于太学讲堂，天子迎于门屏，交礼[447]。道自阼阶[448]，三老升自宾阶[449]。至阶，天子揖如礼。三老升，东面[450]，三公设几[451]，九卿正履[452]，天子亲袒割牲，执酱而馈[453]，执爵而酳[454]，祝鲠[455]在前，祝饐[456]在后。五更南面[457]，三公进供，礼亦如之。礼毕，引桓荣及弟子升堂，上自为下说[458]，诸儒[459]执经问难于前，冠带缙[12]绅[460]之人圜桥门[461]而观听者，盖亿万计[462]。于是下诏赐荣爵关内侯[463]，三老五更皆以二千石禄养终厥身。赐天下三老[464]酒，人一石，肉四十斤。

视疾：明帝派遣使者、皇家太医，乘坐驿马车去探望诊治东海王刘强的疾病。⑱诏沛王辅句：下诏沛王刘辅、济南王刘康、淮阳王刘延前往鲁城探望病情。刘辅等都是刘强的同母弟。⑲戊寅：五月二十二日。⑳息政：儿子刘政。息，儿子。㉑大忧：指光武帝崩。㉒津门亭：津门，洛阳城南面西边第一门，又名津阳门。洛阳城每门均有亭。㉓大司空持节护丧事：大司空持符节督办丧事。皇帝丧事由大司空主治。明帝特命大司空为藩王刘强治丧，以示殊礼。㉔茅车瓦器：茅草制作的丧车，随葬器皿皆为陶器。㉕物减于制：丧葬用物少于正常规定。㉖卓尔独行之志：特立独行的志节。㉗将作大匠：官名，掌修建宫室陵寝工程。㉘能为星者：懂天文的占星方士。㉙赤山：乌桓赤山种所居地，在辽东西北数千里，今内蒙古境内。㉚震詟：震惊恐惧。㉛玄菟：郡名，在今辽宁沈阳、抚顺一带。㉜风尘：借指战争。㉝中兴：此指东汉建立。㉞定南北郊冠冕句：制定南郊祭天、北郊祭地以及祭祀光武庙礼仪所用官帽、车马、礼服、乐曲等制度。定，制定。八佾，天子用舞乐，要用纵横皆为八人的乐队，共六十四人，称为八佾。

【语译】

二年（己未，公元五九年）

春，正月十九日辛未，在明堂隆重祭祀光武皇帝。明帝和公卿列侯初次戴冠冕、佩玉佩行祭礼。祭礼完毕，明帝登上灵台，观察云气天象。赦免天下。

三月，明帝驾临辟雍，首次举行大射礼。

冬，十月初五日壬子，明帝临幸辟雍，初次举行养老礼，任命李躬为三老，桓荣为五更。三老穿着优质的麻布大袍，戴进贤冠，拄玉杖，五更也这样穿戴，但不拄杖。天子到达辟雍礼殿后，坐在东厢，派遣使者用安车把三老、五更迎接到太学讲堂，天子在门与屏之间迎接，相互行礼。明帝从东阶引路，三老从西阶上去。到了阶上，天子按礼作揖。三老上西阶后，面向东方，三公摆设几案，九卿摆正鞋子，天子亲自挽袖袒臂分割祭肉，然后捧起酱，进献三老，举杯向三老敬酒，首先祝福老人吃鱼不被鱼刺卡住喉咙，然后祝福老人吃饭不被食物噎住。五更面向南方，三公进献酒食，礼节和天子对待三老一样。礼仪完毕，引导桓荣和弟子登上讲堂，明帝亲自为臣下讲说，各位儒学大师拿着经书在前面诘问疑难，围在辟雍大门外护城桥头倾听的士大夫，大概以亿万计。于是，下诏赐桓荣关内侯爵，三老、五更都以二千石的俸禄供养终生。赏赐全国三老每人一石酒，四十斤肉。

上自为太子，受《尚书》于桓荣。及即帝位，犹尊荣以师礼。尝幸太常府[465]，令荣坐东面，设几杖[466]，会百官及荣门生数百人，上亲自执业[467]。诸生或避位[468]发难[469]，上谦曰："太师在是。"既罢，悉以太官供具赐太常家[470]。荣每疾病，帝辄遣使者存问，太官、太医相望于道。及笃，上疏谢恩，让还爵土。帝幸其家问起居，入街[471]，下车，拥经而前，抚荣垂涕，赐以床茵[472]、帷帐、刀剑、衣被，良久乃去。自是诸侯、将军、大夫问疾者，不敢复乘车到门，皆拜床下。荣卒，帝亲自变服[473]临丧送葬，赐冢茔于首山[474]之阳。子郁当嗣，让其兄子泛。帝不许，郁乃受封，而悉以租入与之。帝以郁为侍中。

上以中山[475]王焉，郭太后[476]少子，太后[477]尤爱之，故独留京师。至是始与诸王俱就国，赐以虎贲、官骑，恩宠尤厚，独得往来京师[478]。帝礼待阴、郭，每事必均，数受赏赐，恩宠俱渥。

甲子[479]，上行幸长安。十一月甲申[480]，遣使者以中牢祠萧何、霍光[481]。帝过，式其墓[482]。进幸河东。癸卯[483]，还宫。

十二月，护羌校尉窦林坐欺罔及臧罪[484]，下狱死。林者，融[485]之从兄子也。于是窦氏一公、两侯、三公主、四二千石[486]相与并时，自祖及孙，官府邸第相望京邑，于亲戚功臣中莫与为比。及林诛，帝数下诏切责融。融惶恐乞骸骨，诏令归第养病。

是岁，初迎气于五郊[487]。

新阳侯阴就[488]子丰尚郦邑公主[489]。公主骄妒，丰杀之，被诛，父母皆自杀。

南单于汗死，单于比之子适立，为醓僮尸逐侯鞮单于。

【段旨】

以上为第十三段，写明帝宗祀明堂，登灵台，在辟雍行大射礼，尊礼大儒，兴起儒学。

明帝自从做了太子，跟随桓荣学习《尚书》。等到即皇帝位，仍用师礼尊敬桓荣。曾临幸太常府，让桓荣坐东面，摆设几案、手杖，召集百官和桓荣学生数百人，明帝亲自拿着经书。有的学生离开座位提问请教，明帝谦虚地说："太师在这里。"结束后，将太官供奉的用品全部赐给太常家。桓荣每次生病，明帝都派使者慰问，太官、太医络绎不绝。等到桓荣病重，上书谢恩，辞让归还爵位食邑。明帝亲自到桓荣家询问起居，进入街道就下车，拿着经书上前，抚摸桓荣流泪，赐给床褥、帷帐、刀剑、衣被，很久才离开。从此诸侯、将军、大夫来探视病情的，不敢再乘车到门口，都跪拜在床下。桓荣去世，明帝换上丧服亲自赴丧送葬，赏赐首阳山南麓作为墓地。桓荣的儿子桓郁应继承爵位，想让位给他哥哥的儿子桓泛。明帝不同意，桓郁才接受封爵，但把租税收入都送给桓泛。明帝任命桓郁为侍中。

明帝因中山王刘焉是郭太后的小儿子，太后特别喜欢他，所以把他单独留在京城。至此才和各位封王一样回到自己的封国，赐给他虎贲、官骑，恩宠特别优厚，只有他可以随意往来京师。明帝礼遇阴太后和郭太后，每件事都平等对待，多次赏赐，恩宠都很丰厚。

十月十七日甲子，明帝出行巡幸长安。十一月初七日甲申，派遣使者用中牢规格祭祀萧何、霍光。明帝经过他们的墓地，以手扶轼致哀。进而巡幸河东郡。二十六日癸卯，明帝返回皇宫。

十二月，护羌校尉窦林犯欺骗和贪赃罪，被关进监狱处死。窦林，是窦融堂兄的儿子。当时窦氏共有一人为公，两人封侯，三人娶了公主，四人做了二千石官，从祖父到孙子，在京城的官府宅邸彼此相望，在帝王的亲戚和功臣中无人可和窦氏相比。等到窦林被处死，明帝多次下诏严厉指责窦融。窦融惶恐地请求辞职，明帝下诏令他回府第养病。

这一年，初次在五郊举行迎节气仪式。

新阳侯阴就的儿子阴丰娶郦邑公主。阴丰杀了骄横嫉妒的公主，被处死，父母都自杀了。

南匈奴单于汗去世，单于比的儿子适即位，就是醯僮尸逐侯鞮单于。

【注释】

㊳辛未：正月十九日。㊴宗祀光武皇帝于明堂：在明堂隆重祭祀光武帝。宗，尊。明堂，天子宣明政教之堂。明堂中建有太庙之室，陈列祖宗神主。㊵冠冕：皇帝及百官戴的礼帽。皇帝戴通天冠，诸侯王戴远游冠。三公列侯戴进贤冠，其官帽上有三条竖梁；卿、大夫、尚书、二千石官、博士的官帽有两条竖梁；千石以下的官帽有一条竖梁。祭

祀天地明堂时均戴平冕，皇帝有十二支旒穗，三公、九卿、诸侯有七支旒穗。㊳ 玉佩：皇帝佩白玉，公侯佩山玄玉，大夫佩水苍玉，世子佩瑜玉。㊴ 望云物：察望天象。㊵ 大射礼：天子举行的用比赛射箭方法选举贤士的礼仪，有虎靶、熊靶、豹靶。用于祭礼上。㊶ 壬子：十月初五日。㊷ 以李躬为三老二句：天子以父兄之礼敬养元老，以宣扬孝悌之义。三老、五更各一人，以致仕的重臣担任。据《礼记·乐记》郑玄注，三老、五更均精通三德、五事。三德为正直、刚、柔。五事为貌、言、视、听、思。㊸ 都纻大袍：优质的麻布大袍。㊹ 冠进贤：戴进贤冠。前高七寸，后高三寸，长八寸。㊺ 玉杖：手杖上端镶嵌有玉石鸠鸟，用以祝福老人良于进餐。因鸠鸟不噎，取以为象。㊻ 安车：用蒲草裹轮的车，行走平稳，供老年官吏及贵妇使用。㊼ 交礼：相对而拜。此指君臣互相行礼。㊽ 道自阼阶：皇帝在东阶引导。道，通“导”。阼阶，东阶。按古礼，宾主升阶，宾客自西阶登，主人在东阶迎见。㊾ 宾阶：西阶。㊿ 东面：面向东而坐。三老升阶后，面向主位（东）而坐。(451) 三公设几：由三公大臣摆设桌案。(452) 九卿正履：由九卿大臣摆正鞋。(453) 天子亲袒二句：天子亲自卷袖袒臂分割祭肉，然后捧酱进献三老。馈，献上饮食。(454) 酳：以酒漱口。此指敬酒。(455) 鲠：鱼刺。(456) 饐：饭室饐在喉。(457) 五更南面：五更南向而坐。(458) 上自为下说：明帝亲自对下讲经。(459) 诸儒：明习“五经”的儒学大师。(460) 冠带缙绅：士大夫之代称。缙，通“搢”，插。绅，插笏的腰带，一头下垂。(461) 桥门：辟雍有四个大门，门外有护城河环绕，有桥通门。护城河阻隔闲杂人等靠近辟雍。(462) 亿万计：夸张之词。喻环绕辟雍门外护城河桥头的士大夫听众很多。(463) 关内侯：二十等爵第十九级爵。五更桓荣为明帝刘庄老师，特赐关内爵。(464) 天下三老：东汉郡、国、县、乡各级均有三老之官，掌教化。(465) 幸太常府：明帝巡幸太常府。幸，天子亲临。时桓荣为太常。(466) 设几杖：在桓荣的座前摆桌案手杖。(467) 上亲自执业：明帝亲手拿着经书听讲。执业，执经。(468) 避位：离开座位，表示尊敬。(469) 发难：请教疑难问题。(470) 悉以太官供具赐太常家：明帝临幸太常府时太官供应的饭食器具，事后全部赏赐给太常桓荣家。(471) 入街：车驾进入桓荣所居街巷。(472) 床茵：床褥。(473) 变服：换穿丧服。(474) 首山：首

【原文】

三年（庚申，公元六〇年）

春，二月甲寅(490)，太尉赵熹、司徒李䜣免。丙辰(491)，以左冯翊郭丹为司徒。己未(492)，以南阳太守虞延为太尉。

甲子(493)，立贵人马氏为皇后(494)，皇子炟为太子。

后，援之女也，光武时，以选入太子宫，能奉承阴后，傍接同

阳山，在今河南洛阳市偃师区西北。⑮中山：封国名，治所卢奴，在今河北定州。中山王刘焉，传见《后汉书》卷四十二。⑯郭太后：中山王太后郭圣通。原光武帝郭皇后，建武十七年被废，随少子中山王为王太后。⑰太后：指明帝生母阴丽华。⑱独得往来京师：诸王就国，回京师要事先请示。中山王蒙特殊恩遇，可随时进京。⑲甲子：十月十七日。⑳甲申：十一月初七。㉑霍光：西汉中期名臣。传见《汉书》卷六十八。㉒式其墓：以手扶轼，向其墓致敬。式，通“轼”，用手抚车前扶手。㉓癸卯：十一月二十六日。㉔窦林坐欺罔及臧罪：当时烧当羌首领滇吾反叛，滇吾弟滇岸来降，窦林上奏滇岸为羌首领。后来滇吾降，窦林又奏为首领。明帝奇怪羌人一种两首领，按验非实，是为欺罔。凉州刺史又奏窦林贪污罪，于是下狱死。㉕融：窦融（公元前一六至公元六二年），字周公，扶风平陵（今陕西咸阳西）人。西汉末割据河西五郡，后归汉，封安丰侯。传见《后汉书》卷二十三。㉖于是窦氏一公句：窦融官至大司空，是为公一人。融封安丰侯，弟窦友封为显亲侯，是为两侯。窦融长子窦穆尚光武女内黄公主，窦友子窦固尚光武女温阳公主，窦穆子窦勋尚东海王刘强女沘阳公主，是为三公主。窦友、窦穆先后为城门校尉，窦林护羌校尉，窦固中郎将，是为四二千石。㉗迎气于五郊：在五郊举行迎节气庆典。立春之日，在东郊迎接春天，祭祀青帝句芒，车服皆青，歌《青阳》，八佾舞云翘之舞。立夏之日，在南郊迎接夏天，祭祀赤帝祝融，车服皆赤，歌《朱明》，舞如迎春。先立秋十八日，在中央祭坛迎接黄灵神，祭祀黄帝与后土神，车服皆黄，歌《朱明》，八佾舞云翘育命之舞。立秋之日，在西郊迎接秋天，祭祀白帝蓐收，车服皆白，歌《白藏》，八佾舞育命之舞。立冬之日，在北郊迎接冬天，祭祀黑帝玄冥，车服皆黑，歌《玄冥》，舞如迎秋。㉘阴就：明帝舅，阴太后之弟。㉙郦邑公主：光武帝女。

【校记】

［12］缙：据章钰校，十二行本、乙十一行本皆作“搢”。二字通。

【语译】

三年（庚申，公元六〇年）

春，二月初九日甲寅，太尉赵熹、司徒李䜣被免官。十一日丙辰，任命左冯翊郭丹为司徒。十四日己未，任命南阳太守虞延为太尉。

二月十九日甲子，立贵人马氏为皇后，皇子刘炟为太子。

皇后，是马援的女儿。光武帝时，被选进太子宫中，能够侍奉阴皇后，与同辈

列，礼则修备[495]，上下安之，遂见宠异。及帝即位，为贵人[496]。时后前母姊女贾氏亦以选入，生皇子炟。帝以后无子，命养之，谓曰：“人未必当自生子，但患爱养不至耳。”后于是尽心抚育，劳悴过于所生。太子亦孝性淳笃，母子慈爱，始终无纤介[497]之间[498]。后常以皇嗣未广，荐达左右[499]，若恐不及。后宫有进见者，每加慰纳，若数所宠引，辄加[13]隆遇。

及有司奏立长秋宫[500]，帝未有所言。皇太后曰：“马贵人德冠后宫，即其人也。”后既正位宫闱，愈自谦肃，好读书。常衣大练[501]，裙不加缘[502]。朔望诸姬主朝请[503]，望见后袍衣疏粗，以为绮縠[504]，就视，乃笑[505]。后曰：“此缯特宜染色，故用之耳。”群臣奏事有难平者[506]，帝数以试后。后辄分解[507]趣理[508]，各得其情，然未尝以家私干政事。帝由是宠敬，始终无衰焉。

帝思中兴功臣，乃图画二十八将于南宫云台[509]，以邓禹为首，次马成、吴汉、王梁、贾复、陈俊、耿弇、杜茂、寇恂、傅俊、岑彭、坚镡、冯异、王霸、朱祐、任光、祭遵、李忠、景丹、万修、盖延、邳彤、铫期、刘植、耿纯、臧宫、马武、刘隆，又益以王常、李通、窦融、卓茂，合三十二人。马援以椒房之亲[510]，独不与焉。

夏，四月辛酉[511]，封皇子建为千乘王，羡为广平王。

六月丁卯[512]，有星孛于天船北[513]。

帝大起北宫。时天旱，尚书仆射[514]会稽钟离意[515]诣阙免冠上疏曰：“昔成汤遭旱，以六事自责[516]曰：‘政不节邪？使民疾邪？宫室营[14]邪？女谒盛邪？苞苴行邪？谗夫昌邪？’窃见北宫大作，民失农时。自古非苦宫室小狭，但患民不安宁。宜且罢止，以应天心。”帝策诏报曰：“汤引六事，咎在一人。其冠、履，勿谢[517]！”又敕大匠[518]止作诸宫，减省不急[519]。诏因谢公卿百僚，遂应时澍雨[520]。

意荐全椒[521]长刘平[522]，诏征拜议郎。平在全椒，政有恩惠，民或增赀就赋，或减年从役[523]。刺史[524]、太守[525]行部[526]，狱无系囚[527]，人自以得所，不知所问[528]，唯班诏书而去。

友善相处，礼仪周全，上下相安，因此特别受到宠爱。等到明帝即位，选为贵人。当初，马贵人异母姐姐的女儿贾氏也被选入宫，生了皇子刘炟。明帝因为马皇后没有儿子，就命马皇后抚养他。明帝对马皇后说："人不一定非要自己生儿子，就怕对他关爱抚育不周到。"马皇后于是尽心抚育，辛苦劳累超过亲生儿子。太子也十分孝顺，母慈子孝，始终没有一点芥蒂。马皇后常因明帝皇子不多，引荐身边的宫女给明帝，唯恐不及。后宫中有进见的女子，每次都给予慰问接纳，如果多次受到宠幸召见，就给予隆重的礼遇。

等到主管官吏奏请立皇后，明帝还没说什么。皇太后说："马贵人的德行在后宫中最佳，皇后就是她了。"马皇后正位后宫，更加自谦恭谨，爱好读书。常常穿着粗厚的素色绸衣，裙子不加边饰。初一、十五妃嫔和公主来请安，远望皇后的袍衣宽宽大大，以为是华丽的高级绸缎，走近一看，就笑了。马皇后说："这种丝料特别适合染色，所以才用它。"群臣奏事有难于决断的，明帝多次以此试探马皇后。马皇后解析入理，都能说中其原委，然而从未以家中私事干涉政事。明帝因此宠爱敬重她，始终不减。

明帝怀念中兴开国功臣，在南宫云台画了二十八位将军的肖像，以邓禹为首，依次是马成、吴汉、王梁、贾复、陈俊、耿弇、杜茂、寇恂、傅俊、岑彭、坚镡、冯异、王霸、朱祐、任光、祭遵、李忠、景丹、万修、盖延、邳彤、铫期、刘植、耿纯、臧宫、马武、刘隆，又增加了王常、李通、窦融、卓茂，共三十二人。马援因是皇后的父亲，只有他未包括在内。

夏，四月十七日辛酉，册封皇子刘建为千乘王，刘羡为广平王。

六月二十四日丁卯，在天船星北，出现彗星。

明帝大规模兴建北宫。当时天旱，尚书仆射会稽郡人钟离意到宫门，脱下官帽上奏说："从前成汤遭遇旱灾，以六件事自责说：'是政务不遵法度吗？是役使百姓过分吗？是宫室建得太多吗？是女人请托太多吗？是贿赂流行吗？是进谗的小人太多吗？'臣个人认为大规模兴建北宫，百姓贻误农时。自古没有苦于宫室狭窄的，只是担心百姓不得安宁。应暂停工程，以顺应天意。"明帝策书下诏回复说："成汤所说的六件事，错误全在朕一人。你戴上帽子、穿上鞋子吧，不必谢罪！"又敕令将作大匠停止建造各宫殿，减省不急用的开支。趁此下诏向公卿百官表示歉意，便按时下了场及时雨。

钟离意推举全椒县县长刘平，明帝下诏征召任命为议郎。刘平在全椒县时，施政有恩惠，百姓中有人主动多报资产以达到缴税条件，有人少报自己的年龄以便继续为国家服役。刺史、太守巡查所辖地区，监狱里没有囚犯，人人自认为各得其所，刺史、太守不知道要查问什么事情，只好颁布完诏书就离开。

帝性褊察[529]，好以耳目隐发为明[530]，公卿大臣数被诋毁[531]，近臣尚书以下至见提曳[532]。常以事怒郎药崧[533]，以杖撞之。崧走入床下，帝怒甚，疾言曰：“郎出！”崧乃曰：“天子穆穆，诸侯皇皇[534]。未闻人君，自起撞郎。”帝乃赦之。

是时朝廷莫不悚栗[535]，争为严切，以避诛责[536]；唯钟离意独敢谏争，数封还诏书[537]，臣下过失，辄救解之。会连有变异，上疏曰：“陛下敬畏[15]鬼神，忧恤黎元[538]，而天气未和，寒暑违节者，咎在群臣不能宣化治职，而以苛刻为俗。百官无相亲之心，吏民无雍雍之志[539]，至于感逆和气，以致天灾。百姓可以德胜[540]，难以力服[541]，《鹿鸣》之诗[542]必言宴乐者，以人神之心洽，然后天气和也。愿陛下垂圣德，缓刑罚，顺时气，以调阴阳。”帝虽不能时用，然知其至诚，终爱厚之。

秋，八月戊辰[543]，诏改太乐官曰太予，用谶文[544]也。

壬申[545]晦，日有食之。诏曰：“昔楚庄[546]无灾，以致戒惧；鲁哀[547]祸大，天不降谴。今之动变，傥尚可救，有司勉思厥职，以匡无德。”

冬，十月甲子[548]，车驾从皇太后幸章陵[549]。荆州刺史郭贺，官有殊政，上赐以三公之服，黼黻[550]、冕旒[551]，敕行部去襜帷[552]，使百姓见其容服[553]，以章有德。戊辰[554]，还自章陵。

是岁，京师及郡国七大水[555]。

莎车王贤以兵威逼夺于阗、大宛、妫塞[556]王国，使其将守之。于阗人杀其将君德，立大人[557]休莫霸为王。贤率诸国兵数万击之，大为休莫霸所败，脱身走还[558]。休莫霸进围莎车，中流矢[559]死，于阗人复立其兄子广德为王，广德使其弟仁攻贤。广德父先拘在莎车，贤乃归其父，以女妻之，与之和亲。

【段旨】

以上为第十四段，写明帝册立马皇后，表彰开国功臣。为政严苛，但亦能纳谏。西域莎车国与于阗等国发生战争。

明帝狭隘苛刻，喜欢设耳目揭发隐私，认为这才是圣明。公卿大臣屡屡被毁谤，近臣尚书以下官吏甚至受到明帝掷击拉扯。明帝曾经因为一件事生郎官药崧的气，用杖敲打他。药崧逃到床下，明帝非常生气，厉声喊："郎官出来！"药崧于是说："天子端庄肃穆，诸侯恭敬庄严。没听说人君自己用杖打郎官的。"明帝这才赦免了他。

当时朝廷中没有不担心害怕的，争相表现得严厉冷酷来躲避诛杀与责罚；只有钟离意敢于劝谏，多次将诏书封好退回去，臣下犯了过错，总是尽力解救。正巧连续发生灾害怪异，钟离意上疏说："陛下敬畏鬼神，忧怜百姓，但天时节气不和，寒暑违反节令，错在群臣不能宣扬教化治理政务，却把严厉刻薄作为风俗。百官没有相爱之心，吏民没有雍容祥和的志向，以致触犯祥和之气，导致天灾。百姓可以用恩德感化，难以用强力制服，《鹿鸣》这首诗在宴会上演唱，是因为人神的心灵融洽，然后天时节气才调和。希望陛下布施圣德，减缓刑罚，顺从时令节气，以此来调和阴阳。"明帝虽然没有当即采用，但知道他出自至诚，始终喜爱厚待他。

秋，八月二十五日戊辰，明帝下诏改太乐官为太予官，是采用谶文而改。

八月最后一天二十九日壬申，发生日食。明帝下诏说："从前楚庄王没有灾害，自己也恐惧；鲁哀公有大祸，上天却不加以惩罚。如今发生日食，倘若还可以挽救，官吏勉力思考自己的职责，以匡正朕之无德。"

冬，十月二十二日甲子，明帝随皇太后到章陵。荆州刺史郭贺，为官有突出的政绩，皇上赐予他三公礼服，绣有黼黻纹饰，冕旒礼帽，敕令他巡视州部时去掉车帷，让百姓可以看见他的仪容服饰，以表彰他的美德。二十六日戊辰，明帝从章陵回宫。

这一年，京师洛阳及七个郡国发生大水灾。

莎车国王贤用军队威胁掠夺于阗、大宛、妫塞王国，派自己的将领监守他们。于阗国人杀掉莎车将领君德，立贵族休莫霸做王。莎车王贤率领数国几万军队攻击于阗，被休莫霸大败，只身逃回。休莫霸追击包围莎车国，被流箭射死，于阗国人又立他哥哥的儿子广德做王，广德派他的弟弟仁攻打莎车王贤。广德的父亲以前被囚禁在莎车国，莎车王贤于是送回他的父亲，还把女儿嫁给广德为妻，与他和亲。

【注释】

⑲⁰ 甲寅：二月初九日。⑲¹ 丙辰：二月十一日。⑲² 己未：二月十四日。⑲³ 甲子：二月十九日。⑲⁴ 马氏为皇后：显宗明德马皇后，章帝刘炟养母。伏波将军马援小女。史失其名，称马氏。传见《后汉书》卷十《皇后纪上》。⑲⁵ 礼则修备：礼数周到。⑲⁶ 贵人：嫔妃之称，位仅次皇后。⑲⁷ 纤介：细微。⑲⁸ 间：隙；隔阂。⑲⁹ 荐达左右：引荐宫女给明帝。㊿⁰ 有司奏立长秋宫：主事官员奏请册立皇后。长秋宫，皇后所居之宫。㊿¹ 常衣大

练：常穿粗厚的素色丝绸。502 裙不加缘：裙子不加边。503 朔望诸姬主朝请：每月初一和十五，各位嫔妃和公主入皇后宫请安。504 绮縠：高级绸缎。505 就视二句：走到跟前看见是粗绸，就笑起来。506 难平者：难于决断的事情。507 分解：分析。508 趣理：入情入理。509 图画二十八将于南宫云台：把开国功臣二十八将的画像画在南宫云台上。南宫，洛阳汉宫名。云台，南宫中高台名。仿效西汉宣帝图画功臣于麒麟阁故事。东汉云台二十八将，与天官二十八宿之数吻合，列名在《后汉书》卷二十二《马武传》后。510 椒房之亲：马援为皇后之父。椒房，皇后所居之房。511 辛酉：四月十七日。512 丁卯：六月二十四日。513 有星孛于天船北：在天船星北，出现彗星。北九星称天船。514 尚书仆射：官名，尚书令副手。尚书令不在，则代行职权，掌出纳章奏。515 钟离意：字子阿，会稽山阴县（今浙江绍兴）人，东汉名臣，仕光武帝、明帝两朝，官至尚书仆射、鲁相。传见《后汉书》卷四十一。516 六事自责:《帝王记》载，成汤下罪己书，以六事责备自己。六事见下文。517 其冠、履二句：明帝诏报钟离意戴上帽子，穿上鞋子，不要谢罪。518 大匠：将作大匠。519 减省不急：裁省不急用的开支。520 遂应时澍雨：于是顺应天时降下及时雨。澍，及时雨。521 全椒：县名，县治在今安徽全椒。522 刘平：字公子，楚郡彭城（今江苏徐州）人，本名旷，明帝时改为平。王莽时为县长吏，为官清正廉洁。东汉仕光武、明帝两朝，官至宗正。传见《后汉书》卷三十九。523 民或增赀就赋二句：百姓有的主动多报资产，以达到纳税条件；有的少报自己年龄，以继续为国家服役。524 刺史：州部行政长官。525 太守：郡行政长官。526 行部：巡察辖区（部）。527 系囚：羁押待审的囚犯。528 不知所问：不知纠察什么。529 褊察：狭隘苛刻。530 好以耳目隐发为明：喜欢设耳目揭发百官的隐私，认为这就是圣明。531 诋毁：诽谤。532 提曳：掷击拉扯。533 药崧：河内人，时为郎官，后官至南阳太守。传附《后汉书》卷四十一《钟离意传》。534 天子穆穆二句：引自《礼记·曲礼》。穆穆，仪表端庄。皇皇，同“煌煌”，庄重。535 悚栗：恐惧战栗。536 争为严切二句：争相严峻冷酷来逃避诛杀或斥责。537 数封还诏书：多次把下达的不适宜的诏书封起来退回宫中。这是臣下驳回诏书的形式，非诤诤直臣莫能为。538 黎元：黎民百姓。539 吏民无雍雍之志：官民没有雍容祥和的志向。540 以德胜：以德服人。541 以力服：以强力压服。542《鹿鸣》之诗:《诗经·小雅》篇名，宴群臣嘉宾之诗。诗曰：“呦呦鹿鸣，食野之苹；我有嘉宾，鼓瑟吹笙。”543 戊辰：八月二十五日。544 谶文：图谶《尚书璇玑钤》之文。其言曰：“有帝汉出，德洽作乐，名予。”明帝据此改“太乐令”为“太予令”。545 壬申：八月二十九日。546 楚庄：楚庄王芈侣，春秋时楚国国君，公元前六一三至前五九一年在位。547 鲁哀：鲁哀公姬将，春秋时鲁国昏君，公元前四九四至前四六八年在位。《春秋感精符》载，鲁哀公时祸乱不断，天以其愚蒙，亦不降灾示警，故没有日食。548 甲子：十月二十二日。549 章陵：光武建武六年，改舂陵乡为章陵县，在今湖北枣阳。光武帝刘秀先祖封于此。550 黼黻：三公礼服上刺绣的文采。用黑白两线绣成的斧形花纹叫黼，用黑青两线绣成的两己字相背花纹叫黻。551 冕旒：戴垂缨的礼帽。三公冠有七条垂缨。552 襜帷：座车前的帘帐。553 容服：容貌服饰。554 戊辰：十月二十六日。555 京师及郡国七大水：京师洛阳及七个郡国发生大水灾。556 于阗、大宛、妫塞：均西域国名。于阗在今新疆南部，王城在西城，在今新疆和田南。大宛在葱岭西，王治贵山城，在今中亚卡散赛。妫塞国，塞种，临妫水而居，因以为国名。妫水，又名乌浒河，即今阿姆河之古称，流经今土库曼斯坦和乌兹别克斯坦两国，入咸海。557 大人：贵族大臣。558 脱身走还：全军覆没，只身逃还。559 流矢：乱射的箭。

【校记】

[13] 加：据章钰校，十二行本、乙十一行本、孔天胤本皆作“增”。[14] 营：据章钰校，十二行本、乙十一行本皆作“荣”。按《后汉书》卷四十一《钟离意传》亦作“荣”。[15] 敬畏：据章钰校，十二行本、乙十一行本二字皆互乙。

【研析】

本卷史事研析三事：马援蒙冤，匈奴内讧，光武帝迷信图谶。

第一，马援蒙冤。武陵蛮反叛，马援请缨出征。光武帝怜惜马援年老，没有答应。马援效法廉颇，骑马扬威，表示老当益壮，可堪大任。光武帝笑着说：“果然是一个精神抖擞的老头。”光武帝于是派马援出征，中郎将马武、耿舒为副将。耿舒是好畤侯耿弇之弟。耿氏一门在光武帝经营河北时追随，亲密无比。马援率军抵达下隽，下隽在今湖南沅陵东北，临近武陵蛮叛乱地区。从下隽进入武陵蛮腹地有两条进军路线，一是从壶头山（在今沅陵东）进兵，路近便而沿途凶险，再是从充县（在今湖南常德境）进兵，路迂远而平坦。马援主张从壶头进军，出其不意，速战速决，从充县进兵，时间拖得太久，军粮不够。但从充县进军，道路平坦，比较安全。两种意见，相持不下，同时报告光武帝，由皇帝裁决，光武帝批准了马援的进军路线，惹得耿舒不高兴。天不佑马援，由于酷暑进军，北方战士水土不服，瘟疫突然发生，士兵多病死，大军丧失了战斗能力，只好在沿溪河岸凿石窟避暑，暂时休养。马援也身染瘟疫，当敌人来攻，马援总是拖着病体，挣扎到洞口观察敌情。耿舒却写了一封告状信托其兄耿弇上呈光武帝，说马援进兵，不但进军路线错误，还像一个西域小商人，每到一处都要停留，慢吞吞进兵，延误了战机，现在瘟疫流行，完全像他所预料的那样。耿舒把马援的持重说成是畏敌，显然是恶意中伤。光武帝得到消息，派梁松前往调查，并担任监军官。

梁松，字伯孙，梁统长子。梁统是更始皇帝委任的武威太守，追随窦融归附光武帝，封临乡侯。梁松托父之福，年少为郎，任虎贲中郎将。马援曾经患病，梁松登门看望，在马援病榻前拜见，马援视梁松为晚辈，又在病中，因此没有还礼。梁松是皇帝女婿，满朝文武无不奉承，他认为马援没有还礼是看不起他，于是怀恨在心。马援的侄儿马严、马敦不守本分，好交结朋友。越骑司马杜保，作风孟浪，马援出征，致信马严、马敦不要与杜保交游，正好杜保的仇人上书揭发杜保“行为浮躁，妖言惑众”，并举出马援在万里外写给侄儿的信来做证。恰好梁松也与杜保交游。光武帝把控告书和马援的信交给梁松看，训斥了梁松。梁松吓得灵魂出窍，磕头流血才过了关。梁松对马援更加恨入骨髓。梁松于是抓住了调查马援贻误军机，导致大军受困的机会，大做文章，罗织罪状，报复马援。光武帝收到报告怒火中烧，立即下诏收回马援新息侯的印信。这时马援已死在军中，为国捐躯。早先，马援南征交趾时，买了一车预防瘟疫的南方特产薏苡，俗称薏米，既可入药，又可当杂粮吃。恰好这时有人出来诬告说马援征交趾受贿了一车珍珠。这是否是梁松唆使，不得而知。光武帝看了这封诬告状，更加愤怒，要罪及马援家属。马援妻儿闻讯，如五雷轰顶，惊骇万分，不敢把马援的棺柩运回祖宗坟墓安葬，只好草草地掩埋在坟地的西侧。

马援的妻子和侄儿马严，捆绑自己到官门请罪。光武帝给了梁松的弹劾状，马援的妻子才知道原委。回家后连续上书六道诉冤，光武帝置之不理。这时马援的亲友故旧没有一个人出来说话。云阳县县长扶风人朱勃站出来为马援辩诬。朱勃是马援的近邻，马援哥哥马况的朋友，小时读书比马援敏捷，马援吃醋怀恨。马援得势后非常看不起朱勃，朱勃二十多年来还只是一个县长。朱勃不以为意，仍保持与马家的亲近关系。等到马援有难，只有朱勃出来替他说话。人世间炎凉冷暖，危难关头，方得彰显。俗话说，“疾风知劲草，路遥知马力”，朱勃乃可当此。

光武帝对于功臣，恩德至重，给他们高位，维护他们的平安。为什么偏偏对马援如此刻薄呢？马援处世谨慎，不说人坏话，规劝子侄避免灾祸，到头来却不能自保。范晔在《后汉书·马援传》的评论中认为，在名利场中，旁观者清，当局者迷。马援评论别人，与自己没有利害关系，只讲原则，看得准，说理正，而看自己，名利蒙眼说不清了。要站在旁观者的立场看自己，就差不多了。范晔说的大道理是不错的，马援不从流俗而在梁松面前以长辈自居，合于原则，疏了人情，得罪了梁松，连儿子们都看得清楚，马援心里也明白，但自己地位尊显，又是梁松父亲梁统的朋友，无意中怠慢了梁松。马援哪里盘算到梁松要害他呢！但看不起朱勃，无论人情，还是待人之礼，马援都是不对的。人无完人，金无足赤，马援也不例外。

光武帝对待马援的薄情寡恩，有失常态，范晔对此没有回答。王夫之的《读通鉴论》认为是马援自找的。王夫之说马援没有遵守道家功成名就应身退的原则，有了高官厚禄，年事已高，还要出征，用别人的军队替自己捞名利。在王夫之看来，出征就是掠夺，不然为什么要留恋戎马一生呢？事实胜于雄辩，马援掠夺了吗？买了一车薏米，说成是收受一车珍珠，这是害人者的恶意中伤，光武帝这么想倒也顺理成章，王夫之这么说只能说他是一个书呆子，甚至是一个丑陋的卫道士，替光武帝开脱。马援的一生名言是:“男儿要当死于边野，以马革裹尸还葬耳。”又说:“丈夫为志，穷当益坚，老当益壮。”马援说到做到，实践了自己的人生格言，是何等的思想境界。光武帝偏听偏信，与马援相比，只是一个小丈夫。“马革裹尸”成为千余年来鼓舞青年捍卫国家、树立凌云壮志人生观的格言成语，注入了炎黄子孙的灵魂。马援是伟大的，加害马援的人，指手画脚的人，都是渺小的。

马援时代，人们的思想观念受宗法制度与专制制度约束，亲亲至上，各种错综复杂的人情关系决定一切。所谓有理讲理，无理论大，谁是老大，谁说了算。封建社会，皇权至高无上，皇帝的话就是法律。马援生性高傲，在无意中得罪了梁松，梁松抓住机会以驸马之亲在皇帝面前打小报告，马援自然是吃不了兜着走。东汉统治集团高层以南阳豪强为班底，耿弇、梁统等则是早期追随光武帝打天下的人，他们盘根错节，互相维护。马援半道投主，孤立无援。耿舒毁谤于前，梁松诬陷于后，耿氏、梁氏，加上皇室，联手加害马援，谁还敢给马援施以援手。光武帝发雷霆之怒，正是因被亲情包围，加上猜疑心，只好去委屈马援了。马援既已身死，光武帝还有何顾忌。一个雄略之主，一旦动怒就要吃人。马援蒙冤，司空见惯。这正应了一句话:“伴君如伴虎。”马援撞上了老虎发怒，谁也救不了。

第二，匈奴内讧。强大的匈奴在西汉遭到武帝的沉重打击而衰落，分为南北两部，南匈奴归附中国，北匈奴远窜在西域为患。到东汉建立，匈奴的这种格局依旧。匈奴南北两部对抗，对中国有利。东汉政府只接受南匈奴为归附，不接受北匈奴的归附与和亲，还挑动两部相争，自己坐收渔人之利。汉政府高价收购南匈奴获得的俘虏，再把俘虏无偿地归还北匈奴。

南匈奴单于栾提比俘获了北匈奴的薁鞬左贤王。光武帝建武二十六年（公元五〇年）夏季，薁鞬左贤王煽动栾提比旧部五个骨都侯一起反叛栾提比，向北逃离，在距南匈奴王庭五百里的地方另立王庭。一个月后，叛逃的匈奴互相残杀，五个骨都侯全都死了，自称单于的薁鞬左贤王也自杀了。骨都侯的儿子们仍互不服气，各自拥兵自守，无止无休地互斗残杀。叛逃的匈奴原有三万多人，半年过后只剩下三千人，十分之九的匈奴都死于自己的刀下。这年冬天，剩下的三千匈奴人无法生存，于是南下回归南匈奴。北匈奴栾提蒲奴派兵追击，全部俘虏了这三千人。南匈奴单于栾提比派兵救援，被北匈奴打败，实力也受到损伤。中国得利于匈奴内讧，北方边疆恢复了宁静，云中、五原、朔方、北地、定襄、雁门、上谷、代郡等八个郡流亡在外的郡民，先后回归本土。东汉政府以夷制夷的政策获得成功。汉朝使臣到南匈奴王庭，单于栾提比行跪拜礼接受训书，昔日威风全无。

第三，光武帝迷信图谶。光武帝刘秀曾在王莽天凤年间到长安向中大夫许子威学习《尚书》，略通大义。王莽末，天下大乱。宛人李通用图谶游说刘秀起事。李通说:“刘氏复起，李氏为辅。”刘秀长兄刘伯升，好侠养士，有一身武艺，素志反对王莽，先于刘秀起事，为众所服，更加坚定了刘秀起事的意志。刘秀一向忠厚，又懂经学，当他起事，穿上将军服，戴上武士帽，族人大惊，互相转告说："老实巴交的刘秀都造反了，世道是要变了。"刘秀起事，稳定了军心。刘伯升为更始所害，刘秀经营河北，成就了大事。建武元年（公元二五年），刘秀在鄗邑，当时为萧王，诸将劝进称尊号。这时从关中来了一个儒生，强华手捧《赤伏符》献给萧王刘秀说："刘秀发兵捕不道，四夷云集龙斗野，四七之际火为王。"四七为二十八。从汉高祖到光武帝初起，合二百二十八年。汉高祖刘邦封王在公元前二〇六年，刘秀起兵在王莽地皇三年（公元二二年），正好二百二十八年，即四七之际。汉为火德，故火为王。中元元年（公元五六年），光武帝读《河图会昌符》曰："赤刘之九，会命岱宗。"光武帝刘秀是汉高祖的第九代孙。光武帝十分激动，诏令中郎将梁松等考核《河雒谶文》，找出高皇帝九世孙应当封禅的谶文有三十六条之多。光武帝于是按汉武帝元封元年封禅泰山的礼仪完成了封禅礼。十一月，明堂、灵台、辟雍落成，光武帝正式宣布图谶于天下。给事中桓谭上疏反对图谶，又在灵台会议时陈说图谶不是经典。光武帝大怒，要杀桓谭的头，桓谭求情，磕头流血，被贬出京，到六安县做县丞。太中大夫郑兴也曾反对图谶。光武帝询问郑兴："用图谶来决断郊祀的事可以吗？"郑兴回答："臣不懂图谶。"光武帝大怒说："卿不懂图谶，是反对吗？"郑兴说："臣没读过图谶，不是反对。"郑兴避免了惩罚。郑兴精通《公羊》《左氏春秋》，不言图谶，不受重用。贾逵精通"五经"，运用图谶演绎经义，完成经学图谶化，身享高官厚禄。桓谭、郑兴、贾逵三位经学家对待图谶持有三种态度，落得三样下场。司马光引用范晔的话批评光武帝说："君王如此对待学术，岂不可悲。"

卷第四十五　汉纪三十七

起重光作噩（辛酉，公元六一年），尽旃蒙大渊献（乙亥，公元七五年），凡十五年。

【题解】

本卷记事起公元六一年，迄公元七五年，凡十五年，当汉明帝永平四年至永平十八年，囊括了一代明君的风采。汉明帝是东汉光武帝之后最有作为的一代明君，东汉国力达于鼎盛。对外，窦固北伐大破北匈奴，班超建功西域，重新开通了贯通欧亚的丝绸之路。佛教传入中国，古代东西方文化交流上了一个新台阶。汉明帝不尚浮华，不信祥瑞。为政严苛，治楚王英谋反案，兴大狱，蒙冤者众。侍御史寒朗冒死谏诤，被平反者一千余人。统治集团上层奢靡之风潜滋暗长。窦融子孙纵诞不法，门庭衰落。

【原文】

显宗孝明皇帝下

永平四年（辛酉，公元六一年）

春，帝近出观览城第①，欲遂校猎②河内③。东平王苍④上书谏，帝览奏，即还宫。

秋，九月戊寅⑤，千乘哀王建⑥薨，无子，国除。

冬，十月乙卯⑦，司徒郭丹⑧、司空冯鲂免，以河南尹⑨沛国⑩范迁为司徒，太仆⑪伏恭⑫为司空。恭，湛之兄子也。

陵乡侯梁松⑬坐怨望、县⑭飞书⑮诽谤，下狱死。

初，上为太子，太中大夫⑯郑兴子众⑰以通经知名，太子⑱及山阳王荆⑲因梁松以缣帛请之。众曰："太子储君，无外交⑳之义。汉有旧防㉑，蕃王㉒不宜私通宾客。"松曰："长者㉓意，不可逆。"众曰："犯禁触罪，不如守正而死。"遂不往。及松败，宾客多坐之，唯众不染于辞㉔。

【语译】

显宗孝明皇帝下

永平四年（辛酉，公元六一年）

春，汉明帝出宫就近观看京城宅第，想顺便在河内郡行猎。东平王刘苍上书劝谏，汉明帝看过奏表，马上回宫。

秋，九月十二日戊寅，千乘哀王刘建去世，没有儿子，封国被废除。

冬，十月十九日乙卯，司徒郭丹、司空冯鲂被免去职务，任命河南尹沛国人范迁做司徒，太仆伏恭做司空。伏恭，是伏湛哥哥的儿子。

陵乡侯梁松犯了怨恨朝廷、张贴匿名告示进行诽谤的罪，被关进牢狱死去。

当初，汉明帝做太子时，太中大夫郑兴的儿子郑众以明习经学而著名，太子和山阳王刘荆通过梁松用缣帛为聘礼邀请他。郑众回答说："太子为储君，没有与宫外官员交结的道理。汉朝以前有禁令，蕃王不宜与宾客私下交往。"梁松说："贵人的意思，不可违背。"郑众回答道："触犯禁令而获罪，不如坚守正道而死。"于是，没有前往。等到梁松倒台，宾客大多受到牵连获罪，只有郑众没有受到供词牵连。

于阗王广德将诸国兵三万人攻莎车㉕，诱莎车王贤杀之，并其国。匈奴发诸国兵围于阗，广德请降。匈奴立贤质子不居征为莎车王，广德又攻杀之，更立其弟齐黎为莎车王。

东平王苍自以至亲辅政，声望日重，意不自安，前后累上疏称："自汉兴以来，宗室子弟无得在公卿位者，乞上骠骑将军㉖印绶，退就藩国。"辞甚恳切。帝乃许苍还国，而不听上将军印绶。

【段旨】

以上为第一段，写郑众守正，刘苍自律，不贪权位。

【注释】

①城第：洛阳城宅邸。②校猎：大规模围猎。古代进行军事演习的一种形式。③河内：郡名，治所怀县，在今河南武陟西南。④苍：刘苍，光武帝刘秀之子，封东平王。传见《后汉书》卷四十二。⑤戊寅：九月十二日。⑥建：刘建，明帝刘庄之子，封千乘王，谥曰哀。传见《后汉书》卷五十。⑦乙卯：十月十九日。⑧郭丹（公元前二五至公元六二年）：字少卿，南阳穰县（今河南邓州东南）人，曾仕更始，更始败，归光武，官至司徒。传见《后汉书》卷二十七。⑨河南尹：官名，京师洛阳行政长官。⑩沛国：郡国名，治所相县，在今安徽濉溪县西。⑪太仆：官名，九卿之一，掌皇帝车辆、马匹及

【原文】

五年（壬戌，公元六二年）

春，二月庚戌㉗[1]，苍罢归藩㉘。帝以骠骑长史为东平太傅，掾为中大夫，令史为王家郎㉙，加赐钱五千万，布十万匹。

冬，十月，上行幸邺㉚。是月，还宫。

十一月，北匈奴寇五原㉛。十二月，寇云中㉜，南单于击却之。

是岁，发遣边民在内郡者，赐装钱㉝，人二万。

于阗王广德率领各国军队三万人进攻莎车国，诱骗莎车王贤并杀死了他，兼并了他的国家。匈奴调动各国军队包围于阗，广德请求投降。匈奴拥立莎车王贤在匈奴当人质的儿子不居征做莎车王，广德再次进攻莎车国，杀死了不居征，改立他的弟弟齐黎为莎车王。

东平王刘苍自认为是皇室至亲辅佐朝政，名声日益显赫，心感不安，前后多次上疏说："自汉建国以来，宗室子弟没有在公卿职位上的，请求上交骠骑将军的印绶，回到封国。"言辞异常恳切。汉明帝就准许刘苍回到封国，但不同意其上交将军印绶。

畜牧事务。⑫伏恭（公元前六至公元八四年）：字叔齐。传见《后汉书》卷七十九下。据《后汉书》本传，伏恭为司徒伏湛之兄子。⑬梁松：陵乡侯梁统之子。事附《后汉书》卷三十四《梁统传》。⑭县：张贴；悬挂。⑮飞书：匿名书。⑯太中大夫：官名，掌顾问应对。⑰郑兴子众：郑兴及其子郑众，东汉初大儒，父子同传，见《后汉书》卷三十六。⑱太子：此指汉明帝刘庄。⑲山阳王荆：刘荆，明帝刘庄同母弟，初封山阳公，封爵山阳王，后徙封广陵王。传见《后汉书》卷四十二。据《后汉书·郑兴传》，太子刘庄及山阳王刘荆延请郑众事，在光武建武年间。⑳外交：与宫外官员交结。㉑旧防：以往的禁令。汉制，太子及诸侯王不得与中央官吏交结。㉒蕃王：此指山阳王刘荆。㉓长者：尊贵者。㉔唯众不染于辞：只有郑众，没有被梁松宾客的供词所牵连。㉕莎车：与于阗皆西域国名。于阗都西城，在今新疆和田南。莎车都莎车城，即今新疆莎车。两国交兵事详《后汉书》卷八十八《西域传》。㉖骠骑将军：东汉执政大臣多加大将军、骠骑将军之职。骠骑将军官位次于大将军。

【语译】

五年（壬戌，公元六二年）

春，二月十六日庚戌，刘苍免官回到封国。汉明帝以刘苍任骠骑将军时的长史为东平王太傅，掾属为中大夫，令史为东平王府的郎官，增加赏赐五千万钱，布十万匹。

冬，十月，汉明帝巡幸邺县。当月回宫。

十一月，北匈奴侵犯五原郡。十二月，侵犯云中郡，南匈奴单于打退了敌人。

这一年，征发遣返在内地的边地百姓，赐给办理行装的钱，每人二万。

安丰戴侯窦融[34]年老，子孙纵诞，多不法。长子穆尚内黄公主[35]，矫称阴太后[36]诏，令六安侯刘盱去妇[37]，以女妻之。盱妇家上书言状，帝大怒，尽免穆等官。诸窦为郎吏者，皆将家属归故郡[38]，独留融京师，融寻薨。后数岁，穆等复坐事[39]，与子勋、宣皆下狱死。久之，诏还融夫人与小孙[40]一人居雒阳。

【段旨】

以上为第二段，写窦融子孙纵诞不法，门庭衰落。

【注释】

㉗庚戌：二月十六日。㉘归藩：回到封国。刘苍所封东平国治无盐，在今山东东平东。㉙帝以骠骑长史三句：长史、掾、令史，骠骑将军府属官。东平太傅、中大夫、郎，藩王封国属官。明帝任命骠骑将军府各级属官为东平王藩国属官，以示对东平王刘苍的恩宠。㉚邺：县名，魏郡治所，在今河北临漳西南。㉛五原：郡名，治所九原，在今内蒙古包头西。㉜云中：郡名，治所云中，在今内蒙古托克托北。㉝装钱：治办行装所需之钱。㉞窦融（公元前一六至公元六二年）：字周公，累世为河西官吏。西汉末，窦融割据河西五郡，后归刘秀，助汉军攻灭隗嚣，封安丰侯，官至大司空。传见《后汉书》卷

【原文】

六年（癸亥，公元六三年）

春，二月，王雒山[41]出宝鼎，献之。夏，四月甲子[42]，诏曰："祥瑞之降，以应有德。方今政化多僻[43]，何以致兹！《易》曰：'鼎象三公[44]。'岂公卿奉职得其理邪！其赐三公帛五十匹，九卿、二千石半之。先帝诏书，禁人上事言'圣'[45]，而间者[46]章奏颇多浮词[47]。自今若有过称虚誉，尚书[48]皆宜抑而不省[49]，示不为谄子[50]蚩[51]也。"

冬，十月，上行幸鲁[52]。十二月，还幸阳城[53]。壬午，还宫。

安丰戴侯窦融年衰，子孙放纵妄为，多次不守法禁。长子窦穆娶内黄公主为妻，假称阴太后的诏令，让六安侯刘盱休了妻子，把自己的女儿嫁给刘盱。刘盱妻子娘家人上书告发这一情况，汉明帝大怒，悉数免去窦穆等人的官职。窦氏家族中有做郎吏的，全都要携家属回到故里，只留下窦融在京城，窦融不久去世。几年后，窦穆等人又犯罪，和儿子窦勋、窦宣都被关进监狱死去。过了很久，汉明帝下诏让窦融的夫人和一个小孙子回到洛阳居住。

二十三。㉟内黄公主：光武女，阴皇后所生。㊱阴太后：光武帝阴皇后，名丽华。汉明帝刘庄之母。明帝即位，尊为太后。传见《后汉书》卷十上。㊲去妇：休妻。据《后汉书》窦融本传，窦穆等仗势纵诞，多不法。以父封在安丰（在今河南固始东南），地近六安（在今安徽六安），欲使姻戚悉据故六安国，于是矫阴太后诏，令六安侯刘盱休去原妻，以女妻之，遭到刘盱妻娘家人的控告，被免官。㊳归故郡：遣还原籍。窦融为京兆平陵人，在今陕西咸阳西。窦穆等被免官，遣归故里，只允许窦融留在京师洛阳。窦穆子窦勋因尚东海王刘强女沘阳公主，亦蒙恩留京师。㊴复坐事：又犯法获罪。窦穆回到故里，数年后被告发贿赂地方官，与其子窦宣皆因罪入狱处死。子窦勋，亦受株连死洛阳狱。㊵小孙：年幼的孙子。

【校记】

［1］庚戌：原无此二字。据章钰校，十二行本、乙十一行本皆有此二字，今据补。

【语译】

六年（癸亥，公元六三年）

春，二月，在王雒山出现宝鼎，把宝鼎献给朝廷。夏，四月初七日甲子，汉明帝下诏说：“祥瑞的降临，以符应有德行的人。现今政务教化多有乖僻，怎么会有祥瑞降临呢！《周易》说：‘鼎象征三公。’难道是公卿奉行职务符应了天理！现在赐给三公五十四帛，九卿、二千石的官员赏给一半。先皇下过诏书，禁止人们上书称‘圣’，而近来的奏章有很多浮夸之词。从今以后，如果章奏中有过分溢美的话，尚书都应该压下，不予审阅，显示我们不被谄媚之徒所嘲笑。”

冬，十月，汉明帝巡幸鲁国。十二月，在返回途中巡幸阳城县。二十九日壬午，回宫。

是岁，南单于适[54]死，单于莫[55]之子苏立，为丘除车林鞮单于。数月，复死，单于适之弟长立[56]，为湖邪尸逐侯鞮单于。

【段旨】

以上为第三段，写汉明帝不尚浮夸，不信祥瑞。

【注释】

㊶王雒山：山名，在汉庐江郡。㊷甲子：四月初七日。㊸僻：邪僻。此指政令教化邪僻不正。㊹鼎象三公：疑为与《易经》相关的纬书之辞。鼎有三只脚，天子有三公辅佐，故云"鼎象三公"。东汉以太尉、司徒、司空为三公。㊺先帝诏书二句：光武帝

【原文】

七年（甲子，公元六四年）

春，正月癸卯[57]，皇太后阴氏崩。二月庚申[58]，葬光烈皇后[59]。

北匈奴犹盛，数寇边，遣使求合市[60]。上冀其交通，不复为寇，许之。

以东海相宗均[61]为尚书令。初，均为九江太守，五日一听事，悉省掾、史[62]，闭督邮[63]府内，属县无事，百姓安业。九江旧多虎暴，常募设槛[64]阱[65]，而犹多伤害。均下记[66]属县曰："夫江、淮之有猛兽，犹北土之有鸡豚也。今为民害，咎在残吏[67]。而劳勤张[68]捕，非忧恤之本也。其务退奸贪，思进忠善，可一去槛阱，除削课制[69]。"其后无复虎患。帝闻均名，故任以枢机。均谓人曰："国家喜文法[70]、廉吏[71]，以为足以止奸也。然文吏习为欺谩[72]，而廉吏清在一己，无益百姓流亡、盗贼为害也。均欲叩头争之，时未可改也，久将自苦之，乃可言耳。"未及言，会迁司隶校尉[73]。后上闻其言，追善之。

这一年，南匈奴单于栾提适去世，单于栾提莫的儿子栾提苏继位，这就是丘除车林鞮单于。过了几个月，栾提苏也去世了。单于栾提适的弟弟栾提长继位，这就是湖邪尸逐侯鞮单于。

禁人上书歌颂“圣明”事，见《后汉书》卷一《光武帝纪下》建武七年。㊻间者：近来。㊼浮词：浮夸之词。㊽尚书：东汉尚书，给事宫中出纳章奏，长官为尚书令。从光武帝起，“虽置三公，事归台阁”，尚书日益权重。㊾抑而不省：压下而不省览，即不予受理。㊿谄子：阿谀谄媚之徒。51蚩：嗤笑。52鲁：县名，县治在今曲阜。53阳城：县名，县治在今河南登封东南。54南单于适：南匈奴汗国醢僮尸逐侯鞮单于，公元五九至六三年在位。55单于莫：南匈奴丘浮尤鞮单于，公元五六至五七年在位。56单于适之弟长立：是为南匈奴湖邪尸逐侯鞮单于，公元六三至八五年在位。

【语译】

七年（甲子，公元六四年）

春，正月二十日癸卯，皇太后阴氏去世。二月初八日庚申，安葬光烈皇后。

北匈奴的势力仍然强盛，数次侵犯边地，派使者要求通商。汉明帝希望与其通商后，匈奴不再侵犯边地，就同意了。

任命东海相宗均做尚书令。起初，宗均任九江郡太守时，五天听理一次政事，全部裁减了官府的掾、史，把督邮关闭在府内，郡所属各县都清静无事，百姓安居乐业。九江郡过去多有虎肆虐，经常招募人设下机关和陷阱，但仍然伤害很多人。宗均向各属县下达训令，说：“江、淮有猛兽，就好像北方有鸡和猪。现在成为百姓的祸害，过失在残害百姓的官吏。而劳神费力设下机关和陷阱去抓捕，不是体恤百姓的根本办法。所应做之事是斥退奸邪贪婪之徒，考虑进用忠心善良之士，可以完全撤销机关和陷阱，免除或削减额定的租赋。”这以后就不再有老虎为患的事了。汉明帝听到宗均的名声，就任用他担任枢机要职。宗均对人说：“朝廷喜好精通文书法令、清正廉洁的官吏，认为他们完全可以制止奸邪。但是，精通文法的官吏惯于欺骗，而清廉的官吏只求自身廉洁，对解决百姓流亡、盗贼为害这些问题没有帮助。我宗均想磕头向朝廷争论这件事，当时不可能改变，时间长了，朝廷将自食其果，那就可以说话了。”宗均还没来得及向朝廷进言，正好升任司隶校尉。后来汉明帝听到宗均的这些议论，追加褒奖了宗均。

【段旨】

以上为第四段，写循吏宋均为官，重视民生，敢为百姓言事。

【注释】

[57]癸卯：正月二十日。[58]庚申：二月初八日。[59]光烈皇后：光武帝阴皇后死后之谥。西汉诸后死后皆从帝谥。东汉皇后从阴皇后始，在帝谥之外又加一字，故为“光烈”。《谥法》：“能绍前业曰光；执德遵业曰烈。”[60]合市：互市。当时汉王朝与周边民

【原文】

八年（乙丑，公元六五年）

春，正月己卯[74]，司徒范迁薨。

三月辛卯[75]，以太尉虞延为司徒，卫尉赵熹[76]行[77]太尉事。

越骑司马[78]郑众使北匈奴，单于欲令众拜，众不为屈。单于围守，闭之不与水火。众拔刀自誓[79]，单于恐而止，乃更发使，随众还京师。

初，大司农[80]耿国[81]上言：“宜置度辽将军[82]屯五原，以防南匈奴逃亡。”朝廷不从。南匈奴须卜骨都侯[83]等知汉与北虏[84]交使，内怀嫌怨，欲畔，密使人诣北虏，令遣兵迎之。郑众出塞，疑有异，伺候，果得须卜使人。乃上言：“宜更置大将，以防二虏交通。”由是始置度辽营，以中郎将[85]吴棠行度辽将军事，将黎阳虎牙营士屯五原曼柏[86]。

秋，郡国十四大水。

冬，十月，北宫成。

丙子，募死罪、系囚诣度辽营，有罪亡命者[87]，令赎罪各有差[88]。楚王英[89]奉黄缣[90]、白纨[91]诣国相曰：“托在藩辅，过恶累积，欢喜大恩，奉送缣帛，以赎愆[92]罪。”国相以闻，诏报曰：“楚王诵黄、老之微言，尚浮屠[93]之仁慈，洁斋[94]三月，与神为誓，何嫌何疑？当有悔吝！其还赎，以助伊蒲塞、桑门[95]之盛馔。”

初，帝闻西域有神，其名曰佛，因遣使之天竺[96]求其道，得其书

族在边境上指定地点进行双边贸易的通称。㉛宗均（？至公元七六年）：又名宋均。传见《后汉书》卷四十一。㉜悉省掾史：全部裁减掾、史属吏。㉝督邮：官名，郡国守相派出监察地方的巡视官。每郡分为数个部。宗均恐督邮滋事扰民，将督邮关在府中，不派到地方上去。㉞槛：捕捉猛兽的栅栏。㉟阱：捕兽的陷阱。㊱下记：颁下训令。㊲残吏：残害百姓的官吏。㊳张：设置。㊴除削课制：除，免除。削，减收。课制，额定的租赋。㊵文法：公文法令之总称。这里指精通文法的官吏。㊶廉吏：清廉的官吏。㊷习为欺谩：习为，习惯于。欺谩，欺骗。㊸司隶校尉：官名，纠察百官及京畿地区的官吏。东汉司隶校尉督察河南、河内、河东、弘农及三辅等七郡。

【语译】

八年（乙丑，公元六五年）

春，正月初二日己卯，司徒范迁去世。

三月辛卯日，任命太尉虞延做司徒，卫尉赵熹代理太尉职务。

越骑司马郑众出使北匈奴，单于想要郑众跪拜，郑众不肯屈从。单于把他包围看守起来，禁闭不供应水火。郑众拔刀自誓欲死，单于害怕而罢休，就另外派使者，随郑众返回京城。

当初，大司农耿国上书说："应设立度辽将军屯守五原郡，以防止南匈奴逃亡。"朝廷没有听从。南匈奴须卜骨都侯等人知道汉朝和北匈奴互通使臣，心怀怨恨，想要反叛，秘密派人到北匈奴，要他们派兵接应。郑众出了边塞，怀疑有变乱，伺机侦察，果然抓到了须卜骨都侯的使者。郑众就上书说："应另设大将，以防止南、北匈奴交互联络。"从此开始设立度辽将军营，任命中郎将吴棠代理度辽将军职务，率领黎阳虎牙营的士兵屯驻五原郡曼柏县。

秋，十四个郡国发大水。

冬，十月，北宫修建完工。

十月初四日丙子，朝廷招募死刑犯、囚徒去度辽营，有罪而逃亡的罪犯，令从军赎罪，罪行减免各有一定的等级。楚王刘英拿着黄色丝绸、白色细绢到楚国相那里，说："我身为藩侯辅臣，罪过累累，欣喜天子鸿恩，奉献缣帛，以赎罪过。"国相把此事报告汉明帝，汉明帝下诏书说："楚王诵读黄、老精微的言论，崇尚佛陀的仁慈，斋戒三个月，向神明发誓，哪有什么嫌疑？又有什么悔恨！退还赎罪之物，用来资助佛门和尚丰盛菜肴之需。"

当初，汉明帝听说西域有神，他的名叫佛，于是派使者到天竺国访求佛道，得

及沙门以来。其书大抵以虚无为宗，贵慈悲不杀。以为人死，精神不灭[97]，随复受形[98]。生时所行善恶，皆有报应[99]。故所贵[100]修炼精神[101]，以至为佛。善为宏阔胜大之言[102]，以劝诱愚俗。精于其道者，号曰沙门。于是中国始传其术，图其形像，而王公贵人，独楚王英最先好之。

壬寅晦[103]，日有食之，既[104]。诏群司勉修职事[105]，极言无讳[106]。于是在位者皆上封事[107]，各言得失。帝览章，深自引咎，以所上班示[108]百官。诏曰："群僚所言，皆朕之过。民冤不能理，吏黠[109]不能禁，而轻用民力，缮修宫宇，出入无节，喜怒过差[110]。永览前戒，竦然兢惧，徒恐薄德，久而致怠耳。"

北匈奴虽遣使入贡，而寇钞[111]不息，边城昼闭。帝议遣使报其使者，郑众上疏谏曰："臣闻北单于所以要[112]致汉使者，欲以离[113]南单于之众，坚三十六国[114]之心也。又当扬[115]汉和亲，夸示邻敌，令西域欲归化者局足[116]狐疑，怀土之人[117]绝望中国耳。汉使既到，便偃蹇[118]自信。若复遣之，虏必自谓得谋，其群臣驳议者[119]不敢复言。如是，南庭动摇[120]，乌桓有离心[121]矣。南单于久居汉地，具知[122]形势[123]，万分[124]离析[125]，旋[126]为边害。今幸有度辽之众扬威北垂，虽勿报答，不敢为患。"帝不从。复遣众往，众因上言："臣前奉使，不为匈奴拜，单于恚恨，遣兵围臣。今复衔命[127]，必见陵折[128]，臣诚不忍持大汉节对毡裘独拜。如令[129]匈奴遂能服臣，将有损大汉之强。"帝不听。众不得已，既行，在路连上书固争[130]之。诏切责众，追还，系廷尉。会赦，归家。其后帝见匈奴来者，闻众与单于争礼之状，乃复召众为军司马[131]。

【段旨】

以上为第五段，写佛教传播中国。郑众出使北匈奴，维护大国地位与礼仪，不屈匈奴，不辱使命。

到佛书和僧人并带了回来。佛书大体上以虚无为宗旨，崇尚慈悲不杀生灵。认为人死后，灵魂不灭，接着又成人形。活着时所行善恶，来世都有报应。所以佛教崇尚修炼心神，最终成佛。佛书擅长说些宏大宽泛的话，用来劝诱愚俗之人。精通佛家道义的人，号称沙门。于是，中原开始传播佛教的道术，描绘佛的图像，而王公贵人中，唯独楚王刘英最先喜好佛事。

十月三十日壬寅，发生日食，是日全食。汉明帝下诏令群臣勤勉于职事，直言不讳。于是，在位的官员都呈上密封奏章，各说得失。汉明帝看过奏章后，深深地引咎自责，把所上的奏章颁示百官，下诏说："群臣所说的，都是朕的过失。百姓的冤情不能申理，官吏的奸诈不能禁止，却轻易动用民力，修建宫室，财政收支没有节制，喜怒无常。永远观览前人的告诫，悚然恐惧，只怕自己德行浅薄，时间一久导致懈怠。"

北匈奴虽然派遣使者入朝进贡，但寇掠不断，边地的城门白天也要关闭。汉明帝商议派遣使臣回复北匈奴的使者，郑众上疏劝告说："臣听说北匈奴单于之所以请求汉朝派遣使臣，是想离间南匈奴单于的部众，坚定西域三十六国的诚心。又会宣扬与汉朝的和亲，向邻近的敌国炫耀，使西域想要归附汉朝的国家局促不安，心生怀疑，思念故土的人对汉朝失望。汉朝的使臣到了北匈奴后，北匈奴便傲慢自信起来。如果再派使臣去，北匈奴一定会自以为计谋得逞，那些劝北匈奴单于归附汉朝的大臣，便不敢再说话了。如果这样，南匈奴就要动摇，乌桓国会有叛离之心。南匈奴单于长久居住汉地，完全知道内地地理形势，万一背叛汉朝，很快就会成为边地的祸害。如今幸好有度辽将军的军队在北疆显扬国威，即使不回复南匈奴，也不敢为患。"汉明帝不听从郑众的建议，又派郑众前往北匈奴，郑众就上书说："臣前次奉命出使，不向北匈奴单于下拜，北匈奴单于愤恨，派兵包围了臣。现在又受命出使，必定会受到凌辱，臣实在不忍心拿着大汉的符节向穿着毡裘的北匈奴单于下拜。即便使匈奴最终服从我，也会有损大汉的国威。"汉明帝不同意。郑众不得已，出发之后，在路上接连上书力争。汉明帝下诏严厉责备郑众，把他追了回来，囚系在廷尉的监狱。正好遇到大赦，回到家里。后来汉明帝见到从匈奴来的人，听说了郑众跟北匈奴单于争辩礼节的情形，就又征召郑众为军司马。

【注释】

⑭ 己卯：正月初二日。⑮ 辛卯：三月丁未朔，无辛卯。⑯ 赵熹（公元前四至公元八〇年）：东汉初年大臣，传见《后汉书》卷二十六。⑰ 行：低一级官兼代上一级官称行。赵熹以禁卫军首领卫尉，代理全国最高军政长官太尉，故称行太尉事。⑱ 越骑司马：武官名。越骑，由归义越人组建的禁卫骑兵，长官为校尉，是低于将军的武官。司马为校尉

之副。⑲拔刀自誓：抽刀立誓，表明至死不屈的决心。⑳大司农：九卿之一，掌农林财赋。㉑耿国（？至公元五八年）：耿弇弟，传附《后汉书》卷十九《耿弇传》。耿国于永平元年卒于大司农任所，此为追记。㉒度辽将军：官名，戍卫北边以防匈奴。㉓须卜骨都侯：须卜，匈奴贵姓。骨都侯，有左、右，单于帐下大臣。㉔北虏：指北匈奴。㉕中郎将：武官名，统率禁卫中郎，有五官、左、右三中郎将。㉖将黎阳虎牙营士句：吴棠率领原驻屯黎阳（军事重镇，在今河南浚县）的虎牙营兵，进驻五原郡曼柏（在今内蒙古包头西）度辽将军营。㉗亡命者：受追捕的逃亡犯。㉘令赎罪各有差：令，特令。赎罪，此指从军免罪。各有差，视犯罪轻重或免刑或减刑，规定了级差。㉙楚王英：光武帝子，崇尚佛教。传见《后汉书》卷四十二。㉚黄缣：黄色丝绸。㉛白纨：白色细绢。㉜愆：过失。㉝浮屠：又作浮图、佛图，即佛陀之异译。佛塔亦称浮屠。㉞洁齐：沐浴洁身，禁荤斋戒。㉟伊蒲塞桑门：伊蒲塞，又作优蒲塞，梵语译音，为在家受戒、行道的男子。桑门，又作沙门，梵语译音，为修行者之意。均指僧人，俗称和尚。㊱天竺：古印度之称。㊲精神不灭：灵魂不死。㊳随复受形：人死灵魂随之投胎，又成人形，转生回到人间。㊴报应：前生所为，来生得到回报。积善得善报，为恶得恶报。⑽贵：推崇。⑾修

【原文】

九年（丙寅，公元六六年）

夏，四月甲辰[132]，诏司隶校尉、部刺史岁上[133]墨绶长吏[134]视事[135]三岁已上、治状[136]尤异者[137]各一人与计偕[138]上，及尤不治者亦以闻。

是岁，大有年[139]。

赐皇子恭号曰灵寿王，党号曰重熹王，未有国邑。

帝崇尚儒学，自皇太子诸王侯及大臣子弟、功臣子孙莫不受经。又为外戚樊氏、郭氏、阴氏、马氏诸子立学于南宫，号“四姓小侯[140]”。置“五经”师，搜选高能以授其业。自期门、羽林[141]之士，悉令通《孝经》章句。匈奴亦遣子入学。

广陵王荆[142]复呼相工[143]谓曰：“我貌类先帝[144]，先帝三十得天下，我今亦三十，可起兵未?”相者诣吏告之。荆惶恐，自系狱。帝加恩，不考极[145]其事，诏不得臣属吏民[146]，唯食租如故[147]，使相、中尉[148]谨宿卫[149]之。荆又使巫[150]祭祀[151]、祝诅[152]。诏长水校尉[153]樊鯈[154]等杂治[155]其

炼精神：修炼心性以及行为。⑩宏阔胜大之言：宏大宽泛的话。⑩壬寅晦：十月三十日。⑩既：尽，日全食。⑩勉修职事：勤勉处理自己所负责的事务。⑩极言无讳：畅所欲言，不用忌讳。⑩上封事：直接呈给皇帝的秘密奏议。⑩班示：颁发、公示。班，通“颁”。⑩黠：狡猾；奸诈。⑩过差：过分；失度。⑪钞：抄掠。⑫要：通“邀”，请求。⑬离：离间；隔离。使动用法，使南匈奴与中国隔离。⑭三十六国：西域三十六国。⑮扬：大肆宣扬。⑯局足：同“局促”，拘束、窘迫。⑰怀土之人：怀念故土的人，指各种原因流徙到西域的汉朝人。⑱偃蹇：骄横傲慢。⑲驳议者：指北匈奴群臣中驳斥敌视中国意见的人，即主张归附、通好中国的人。⑳南庭动摇：南匈奴归附中国的信心动摇。㉑离心：二心。指乌桓将随南庭动摇，而二心于汉。㉒具知：完全知道，了如指掌。㉓形势：地形地势。㉔万分：万一。㉕离析：背离汉朝。㉖旋：立即。㉗衔命：受命为使。㉘陵折：欺凌折辱。㉙如令：即令。㉚固争：坚持争取；据理力争。㉛军司马：官名，大将军部属，佐官。据《后汉书》郑众本传，明帝起用郑众为军司马，使与虎贲中郎将马廖击车师，至敦煌，拜为中郎将，使护西域。

【语译】

九年（丙寅，公元六六年）

夏，四月甲辰日，汉明帝下诏，让司隶校尉和十三州部刺史每年推荐任职三年以上、考绩优秀的县令长各一人，与上计掾一起来京，考绩最差的，也要上报朝廷。

这一年，五谷丰收。

赐皇子刘恭的封号为灵寿王，刘党的封号为重熹王，但没有封邑。

汉明帝崇尚儒学，从皇太子、各封国王侯到各大臣的子弟、功臣的子孙没有不学习儒经的。又为外戚樊氏、郭氏、阴氏、马氏诸子弟在南宫设立学校，这些学生号称“四姓小侯”。设立“五经”的师傅，挑选高水平的老师教授学业。从期门、羽林官起，都要通晓《孝经》章句。匈奴也派子弟入学学习。

广陵王刘荆又招来看相的人，对他说：“我的面貌像先帝，先帝三十岁得到天下，我现在也三十岁，可以起兵了吗?”看相的人到官员那里告发了此事。刘荆很恐慌，将自己囚禁起来。汉明帝施恩，不彻底追究此事，下诏令刘荆不得再统治官吏和百姓，只是依旧收取租税，派广陵相、中尉对刘荆谨加护卫。刘荆又让巫师祭祷，诅咒汉明帝。汉明帝下诏令长水校尉樊儵等人会审这个案子，审完后，樊儵等人奏

狱，事竟，奏请诛荆。帝怒曰："诸卿以我弟故，欲诛之；即我子，卿等敢尔邪！"儵对曰："天下者，高帝天下，非陛下之天下也。《春秋》之义，君亲无将，将而必诛⑯。臣等以荆属托母弟，陛下留圣心，加恻隐，故敢请耳。如令陛下子，臣等专诛而已。"帝叹息善之。儵，宏之子也。

【段旨】

以上为第六段，写广陵王刘荆谋逆被告发，治狱大臣引《春秋》之义，判处死刑。

【注释】

⑬甲辰：四月辛未朔，无甲辰。⑬上：呈上；上报。⑬墨绶长吏：指县令等地方官。汉制：千石、六百石，墨绶。⑬视事：治事，即上任办公。⑬治状：政绩。⑬尤异者：最优秀的人。⑬与计偕：与上计掾一同进京。计，各郡国属吏，负责向中央报告财赋户口的考绩官员。明帝甲辰诏，责令司隶校尉和十三州刺史，每年推荐任职三年以上、考绩最优等的县令等官员各一人，随同各郡呈送考绩的上计掾，一起进京。考绩最差的，也要上报朝廷。⑬大有年：大丰收年。⑭四姓小侯：四姓指樊氏（光武帝母族）、郭氏、阴氏（光武帝皇后外戚）、马氏（明帝马皇后外戚）。明帝为四姓外戚子弟专办一所南宫贵戚学校，入学子弟被称为四姓小侯爷。⑭期门羽林：禁卫军郎官之号。⑭荆：刘荆，

【原文】

十年（丁卯，公元六七年）

春，二月，广陵思王荆自杀，国除。

夏，四月戊子⑰，赦天下。

闰月甲午⑱，上幸南阳⑲，召校官弟子⑳作雅乐㉑，奏《鹿鸣》㉒。帝自奏[2]埙篪㉓和之，以娱嘉宾。还，幸南顿㉔。冬，十二月甲午㉕，还宫。

初，陵阳侯丁綝㉖卒，子鸿当袭封，上书称病，让国于弟盛，不报㉗。既葬，乃挂衰绖㉘于冢庐而逃去。友人九江㉙鲍骏遇鸿于东

请诛杀刘荆。汉明帝大怒，说：“诸位大臣以为他是我弟弟的缘故，就想杀他；如果是我儿子，你们还敢这样做吗！”樊儵回答说：“天下，是高祖的天下，不是陛下的天下。《春秋》的大义，对国君和父母不能做出弑逆的事，否则就一定要诛杀。臣等因刘荆是陛下同母的弟弟，陛下怀有圣德之心，施加恻隐，所以才敢奏请。如果是陛下的儿子，臣等就独自把他杀了。”汉明帝深为感叹，称赞樊儵。樊儵，是樊宏的儿子。

明帝同母弟，不服明帝继位，行为不轨，多次被告发，自杀而死。传见《后汉书》卷四十二。⑭相工：看相的术士。⑭先帝：指光武帝。⑭考极：彻底拷问追究。⑭不得臣属吏民：不得统治吏民。臣属，以为臣属。⑭食租如故：保留原来的衣食租税收入。⑭相中尉：王国相、王国中尉，皆由中央委派。⑭谨宿卫：严加警卫，实即严密监视。⑮巫：巫师；行使巫术的方士。⑮祭祀：祈祷。⑮祝诅：用巫术诅咒。⑮长水校尉：官名，汉武帝所置八校尉之一，领胡骑驻屯长水。后汉因之。⑮樊儵：光武帝舅樊宏之子。传附《后汉书》卷三十二《樊宏传》。⑮杂治：多部门联合审案。⑮君亲无将二句：对国君和父母不能有弑逆的打算，若有一定要诛杀之。君，国君。亲，父母。将，指弑逆之心或行为。此两句引自《春秋公羊传》庄公三十二年。鲁庄公名曰同，有三弟，长曰庆父，次曰叔牙，次曰季友。庄公病，问后于叔牙，叔牙对曰：“庆父材。”问于季友，季友曰：“臣以死奉般。”般为庄公子。于是，庄公命季友鸩杀叔牙，以避免叔牙发动拥立庆父为鲁君的叛乱。此引《春秋》之义，虽是国君手足兄弟之亲，为杜绝将要发生的弑逆叛乱，也一定诛杀不贷。

【语译】

十年（丁卯，公元六七年）

春，二月，广陵思王刘荆自杀，封国被废除。

夏，四月二十四日戊子，大赦天下。

闰十月初三日甲午，汉明帝巡幸南阳，召集郡学生员演奏雅乐，奏《鹿鸣》乐。汉明帝亲自吹奏埙、篪相和，用来娱乐嘉宾。在返回途中，临幸南顿县。冬，十二月初四日甲午，回宫。

当初，陵阳侯丁綝去世，儿子丁鸿应该继承封爵，他上书说有病，把封国让给弟弟丁盛，没有得到朝廷的回复。安葬了丁綝后，丁鸿就把丧服挂在墓舍上逃走了。

海[170]，让[171]之曰："昔伯夷[172]、吴札[173]，乱世权行[174]，故得申其志耳。《春秋》之义，不以家事废王事[175]。今子以兄弟私恩，而绝父不灭之基[176]，可乎？"鸿感悟垂涕，乃还就国。鲍骏因上书荐鸿经学至行[177]，上征鸿为侍中。

十一年（戊寅，公元六八年）

春，正月，东平王苍[178]与诸王俱来朝，月余，还国。帝临送[179]归宫，凄然怀思，乃遣使手诏赐东平国中傅[180]曰："辞别之后，独坐不乐，因就车归，伏轼而吟，瞻望永怀[181]，实劳我心。诵及《采菽》[182]，以增叹息。日者问东平王：'处家何等最乐？'王言：'为善最乐。'其言甚大，副是要腹矣[183]。今送列侯印十九枚，诸王子年五岁已上能趋拜[184]者，皆令带之。"

【段旨】

以上为第七段，写汉明帝崇尚雅乐儒行，友爱兄弟。

【注释】

⑮⑦戊子：四月二十四日。⑮⑧甲午：闰十月初三日。⑮⑨南阳：郡名，光武帝生地。治所宛县，在今河南南阳。⑯⓪校官弟子：郡学生员。⑯①作雅乐：演奏雅乐。⑯②《鹿鸣》：《诗经·小雅》篇名。古代贵族宴会之诗。⑯③埙篪：埙，陶制吹奏乐器。篪，竹笛类吹奏乐器。⑯④南顿：县名，光武帝父刘钦当县令的地方，县治在今河南项城西。⑯⑤甲午：十二月初四日。⑯⑥丁綝：字幼春，从光武征伐，封陵阳侯。事迹附其子《丁鸿传》中。丁鸿，历仕明帝、章帝、和帝三帝，官至司徒。传见《后汉书》卷三十七。⑯⑦不报：丁鸿辞让封爵的奏章，朝廷不回答，即不允许。⑯⑧衰绖：衰，麻衣。绖，麻布做的带子。二者是丧服的重要标志。这里代指丧服。⑯⑨九江：郡名，九江郡治所阴陵，在今安徽定远西北。⑰⓪东海：郡名，东海郡治所郯县，在今山东郯城。⑰①让：责备。⑰②伯夷：殷末孤竹君之子，让位于弟叔齐，逃隐于首阳山。传见《史记》卷六十一。⑰③吴札：春秋时吴

朋友九江人鲍骏在东海郡碰到丁鸿，责备他说："从前伯夷、季札，乱世中权宜行事，所以能实现他们让位的心愿。《春秋》大义，不因卿大夫之事妨碍王国大事。现在你因为兄弟的私情，断绝了父亲永远不毁灭的基业，可以吗？"丁鸿感悟，流下了眼泪，便回到封国。鲍骏乘机上书举荐丁鸿经学深妙，品行高洁，汉明帝征召丁鸿为侍中。

十一年（戊寅，公元六八年）

春，正月，东平王刘苍和诸封王都来朝见汉明帝，一个多月后，返回封国。汉明帝亲自送行，回到宫中，怀念之情凄然不止，就派遣使臣把亲手书写的诏书赐给东平国中傅，说："朕与东平王辞别之后，独自坐着，心里不高兴，便上车回宫，伏在车轼上吟诵，眺望远方，永远怀念，实在让我心神劳苦。吟诵《采菽》，增添了内心的感叹。往日问东平王：'居住在家做什么最快乐？'东平王说：'做善事最快乐。'东平王的话口气很大，与他的腰围相称。现在送去十九枚列侯印，各王子五岁以上，能趋拜行礼的，让他们都带上列侯印。"

王寿梦之少子季札，寿梦欲立为嗣子，季札辞让，于是寿梦乃立长子诸樊。⑭权行：权宜行事。⑮春秋之义二句：典出《公羊传》哀公三年。《春秋》大义，不以卿大夫之事妨碍国家大事。此指卫灵公因其子蒯聩不贤，而立其孙蒯聩之子辄为国君的故事。⑯不灭之基：世世相传而不中止的基业。⑰至行：卓绝的品行。⑱东平王苍：汉明帝同母弟刘苍，光武帝建武十七年封为王。刘苍少好经书，体胖美姿容，明帝甚爱之，拜为骠骑将军。传见《后汉书》卷四十二。⑲帝临送：明帝亲自送行。⑳中傅：官名，辅导王侯的师傅。㉑永怀：永远怀念。㉒《采菽》：《诗经·小雅》篇名。诗中有"君子来朝，何锡予之"的句子，故明帝吟咏以增叹惋之情。㉓其言甚大二句：他说话口气太大，和他的腰围相当。刘苍体胖，腰粗十围，故以取喻。㉔趋拜：指行礼仪。趋，小跑。古人行礼，至尊长面前，要趋步上前，以示尊重。

【校记】

［2］奏：据章钰校，十二行本、乙十一行本皆作"御"，张敦仁《通鉴刊本识误》同。

【原文】

十二年（己巳，公元六九年）

春，哀牢⑱王柳貌率其民五万余户内附，以其地置哀牢、博南二县⑱，始通博南山⑱，度兰仓水⑱。行者苦之，歌曰："汉德广，开不宾⑱。度兰仓，为他人。"

初，平帝⑲时，河、汴⑲决坏，久而不修。建武十年，光武欲修之，浚仪⑲令乐俊上言，民新被兵革，未宜兴役，乃止。其后汴渠东侵，日月弥广⑲。兖、豫⑲百姓怨叹，以为县官⑲恒兴他役，不先民急。会有荐乐浪⑲王景能治水者，夏，四月，诏发卒数十万，遣景与将作谒者⑲王吴修汴渠堤，自荥阳东至千乘⑲海口千余里，十里立一水门⑲，令更相洄注⑳，无复溃漏⑳之患。景虽简省役费，然犹以百亿⑳计焉。

秋，七月乙亥⑳，司空伏恭⑳罢。乙未⑳，以大司农牟融⑳为司空。

是时，天下安平，人无徭役，岁比登稔，百姓殷富，粟斛三十，牛羊被野。

【段旨】

以上为第八段，写哀牢王内附，汉明帝修治黄河。

【注释】

⑱哀牢：古西南夷种族名，居于云南南部澜沧江流域。⑱哀牢、博南二县：哀牢县治在今云南盈江县，博南县治在今云南永平南。⑱博南山：山名，在博南县西。⑱兰仓水：今澜沧江。⑱开不宾：使边远蛮荒不臣之民受到教化。开，开化、教化。不宾，不臣。⑲平帝：刘衎，汉元帝刘奭庶孙，西汉第十一代皇帝，公元一至五年在位。⑲河汴：河，黄河。汴，水名，又名汳水。从河南荥阳承接黄河水，向东经开封，至山东菏泽，再南折汇合泗水入淮。河道历经变迁，至隋已湮塞。⑲浚仪：县名，县治在今河南开封西，汴水流经地。⑲日月弥广：随着岁月的流逝，汴水泛滥的区域日益扩大。⑲兖

【语译】

十二年（己巳，公元六九年）

春，哀牢王柳貌率领他的民众五万多户归附朝廷，把他原来的地方设置为哀牢、博南二县，开始打通博南山、渡越兰仓水的工程。服役的人很劳苦，歌唱说："汉朝的恩德深广，使边远蛮荒不肯臣服的百姓得到教化。渡越兰仓水，是为了其他县的百姓。"

当初，平帝时，黄河、汴水决堤，长期没有修理。建武十年，光武帝要修治河堤，浚仪县令乐俊上书说，百姓刚刚遭受战争，不宜征发徭役，光武帝于是作罢。后来汴渠向东泛滥，范围一天天扩大。兖州、豫州的百姓叹恨，认为朝廷经常征发其他的徭役，却不把百姓的急事放在前面。恰好有人推荐说乐浪王景擅长治水。夏，四月，下诏调发几十万士卒，派王景与将作大匠谒者王吴去修筑汴渠堤防，从荥阳东边到千乘县入海口一千多里，每十里建立一座水门，让水流逆流注入，不再有溃堤漏水的灾害。王景虽然节省工程费用，但是仍然花费了上千万。

秋，七月二十四日乙亥，司空伏恭被免职。乙未日，任命大司农牟融做司空。

这时，天下安定，人民没有劳役，连年丰收，百姓富裕，小米价格一斛三十钱，牛羊遍地。

豫：两州名，兖州当今山东西部，豫州当今河南中东部、安徽西部、山东江苏部分地区。⑮县官：代指朝廷，犹言官家、政府。⑯乐浪：郡名，郡治在今朝鲜平壤。⑰将作谒者：以谒者王吴兼将作而权拟的官名。将作，职掌工程修建的政府机构，长官为将作大匠。谒者，官名，职掌宾赞受事，即礼宾官。⑱千乘：县名，东汉时为乐安国治所，地近渤海，在今山东高青东。⑲水门：制水闸门。⑳更相洄注：一层层设制水闸门，互相调节，用以减缓水势。洄注，水受闸门阻遏而回流。㉑溃漏：溃，河堤崩塌。漏，渗漏。㉒亿：十万为一亿。㉓乙亥：七月二十四日。㉔伏恭（公元前六至公元八四年）：东汉《齐诗》学大儒。传见《后汉书》卷七十九下《儒林传》。㉕乙未：七月壬子朔，无乙未。㉖牟融：字子优，北海安丘县（在今山东安丘东南）人，精通《尚书》。历仕明帝、章帝两朝，章帝时为太尉。传见《后汉书》卷二十六。

【原文】

十三年（庚午，公元七〇年）

夏，四月，汴渠成，河、汴分流[207]，复其旧迹。辛巳[208]，帝行幸荥阳[209]，巡行河渠，遂度河，登太行[210]，幸上党[211]。壬寅[212]，还宫。

冬，十月壬辰晦[213]，日有食之。

楚王英[214]与方士作金龟、玉鹤，刻文字为符瑞[215]。男子燕广告英与渔阳[216]王平、颜忠等造作图书，有逆谋，事下案验。有司奏英大逆不道，请诛之。帝以亲亲不忍。十一月，废英，徙丹阳[217]泾县[218]，赐汤沐邑[219]五百户，男女为侯、主者，食邑如故[220]，许太后[221]勿上玺绶，留住楚宫。先是，有私[222]以英谋告司徒虞延[223]者，延以英藩戚至亲，不然其言。及英事觉，诏书切让延。

十四年（辛未，公元七一年）

春，三月甲戌[224]，延自杀。以太常周泽[225]行司徒事。顷之，复为太常。夏，四月丁巳[226]，以巨鹿太守南阳邢穆为司徒。

楚王英至丹阳，自杀。诏以诸侯礼葬于泾。封燕广为折奸侯。

是时，穷治楚狱[227]，遂至累年。其辞语相连，自京师亲戚、诸侯、州郡豪桀及考按吏[228]，阿附坐死[229]、徙者[230]以千数，而系狱者[231]尚数千人。

初，樊鯈弟鲔为其子赏求楚王英女，鯈闻而止之曰："建武中，吾家并受荣宠，一宗五侯[232]。时特进[233]一言，女可以配王，男可以尚主。但以贵宠过盛，即为祸患，故不为也。且尔一子，奈何弃之于楚乎！"鲔不从。及楚事觉，鯈已卒。上追念鯈谨恪，故其诸子皆得不坐。

英阴疏[234]天下名士，上得其录，有吴郡太守尹兴名，乃征兴及掾史五百余人诣廷尉[235]就考[236]。诸吏不胜掠治[237]，死者大[3]半。惟门下掾[238]陆续[239]、主簿梁宏、功曹史驷勋备受五毒[240]，肌肉消烂，终无异辞。续母自吴[241]来雒阳，作食以馈续。续虽见考，辞色未尝变，而对食悲泣不自胜[242]。治狱使者问其故，续曰："母来不得见，故悲耳。"问："何以知之？"续曰："母截肉未尝不方，断葱以寸为度，故知之。"使者以状闻。上乃赦兴等，禁锢[243]终身。

【语译】

十三年（庚午，公元七〇年）

夏，四月，汴渠的堤防完工，黄河、汴水分流，恢复原来的河道。初四日辛巳，汉明帝亲临荥阳，巡视河渠，于是渡过黄河，登上太行山，巡幸上党郡。二十五日壬寅，回宫。

冬，十月最后一天壬辰日，发生日食。

楚王刘英和方士制作金龟、玉鹤，刻上文字作为祥瑞。男子燕广告发刘英和渔阳人王平、颜忠等制作图谶，有反叛阴谋，案子交给司法机关调查核实。主管官吏上奏说刘英大逆不道，请处死他。汉明帝以亲亲之义不忍心刘英伏诛。十一月，废掉刘英的王爵，迁移到丹阳郡泾县，赐予汤沐邑五百户，男为侯、女为公主的，食邑照旧，许太后不必缴回印玺绶带，留在楚宫居住。此前，有人秘密把刘英的阴谋报告给司徒虞延，虞延认为刘英是藩王，皇帝的至亲，不相信他的话。等到刘英事发，汉明帝下诏严厉谴责虞延。

十四年（辛未，公元七一年）

春，三月初三日甲戌，虞延自杀。任命太常周泽代理司徒职务。不久，周泽复职为太常。夏，四月十六日丁巳，任命巨鹿太守南阳人邢穆做司徒。

楚王刘英到达丹阳，自杀。汉明帝下诏用诸侯的礼仪把他埋葬在泾县。封燕广为折奸侯。

这时，极力追查楚王英的案子，拖延了好几年。案犯供词互相牵连，从京师的亲戚、诸侯、州郡的豪杰，以及审查案情的官吏，依附楚王而被处死、流放的数以千计，而被关进牢狱的还有几千人。

当初，樊儵的弟弟樊鲔为他的儿子樊赏求婚于楚王刘英的女儿，樊儵听了劝阻后说：“建武年间，我们家族备受恩宠，一门有五人封侯，当时为特进的父亲一句话，女的可以嫁给亲王为妻，男的可以娶公主为妻。但认为太过显贵荣宠，就成为祸害，所以不这样做。况且你只有一个儿子，为什么要把他丢在楚国呢！”樊鲔不听从。等到楚王事发，樊儵已去世。汉明帝追念樊儵恭谨，所以他的几个儿子都没有牵连入罪。

刘英暗中记录天下的知名人士，汉明帝得到这份名录，有吴郡太守尹兴的名字，就征召尹兴和属吏五百多人前往廷尉接受审问。众属吏受不了刑罚，大半死去。只有门下掾陆续、主簿梁宏、功曹史驷勋受尽五种毒刑，肌肉烂掉，始终没有改过供词。陆续的母亲从吴郡来洛阳，煮了食物送给陆续。陆续虽被拷打，言辞神色未曾改变，而面对食物，悲伤痛哭，不能自已。审理案件的使者问他原因，陆续说：“母亲来了不能见面，所以伤心啊。”使者问：“你根据什么知道的呢？”陆续说：“母亲切肉从未曾有不是方形的，切葱以一寸为准，所以知道。”使者把这一情形上报。汉明帝便赦免了尹兴等人，终身不得入仕。

【段旨】

以上为第九段，写汉明帝穷治楚王英谋反案，兴大狱，司徒虞延死，蒙冤者甚众。

【注释】

⑳⑦ 河、汴分流：河汴泛滥，则汴水东侵与黄河合流；今汴渠成，黄河东北流入渤海，汴水南下入泗河，是为两水分流的旧道。⑳⑧ 辛巳：四月初四日。⑳⑨ 荥阳：县名，县治在今河南荥阳东北。㉑⓪ 太行：太行山。㉑① 上党：郡名，治所长子，在今山西长子。㉑② 壬寅：四月二十五日。㉑③ 壬辰晦：十月甲辰朔，二十九日壬申，三十日癸酉，无壬辰。疑壬辰为二十九日壬申。㉑④ 楚王英：汉明帝之兄，光武帝第三子，许美人所生。建武十七年封为楚王，少好游侠，交通宾客，图谋不轨，事觉被征，自杀。传见《后汉书》卷四十二。㉑⑤ 刻文字为符瑞：指在金龟、玉鹤上刻下显示祥瑞的文字。㉑⑥ 渔阳：郡名，治所渔阳，在今北京市密云西南。㉑⑦ 丹阳：郡名，治所宛陵，在今安徽宣城。㉑⑧ 泾县：丹阳属县，县治在今安徽泾县。㉑⑨ 汤沐邑：公主等所得等第次于侯邑的封邑，取其赋税以供汤沐之用。㉒⓪ 男女为侯主者二句：男女，指楚王英的儿女。男为列侯，女为公主，仍食采邑如故。即楚王英谋逆之罪，只罪其身。㉒① 许太后：楚王英母，光武帝许美人。㉒② 有私：有人暗地里。据《后汉书》卷三十三《虞延传》，私告楚王英罪恶者，为明帝外家阴氏所指使。㉒③ 虞延：字子大，陈留郡东昏县（在今河南开封东南）人，为官清廉，历官南阳太守、太尉、司徒。

【原文】

颜忠、王平辞引[244]隧乡侯耿建[245]、朗陵侯臧信[246]、濩泽侯邓鲤、曲成侯刘建[247]。建等辞未尝与忠、平相见。是时，上怒甚，吏皆惶恐，诸所连及，率[248]一切陷入[249]，无敢以情恕者[250]。侍御史寒朗[251]心伤其冤，试以建等物色[252]，独问忠、平，而二人错愕[253]不能对。朗知其诈，乃上言："建等无奸，专为忠、平所诬。疑天下无辜，类多如此。"帝曰："即如是，忠、平何故引之？"对曰："忠、平自知所犯不道，故多有虚引，冀以自明。"帝曰："即如是，何不早奏？"对曰："臣恐海内别有发其奸者。"帝怒曰："吏持两端[254]！"促提下捶[255]之。左右方引去，朗曰："愿一言而死。"帝曰："谁与共为章[256]？"对曰："臣独作

因牵连楚王英谋反案受责而自杀。传见《后汉书》卷三十三。㉔甲戌：三月初三日。㉕周泽：字稚都，北海安丘县（今山东安丘东南）人，周泽以太常行司徒事。传见《后汉书》卷七十九下《儒林传》。㉖丁巳：四月十六日。㉗穷治楚狱：彻底查办楚王英案。㉘考按吏：审案官吏。㉙坐死：判死罪。㉚徙者：流放。㉛系狱者：指案情不明被拘留监狱的人。㉜一宗五侯：一门五侯。指樊鯈之父樊宏封长罗侯，樊宏弟樊丹封射阳侯，侄（樊宏兄子）樊寻封玄乡侯，樊宏族兄樊忠封更父侯，樊宏又封寿张侯，是为五侯。樊氏，外戚，樊宏为光武帝舅，故一门贵盛。㉝特进：官名，两汉魏晋时，特进为加官，只是恩宠大臣的一种荣衔。此指樊宏，本官光禄大夫，加特进。㉞阴疏：秘密记载。㉟廷尉：九卿之一，掌刑狱。㊱就考：接受审问。㊲掠治：拷打审讯。㊳门下掾：与下文的主簿、功曹史，均为郡守属吏。门下掾总理日常事务，主簿掌文书，功曹史司考选。㊴陆续：字智初，会稽郡吴县（今江苏苏州）人，任吴郡门下掾。牵连楚王英案被捕，与主簿梁宏、功曹驷勋三人，见枉受拷，始终不屈于刑讯，汉明帝感悟释放三人，但禁锢终身。陆续有传，见《后汉书》卷八十一《独行传》。㊵五毒：四肢及身遍受五毒苦刑。一鞭打，二棍打，三灼肤，四绳绑，五悬吊。㊶吴：县名，在今江苏苏州。㊷悲泣不自胜：极度悲伤痛哭以致不能承受。㊸禁锢：限制从政，不得出仕。

【校记】

［3］大：据章钰校，乙十一行本作“太”，熊罗宿《胡刻资治通鉴校字记》同。〖按〗二字通。

【语译】

颜忠、王平供词牵连隧乡侯耿建、朗陵侯臧信、濩泽侯邓鲤、曲成侯刘建。耿建等人供词说未曾和颜忠、王平相见。当时，明帝非常生气，官吏全都惶恐，所有牵连的人，全都被定了罪，没有人敢依据实情宽恕的。侍御史寒朗心痛他们冤枉，试着以耿建等人的服饰形貌，单独询问颜忠、王平，而二人惊愕不能回答。寒朗知道他们说谎，就上书说：“耿建等人没有犯法，只是被颜忠、王平诬陷。怀疑天下无辜的人，大多如此。”明帝说：“既然如此，颜忠、王平为什么要牵连他们呢？”寒朗回答说：“颜忠、王平自知犯的是大逆不道之罪，因此凭空多牵连些人，期望以此自我表白。”明帝说：“既然如此，为什么不早点奏明？”寒朗回答说：“臣担心天下另有人揭发他们罪行的。”明帝生气地说：“官吏首鼠两端！”催促将寒朗拉下去杖打。左右侍从正要拉寒朗下去，寒朗说：“希望说最后一句话再死。”明帝说：“谁和你一起草拟这个奏章的？”寒

之。”上曰：“何以不与三府[257]议？”对曰：“臣自知当必族灭，不敢多污染[258]人。”上曰：“何故族灭？”对曰：“臣考事一年，不能穷尽奸状[259]，反为罪人讼冤，故知当族灭。然臣所以言者，诚冀陛下一觉悟而已。臣见考囚在事者[260]，咸共言妖恶大故，臣子[261]所宜同疾，今出之[262]不如入之[263]，可无后责。是以考一连十，考十连百。又公卿朝会，陛下问以得失，皆长跪言：‘旧制，大罪祸及九族。陛下大恩，裁[264]止于身，天下幸甚！’及其归舍，口虽不言而仰屋窃叹[265]，莫不知其多冤，无敢牾[266]陛下言者。臣今所陈，诚死无悔。”帝意解，诏遣朗出。

后二日，车驾自[4]幸洛阳狱录囚徒[267]，理出[268]千余人。时天旱，即大雨。马后亦以楚狱多滥，乘间[269]为帝言之。帝恻然感悟，夜起彷徨[270]。由是多所降宥[271]。

任城令汝南袁安[272]迁楚郡太守，到郡不入府，先往按[273]楚王英狱事，理其无明验者，条上出之。府丞、掾史皆叩头争，以为“阿附反虏，法与同罪，不可”。安曰：“如有不合，太守自当坐之，不以相及也。”遂分别具奏。帝感悟，即报许[274]，得出者四百余家。

夏，五月，封故广陵王荆[275]子元寿为广陵侯，食六县。又封窦融孙嘉为安丰侯[276]。

初作寿陵[277]，制：“令流水[278]而已，无得起坟。万年之后[279]，扫地[280]而祭，杅水[281]脯糒[282]而已。过百日，唯四时设奠[283]。置吏卒数人，供给洒扫。敢有所兴作[284]者，以擅议宗庙法从事[285]。”

【段旨】

以上为第十段，写侍御史寒朗冒死谏诤，为楚王英案扩大化申冤，明帝感悟，平反千余人。

朗回答说："臣独自写的奏章。"明帝说："为什么不与三府商议?"寒朗回答说："臣自知一定会被灭族，不敢多牵连别人。"明帝说："为什么会灭族?"寒朗回答说："臣审理这个案子已一年，不能彻底查清罪状，反而替罪人诉冤，所以知道会被灭族。但是臣之所以要说出来，实在是希望陛下一下子觉悟过来而已。臣看到审理此案的人，都共同说邪恶大罪，臣民应同心痛恨，现今为其脱罪，不如将其定罪，可以没有事后的责怪。所以审问一人牵连十人，审问十人牵连百人。而且公卿朝会，陛下问这事的得失，都长跪着说：'过去的制度，大罪之祸连及九族。陛下大恩，仅止于本人，天下已很幸运了！'等到他们回到家中，嘴里虽不说，却仰望屋顶，暗自悲叹，没有人不知道他们大多冤枉，却没有人敢违背陛下向上奏言。臣今天所说的，确实死也不后悔。"明帝怒气消解，下诏把寒朗放了出来。

过了两天，明帝亲自到洛阳狱中省录囚犯，平反释放了一千多人。当时天旱，随即大雨。马皇后也认为楚王的案子多有冤屈，找机会向明帝说这件事。明帝恻然感悟，夜里起来徘徊。因此很多人被减刑释放。

任城县令汝南人袁安升迁为楚郡太守，到了楚郡不入太守府，先去复查楚王刘英的案子，审理出那些没有明确证据的，逐一登记上报请求释放他们。府丞、掾史都磕头力争，认为"依附叛逆，依法与犯人同罪，不可这样做"。袁安说："如果有不当的，太守我自然承担罪责，不会以此牵连你们。"于是分别详细奏明。明帝感悟，当即回复同意，得以获释者有四百多家。

夏，五月，册封已故广陵王刘荆的儿子刘元寿为广陵侯，食邑六个县。又册封窦融的孙子窦嘉为安丰侯。

开始修建寿陵，明帝下制诏："让墓地能排水就可以了，不要堆起坟土。死后，清扫坟墓祭祀，只用一杆水和干肉、干粮就行了。过了一百天后，每年只在四季祭奠。设置几名吏卒，供给祭品，打扫坟墓。敢有扩建陵墓的人，以擅自议论皇室宗庙法论处。"

【注释】

㉔④ 辞引：供词牵连。㉔⑤ 隧乡侯耿建：据王先谦《后汉书集解》引惠栋说，坐楚事者为莒乡侯耿阜，非隧乡侯耿建。㉔⑥ 朗陵侯臧信：臧宫封朗陵侯，信乃臧宫之子。㉔⑦ 濩泽侯邓鲤、曲成侯刘建：两人事迹无考。濩泽，侯国，属河东郡。曲成，侯国，属东莱郡。㉔⑧ 率：皆；都。㉔⑨ 一切陷入：一律被牵连治罪。㉕⓪ 无敢以情恕者：没有官吏敢根据情理宽恕的。情，情理。㉕① 侍御史寒朗：侍御史，官名，御史大夫属官，掌文书、监察。寒朗（公元二六至一〇九年），字伯奇，鲁国薛县（今山东滕州东南）人，仕明

帝、章帝、和帝三朝，长期为地方官，所在百姓称颂，年八十四卒。传见《后汉书》卷四十一。㉒物色：服饰形貌。㉓错愕：仓猝间感到惊愕。㉔持两端：模棱两可，首鼠两端。㉕捶：以杖击打。㉖章：指寒朗所写诉冤的奏章。㉗三府：太尉、司徒、司空三府。㉘污染：连累。㉙穷尽奸状：彻底查清奸恶罪状。㉚考囚在事者：审讯罪犯的当事人，即审讯官吏。㉛臣子：臣民。㉜出之：将冤者开释。㉝入之：判定其有罪，将其入罪。㉞裁：通“才”，仅仅。㉟仰屋窃叹：仰望屋顶，暗自悲叹。形容审讯官吏明知楚狱扩大化，人多蒙冤，但不敢犯险直谏的心情。㊱牾：违逆；不顺从。㊲录囚徒：审核判案是否公正。㊳理出：平反释放。㊴乘间：趁机会。㊵彷徨：徘徊，不安貌。㊶宥：宽宥；赦免。㊷袁安（？至公元九二年）：字邵公，汝南汝阳（今河南商水县西南）人，东汉名臣，历仕明帝、章帝、和帝三朝，官至司空、司徒。传见《后汉书》卷四十

【原文】

十五年（壬申，公元七二年）

春，二月庚子[286]，上东巡。癸亥[287]，耕于下邳[288]。三月，至鲁[289]，幸孔子宅[290]。亲御讲堂[291]，命皇太子[292]、诸王[293]说经。又幸东平[294]、大梁[295]。夏，四月庚子[296]，还宫。

封皇子恭为巨鹿王，党为乐成王，衍为下邳王，畅为汝南王，昞为常山王，长为济阴王。帝亲定其封域，裁令半楚、淮阳[297]。马后曰：“诸子数县，于制[298]不亦俭乎？”帝曰：“我子岂宜与先帝子等，岁给二千万足矣。”

乙巳[299]，赦天下。

谒者仆射耿秉[300]数上言请击匈奴。上以显亲侯窦固[301]尝从其世父[302]融在河西，明习边事，乃使秉、固与太仆祭肜、虎贲中郎将马廖、下博侯刘张、好畤侯耿忠[303]等共议之。耿秉曰：“昔者匈奴援引弓之类[304]，并左衽[305]之属，故不可得而制。孝武既得河西四郡及居延、朔方[306]，虏失其肥饶畜兵之地，羌、胡分离[307]。唯有西域，俄复内属。故呼韩邪单于[308]请事款塞，其势易乘也。今有南单于，形势相似。然西域尚未内属，北虏未有衅作。臣愚以为当先击白山[309]，得伊吾[310]，破车师[311]，通使乌孙[312]诸国，以断其右臂。伊吾亦有匈奴南呼衍一部，破此，复为

五。㉗³按：查验；复查。㉗⁴报许：批复可其奏。㉗⁵广陵王荆：明帝同母弟。传见《后汉书》卷四十二。㉗⁶封窦融孙嘉为安丰侯：窦融本封安丰侯，子孙犯法失侯，今又重封，以念功臣旧勋。㉗⁷寿陵：皇帝生时预建陵冢，称寿陵。此即明帝显节陵，在洛阳西北邙山南。㉗⁸流水：指修建排水渠道。㉗⁹万年之后：死后的委婉说法。㉘⁰扫地：指打扫坟墓。㉘¹杅水：用杅盛水。杅，饮器。㉘²脯糒：脯，干肉。糒，干粮。㉘³唯四时设奠：每年只在四季节令祭奠。四时，春夏秋冬四季。㉘⁴兴作：指扩建显节陵。㉘⁵以擅议宗庙法从事：用擅自议论皇室宗庙法论处。汉法，擅议宗庙，罪当弃市。

【校记】

[4]自：据章钰校，十二行本作“因”。

【语译】

十五年（壬申，公元七二年）

春，二月初四日庚子，明帝到东方巡视。二十七日癸亥，明帝在下邳县亲自耕田。三月，明帝到鲁，临幸孔子故居。亲临孔子当年的讲堂，命令皇太子刘炟、诸侯王解说经书。又临幸东平、大梁。夏，四月初五日庚子，明帝回宫。

册封皇子刘恭为巨鹿王，刘党为乐成王，刘衍为下邳王，刘畅为汝南王，刘昞为常山王，刘长为济阴王。明帝亲自裁定各位亲王的封地，令他们的封土仅及楚、淮阳国封地的一半。马皇后说：“诸皇子封地只有几个县，按照制度不也太少了吗？”明帝说：“我的儿子怎么可以和先帝的儿子相同，每年给二千万就足够了。”

四月初十日乙巳，大赦天下。

谒者仆射耿秉屡次上书请求攻打匈奴。明帝认为显亲侯窦固曾经跟随他的伯父窦融在河西，通晓边疆事务，就让耿秉、窦固和太仆祭肜、虎贲中郎将马廖、下博侯刘张、好畤侯耿忠等人共同商议此事。耿秉说：“过去匈奴联合张弓骑射的游牧部族，都是衣襟左开之辈，所以不能臣服统治他们。孝武帝既已得到河西四郡以及居延塞、朔方郡，匈奴失去了肥沃富饶养兵的土地，羌族和匈奴被分开。只有西域各国，不久也归顺汉朝。所以呼韩邪单于请求臣服叩开塞门，这种形势容易利用。现在有南匈奴单于，形势和武帝时相似。然而西域各国还没有归附中国，北匈奴内部没有发生争斗。臣愚见以为应当先攻击白山，取得伊吾，击败车师国，与乌孙等国通使节，以砍断匈奴的右臂。伊吾也有匈奴南呼衍的一个部落，打败伊吾，就又折

折其左角，然后匈奴可击也。”上善其言。议者或以为：“今兵出白山，匈奴必并兵相助，又当分其东以离其众。”上从之。十二月，以秉为驸马都尉[313]，固为奉车都尉，以骑都尉秦彭[314]为秉副，耿忠为固副。皆置从事、司马[315]，出屯凉州[316]。秉，国之子；忠，弇之子；廖，援之子也。

【段旨】

以上为第十一段，写汉明帝采纳耿秉建言，部署出击匈奴。

【注释】

㉘⑥庚子：二月初四日。㉘⑦癸亥：二月二十七日。㉘⑧下邳：县名，县治在今江苏邳州南。本属东海郡，此年以临海郡为下邳国，下邳县改属其下。㉘⑨至鲁：到达鲁地。鲁，诸侯国名，治鲁县，在今山东曲阜。㉙⓪孔子宅：孔子故居，在阙里，即今山东曲阜之孔府。㉙①亲御讲堂：明帝亲临孔子当年的讲堂。㉙②皇太子：明帝太子刘炟，后为章帝。㉙③诸王：诸皇室亲王。㉙④东平：王国名，治所无盐，在今山东东平东。㉙⑤大梁：浚仪县治，旧战国魏都大梁城。在今河南开封西北。㉙⑥庚子：四月初五日。㉙⑦裁令半楚、淮阳：明帝诸子所封六国仅及楚、淮阳国之半。楚为刘英封国，淮阳为刘延封国，二人皆光武帝之子。事见《后汉书》卷四十二。㉙⑧制：封国制度规模。㉙⑨乙巳：四月初十日。㉚⓪耿秉（约公元四〇至九一年）：字伯初，东汉开国功臣耿弇之弟耿国之子，仕明帝、章帝两朝，历任征西将军、度辽将军，击匈奴建功，官至光禄勋。传附《后汉书》卷十九《耿弇传》。㉚①窦固（？至公元八八年）：窦融弟显亲侯窦友之子，东汉御边名将。传附《后汉书》卷二十三《窦融传》。㉚②世父：伯父。㉚③太仆祭肜句：四人皆功臣皇亲子弟。祭肜，祭遵堂弟，传附《后汉书》卷二十《祭遵传》。马廖，马援之子，传附《后

【原文】

十六年（癸酉，公元七三年）

春，二月，遣肜与度辽将军[317]吴棠将河东、西河羌、胡及南单于[318]兵万一千骑出高阙塞[319]，窦固、耿忠率酒泉、敦煌、张掖甲卒及

断了匈奴的左角，然后就可以攻打匈奴了。”皇上赞赏耿秉的建议。参与议论者中有人认为：“现在出兵白山，匈奴一定集合兵力救援，还应当分化匈奴的东部，以离散匈奴的部众。”明帝听从了这个建议。十二月，任命耿秉为驸马都尉，窦固为奉车都尉，任命骑都尉秦彭做耿秉的副手，耿忠做窦固的副手。耿秉、窦固都配置从事、司马等佐属，出兵驻扎凉州。耿秉是耿国的儿子。耿忠是耿弇的儿子。马廖是马援的儿子。

汉书》卷二十四《马援传》。刘张，光武兄刘伯升之孙，事见《后汉书》卷十四《宗室四王三侯列传·齐武王縯》。耿忠，耿弇之子，事附《后汉书》卷十九《耿弇传》。㉚④引弓之类：指诸游牧部族。㉚⑤左衽：衣襟左开。代指少数民族。㉚⑥河西四郡及居延朔方：河西四郡，在甘肃河西走廊，汉武帝逐匈奴后，在此置武威、张掖、酒泉、敦煌四郡。居延，边塞名，东汉置属国，治所在今内蒙古额济纳旗南。朔方，郡名，治所临戎，在今内蒙古磴口。㉚⑦羌胡分离：羌，居于祁连山南青海高原的游牧民族，也称西羌。胡，指匈奴。西汉开通河西，隔断了羌胡的联系。㉚⑧呼韩邪单于：西汉宣帝时，匈奴虚闾权渠单于死后，诸王争立，分为五单于，虚闾权渠子稽侯狦为呼韩邪单于，公元前五八至前三一年在位。宣帝甘露三年（公元前五一年），呼韩邪单于入朝，汉匈和亲，汉助其平定南匈奴。㉚⑨白山：指天山，因冬夏有雪，呈白色，故称白山。㉛⓪伊吾：指伊吾卢，东汉置宜禾都尉，屯田戍卫。在今新疆哈密市，地当通西域的交通要冲，为汉匈往复争夺之地。㉛①车师：西域国名，在今新疆吐鲁番市。㉛②乌孙：西域国名，尝与汉和亲共御匈奴。其地在新疆西中亚巴尔喀什湖以东以南地区。㉛③驸马都尉：与奉车都尉、骑都尉均为官名。皆西汉武帝时始置。奉车都尉掌乘舆车，驸马都尉掌天子正式车驾之外的副马，骑都尉掌禁卫军羽林骑。㉛④秦彭（？至公元八八年）：外戚，明帝秦贵人兄。传见《后汉书》卷七十六《循吏传》。㉛⑤从事司马：皆佐史类僚属。从事主文书，司马主军事。㉛⑥凉州：州名，州治姑臧，在今甘肃武威。

【语译】

十六年（癸酉，公元七三年）

春，二月，派遣祭肜和度辽将军吴棠率领河东、西河的羌人、胡人以及南单于兵合计一万一千骑兵从高阙塞出兵；窦固、耿忠率领酒泉、敦煌、张掖披甲士卒，

卢水羌[320]、胡万二千骑出酒泉塞，耿秉、秦彭率武威、陇西、天水募士及羌、胡万骑出张掖居延塞，骑都尉来苗、护乌桓校尉[321]文穆将太原、雁门、代郡、上谷、渔阳、右北平、定襄郡兵及乌桓、鲜卑[322]万一千骑出平城塞[323]，伐北匈奴。窦固、耿忠至天山[324]，击呼衍王，斩首千余级，追至蒲类海[325]，取伊吾卢地，置宜禾都尉，留吏士屯田伊吾卢城。耿秉、秦彭击匈林王[326]，绝幕[327]六百余里，至三木楼山[328]而还。来苗、文穆至匈河水[329]上，虏皆奔走，无所获。祭肜与南匈奴左贤王信不相得，出高阙塞九百余里，得小山，信妄言以为涿邪山[330]，不见虏而还。肜与吴棠坐逗留畏懦，下狱，免[331]。肜自恨无功，出狱数日，欧血死。临终，谓其子曰："吾蒙国厚恩，奉使不称，身死诚惭恨，义不可以无功受赏。死后，若悉[332]簿上[333]所得物[334]，身自诣兵屯，效死前行，以副吾心。"既卒，其子逢上疏，具陈遗言。帝雅重[335]肜，方更任用，闻之大惊，嗟叹良久。乌桓、鲜卑每朝贺京师，常过肜冢拜谒，仰天号泣。辽东[336]吏民为立祠[337]，四时奉祭焉。窦固独有功，加位特进。

【段旨】

以上为第十二段，写窦固大破北匈奴。

【注释】

⑰度辽将军：将军名号，因度辽水而得名。汉武帝时始置，北御匈奴。明帝时渡辽将军驻屯五原郡曼柏城，在今内蒙古达拉特旗东南。⑱南单于：南匈奴单于，王庭驻西河郡美稷县，在今内蒙古准格尔旗西北。⑲高阙塞：汉边塞名，在今内蒙古杭锦后旗。阴山山脉在此中断，成一缺口，望之如阙，故名。此时属朔方郡临戎县。⑳卢水羌：也称卢水胡，起源卢水（湟水支流）而得名，此指今甘肃张掖一带卢水胡。㉑护乌桓校尉：

以及卢水羌人、胡人合计一万二千骑兵从酒泉塞出兵；耿秉、秦彭率领武威、陇西、天水征募的兵士，以及羌人、胡人合计一万骑兵从张掖居延塞出兵；骑都尉来苗、护乌桓校尉文穆率领太原、雁门、代郡、上谷、渔阳、右北平、定襄郡的军队，以及乌桓、鲜卑合计一万一千骑兵从平城塞出兵，征伐北匈奴。窦固、耿忠到达天山，攻击呼衍王，杀死一千余人，追到蒲类海，夺取了伊吾卢之地，设置宜禾都尉，留下官吏士兵在伊吾卢城屯田。耿秉、秦彭攻打匈林王，穿过六百余里沙漠，到达三木楼山返回。来苗、文穆到达匈河水附近，敌人都逃走了，一无所获。祭肜和南匈奴左贤王信意见不合，出了高阙塞九百多里，有座小山，左贤王信胡说，认为是涿邪山，没有遇见敌人就回来了。祭肜和吴棠因逗留不进、畏缩怯懦坐罪，被关进狱中，罢官。祭肜自恨没有立功，出狱后几天，吐血而死。临终前对自己的儿子说："我蒙受国家厚恩，奉使命却不称职，死了实在惭愧遗憾，按道义不可以无功受赏。我死后，你把得到的皇帝赐物悉数造册上交，亲自前往军屯，以死报效阵前，以满足我的心愿。"祭肜死后，他的儿子祭逢上奏疏，详细陈述祭肜的遗言。汉明帝一向器重祭肜，正想起用祭肜，得知消息十分震惊，叹息了很久。乌桓、鲜卑每次到京城朝贺，常到祭肜的墓上拜谒，仰天哭泣。辽东的吏民为他立祠，四季祭奠他。只有窦固一人有功，加官特进。

武官名，汉武帝时置，职掌抚领北方乌桓及鲜卑。㉜乌桓、鲜卑：北方地区两大游牧部族。东汉时乌桓在今辽河下游及内蒙古东部地区。鲜卑在今大兴安岭北麓。㉝平城塞：汉边塞名，在今山西大同东。㉞天山：指蒲类海以西的祁连山。㉟蒲类海：今新疆哈密市巴里坤湖。㊱匈林王：据胡三省注，匈，当作"句"，即句林王。㊲绝幕：穿过沙漠。幕，通"漠"。㊳三木楼山：今地不详。㊴匈河水：水名，在蒙古境内，今地不详。㊵涿邪山：今蒙古南境的古尔班赛汗山。㊶免：罢免官职。㊷悉：尽数；全部。㊸簿上：造册登记上奏。㊹所得物：所得的赏赐之物。㊺雅重：素来尊重。㊻辽东：郡名，治所襄平，在今辽宁辽阳。㊼立祠：建造祠堂。祭肜曾为辽东太守，威行于乌桓、鲜卑，有德于当地黎民，故民夷感戴，立祠祭祀。

【原文】

固使假[338]司马班超[339]与从事郭恂俱使西域。超行到鄯善[340]，鄯善王广奉超礼敬甚备，后忽更疏懈。超谓其官属曰："宁觉广礼意薄乎？"官属曰："胡人不能常久，无他故也。"超曰："此必有北虏[341]使来，狐疑未知所从故也。明者睹未萌，况已著邪！"乃召侍胡[342]，诈之曰："匈奴使来数日，今安在乎？"侍胡惶恐曰："到已三日，去此三十里。"超乃闭侍胡，悉会其吏士三十六人，与共饮。酒酣，因激怒之曰："卿曹与我俱在绝域，今虏使到裁数日，而王广礼敬即废。如令鄯善收吾属送匈奴，骸骨长为豺狼食矣，为之奈何？"官属皆曰："今在危亡之地，死生从司马！"超曰："不入虎穴，不得虎子。当今之计，独有因夜以火攻虏，使彼不知我多少，必大震怖，可殄[343]尽也。灭此虏，则鄯善破胆，功成事立矣！"众曰："当与从事议之。"超怒曰："吉凶决于今日。从事，文俗吏，闻此必恐而谋泄。死无所名，非壮士也。"众曰："善！"初夜，超遂将吏士往奔虏营。会天大风，超令十人持鼓藏虏舍后，约曰："见火然，皆当鸣鼓大呼。"余人悉持兵弩，夹门而伏。超乃顺风纵火，前后鼓噪[344]。虏众惊乱，超手格杀[345]三人，吏兵斩其使及从士三十余级，余众百许人悉烧死。明日乃还，告郭恂，恂大惊，既而色动[346]。超知其意，举手曰："掾虽不行，班超何心独擅之乎！"恂乃悦。超于是召鄯善王广，以虏使首示之，一国震怖。超告以汉威德，自今以后，勿复与北虏通。广叩头，愿属汉，无二心。遂纳子为质。还白窦固，固大喜，具上超功效，并求更选使使西域。帝曰："吏如班超，何故不遣，而更选乎！今以超为军司马，令遂前功。"

固复使超使于阗[347]，欲益其兵。超愿但将本所从三十六人，曰："于阗国大而远，今将数百人，无益于强。如有不虞，多益为累耳。"是时于阗王广德雄张[348]南道，而匈奴遣使监护其国。超既至于阗，广德礼意甚疏。且其俗信巫，巫言："神怒，何故欲向汉？汉使有騧马[349]，

【语译】

窦固派代理司马班超和从事郭恂一起出使西域。班超行走到鄯善国，鄯善王广接待班超礼貌周备，后来忽然变得疏忽怠慢。班超对他的官属说："难道没察觉到鄯善王广的礼节态度差了吗？"官属说："胡人做事不能长久，没有其他的缘故。"班超说："这一定是北匈奴的使者来了，鄯善王犹豫不知归附谁的缘故。贤明之人在苗头还未出现就能看出，何况现在已经很明显了！"于是召见接待的胡人，骗他说："匈奴使者来了好几天，现今在哪里？"接待的胡人惶惧不安地说："来了已经三天，离这里三十里。"班超于是关押了接待的胡人，召集来所有的吏士三十六人，和他们一起饮酒。喝到高兴时，班超激怒他们说："你们和我都在遥远的地方，如今北匈奴的使者到这里才几天，而鄯善王广的礼节就没有了。如果让鄯善王把我们抓起来，送给匈奴人，我们的尸骨将永远被豺狼所吃了，这种情况该怎么办呢？"官属都说："如今处在危亡之地，是生是死都听从司马的！"班超说："不入虎穴，就得不到虎子。现在的办法，只有趁着夜晚用火攻打匈奴人，让他们不知道我们有多少人，他们一定会非常震惊害怕，我们可以全部消灭他们。消灭了这些匈奴人，那么鄯善王就会吓破胆，我们就可以建功立业了！"大家说："应该和从事郭恂商量这件事。"班超生气地说："吉凶就取决于今天。从事郭恂，是寻常文吏，听到此事一定会害怕而令计谋泄露。死了而无功名，不算壮士。"大家说："好！"初更时分，班超就率领吏士奔往匈奴人的营地。时逢天刮大风，班超令十人拿着鼓，藏在匈奴人的屋舍后面，约定说："看到火烧起来，都要敲鼓大喊。"其余的人都拿着兵器弓弩，在门的两边埋伏。班超于是顺风点火，前后的人打鼓喊叫。匈奴人惊恐慌乱，班超亲手格杀三人，部吏和士兵杀了匈奴使者及随从士兵三十多人，剩下的一百多人都被烧死。第二天，班超才返回住地，把情况告诉郭恂，郭恂大惊，随即变了脸色。班超知道他的想法，举起手说："从事掾虽没有去，班超哪里会有独占功劳的意思！"郭恂这才高兴。班超于是招来鄯善王广，把匈奴使者的头颅给他看，鄯善全国震动恐惧。班超向鄯善王宣告汉朝的威严和恩德，说从今以后，不要再和北匈奴来往了。鄯善王广磕头，表示愿意归属汉，没有二心。于是让儿子入京作为人质。班超回来报告窦固，窦固很高兴，把班超的功劳如实呈报朝廷，并请求另选使者出使西域。明帝说："像班超这样的官吏，为什么不派遣，还要另选呢！现任命班超为军司马，让他完成前面的功业。"

窦固又派班超出使于阗国，想要给他增加士兵。班超希望只率领原来的三十六名随从，说："于阗国辽阔遥远，现在带领几百人，对增强实力没有什么帮助。一旦发生不测，人多反而是累赘了。"此时于阗王广德称雄西域南道，而且匈奴派使者监护他的国家。班超到达于阗国后，于阗王广德的礼节很怠慢。而且于阗国的风俗相信巫师，巫师说："神很生气，为什么要归顺汉朝呢？汉朝的使者有黑嘴的黄马，赶

急求取以祠㊿我！”广德乃[5]遣国相私来比就超请马。超密知其状，报许之，而令巫自来取马。有顷，巫至，超即斩其首，收私来比，鞭笞数百。以巫首送广德，因责让之。广德素闻超在鄯善诛灭虏使，大惶恐，即杀匈奴使者而降。超重赐其王以下，因镇抚焉。于是诸国皆遣子入侍(351)，西域与汉绝六十五载(352)，至是乃复通焉。超，彪之子也。

淮阳王延性骄奢，而遇下严烈。有上书告延与姬兄谢弇及姊(353)婿韩光招奸猾，作图谶(354)，祠祭祝诅(355)。事下按验。五月癸丑(356)，弇、光及司徒邢穆皆坐死，所连及死徙者甚众。

戊午晦(357)，日有食之。

六月丙寅(358)，以大司农西河王敏为司徒。

有司奏请诛淮阳王延。上以延罪薄于楚王英，秋，七月，徙延为阜陵王，食二县。

是岁，北匈奴大入云中(359)，云中太守廉范(360)拒之。吏以众少，欲移书傍郡求救，范不许。会日暮，范令军士各交缚两炬(361)，三头爇(362)火，营中星列(363)。虏谓汉兵救至，大惊，待旦将退。范令军中蓐食(364)，晨，往赴之，斩首数百级，虏自相辚藉(365)，死者千余人，由此不敢复向云中。范，丹(366)之孙也。

【段旨】

以上为第十三段，写班超建功西域。

【注释】

(338)假：代理。(339)班超（公元三二至一〇二年）：字仲升，扶风平陵（在今陕西咸阳东北）人，东汉名将，出使西域，平定五十多个国家，封定远侯。传见《后汉书》卷四十七。(340)鄯善：西域国名，本名楼兰，在今罗布泊西，地处通西域的南北两道要冲。(341)北虏：指北匈奴。(342)侍胡：鄯善王派来服侍班超的胡人。(343)殄：杀尽；歼灭。(344)鼓噪：擂鼓呐喊。(345)格杀：格斗杀死。(346)色动：变脸色。(347)于阗：西域国名，在今新疆和田。(348)雄张：炽盛，势力扩张。(349)騧马：黄色黑嘴的骏马。㊿祠：祭享。此为供

快要来祭祀我！”于阗王广德于是派遣国相私来比来见班超求马。班超暗中知道这种情况后，回答同意送马，但要巫师自己来取马。过了一会儿，巫师来了，班超立刻砍下他的头，逮捕私来比，鞭打几百下。班超把巫师的头送给于阗王广德，并责备他。于阗王广德本来就听说班超在鄯善杀死匈奴使者，感到非常惶恐，立即杀了匈奴使者来归降。班超重赏于阗王以下的人，乘势安抚他们。于是各国都派儿子到汉朝侍奉，西域与汉隔绝六十五年，到此时才再度通使交往。班超是班彪的儿子。

淮阳王刘延生性骄横奢侈，对下严酷暴烈。有人上奏告发刘延和姬妾的哥哥谢弇，以及姐夫韩光招募奸诈狡猾之徒，制作图谶，进行祭祀诅咒皇上。此案交给有司审查勘验。五月二十五日癸丑，谢弇、韩光和司徒邢穆都因罪被处死，受牵连被处死、流放的人很多。

五月三十日戊午，发生日食。

六月初八日丙寅，任命大司农西河人王敏为司徒。

有关部门奏请诛杀淮阳王刘延。汉明帝因为刘延的罪比楚王刘英轻，秋，七月，徙封刘延为阜陵王，食邑两个县。

这一年，北匈奴大肆入侵云中郡，云中郡太守廉范抵御他们。属吏认为兵少，想写信向邻郡求救，廉范不允许。正好天黑了，廉范命令军士各自把两支火把交叉成十字绑好，点着火把的三头，火光在营中如繁星布列，匈奴人以为汉朝救兵到了，非常吃惊，等到天亮即将退兵。廉范命令士兵在寝席上吃饭，清晨，奔赴敌营攻击，杀死几百人，匈奴人自相践踏，死了一千多人，从此不敢再侵略云中郡。廉范是廉丹的孙子。

奉。㊿①遣子入侍：派遣王子入汉朝京师侍奉皇帝，实为做人质。㉜六十五载：王莽天凤三年（公元一六年）焉耆杀王莽所遣五威将王骏，西域诸国于是与中国绝交，至此为五十八年。此言六十五，是从王莽始建新朝之年，即始建国元年（公元九年）算起。㉝姊：指刘延姐，馆陶公主。㉞图谶：神秘的预言书。㉟祝诅：以巫术邪道乞求加害于他人。㊱癸丑：五月二十五日。㊲戊午晦：五月三十日。㊳丙寅：六月八日。㊴云中：郡名，治所云中县，在今内蒙古托克托县东北。㊵廉范：字叔度，京兆杜陵县（今陕西西安雁塔区）人，战国时名将廉颇之后。历任云中、武威、武都边郡太守，有廉颇之风，敌虏不敢犯边。传见《后汉书》卷三十一。㊶交缚两炬：将两束火炬交叉捆缚成十字，一头手持，三头点火，使敌人望之，疑汉兵人数众多。㊷爇：燃烧。㊸星列：如繁星布列。㊹蓐食：在寝席上进食。蓐，草席。㊺辚藉：践踏。㊻丹：廉丹，战国时赵将廉颇之后，廉范之祖，王莽时为大司马、更始将军。事迹散见于两《汉书》中。

【校记】

［5］乃：原无此字。据章钰校，十二行本、乙十一行本皆有此字，今据补。

【原文】

十七年（甲戌，公元七四年）

春，正月，上当谒原陵[367]。夜，梦先帝、太后如平生欢，既寤[368]，悲不能寐。即案历[369]，明旦日吉，遂率百官上陵。其日，降甘露于陵树，帝令百官采取以荐[370]。会毕，帝从席前伏御床，视太后镜奁中物[371]，感动悲涕，令易[372]脂泽[373]装具[374]。左右皆泣，莫能仰视。

北海敬王睦[375]薨。睦少好学，光武及上皆爱之。尝遣中大夫[376]诣京师朝贺，召而谓之曰："朝廷设问寡人，大夫将何辞以对？"使者曰："大王忠孝慈仁，敬贤乐士，臣敢不以实对！"睦曰："吁[377]！子[378]危[379]我哉！此乃孤[380]幼时进趣[381]之行也。大夫其对以孤袭爵以来，志意衰惰，声色是娱，犬马是好，乃为相爱耳。"其智虑畏慎如此[382]。

二月乙巳[383]，司徒王敏薨。

三月癸丑[384]，以汝南太守鲍昱[385]为司徒。昱，永之子也。

益州[386]刺史梁国[387]朱辅宣示汉德，威怀远夷，自汶山[388]以西，前世所不至，正朔所未加，白狼、盘木[389]等百余国，皆举种[390]称臣奉贡。白狼王唐菆作诗三章，歌颂汉德，辅使犍为郡[391]掾由恭译而献之。

初，龟兹[392]王建为匈奴所立，倚恃虏威，据有北道[393]，攻杀疏勒[394]王，立其臣兜题为疏勒王。班超从间道[395]至疏勒，去兜题所居盘橐城[396]九十里，逆[397]遣吏田虑先往降之，敕[398]虑曰："兜题本非疏勒种，国人必不用命[399]。若不即降，便可执之。"虑既到，兜题见虑轻弱，殊无降意。虑因其无备，遂前劫缚兜题。左右出其不意，皆惊惧奔走。虑驰报超，超即赴之，悉召疏勒将吏，说以龟兹无道之状，因立其故王兄子忠[400]为王，国人大悦。超问忠及官属："当杀兜题邪，生遣之邪？"

【语译】

十七年（甲戌，公元七四年）

春，正月，明帝应去祭告原陵。夜里，梦见先帝、太后像活着时那样快乐，梦醒后，因为悲伤而难以入睡。立即查历书，第二天早上是吉日，于是带领百官上原陵。那天，甘露降落在陵园的树上，明帝命令百官采集作为祭品进献。祭祀仪式结束，明帝从席位前俯身趴在御床上，观看太后镜匣中的物品，感动悲伤地流下眼泪，命令更换脂粉及梳妆用具。左右的人都哭了，不能仰视。

北海敬王刘睦去世。刘睦年少时好学，光武帝和明帝都喜欢他。刘睦曾派中大夫到京城朝贺，刘睦叫来中大夫对他说："如果皇上问我，大夫你将用什么话回答？"被派的中大夫说："大王忠孝仁慈，礼贤好士，臣怎敢不据实回答！"刘睦说："唉！您害我呀！这是我年幼时进取的行为。大夫您就回答说我继承爵位以来，意志衰退懒惰，沉溺声色，嗜好犬马，这才是爱护我。"刘睦的智慧谋虑和小心谨慎，大都如此。

二月乙巳日，司徒王敏去世。

三月二十九日癸丑，任命汝南太守鲍昱做司徒。鲍昱是鲍永的儿子。

益州刺史梁国人朱辅，宣扬汉朝的恩德，以威信招抚远方夷人，从汶山以西，前代统治未能到达、朝廷政令不能实施的地方，白狼、盘木等一百多国，都举族向汉朝称臣朝贡。白狼王唐蕞作诗三篇，歌颂汉朝的恩德，朱辅让犍为郡掾吏由恭翻译出来奏献朝廷。

当初，龟兹王建为匈奴所拥立，依仗匈奴人的威势，控制了北道，进攻疏勒王并杀死了他，立疏勒王的大臣兜题为疏勒王。班超走小道来到疏勒国，距离兜题所在的盘橐城九十里，事先派属吏田虑先去招降他，命令田虑说："兜题本不是疏勒族人，疏勒国人一定不听从他的命令。如果他不立即归降，就可以把他抓起来。"田虑一到，兜题看田虑的兵力少，一点也没有归降的意思。田虑乘他没有防备，就上前劫持捆绑了兜题。左右随从出乎意料，都惊恐地逃跑了。田虑快马向班超报告，班超立即奔赴那里，召集疏勒的所有文武官吏，告诉他们龟兹的暴行，并拥立他们已故国王哥哥的儿子忠为疏勒王，疏勒国人很高兴。班超问忠和属官："应当杀死兜题呢，还是放他回龟兹呢？"

咸曰："当杀之。"超曰："杀之无益于事，当令龟兹知汉威德。"遂解遣之。

夏，五月戊子[401]，公卿百官以帝威德怀远，祥物显应[402]，并集朝堂奉觞上寿[403]。制曰："天生神物，以应王者。远人慕化，实由有德。朕以虚薄[404]，何以享斯！唯高祖、光武圣德所被[405]，不敢有辞。其敬举觞[406]，太常择吉日策告宗庙[407]。"仍推恩赐民爵及粟有差[408]。

冬，十一月，遣奉车都尉窦固、驸马都尉耿秉、骑都尉刘张出敦煌昆仑塞[409]，击西域。秉、张皆去符、传[410]以属固，合兵万四千骑，击破白山虏于蒲类海上，遂进击车师。车师前王，即后王之子也[411]，其廷相去五百余里。固以后王道远，山谷深，士卒寒苦，欲攻前王。秉以为先赴后王，并力根本[412]，则前王自服。固计未决，秉奋身而起曰："请行前[413]。"乃上马引兵北入。众军不得已，并进，斩首数千级。后王安得震怖，走出门迎秉，脱帽，抱马足降。秉将以诣固，其前王亦归命，遂定车师而还。于是固奏复置西域都护[414]及戊、己校尉[415]。以陈睦为都护；司马耿恭[416]为戊校尉，屯后王部金蒲城[417]；谒者关宠为己校尉，屯前王部柳中城[418]，屯各置数百人。恭，况之孙也。

【段旨】

以上为第十四段，写东汉明帝国力强盛，重新威行西域。

【注释】

㊲原陵：光武帝陵，在今河南洛阳市孟津区西。㊳既寤：梦醒。㊴案历：翻查历书，找黄道吉日。㊵荐：进献祭品。又，《穀梁传》桓公八年注："无牲而祭曰荐。"此指明帝以甘露祭享光武陵。㊶镜奁中物：指陈列于寝殿的阴太后的梳妆镜匣中的用具。镜，铜镜。奁，镜匣。㊷易：更换。㊸脂泽：胭脂、香膏类化妆品。㊹装具：盛装用具，此指梳妆用具。㊺睦：刘睦，光武帝长兄刘伯升之孙。睦父刘兴封北海王。永平八年（公元六五年）睦嗣封为北海王。事见《后汉书》卷十四。㊻中大夫：光禄勋属官，中央朝廷及王国皆设此官，掌论议。㊼吁：惊叹的象声词。㊽子：敬称。㊾危：使动用法。子

忠和属官都说："应当杀死他。"班超说："杀了他，对大局没什么好处，应让龟兹王了解汉朝的威德。"于是，就放了兜题让他回龟兹。

夏，五月初五日戊子，公卿百官因为明帝的威严恩德招徕远方，祥瑞之物显现应验，都在朝堂集会举杯向明帝祝贺。明帝下制书说："天生神物，用以符应圣王。远方的人仰慕归化，实在是因为圣王有德。朕的德行浅薄，凭什么享有这些祥瑞呢！只因高祖、光武帝的圣德遍及天下，朕不敢有所推辞。请一起恭敬地举杯，太常选择吉日书策祭告宗庙。"于是推广皇恩，按不同等级赏赐百姓爵位和米粟。

冬，十一月，派奉车都尉窦固、驸马都尉耿秉、骑都尉刘张从敦煌昆仑塞出兵，进攻西域。耿秉、刘张都收回了各自的符、传，隶属窦固，合计骑兵一万四千人，在蒲类海附近击败了白山的匈奴，乘胜进击车师国。车师前王是后王的儿子，两车师国的王庭相距五百多里。窦固以为去后王国的路遥远，山谷深险，士兵寒苦，就想首先攻打前王。耿秉认为应首先攻打后王，合力铲除车师的根基，那么前王自然就会归降。窦固计策尚未决定，耿秉猛然站起来说："我请求为先锋。"于是上马率领军队向北进军。众军不得已，只好一同进军，杀敌数千人。后王安得震惊恐惧，跑出城门迎接耿秉，脱下帽子，抱住马腿投降。耿秉带他去见窦固，车师前王也归附听命，平定了车师国胜利回师。窦固于是奏请重新设立西域都护以及戊、己校尉。任命陈睦为都护；司马耿恭为戊校尉，驻守车师后王部的金蒲城；谒者关宠为己校尉，驻守车师前王部的柳中城，屯所各设驻军几百人。耿恭是耿况的孙子。

危我哉，您可要害了我啊。㊳⓪孤：古代国君自称孤、寡人。秦汉后，皇帝自称朕，诸侯王自称孤。㊳①趣：通"趋"，趋步前行，努力向上。㊳②智虑畏慎如此：刘睦的智谋和谨慎，大都像这样。当时朝廷禁限诸侯王，法律严峻，屡兴大狱，故刘睦深虑，不惜自污，以释朝廷之忌。㊳③乙巳：二月乙卯朔，无乙巳。㊳④癸丑：三月二十九日。㊳⑤鲍昱：字文泉，历官汝南太守、司徒、太尉。父鲍永，传附《后汉书》卷二十九《鲍永传》。㊳⑥益州：州名，治所广汉郡雒县，在今四川广汉北。㊳⑦梁国：王国名，治所下邑，在今安徽砀山县东。㊳⑧汶山：岷山，主峰在四川茂县东南。㊳⑨白狼盘木：益州西部西南夷种族名。㊴⓪举种：全种族；全部落。㊴①犍为郡：益州所属郡，治所武阳，在今四川眉山市彭山区。㊴②龟兹：西域国名，王治延城，在今新疆库车。㊴③北道：丝绸之路通西域的北道，沿天山南麓西行，因在塔里木盆地北沿，故称北道。龟兹处于北道中段。㊴④疏勒：西域国名，在龟兹西，王治疏勒，在今新疆喀什。㊴⑤间道：捷径小道。㊴⑥盘橐城：兜题所居王城。今地不详，一说在今新疆巴楚县境内托库孜萨来古城。㊴⑦逆：预先。㊴⑧敕：命令。㊴⑨用命：听从命令。㊵⓪忠：班超求得疏勒故王兄之子榆勒立之，更名曰忠。㊵①戊

子：五月初五日。㊷祥物显应：祥瑞出现应验。据《后汉书·明帝纪》载，永平十七年，甘露频降，树枝内集，灵芝生于殿前，五色神雀翔集于京师。㊸奉觞上寿：举杯祝贺。觞，酒杯。㊹虚薄：德行稀薄。明帝自谦之词。㊺被：覆盖。此指高祖、光武之德化，遍及天下。㊻其敬举觞：恭敬地举起酒杯。其，祈使助词。㊼策告宗庙：作策书敬告祖庙。策，此指祭祀用的祝策文。㊽推恩赐民爵及粟有差：推恩，推广恩惠。有差，有区别、等级。《后汉书·明帝纪》载："其赐天下男子爵，人二级，三老、孝悌、力田人三级，……流人无名数欲占者人一级；鳏、寡、孤、独、笃癃粟，人三斛……"㊾昆仑塞：古障塞名，在敦煌郡（郡治即今甘肃敦煌）广至县境，在今甘肃瓜州西南，以昆仑山命名。㊿符传：符与传，此处均指指挥军队的信物、凭证。耿秉、刘张去符、传，则不能

【原文】

十八年（乙亥，公元七五年）

春，二月，诏窦固等罢兵还京师。

北单于遣左鹿蠡王率二万骑击车师[419]，耿恭遣司马将兵三百人救之，皆为所没，匈奴遂破杀车师后王安得而攻金蒲城[420]。恭以毒药傅[421]矢，语匈奴曰："汉家箭神，其中疮者必有异。"虏中矢者，视疮皆沸[422]，大惊。会天暴风雨，随雨击之，杀伤甚众。匈奴震怖，相谓曰："汉兵神，真可畏也！"遂解去。

夏，六月己未[423]，有星孛于太微[424]。

耿恭以疏勒城[425]傍有涧水可固[426]，引兵据之。秋，七月，匈奴复来攻，拥绝[427]涧水。恭于城中穿井十五丈，不得水，吏士渴乏，至笮[428]马粪汁而饮之。恭身自率士挽笼[429]，有顷，水泉奔出，众皆称万岁。乃令吏士扬水[430]以示虏，虏出不意，以为神明，遂引去。

八月壬子[431]，帝崩于东宫前殿，年四十八。遗诏："无起寝庙[432]，藏主[433]于光烈皇后更衣别室[434]。"

帝遵奉建武制度[435]，无所变更，后妃之家不得封侯与政。馆陶公主[436]为子求郎，不许，而赐钱千万，谓群臣曰："郎官上应列宿，出宰百里，苟非其人，则民受其殃，是以难之。"公车[437]以反支日[438]不受章奏。

独当一面，自由用兵，必须听命于窦固。㊶①车师前王二句：宣帝时分车师为前后两部。车师前国，王治交河城，在今新疆吐鲁番西北，是为车师前王。车师后国，王治务涂谷，在今新疆奇台西南，是为车师后王。㊶②根本：其时车师后王为车师前王之父，故后王所治王城为车师根本。㊶③请行前：请求为先锋。㊶④西域都护：官名，汉宣帝二年初置，以骑都尉、谏大夫使护西域，加官都护，总领南北道，其下有副校尉，属官有丞、司马等。㊶⑤戊己校尉：汉元帝初元元年置，属官有丞、司马，掌西域屯田等事务。㊶⑥耿恭：立功西域为汉名将，耿况之孙。耿况，东汉开国功臣耿弇之父。耿弇为耿恭伯父。耿氏一门事迹均见《后汉书》卷十九《耿弇传》。㊶⑦金蒲城：在今新疆奇台西北。㊶⑧柳中城：在今新疆吐鲁番东南。

【语译】

十八年（乙亥，公元七五年）

春，二月，下诏窦固等撤兵返回京城。

北匈奴单于派遣左鹿蠡王率领二万骑兵攻击车师国，耿恭派遣司马率领士兵三百人救援车师，都被匈奴人攻灭，匈奴于是攻破车师，杀死车师后王安得，攻打金蒲城。耿恭把毒药涂在箭上，告诉匈奴人说：“汉朝的箭很神，中箭有创伤的一定有奇异现象。”匈奴中箭的人，看到伤口都灼伤溃烂，大惊。恰逢天气出现暴风雨，汉军乘雨进攻匈奴，杀伤敌人很多。匈奴震恐，相互说：“汉兵神奇，真的可怕呀！”随后解围而去。

夏，六月十二日己未，在太微星区出现彗星。

耿恭因疏勒城旁有涧水可以固守，就带领士兵驻守在那里。秋，七月，匈奴人再来攻击，堵塞截断涧水。耿恭在城中挖井十五丈深，见不到水，官吏士卒口渴困乏，以至于榨马粪的液汁来饮用。耿恭亲自率领士兵用筐提土，过了一会儿，泉水涌出，大家都高呼万岁。耿恭便命令将士往城外泼水给匈奴人看，匈奴人出乎意料，以为是神明，于是领兵撤离了。

八月初六日壬子，明帝在东宫前殿去世，享年四十八岁。明帝遗诏说：“不要建寝庙，把牌位安置在光烈皇后寝殿中储放衣物的偏房。”

明帝遵奉建武时期的制度，没有什么变更，后妃的家人不可封侯参政。馆陶公主为儿子请求任郎官，明帝没有批准，只赏钱千万，对群臣说：“郎官在上和列位星宿相应，出朝任职可管理百里之地，如果不是合适的人选，那么民众就要遭受他的祸殃，因此难以同意。”旧例公交车府在反支日这天不受理奏章。明帝听说后怪罪

帝闻而怪曰："民废农桑，远来诣阙[439]，而复拘[440]以禁忌，岂为政之意乎！"于是遂蠲[441]其制。尚书阎章二妹为贵人，章精力晓旧典，久次当迁重职。帝为后宫亲属，竟不用。是以吏得其人，民乐其业，远近畏服，户口滋殖焉。

太子即位[442]，年十八。尊皇后曰皇太后[443]。

明帝初崩，马氏兄弟争欲入宫。北宫卫士令[444]杨仁被甲持戟，严勒门卫，人莫敢轻进者。诸马乃共谮仁于章帝，言其峻刻。帝知其忠，愈善之，拜为什邡[445]令。

壬戌[446]，葬孝明皇帝于显节陵[447]。

冬，十月丁未[448]，赦天下。

诏以行太尉事节乡侯熹[449]为太傅，司空融[450]为太尉，并录尚书事[451]。

十一月戊戌[452]，以蜀郡[453]太守第五伦[454]为司空。伦在郡公清，所举吏多得其人，故帝自远郡用之。

焉耆、龟兹[455]攻没都护陈睦，北匈奴围关宠于柳中城[456]。会中国有大丧，救兵不至，车师复叛，与匈奴共攻耿恭，恭率厉士众御之。数月，食尽穷困，乃煮铠弩，食其筋革[457]。恭与士卒推诚同死生，故皆无二心，而稍稍死亡，余数十人。单于知恭已困，欲必降之，遣使招恭曰："若降者，当封为白屋王[458]，妻以女子。"恭诱其使上城，手击杀之，炙[459]诸城上。单于大怒，更益兵围恭，不能下。

关宠上书求救，诏公卿会议。司空伦以为不宜救，司徒鲍昱[460]曰："今使人于危难之地，急而弃之，外则纵蛮夷之暴，内则伤死难之臣[461]，诚令权时[462]，后无边事可也。匈奴如复犯塞为寇，陛下将何以使将！又二部[463]兵人裁各数十，匈奴围之，历旬不下，是其寡弱力尽之效[464]也。可令敦煌、酒泉太守各将精骑二千，多其幡帜，倍道兼行[465]，以赴其急。匈奴疲极之兵，必不敢当，四十日间足还入塞。"帝然之。乃遣征西将军[466]耿秉屯酒泉[467]，行太守事，遣酒泉太守段彭[468]与谒者王蒙、皇甫援发张掖、酒泉、敦煌三郡及鄯善兵合七千余人以救之。

甲辰晦[469]，日有食之。

太后兄弟虎贲中郎廖及黄门郎[470]防、光[471]，终明帝世未尝改官。

说：“民众荒废农桑之事，远道前来宫阙上书，却又因禁忌受到限制，这难道是为政的本意吗！”于是废除了这个制度。尚书阎章的两个妹妹为贵人，阎章倾力任职，通晓旧典，论年资应当升任要职。明帝因为他是后妃亲属，最终未加任用。所以官吏用人得当，百姓安居乐业，远近都敬畏归服，户口日益增加。

太子刘炟即位，年十八岁。尊称马皇后为皇太后。

明帝刚去世，马氏兄弟争着要进宫。北宫卫士令杨仁穿着铠甲，手执长戟，严令卫士把守宫门，没有人敢轻易进宫。马家人就一起向章帝说杨仁的坏话，说他严厉苛刻。章帝知道杨仁忠诚，更加赏识他，任命他做什邡县县令。

八月十六日壬戌，将孝明皇帝安葬于显节陵。

冬，十月初二日丁未，大赦天下。

章帝下诏任命代理太尉职务的节乡侯赵熹为太傅，任命司空牟融为太尉，一起总领尚书事务。

十一月二十四日戊戌，任命蜀郡太守第五伦为司空。第五伦在蜀郡公正清廉，所察举的官吏大多得当，所以章帝从遥远的蜀郡选用了第五伦。

焉耆国、龟兹国攻杀都护陈睦，北匈奴把关宠围困在柳中城。时逢中国有国丧，救兵没有到来，车师国又反叛，和匈奴一同进攻耿恭，耿恭率领激励士卒抵抗敌人。过了几个月，食物用尽处境困难，就煮铠甲弓弩，吃其中的兽筋皮革。耿恭和士卒以诚相待，生死与共，因此都没有二心，但士卒逐渐死去，剩下几十人。单于知道耿恭处境已很困难，一心想招降耿恭，派使者招抚耿恭说：“如果投降了，单于会封你做白屋王，把女子嫁给你为妻。”耿恭诱骗匈奴使者登上城，亲手格杀他，在城上用火烤他的尸体。单于大怒，再次增兵围困耿恭，但无法攻下。

关宠上书求救，章帝下诏公卿朝会商议。司空第五伦认为不该救援，司徒鲍昱说：“如今派人到危难之地，出现危急就抛弃他，对外就是放纵蛮夷的暴虐，对内就会伤害效死国难的忠臣。如果此次权衡时宜，以后没有边疆战事，那么可以这样做。匈奴如果再犯塞为寇，陛下将如何选派将领！还有关宠和耿恭二部的士兵各自才几十人，匈奴围困他们，经过十天还攻不下，这是匈奴兵少力寡弱、力量枯竭的明证。可以命令敦煌、酒泉太守分别率领精锐骑兵二千人，多举些旗帜，加快速度，昼夜兼行，去解救他们的危急。匈奴疲倦至极的士兵，一定不敢抵挡，四十天时间足以返回关塞。”章帝赞同他的意见。于是派征西将军耿秉驻守酒泉，代理太守职务，派酒泉太守段彭和谒者王蒙、皇甫援调发张掖、酒泉、敦煌三郡以及鄯善国的士兵共七千多人去救援关宠、耿恭。

十一月最后一天三十日甲辰，发生日食。

马太后的兄弟虎贲中郎将马廖以及黄门郎马防、马光，终明帝一世未曾改任官职。

帝以廖为卫尉⑫，防为中郎将，光为越骑校尉。廖等倾身⑬交结，冠盖之士⑭争赴趣之。第五伦上疏曰："臣闻《书》曰：'臣无作威作福，其害于而家，凶于而国⑮。'近世光烈皇后⑯虽友爱天至，而抑损阴氏⑰，不假⑱以权势。其后梁、窦之家⑲，互有非法。明帝即位，竟多诛之。自是雒[6]中⑳无复权威，书记㉑请托㉒，一皆断绝。又谕㉓诸外戚曰：'苦身㉔待士，不如为国。戴盆望天，事不两施㉕。'今之议者，复以马氏为言㉖。窃闻卫尉廖以布三千匹，城门校尉㉗防以钱三百万，私赡㉘三辅衣冠㉙，知与不知，莫不毕给。又闻腊日㉚亦遗其在雒中者钱各五千。越骑校尉光腊用㉛羊三百头，米四百斛，肉五千斤。臣愚以为不应经义㉜，惶恐，不敢不以闻。陛下情㉝欲厚之㉞，亦宜所以安之㉟。臣今言此，诚欲上忠陛下，下全后家也。"

是岁，京师及兖、豫、徐州大旱。

【段旨】

以上为第十五段，写明帝崩，章帝即位，耿恭困守西域，建立殊勋。

【注释】

⑲车师：西域国名，西汉宣帝时分为车师前、后两国。此指车师前国，治交河城，在今新疆吐鲁番。⑳金蒲城：又作金满城，车师后国所辖城，在今新疆奇台西南。金蒲城在交河城之北。㉑傅：通"敷"，涂抹。㉒视疮皆沸：察看中毒箭的伤口，全都溃烂。沸，指溃烂、灼伤。㉓己未：六月十二日。㉔有星孛于太微：有彗星出现在太微星区。孛，彗星。太微，天官三垣星区之一。代表天子廷，十二诸侯府。㉕疏勒城：此疏勒城，非疏勒国都之城，乃车师后部境内之城。㉖固：固守。㉗拥绝：堵塞截断。拥，通"壅"。㉘笮：通"榨"，榨取。㉙挽笼：挖深井，用绳牵引盛土筐提土。挽，牵引。笼，盛土筐。㉚扬水：指向城外泼水。㉛壬子：八月初六日。㉜寝庙：古代宗庙正殿称庙，后殿称寝，合称寝庙。㉝藏主：藏，收藏、存放。主，神主、牌位。此指明帝的牌位。㉞更衣别室：寝殿中储衣物的房间。明帝遗诏，将自己的牌位陈列于皇太后阴丽华更衣别室。㉟建武制度：指光武帝抑制外戚等政策定规，即后妃之家不得封侯，把持朝政。阴、郭之家均不过九卿。㊱馆陶公主：光武帝女刘红夫，下嫁驸马都尉韩光。㊲公

章帝任命马廖做卫尉，马防做中郎将，马光做越骑校尉。马廖等人竭力结交天下豪杰，官绅之士争着投向马氏兄弟。第五伦上疏说："臣听《尚书》上说：'臣子不要作威作福，那样会祸及家族，危害国家。'近世光烈皇后虽然天性友爱，但压抑贬损阴氏家族，不授予他们权势。后来梁氏、窦氏家族，都有非法行为。明帝即位，最终多半处死他们。从此京师洛阳不再有有权势的外戚，写信请托之事，一概都没有了。明帝还告诫众外戚说：'辛苦自身礼待士人，不如全心为国效力。头顶盆子去望天，一件事情不能两边进行。'现在的议事者，又在议论批评马氏。臣私下听说卫尉马廖拿三千匹布，城门校尉马防拿三百万钱，私自供给三辅的官宦士人，不管认识或不认识，没有不供给的。臣又听说他们在腊日还赠送洛阳城的士大夫每人五千钱。越骑校尉马光腊祭用羊三百头，米四百斛，肉五千斤。臣愚以为这不合经书的义理，心里惶恐不安，不敢不向陛下报告。陛下感情上想要厚待他们，也应该以合适的方式使他们平安。臣现在说这些，实在是想对上忠于陛下，对下保全皇太后的家族。"

这一年，京师和兖州、豫州、徐州，发生大旱。

车：公车司马府或公车司马令之省称。宫城南门外有阙门称司马门，凡百官及征诣公车者，至此门下车，步行入宫。公车司马令掌南阙门，凡吏民上章，四方贡献及征诣公车皆在此。㊳反支日：古代术数星相说中的禁忌日。据胡三省注引《阴阳书》，初一（即朔日）为戌、亥日，初一是反支日；初一为申、酉日，初二是反支日；初一为午、未日，初三是反支日；初一为辰、巳日，初四是反支日；初一为寅、卯日，初五是反支日；初一为子、丑日，初六是反支日。㊴诣阙：指吏民到宫阙司马门上书。㊵拘：约束；限制。㊶蠲：废除。㊷太子即位：皇太子刘炟即位，是为章帝。㊸皇太后：此指尊章帝刘炟养母马皇后为皇太后。马皇太后，伏波将军马援之女，进宫不育。章帝乃贾贵人所生，明帝令马皇后育养为子。㊹北宫卫士令：东汉洛阳南、北宫皆设卫士令一人，秩六百石，分掌守卫宫殿。㊺什邡：县名，县治在今四川什邡南，属广汉郡。㊻壬戌：八月十六日。㊼显节陵：明帝陵，位于今河南洛阳邙山南。㊽丁未：十月初二日。㊾节乡侯熹：赵熹，见前永平八年注。㊿融：牟融（？至公元七九年），东汉大儒，官至太尉、太傅。传见《后汉书》卷二十六。(451)录尚书事：官名，职司宰相。录，统领、管理。汉武帝时有领尚书事。光武帝不任三公，政归台阁，尚书加录字任实权，称录公。尚书有"录"名，自赵熹、牟融始，后为定制。(452)戊戌：十一月二十四日。(453)蜀郡：郡名，治成都，在今四川成都。(454)第五伦：东汉名臣。任蜀郡太守，为官清廉，奉公尽节，官至司空。传见《后汉书》卷四十一。(455)焉耆、龟兹：皆西域国名。焉耆王治南河城，在今

新疆焉耆。龟兹王治延城，在今新疆库车。㊿㊿456 北匈奴围关宠于柳中城：关宠以谒者出任戊己校尉，屯驻车师前部柳中城。永平十八年（公元七五年），北匈奴围攻柳中，时值明帝崩，汉兵入援迟缓，关宠战死。柳中城，在今新疆吐鲁番东南，其地土地肥沃，宜屯垦，其时为戊己校尉驻地。班勇任西域长史，亦屯驻柳中。457 筋革：牛筋制弓弦，牛皮（革）制铠甲。煮铠弩即食其筋革。458 白屋王：匈奴王号名，因匈奴中有白屋部族而得名。459 炙：火烤。耿恭火烤匈奴使者尸，以示必死不降之意，并激励士卒死战。460 鲍昱：字文泉，东汉名臣鲍永之子，少传父学，习欧阳《尚书》。明帝永平十七年（公元七四年）代王敏为司徒，章帝建初四年（公元七九年）代牟融为太尉，两年后卒。传附《后汉书》卷二十九《鲍永传》。461 死难之臣：捐躯国难之臣。462 权时：权衡时宜。指第五伦主张的不赴救耿恭的权宜之计。463 二部：指关宠、耿恭率领的两支军队。464 效：效验；证明。465 倍道兼行：加倍赶路，日夜兼程。466 征西将军：将军号。467 酒泉：郡名，治所禄福，在今甘肃酒泉。468 段彭：《后汉书》卷十九《耿秉列传》《耿恭列传》作“秦彭”。469 甲辰晦：十一月三十日。470 黄门郎：官名，又称黄门侍郎，属黄门令，给事禁中。471 防光：与马廖均为马援子，章帝之舅。事附《后汉书》卷二十四《马援传》。472 卫尉：官名，保卫宫门的禁卫军首领，为九卿之一。473 倾身：倾力；竭力。474 冠盖之士：指有地位的士大夫。冠，礼帽。盖，车盖。475 臣无作威作福三句：引自《尚书·洪范》，意谓“做臣属的，不要作威作福，否则不但害了家，也害了国”。476 光烈皇后：光武帝皇后阴丽华。477 抑损阴氏：指阴皇后压制娘家人。478 不假：不借；不授予。479 梁、窦之家：梁统、窦融两功臣国戚之家。梁统子梁松尚光武女舞阴长公主，窦融子窦穆尚光武女内黄公主。梁松、窦穆皆因仗势弄法，坐法诛。事见前永平四年、六年。480 雒中：指京师洛阳城中。481 书记：书信。482 请托：请他人办事，以私事相托。483 谕：上告下的说法，晓谕、告诫。484 苦身：辛苦自身。485 两施：一身同时做两件事。此上四句意谓辛苦结交朋友，不如全心奉献国家。戴盆望天，既戴不住盆，也望不见天，事不两全。486 以马氏为言：意谓议论马氏，批评马氏。487 城门校尉：官名，校尉是次于将军一级的武官，城门校尉，职掌京师城门护卫。488 赡：供给；周济。489 三辅衣冠：西京长安地区（京兆尹、右扶风、左冯翊三辅）的士大夫。衣冠，指贵族官僚士人。490 腊日：十二月冬至后第三个戌日，是日祭祀祖先百神。491 腊用：腊日祭祀的费用。492 不应经义：不符合儒家经典大义。493 情：感情；本意。494 厚之：指厚待马氏外戚。495 安之：使他们平安。节制外戚，使他们不逾制度，才能平安。

【校记】

［6］雒：原作“洛”。据章钰校，十二行本、乙十一行本皆作“雒”，下文同，今据改。

【研析】

本卷研析三事：佛教传入中国，楚王英谋反案，班超建功西域。

第一，佛教传入中国。汉明帝永平八年（公元六五年），颁布诏令，罪人可以用钱财赎罪。楚王刘英派他的郎中令向国相上交三十四黄白细绢，声称用以赎罪，楚王英并未触犯刑律，无罪可赎。国相上奏汉明帝，汉明帝下诏书回报说："楚王诵读黄老之书，崇尚佛家的仁慈，斋戒三个月，向神明发誓，哪有什么嫌疑？不应该有悔恨。退还赎罪的细绢，用来多摆几桌招待佛门和尚的筵席。"汉明帝还把这道诏书转发给其他诸侯封国的中傅，表明最高统治者承认佛教的合法地位。东汉末牟融作《理惑论》说汉明帝夜梦宫殿里飞来一个神人，名字叫"佛"。于是遣使到天竺（印度）求佛经。汉使归来，求来佛像、佛经，还有印度高僧同来中国。据说是用白马驮载佛经抵达京都洛阳的，因此，汉明帝在洛阳城西建造佛寺用白马命名。白马寺至今香火不绝。

佛教创始人释迦牟尼，生于约公元前五六六年，死于公元前四八六年，是今尼泊尔境内迦毗罗国的王子，与中国圣人孔子同时。到了中国秦代，天竺阿育王大弘佛法，派遣僧徒四出布教，西汉时西域的一些城邦国家已信奉佛法。汉武帝开通西域，佛教已经东来。汉哀帝元寿元年（公元前二年），西域佛教国大月氏使臣伊存来朝，博士弟子景卢从伊存受浮图经。但佛教受到中国儒学与道家的抵制，一直未能流传。汉明帝的诏书真正打开了佛教传布的大门，经过魏晋南北朝到隋唐，佛教盛行，与儒、道并驾齐驱，只有佛教才是真正的宗教。儒学不是宗教，道家作为宗教并没有成为主流。而作为学术，儒、道、释三足鼎立，互相渗透。佛教在中国生根、开花、结果，汉明帝的功绩不可埋没。

第二，楚王英谋反案。汉明帝永平十三年（公元七〇年），一个名叫燕广的男子上书告发楚王英与渔阳人王平、颜忠等造作图书、刻文字为符瑞，有谋反行动。经过审理，主管部门上奏："英大逆不道，犯了死罪。"汉明帝不忍加刑，废了其王爵，发配到丹阳泾县，给五百户汤沐邑。第二年，刘英自杀了。刘英死了，而审查定罪刘英叛党的案件还没有结束。刘英把天下的知名人士秘密地记载在一本小册子上，其中有吴郡太守尹兴的名字，办案人不只是逮捕了尹兴，郡守属官被抓捕的有五百多人，严刑拷打致死的有二百多人。主案犯颜忠、王平随口咬人，隧乡侯耿建、朗陵侯臧信、濩泽侯邓鲤、曲成侯刘建，从未见过颜忠、王平两人，无辜被株连。苦打成招，拷一连十，拷十连百，没完没了。侍御史寒朗冒死上书为囚犯申冤，汉明帝醒悟，亲自到洛阳狱查阅囚犯卷宗，释放了一千多人。任城令袁安转任楚郡太守，释放了四百多人。楚王英谋反案牵引数千人蒙冤。一个诸侯王谋反，未成事实，只是密谋计划，为何牵连这么多人蒙冤呢？原因有三：一是皇帝严旨亲办的案件，办案人不敢违抗，多为冤案。二是办案人表示效忠，踩着他人的血迹晋升，往往以多诛杀为能，结案时间拖得越长，“案情”就会不断扩大。三司法程序只要口供，不重证据。严刑逼供，不仅苦打成招，而且会有人牵引无辜以减罪行，或报复仇人，因此才拷一连十，拷十连百。这种司法弊端在专制政体下，是其常态。回顾历史，着实令人可悯。

楚王英案的扩大化开了一个恶例，可以说这是东汉末党锢之祸波及全国的一次预演。

第三，班超建功西域。西汉末年，北匈奴乘中国之乱，再度入侵西域，切断丝绸之路整整六十年。东汉建立，决计恢复中西交通，这一艰巨的历史使命落在了一介书生身上。这个书生就是“投笔从戎”立功西域的班超。

班超（公元三二至一〇二年），字仲升，扶风平陵人。西汉大史学家班固之弟。班超从小博览群书，胸藏韬略，志向高远。不幸早年丧父，家道中落，生活清苦。明帝永平五年，朝廷征召班固为校书郎兰台令史，举家迁居洛阳。但兰台令史这一小官的薪俸不足以养家，班超不得不受官家雇佣为抄书吏。这一现实与班超的报国壮志有很大的落差。有一天，班超情不自禁地把笔扔在了地上，十分激动地说：“一个男子汉，不能效法傅介子、张骞，立功边外，取封侯之赏，怎么能长此做一个抄书匠呢!”班超此举，如同陈涉发鸿鹄之叹一样，遭到同事的嘲笑。明帝永平十六年（公元七三年），班超投笔从戎的机会果然来了。他被征为奉车都尉窦固的假司马，即参谋军事的副司马，出征匈奴，打通西域道路。窦固这次出征，从今甘肃酒泉西北，进入今新疆哈密巴里坤湖一带，赶走了北匈奴派驻西域的呼衍王，在哈密地区设置了宜禾都尉，驻军屯垦。班超在战斗中初露头角，被窦固推荐为西域副使，与从事郭恂一起出使西域。

西域通道有南北两道。南道沿昆仑山，北道沿天山，两道都东起鄯善国，西至疏勒。汉朝要打通中西交通，就必须控制鄯善和疏勒这两个城邦小国。鄯善尤为汉匈双方争夺的要点。鄯善王两边都得罪不起。于是常常脚踏两条船，时而倒向匈奴，时而倒向汉朝。

鄯善原名楼兰。西汉昭帝元凤四年（公元前七七年），傅介子出使楼兰，用智计杀死了倒向匈奴的楼兰王，因而改名鄯善。班超如今出使西域的第一站，就遭遇了当年傅介子的处境，鄯善王头几天还殷勤接待班超等人，过了几天忽然怠慢起来。班超敏感地意识到必然是北匈奴的使团来到了鄯善，他用智计从鄯善接待官口中套出了匈奴使团一百多人住在离班超住地三十多里的地方。班超不待请示郭恂，当夜果断地率领汉使三十六人攻杀匈奴使团，断了鄯善王倒向北匈奴的后路。班超是第二个傅介子，他比傅介子走得更远。当时西域各国不堪忍受匈奴的重税掠夺，日夜期盼汉使到来。班超消灭匈奴使团的消息，如一阵风般传遍了西域各国。班超乘势与三十六位壮士沿南道出使了于阗、莎车、疏勒等国，帮助西域各国驱逐了匈奴派驻的监护官。东汉政府不费干戈就恢复了西域都护和戊、己校尉等官。都护陈睦驻焉耆国乌垒城，在今新疆轮台东。戊校尉耿恭驻金蒲城，在今新疆吉木萨尔（奇台西北）。己校尉关宠驻柳中，在今新疆吐鲁番东南。这是东汉政府的第一次通西域。

东汉一朝自汉明帝至汉安帝经营西域三绝三通。公元七三至七七年，班超第一次通西域。公元七七至九一年，东汉政府不愿与北匈奴作战，放弃伊吾，中西交通再次中断。公元九一至一〇七年，窦宪大破北匈奴，班超经营西域完全成功，这是第二次通西域。公元一〇七至一二四年，班超的后继者庸劣贪婪，引起西域一些国家反抗，北匈奴侵入，东汉政府召回都护，中西交通第三次中断。公元一二五年，班勇击走北匈奴，第三次恢复中西交通。东汉三通西域，班氏父子建立大功。班超第二次通西域，立即派甘英出使大秦，即古罗马帝国。甘英到达地中海东海岸，因缺乏渡海工具折了回来。班超通大秦的目的没有实现，但他那博大的胸怀、远大的目光、凌云的壮志，却永垂青史，也激励了一代又一代的中华儿女。

卷第四十六　汉纪三十八

起柔兆困敦（丙子，公元七六年），尽阏逢涒滩（甲申，公元八四年），凡九年。

【题解】

本卷记事起公元七六年，迄公元八四年，凡九年。当汉章帝建初元年至元和元年，章帝在位的前期。此时期马太后临朝，章帝垂拱。马太后识大体，抑制外家，章帝三舅马廖、马防、马光不得封侯。章帝为明帝贾贵人所生，马太后养为己子。章帝韬晦孝谨，多次要求太后封爵舅氏，而太后谢世，坟土未干，章帝即裁制舅家，诸马失势，却放纵窦皇后外戚，于是窦宪得势，专横跋扈。章帝宽仁，平反冤狱，废酷刑，慎选举，量才用人，纳谏，奖励直臣，劝农桑，以宽缓纠明帝之苛猛，政治出现开明的新气象。西域不宁，耿恭困守疏勒抗击北匈奴一年有余，被救回国，全军只存活十三人，可想见其艰苦卓绝。西羌开始暴动，马防平定了暴乱。章帝诏令诸儒会议白虎观，章帝亲临裁决《白虎议奏》，是东汉文化思想建设的一件大事。

【原文】

肃宗孝章皇帝[①]上

建初元年（丙子，公元七六年）

春，正月，诏兖、豫、徐三州禀[②]赡[③]饥民。上问司徒[④]鲍昱："何以消复[⑤]旱灾?"对曰："陛下始践天位，虽有失得，未能致异。臣前为汝南[⑥]太守，典治楚事[⑦]，系者千余人，恐未能尽当其罪。夫大狱一起，冤者过半。又诸徙者骨肉离分，孤魂不祀。宜一切还诸徙家，蠲除禁锢，使死生获所[⑧]，则和气[⑨]可致。"帝纳其言。

校书郎[⑩]杨终[⑪]上疏曰："间者北征匈奴，西开三十六国[⑫]，百姓频年[⑬]服役，转输[⑭]烦费[⑮]，愁困之民，足以感动天地，陛下宜留念省察[⑯]。"帝下其章[⑰]，第五伦亦同终议。牟融、鲍昱皆以为："孝子无改父之道[⑱]，征伐匈奴，屯戍西域，先帝所建，不宜回异[⑲]。"终复上

【语译】

肃宗孝章皇帝上

建初元年（丙子，公元七六年）

春，正月，章帝下诏兖、豫、徐三州发放粮食救济灾民。皇上问司徒鲍昱："如何消除旱灾，恢复正常？"鲍昱回答说："陛下刚刚登上天子之位，即使有成败得失，也不可能招来灾异。臣以前做汝南太守，主办楚王刘英的案子，关押了一千多人，恐怕未必都罚当其罪。重大刑狱一爆发，受冤的超过半数。再者，那些被流放的人骨肉分离，孤魂没人祭祀。应该让所有流放之家都返回，解除禁锢，让死去的人和活着的人都能各得其所，那么就可以得到祥和之气。"章帝接受了鲍昱的建议。

校书郎杨终上疏说："最近北征匈奴，西边开通了西域三十六国，百姓连年服役，转运粮饷，负担沉重，愁困的百姓，足以感动天地，陛下应该留意体察民情。"章帝把杨终的奏章交给群臣讨论，第五伦也同意杨终的建议。牟融、鲍昱都认为："孝子不该改变父亲的原则。征伐匈奴，屯守西域，是先帝所制定的策略，不应改变。"杨终又上疏说："秦修筑长城，频繁征发劳役，胡亥不改弦更张，最终失去天

疏曰："秦筑长城，功役繁兴，胡亥[20]不革[21]，卒亡四海。故孝元弃珠崖[22]之郡，光武绝西域之国[23]，不以介鳞[24]易我衣裳[25]。鲁文公[26]毁泉台[27]，《春秋》讥之曰：'先祖为之而己毁之，不如勿居而已。'[28]以其无妨害于民也。襄公[29]作三军[30]，昭公[31]舍[32]之，君子大其复古[33]，以为不舍则有害于民也。今伊吾之役[34]，楼兰之屯兵[35]，久而未还，非天意也。"帝从之。

丙寅[36]，诏："二千石勉劝农桑。罪非殊死[37]，须秋按验[38]。有司明慎选举[39]，进[40]柔良，退[41]贪猾，顺时令，理冤狱[42]。"是时承永平故事，吏政尚严切[43]。尚书决事，率[44]近于重。尚书沛国陈宠[45]以帝新即位，宜改前世苛俗，乃上疏曰："臣闻先王之政，赏不僭[46]，刑不滥[47]。与其不得已，宁僭无滥[48]。往者断狱严明，所以威惩奸慝[49]。奸慝既平，必宜济之以宽。陛下即位，率由[50]此义，数诏群僚，弘崇[51]晏晏[52]。而有司未悉奉承，犹尚深刻，断狱者急于榜格酷烈[53]之痛，执宪者[54]烦[55]于诋欺放滥之文[56]，或因公行私，逞纵威福[57]。夫为政犹张[58]琴瑟，大弦急[59]者小弦绝[60]。陛下宜隆[61]先王之道[62]，荡涤[63]烦苛之法[64]，轻薄箠楚[65]，以济[66]群生，全广至德[67]，以奉天心。"帝深纳宠言，每事务于宽厚。

【段旨】

以上为第一段，写汉章帝初即位，纳鲍昱、陈宠之言，平冤狱，慎选举，劝农桑，政治出现新气象。

【注释】

①肃宗孝章皇帝：名炟，汉明帝第五子，母贾贵人，马皇太后母养为嫡，即位为章帝，庙号肃宗。东汉第三位皇帝，公元七六至八八年在位。传见《后汉书》卷三。《伏侯古今注》："炟之字曰著。"②禀：通"廪"，给予粮食。③赡：供给。④司徒：三公之一，掌民政。⑤消复：清除灾变，恢复正常。⑥汝南：郡名，治所平舆，在今河南平舆北。⑦楚事：指永平十三年楚王刘英谋反案。⑧死生获所：使已死去的人和还活着

下。所以孝元帝裁撤了珠崖郡，光武帝断绝同西域诸国的来往，不因远夷改变中国。鲁文公毁坏泉台，《春秋》讥讽说：'先祖建立泉台，而自己毁坏它，不如不居住。'因为它并没有妨害百姓。鲁襄公建立三军，鲁昭公把它取消了，君子赞赏他恢复祖宗旧法，认为不取消三军就有害于百姓。现在伊吾服役的士兵，楼兰的驻军，长久不能回国，这不符合天意啊。"章帝听从了杨终的建议。

正月二十三日丙寅，章帝下诏："二千石官员劝勉百姓务农种桑。犯人所犯若非死罪，应到秋天复审。主管官员明辨谨慎地推举人才，提拔温和贤良的人，斥退贪婪狡猾的人，顺应时令，平反冤案。"这时沿袭永平年间的惯例，官吏为政崇尚严苛酷烈，尚书决断政事，大多偏重。尚书沛国人陈宠认为章帝刚即位，应当改变前代的苛刻风气，就上疏说："臣听说先王为政，奖赏不超越等级，刑罚不过度。若迫不得已，宁可奖赏超越等级也不刑罚过度。过去断狱严明，是为了威吓惩罚奸恶的人。奸恶的人既已铲除，必须用宽政来辅助。陛下即位，遵循这个原则，多次向群臣下诏，极力推崇宽和之政。主管官员没有完全接受，仍推重苛刻，判案的人追求严刑拷打之痛，执法的人烦扰于欺骗恣肆的文书，有的甚至假公济私，恣意作威作福。为政就像调试琴瑟，大弦过度拉紧，小弦就会绷断。陛下应该发扬先王之道，废除烦苛的法令，减轻笞打的刑罚，拯救百姓，以弘大完美的恩德，来遵奉天意。"章帝诚恳地采纳了陈宠的建议，每次处理事务力求宽大仁厚。

的人都各得其所。⑨和气：祥和之气。谓平反冤狱，使人际出现祥和气氛，可使得天时祥和而消除旱灾。⑩校书郎：东汉召文学之士于兰台或东观校书，职级同郎官，称校书郎。⑪杨终：字子山，蜀郡成都（今四川成都）人，年少知名，明帝征诣兰台，拜校书郎。章帝时受诏删《太史公书》为十余万言，即编选《史记》读本。精通《春秋》，著《春秋外传》十二篇，改定章句十五万言。传见《后汉书》卷四十八。⑫三十六国：汉武帝时归附汉朝的西域共有三十六个城邦小国，哀、平时分为五十五国。⑬频年：连年。⑭转输：转运粮饷。⑮烦费：指人民负担了沉重的战争费用。⑯留念省察：留意审察。⑰帝下其章：章帝将杨终的奏章交下外朝廷议。汉家制度，国家大政，均要廷议。⑱孝子无改父之道：引自《论语·学而》孔子之言。孔子曰："父在观其志，父没观其行。三年无改于父之道，可谓孝矣。"⑲回异：反其道而异，即改变、更易。⑳胡亥：秦二世皇帝。㉑不革：不革新；不变易。指秦二世不改变秦始皇政苛事烦的政治。㉒珠崖：郡名，在今海南。汉武帝元鼎六年（公元前一一一年）置，汉元帝初元二年（公元前四七年）罢郡。事详本书卷二十八元帝初元二年。㉓光武绝西域之国：事详本书卷四

十三光武帝建武二十二年。㉔介鳞：兽甲鱼鳞喻未化之远夷，这是汉代统治者对居于海南岛上少数民族的贬称。㉕衣裳：指讲究礼仪冠带的中国。㉖鲁文公：春秋时鲁国君，僖公之子，名姬兴，公元前六二五至前六〇九年在位。㉗泉台：郎台，鲁庄公三十一年筑台于郎，台成更名泉台。在鲁南郊，即今山东曲阜东南。㉘《春秋》讥之曰三句：《春秋》指《公羊传》。鲁文公十六年，因其母声姜薨，国人以为蛇妖出泉台而毁之。《公羊》作者认为，泉台临百姓洗漱之处，故《春秋》讥之。今文公毁之，等于是彰先祖之恶，故又讥之，应不居住让其自坏。㉙襄公：春秋时鲁国君，名姬午，公元前五七二至前五四二年在位。㉚三军：鲁国原有上、下两军，襄公十一年增中军而为上、中、下三军。㉛昭公：襄公子稠，继襄公为鲁君，公元前五四一至前五一〇年在位。昭公五年裁中军，仍为二军。㉜舍：裁撤。㉝君子大其复古：君子，《公羊传》作者。大，称赞。复古，恢复祖宗之法，舍鲁中军，复为二军。㉞伊吾之役：指永平十六年窦固取伊吾，置屯兵。㉟楼兰之屯兵：指永平十六年班超率兵出使西域，在楼兰（即鄯善）杀匈奴使。㊱丙寅：正月二十三日。㊲殊死：指判斩刑的大罪。㊳按验：复审。㊴选举：选贤任能，考选吏员。㊵进：提升。㊶退：排斥；罢免。㊷理冤狱：平反冤案。㊸严切：

【原文】

酒泉[68]太守段彭等兵会柳中，击车师，攻交河城[69]，斩首三千八百级，获生口三千余人。北匈奴惊走，车师复降。会关宠已殁，谒者王蒙等欲引兵还。耿恭军吏范羌时在军中，固请迎恭。诸将不敢前，乃分兵二千人与羌，从山北[70]迎恭，遇大雪丈余，军仅能至。城中夜闻兵马声，以为虏来，大惊。羌遥呼曰："我范羌也，汉遣军迎校尉耳。"城中皆称万岁。开门，共相持涕泣。明日，遂相随俱归。虏兵追之，且战且行。吏士素饥困，发疏勒[71]时，尚有二十六人，随路死没，三月至玉门[72]，唯余十三人。衣屦穿决[73]，形容枯槁[74]。中郎将郑众为恭以下洗沐，易衣冠[75]。上疏奏："恭以单兵守孤城，当匈奴数万之众，连月逾年，心力困尽，凿山为井，煮弩为粮，前后杀伤丑虏数百千计，卒全[76]忠勇，不为大汉耻，宜蒙显爵，以厉[77]将帅。"恭至雒阳，拜骑都尉。诏悉罢戊、己校尉及都护官，征还班超。

超将发还，疏勒举国忧恐，其都尉黎弇曰："汉使弃我，我必复为

严苛酷烈。㊹率：一般；大多。㊺陈宠：字昭公，沛国洨县（故治在今安徽灵璧东南）人，少为州郡吏，章帝即位，征为尚书。为官宽柔，历二郡：泰山、广汉太守；三卿：大司农、廷尉、大鸿胪，官至司空。传见《后汉书》卷四十六。㊻僭：超越标准；越过等级。㊼滥：过度。《尚书·殷武》："不僭不滥，不敢怠遑。"㊽宁僭无滥：引自《左传》，"善为国者，赏不僭而刑不滥。……若不幸而过，宁僭无滥"。意谓政宽比起严苛来，宁宽不严。㊾奸慝：奸巧邪恶。㊿率由：遵循。51弘崇：发扬光大。52晏晏：温和的样子。弘崇晏晏，指提倡宽和之政。53笺格酷烈：严刑拷打。笺，通"搒"，用鞭、杖或竹板打人。54执宪者：执法的人。55烦：烦扰。指人为复杂化，执法人故意把案子搅乱。56诋欺放滥之文：诬陷不实，以及夸诞泛滥的文书。57逞纵威福：滥用职权，恣意作威作福。58张：调试。59急：弦绷得太紧。60绝：弦断。语出《新序》，子贡非难鲁大夫臧孙行猛政，曰："夫政犹张琴瑟也，大弦急则小弦绝矣，故曰：'罚得则奸邪止，赏得则下欢悦。'"61隆：兴隆；发扬。62先王之道：古代圣明君王的宽弘之道。63荡涤：洗涤；清除。64烦苛之法：繁杂苛酷的法令。65轻薄箠楚：减轻酷刑。箠、楚皆杖木之名，引申为拷打。66济：拯救。67全广至德：弘大盛德。

【语译】

酒泉太守段彭等军队在柳中城集合，攻击车师国，进攻交河城，杀敌三千八百人，抓获三千多人。北匈奴受惊逃走，车师国再次归降。当时关宠已死，谒者王蒙等人想率领军队回国。耿恭的军吏范羌当时在军中，坚决请求迎回耿恭。众将领不敢前行，于是分给范羌二千士兵，从天山北面去迎接耿恭，遇上一丈多深的大雪，军队勉强到达。城中在夜间听到兵马的声音，以为敌人来犯，大惊。范羌远远地呼喊："我是范羌，汉朝派军迎接校尉的。"城中的人都高呼万岁。打开城门，大家互相拥抱流泪。第二天，耿恭就与援军一同回国。匈奴的军队追击他们，一面作战，一面行进。吏士一直饥饿困乏，耿恭部众从疏勒城出发时还有二十六人，一路上相继死亡，三月到达玉门关，只剩下十三人。衣服鞋子都穿洞破烂，面容憔悴。中郎将郑众为耿恭及部下洗沐，更换衣帽。上奏疏说："耿恭以孤军守卫孤城，抵挡匈奴数万军队，连月逾年，心力耗尽，凿山挖井，煮弓弩为粮，前后杀伤可恶的匈奴人数以百计千计，最终忠勇俱全，没有让大汉朝受辱，应当获得显贵的爵位，以激励将帅。"耿恭回到洛阳，被任命为骑都尉。章帝下诏全部撤销戊、己校尉及都护官，征召班超回京。

班超将要出发回京，疏勒国举国忧心恐惧，他们的都尉黎弇说："汉朝的使者抛

龟兹[78]所灭耳，诚不忍见汉使去。”因以刀自刭。超还至于阗，王侯以下皆号泣，曰：“依汉使如父母，诚不可去！”互抱超马脚，不得行。超亦欲遂其本志[79]，乃更还疏勒。疏勒两城已降龟兹，而与尉头[80]连兵。超捕斩反者，击破尉头，杀六百余人，疏勒复安。

甲寅[81]，山阳、东平[82]地震。

东平王苍上便宜三事[83]，帝报书曰：“间吏民奏事亦有此言，但明智浅短，或谓傥是，复虑为非，不知所定。得王深策，恢然[84]意解，思惟嘉谋，以次奉行。特赐王钱五百万。”后帝欲为原陵、显节陵起县邑，苍上疏谏曰：“窃见光武皇帝躬履俭约之行，深睹始终之分[85]，勤勤恳恳，以葬制为言[86]。孝明皇帝大孝无违，承奉遵行。谦德之美，于斯为盛。臣愚以园邑之兴，始自强秦[87]。古者丘陇[88]且不欲其著明，岂况筑郭邑、建都郛[89]哉！上违先帝圣心，下造无益之功，虚费国用，动摇百姓，非所以致和气、祈丰年也。陛下履[90]有虞[91]之至性，追祖[92]祢[93]之深思，臣苍诚伤二帝纯德之美不畅于无穷也。”帝乃止。自是朝廷每有疑政，辄驿使谘问。苍悉心以对，皆见纳用。

秋，八月庚寅[94]，有星孛于天市。

初，益州西部都尉[95]广汉[96]郑纯为政清洁，化行夷貊，君长感慕，皆奉珍内附[97]。明帝为之置永昌郡，以纯为太守。纯在官十年而卒。后人不能抚循夷人，九月，哀牢王类牢杀守令反，攻博南[98]。

阜陵王延[99]数怀怨望，有告延与子男鲂造逆谋者。上不忍诛，冬十一月，贬延为阜陵侯，食一县，不得与吏民通。

北匈奴皋林温禺犊王将众还居涿邪山[100]，南单于与边郡及乌桓共击破之。是岁，南部大[1]饥[101]，诏禀给之。

下我们，我们一定又会被龟兹所灭，实在不忍心看着汉朝使者离开。”因此拔刀自杀。班超返回到于阗国，王侯以下都号啕大哭，说：“我们依赖汉朝的使者如同依赖父母，实在不能离去啊！”互相抱住班超的马脚，不能前行。班超也想完成夙愿，就又返回疏勒国。疏勒国两座城已经投降龟兹，而与尉头国军队联合。班超逮捕斩杀了反叛的人，攻陷尉头国，杀死六百多人，疏勒国重新安定。

三月十二日甲寅，山阳郡和东平国发生地震。

东平王刘苍上书提出应该办的三件事，章帝回信说：“最近吏民奏事也有这样的建言，但朕目光短浅，有时认为好像是对的，再一想又觉得不对，不知如何是好。得知王的周密计策，豁然醒悟，考虑这是好意见，将依次遵行。特别赏赐王五百万钱。”后来章帝想要为原陵、显节陵兴建县邑，刘苍上疏进谏说：“私下看到光武皇帝亲自实践节俭的行为，深明初始与终结的分际，恳切地指示丧葬后事。孝明皇帝非常孝顺没有违逆，秉承奉行。谦恭的美德，在丧葬上表现得最为突出。臣愚见以为陵园县邑的建造，始于强大的秦朝。古代墓葬不起坟冢，不想要它显明，更何况是建造陵邑城郭呢！这样做，对上是违背先帝的圣心，对下是建立无益的事功，虚耗国家钱财，动摇民心，这不是导致调和之气、祈求丰年的做法！陛下践行虞舜的至高品性，追念祖先的深意，臣刘苍实在伤感两位先帝纯正的美德不能传之无穷啊。”章帝于是打消了建造县邑的想法。从此，每当朝廷有疑难不决的政务，就派驿使咨询刘苍。刘苍都尽心回答，他的意见都被采纳了。

秋，八月二十日庚寅，在天市区出现彗星。

当初，益州西部都尉广汉郡人郑纯为政清廉，在夷貊推行教化，夷貊首领感动倾慕，都进献珍宝贡物请求内附。明帝为他们设立了永昌郡，任命郑纯做太守。郑纯任职十年后去世。继任官员不能安抚夷人，九月，哀牢王类牢杀死太守、县令反叛，攻打博南县。

阜陵王刘延屡次心怀怨恨，有人告发刘延和儿子刘鲂谋划造反。章帝不忍心诛杀他们，冬，十一月，贬刘延为阜陵侯，食邑一个县，不准他和官吏百姓往来。

北匈奴皋林温禺犊王率领部众返回涿邪山居住，南匈奴单于和沿边郡以及乌桓一起击败北匈奴。这年，南匈奴发生大饥荒，章帝下诏发放米粮救济他们。

【段旨】

以上为第二段，写耿恭困守西域疏勒孤城抗击北匈奴一年多，被救回朝，班超不受征召，留守西域。

【注释】

⑥⑧酒泉：郡名，汉武帝置，治禄福县，在今甘肃酒泉。⑥⑨交河城：在今新疆吐鲁番西北。⑦⓪山北：天山北面。交河城在天山之南，疏勒城在天山之北。时值大雪，故王蒙欲弃耿恭不救而还。⑦①发疏勒：从疏勒出发。疏勒，西域国名，在今新疆喀什。⑦②玉门：关名，即今甘肃玉门关。⑦③衣屦穿决：衣服破烂，鞋子穿洞。⑦④形容枯槁：面容憔悴。⑦⑤易衣冠：换上新衣帽。⑦⑥卒全：最终保全、成全。⑦⑦厉：通“励”。⑦⑧龟兹：西域国名，地以新疆库车为中心，当中原通西域北道中段要冲。⑦⑨本志：本来的志向，即立功边外，上报国家，下觅封侯的志愿。《后汉书》班超传载，班超曾为抄书吏，一次投笔而叹曰：“大丈夫无它志略，犹当效傅介子、张骞立功异域，以取封侯，安能久事笔研间乎?”和帝永元七年（公元九五年）封班超为定远侯。⑧⓪尉头：西域国名，在疏勒东北，当今新疆乌什西。⑧①甲寅：三月十二日。⑧②山阳东平：山阳，郡名，治所昌邑，在今山东金乡西。东平，国名，治所无盐，在今山东东平东。⑧③便宜三事：有利国家、合乎时宜的三件事。⑧④恢然：豁然；恍然大悟。⑧⑤始终之分：初始与终结的分际，谓节俭之行，应始终如一。⑧⑥葬制为言：光武帝主张节葬，建原陵，所制地不过二三顷。事见本书卷四十四光武建武二十六年。明帝建显节陵，亦遵其制。⑧⑦园邑之兴二句：园邑，

【原文】

二年（丁丑，公元七七年）

春，三月甲辰[102]，罢伊吾卢[103]屯兵，匈奴复遣兵守其地。

永昌、越巂、益州[104]三郡兵及昆明夷卤承等击哀牢[105]王类牢于博南，大破，斩之。

夏，四月戊子[106]，诏还坐楚、淮阳事[107]徙者四百余家。

上欲封爵诸舅，太后不听。会大旱，言事者以为不封外戚之故，有司请依旧典[108]。太后诏曰：“凡言事者，皆欲媚朕以要福耳。昔王氏五侯[109]同日俱封，黄雾四塞[110]，不闻澍雨之应[111]。夫外戚贵盛，鲜[112]不倾覆。故先帝防慎舅氏，不令在枢机之位，又言‘我子不当与先帝子等’，今有司奈何欲以马氏比阴氏乎！且阴卫尉[113]，天下称之，省中[114]御者[115]至门，出不及履[116]，此蘧伯玉[117]之敬也。新阳侯[118]虽刚强，

指在帝王陵前建寝殿园林，并置县邑。秦始皇葬骊山陵，建高冢，徙三万家置骊邑。其后西汉因之，诸陵皆起陵园邑，至汉元帝乃止。⑱ 丘陇：指坟冢。《后汉书》唐太子李贤注引《礼记·檀弓上》曰："古者墓而不坟。"古人埋葬，只有墓穴，而不起坟冢，故言不欲显明。⑲ 郛：城的外郭。⑳ 履：践行。㉑ 有虞：传说的古代圣王虞舜，有至孝。㉒ 祖：指光武帝。㉓ 祢：指明帝。大父称祖，生父死后称祢。追祖祢之深思，追念祖、父的深刻思考。㉔ 庚寅：八月二十日。㉕ 益州西部都尉：官名，边郡所设部都尉，是巡抚所属地区少数民族的专职地方军事长官。益州西部都尉驻嶲唐县，在今云南云龙。明帝升格置为永昌郡。㉖ 广汉：郡名，治所雒县，在今四川广汉。㉗ 奉珍内附：进献珍宝贡物内附。㉘ 博南：县名，县治在今云南永平西南。㉙ 阜陵王延：光武帝子，原为淮阳王，因谋逆而徙封为阜陵王。事见上卷永平十六年。⑩⓪ 涿邪山：蒙古南境古尔班赛汗山。北匈奴皋林温禺犊王本居涿邪山，永平十六年祭肜等北伐，将众远遁，今复还。⑩① 南部大饥：南匈奴大饥。

【校记】

［1］大：原作"次"。据章钰校，甲十六行本、乙十一行本、孔天胤本皆作"大"，熊罗宿《胡刻资治通鉴校字记》同，今据改。

【语译】

二年（丁丑，公元七七年）

春，三月初八日甲辰，撤回在伊吾卢的驻军，匈奴于是又派军队监守那些地方。

永昌、越嶲、益州三郡的军队以及昆明夷卤承等在博南攻击哀牢王类牢，大败哀牢王，诛杀了类牢。

夏，四月二十二日戊子，章帝下诏召回因楚王、淮阳王案被流放的四百多家。

皇上想要给几个舅舅封爵位，太后不答应。时逢大旱灾，奏事的大臣认为是不封外戚的缘故，主管官员请求依照旧制分封外戚。太后下诏说："凡是上奏说这件事的人，都是想取悦朕以求得好处。过去王氏五人同一天封侯，黄雾弥漫，没有听说有时雨的感应。外戚贵幸过度，很少有不垮台的。所以先帝谨慎防范舅氏，不让他们担任重要职务，又说'我的儿子不应该和先帝的儿子一样'，现在主管官员为什么要把马氏和阴氏相比呢！而且阴卫尉，天下人都称赞他，宫中的侍从到他家门口，来不及穿鞋就出来迎接，如同蘧伯玉一样恭敬有礼。新阳侯虽然刚直倔强，

微失理，然有方略[119]，据地谈论[120]，一朝无双[121]。原鹿贞侯[122]，勇猛诚信。此三人者，天下选臣，岂可及哉！马氏不及阴氏远矣！吾不才，夙夜累息[123]，常恐亏先后[124]之法，有毛发之罪[125]吾不释[126]，言之不舍昼夜[127]，而亲属犯之不止，治丧起坟，又不时觉，是吾言之不立而耳目之塞也。吾为天下母，而身服大练[128]，食不求甘，左右但着帛布，无香薰之饰者，欲身率[129]下也。以为外亲见之，当伤心自敕[130]，但笑言'太后素好俭[131]'。前过濯龙[132]门上，见外家问起居者，车如流水，马如游龙，仓头[133]衣绿褠[134]，领袖正白[135]，顾视御者，不及远矣[136]。故不加谴怒，但绝岁用[137]而已，冀以默愧其心[138]；犹懈怠[139]无忧国忘家之虑[140]。知臣莫若君，况亲属乎！吾岂可上负先帝[141]之旨，下亏先人[142]之德，重袭西京败亡之祸[143]哉！"固不许[144]。

帝省诏悲叹，复重请曰："汉兴，舅氏之封侯，犹皇子之为王也。太后诚存谦虚，奈何令臣独不加恩三舅[145]乎！且卫尉年尊，两校尉有大病，如令不讳[146]，使臣长抱刻骨之根。宜及吉时，不可稽留[147]。"太后报曰："吾反覆念之，思令两善[148]，岂徒欲获谦让之名，而使帝受不外施[149]之嫌哉！昔窦太后欲封王皇后之兄[150]，丞相条侯[151]言：'高祖约，无军功不侯。'今马氏无功于国，岂得与阴、郭中兴之后[152]等邪！常观富贵之家，禄位重叠，犹再实之木，其根必伤[153]。且人所以愿封侯者，欲上奉祭祀，下求温饱耳。今祭祀则受太官[154]之赐，衣食则蒙御府余资，斯岂不可足，而必当得一县[155]乎！吾计[156]之孰[157]矣，勿有疑也。夫至孝之行，安亲为上[158]。今数遭变异[159]，谷价数倍，忧惶昼夜，不安坐卧，而欲先营外家之封，违慈母之拳拳[160]乎！吾素刚急，有匈中气[161]，不可不顺也。子之未冠[162]，由于父母；已冠成人，则行子之志。念帝，人君也，吾以未逾三年[163]之故，自吾家族，故得专[164]之。若阴阳调和，边境清静，然后行子之志。吾但当含饴弄孙[165]，不能复关政[166]矣。"上乃止。

太后尝诏三辅：诸马婚亲有属托郡县、干乱吏治者，以法闻[167]。太夫人[168]葬起坟微高[169]，太后以为言，兄卫尉廖等实时减削。其外亲有谦

稍违事理，但是有谋略，即席论议，满朝百官无人可比。原鹿贞侯，勇猛诚信。这三个人都是天下极一时之选的大臣，怎么能比得上呢！马氏远远比不上阴氏啊！我没有才能，日夜戒惧，不敢出大气，常常担心违背先后的做法，有毛发一般的小罪过，我也不肯宽恕，昼夜不停地规劝他们，而亲属们仍然屡屡犯法不止，大办丧事垒起坟茔，又不能及时觉悟，这是我说的话不起作用，再加上耳目闭塞的缘故。我身为天下的母后，但身上穿的是厚帛，吃的不求美味，身边的人只穿帛布衣服，没有香薰的装饰，是想以自身作为天下的表率。我以为外亲看到这些，应当心灵受到触动而约束自己，他们反而取笑我说‘太后一向喜好节俭’。前不久经过濯龙园门，看到外家前来问候请安的人，车如流水，马如游龙，仆役穿着绿色的单衣，衣领袖口洁白，我回头看我的仆从，远不如他们啊。我之所以没有责备他们，只是停止供给他们每年的例行费用而已，是希望让他们内心惭愧；但他们仍然懈怠，没有忧心国家公而忘私的想法。最了解臣的莫过于君，何况是亲属！我怎么可以对上辜负先帝的旨意，对下有损先祖的美德，重蹈西汉败亡的灾祸呢！”坚决不答应给外戚封爵。

章帝看了诏书悲伤感叹，又重新请求说：“汉朝建立以来，给舅舅封侯，犹如皇子为诸侯王。太后固然存心谦让，但怎么能让儿臣唯独不施恩于三个舅舅呢！况且卫尉年纪大了，两个校尉重病在身，假如他们去世了，就会让儿臣终生怀着刻骨的遗憾。应该等到吉时封侯，不可拖延。”太后回答说：“我反复考虑这件事，想要让朝廷和亲戚两全其美，怎能是只想得到谦让的美名，而使皇帝受到不施恩外家的埋怨呢！以前窦太后想封王皇后的哥哥，丞相条侯周亚夫说：‘高祖约定，没有军功的不封侯。’现在马家的人对国家无功，怎么能和阴、郭这些中兴的皇后一样呢！常常看到富贵的家族，俸禄权位重叠相加，好像两次结果的树木，其根基必定受损。而且人们之所以希望封侯，是想上能祭祀祖先，下能求得温饱。现在祭祀祖先有太官的赏赐，衣食有御府余资供给，这难道还不知足，而一定要得到一个县的封邑吗！我已经仔细考虑过了，皇帝不要再有疑问。最孝顺的行为，以安抚双亲为上。现在屡遭灾异，谷价上涨了几倍，我日夜忧心惶恐，坐卧不安，而皇帝想先谋划外家的封侯，违背慈母的诚心！我向来刚烈性急，常胸闷憋气，不能不顺畅。儿子未成年时，听从父母意见；已经弱冠成人，就要按儿子的意志行事。想到皇帝你是一国之君，我因为你为先帝服丧未满三年的缘故，又关系到我的家族，所以才专断此事。如果阴阳调和，边境安宁，然后照儿子你的心愿去做。我就该含着糖，逗弄孙子，不能再过问朝政了。”皇上这才作罢。

太后曾经下诏给三辅：所有马家及姻亲有嘱托郡县、干扰破坏政事的，绳之以法，并上报朝廷。太后的母亲埋葬时堆坟土略高，太后就此发话，太后的哥哥卫尉马廖等人立刻削减坟土。外戚中谦虚朴素、行为正直的，就温言以待，赏给

素[170]义行[171]者，辄[172]假借温言[173]，赏以财位。如有纤介[174]，则先见严恪之色[175]，然后加谴[176]。其美车服、不遵法度者，便绝属籍[177]，遣归田里。广平、钜鹿、乐成王[178]，车骑朴素，无金银之饰。帝以白太后，即赐钱各五百万。于是内外从化[179]，被服如一[180]。诸家惶恐，倍于永平时。置织室，蚕[181]于濯龙中，数往观视，以为娱乐。常与帝旦夕言道政事及教授小王[182]《论语》经书，述叙平生，雍和终日。

【段旨】

以上为第三段，写马太后识大体，抑制外家，章帝三位舅舅马氏兄弟不得封侯。

【注释】

⑩②甲辰：三月初八日。⑩③伊吾卢：在今新疆哈密。⑩④永昌、越巂、益州：皆益州刺史部属郡，当今云南及四川西南部地区。永昌郡治不韦，在今云南保山东北。越巂郡治邛都，在今四川西昌。益州郡治所滇池，在今云南昆明市晋宁区。⑩⑤哀牢：西南夷部族名，在今云南盈江县一带。⑩⑥戊子：四月二十二日。⑩⑦坐楚、淮阳事：坐，株连犯罪。楚事，指楚王英案。淮阳事，指淮阳王刘延谋反案。⑩⑧旧典：旧制；惯例。指西汉外戚以恩泽封侯的故事。⑩⑨王氏五侯：成帝建始元年（公元前三二年）正月壬子同日封舅父王谭、王商、王立、王根、王逢时五人关内侯。⑪⓪黄雾四塞：事见本书卷三十成帝建始元年。⑪①澍雨之应：时雨的感应。澍，及时雨。⑪②鲜：很少。⑪③阴卫尉：指明帝舅阴兴，官至卫尉。明帝欲封阴兴侯爵及拜大司马，阴兴坚辞不受。事见《后汉书》卷三十二。⑪④省中：禁中。⑪⑤御者：侍者；侍从。⑪⑥出不及履：阴兴飞奔出迎宫中使者，有时连鞋子都来不及穿。⑪⑦蘧伯玉：春秋时卫国的贤大夫，谦恭有礼，知名当世。⑪⑧新阳侯：阴兴之弟阴就，嗣父封宣恩侯，后改封为新阳侯。⑪⑨方略：谋略规划。⑫⓪据地谈论：即席论议。⑫①一朝无双：满朝百官，无人匹敌。⑫②原鹿贞侯：阴兴兄阴识，以从光武征伐有功封阴乡侯，后定封原鹿侯，死后谥曰贞侯。阴识、阴兴、阴就三人同传，见《后汉书》卷三十二。识本传，兴、就附传。⑫③夙夜累息：日夜警惕。累息，屏气呼吸，不敢出大气，形容谨慎的样子。⑫④先后：指光武帝光烈皇后阴丽华。⑫⑤毛发之罪：喻小过。⑫⑥不释：不肯宽恕。⑫⑦言之不舍昼夜：日夜不停地规劝、告诫。⑫⑧大练：大帛，厚缯，质地粗厚的丝织品。⑫⑨身率：以身作则为表率。⑬⓪伤心自敕：惊心觉悟而自我省察。⑬①素好俭：一向喜好节俭。素，一向。⑬②濯龙：近洛阳北宫的园池名。⑬③仓

财物和爵位。如果有小错，就先给以严厉的脸色，然后加以谴责。那些车服华丽，不遵守法度的外戚，就从外戚的名册上削去他们的名字，遣送回乡。广平王、钜鹿王、乐成王车骑简朴，没有用金银装饰。章帝把此事告诉马太后，当即就赏钱各五百万。于是宫内宫外都被感化，穿着都很俭朴。外戚都很惶恐，超过永平时期。设置织室，在濯龙园中养蚕，屡次前往巡视，以此作为娱乐。常常和章帝早晚谈论政事，以及教授小王《论语》经书，叙述平生经历，整天欢乐和睦。

头：仆人之称。古代奴仆，头着青巾。⑬④绿褠：绿色单衣。⑬⑤领袖正白：衣领袖口雪白。奴仆领袖正白，表示已不从事劳动，而成为高级的帮闲者。⑬⑥顾视御者二句：马太后回头看看自己的侍者，远远赶不上外戚马氏家的奴仆。⑬⑦绝岁用：停拨皇室所给外戚的费用。⑬⑧默愧其心：内心暗中羞愧。⑬⑨犹懈怠：依然松懈懒散。⑭⓪无忧国忘家之虑：没有忧念国家公而忘私的意识。⑭①先帝：指光武帝、明帝。⑭②先人：马太后指其父马援。⑭③西京败亡之祸：指西汉外戚败亡之祸，如诸吕（吕禄、吕产等）、窦婴、上官桀及上官安父子、霍禹等皆触法被诛。⑭④固不许：坚决不答应给外戚诸马封爵。⑭⑤三舅：章帝三舅，即太后兄卫尉马廖，两校尉马防、马光。⑭⑥不讳：死亡的婉转说法。指三位舅父万一死亡。⑭⑦稽留：滞留；拖延。⑭⑧两善：不封外戚，一使国家无滥封，二使外戚得安全，是为两善。⑭⑨外施：指以恩泽封爵外家。⑮⓪窦太后欲封王皇后之兄：窦太后，景帝母。王皇后，景帝皇后王娡，其兄王信。窦太后向景帝言，皇后兄王信可封侯，受到丞相周亚夫的反对而未果。事见本书卷十六景帝中三年。⑮①条侯：西汉开国功臣周勃之子周亚夫，因平吴楚七国之乱，官至丞相，封条侯。传附《史记》《汉书》两书《周勃传》中。⑮②阴、郭中兴之后：阴丽华、郭圣通，两位是辅佐光武帝中兴的贤明皇后。⑮③再实之木二句：《文子》语，“再实之木根必伤，掘藏之家后必殃”。比喻富贵盛极，将使根基动摇，招来祸殃。⑮④太官：与御府皆官署名。太官令掌御厨膳食，御府令掌禁中衣服。汉家制度，皇后外家祭祀时祭品食物由掌御厨房的太官供给，所穿用衣物由掌御库的御府供给。⑮⑤一县：指得一个县的封邑。⑮⑥计：考虑；盘算。⑮⑦孰：通“熟”，熟虑、周到。⑮⑧至孝之行二句：最高的孝行，是使父母平安。⑮⑨变异：指天灾异象。⑯⓪拳拳：情意诚恳的样子。⑯①匈中气：胸闷憋气。匈，通“胸”。⑯②未冠：未成人。古时男子二十行加冠礼，表示成人。⑯③三年：儒家礼法，子为父母服三年之丧。⑯④专：专断裁决。马太后对章帝说：“我考虑到因为你对先帝服丧未满三年，又关系着我家族的事，所以专断裁决。”⑯⑤含饴弄孙：含着糖果，抱着孙儿玩耍。饴，麦芽糖。⑯⑥关政：

干预政治。⑯⑦以法闻：绳之以法，并上奏朝廷。马援为三辅（关中）扶风茂陵（今陕西兴平）人，故马太后特诏三辅约束马氏外戚。⑯⑧太夫人：马太后之母。⑯⑨起坟微高：汉制，列侯起坟高四丈，关内侯以下至庶人各有等级。马太后母葬，起坟稍稍过制，马太后责备其兄马廖等，令其削减。⑰⑩谦素：谦让朴素。⑰①义行：忠义的行为。⑰②辄：每每。⑰③假借温言：给予好言好语褒奖。⑰④纤介：细微的过失。⑰⑤严恪之色：严厉的脸

【原文】

马廖虑美业[183]难终[184]，上疏劝成德政[185]曰："昔元帝罢服官[186]，成帝御浣衣[187]，哀帝去乐府[188]，然而侈费不息，至于衰乱者，百姓从行不从言也。夫改政移风，必有其本[189]。《传》曰[190]：'吴王[191]好剑客，百姓多创瘢；楚王[192]好细腰，宫中多饿死。'长安语[193]曰：'城中[194]好高结[195]，四方[196]高一尺[197]；城中好广眉[198]，四方且半额[199]；城中好大袖[200]，四方全匹帛[201]。'斯言如戏，有切事实[202]。前下制度未几[203]，后稍不行。虽或吏不奉法，良由[204]慢起京师[205]。今陛下[206]素简所安[207]，发自圣性[208]。诚令斯事一竟[209]，则四海诵德，声薰天地[210]，神明可通，况于行令乎！"太后深纳之。

初，安夷县[211]吏略妻[212]卑湳种[213]羌人妇，吏为其夫所杀，安夷长宗延追之出塞。种人恐见诛，遂共杀延，而与勒姐、吾良[214]二种相结为寇。于是烧当羌[215]豪[216]滇吾之子迷吾率诸种俱反，败金城[217]太守郝崇。诏以武威太守北地[218]傅育为护羌校尉[219]，自安夷徙居临羌[220]。迷吾又与封养种豪布桥等五万余人共寇陇西、汉阳[221]。秋，八月，遣行车骑将军马防、长水校尉耿恭将北军五校[222]兵及诸郡射士[223]三万人击之。第五伦上疏曰："臣愚以为贵戚可封侯以富之，不当任以职事。何者？绳以法则伤恩，私以亲则违宪。伏闻马防今当西征，臣以太后恩仁，陛下至孝，恐卒[224]有纤介[225]，难为意爱。"帝不从。

马防等军到冀[226]，布桥等围南部都尉于临洮[227]，防进击，破之，斩首虏四千余人，遂解临洮围，其众皆降，唯布桥等二万余人屯望曲谷[228]不下[229]。

色，俗谓板起面孔。⑯谴：责备。⑰绝属籍：不让其在外戚的名册上登记入籍，即断绝关系。⑱广平、钜鹿、乐成王：汉明帝共九子，除章帝外，诸子八王。广平王刘羡、巨鹿王刘恭、乐成王刘党，皆明帝子。⑲内外从化：内，指宫内；外，指外朝，皆一致追随马太后，崇尚节俭。⑳被服如一：穿戴都和马太后一样俭朴。㉑蚕：作动词用。㉒小王：未就国的诸年幼诸侯王。

【语译】

马廖考虑到美好的事业难以坚持到底，上疏鼓励马太后成就一代德政，说："从前元帝撤除三服官，成帝穿洗过的衣服，哀帝撤销乐府，然而奢侈浪费并没有停止，导致衰微动乱的原因，是百姓效法朝廷的行动，不听从朝廷的宣传。改革政治，移风易俗，一定要从根本入手。古书说：'吴王喜欢剑客，百姓身上多创伤；楚王喜爱细腰的女子，宫中很多人饿死。'长安流传的谚语说：'城里人喜爱梳高的发髻，各地的人就发髻高一尺；城里人喜爱宽阔的眉毛，各地的人就把眉毛画得遮住了半个额头；城里人喜欢宽大的袖子，各地的人就用整匹帛做衣袖。'这些话听起来像是戏言，却符合事实。前些时颁布制度没多久，后来就渐渐不施行了。虽然有的是官吏不奉行法制，实际是从京师怠慢开始的。现在陛下安于朴素节俭，发自至圣的本性。如果把这事坚持下去，天下就会称颂恩德，声誉也会传遍天地，这可以通达神明，何况是推行政令呢！"太后深信不疑地采用了马廖的提议。

当初，安夷县官吏强娶卑湳种羌人的妻子为妻，官吏被那妇人的丈夫杀死，安夷县长宗延追捕他出了边塞，卑湳族人害怕被杀，就一起杀了宗延，而和勒姐、吾良二族互相联合侵扰汉地。于是，烧当羌酋长滇吾的儿子迷吾率羌各族一起反叛，打败金城郡太守郝崇。章帝下诏任命武威郡太守北地郡人傅育做护羌校尉，从安夷县迁居临羌县。迷吾又和封养族酋长布桥等五万多人一起侵扰陇西郡、汉阳郡。秋，八月，章帝派行车骑将军马防、长水校尉耿恭率北军五校士兵，以及各郡弓箭手三万人攻打他们。第五伦上奏疏说："臣愚见认为贵戚可以封侯使他富有，不应当委任职事。为什么呢？因为用法律处分他们就会伤害感情；用亲情偏袒他们就会违背法律。臣听说马防现在正要西征，臣以为太后恩爱仁慈，陛下极为孝顺，担心突然有了小差错，出于感情难以惩罚亲属。"章帝不听从。

马防等军队到了冀县，布桥等羌人把南部都尉包围在临洮县，马防进攻，打败了羌人，杀敌捕获四千多人，于是解除了临洮之围，布桥余众都投降了，只有布桥等二万多人驻守望曲谷，攻打不下。

十二月戊寅[230]，有星孛于紫宫[231]。

帝纳窦勋女[232]为贵人[233]，有宠。贵人母，即东海恭王[234]女沘阳公主[235]也。

第五伦上疏曰：“光武承王莽之余，颇以严猛为政，后代因之，遂成风化。郡国所举，类多办职俗吏[236]，殊未有宽博之选[237]，以应上求者也。陈留[238]令刘豫、冠军[239]令驷协，并以刻薄[240]之姿，务为严苦，吏民愁怨，莫不疾[241]之。而今之议者反以为能，违天心[242]，失经义，非徒应坐[243]豫、协，亦宜谴举者[244]。务进仁贤以任时政[245]，不过数人，则风俗自化矣。臣尝读书记，知秦以酷急亡国，又目见王莽亦以苛法自灭，故勤勤恳恳，实在于此。又闻诸王、主、贵戚，骄奢逾制，京师尚然，何以示远[246]！故曰：‘其身不正，虽令不行。’[247]以身教者从，以言教者讼[248]。”上善之。伦虽天性峭直[249]，然常疾俗吏苛刻，论议每依宽厚云。

【段旨】

以上为第四段，写章帝征讨西羌。马廖、第五伦上疏请实行宽政以代苛猛。

【注释】

[183]美业：指马太后倡节俭政治。[184]难终：难以坚持到底。[185]劝成德政：鼓励成就一代德政。[186]元帝罢服官：汉元帝罢齐三服官。事见本书卷二十八初元五年。[187]御浣衣：穿用洗过的衣服。[188]去乐府：哀帝裁撤乐府。事见本书卷三十三绥和二年。[189]改政移风二句：更化政治，变易风俗，一定要从根本着手。本，指帝王之行，为臣民慕化之本。[190]《传》曰：古书上说。传，泛指古书。[191]吴王：指春秋时吴王阖闾。[192]楚王：指春秋时楚灵王。[193]语：谚语。[194]城中：长安城中。长安为西汉京师。[195]高结：高发髻。[196]四方：全国各地，与城中相对。[197]高一尺：发髻高一尺。此乃谚语夸张之言。以下谚语同此。[198]广眉：画宽眉。古人美容，眉毛用笔涂画。[199]半额：画眉宽达半个额头。[200]大袖：宽大的衣袖。[201]全匹帛：衣袖用了整匹布帛。[202]斯言如戏二句：这些谚语，听起来像是玩笑话，实际上包含了真理。[203]未几：不久；没有多长时间。[204]良由：确实因为；确实缘于。[205]慢起京师：逐渐从京师洛阳先行开始。[206]陛下：指马太后。[207]素简所安：安于俭朴生活。[208]圣性：至高的本性。[209]一竟：一以贯之，坚持到底。[210]声薰天地：四海之内，

十二月十六日戊寅，在紫宫星区出现彗星。

章帝娶窦勋的女儿为贵人，很宠爱她。窦贵人的母亲就是东海恭王的女儿沘阳公主。

第五伦上疏说："光武帝继王莽之后即位，多以严厉苛刻处理政务，后代承袭这种做法，于是成为风气。郡国所推举的，大多是能办事的俗吏，就是没有宽厚博达的人选，来满足皇上的要求。陈留县令刘豫、冠军县令驷协，都是以苛刻薄情的态度，务求施行严厉苛刻的政治，吏民愁苦抱怨，没有不痛恨他们的。而现今议论的人反而认为他们能干，这违背天意，失去经书提倡的义理，不但应该定刘豫、驷协的罪，还应责罚推举的人。务必推举仁厚贤德的人担任现时的治国大政，只要有几个这样的人，就能移风易俗。臣曾经读古书，知道秦朝因严酷褊急亡国，又亲眼看到王莽也是因法令苛刻而自取灭亡，因此恳切进谏，确实原因就在这里。又听说各位诸侯王、公主、贵戚，骄傲奢侈超过了法制，京城尚且如此，用什么昭示远方呢！所以说：'自身不正，即使下令，下面的人也不执行。'以身为教，别人会跟随；以言为教，只能引来争论不休。"皇上赞赏这些话。第五伦虽然天性严峻正直，但是一向痛恨俗吏苛刻，发议论时总是主张宽大仁厚。

颂声震天动地。薰，蒸、充塞。㉑安夷县：属金城郡，县治在今青海海东市平安区。㉒略妻：强娶。㉓卑湳种：西羌种姓之一。㉔勒姐吾良：西羌种姓之名。㉕烧当羌：西羌最强大的种姓，居青海湖东广大地区。㉖豪：首领；酋长。㉗金城：郡名，治所允吾，在今青海民和。㉘北地：郡名，治所富平，在今宁夏灵武西南。㉙护羌校尉：领护西羌的特设武官，屯驻安夷，后徙临羌。㉚临羌：县名，县治在今青海西宁西。㉛陇西汉阳：郡名，陇西郡治狄道，在今甘肃临洮。汉阳郡治冀县，在今甘肃甘谷县，明帝永平十七年，改天水郡置。㉜北军五校：汉武帝置禁卫北军八校：中垒、屯骑、越骑、长水、胡骑、射声、步兵、虎贲共八校。东汉省中垒、胡骑、虎贲，北军为五校。长水校尉，即北军五校之一。㉝射士：弓箭手。西羌缘据山林，不便短兵相击，故以射士征讨。㉞卒：仓促；突然。㉟纤介：细小差错。对马防或有失败的委婉说法。㊱冀：县名，汉阳郡治。㊲临洮：县名，县治在今甘肃岷县，为陇西郡南部都尉治。㊳望曲谷：地名，在汉临洮县西南。㊴不下：没有攻克。㊵戊寅：十二月十六日。㊶有星孛于紫宫：在紫宫星区，出现彗星。㊷窦勋女：章帝窦皇后，史失其名，以父字称。窦勋，窦融之孙，坐法诛。窦勋女入宫，立为贵人，为后诸窦擅权伏笔。㊸贵人：位次皇后的妃子。㊹东海恭王：刘强，光武帝子，初为皇太子，废为东海王，谥为恭。传见《后汉书》卷四十二。㊺沘阳公主：东海王刘强之女，窦勋之妻。㊻办职俗吏：能治办事务的庸俗之吏。㊼宽博之选：宽宏博

学的冒尖人物。㉓⑧陈留：县名，为陈留郡治所，在今河南开封东南。㉓⑨冠军：县名，属南阳郡。县治在今河南邓州西北。㉔⓪刻薄：严酷寡恩。㉔①疾：痛恨。㉔②违天心：严酷政治违背上天宽仁之心。㉔③坐：治罪。㉔④谴举者：责罚举荐的人。㉔⑤任时政：担任现时的治国大政。㉔⑥示远：昭示远方，为全国表率。㉔⑦故曰三句：引自《论语·子路》孔子之言。㉔⑧讼：议论纷纷。㉔⑨峭直：刚正耿直。

【原文】

三年（戊寅，公元七八年）

春，正月己酉[250]，宗祀明堂[251]，登灵台[252]，赦天下。

马防击布桥，大破之。布桥将种人万余降，诏征防还。留耿恭击诸未服者，斩首虏千余人，勒姐、烧何等十三种数万人，皆诣恭降。恭尝以言事忤[253]马防，监营谒者[254]承旨[255]奏恭不忧军事[256]，坐征[257]下狱，免官。

三月癸巳[258]，立贵人窦氏[259]为皇后。

初，显宗之世，治虖沱、石臼河[260]，从都虑[261]至羊肠仓[262]，欲令通漕[263]。太原[264]吏民苦役，连年无成，死者不可胜算。帝以郎中[265]邓训[266]为谒者，监领其事。训考量[267]隐括[268]，知其难成，具以上言。夏，四月己巳[269]，诏罢其役，更用驴辇[270]，岁省费亿万计，全活徒士[271]数千人。训，禹之子也。

闰月[272]，西域假司马班超率疏勒、康居[273]、于阗、拘弥兵一万人攻姑墨石城[274]，破之，斩首七百级。

冬，十二月丁酉[275]，以马防为车骑将军[276]。

武陵[277]溇中蛮[278]反。

是岁，有司奏遣广平王羡、巨鹿王恭、乐成王党[279]俱就国。上性笃爱，不忍与诸王乖离，遂皆留京师。

【语译】

三年（戊寅，公元七八年）

春，正月十七日己酉，章帝在明堂祭祀，登上灵台，大赦天下。

马防攻打布桥，大败布桥。布桥率领一万多族人投降，章帝下诏征马防回京。留下耿恭攻打其他没有降服的羌人，杀死俘获一千多人，勒姐、烧何等十三族数万人都向耿恭归降。耿恭曾因向朝廷奏事得罪马防，监营谒者承奉马防旨意参奏耿恭不忧心军事，征召回京定罪下狱，免去官职。

三月初二日癸巳，立贵人窦氏为皇后。

当初，显宗在世的时候，治理滹沱河、石臼河，从都虑到羊肠仓，想让此段开通漕运。太原郡的官吏百姓苦于劳役，连续几年没有完成，死的人无法计数。章帝任命郎中邓训为谒者，监管负责这件事。邓训考察测量，知道工程难以完成，如实将此事上报。夏，四月初九日己巳，章帝下诏停止疏通漕运的劳役，改用驴车转运，每年节省费用以亿万计，保全了刑徒士卒数千人的生命。邓训是邓禹的儿子。

闰八月，西域假司马班超率领疏勒、康居、于阗、拘弥国士兵一万人进攻姑墨国的石城，攻了下来，杀敌七百人。

冬，十二月十一日丁酉，任命马防为车骑将军。

武陵郡的溇中蛮反叛。

这一年，主管官吏奏请遣送广平王刘羡、巨鹿王刘恭、乐成王刘党都回封国。章帝生性十分仁爱，不忍心和各诸侯王分开，就把他们都留在了京师。

【段旨】

以上为第五段，写马防大破西羌，邓训谏止修治虖沱河、石臼河通漕工程。

【注释】

㉕⓪ 己酉：正月十七日。㉕① 宗祀明堂：在明堂举行隆重的祭祀祖宗及天地的礼仪。明堂中建有太庙之室，陈祖宗神主。明堂，天子宣明政教之堂。㉕② 灵台：皇家观察天文星象、妖祥灾异之台。㉕③ 忤：冒犯。耿恭上言马防荐窦固镇抚凉州，而马氏与窦氏均外戚，互为水火，故马防恨之。㉕④ 监营谒者：谒者，郎中令属官，掌宾赞受事的司礼官。此指派往马防军中为监者的谒者，称监营谒者。㉕⑤ 承旨：秉承马防加害耿恭的旨意。㉕⑥ 不忧军事：不勤劳军事，玩忽军情。㉕⑦ 坐征：触罪被征召。㉕⑧ 癸巳：三月二日。㉕⑨ 贵人窦氏：窦勋女，见前建初二年。㉖⓪ 虖沱、石臼河：虖沱，即今滹沱河，源出山西五台山，东流至河北境。石臼河是滹沱上流的一条支水，与汾河上流相邻，今已湮废。㉖① 都虑：石臼河边地名。㉖② 羊肠仓：汾阳故城积粟的粮仓，地近汾水。汾阳故城在今山西阳曲西北。㉖③ 通漕：交通漕运。明帝永平十年（公元六七年），兴修沟通滹沱河与汾河的一条运河，即从都虑至羊肠仓，以漕运山东之粮至太原。因缺乏科学考察，历年不成。㉖④ 太

【原文】

四年（己卯，公元七九年）

春，二月庚寅[280]，太尉[281]牟融薨。

夏，四月戊子[282]，立皇子庆[283]为太子。

己丑[284]，徙[285]巨鹿王恭[286]为江陵王，汝南王畅为梁王，常山王昞为淮阳王。辛卯[287]，封皇子伉为千乘王，全为平春王。

有司连据旧典，请封诸舅。帝以天下丰稔，方垂无事，癸卯[288]，遂封卫尉廖为顺阳侯，车骑将军防为颍阳侯，执金吾[289]光为许侯。太后闻之曰："吾少壮时，但慕竹帛[290]，志不顾命[291]。今虽已老，犹戒之在得[292]。故日夜惕厉[293]，思自降损[294]，冀[295]乘此道，不负先帝[296]。所以化导[297]兄弟，共同斯志，欲令瞑目之日，无所复恨，何意老志复不从[298]哉！万年之日长恨矣！"廖等并辞让，愿就关内侯[299]，帝不许。廖等不得已受封爵而上书辞位[300]，帝许之。五月丙辰，防、廖、光皆以特进就第[301]。

甲戌[302]，以司徒鲍昱为太尉，南阳太守桓虞为司徒。

六月癸丑[303]，皇太后马氏崩。帝既为太后所养，专以马氏为外家，

原：郡名，治所晋阳，在今太原西南。㉖⑤郎中：三署郎之一，掌宫廷侍卫。另尚书台设郎中，司诏策文书。㉖⑥邓训：字平叔，东汉开国功臣邓禹第六子。敢直言，汉章帝以郎中任谒者，受命治虖沱河、石臼河水利，凿运河，邓训深入考察，上疏章帝停止工程，存活役工数千人。后为张掖太守、护羌校尉，招抚西羌，造福一方。传附《后汉书》卷十六《邓禹传》。㉖⑦考量：调查测量。㉖⑧隐括：隐审检括，即对河道曲直陡缓做测量。㉖⑨己巳：四月九日。㉗⓪驴辇：驴车。㉗①徒士：做苦工的差役。此指修运河的刑徒、民夫。㉗②闰月：建初三年闰八月。㉗③康居：西域国名，约在今中亚巴尔喀什湖和咸海之间。㉗④姑墨石城：姑墨，西域国名。石城，在今新疆温宿西北。㉗⑤丁酉：十二月十一日。㉗⑥车骑将军：东汉大臣加车骑将军号，为实际执政的宰臣。马防拜车骑将军，是马氏外戚预政之始。㉗⑦武陵：郡名，治所临沅，在今湖南常德。㉗⑧溇中蛮：居于溇水（源出湖北鹤峰西北）流域的少数民族。㉗⑨广平王羡句：三王皆明帝之子，章帝之兄。明帝诸子共八王，事详《后汉书》卷五十《孝明八王传》。

【语译】

四年（己卯，公元七九年）

春，二月初五日庚寅，太尉牟融去世。

夏，四月初四日戊子，立皇子刘庆为太子。

初五日己丑，改封巨鹿王刘恭为江陵王，汝南王刘畅为梁王，常山王刘昞为淮阳王。

初七日辛卯，册封皇子刘伉为千乘王，刘全为平春王。

主管官吏接连根据旧制，请求册封章帝的几个舅舅为侯。章帝因为全国丰收，边境安定，四月十九日癸卯，便封卫尉马廖为顺阳侯，车骑将军马防为颍阳侯，执金吾马光为许侯。太后听到此事说："我年轻时，只羡慕留名史册，不顾虑寿命的长短。现今虽然已经年老，仍然戒备贪婪。所以日夜警惕谨慎，想着自己抑制欲望，希望靠这种做法，不辜负先帝。我之所以感化劝导自己的兄弟，共同达到这个志愿，就是想要在死的时候，没有什么可遗憾的，哪里想到临到老了，我的夙愿还不受人遵从！我将死不瞑目了！"马廖等人都辞让，愿意接受关内侯，章帝不允许。马廖等不得已接受封爵而上书辞去官职，章帝同意了。五月初二日丙辰，马防、马廖、马光都以特进的官位回到列侯府第。

五月二十日甲戌，任命司徒鲍昱为太尉，南阳郡太守桓虞为司徒。

六月三十日癸丑，皇太后马氏去世。章帝因是太后养大，只把马氏当作外家，

故贾贵人[304]不登极位，贾氏亲族无受宠荣者。及太后崩，但加贵人王赤绶[305]，安车一驷[306]，永巷宫人[307]二百，御府[308]杂帛[309]二万匹，大司农黄金千斤[310]，钱二千万而已。

秋，七月壬戌[311]，葬明德皇后。

校书郎杨终建言："宣帝博征群儒，论定[312]"五经"[313]于石渠阁。方今天下少事，学者得成其业；而章句之徒[314]，破坏大体。宜如石渠故事，永为后世则[315]。"帝从之。冬，十一月壬戌[316]，诏太常[317]："将[318]、大夫[319]、博士[320]、郎官及诸儒会白虎观[321]，议"五经"同异。"使五官中郎将[322]魏应[323]承制问[324]，侍中淳于恭奏[325]，帝亲称制临决[326]，作《白虎议奏》[327]。名儒[328]丁鸿、楼望、成封、桓郁、班固、贾逵及广平王羡皆与焉。固，超之兄也。

【段旨】

以上为第六段，写汉章帝诏诸儒会议白虎观，章帝亲临会议，并裁决《白虎议奏》。

【注释】

㉘庚寅：二月初五日。㉘太尉：三公之一，为全国军政首脑。㉘戊子：四月初四日。㉘皇子庆：章帝长子，宋贵人所生，立为皇太子。后因窦皇后谋陷，宋贵人自杀，太子庆被废为清河王。传见《后汉书》卷五十五。㉘己丑：四月初五日。㉘徙：迁徙；调转。此指改封诸王。㉘巨鹿王恭：与汝南王畅、常山王昺，皆明帝子，章帝兄弟。㉘辛卯：四月初七日。㉘癸卯：四月十九日。㉘执金吾：官名，九卿，掌京师治安。㉙但慕竹帛：向往青史留名。竹帛，竹简、帛书，指代史册。㉙命：寿考长短。㉙已老二句：引自《论语·季氏》孔子之言，"君子有三戒：……及其老也，血气既衰，戒之在得"。㉙惕厉：警惕思危。㉙降损：抑制欲望。㉙冀：希望。㉙先帝：指汉明帝。㉙化导：教化引导，即规劝。㉙何意老志复不从：没想到临到暮年我的夙愿还不受人遵从。老志，谓年已老，仍坚守不欲封侯外家的志意。㉙关内侯：次于列侯封国，食采邑于京畿（西汉京畿在关内），为秦汉二十级爵的第十九级。㉚上书辞位：上奏皇帝，辞去官职，即马廖辞去卫尉，马防辞去车骑将军，马光辞去执金吾。章帝封马

所以贾贵人没有登上至尊的位子，贾氏的亲族没有受到尊宠显荣的人。等到太后去世，只加赐贾贵人和诸侯王一样的赤绶，安车一辆，永巷宫女二百人，御府杂色帛二万匹，大司农黄金千斤，钱二千万而已。

秋，七月初九日壬戌，安葬明德皇后。

校书郎杨终建议说："宣帝曾广召群儒，在石渠阁讨论确定"五经"。现在天下太平，学者能够完成他们的事业；而那些只会辨析章节句读的人，破坏了经文大义。应该仿照石渠阁旧例，永久作为后世的法则。"章帝听从了他的建议。冬，十一月十一日壬戌，下诏太常说："中郎将、大夫、博士、郎官，以及诸儒会集白虎观，讨论"五经"相同和不同之处。"让五官中郎将魏应奉章帝的命令提问，侍中淳于恭将讨论结果上奏章帝，章帝亲自批复并出席白虎观裁决，作《白虎议奏》。著名的儒者丁鸿、楼望、成封、桓郁、班固、贾逵以及广平王刘羡都参加了。班固是班超的哥哥。

氏三舅为侯，而解其重权，既恩泽外家，又抑其骄恣，一箭双雕。㉛特进就第：加官特进，回归列侯第。汉章帝以特进回报马氏三兄弟之辞位。㉜甲戌：五月二十日。㉝癸丑：六月三十日。㉞贾贵人：明帝贾贵人，章帝之生母。㉟加贵人王赤绶：加，升级。汉制，贵人为绿绶，即印系绿色丝带；诸侯王为赤绶。章帝使生母贾贵人印绶从绿带升级为红带，与诸侯王等，以示加恩。306安车一驷：用四马拉的软轮车一辆。安车，用蒲裹轮使其行走平稳之车，是专用于尊礼老年大臣或征起老年大儒的公交车。307永巷宫人：禁中宫婢。永巷，长巷，代指后宫。308御府：禁中府库，设御府令。309杂帛：各色绸缎。310大司农黄金千斤：国库黄金一千斤。大司农，九卿之一，掌财赋，所入为国用。斤，黄金单位，即一镒，二十四两，合钱一万。311壬戌：七月初九日。312论定：讨论商定标准本，颁行天下。汉宣帝集诸儒于石渠阁校定"五经"，事见本书卷二十七甘露三年。313"五经"：《诗经》《书经》《易经》《礼记》《春秋》。314章句之徒：只懂字句意义，解说蔓衍，支离烦琐的迂阔儒生。此等儒生被斥为"破碎大道"的"章句小儒"。章句，分章断句，并逐字逐句解说经义。汉武帝将"五经"立于学官，章句之学渐盛行。315则：法则；准则。此指标准读本。316壬戌：十一月十一日。317太常：九卿之一，职掌宗庙礼仪。318将：指五官、左、右、虎贲、羽林中郎将。319大夫：光禄勋属官有光禄大夫、太中大夫、中大夫、谏大夫等，掌议论。320博士："五经"博士，太学讲官，并备朝廷顾问。321白虎观：汉北宫中殿名。322五官中郎将：官名，光禄勋属官，掌禁卫五官署郎官。323魏应：字君伯，任城（今山东济宁）人，少好学，习《鲁诗》，明帝永平

初为博士，迁侍中，历官大鸿胪、光禄大夫，章帝建初四年（公元七九年）为五官中郎将。魏应经明行修，受诏与诸儒讲论白虎观。魏应专掌难问，侍中淳于恭上奏。魏应传见《后汉书》卷七十九《儒林传》下。㉔承制问：奉圣旨发问，即代表皇帝发问。㉕淳于恭奏：淳于恭代表会议的群臣，将讨论结果上奏皇帝。淳于恭，字孟孙，北海淳于县（在今山东安丘东北）人，新莽时隐于山泽。章帝建初元年受征，除议郎，迁为侍中。与诸儒讲论白虎观，专掌奏对。传见《后汉书》卷三十九。㉖帝亲称制临决：章帝亲自批

【原文】

五年（庚辰，公元八〇年）

春，二月庚辰朔[329]，日有食之。诏举直言极谏[330]。

荆、豫诸郡兵[331]讨溇中蛮，破之。

夏，五月辛亥[332]，诏曰："朕思迟[333]直士，侧席[334]异闻[335]，其先至者，各已发愤吐懑[336]，略闻子大夫[337]之志矣。皆欲置于左右，顾问省纳。建武诏书又曰：'尧试臣以职，不直以言语笔札。'[338]今外官多旷[339]，并可以补任。"

戊辰[340]，太傅[341]赵熹薨。

班超欲遂平西域，上疏请兵曰："臣窃见先帝欲开西域，故北击匈奴，西使外国，鄯善、于阗实时向化。今拘弥、莎车[342]、疏勒、月氏、乌孙[343]、康居复愿归附，欲共并力，破灭龟兹，平通汉道。若得龟兹，则西域未服者百分之一耳。前世议者皆曰：'取三十六国，号为断匈奴右臂[344]。'今西域诸国，自日之所入，莫不向化，大小欣欣，贡奉不绝，唯焉耆[345][2]、龟兹独未服从。臣前与官属三十六人奉使绝域，备遭艰厄，自孤守疏勒，于今五载，胡夷情数，臣颇识之，问其城郭小大，皆言倚汉与依天等。以是效[346]之，则葱领可通，龟兹可伐。今宜拜龟兹侍子白霸为其国王，以步骑数百送之，与诸国连兵，岁月之间，龟兹可禽。以夷狄攻夷狄，计之善者也。臣见莎车、疏勒，田地肥广，草牧饶衍，不比敦煌、鄯善间也，兵可不费中国而粮食自足。且姑墨、温宿[347]二王，

复并出席白虎观裁决。㉗白虎议奏：书名，诸儒考定“五经”异同并上奏章帝，经过御批后汇总的文件，称《白虎议奏》。其后章帝又命班固统稿，写成定本，称《白虎通义》，简称《白虎通》。㉘名儒：大儒，知名当世。此所列六大名儒，成封无传，余五人《后汉书》皆有传。丁鸿、桓郁同传，见卷三十七《桓荣传》。班固与其父班彪同传，见卷四十上。贾逵传见卷三十六。楼望传见卷七十九《儒林传》下。

【语译】

五年（庚辰，公元八〇年）

春，二月初一日庚辰，发生日食。章帝下诏令推举直言极谏的贤士。

荆州、豫州各郡的军队讨伐溇中蛮，打败了他们。

夏，五月初三日辛亥，章帝下诏说：“朕期盼正直之士，坐在侧席提出不同意见，那些先到的人都已发泄愤怒道出郁闷，使朕略知诸位贤大夫的志向了。想把他们都安排在我的左右，以备顾问，省察采纳。建武时诏书又说：‘尧用职务来考察大臣，不只是根据言语书信。’现在外官多有空缺，都可以补任。”

五月二十日戊辰，太傅赵熹去世。

班超想乘机平定西域，上疏请求援兵，说：“臣私下看到先帝想要开通西域，所以北边攻打匈奴，西边出使外国，鄯善国、于阗国当时就归顺了。现在拘弥国、莎车国、疏勒国、月氏国、乌孙国、康居国也愿意归附，想要共同合力，消灭龟兹国，安定通往汉朝的道路。如果攻取龟兹国，那么西域还未归顺的就只有百分之一了。前代讨论西域事务的人都说：‘取得西域三十六国，号称是切断了匈奴的右臂。’现在西域各国，从太阳落下的地方起，没有不归服汉德的，大国小国都很欢欣，进贡不断，唯独焉耆国、龟兹国不服从。臣以前和官属三十六人奉命出使绝远的西域，备受艰险，从孤守疏勒国到现在已有五年，胡夷的情况，臣很了解，不论问大国还是小国，都回答说倚靠汉朝和依附天一样。以此来验证，则葱岭可以打通，龟兹国可以讨伐。现在应该封龟兹国的侍子白霸做龟兹的国王，派遣几百名步兵骑兵护送他，和各国兵力联合，在一年之内就可以获取龟兹。用夷狄攻败夷狄，这是最好的计策。臣看到莎车国、疏勒国，田地肥沃广阔，牧草充足，不像敦煌、鄯善国之间那样贫瘠，军队可以不取费中国而粮食自足。况且姑墨、温宿二国的国王都是龟兹所立，

特为龟兹所置，既非其种，更相厌苦，其势必有降者。若二国来降，则龟兹自破。愿下臣章㊽，参考行事，诚有万分，死复何恨！臣超区区㊾特蒙神灵，窃冀未便僵仆㊿，目见西域平定，陛下举万年之觞(351)，荐勋祖庙(352)，布大喜于天下(353)。”书奏，帝知其功可成，议欲给兵。平陵(354)徐幹上疏，愿奋身佐超。帝以幹为假司马，将弛刑(355)及义从(356)千人就超。

先是，莎车以为汉兵不出，遂降于龟兹，而疏勒都尉番辰[3]亦叛。会徐幹适至，超遂与幹击番辰，大破之，斩首千余级。欲进攻龟兹，以乌孙兵强，宜因其力，乃上言：“乌孙大国，控弦十万，故武帝妻以公主(357)，至孝宣帝卒得其用(358)。今可遣使招慰，与共合力。”帝纳之。

【段旨】

以上为第七段，写班超抚定西域。

【注释】

㉙庚辰朔：二月初一日。㉚诏举直言极谏：举贤良。两汉选举，每逢大灾异或日食，皇帝便下诏举贤良议政，直言极谏为其入选条件。其制始创于汉文帝。㉛荆、豫诸郡兵：荆州、豫州两刺史部所属各郡兵。荆州刺史治所汉寿县，在今湖南常德东。豫州刺史治所谯县，在今安徽亳州。㉜辛亥：五月初三日。㉝迟：希望；渴望。㉞侧席：不坐正席，而就侧坐，表示礼贤下士。㉟异闻：听取不同意见。㊱发愤吐懑：畅所欲言，抒发积郁和苦闷。㊲子大夫：诸位贤士。子，敬称之词。㊳建武诏书又曰三句：引据光武帝曾下的诏书言词。尧帝放勋以是否称职考核官员（试臣），而不仅仅看他们的言辞和书写能力。㊴多旷：多有缺额。㊵戊辰：五月二十日。㊶太傅：官名，位上公，掌辅弼天子。东汉时多于皇帝初即位时置，死后则省。㊷拘弥、莎车：西域国名，此二国皆在今新疆境内。拘弥在今于田，莎车在今莎车。㊸月氏、乌孙：西域国名。月氏，先游牧于敦煌、祁连一带，汉文帝时遭匈奴攻击，西迁至今新疆伊犁河流域及以西。乌孙，在中亚伊犁河谷。㊹断匈奴右臂：汉武帝结乌孙，伐匈奴，臣服西域三十六国，是为断

既不和龟兹同族，又都厌恨龟兹，这种情势下必然会有归降的。如果二国来降，那么龟兹自然破败。希望把臣的奏章付下廷议，用作参考行事，万一发生意外，臣死而无憾！臣班超区区之人，特别受到神灵的保护，私下希望不要立即死去，能亲眼看到西域平定，陛下高举庆祝万年和平的酒杯，向祖庙呈献功勋，向全国人颁布胜利的特大喜讯。”上书奏上，章帝知道这一功业可以完成，商议要派援兵。平陵人徐幹上疏，愿意奋力捐躯帮助班超。章帝任命徐幹做假司马，带领解除刑具的犯人以及自愿从行的一千人增援班超。

先前，莎车国以为汉朝不派兵，就投降了龟兹，而疏勒都尉番辰也背叛了汉朝。正逢徐幹赶到，班超于是和徐幹攻打番辰，大败番辰，杀敌一千多人。想要进攻龟兹，因乌孙兵力强盛，应当借用乌孙的兵力，就上书说：“乌孙是大国，有十万弯弓射箭之士，所以武帝把公主嫁给乌孙王，到孝宣帝时终于得到乌孙帮助。现在可以派使者招抚慰问，和他们共同合力。”章帝接受了这个意见。

匈奴右臂。伐朝鲜，便为断匈奴左臂。㉟焉耆：西域国名，在今新疆焉耆。㊻效：效验；证明。㊼温宿：西域小国，在今新疆乌什。㊽愿下臣章：请求把臣的奏章付下廷议。㊾区区：渺小的个人，此为班超自谦之词。㊿僵仆：犹言死亡。㊿举万年之觞：高举庆祝万年和平的酒杯。平定西域，是千秋万年之大计。㊿荐勋祖庙：祭献祖庙告成功。㊿布大喜于天下：布告全国，普天同庆。㊿平陵：县名，汉昭帝陵在此，故置县，县治在今陕西咸阳西北。㊿弛刑：解除刑具，以服劳役代服刑的囚徒。㊿义从：志愿从军的壮士。㊿乌孙大国三句：乌孙在中亚据有巴尔喀什湖以南以东广大地区，为西域大国，汉武帝结乌孙共伐匈奴，以宗室江都王刘建女刘细君为公主，远嫁乌孙结和亲。事见本书卷二十一元封六年。㊿孝宣帝卒得其用：汉宣帝时，汉与乌孙联兵大破匈奴。事见本书卷二十四本始三年。

【校记】

［2］焉耆：原作“延耆”。据章钰校，甲十六行本、乙十一行本、孔天胤本皆作“焉耆”，张敦仁《通鉴刊本识误》同，今据改。［3］番辰：据章钰校，甲十六行本作“番臣”，乙十一行本仍作“番辰”。

【原文】

六年（辛巳，公元八一年）

春，二月辛卯[359]，琅邪孝王京[360]薨。

夏，六月丙辰[361]，太尉鲍昱薨。

辛未晦[362]，日有食之。

秋，七月癸巳[363]，以大司农邓彪[364]为太尉。

武都太守廉范[365]迁蜀郡太守。成都民物丰盛，邑宇逼侧[366]。旧制，禁民夜作，以防火灾，而更相隐蔽[367]，烧者日属[368]。范乃毁削先令，但严使储水而已。百姓以为便，歌之曰："廉叔度，来何暮！不禁火，民安作。昔无襦[369]，今五绔[370]。"

帝以沛王[371]等将入朝，遣谒者赐貂裘[372]及太官食物珍果，又使大鸿胪[373]窦固持节[374]郊迎。帝亲自循行邸第[375]，豫[376]设帷床，其钱帛器物无不充备。

【段旨】

以上为第八段，写廉范为官，注重民生，百姓爱戴。

【注释】

[359]辛卯：二月十七日。[360]琅邪孝王京：光武帝子，明帝同母弟。[361]丙辰：六月十五日。[362]辛未晦：六月三十日。[363]癸巳：七月二十二日。[364]邓彪（？至公元九三年）：字智伯，南阳新野（在今河南新野南）人，历仕明帝、章帝、和帝三朝，官至太傅。传见

【原文】

七年（壬午，公元八二年）

春，正月，沛王辅、济南王康、东平王苍、中山王焉[377]、东海王政[378]、琅邪王宇[379]来朝。诏沛、济南、东平、中山王赞拜不名[380]，

【语译】

六年（辛巳，公元八一年）

春，二月十七日辛卯，琅邪孝王刘京去世。

夏，六月十五日丙辰，太尉鲍昱去世。

最后一天三十日辛未，发生日食。

秋，七月二十二日癸巳，任命大司农邓彪为太尉。

武都太守廉范改任蜀郡太守。成都人口众多，物产丰盛，城邑房屋紧密相连。旧时制度，禁止百姓夜晚劳作，以防止火灾，但百姓互相隐瞒偷偷使用灯火，火灾接连发生。廉范就取消以前的禁令，只是严格要求百姓储存水而已。百姓认为很方便，歌颂廉范说："廉叔度，为什么来得这么迟！不禁火，人民安心劳作。过去没有一件上衣，现在有了五条裤子。"

章帝因为沛王刘辅等人将入朝，派谒者赐给他们貂裘以及太官食物和珍奇果品，又派大鸿胪窦固拿着符节在郊外迎接。皇帝亲自巡视王府第，预先陈设帷帐、床，钱帛、器物无不充足。

《后汉书》卷四十四。㉟廉范：字叔度，京兆杜陵（在今西安长安东南）人，长期历官地方太守，所在政绩卓著。传见《后汉书》卷三十一。㊱邑宇逼侧：城中民房紧聚在一起。逼侧，间距狭窄。㊲更相隐蔽：平民夜作举火，互相隐瞒。㊳烧者日属：火灾天天相连。㊴襦：短衣。㊵绔：通"裤"。㊶沛王：刘辅，光武帝与郭皇后所生子。㊷貂裘：貂皮袍。㊸大鸿胪：九卿之一，掌朝廷礼仪及藩国、归义蛮夷事务。㊹持节：皇帝特使，持符节以示信。㊺帝亲自循行邸第：章帝亲到沛王府第视察陈设。邸第，藩王在京师所设府第。㊻豫：通"预"，预先。

【语译】

七年（壬午，公元八二年）

春，正月，沛王刘辅、济南王刘康、东平王刘苍、中山王刘焉、东海王刘政、琅邪王刘宇来朝见章帝。章帝下诏命司仪引荐沛王、济南王、东平王、中山王时，

升殿乃拜，上亲答[381]之，所以宠光荣显，加于前古。每入宫，辄以辇[382]迎，至省阁[383]乃下。上为之兴席改容[384]，皇后亲拜于内[385]，皆鞠躬辞谢不自安[386]。三月，大鸿胪奏遣诸王归国，帝特留东平王苍于京师。

初，明德太后为帝纳扶风[387]宋杨二女为贵人，大贵人生太子庆。梁松弟竦[388]有二女，亦为贵人，小贵人生皇子肇[389]。窦皇后无子，养肇为子。宋贵人有宠于马太后，太后崩，窦皇后宠盛，与母沘阳公主[390]谋陷宋氏，外令兄弟求其纤过[391]，内使御者[392]侦伺得失[393]。宋贵人病，思生兔[394]，令家求之，因诬言欲为厌胜之术[395]，由是太子出居承禄观。夏，六月甲寅[396]，诏曰："皇太子有失惑无常[397]之性，不可以奉宗庙。大义灭亲[398]，况降退乎[399]！今废庆为清河王。皇子肇，保育皇后，承训怀衽[400]，今以肇为皇太子。"遂出宋贵人姊妹置丙舍[401]，使小黄门蔡伦[402]案之。二贵人皆饮药自杀，父议郎杨免归本郡。庆时虽幼，亦知避嫌畏祸，言不敢及宋氏。帝更怜之，敕皇后令衣服与太子齐等。太子亦亲爱庆，入则共室，出则同舆。

己未[403]，徙广平王羡[404]为西平王。

秋，八月，饮酎[405]毕，有司[406]复奏遣东平王苍归国，帝乃许之。手诏赐苍曰："骨肉天性，诚不以远近[407]为亲疏，然数见颜色，情重昔时[408]。念王久劳，思得还休[409]，欲署大鸿胪奏，不忍下笔，顾授小黄门[410]。中心恋恋[411]，恻然[412]不能言。"于是车驾祖送[413]，流涕而诀。复赐乘舆服御、珍宝、舆马，钱布以亿万计。

九月甲戌[414]，帝幸偃师[415]，东涉卷津[416]，至河内[417]，下诏曰："车驾行秋稼，观收获，因涉郡界[418]，皆精骑轻行，无他辎重。不得辄修道桥，远离城郭，遣吏逢迎，刺探起居[419]，出入前后，以为烦扰。动务省约，但患不能脱粟瓢饮[420]耳。"己酉[421]，进幸邺[422]。辛卯[423]，还宫。

冬，十月癸丑[424]，帝行幸长安，封萧何末孙熊为酂侯[425]。进幸槐里[426]、岐山[427]，又幸长平[428]，御池阳宫[429]，东至高陵[430]。十二月丁亥[431]，还宫。

东平献王苍疾病，驰[432]遣名医、小黄门侍疾，使者冠盖[433]不绝于道。又置驿马[434]，千里传问起居。

只称王不称名，登上大殿才行拜礼，皇上亲自回礼，以此来表示尊宠荣耀，超过从前。沛王等人每次入宫，总是用辇车迎请，到禁中阁门才下车。皇上见到他们起身微笑迎接，皇后在帘内亲自拜礼，诸王都鞠躬辞谢，诚惶诚恐。三月，大鸿胪奏请送诸王回国，章帝特地把东平王刘苍挽留在京城。

当初，明德太后替章帝娶扶风人宋杨的两个女儿做贵人，大贵人生了太子刘庆。梁松的弟弟梁竦有两个女儿，也是贵人，小贵人生了皇子刘肇。窦皇后未生儿子，认养刘肇做儿子。宋贵人受马太后宠幸，马太后去世，窦皇后更加受到皇帝的宠爱，就和母亲沘阳公主设计陷害宋氏，在外命令兄弟网罗宋氏的细小过失，在内让服侍宋贵人的御者暗中窥探宋贵人的举止得失。宋贵人生病，想找生兔子吃，要家人去找，窦皇后就诬告宋贵人想作法诅咒害人，于是太子被迁出太子宫，居住到承禄观。夏，六月十八日甲寅，章帝下诏说："皇太子生来神志恍惚，精神错乱，不可以奉祀宗庙。大义灭亲，何况仅仅是贬抑身份呢！现在废太子刘庆为清河王。皇子刘肇受皇后养育，在怀抱中就接受训导，现以刘肇为皇太子。"于是把宋贵人姐妹迁出宫，置于丙舍，让小黄门蔡伦审问她们。两位贵人都喝毒药自杀，父亲议郎宋杨被免职回本郡。刘庆当时年纪虽小，也知避嫌、害怕祸事，说话不敢谈宋氏。章帝更加怜爱他，敕令窦皇后让刘庆的衣服和太子相同。太子也亲近喜爱刘庆，入宫就同住一室，出外就同乘一车。

六月二十三日己未，改封广平王刘羡为西平王。

秋，八月，酎祭高庙宴会结束后，主管官吏再次奏请送东平王刘苍回国，章帝这才同意。章帝亲笔写诏书赐刘苍说："骨肉亲情是天性，确实不会因为远近而变得或亲或疏，然而多次相见，情感比过去深了。考虑到王长年辛劳，希望能够回去休息，想要在大鸿胪的奏章上签批，不忍心下笔，特地写这封信派贴身的小黄门送达。心中恋恋不舍，难过得说不出话。"于是，章帝亲自饯道送行，流泪而别。又赐予皇帝的衣服器物、珍宝、车马，金钱布帛以亿万计。

九月初十日甲戌，章帝巡幸偃师县，向东渡过卷津，到达河内郡，下诏书说："朕巡行秋天的庄稼，察看收获情况，趁便来到郡界内，随行都是精锐骑兵，轻装简从，没有其他物资。郡县不得就此建路造桥，远离城郭，派官吏迎接，打探行止，在车驾前后伺候，烦扰地方。一切务求从简节约，只是担心做不到吃糙米饭、用瓢饮水啊。"九月己酉日，章帝巡幸到邺县。二十七日辛卯，回宫。

冬，十月十九日癸丑，章帝出行巡视长安县，封萧何的末代孙萧熊为酂侯。前行到槐里、岐山县，又到长平县，住在池阳宫，往东到了高陵县。十二月丁亥日，回宫。

东平献王刘苍患病，章帝立刻派名医、小黄门快马前往侍候治病，使者车马在路上接连不断。又安排驿马，千里相传询问东平王的生活起居。

【段旨】

以上为第九段，写汉章帝宠爱窦皇后而废太子。

【注释】

㉗沛王辅、济南王康句：四王皆光武帝子，于章帝为叔父，故特礼赞拜不名。㉘东海王政：光武帝子东海王刘强之子。㉙琅邪王宇：光武帝子琅邪王刘京之子。以上六王皆光武帝诸子孙一系亲王。㊱赞拜不名：司仪谒者引荐时只称王，不称其名。㊲答：酬答回礼。㊳辇：宫中皇帝后妃专用的人力车。㊴省阁：禁中阁门。㊵兴席改容：从座席上站立起来，表示迎请，并面带笑容。㊶皇后亲拜于内：皇后以侄媳晚辈礼在帘内拜礼诸叔父亲王。㊷皆鞠躬辞谢不自安：诸王见皇帝后妃特礼，于是都鞠躬推辞谢绝，诚惶诚恐，心不自安。㊸扶风：即右扶风，郡名，郡治在今陕西兴平。㊹梁松弟竦：梁松、梁竦二人，传附《梁统传》，见《后汉书》卷三十四。梁松曾陷害马援，后因飞书诽谤朝廷，下狱死。梁竦被外戚窦氏诬陷为恶逆，亦下狱死。㊺皇子肇：即汉和帝。㊻沘阳公主：光武帝子东海王刘强之女。㊼纤过：细小的过失。指罗织宋贵人娘家人的细小过失。㊽御者：指服侍宋贵人的侍者。㊾侦伺得失：暗中窥探宋贵人的行动过失。㊿思生兔：想吃生的兔子。(395)厌胜之术：作法术诅咒、压服人或物。此指窦氏诬陷宋贵人有诅咒皇上之罪。(396)甲寅：六月十八日。(397)失惑无常：失去理智，精神错乱。(398)大义灭亲：语见《左传》隐公四年。(399)况降退乎：何况仅仅是贬抑身份而已。指将皇太子刘庆废为清河王。(400)承训怀衽：指皇子刘肇为窦皇后亲自训导，并在怀抱中慈养。(401)丙舍：宫中房室，以甲、乙、丙为次。丙舍在南宫。(402)蔡伦（？至公元一二一年）：字敬仲，桂阳（今广东连州）人，善技巧，改进造纸术，对人类文化有重大贡献。元初元年（公元一

【原文】

八年（癸未，公元八三年）

春，正月壬辰[435]，王薨。诏告中傅[436]："封上王自建武以来章奏，并集览焉。"遣大鸿胪持节监丧，令四姓小侯[437]、诸国王[438]、主[439]悉会葬[440]。

夏，六月，北匈奴三木楼訾大人稽留斯[441]等率三万余人款五原塞降。

冬，十二月甲午[442]，上行幸陈留、梁国、淮阳、颍阳[443]。戊申[444]，还宫。

一四年）以久宿卫，封龙亭侯。蔡伦因受窦皇后指使，诬陷宋贵人。后安帝亲政，追究伦罪，饮药而死。传见《后汉书》卷七十八。⑷⑶ 己未：六月二十三日。⑷⑷ 广平王羡：明帝子。⑷⑸ 饮酎：八月举行酎祭高庙的宴会礼。酎，重酿的醇酒，专用于祭祀宗庙。⑷⑹ 有司：此指主管藩王事务的大鸿胪。⑷⑺ 远近：血缘关系的远近。⑷⑻ 数见颜色二句：由于多次见面，感情比先前更深。⑷⑼ 念王久劳二句：考虑到叔王久在京师操劳辛苦，希望能回国休息。⑷⑽ 欲署大鸿胪奏三句：想在大鸿胪的奉章上签批，不忍心下笔，交给小黄门送达。⑷⑾ 恋恋：留恋；顾恋。⑷⑿ 恻然：悲哀的样子。⑷⒀ 车驾祖送：章帝亲自在道路旁设酒宴饯行。⑷⒁ 甲戌：九月十日。⑷⒂ 偃师：县名，属河南郡，县治在今河南洛阳市偃师区。⑷⒃ 卷津：卷县之河津。卷县在今河南原阳，其北即河津。⑷⒄ 河内：郡名，治所怀县，在今河南武陟西南。⑷⒅ 因涉郡界：趁便来到河内郡界内。⑷⒆ 刺探起居：打探皇帝行止，以便趋前侍候。⑷⒇ 脱粟瓢饮：脱粟，指吃脱壳的粗米饭。春秋时晏婴相齐，厉行节俭，食脱粟之饭。瓢饮，指简陋的生活。《论语·雍也》载孔子赞美颜渊说：“贤哉，回也！一箪食，一瓢饮，在陋巷，人不堪其忧，回也不改其乐。贤哉，回也。”⒇ 己酉：九月己丑朔，无己酉。⑷22 邺：县名，魏郡治所，在今河北临漳西南。⑷23 辛卯：九月二十七日。⑷24 癸丑：十月十九日。⑷25 酂侯：西汉开国功臣萧何封爵，今以其后裔萧熊嗣封。⑷26 槐里：县名，属右扶风，县治在今陕西兴平。⑷27 岐山：山名，在今陕西岐山县东北。⑷28 长平：山坂名，其上建有长平观，在池阳县南。汉池阳县治在今陕西泾阳。⑷29 池阳宫：行宫名，在池阳县因以为名。在今陕西三原。⑷30 高陵：县名，县治在今陕西西安市高陵区。⑷31 丁亥：十二月甲午朔，无丁亥。⑷32 驰：快马奔驰，兼程赶路。⑷33 冠盖：仕宦之冠服车盖。此指皇帝特派的高级冠盖使者一批又一批前往东平国问疾。⑷34 驿马：驿站备马。本是古代常设的通信设施，此谓特置的专门驿使，即御派专使，驰行千里问王起居，表达皇上的关切之情。

【语译】

八年（癸未，公元八三年）

春，正月二十九日壬辰，东平王刘苍去世。章帝诏告中傅：“密封呈上东平王从建武以来的奏章，朕一并集中阅览。”派大鸿胪手持节符监督办理丧事，命令樊、郭、阴、马四姓小侯和各诸侯国王、主都来参加葬礼。

夏，六月，北匈奴居住三木楼山的訾大人稽留斯等率领三万多人到五原塞投降。

冬，十二月初七日甲午，皇上巡行陈留、梁国、淮阳、颍阳等郡国。二十一日戊申，回宫。

太子肇之立也，梁氏私相庆[445]，诸窦闻而恶之。皇后欲专名外家[446]，忌梁贵人姊妹，数谮[447]之于帝，渐致疏嫌[448]。是岁，窦氏作飞书[449]，陷梁竦以恶逆，竦遂死狱中，家属徙九真[450]，贵人姊妹以忧死。辞语连及梁松妻舞阴公主[451]，坐徙新城[452]。

顺阳侯马廖谨笃自守，而性宽缓，不能教勒子弟，皆骄奢不谨。校书郎杨终与廖书，戒之曰："君位地尊重，海内所望。黄门郎年幼[453]，血气方盛，既无长君[454]退让之风，而要结[455]轻狡无行之客[456]，纵而莫诲[457]，视成任性，览念前往[458]，可为寒心[459]。"廖不能从。防、光兄弟资产巨亿[460]，大起第观[461]，弥亘街路[462]，食客常数百人。防又多牧马畜，赋敛羌、胡。帝不喜之，数加谴敕[463]，所以禁遏甚备[464]。由是权势稍损，宾客亦衰。

廖子豫为步兵校尉[465]，投书怨诽[466]，于是有司并奏防、光兄弟奢侈逾僭[467]，浊乱圣化[468]，悉免就国[469]。临上路，诏曰："舅氏一门俱就国封，四时陵庙[470]无助祭先后[471]者，朕甚伤之。其令许侯[472]思愆田庐[473]，有司勿复请[474]，以慰朕渭阳之情[475]。"光比防稍为谨密，故帝特留之，后复位特进。豫随廖归国，考击物故[476]。后复有诏还廖京师。

【段旨】

以上为第十段，写汉章帝抑制母后外戚，舅家诸马失势。

【注释】

㊺435 壬辰：正月二十九日。436 中傅：宦官官名，朝廷派往藩国监护诸侯王的宦官。437 四姓小侯：樊（光武帝母族）、阴（光武帝妻族）、郭（光武帝妻族）、马（明帝妻族）等四家外戚子弟。438 诸国王：各诸侯国王。439 主：诸侯国王的女儿称主。440 会葬：共同参加葬礼。此指参加东平国王丧礼。441 三木楼訾大人稽留斯：据胡三省注，稽留斯，北匈奴部落名，居于三木楼山。442 甲午：十二月七日。443 陈留、梁国、淮阳、颍阳：四地名。陈留郡属兖州，梁国、淮阳郡（即陈国）、颍阳属豫州。又颍阳，疑是颍川之误。颍川郡治阳翟，在今河南禹州。颍阳，县名，属颍川郡，在阳翟东南。444 戊申：十二月二十一日。445 私相庆：梁姓外家私下互相庆贺。446 专名外家：独占外家之名。太子刘肇为梁贵人所生，窦皇后所养，即有两姓外家。窦皇后陷害梁氏，即只以窦家为外戚。447 谮：诋毁；说坏

太子刘肇被册立后，梁氏家族私下互相庆祝，窦氏的人听说后憎恶此事。窦皇后想让窦氏成为唯一的外戚，妒嫉梁贵人姐妹，屡次在皇帝面前说梁贵人姐妹的坏话，以致章帝逐渐疏远嫌恶梁贵人姐妹。这年，窦氏写匿名信，以恶逆的罪名陷害梁竦，梁竦便死在狱中，家属流放到九真郡，梁贵人姐妹因忧虑而死。匿名信牵连梁松的妻子舞阴公主，连坐判处流放新城县。

顺阳侯马廖谨慎厚道自律，而生性宽容，不能教育约束子弟，子弟都骄横奢侈不谨慎。校书郎杨终写信给马廖告诫他说："您地位尊显贵重，天下人都注视您的言行。黄门郎马防、马光年轻，血气方刚，既没有窦长君那样谦让的作风，反而结交轻浮狡诈没有品行的朋友，您放纵他们不教诲，眼看他们任性而不管，想想以往的教训，令人为之担心。"马廖不能听从。马防、马光兄弟的资产上亿，大肆兴建宅第楼台，连绵布满街道，家中的食客常有数百人。马防还饲养了很多马等牲畜，向羌人、胡人征收赋税。章帝不喜欢他们的作为，多次颁敕书斥责，用以限制他们的规定十分周详。他们的权势因此逐渐减弱，宾客也少了。

马廖的儿子马豫任步兵校尉，写举报信发牢骚。于是主管官吏一并奏劾马防、马光兄弟奢侈僭越，玷污毁损圣明的教化，马防、马光都被免职，返回封国。临走时，章帝下诏书说："舅舅一家都返回封国，四季陵墓祖庙祭祀没有助祭先皇太后的人，我对此很难过。命令许侯马光留在京城田庐思过，主管官吏不要再奏请弹劾，以此来安抚我对舅舅的情意。"马光处事比马防稍微谨慎小心，所以章帝特别留他在京，后来又恢复了他特进之职。马豫随马廖回国，被拷打致死。后来章帝又下诏书召马廖回京城。

话。㊽渐致疏嫌：致使梁贵人逐渐被章帝疏远弃嫌。㊾飞书：匿名信。㊿九真：边郡名，属交州，在今越南境内，治所胥浦。451舞阴公主：光武帝长公主。452坐徙新城：判处流放新城。新城，县名，属河南尹，临近京师洛阳，在今河南伊川县西南。453黄门郎年幼：指马廖两弟马防、马光，两人俱为黄门郎。454长君：西汉文帝窦皇后兄窦长君，谦让知礼，不敢以富贵骄人。455要结：结交。456轻狡无行之客：轻浮狡诈而无品行的朋友。457纵而莫诲：放纵而不加教诲。458览念前往：借鉴思考历史往事。览，借鉴。459可为寒心：真替马氏担心。寒心，担忧。460巨亿：数以亿计。形容极多。461大起第观：大肆兴建府第楼观。462弥亘街路：连绵相接，布满街巷道路。463谴敕：指章帝颁下敕令责备。谴，斥责。敕，皇帝诏书的一种形式，用于告谕。464禁遏甚备：限制阻遏马氏子弟的方法极为周备。465步兵校尉：官名，东汉禁卫五校尉之一，掌皇宫殿门卫兵，属北军中候。466投书怨诽：写举报信发牢骚。怨诽，抱怨、发牢骚。467奢侈逾僭：骄奢淫逸，超越礼制。468浊乱圣化：污染扰乱圣明的教化。469悉免就国：马氏子弟全部免官回到封国。470四时陵庙：

春、夏、秋、冬四季祭祀明帝陵庙。㊆先后：指明帝马皇后。㊇许侯：指马光。㊈思愆田庐：意指留马光于京，守田庐而思过，以便四时助祭洒扫马太后墓。㊉有司勿复请：主管部门不要再请求让马光就国。⑯渭阳之情：渭阳，《诗经·秦风》篇名。秦康公之舅晋公子重耳出亡在外，后由秦归晋。时秦康公为秦太子，送重耳于渭阳，留诗赠别。《诗序》中说："我见舅氏，如母存焉。"章帝引此以言舅甥之谊，思母马太后之情。⑯考击物故：因刑讯而死。考击，遭审问考掠。物故，死亡。

【原文】

诸马既得罪，窦氏益贵盛，皇后兄宪为侍中、虎贲中郎将，弟笃为黄门侍郎[477]，并侍宫省，赏赐累积，喜交通[478]宾客。司空第五伦上疏曰："臣伏见虎贲中郎将窦宪[479]，椒房之亲[480]，典司禁兵，出入省闼[481]，年盛志美，卑让乐善，此诚其好士交结之方。然诸出入贵戚者，类多瑕衅禁锢之人[482]，尤少守约安贫之节[483]。士大夫无志之徒[484]，更相贩卖[485]，云集其门，盖骄佚[486]所从生也。三辅[487]论议者至云，'以贵戚废锢[488]，当复以贵戚浣濯[489]之，犹解酲[490]当以酒也。'诐险趣势[491]之徒，诚不可亲近。臣愚愿陛下、中宫[492]严敕[493]宪等闭门自守，无妄交通士大夫，防其未萌[494]，虑于无形[495]，令宪永保福禄，君臣交欢，无纤介之隙，此臣之所至愿也。"

宪恃宫掖声势[496]，自王、主[497]及阴、马诸家[498]，莫不畏惮。宪以贱直[499]请夺沁水公主园田[500]，主逼畏[501]不敢计[502]。后帝出过园，指以问宪，宪阴喝[503]不得对[504]。后发觉，帝大怒，召宪切责曰："深思前过夺主田园时，何用愈[505]赵高指鹿为马[506]！久念使人惊怖。昔永平中，常令阴党、阴博、邓叠三人更相纠察[507]，故诸豪戚莫敢犯法者。今贵主尚见枉夺，何况小民哉！国家弃宪，如孤雏[508]腐鼠耳！"宪大惧。皇后为毁服深谢[509]，良久乃得解[510]，使以田还主。虽不绳其罪，然亦不授以重任。

臣光曰："人臣之罪，莫大于欺罔，是以明君疾之。孝章谓窦

【语译】

马家诸人既已获罪，窦氏更加显贵，窦皇后的哥哥窦宪任侍中、虎贲中郎将，弟弟窦笃任黄门侍郎，都在宫中陪侍皇上，受到的赏赐越来越多，喜欢结交宾客。司空第五伦上疏说："臣私下看到虎贲中郎将窦宪是皇后的至亲，职掌宫中卫兵，出入宫廷，年轻志美，谦卑礼让，乐于为善，这实在是他喜欢贤士进行结交的方法。然而那些出入贵戚之家的人，大多是有过失或因罪禁止为官的人，尤其缺乏安分守己、甘于清贫的节操。士大夫中没有志向之徒，互相吹捧，纷纷聚集到他门下，这大概就是骄恣放纵产生的原因。京畿议论的人甚至说，'因为贵戚免官禁锢，应当再靠贵戚来洗除罪名，就好像用酒来解除醉酒一样'。谄媚险恶趋炎附势之徒，实在不可亲近。臣愚昧地希望陛下、皇后严厉告诫窦宪等外戚闭门谢客，自守法度，不要随意交往士大夫，在祸患未萌芽时就预防，在未出现前就忧虑，使窦宪能永远保有福禄，君臣相处欢乐，没有一点嫌隙，这是臣最大的愿望。"

窦宪依恃皇后声势，从诸侯王、主以及阴家、马家的人，没有不害怕忌惮他的。窦宪以低价强行购买沁水公主的园田，公主迫于压力不敢与窦宪计较。后来章帝出巡经过园田，指着问窦宪，窦宪暗中阻止左右的人不能据实回答。后来发现实情，章帝大怒，召见窦宪严厉斥责说："好好想想你以前强夺沁水公主园田的罪过，简直超过了赵高的指鹿为马！越想越让人震惊害怕。从前永平年间，先帝常常命令阴党、阴博、邓叠三人互相监视揭发，所以那些贵戚没有敢犯法的。现在尊贵的公主尚且被你肆意掠夺，何况那些小百姓呢！国家抛弃你窦宪，就像抛弃孤独的雏鸟和腐烂的老鼠一样！"窦宪非常害怕。皇后脱掉皇后服装深深谢罪，过了很久章帝怒气才消解，让窦宪把园田还给沁水公主。虽然没有治窦宪的罪，但也不委以重任。

司马光说："人臣的罪过，没有比欺骗蒙蔽君主更大的，因此英明的君主痛恨此事。章帝说窦宪的行为与赵高指鹿为马没有不同，说得对啊！但最终不能

宪何异指鹿为马，善矣！然卒不能罪宪⑪，则奸臣安所惩⑫哉！夫人主之于臣下，患在不知其奸。苟或知之而复赦之，则不若不知之为愈也。何以言之？彼或为奸而上不之知，犹有所畏。既知而不能讨，彼知其不足畏也，则放纵而无所顾矣！是故知善而不能用，知恶而不能去，人主之深戒也。”

下邳周纡⑬为雒阳令，下车⑭，先问大姓主名⑮，吏数闾里豪强以对[4]。纡厉声怒曰：“本问贵戚若马、窦等辈，岂能知此卖菜佣乎！”于是部吏望风旨⑯，争以激切为事⑰，贵戚跼蹐⑱，京师肃清。窦笃夜至止奸亭，亭长霍延拔剑拟⑲笃，肆詈恣口⑳。笃以表闻，诏召司隶校尉、河南尹诣尚书谴问㉑，遣剑戟士㉒收纡，送廷尉诏狱㉓。数日，贳出㉔之。

【段旨】

以上为第十一段，写汉章帝放纵窦皇后外戚，窦宪得势骄横。

【注释】

⑰黄门侍郎：少府属官。掌侍从皇帝，给事宫中，通达内外。⑱交通：交往；结交。⑲窦宪：窦皇后之兄。⑳椒房之亲：皇后的至亲。椒房，皇后所居殿，借指皇后。㉑省闼：宫中；禁中。闼，内门、内房。㉒瑕衅禁锢之人：瑕衅，指有过失的人。禁锢，指因罪被禁止做官的人。㉓尤少守约安贫之节：指瑕衅禁锢之人，尤其很少具有安守本分和清贫的节操。㉔无志之徒：节行堕落的人。㉕更相贩卖：互相吹捧做交易。㉖骄佚：骄恣放纵。㉗三辅：西汉都长安，以京畿地区京兆尹、左冯翊、右扶风为三辅。东汉都洛阳，因三辅为陵庙所在，故因袭不改。此泛指京畿司隶地区。㉘废锢：罢官禁锢。㉙浣濯：洗涤。此喻恢复政治名誉。㉚酲：醉酒态。㉛诐险趣势：谄媚阴险，趋炎附势。㉜陛下中宫：指皇帝、皇后两宫。㉝严敕：严格训令。㉞防其未萌：防患于未萌芽之时。萌，萌芽。㉟虑于无形：在事情未出现时预先有防备。㊱宪恃宫掖声势：窦宪仗恃外戚的威势。掖，宫殿旁门。㊲王、主：诸侯王、公主。㊳阴、马诸家：阴氏、马氏等光武帝、明帝外戚家族。㊴贱直：贱价。㊵请夺沁水公主园田：借皇后之势报请有司强行购买明帝女沁水公主的园田。沁水县属河内郡。㊶逼畏：逼于威势而畏惧。㊷不敢计：不

治窦宪的罪，那么奸臣怎能戒惧呢！君主对于臣下，担心的是不知道他们的奸私。如果知道了他们的奸私却还赦免他们，还不如不知道为好。为什么这样说呢？他们犯法了而君主不知道，他们还有所畏惧。君主既已知道却不治罪，他们就知道这不值得害怕，就会放纵而无所顾忌了！所以知道大臣善良却不能任用他，知道大臣恶行却不能罢免他，这是人君应当深深警惕的。”

下邳人周纡做洛阳县令，刚到任，就先询问豪强大姓的名字，官吏数着闾里中的豪强回答他。周纡厉声怒喝道：“我是想问像马家、窦家那样的贵戚，为什么要知道这些卖菜的帮佣呢！”于是部属迎合周纡打击贵戚的意图，争相采取激烈严厉手段打击不法贵戚，贵戚恐惧不安，京城安定清明。窦笃晚上到止奸亭，亭长霍延拔剑对着窦笃，放肆地破口大骂。窦笃上表奏闻，章帝下诏召唤司隶校尉、河南尹到尚书台责问，派持剑执戟卫士逮捕周纡，押送廷尉诏狱。过了几天，赦免周纡出狱。

敢计较。503 阴喝：暗中恐吓、喝阻。504 不得对：指窦宪左右的人不能以实情回答章帝之问。505 愈：超过。506 赵高指鹿为马：秦二世时中车府令赵高，凭借权势，在秦二世面前当着朝臣指鹿为马，威压朝臣附和自己，以孤立秦二世，欲谋大逆。事见本书卷八秦二世三年。507 阴党、阴博、邓叠句：阴、邓两家皆外戚，故令其互相监视揭发，以抑制外戚逾侈。508 孤雏：失去父母的雏鸟。509 毁服深谢：脱掉皇后之服装，深深请罪。510 良久乃得解：过了很长时间，章帝才消了怒气。解，解脱、平息。511 罪宪：治窦宪之罪。512 惩：戒惧；顾忌。513 周纡（？至公元九七年）：字文通，下邳郡徐县（今江苏泗洪南）人，历官洛阳令、御史中丞、司隶校卫、将作大匠。执法不阿，权贵疾之。传见《后汉书》卷七十七《酷吏传》。514 下车：一下马车，就立即行事。515 大姓主名：指豪强首领的名字。516 望风旨：指迎合周纡暗示打击豪强的意图。望，观望。风旨，同“讽旨”。517 争以激切为事：争相使用激烈严厉的手段去做事。518 跼蹐：弓腰缩头脚踩着脚，形容恐惧的样子。519 拟：此指作比画刺杀之状。520 肆詈恣口：放肆地破口大骂。521 诏召司隶校尉句：司隶校尉，掌治京师治安；河南尹，京师行政长官，均为列卿。尚书，主收受章奏。章帝下诏召聚尚书台训话，责其不抚佑外戚。522 剑戟士：宫中持剑和戟的卫士，左右都候掌之。523 诏狱：奉皇帝诏令拘禁犯人的监狱。524 贳出：赦免出狱。

【校记】

［4］对：此字下原有“数”字。据章钰校，甲十六行本、乙十一行本、孔天胤本皆无“数”字，今据删。

【原文】

帝拜班超为将兵长史[525]，以徐幹为军司马[526]，别遣卫候[527]李邑护送乌孙使者。邑到于阗，值龟兹攻疏勒，恐惧不敢前，因上书陈西域之功不可成，又盛毁超："拥爱妻，抱爱子，安乐外国，无内顾心。"超闻之，叹曰："身非曾参而有三至之谗[528]，恐见疑于当时矣！"遂去其妻。帝知超忠，乃切责邑曰："纵超拥爱妻，抱爱子，思归之士千余人，何能尽与超同心乎！"令邑诣超受节度，诏："若邑任在外者，便留与从事[529]。"超即遣邑将乌孙侍子还京师。徐幹谓超曰："邑前亲毁君，欲败西域，今何不缘诏书留之，更遣他吏送侍子乎？"超曰："是何言之陋也！以邑毁超，故今遣之。内省不疚，何恤人言[530]！快意留之，非忠臣也。"

帝以侍中会稽郑弘[531]为大司农。旧交趾七郡[532]贡献转运，皆从东冶[533]泛海而至，风波艰阻，沉溺相系[534]。弘奏开零陵、桂阳峤道[535]，自是夷通，遂为常路。在职二年，所省息以亿万计。遭天下旱，边方有警，民食不足，而帑藏殷积[536]。弘又奏宜省贡献，减徭费，以利饥民，帝从之。

【段旨】

以上为第十二段，写班超、郑弘公忠体国，尽心职守。

【注释】

⑤㉕将兵长史：长史为将军僚属，主持将军府日常事务。未设将军，而以长史领兵，称将兵长史。⑤㉖军司马：将军僚属，位在校尉下，秩比千石，掌领兵。⑤㉗卫候：卫尉属官，掌领屯卫兵。⑤㉘曾参而有三至之谗：曾参，春秋时孔子弟子，有仁孝之行，而有鲁人告其母，说曾参杀人，初不信，连续三人均如此说，曾参母也信以为真。事见本

【语译】

章帝任命班超为将兵长史，以徐幹为军司马，另派卫候李邑护送乌孙国的使者。李邑到达于阗国，正遇上龟兹国攻击疏勒国，恐惧不敢继续前进，就上书说平定西域的事不会成功，又极力毁谤班超："拥着爱妻，抱着爱子，在外国安心享乐，没有心思顾及朝廷。"班超听说此事，感叹说："我不是曾参，却像他那样遭受三次谗言，恐怕现在要被怀疑了！"于是与妻子离婚。章帝知道班超忠心，就严厉责备李邑说："假如班超拥着爱妻，抱着爱子，想回家乡的士兵一千多人，怎能都和班超同心呢！"章帝命令李邑到班超那儿接受班超的指挥，下诏："像李邑这样出任在外的人，你可根据需要把他留下来办事。"班超当即派遣李邑带着乌孙国侍子回京城。徐幹对班超说："李邑以前亲自毁谤您，想要破坏西域事，现在为何不借着诏书留下他，另派其他官吏护送侍子呢？"班超说："这话多么浅薄！正因为李邑毁谤我，所以现在才派他去。我内心无愧，何必惧怕人的流言！为了让自己痛快把他留下来，这不是忠臣。"

皇帝任命侍中会稽人郑弘为大司农。过去交趾州七郡贡献转运物品，都是从东冶县渡海而来，风高浪急艰难险阻，沉船事件不断发生。郑弘奏请开辟从零陵到桂阳郡的山路，从此道路平坦畅通，就成为平常通行的道路。郑弘在任二年，所节省的钱以亿万计。遇到天下大旱，边郡有警报，人民的粮食不够，但国库钱财殷实充足。郑弘又奏请应当减少各地贡献物品，减轻徭役费，用来救济饥民，章帝接受了他的提议。

书卷三周赧王七年。㉙留与从事：意为诏令班超有权留下李邑做属僚。㉚内省不疚二句：无愧于心，怕什么流言。语出《论语·颜渊》孔子之言："内省不疚，夫何忧何惧？"疚，病也。恤，忧虑。逸《诗》云："礼义不愆，何恤人之言。"㉛郑弘：字巨君，会稽山阴（今浙江绍兴）人，官至太尉。传见《后汉书》卷三十三。㉜交趾七郡：交趾，州名，治所番禺，在今广东广州。交趾州所属七郡，当今两广地区及越南北部。七郡为南海、苍梧、郁林、合浦、交趾、九真、日南。㉝东冶：县名，属会稽郡。县治在今福建福州。㉞沉溺相系：沉船事件不断发生。相系，连接不断。㉟开零陵、桂阳峤道：开凿从零陵（今湖南零陵）至桂阳（今湖南桂阳）的山道。峤，山岭。㊱帑藏殷积：国库充实。帑，库藏的金帛。

【原文】

元和元年[537]（甲申，公元八四年）

春，闰正月辛丑[538]，济阴悼王长[539]薨。

夏，四月己卯[540]，分东平国，封献王子尚为任城王。

六月辛酉[541]，沛献王辅[542]薨。

陈事者多言："郡国贡举[543]，率非功次[544]。故守职益懈[545]，而吏事浸疏[546]，咎在州郡。"有诏下公卿朝臣议。大鸿胪韦彪上议曰："夫国以简贤[547]为务[548]，贤以孝行为首[549]，是以求忠臣必于孝子之门[550]。夫人才行[551]少能相兼，是以孟公绰[552]优[553]于赵、魏[554]老[555]，不可以为滕、薛[556]大夫。忠孝之人，持心[557]近厚[558]，锻炼之吏[559]，持心近薄[560]。士宜以才行为先，不可纯以阀阅[561]。然其要归[562]，在于选二千石[563]。二千石贤，则贡举皆得其人矣。"彪又上疏曰："天下枢要，在于尚书[564]，尚书之选，岂可不重！而间者多从郎官超升此位，虽晓习文法，长于应对，然察察小慧[565]，类无大能。宜鉴啬夫[566]捷急之对，深思绛侯[567]木讷之功也。"帝皆纳之。彪，贤[568]之玄孙也。

秋，七月丁未[569]，诏曰："律云：'掠者[570]唯得榜、笞、立[571]。'又《令丙》[572]，箠[573]长短有数[574]。自往者大狱以来，掠考多酷，钻鑽[575]之属，惨苦无极[576]。念其痛毒[577]，怵然[578]动心。宜及秋冬治狱[579]，明为其禁[580]。"

八月甲子[581]，太尉邓彪罢，以大司农郑弘为太尉。

癸酉[582]，诏改元[583]。丁酉[584]，车驾南巡。诏："所经道上郡[5]县，毋得设储跱[585]，命司空自将徒支拄桥梁。有遣使奉迎，探知起居，二千石当坐。"

九月辛丑[586]，幸章陵[587]。十月己未[588]，进幸江陵[589]。还，幸宛[590]。召前临淮太守宛人朱晖[591]，拜尚书仆射[592]。晖在临淮，有善政，民歌之曰："强直自遂[593]，南阳朱季。吏畏其威，民怀其惠。"时坐法免[594]，家居，故上召而用之。十一月己丑[595]，车驾还宫。尚书张林上言："县官[596]经用不足，宜自煮盐[597]，及复修武帝均输[598]之法。"朱晖固执以为不可，

【语译】

元和元年（甲申，公元八四年）

春，闰正月十五日辛丑，济阴悼王刘长去世。

夏，四月二十四日己卯，从东平国分出部分封土，册封献王的儿子刘尚为任城王。

六月初七日辛酉，沛献王刘辅去世。

上奏政事的人大多说："郡国保举推荐人才，大都不按照功劳依次举用。所以官吏日益懈怠，而行政事务被荒废，过失在于州郡。"章帝下诏把这事交给公卿朝臣讨论。大鸿胪韦彪上奏说："国家以选贤为要务，贤才以孝行为首，因此一定要到孝子的家寻找忠臣。人的才能、德行很少能二者兼备，所以孟公绰做赵氏、魏氏的家臣能力有余，却不能做滕国、薛国的大夫。忠诚孝顺的人，心地大多仁厚，擅长办案的官吏，心肠大多刻薄。选用贤士应以才德为重，不能纯粹根据门第出身和功劳资历。但是最根本的，在于选用二千石的官员。二千石的官员贤明，那么保举推荐的就都能适得其人了。"韦彪又上奏说："国家的行政中枢，就在尚书，尚书的选用，怎可不慎重！而最近多是从郎官中破格提拔到这个职位，他们虽熟悉法律条文，擅长应对，但只是精细的小智慧，大多没有大的才能。应当吸取虎圈啬夫敏捷应对的教训，深刻思考绛侯质朴不善言辞而立大功的事例。"章帝全部采纳了韦彪的建议。韦彪是韦贤的玄孙。

秋，七月二十三日丁未，章帝下诏书说："律条说，'审问官只能鞭打、棒击、吊立'。另外在《令丙》中，刑杖的长短大小有规定。自从过去发生重大狱案以来，拷问犯人大多残酷，凿刺肌肉之类的刑罚，让犯人悲惨痛苦到极点。想到毒刑的痛苦惨烈，令人恐惧心颤。应当等到秋冬两季审问案狱时，明令禁止酷刑审讯。"

八月十一日甲子，太尉邓彪被免官，任命大司农郑弘为太尉。

八月二十日癸酉，下诏改年号。九月十四日丁酉，章帝车驾南巡。章帝下诏说："车驾所经途中郡县，不许预先置办招待物资，命令司空自己率刑徒搭架桥梁。如有派遣使者来迎接，探问我起居的，二千石官要受刑法处置。"

九月十八日辛丑，章帝巡幸章陵县。十月初七日己未，前行巡幸江陵县。返回途中，巡幸宛县。章帝召见前临淮太守宛县人朱晖，任命为尚书仆射。朱晖在临淮郡时，有好的政绩，百姓歌颂他说："刚强正直自信，南阳郡人朱季。官吏敬畏他的威严，百姓怀念他的惠政。"朱晖当时因犯法被免职，住在家里，所以皇上召见并重用他。十一月初七日己丑，章帝车驾回宫。尚书张林上书说："朝廷财政费用不足，应该由政府经营制盐，并且重新恢复汉武帝时的均输法。"朱晖坚持认为不可恢复，

曰："均输之法，与贾贩无异，盐利归官，则下民穷怨，诚非明主所宜行。"帝因发怒切责诸尚书，晖等皆自系狱⑨。三日，诏敕出之，曰："国家乐闻驳议⑩[6]，黄发无愆⑪，诏书过⑫耳，何故自系！"晖因称病笃，不肯复署议⑬。尚书令以下惶怖⑭，谓晖曰："今临得谴让⑮，奈何称病，其祸不细⑯！"晖曰："行年八十，蒙恩得在机密，当以死报。若心知不可，而顺旨雷同，负臣子之义。今耳目无所闻见⑰，伏待死命。"遂闭口不复言。诸尚书不知所为⑱，乃共劾奏晖⑲。帝意解⑳，寝其事㉑。后数日，诏使直事郎㉒问晖起居，太医视疾，太官赐食，晖乃起谢㉓。复赐钱十万，布百匹，衣十领。

【段旨】

以上为第十三段，写汉章帝量才用人，废酷刑，纳谏奖励直臣。

【注释】

㊲元和元年：是年八月改元。㊳辛丑：闰正月十五日。㊴济阴悼王长：明帝子刘长，封济阴王，谥曰悼王。传见《后汉书》卷五十《孝明八王传》。㊵己卯：四月二十四日。㊶辛酉：六月初七日。㊷沛献王辅：光武帝子，封沛王，谥曰献王。传见《后汉书》卷四十二《光武十王传》。㊸贡举：保举任用的人才。汉制，公卿及郡国守相，都有责任向朝廷举荐人才，贡举得人有赏，贡举不得人有罚。㊹功次：功劳次第。㊺守职益懈：指官吏日益松懈，不负责任。㊻吏事浸疏：行政事务荒废。㊼简贤：选贤。㊽为务：为政的首要任务。㊾贤以孝行为首：贤才的标准首先是有孝行。㊿求忠臣必于孝子之门：引自《孝经纬》之文。今存《孝经》而纬书已亡。551才行：才能与品德。552孟公绰：春秋时鲁国大夫。553优：宽绰；有余力。554赵、魏：指晋国六卿中的赵氏、魏氏。555老：古时大夫的家臣称老。556滕、薛：春秋时小国，与鲁国为邻。这两句话引自《论语·宪问》孔子之言，意谓孟公绰做晋国卿赵氏、魏氏的家臣能力有余，但不可胜任滕、薛这样事务繁多的小国大夫。557持心：用心；处事态度。558厚：仁厚。559锻炼之吏：即酷吏，他们治狱苛细严峻，犹如工冶陶铸锻炼。560薄：刻薄寡恩。561纯以阀阅：意为只注重门第出身和任职资历。明等级为阀，积功为阅。562要归：关键；根本。563二千石：指郡国守相。564天下枢要二句：国家的行政中枢，集中在宫廷尚书处。尚书职掌公卿、二千石官上书及外国民族事务，是为枢要。565察察小慧：苛细的小智慧。566啬夫：指

说："均输之法，使得国家和商贩一样，制盐的利润归属官府，那么下面的百姓就会穷困埋怨，这实在不是明君应当施行的。"章帝因此很生气，严厉斥责诸位尚书，朱晖等人都自投监狱囚禁。过了三天，章帝下诏令释放他们，说："国家乐意听到反对的意见，老者没有过错，是诏书责备过分了，为什么要自己拘系入狱！"朱晖就势推说病重，不肯再在议案上署名。尚书令以下惶恐不安，对朱晖说："现在刚刚受到皇帝斥责，怎么还要称病，这个灾祸不小啊！"朱晖说："我已八十岁了，蒙受皇恩得以任职枢密，应当以死报答。如果心中知道这事不可行，却顺着皇帝的旨意随声附和，是辜负臣子的责任。现在耳朵听不到，眼睛看不见，伏地等着处死我的命令。"朱晖便闭上嘴不再说话。诸位尚书不知该怎么办，就共同上奏弹劾朱晖。章帝怒气已消，搁置此事。几天后，下诏派值班的署郎问候朱晖的生活起居，太医探望他的疾病，太官赐给食物，朱晖才起身答谢。章帝又赏赐给他钱十万，布百匹，衣服十件。

文帝时上林苑虎圈啬夫。官府机构长官，一般地位不高。567 绛侯：西汉名臣周勃封绛侯。勃厚重少文，不善言辞。汉文帝一次入上林，问上林尉禽兽多少，上林尉不能对，虎圈啬夫从旁对答如流。汉文帝欲重用啬夫，遭到廷尉张释之的反对，他认为周勃木讷并不损害他为贤相；啬夫口齿伶俐，一旦越级提升，天下会举起华而不实之风。文帝乃止。事见本书卷十四汉文帝三年。568 贤：韦贤，汉元帝时丞相。传见《汉书》卷七十三。569 丁未：七月二十三日。570 掠者：指审问官。571 唯得榜、笞、立：只能依靠下列三种刑讯方式录取口供：一鞭打（榜）、二棍击（笞）、三吊立。572 令丙：法令编号，丙集令文。573 箠：刑杖。574 长短有数：长短大小有定规。汉制，箠长五尺，宽一寸；竹杖，末梢薄半寸，去掉节使其平整。575 钻鑽：凿刺肌肤之刑。576 惨苦无极：凄惨苦痛到极点。577 痛毒：痛苦之极。578 怵然：惊惧的样子。579 宜及秋冬治狱：应于秋冬两季审理案件。580 明为其禁：明令禁止酷刑审讯。581 甲子：八月十一日。582 癸酉：八月二十日。583 改元：改建初九年为元和元年。584 丁酉：九月十四日。585 设储跱：预为置办招待物资。储，积。跱，具。586 辛丑：九月十八日。587 章陵：陵名、县名，东汉皇室祖墓在舂陵乡，建武二年建陵庙，置陵令，初名昌陵，后改为章陵，并改舂陵乡为章陵县。陵及县治均在今湖北枣阳。588 己未：十月初七日。589 江陵：县名，为南郡郡治，在今湖北江陵。590 宛：县名，为南阳郡郡治，在今河南南阳。591 朱晖（公元四至九一年）：字文季，为人刚正，官至尚书令、骑都尉。传见《后汉书》卷四十三。592 尚书仆射：官名，尚书台副长官。593 强直自遂：刚正自信。自遂，按自己心意做事。594 坐法免：因犯法免官。胡三省注引《东观汉记》曰："坐考长史，囚死狱中，州奏免官。"595 己丑：十一月七日。596 县官：朝廷。597 自煮盐：由政府自己经营制盐。盐铁国营始于汉武帝。598 均输：由国家控制物资转运，用以垄断商业利润，增加

国库收入。亦始于汉武帝时。[599]自系狱：自投监狱囚禁。[600]驳议：反驳的意见。[601]黄发无愆：朱老没有过错。黄发，对老年人的称呼。时朱晖年八十，故诏书称“黄发”。[602]过：过分。[603]署议：在议案上署名。[604]惶怖：惶恐害怕。[605]今临得谴让：现在刚刚受到皇帝的斥责。[606]其祸不细：其祸不小。意谓若称病，皇帝怒上加怒，其祸必大。[607]今耳目无所闻见：意谓现在年事已高，耳聋眼花，什么也听不见，看不见。[608]不知所为：不知怎么办。[609]乃共劾奏晖：于是就一起署名上奏弹劾朱晖。[610]帝意解：章帝怒气消失。[611]寝其事：将事情搁置不办。[612]直事郎：当班的郎官。[613]晖乃起谢：朱晖这才起身上衙办事，并上奏谢恩请罪。皇帝加礼，晖乃起谢，所谓强直自遂，大都类此。

【原文】

鲁国孔僖[614]、涿郡崔骃[615]同游[616]太学，相与论：“孝武皇帝，始为天子，崇信圣道，五六年间，号胜文、景。及后恣己[617]，忘其前善。”邻房生梁郁上书，告骃、僖诽谤先帝，刺讥当世[618]，事下有司。骃诣吏受讯。僖以书自讼[619]曰：“凡言诽谤者，谓实无此事而虚加诬之也。至如孝武皇帝，政之美恶，显在汉史，坦[620]如日月，是为直说书传实事，非虚谤也。夫帝者，为善为恶，天下莫不知，斯皆有以致之[621]，故不可以诛于人也。且陛下即位以来，政教未过，而德泽有加，天下所具知[7]也[622]，臣等独何讥刺哉！假使所非实是，则固应悛改[623]；傥其不当，亦宜含容[624]，又何罪焉！陛下不推原大数[625]，深自为计[626]，徒[627]肆私忌[628]，以快其意。臣等受戮，死即死耳，顾天下之人，必回视易虑[629]，以此事窥陛下心[630]，自今以后，苟见不可之事，终莫复言者矣。齐桓公[631]亲扬其先君之恶以唱管仲[632]，然后群臣得尽其心。今陛下乃欲为十世之武帝[633]远讳实事，岂不与桓公异哉！臣恐有司卒[634]然见构，衔恨蒙枉，不得自叙，使后世论者擅以陛下有所比方[635]，宁可复使子孙追掩[636]之乎！谨诣阙伏待重诛。”书奏，帝立诏勿问[637]，拜僖兰台令史[638]。

十二月壬子[639]，诏：“前以妖恶禁锢三属[640]者，一皆蠲除[641]之，但不得在宿卫[642]而已。”

庐江[643]毛义、东平郑均[644]，皆以行义称于乡里。南阳张奉慕义名，

【校记】

［5］郡：原作“州”。据章钰校，甲十六行本、乙十一行本、孔天胤本皆作“郡”，张敦仁《通鉴刊本识误》同，今据改。［6］议：原作“义”。据章钰校，甲十六行本、乙十一行本皆作“议”，今据改。

【语译】

鲁国人孔僖、涿郡人崔骃一起在太学学习，互相议论：“孝武皇帝，刚即位为天子时，崇信圣贤之道，五六年的时间，号称胜过文帝、景帝。等到后来放纵自己，忘记了他先前的善政。”隔壁房间的太学生梁郁上书，告发崔骃、孔僖诽谤先帝，讽刺批评当代朝政，事情交给主管官吏审理。崔骃前往官府接受审讯。孔僖上书为自己辩护说：“一般所说的诽谤，是指没有这事而凭空加以诬蔑。至于孝武皇帝，为政的优劣，明确记载在汉代史书中，如同日月一样明白，所以这是公正地说书传中的实事，不是虚言诽谤。身为皇帝，做好做坏，天下人没有不知道的，这都是有原因才这样的，所以不可因此治人罪。况且陛下即位以来，政治教化没有过错，并且恩泽有所增加，天下人都完全知道。臣等为何偏偏要讥讽呢！如果批评是正确的，那么本该悔改；即使批评不当，也应包涵容忍，又为何要治罪呢！陛下不追求治国大事，长远地为自己谋划，只是肆意个人忌讳，使自己畅快。臣等被杀，死就死了，但考虑到天下的人，一定会回顾因为说话就被杀头的往事，改变思路，用这件事来揣摩陛下的心意，从今以后，即使看见不对的事，也没有人再敢说什么了。齐桓公亲自揭露他先君的恶行，赞扬管仲，然后群臣能尽心竭力。现在陛下却想为十代之前的武帝来避讳事实，岂不是和桓公的做法相异吗？臣担心主管官吏突然诬陷臣，使臣含恨蒙冤，不能自我辩解，使得后世议论的人随便拿陛下打比方，难道可以再让子孙回头掩饰吗！臣恭谨地前往官阙伏地等待重罚。”奏书呈上，章帝立刻下诏官吏不要立案，任命孔僖为兰台令史。

十二月初一日壬子，章帝下诏：“以前因楚王英等妖恶罪被免官禁锢的三族，一律都解除禁锢，只是不能在宫禁担任警卫而已。”

庐江人毛义、东平人郑均，都因行义举在乡里闻名。南阳人张奉仰慕毛义的声名，

往候之，坐定而府檄⁶⁴⁵适至⁶⁴⁶，以义守⁶⁴⁷安阳⁶⁴⁸令。义捧檄而入，喜动颜色。奉心贱之，辞去。后义母死，征辟⁶⁴⁹皆不至，奉乃叹曰："贤者固不可测。往日之喜，乃为亲屈⁶⁵⁰也。"均兄为县吏，颇受礼遗⁶⁵¹，均谏不听，乃脱身为佣⁶⁵²，岁余得钱帛，归以与兄曰："物尽可复得⁶⁵³，为吏坐臧⁶⁵⁴，终身捐弃⁶⁵⁵。"兄感其言，遂为廉洁。均仕为尚书，免归。帝下诏褒宠义、均，赐谷各千斛，常以八月长吏⁶⁵⁶问起居，加赐羊酒。

武威太守孟云上言："北匈奴复愿与吏民合市。"诏许之。北匈奴大且渠伊莫訾王等驱牛马万余头来与汉交易，南单于遣轻骑出上郡⁶⁵⁷钞之，大获而还。

帝复遣假司马⁶⁵⁸和恭等将兵八百人诣班超。超因发疏勒、于阗兵击莎车。莎车以赂诱疏勒王忠，忠遂反，从之，西保乌即城⁶⁵⁹。超乃更立其府丞成大为疏勒王，悉发其不反者以攻忠，使人说康居⁶⁶⁰王执忠以归其国，乌即城遂降。

【段旨】

以上为第十四段，写汉章帝表彰直言与廉吏，加强西域武备。

【注释】

⁶¹⁴孔僖（？至公元八八年）：字仲和，鲁国（今山东曲阜）人，孔子后裔，官至临晋令。传见《后汉书》卷七十九上《儒林传》。⁶¹⁵崔骃（？至公元九二年）：东汉文学家。字亭伯，涿郡安平（今河北安平）人，博学多才。为车骑将军窦宪辟为府掾，改主簿。传见《后汉书》卷五十二。⁶¹⁶同游：一同游学；同窗；同学。⁶¹⁷恣己：放纵自己。⁶¹⁸刺讥当世：借古讽今，批评时政。⁶¹⁹自讼：自我申诉、答辩。⁶²⁰坦：明显；明白。⁶²¹有以致之：有原因致此。⁶²²天下所具知也：天下之人所共知。具知，完全知晓。⁶²³所非实是二句：意谓所批评的是事实，那么本应改正。非，批评。悛，悔改。⁶²⁴傥其不当二句：假使批评不当，也应包容。⁶²⁵推原大数：追本溯源，从大处着眼。大数，国家大事。⁶²⁶深自为计：深远地为自己考虑大计。⁶²⁷徒：只是。⁶²⁸肆私忌：肆意个人忌

前往拜见他。刚坐下，郡府的任用文书恰好到达，委任毛义代理安阳县令。毛义捧着檄文进来，喜形于色。张奉从心里看不起他，告辞离去。后来毛义的母亲去世，朝廷征召和官府辟举毛义都不去，张奉于是感慨地说："贤者确实深不可测。他以前那么欣喜，原来是为了博得母亲欢心而屈身啊。"郑均的哥哥做县吏，经常接受贿赂，郑均劝说他也不听，郑均就只身离家去做雇工，过了一年多得到工资钱帛，回家送给哥哥说："财物用光了可以再得到，身为官吏贪赃枉法，一生就废弃了。"哥哥被他的话触动，便成了廉洁的官吏。郑均历官至尚书，后免职回家。章帝下诏书褒扬毛义、郑均，赐给米谷每人千斛，每年八月派地方长官去慰问他们的起居生活，另外赐给羊和酒。

武威太守孟云上书说："北匈奴又想和官吏百姓合市贸易。"章帝下诏准许此事。北匈奴大且渠伊莫訾王等，赶着一万多头牛马前来和汉人贸易，南匈奴单于派轻骑兵从上郡出发进行抢掠，大获而归。

章帝又派假司马和恭等人率士兵八百人前往班超处。班超于是发动疏勒国、于阗国的军队攻打莎车国。莎车国用钱财引诱疏勒王忠，忠便反叛汉朝，跟随莎车国，西面据守乌即城。班超就另立忠的府丞成大做疏勒王，征发所有没有反叛的人攻打忠，派人游说康居王逮捕忠送回疏勒国，乌即城便归降了。

讳。㉙回视易虑：回顾以言受诛之事，改变思路。㉚窥陛下心：揣摩皇上心意。窥，偷视，此为揣摩之意。㉛齐桓公：春秋五霸之一，齐国国君，公元前六八五至前六四三年在位。㉜亲扬其先君之恶以唱管仲：事见《国语·齐语》。管仲曾佐齐公子纠与齐桓公争位，齐桓公闻其贤，亲迎于郊，历数前任国君齐襄公的失政之举，求教于管仲。管仲对以霸术。唱，称颂、赞扬、夸奖。管仲，佐齐桓公称霸的大臣。传见《史记》卷六十二《管晏列传》。㉝十世之武帝：以汉武帝以来皇帝相承为数，十世即武、昭、宣、元、成、哀、平、光武、明九帝，纳入章帝，是为十世。㉞卒：通"猝"。㉟有所比方：意谓将章帝比于古之昏君。比方，比拟。㊱子孙追掩：此谓章帝如不能纳言，会受后人批评，难道还能让子孙追溯掩饰。㊲立诏勿问：立即下诏不要追究崔骃、孔僖。㊳兰台令史：官名，掌章奏文书及印工。兰台，宫殿名，藏国家图书及档案。㊴壬子：十二月初一日。㊵以妖恶禁锢三属：明帝时治楚王英等大狱，以妖恶罪株连被禁锢的父族、母族、妻族。㊶一皆蠲除：全部免除禁锢之罪。㊷不得在宿卫：不能任宫官禁卫，即郎官之属。㊸庐江：郡名，治所舒县，在今安徽庐江县西南。㊹郑均：字仲虞，东平任城（今山东济宁东南）人，历官尚书、议郎。传见《后汉书》卷二十七。㊺府檄：南阳太

守委任毛义为安阳县令的文书。檄，文告，此指委任状。㊻适至：恰好到达。㊼守：代理。较低一级官行使较高一级官的职权称守。时毛义为安阳县尉。㊽安阳：县名，县治在今河南安阳东南。㊾征辟：官府征召布衣士人任职叫征辟。朝廷征召称征，三公以下征召称辟。㊿为亲屈：毛义为博母亲欢心而屈身为县令。651颇受礼遗：经常贪污受贿。礼遗，送礼馈赠，行贿的委婉说法。652佣：为人做工。653物尽可复得：财物用尽可以再赚得。654坐臧：被定贪污罪。臧，通"赃"。655捐弃：废弃；抛弃。656长吏：大吏。郡守、尉及县令、长、尉、丞，皆为郡县长吏。657上郡：郡名，治所肤施，在今陕西榆林东南。658假司马：代理司马。司马，军官名，位在校尉下。假，暂行兼摄官职。659乌即城：在今新疆喀什西。660康居：西域国名，故地在今哈萨克斯坦东南部，锡尔河以北。王治卑阗城，筑于都赖水，即今塔拉斯河上。

【校记】

[7]知：原无此字。据章钰校，孔天胤本有此字，今据补。

【研析】

本卷研析四事：耿恭下狱，马太后辞世，白虎观会议，梁郁告密。

第一，耿恭下狱。耿恭字伯宗，耿弇弟耿广之子。将门虎子，耿恭少壮有将帅之才。永平十七年（公元七四年），耿恭为骑都尉刘张的司马，出击车师，任戊校尉，驻屯金蒲城。永平十八年，北匈奴单于遣左鹿蠡王率领两万骑兵击车师，杀车师后王安得，围攻金蒲城。耿恭激励将士，击退匈奴，转守有涧水的疏勒城，做长守之计。果然匈奴大举来攻，切断涧水，耿恭掘井十五丈得水，坚持战斗。这时焉耆、龟兹攻没了都护陈睦，车师复叛，与匈奴联合大发兵围攻疏勒城。耿恭孤军困守，以数千之众敌数万匈奴之师，双方攻战一年有余。耿恭粮食吃完，乃煮铠弩，食其筋革。耿恭只剩下几十个战士，仍坚守不降。匈奴单于敬佩耿恭坚强，要劝降这位良将。耿恭假意投降，让匈奴使者进城，然后亲手杀了匈奴使者，放在城墙上烧烤。耿恭这一残忍的极端做法，意在表示必死绝无降意。单于大怒，又一次增兵围攻。这时汉朝援兵赶来，救出了耿恭，数千战士，只剩下二十六人。存活战士身体虚弱，等回到玉门关，只剩下十三人。耿恭回朝，被授予骑都尉之职。这时已是章帝在位，马太后临朝。章帝建初元年（公元七六年），耿恭迁长水校尉，奉命率领五校士三千人随车骑将军马防出征西羌任副帅。马防是马太后的哥哥，并无将帅之才，凭皇亲国戚任高职。第二年马防被召回京师，实际讨羌的统帅是耿恭。耿恭俘虏了叛羌一千余人，获牛羊四万余头，勒姐、烧何等部数万羌人投降，基本平定了叛羌。如何善后，巩固胜利成果，耿恭上疏，举荐窦固镇抚凉州，马防驻屯汉阳为后援。窦固是窦融的侄儿，窦融在河西很有声望，窦固有军事才能，永平十六年（公元七三年）东汉第一次开通西域就是窦固领兵北伐匈奴取得的胜利。耿恭的这一建议是安边的良策，尽忠报国的表现。耿恭哪里知道马氏窦氏两家皇亲国戚互不服气有嫌隙，马防为后援更是带气。马防要置耿恭于死地，指控耿恭成天打猎游戏，不关心军事，敌人来了不战斗，只是紧闭营门贪生怕死。这完全是捏造的罪名。耿恭被召回京，罢了官，打入监狱。

耿恭血战西域，大胜西羌，为国进良言，莫名其妙被投入监狱，这是马太后以章帝名义制造的又一桩冤案。自马援蒙冤以来，东汉一朝善战良将大多蒙冤。镇抚西羌的名将皇甫规、张奂、段颎，以及第三次通西域的班勇，都受到不公平待遇。马援蒙冤，一桩颠倒是非、混淆黑白的错案提供了样板。马太后还算开明，千方百计约束娘家兄弟，但亲情的偏听偏信蒙住了她的双眼，或许是为了维护娘家利益，睁一只眼闭一只眼，章帝为了讨好太后和舅舅，明知是冤也要这么办。光武帝制造的马援案，明帝制造的楚王英谋反扩大案，章帝制造的耿恭下狱案，三代帝王是东汉英明有为的国君，政治最开明的时候尚且如此，东汉一朝的政治就可想而知了。

第二，马太后辞世。章帝建初四年（公元七九年）六月三十日，马太后辞世。马太后是伏波将军马援的小女。马援蒙冤，家道败落。马太后时年十三岁，堂兄马严上书光武帝愿送马援女入后宫，服侍皇家。马太后被选入太子宫，得到太子的宠爱。太子即位，是为汉明帝。马太后被封为贵人，加上阴太后喜欢她，于是被立为皇后。马皇后没有生育，明帝说："儿子不一定要亲生，要的是有爱心。"章帝为明帝贾贵人所生，马皇后养以为子，百般爱护，视如己出。章帝也极为孝顺，只认马皇后为生母，只承认马家兄弟是自己的舅舅。章帝即位，马皇后被尊为太后，临朝听政。章帝多次要封马廖、马防、马光三个舅舅为侯，都被马太后阻挡。马太后抑制外家，考虑的是身后马家的安全。马太后临终前，章帝违背马太后的约束，强行册封三个舅舅为侯，这是章帝亲政前夕的一次权力专断的预演。一是让马太后亲眼看到三个舅舅册封为侯，太后可以放心离去。二是利用三个舅舅辞封的谦让，顺坡下驴，不准辞封，允准辞官，实际是收了三个舅舅的权力，赐以"特进"身份回家养老。马太后临终的遗恨大概就在这里。

章帝一心一意孝敬马太后都是真的。马太后辞世后，章帝没有把生母贾贵人尊为太后，只不过把贾贵人印信的绿色绣带改为红色绣带，即稍为提高贵人品秩，加派二百名宫女，赏赐车一辆、各色绸缎二万匹、黄金一千斤、钱两千万而已。马太后付出了爱心，得到了养子的高额回报，马氏家族再兴，她提供了一个成功的榜样。章帝窦皇后无子，抱养梁贵人所生子刘肇为己子，立为太子，即位后是为汉和帝，窦皇后为了汉和帝只认窦氏为外家，不认梁氏为外家，耍了一个小聪明。她制造流言，诬陷梁贵人之父梁竦有罪，诛杀了梁家，梁贵人忧愁而死。和帝永元九年（公元九七年）窦太后死，还没有下葬，梁贵人的姐姐梁嫕上书揭发真相，窦氏家族遭到灭顶之灾。窦太后用尽心机，搬起石头砸了自己的脚，这就叫作聪明反被聪明误。马太后高明于窦太后，不但聪明，更有智慧。智慧是一种人生修养，一种高贵品德的境界。马太后没有杀贾贵人，也没有迫害贾氏家族，这就是马太后的智慧，马太后的品德。马太后抑制娘家人，也是她深谋远虑的智慧和高贵品德的表现。只不过马氏兄弟太暴戾，不珍惜自己，才受到章帝惩治，这不是马太后的过错。

第三，白虎观会议。章帝建初四年（公元七九年），校书郎杨终上奏效法西汉宣帝会集诸儒在石渠阁讨论经义的做法，在白虎观召开学术大会，统一经义。章帝准奏，召开了白虎观会议，并且亲临裁定讨论纪要，企图编成一本统一思想，作为永久法则的书，称《白虎议奏》，又名《白虎通》。这是汉代经学发展和汉代思想史上的一次重要会议，由皇帝亲自主持的一次百家争鸣的学术大会。参加讨论的学者阵容庞大，当代大儒家李育、魏应、杨终、淳于恭、丁鸿、楼望、张酺、成封、鲁恭、桓郁、召驯、班固、贾逵等参加会议。诸儒有今古文学者，也有谶纬学者。章帝爱好古文，古文经学家占了主导地位，班固、贾逵都是古文经学家。

东汉初，由于谶纬的发展，古文经学的兴起，动摇了今文经学的主导地位，思想领域出现了极其复杂的矛盾。光武帝宣布图谶为国宪，图谶把经学神学化，把孔子说成神，把六艺说成神书，遭到了古今文两派经学家的反对。汉初大儒桓谭、范升、陈元、郑兴、杜林、卫宏、刘昆、桓荣、尹敏都反对谶纬，皇权的强力压制只是表面上压服诸儒，实际上强力压制只是激化了矛盾，白虎观会议就是要消除矛盾，统一思想。

《白虎议奏》是白虎观会议的成果，全书记录了四十三条名词解释，内容涉及社会、礼仪、风习、国家制度、伦理道德，以及哲学范畴的名词天地、五行、人、性情等。古文经学的观点在讨论中占了主导地位，谶纬的许多简单粗糙的神学说教被清除了。而加强专制集权的三纲教义更加强化与神化，为东汉绝对君权提供理论基础。

思想的统一不可能是通过一次会议完成的。作为统一学术思想的会议，白虎观会议是一次彻底失败的会议，相反，正是这种统一，停止了经学的发展。白虎观会议后，社会兴起了以王符、崔寔、仲长统、荀悦等为代表的社会批判思潮。但在遏制谶纬神学的发展、恢复经学原有面貌的角度上，白虎观会议开启了一条通道，学术应当自由讨论，只有百家争鸣才能发展学术，才能统一思想。白虎观会议后，统一经学的努力一直进行。到东汉末，郑玄遍注群经，对两汉经学做了统一的整理。

第四，梁郁告密。太学生鲁国人孔僖与涿郡人崔骃两人讨论学术，涉及对汉武帝的议论，被邻房的一个太学生梁郁偷听到了，梁郁上书向章帝打小报告，揭发两人诽谤先帝。若罪名成立，重则杀头，轻则下狱或驱逐出太学。崔骃被官员传讯，孔僖赶紧上书申辩，认为讨论汉武帝的功过，只是复述了一遍历史，说的功与过都是事实，符合事实的话不是诽谤，即使是说错了，皇帝也应宽容，这样才能听到臣民的声音。章帝还算开明，指示主管官员撤销控告案，还给孔僖一个小官做。章帝欣赏孔僖的勇气与直言，且谈论的是十代以前的皇帝，便赦免了孔僖、崔骃的过错。两人是幸运的，章帝也得到纳谏的美名。可恶的是梁郁这种人，偷听别人的话来揭发，损人利己。在一个以言论就可定罪的社会里，身边的这种人防不胜防，所以告密与以言论定罪这样的制度必须铲除。

卷第四十七　汉纪三十九

起旃蒙作噩（乙酉，公元八五年），尽重光单阏（辛卯，公元九一年），凡七年。

【题解】

本卷记事起公元八五年，迄公元九一年，凡七年，当章帝元和二年至和帝永元三年。国内政治平稳，章帝坚持尊儒祭孔，倡导儒学的路线，推行新历。章帝驾崩，窦太后临朝，窦宪更加恣意所为，因惧诛而大发兵北击匈奴，肃靖了北疆，也立了大功。东汉政府高价收购南匈奴的俘虏归还北匈奴，挑动南北匈奴斗争，以夷制夷收到成效，为窦宪的北伐奠定了基础。班超在西域，大败莎车，打通了西域南道交通。又大破月氏侵犯，威震西域。由于傅育、张纡两任护羌校尉邀功自炫，失信西羌，又多杀戮，逼使西羌大叛，严重影响了西疆的安宁。邓训接任护羌校尉，恩威并用，羌人远遁。

【原文】

肃宗孝章皇帝下

元和二年（乙酉，公元八五年）

春，正月乙酉①，诏曰："令云：'民有产子者，复②勿算③三岁。'今诸怀妊④者，赐胎养谷⑤人三斛⑥，复其夫勿算一岁。着以为令⑦。"又诏三公曰："夫俗吏矫饰外貌，似是而非，朕甚厌⑧之，甚苦之[1]。安静之吏，悃愊无华⑨，日计不足，月计有余⑩。如襄城⑪令刘方，吏民同声谓之不烦⑫，虽未有他异，斯亦殆近之矣⑬。夫以苛为察，以刻为明⑭，以轻为德，以重为威⑮，四者或兴，则下有怨心⑯。吾诏书数下，冠盖接道⑰，而吏不加治⑱，民或失职⑲，其咎⑳安在？勉思旧令，称朕意焉。"

北匈奴大人㉑车利涿兵㉒等亡来入塞㉓，凡七十三辈。时北虏衰

【语译】

肃宗孝章皇帝下

元和二年（乙酉，公元八五年）

春，正月初五日乙酉，章帝下诏说："法令规定：'百姓有生孩子的，免除三年算赋。'现在对所有怀孕的人，赐予每人三斛养胎谷，免除她们丈夫一年的算赋。将此诏书载入律令。"又下诏书给三公说："低俗的官吏粉饰外表，似是而非，朕十分讨厌他们，十分痛恨他们。稳重的官吏，真诚而不浮夸，短期的政绩似乎不足，但长期的政绩绰绰有余。例如襄城县令刘方，官吏百姓同声说他不烦扰，虽然没有特殊表现，但这也差不多接近安静之吏的标准了。以苛暴为洞察，以刻深为清明，以从轻发落罪犯为仁德，以加重制裁为威严，这四种治政方法如果推行起来，那么下面的百姓就会有怨恨之心。我屡次下诏书，宣诏的使者相继于道路，但是吏治仍没有改善，百姓有的失去本业，这过错出在哪里了？希望努力思考已有的法令，合乎我的心意。"

北匈奴首领车利涿兵等逃来进入塞内，共七十三批。当时北匈奴衰落，部众离

耗，党众离畔，南部㉔攻其前，丁零㉕寇其后，鲜卑㉖击其左㉗，西域㉘侵其右㉙，不复自立，乃远引㉚而去。

南单于长㉛死，单于汗之子宣立，为伊屠于闾鞮单于㉜。

《太初历》㉝施行百有[2]余年，历稍后天㉞。上命治历编䜣、李梵等综校其状㉟，作《四分历》㊱。二月甲寅㊲，始施行之。

帝之为太子也，受《尚书》于东郡㊳太守汝南张酺㊴。丙辰㊵，帝东巡，幸东郡，引酺及门生并郡县掾史并会庭中。帝先备弟子之仪，使酺讲《尚书》一篇，然后修君臣之礼，赏赐殊特，莫不沾洽㊶。行过任城㊷，幸郑均㊸舍，赐尚书禄以终其身㊹，时人号为“白衣尚书”。

乙丑㊺，帝耕于定陶㊻。辛未㊼，幸泰山，柴告岱宗㊽，进幸奉高㊾。壬申㊿，宗祀五帝(51)于汶上明堂(52)。丙子(53)，赦天下。戊寅(54)[3]，进幸济南(55)。三月己丑(56)，幸鲁(57)。庚寅(58)，祠(59)孔子于阙里(60)，及七十二弟子(61)，作六代之乐(62)，大会孔氏男子(63)二十以上者六十二人。帝谓孔僖(64)曰：“今日之会，宁于卿宗有光荣乎？”对曰：“臣闻明王圣主，莫不尊师贵道。今陛下亲屈万乘，辱临敝里，此乃崇礼先师，增辉圣德(65)，至于光荣，非所敢承！”帝大笑曰：“非圣者子孙，焉有斯言乎！”拜僖郎中(66)。

壬辰(67)，帝幸东平(68)，追念献王(69)，谓其诸子曰：“思其人，至其乡；其处在，其人亡。”因泣下沾襟。遂幸献王陵(70)，祠以太牢(71)，亲拜祠坐(72)，哭泣尽哀。献王之归国也，骠骑府(73)吏丁牧、周栩以献王[4]爱贤下士，不忍去之，遂为王家大夫(74)数十年，事祖及孙(75)。帝闻之，皆引见。既愍(76)其淹滞(77)，且欲扬献王德美，即皆擢(78)为议郎(79)。乙未(80)，幸东阿(81)，北登太行山，至天井关(82)。夏，四月乙卯(83)，还宫。庚申(84)，假于祖祢(85)。

五月，徙江陵王恭(86)为六安王。

秋，七月庚子(87)，诏曰：“《春秋》重三正(88)，慎三微(89)。其定律无以十一月、十二月报囚(90)，止用冬初十月而已(91)。”

散反叛，南匈奴攻击他们的前方，丁零侵略他们的后方，鲜卑攻打他们的左方，西域侵入他们的右方，北匈奴不能再自立生存，只好远远地逃走了。

南匈奴单于长去世，单于汗的儿子宣即位，就是伊屠于闾鞮单于。

《太初历》施行了一百多年，历法稍晚于天象季节。皇上命令治历官编䜣、李梵等人综合考校各家历法以及天步运行的情况，编定《四分历》。二月初四日甲寅，开始施行这一历法。

章帝做太子时，向东郡太守汝南人张酺学习《尚书》。二月初六日丙辰，章帝巡幸东方，到达东郡，召张酺和他的学生以及郡县属吏一起到郡庭中聚会。章帝先行弟子的礼仪，让张酺讲授《尚书》中的一篇，然后再行君臣的礼仪，赏赐特别优厚，在场的人没有不蒙受赏赐的。章帝巡行经过任城，驾临郑均的住宅，赏赐郑均终身享受尚书的俸禄，当时的人称郑均为“白衣尚书”。

二月十五日乙丑，章帝在定陶县行耕藉田礼。二十一日辛未，章帝巡幸泰山郡，在岱宗燔柴祭告上天，前行巡幸奉高县。二十二日壬申，在汶上明堂祭祀五帝。二十六日丙子，大赦天下。二十八日戊寅，前行巡幸济南国。三月初十日己丑，巡幸鲁国。十一日庚寅，在阙里祭祀孔子及七十二弟子，演奏六代君王音乐，大规模会集孔子后裔二十岁以上的男子共六十二人。章帝对孔僖说：“今天的聚会，难道对你的宗族不是光荣吗？”孔僖回答说：“臣听说英明的帝王和神圣的君主，没有不尊敬老师和崇尚圣道的。现在陛下亲自屈帝王之尊，幸临臣敝陋的故里，这是尊崇礼敬先师孔子，为皇上尊师的神圣品德增添光彩，至于光荣，不是臣所敢接受的！”章帝大笑说：“不是圣人的子孙，怎么能有这样的言论啊！”任命孔僖为郎中。

三月十三日壬辰，章帝到东平国，追念东平献王刘苍，对刘苍的儿子们说：“朕思念刘苍，到了他的家乡；刘苍的封国还在，他人却没有了。”说着流下眼泪沾湿了衣襟。于是来到献王的陵墓，用太牢进行祭祀，亲自祭拜刘苍的牌位，尽情哭泣。献王归国时，骠骑府吏丁牧、周栩认为献王爱护贤人，屈身下士，不忍心离开他，于是做了东平王国大夫几十年，侍奉了祖孙三代。章帝听说此事，召见二人。既怜惜他们久居下位，又想要宣扬献王德行美好，当即把两人都提升为议郎。十六日乙未，章帝巡幸东阿县，往北登上太行山，到达天井关。夏，四月初六日乙卯，回宫。十一日庚申，到祖庙祭告。

五月，改封江陵王刘恭为六安王。

秋，七月二十三日庚子，章帝下诏说：“《春秋》重视天、地、人三正，慎重对待十一月、十二月、正月三微。制定律令，不要在十一月、十二月判决囚犯，截至冬初十月而已。”

【段旨】

以上为第一段，写汉章帝尊儒祭孔，推行新历。

【注释】

①乙酉：正月初五日。②复：免除。③算：算赋，汉代人头税。成人年十五以上，不分男女，每年纳税一百二十钱，称一算。④怀妊：怀孕。⑤赐胎养谷：赏赐孕妇养胎稻谷。⑥人三斛：每人三斛。斛，量词，十斗为一斛。⑦着以为令：将本诏书载入律令，成为常制。着，记载。⑧厌：讨厌；厌恶。⑨安静之吏二句：埋头苦干的官吏，诚诚恳恳而朴实无华。悃愊，至诚。⑩日计不足二句：每天考校，似乎不足；按月考校，百姓安居，家给人足，超出一般的成效。计，考校。不足、有余，指官吏治政成效不足或超出常规水平。⑪襄城：县名，属颍川郡，县治在今河南襄城县。⑫不烦：政令不烦苛、不扰民。⑬虽未有他异二句：虽然没有其他特出表现，但这就差不多接近安静之吏的标准了。斯，指像刘方这样的官吏。殆，庶几、差不多。⑭以苛为察二句：以苛暴为洞察，以刻深为明亮。苛，暴虐。刻，深细苛求。⑮以轻为德二句：以从轻发落罪犯为有仁德，以重刑制裁为有威严。轻，指过于宽容，重罪轻判。重，与轻相反，指加重判罪。⑯四者或兴二句：这四种治政方法如果推行起来，那么下面的百姓就会有怨恨之心。四者，指前文“以苛为察，以刻为明，以轻为德，以重为威”四种治政方法。或，如果。兴，作、推行。下，指百姓。⑰冠盖接道：谓宣诏的使者相继派出，前后接踵于路。冠盖，指戴官帽、乘官车的使者。盖，车盖。⑱吏不加治：官吏政绩并未有所改善。⑲民或失职：百姓仍有失去本业的。失职，失去常业，指丧失土地等。⑳咎：过失。㉑大人：部落酋长。㉒车利涿兵：大人名。㉓入塞：入关塞归附。㉔南部：居于漠南的匈奴南部，即归附汉朝的南匈奴。㉕丁零：居于西伯利亚贝加尔湖四周的古部族名。㉖鲜卑：古部族名，居于今内蒙古东部及东北三省西部，在匈奴之东。㉗左：匈奴东部。㉘西域：指居于今甘肃敦煌以西至新疆境内的各城邦小国，西汉时有三十六国，西汉后期至东汉时有五十余国，皆归附汉朝。㉙右：匈奴西部。㉚远引：远离。北匈奴在汉兵及四围各部族联合打击下向西远逃至乌孙、康居地。㉛南单于长：湖邪尸逐侯鞮单于，公元六三至八五年在位。㉜伊屠于闾鞮单于：伊伐于虑鞮单于汗之子，名宣，公元八五至八八年在位。㉝《太初历》：汉武帝太初元年颁行的历法，以建寅之月即正月为岁首。㉞历稍后天：按历法推算的晦朔弦望晚于实际观测的天步运行。后天，即历法晚于天步。例如十五日月圆，称望，实际晚一二日，在十六日或十七日才见月圆。㉟综校其状：综合考校这一情况。㊱作《四分历》：编定新历法，叫《四分历》。《考异》考证，《续汉书·律历志》中“自太初元年始用《三统历》，施行百有余年”说法误。《三统历》为刘歆所造，王莽采用，以十二月建丑之月为正。光武中兴，废《三统历》，复用

《太初历》，至是始改《四分历》，仍用《太初历》的建寅之月为正，而完善其推步。㊲ 甲寅：二月初四日。㊳ 东郡：郡名，治所濮阳，在今河南濮阳西南。㊴ 张酺（？至公元一〇四年）：字孟侯，汝南郡细阳县（在今安徽太和东）人，章帝刘炟为太子时，张酺曾为"五经"师，为太子侍讲，授《尚书》。酺守正不阿，历仕章帝、和帝两朝，官至司徒。传见《后汉书》卷四十五。㊵ 丙辰：二月初六日。㊶ 沾洽：普受甘露，喻都得到赏赐。㊷ 任城：封国名，治所在今山东济宁东南。㊸ 郑均：字仲虞。好黄老术，章帝时特征，迁为尚书，数纳忠言，章帝十分敬重。因病致仕归家。传见《后汉书》卷二十七。㊹ 赐尚书禄以终其身：因郑均曾为尚书，今赐以领尚书禄终身。尚书禄，六百石，月俸七十斛（石）。㊺ 乙丑：二月十五日。㊻ 定陶：县名，济阴郡治所，县治在今山东菏泽市定陶区。㊼ 辛未：二月二十一日。㊽ 柴告岱宗：在泰山顶上燔柴祭天。柴，祭名，焚木祭天。岱宗，泰山为五岳之首，为四岳所宗，故名。㊾ 奉高：县名，泰山郡治，县治在今山东泰安东。㊿ 壬申：二月二十二日。51 宗祀五帝：祭祀五天帝。宗祀，祭祀祖宗及众神仪式。52 汶上明堂：公元前一一〇年汉武帝封禅泰山，在汶水岸建明堂，称汶上明堂，在奉高西南。53 丙子：二月二十六日。54 戊寅：二月二十八日。55 济南：封国名，治所东平陵县，在今山东济南市章丘区。56 己丑：三月初十日。57 鲁：县名，鲁国治所，县治在今山东曲阜。58 庚寅：三月十一日。59 祠：祭祀。60 阙里：里名，孔子所居旧址，在曲阜城内。61 七十二弟子：《史记》卷四十七《孔子世家》记载，孔子弟子有三千多人，"身通六艺者七十有二人"。62 六代之乐：谓黄帝乐《云门》、尧乐《咸池》、舜乐《大韶》、禹乐《大夏》、汤乐《大护》、周乐《大武》。63 孔氏男子：孔子后裔男子。64 孔僖（？至公元八八年）：孔子后裔，世传家学古文《尚书》《毛诗》《春秋》等。历官兰台令史、东观校书郎、临晋令。传见《后汉书》卷七十九上。65 增辉圣德：为皇帝尊师的神圣品德增添光辉。66 郎中：官名，三署郎之一，侍从皇帝。67 壬辰：三月十三日。68 东平：光武帝子刘苍封国。治所无盐，在今山东东平东。69 献王：东平王刘苍，光武帝子。传见《后汉书》卷四十二。本传载，刘苍死后谥为"宪"而非"献"，沛王刘辅（刘苍兄）才谥为"献"。《谥法》："博闻多能曰宪。"70 献王陵：应为宪王陵。71 太牢：牛、羊、猪三牲具备称太牢。72 亲拜祠坐：章帝亲到宪王祠堂祭拜牌位。宪王刘苍为章帝亲叔。73 骠骑府：骠骑将军府。章帝即位后，刘苍辅政，曾任骠骑将军。74 为王家大夫：为东平王国大夫。75 事祖及孙：侍奉宪王苍、怀王忠及今王敞，是为祖孙三代。76 愍：怜悯。77 淹滞：久居下位没有升迁。78 擢：提拔；升迁。79 议郎：郎官名，掌侍从皇帝，备顾问。80 乙未：三月十六日。81 东阿：县名，属东郡，县治在今山东阳谷东。82 天井关：太行山关名，在今山西晋城南。83 乙卯：四月初六日。84 庚申：四月十一日。85 假于祖祢：到祖庙告祭巡察四方的情况。假，至。此礼仪出于《尚书·舜典》，五载一巡守，巡四岳，归告于祖庙。86 江陵王恭：明帝子。传见《后汉书》卷五十。87 庚子：七月二十三日。88《春秋》重三正：《春秋》，指鲁国编年史《春秋》，书法用周历，年始则书“王正月”，以象征天子纪纲。《后汉书》卷三《章帝纪》载此诏曰：“《春秋》于春每月书‘王’者，重三正，慎三微也。”三正，天、地、人。⑱慎三微：天、地、人三正之始，万物皆微，故又称三微，对应在历法上就是十一月、十二月、正月。十一月，为天正，周历之始月，是时阳气始动于地下；十二月，为地正，殷历之始月，是时万物皆萌芽；正月为人正，夏历之始月，万物皆破土而出。⑳报囚：判决囚犯。㉑止用冬初十月而已：从今以后只准在十月判决囚犯。

【原文】

冬，南单于遣兵与北虏温禺犊王战于涿邪山㉒，斩获而还。武威太守孟云上言：“北虏以前既和亲，而南部复往抄掠。北单于谓汉欺之，谋欲犯塞，谓宜还南所掠生口㉓，以慰安其意。”诏百官议于朝堂。太尉郑弘、司空第五伦等[5]以为不可许，司徒桓虞㉔及太仆袁安㉕等[6]以为当与之。弘因大言㉖激厉㉗虞曰：“诸言当还生口者，皆为不忠！”虞廷叱㉘之，伦及大鸿胪㉙韦彪⑩皆作色变容⑪。司隶校尉⑫举奏⑬弘等，弘等皆上印绶谢⑭。诏报曰：“久议沉滞⑮，各有所志。盖事以议从⑯，策由众定，訚訚衎衎⑰，得礼之容，寝嘿⑱抑心⑲，更非朝廷之福。君何尤⑩而深谢！其各冠履⑪！”帝乃下诏曰：“江海所以能[7]长⑫百川者，以其下⑬之也。少加屈下⑭，尚何足病！况今与匈奴君臣分定，辞顺约明⑮，贡献累至，岂宜违信，自受其曲⑯。其敕度辽及领中郎将⑰庞奋倍雇⑱南部所得生口以还北虏；其南部斩首获生，计功受赏，如常科⑲。”

【校记】

［1］夫俗吏矫饰外貌四句：原无此四句。据章钰校，甲十六行本、乙十一行本、孔天胤本皆有此四句，“厌”作“餍”。张敦仁《通鉴刊本识误》亦有此四句，“餍”作“厌”。今据补，“厌”字从张敦仁《通鉴刊本识误》。［2］有：原无此字。据章钰校，甲十六行本、乙十一行本、孔天胤本皆有此字，今据补。［3］戊寅：原无此二字。据章钰校，甲十六行本、乙十一行本、孔天胤本皆有此二字，张敦仁《通鉴刊本识误》、张瑛《通鉴校勘记》同，今据补。［4］献王：据章钰校，甲十六行本、乙十一行本皆无“献”字。

【语译】

冬，南匈奴单于派军队和北匈奴温禺犊王在涿邪山交战，斩杀俘虏敌人而归，武威郡太守孟云上书说：“北匈奴以前已经和亲，但南匈奴又去抢掠。北匈奴单于认为是汉朝欺骗他，图谋要攻打边塞，臣认为应当把南匈奴掳掠的俘虏送还，来安抚北匈奴。”章帝下诏百官在朝堂商议此事。太尉郑弘、司空第五伦等认为不能答应，司徒桓虞和太仆袁安等认为应当把俘虏归还北匈奴。郑弘声色俱厉地对桓虞说：“那些说应当归还俘虏的人，都是不忠！”桓虞当庭呵斥郑弘，第五伦和大鸿胪韦彪都脸色大变。司隶校尉上书弹劾郑弘等人，郑弘等都呈上印绶请罪。章帝下诏回复说：“久议不决，每人各有想法。国家大事要讨论来办，政策要由大家来决定，忠正和睦，才符合礼仪的样子，沉默不语压着不说，绝不是朝廷的福气。你们有什么过错而要深深谢罪呢！请各位戴上官帽穿好鞋袜！”于是章帝下诏说：“江海之所以能为百川之首，是因为它低下。稍受委屈，又有什么不好！何况现在和匈奴已定了君臣的名分，沟通顺畅，誓约明确，进献的贡物不断到来，怎么可以违背信约，自己承担理亏的指责呢。命令度辽将军兼护匈奴中郎将庞奋加倍出钱赎买南匈奴所掳掠的俘虏，归还北匈奴；南匈奴斩杀俘虏北匈奴，计功受赏，依照惯例。”

【段旨】

以上为第二段，写东汉政府挑动南北匈奴恶斗，高价购买南匈奴的俘虏归还北匈奴，两面讨好，坐收渔人之利。

【注释】

⑨②涿邪山：又云涿涂山，在今蒙古阿尔泰山脉东南部一带。⑨③掠生口：俘获人众。生口，指俘虏。⑨④桓虞：字仲春，冯翊（今陕西西安市高陵区）人，章帝建初四年（公元七九年）以南阳太守为司徒。东汉司徒为三公之一。⑨⑤袁安（？至公元九二年）：历仕明帝、章帝、和帝三朝，官至司空、司徒。此时为太仆（九卿之一，掌皇帝车马），后代桓虞为司徒。传见《后汉书》卷四十五。⑨⑥大言：高声地说。⑨⑦激厉：声色俱厉。⑨⑧叱：喝斥；斥责。⑨⑨大鸿胪：九卿之一，掌诸侯、民族事务，及朝廷礼仪。⑩⓪韦彪（？至公元八九年）：字孟达，扶风平陵（在今陕西咸阳东北）人，仕明帝、章帝、和帝三朝，官至大鸿胪，行司徒事。著有《韦卿子》十二篇。传见《后汉书》卷二十六。⑩①作色变容：脸色大变。⑩②司隶校尉：官名，汉武帝始置，察举百官及京畿地区，位列九卿。⑩③举奏：弹劾；上奏章检举。⑩④上印绶谢：奉上官印请罪。即做引咎辞职的表示。⑩⑤久议沉滞：长时间议而不决。沉滞，停滞、长时间处于某种状态。⑩⑥议从：指根据讨论结果从

【原文】

三年（丙戌，公元八六年）

春，正月丙申[120]，帝北巡[121]。辛丑[122]，耕于怀[123]。二月乙丑[124]，敕侍御史[125]、司空[126]曰："方春，所过毋得有所伐杀[127]。车可以引避[128]，引避之，骓马[129]可辍解[130]，辍解之。"戊辰[131]，进幸中山[132]，出长城。癸酉[133]，还，幸元氏[134]。三月己卯[135]，进幸赵[136]。辛卯[137]，还宫。

太尉郑弘[138]数陈侍中[139]窦宪[140]权势太盛，言甚苦切，宪疾之。会弘奏宪党尚书张林、雒阳令杨光在官贪残。书奏，吏与光故旧，因以告之，光报宪。宪奏弘大臣，漏泄密事[141]，帝诘让[142]弘。夏，四月丙寅[143]，收弘印绶。弘自诣廷尉[144]，诏敕出[145]之，因乞骸骨[146]归，未许。病笃[147]，上书陈谢曰："窦宪奸恶，贯天达地。海内疑惑，贤愚疾恶，谓'宪何术以迷主上！近日王氏之祸[148]，昺然[149]可见。'陛下处天子之尊，保万世之祚[150]，而信谗佞之臣，不计存亡之机[151]。臣虽命在晷刻[152]，死不忘忠，愿陛下诛四凶[153]之罪，以厌[154]人鬼愤结之望。"帝省章，遣医视弘病。比至，已薨。

事。⑰訚訚衎衎：正直和睦。訚訚，忠正的样子。衎衎，和乐的样子。⑱寝嘿：沉默不言。⑲抑心：抑制真实心意。⑳君何尤：你们有何罪过。⑪冠履：作动词用，谓戴好官帽，穿好官服鞋袜。⑫长：居首。此指江、海为众河流之长。⑬下：地势低下。⑭少加屈下：谓中国稍稍受点委屈，以示气度宏大。⑮辞顺约明：指与北匈奴沟通顺畅，誓约明确。⑯曲：理亏。⑰度辽及领中郎将：度辽将军兼护匈奴中郎将。此两职专为设防匈奴而置。⑱倍雇：用加倍的价钱赎买。⑲如常科：按常例规定。东汉一面按惯例对南匈奴掠夺北匈奴牲口给予赏赐，一面又加倍出大价钱赎买南匈奴所掠牲口归还北匈奴，这就是"少加屈下"的意思，以安抚南北匈奴两方面。

【校记】

[5]等：原无此字。据章钰校，甲十六行本、乙十一行本、孔天胤本皆有此字，今据补。[6]等：原无此字。据章钰校，甲十六行本、乙十一行本、孔天胤本皆有此字，今据补。[7]能：原无此字。据章钰校，甲十六行本、乙十一行本皆有此字，今据补。

【语译】

三年（丙戌，公元八六年）

春，正月二十二日丙申，章帝巡视北方。二十七日辛丑，在怀县亲自耕种。二月二十一日乙丑，命令侍御史、司空说："正值春天，所经过的地方，不能让车辆践踏庄稼。车子可以绕行避开的，就绕开，骈马可以卸掉解开的，就卸掉解开。"二十四日戊辰，前行巡幸中山国，出了长城。二十九日癸酉，返回，巡幸元氏县。三月初六日己卯，前行巡幸赵国。十八日辛卯，返回宫。

太尉郑弘屡次陈说侍中窦宪权势太大，言辞极为恳切，窦宪痛恨郑弘。正逢郑弘弹劾窦宪党羽尚书张林、洛阳令杨光任官贪婪残暴。上书奏上，处理奏书的官吏和杨光是老朋友，就把这事告诉杨光，杨光报告窦宪。窦宪举奏郑弘身为大臣，泄露朝廷机密，章帝诘问斥责郑弘。夏，四月二十三日丙寅，收回郑弘的印绶。郑弘自己前往廷尉自首，章帝下诏命令释放郑弘，于是郑弘请求辞职回家，章帝没有批准。郑弘病重，上书陈辞谢罪说："窦宪奸邪罪恶，贯通天地。国人疑虑，无论聪明愚笨的都痛恨他，说'窦宪用什么法术迷惑了主上！不久前王莽的祸害，仍昭然可见'。陛下身处天子的尊位，守卫国家万代的皇统，却相信谗邪奸佞的大臣，不考虑国家存亡的关键。臣虽命在旦夕之间，至死也不敢忘记效忠，但愿陛下诛杀四凶的罪恶，以满足人鬼愤恨郁结的心愿。"章帝看了奏章，派御医看视郑弘的病。等御医到达，郑弘已经去世。

以大司农⑮宋由为太尉。

司空第五伦以老病乞身⑯。五月丙子⑰，赐策罢⑱，以二千石俸终其身。伦奉公尽节，言事无所依违⑲。性质悫⑳，少文采，在位以贞白㉑称。或问伦曰："公有私乎？"对曰："昔人有与吾千里马者，吾虽不受，每三公有所选举㉒，心不能忘，而[8]亦终不用㉓也。若是者，岂可谓无私乎！"

以太仆袁安为司空。

秋，八月乙丑㉔，帝幸安邑㉕，观盐池㉖。九月，还宫。

烧当羌㉗迷吾复与弟号吾㉘及诸种反。号吾先轻入㉙，寇陇西㉚界。督烽掾㉛李章追之，生得号吾，将诣郡。号吾曰："独杀我，无损于羌。诚得生归，必悉罢兵，不复犯塞。"陇西太守张纡放遣之，羌即为解散，各归故地，迷吾退居河北归义城㉜。

疏[9]勒㉝王忠从康居㉞王借兵，还据损中㉟，遣使诈降于班超。超知其奸而伪许之。忠从轻骑诣超，超斩之，因击破其众，南道遂通。

楚许太后㊱薨。诏改葬楚王英，追爵谥曰楚厉㊲侯。

帝以颍川郭躬㊳为廷尉，决狱㊴断刑㊵，多依矜恕㊶，条诸重文可从轻者四十一，奏之㊷，事皆施行。

博士㊸鲁国曹褒上疏，以为宜定文制，著成汉礼。太常㊹巢堪以为一世大典，非褒所定，不可许。帝知诸儒拘挛㊺，难与图始㊻，朝廷礼宪㊼，宜以时立，乃拜褒侍中。玄武司马㊽班固㊾以为宜广集诸儒，共议得失。帝曰："谚言：'作舍道边，三年不成。'会礼㊿之家，名为聚讼[191]，互生疑异，笔不得下。昔尧作《大章》[192]，一夔足矣[193]。"

【段旨】

以上为第三段，写太尉郑弘敢言，弹劾窦宪过恶；班超打通西域南道交通。

章帝任命大司农宋由为太尉。

司空第五伦因年老多病请求辞职。五月初三日丙子，赐予策书免去他的官职，优待终身享受二千石的俸禄。第五伦奉公尽心尽意，陈述意见从不模棱两可。本性质朴敦厚，不擅长言辞修饰，在职以忠正清白著称。有人问第五伦："你有私心吗？"第五伦回答说："过去有人送给我千里马，我虽然没有接受，但每次三公要选举贤才，心中不能忘却此事，但最终还是没有推荐送马的人。像这样，难道可以说没有私心吗！"

章帝任命太仆袁安为司空。

秋，八月二十四日乙丑，章帝巡幸安邑县，观看盐池。九月，回宫。

烧当羌迷吾再次和弟弟号吾以及各种羌反叛。号吾先以轻骑侵入，抢掠陇西郡边界。管理烽火的郡吏李章追击他们，活捉号吾，把他押送到郡里。号吾说："只杀我一人，对于羌族没有什么损失。如果能让我活着回去，一定全部撤兵，不再侵犯汉朝的边塞。"陇西太守张纡释放他回去，羌族的军队当即解散离去，各回到自己原来居住的地方，迷吾退居到河北的归义城。

疏勒王忠从康居王处借到军队，回来占据损中城，派使者假装向班超归降。班超知道疏勒王忠的奸计就假装答应他。疏勒王忠率领轻骑到班超处，班超杀了他，就势击败疏勒王忠的部众，通往西域的南道便开通了。

楚国许太后去世。章帝下诏改葬楚王刘英，追封爵位谥号为楚厉侯。

章帝任命颍川人郭躬为廷尉，判决狱案断定罪刑，大多依照哀怜宽恕的原则，条陈那些重刑可从轻判处的四十一个条文，上奏朝廷，这些事都得到实施。

博士鲁国人曹褒上疏，认为应当制定典章制度，建立汉朝的礼制。太常巢堪认为一代的大典，不是曹褒所能制定的，不能答应。章帝知道儒者们拘泥守旧，难以和他们图谋创新，而朝廷的礼仪规章，应该依时制定，就任命曹褒为侍中。玄武司马班固认为应当广泛召集众儒，共同讨论此事的得失。章帝说："谚语说：'在道路边盖房子，花费三年也盖不成。'聚集议礼的儒者，就可称为聚讼，争论不休，互相产生疑议分歧，无法下笔。从前尧作《大章》，一个乐官夔就足够了。"

【注释】

⑳ 丙申：正月二十二日。㉑ 北巡：视察北方。㉒ 辛丑：正月二十七日。㉓ 怀：县名，县治在今河南武陟西。㉔ 乙丑：二月二十一日。㉕ 侍御史：官名，御史中丞属官，掌监察，受百官奏事。随车驾出巡，举劾道路不法。㉖ 司空：东汉改御史大夫为司空。职司监察及工程，随车驾出巡，整治道路。㉗ 伐杀：指车驾践踏庄稼。㉘ 引

避：绕道。⑫⑨骈马：皇帝车乘用四马，中间两马称服马，两边的两马称骈马，亦称骖马。⑬⓪辍解：解除骈马，只用两马驾车。⑬①戊辰：二月二十四日。⑬②中山：封国名，治所卢奴，在今河北定州。⑬③癸酉：二月二十九日。⑬④元氏：县名，县治在今河北元氏西北。⑬⑤己卯：三月初六日。⑬⑥赵：封国名，治所邯郸，在今河北邯郸。⑬⑦辛卯：三月十八日。⑬⑧郑弘：字巨君，会稽山阴县（今浙江绍兴）人，仕明帝、章帝两朝，官至太尉。传见《后汉书》卷三十三。⑬⑨侍中：官名，皇帝亲随。秩比二千石。⑭⓪窦宪：章帝窦皇后兄，东汉功臣窦融曾孙。官至大将军，专权擅政，和帝迫其自杀。传附《后汉书》卷二十三《窦融传》。⑭①漏泄密事：汉制，泄露机密为不道罪，重者杀头。此为窦宪恃势陷害郑弘之罪。⑭②诘让：诘问斥责。此指追究泄密责任。⑭③丙寅：四月二十三日。⑭④自诣廷尉：主动到廷尉自首。廷尉，九卿之一，掌刑狱。⑭⑤出：免罪释放。⑭⑥乞骸骨：辞职的委婉用语。⑭⑦病笃：病重。⑭⑧王氏之祸：谓外戚王莽篡国之祸。⑭⑨昺然：同“炳然”，鲜明。⑮⓪祚：君位；国统。⑮①存亡之机：指国家存亡的关键。⑮②晷刻：顷刻时间。晷，测日影以确定时刻的仪器。⑮③四凶：尧、舜时四位恶名昭著的大臣，一说即驩兜、共工、鲧、三苗，天下恶之，为帝舜所诛。⑮④厌：满足。⑮⑤大司农：九卿之一，掌国家财政。⑮⑥乞身：乞骸骨。⑮⑦丙子：五月初三日。⑮⑧赐策罢：皇帝允准大臣辞职，赐策规定待遇。此为荣耀终身。⑮⑨依违：言语模棱两可，今语谓之和稀泥。⑯⓪质悫：朴实诚恳。⑯①贞白：忠正清白。⑯②三公有所选举：三公，即太尉、司徒、司空。有所选举，当举荐、征辟人才之时。⑯③亦终不用：最终还是没有举荐送马者。⑯④乙丑：八月二十四日。⑯⑤安邑：县名，为河东郡治，在今山西夏县西北。⑯⑥盐池：在安邑西南。⑯⑦烧当羌：西羌最大的种姓，东汉时居于青海湖东湟水南至赐支河曲广大地区，土地肥美，又近塞内，常雄西羌诸种，威胁东汉西疆。⑯⑧迷吾复与弟号吾：迷吾、号吾，烧当羌酋长滇吾之子。兄弟二人于章帝元和

【原文】

章和元年（丁亥，公元八七年）

春，正月，帝召褒，授[10]以叔孙通⑲④《汉仪》十二篇，曰：“此制散略，多不合经。今宜依礼条正，使可施行。”

护羌校尉⑲⑤傅育⑲⑥欲伐烧当羌，为其新降，不欲出兵，乃募人斗⑲⑦诸羌、胡⑲⑧。羌、胡不肯，遂复叛出塞，更依迷吾。育请发诸郡兵数万人共击羌。未及会，三月，育独进军。迷吾闻之，徙庐落去。育遣精骑三千穷追之，夜，至三兜谷⑲⑨，不设备。迷吾袭击，大破之，杀

三年反汉。⑯⑨轻入：轻敌直入。⑰⓪陇西：郡名，辖洮水流域，与金城郡同为御西羌的边郡。陇西郡治狄道，在今甘肃临洮。⑰①督烽掾：边郡所设掾吏之一，督掌烽燧。⑰②归义城：招降羌人的边城，在今青海贵德北大河北岸。⑰③疏勒：西域国名，王都疏勒，在今新疆喀什。⑰④康居：西域国名，王都卑阗城，在今中亚哈萨克斯坦塔拉斯河上。⑰⑤损中：胡三省注据《后汉书·西域传》，认为当是桢中城。但《后汉书·班超传》作"损中"。⑰⑥楚许太后：楚王刘英之母，光武帝许美人。明帝时楚王英被告谋反，废，自杀，许太后仍留楚宫。见《后汉书》卷四十二《楚王英传》。⑰⑦厉：《谥法》曰，"杀戮无辜曰厉"。⑰⑧郭躬（？至公元九四年）：字仲孙，颍川阳翟（今河南禹州）人，精通律令，官至廷尉。传见《后汉书》卷四十六。⑰⑨决狱：判决狱案。⑱⓪断刑：判罪量刑。⑱①矜恕：哀怜宽恕。⑱②条诸重文二句：条列出四十一条处罚过重的律条，奏请可以减轻。⑱③博士：官名，奉常属官，备朝廷顾问，为太学讲官。⑱④太常：九卿之一，掌宗庙礼仪。⑱⑤拘挛：拘束，墨守教条。⑱⑥难与图始：难于同诸儒革新创制。⑱⑦礼宪：礼仪规章。⑱⑧玄武司马：官名，掌南宫玄武门护卫。⑱⑨班固（公元三二至九二年）：东汉史学家、文学家，著《汉书》行于世。与父班彪同传，见《后汉书》卷四十。⑲⓪会礼：聚集议礼。⑲①聚讼：议论纷纷，各执一端。⑲②大章：尧时乐名。⑲③一夔足矣：正乐，委托夔一人就够了。夔，传说的尧时乐师。语出《吕氏春秋·察传》。

【校记】

［8］而：原无此字。据章钰校，甲十六行本、乙十一行本、孔天胤本皆有此字，张敦仁《通鉴刊本识误》同，今据补。［9］疏：此上原衍"讨"字。据章钰校，甲十六行本、乙十一行本、孔天胤本皆无"讨"字，今据删。

【语译】

章和元年（丁亥，公元八七年）

春，正月，章帝召见曹褒，交给他叔孙通制定的《汉仪》十二篇，说："这礼制零乱疏略，大多不符合经义。现在应根据礼法逐条修正，使它可以施行。"

护羌校尉傅育想要讨伐烧当羌，因为烧当羌刚刚归降，不想出兵，就征募人员去离间羌族、胡族互斗。羌、胡不肯，于是再度反叛出到塞外，重新依附迷吾。傅育请求征发各郡军队数万人共同攻打羌人。还没有等到各军集结，三月，傅育独自进军。迷吾听到消息，就把部落庐舍迁走。傅育派遣精锐骑兵三千人穷追迷吾，夜晚，到达三兜谷，未设防备。迷吾偷袭，大败傅育军，杀死傅育和军吏士兵

育及吏士八百八十人。及诸郡兵到，羌遂引去。诏以陇西太守张纡为校尉，将万人屯临羌[200]。

夏，六月戊辰[201]，司徒桓虞免。癸卯[202]，以司空袁安为司徒，光禄勋[203]任隗[204]为司空。隗，光之子也。

齐王晃[205]及弟利侯刚，与母太姬更相诬告。秋，七月癸卯[206]，诏贬晃爵为芜湖侯，削刚户三千，收太姬玺绶。

壬子[207]，淮阳顷王昞[208]薨。

鲜卑入左地[209]，击北匈奴，大破之，斩优留单于而还。

羌豪迷吾复与诸种寇金城塞[210]，张纡遣从事[211]河内司马防与战于木乘谷[212]。迷吾兵败走，因译使[213]欲降，纡纳之。迷吾将人众诣临羌，纡设兵大会，施毒酒中，伏兵杀其酋豪八百余人，斩迷吾头以祭傅育冢；复放兵击其余众，斩获数千人。迷吾子迷唐与诸种解仇[214]，结婚交质[215]，据大、小榆谷[216]以叛，种众炽盛，张纡不能制。

壬戌[217]，诏以瑞物仍集[218]，改元章和[219]。是时，京师四方屡有嘉瑞，前后数百千，言事者咸以为美。而太尉掾[220]平陵何敞[221]独恶之，谓宋由、袁安曰："夫瑞应依德而至，灾异缘政而生。今异鸟翔于殿屋，怪草生于庭际，不可不察。"由、安惧不敢答。

八月癸酉[222]，帝南巡。戊子[223]，幸梁[224]。乙未晦[225]，幸沛[226]。

日有食之。

九月庚子[227]，帝幸彭城[228]。辛亥[229]，幸寿春[230]。复封阜陵侯延[231]为阜陵王。己未[232]，幸汝阴[233]。冬，十月丙子[234]，还宫。

北匈奴大乱，屈兰储等五十八部、口二十八万诣云中、五原、朔方、北地[235]降。

曹褒依准旧典，杂以"五经"[236]、《谶记》[237]之文，撰次天子至于庶人冠、婚、吉、凶[238]终始制度，凡百五十篇，奏之。帝以众论难一，故但纳之，不复令有司平奏[239]。

是岁，班超发于阗[240]诸国兵共二万五千人击莎车[241]，龟兹王发温宿、姑墨、尉头[242]兵合五万人救之。超召将校及于阗王议曰："今兵少

八百八十人。等到各郡军队到来，羌人便领兵逃离。章帝下诏任命陇西郡太守张纡为护羌校尉，率领一万人驻守临羌县。

夏，六月初二日戊辰，司徒桓虞被免官。癸卯日，任命司空袁安为司徒，光禄勋任隗为司空。任隗是任光的儿子。

齐王刘晃和弟弟利侯刘刚，与母亲太姬互相诬告。秋，七月初八日癸卯，章帝下诏把刘晃的爵位贬为芜湖侯，削减刘刚的食邑三千户，没收太姬的玺绶。

十七日壬子，淮阳顷王刘昞去世。

鲜卑攻入匈奴左部，攻击北匈奴，大败匈奴，斩杀优留单于后撤回。

羌族的首领迷吾再次与羌族各部一起侵犯金城塞，张纡派从事河内人司马防在木乘谷与羌人交战。迷吾的军队败逃，通过翻译使者想归降，张纡接受了。迷吾率领部众前往临羌县，张纡陈列军队举行盛会，放了毒药在酒中，埋伏的军队杀死羌族首领八百多人，砍下迷吾的头到傅育坟前祭奠；又派兵攻打羌族其余的部众，杀死和俘虏几千人。迷吾的儿子迷唐与羌族各部消除仇怨，互相通婚嫁娶，交换人质，占据大榆谷、小榆谷反叛，羌族人数极多，张纡不能掌控。

七月二十七日壬戌，因为祥瑞之物不断聚集，章帝下诏改年号为章和。当时，京城周围常常出现吉祥的瑞物，前后数百上千件。议论此事的人都认为是好事，唯独太尉掾平陵人何敞嫌恶此事，对宋由、袁安说："祥瑞的征兆随着美德而到来，灾异因为政治而产生。现在有奇异的鸟在宫殿房屋上飞翔，有奇怪的草在庭边上生长，不能不详察。"宋由、袁安害怕不敢回答。

八月初八日癸酉，章帝巡视南方。二十三日戊子，临幸梁国。最后一天三十日乙未，临幸沛国。

发生日食。

九月初五日庚子，章帝亲临彭城县。十六日辛亥，临幸寿春县。重新封阜陵侯刘延为阜陵王。二十四日己未，临幸汝阴县。冬，十月十二日丙子，回宫。

北匈奴大乱，屈兰储等五十八个部落、二十八万人前往云中郡、五原郡、朔方郡、北地郡归降。

曹褒依据旧礼典，并参考"五经"、《谶记》的内容，编定从天子到庶人的冠礼、婚礼、吉礼、凶礼整套礼仪制度，共一百五十篇，上奏给章帝。章帝因为众人议论难以统一，因此就接受了，不再下令有关部门讨论上奏。

这一年，班超征发于阗各国军队共二万五千人攻打莎车国，龟兹王发动温宿国、姑墨国、尉头国的军队共五万人援救莎车国。班超召集部下将校以及于阗王商议说：

不敌，其计莫若各散去㉔³，于阗从是而东，长史亦于此西归㉔⁴，可须夜鼓声而发㉔⁵。”阴缓所得生口㉔⁶。龟兹王闻之，大喜，自以万骑于西界遮㉔⁷超，温宿王将八千骑于东界徼㉔⁸于阗。超知二虏已出，密召诸部勒兵㉔⁹。鸡鸣[11]，驰赴㉕⁰莎车营。胡大惊乱，奔走，追斩五千余级。莎车遂降，龟兹等因各退散。自是威震西域。

【段旨】

以上为第四段，写傅育、张纡两任护羌校尉失信西羌，以杀戮为功，迫使西羌大叛，朝廷失控。班超在西域大败莎车，东汉国威远扬。

【注释】

⑲⁴叔孙通：秦博士，归汉，官至奉常、太子太傅。与诸儒共制《汉仪》十二篇。传见《汉书》卷四十三。⑲⁵护羌校尉：官名，主管西羌事务。⑲⁶傅育：曾任武威太守，章帝建初二年（公元七七年）继吴棠为护羌校尉。⑲⁷斗：使互相争斗。⑲⁸羌胡：指羌人、匈奴。⑲⁹三兜谷：地名，今地不详，应在青海湖西，塞外西羌腹地。胡三省注云“在建威南”。建威，县名，在今甘肃西和。⑳⁰临羌：县名，县治在今青海湟源。⑳¹戊辰：六月初二日。⑳²癸卯：六月丁卯朔，无癸卯。癸卯为七月初八。⑳³光禄勋：九卿之一，武帝太初元年更郎中令置，掌禁卫宫殿门户。⑳⁴任隗（？至公元九二年）：东汉初功臣任光之子，官至司空。传附《后汉书》卷二十一《任光传》。⑳⁵齐王晃：光武帝刘秀兄刘缜之曾孙。⑳⁶癸卯：七月初八日。⑳⁷壬子：七月十七日。⑳⁸淮阳顷王昞：刘昞，明帝刘炟之子。传见《后汉书》卷五十。⑳⁹左地：匈奴东部地。㉑⁰金城塞：金城郡边塞。金城郡治允吾，在今青海民和。㉑¹从事：护羌校尉属官。㉑²木乘谷：地名，今地不详，当在青海贵德西。㉑³译使：翻译使者。㉑⁴解仇：消除西羌各部之间的仇恨。㉑⁵结婚交质：互相联姻通婚，交换人质。㉑⁶大、小榆谷：川谷名，在青海贵德境河曲一带。㉑⁷壬戌：七月二十七日。㉑⁸瑞物仍集：祥瑞之物不断出现。仍，多次、连续不断。㉑⁹改元章和：是年七月二十七日之前为“元和四年”，七月二十七日改年号章和。章，明，明和气之致祥。㉒⁰太尉掾：太尉府属吏。㉒¹何敞：字文高，扶风平陵（今陕西咸阳西北）人，历仕章帝、和帝两朝，东汉名臣。传见《后汉书》卷四十三。㉒²癸酉：八月初八日。㉒³戊

"现在兵力少，敌不过他们，从策略上说不如各自散去，于阗国从这里往东，长史我也从这里回到西边，可以等到夜晚鼓声为号一齐出发。"暗中放松看管抓获的俘虏。龟兹王听到这个消息，大喜，自己带领一万骑兵在西界阻击班超，温宿王率领八千骑兵在东界拦截于阗王。班超得知龟兹、温宿已经出发，秘密召集各部整顿军队。鸡鸣时，奔赴莎车军营。胡人大为惊恐混乱，飞奔逃走，班超军追杀了五千多人。于是莎车投降，龟兹等就此各自撤退散去。从此汉朝威震西域。

子：八月二十三日。㉔梁：封国名，治所下邑，在今安徽砀山东。㉕乙未晦：八月三十日晦日。㉖沛：封国名，治所相县，在今安徽濉溪县西。㉗庚子：九月初五日。㉘彭城：县名，为彭城国治所，在今江苏徐州。㉙辛亥：九月十六日。㉚寿春：县名，属九江郡，在今安徽寿县。㉛阜陵侯延：刘延，光武帝子。封阜陵王，章帝建初元年因谋反贬为侯，今复为王。传见《后汉书》卷四十二《光武十王传》。㉜己未：九月二十四日。㉝汝阴：县名，属汝南郡。县治在今安徽阜阳。㉞丙子：十月十二日。㉟云中五原朔方北地：北方四边郡。云中郡治云中县，在今内蒙古托克托北；五原郡治九原，在今包头西；朔方郡治临戎，在今磴口北；北地郡治富平，在今宁夏吴忠西南。㊱"五经"：指儒家经典《诗》《书》《礼》《易》《春秋》。㊲谶记：预言吉凶的谶书。㊳冠、婚、吉、凶：加冠礼、婚礼、吉礼、凶礼。㊴平奏：评议讨论后上奏。㊵于阗：西域国名。王都西城，在今新疆和田南。㊶莎车：西域国名。王都莎车，在今新疆莎车。㊷龟兹王发温宿、姑墨、尉头：龟兹、温宿、姑墨、尉头皆西域国名。龟兹王城延城在今新疆库车，温宿王城在今新疆温宿，姑墨王城在今新疆阿克苏，尉头王城在今新疆阿合奇。㊸散去：谓解散莎车之围军离去。㊹长史亦于此西归：时西域都护阙置，班超为西域都护长史，行都护事。西归，谓西回疏勒。㊺须夜鼓声而发：等到夜半击鼓为号一齐撤兵。须，等待。班超扬言散去，意在分散敌势，以期在行动中集中优势兵力歼敌。㊻阴缓所得生口：暗中放松监管俘虏，使其逃归，报告汉兵将散去的假情报。㊼遮：阻击。㊽徼：伏击。㊾勒兵：集结部队作战斗动员。㊿驰赴：飞驰奔赴。

【校记】

[10]授：原作"受"。据章钰校，甲十六行本、乙十一行本皆作"授"，今据改。[11]鸡鸣：原无此二字。据章钰校，甲十六行本、乙十一行本、孔天胤本皆有此二字，张敦仁《通鉴刊本识误》同，今据补。

【原文】

二年（戊子，公元八八年）

春，正月，济南王康、阜陵王延、中山王焉来朝[251]。上性宽仁，笃于亲亲，故叔父济南、中山二王，每数入朝，特加恩宠，及诸昆弟并留京师[252]，不遣就国。又赏赐群臣，过于制度，仓帑[253]为虚。何敞奏记[254]宋由曰："比年[255]水旱，民不收获，凉州缘边，家被凶害[256]，中州内郡[257]，公私屈竭[258]，此实损膳节用[259]之时。国恩覆载[260]，赏赉过度，但闻腊赐[261]，自郎官以上，公卿、王侯以下，至于空竭帑藏，损耗国资。寻公家之用，皆百姓之力。明君赐赉[262]，宜有品制，忠臣受赏，亦应有度[263]。是以夏禹玄圭[264]，周公束帛[265]。今明公位尊任重，责深负大[266]，上当匡正纲纪[267]，下当济安元元[268]，岂但空空无违[269]而已哉！宜先正己，以率群下，还所得赐，因陈得失，奏王侯就国，除苑囿之禁，节省浮费，赈恤穷孤[270]，则恩泽下畅，黎庶悦豫[271]矣。"由不能用。

尚书[272]南阳宋意[273]上疏曰："陛下至孝烝烝[274]，恩爱隆深，礼宠诸王，同之家人，车入殿门[275]，即席不拜[276]，分甘损膳[277]，赏赐优渥[278]。康、焉幸以支庶[279]，享食大国，陛下恩宠逾制[280]，礼敬过度[281]。《春秋》之义，诸父、昆弟，无所不臣[282]，所以尊尊卑卑[283]，强干弱枝[284]者也。陛下德业隆盛，当为万世典法，不宜以私恩损上下之序，失君臣之正。又西平王羡等六王[285]，皆妻子成家[286]，官属备具[287]，当早就蕃国，为子孙基址[288]。而室第相望，久磐[289]京邑，骄奢僭拟[290]，宠禄隆过。宜割情不忍[291]，以义断恩[292]，发遣康、焉，各归蕃国，令羡等速就便时[293]，以塞众望[294]。"帝未及遣。

壬辰[295]，帝崩于章德前殿，年三十一。遗诏："无起寝庙，一如先帝法制。"

范晔[296]论曰："魏文帝[297]称明帝察察[298]，章帝长者[299]。章帝素知人，厌[300]明帝苛切[301]，事从宽厚。奉承明德太后[302]，尽心孝道。平徭简赋[303]，而民赖其庆。又体之以忠恕，文[304]之以礼乐。谓之长者，不亦宜乎！"

【语译】

二年（戊子，公元八八年）

春，正月，济南王刘康、阜陵王刘延、中山王刘焉来朝见章帝。皇上本性宽厚仁慈，重视亲爱家族，所以叔父济南、中山二王经常入京朝见，每次都给予特殊恩宠，和各位兄弟都留在京师，不遣送刘康等回到封国。又赏赐群臣，超过制度规定，国库为此空虚。何敞写报告给宋由说："连年发生水旱灾害，百姓没有收获，凉州靠近边界，家家受到外族侵害，中原各州内地各郡，公家和私人都财力衰竭，这实在是应该减少膳食、节省费用的时候。朝廷的恩惠如天覆地载，赏赐超过制度，仅听说腊日赏赐，从郎官以上，公卿、王侯以下，甚至于倾尽库府钱财，损耗国家资财。公家的财用，都是百姓劳力所得。英明的国君进行赏赐，应有等级制度，忠臣受赏，也应有限度。因此，夏禹治水成功赐以黑色的玉圭，周公姬旦接受一束币帛的赏赐。如今您位高权重，责任深重，肩负大任，对上应当纠正朝廷纲纪，对下应当救济安抚百姓，怎能只是做到勤勤恳恳不违背皇上而已呢！应先端正自己，以此作为属下的表率，退还所得的赏赐，并就此陈说为政得失，奏请王侯回到自己的封国，撤销苑囿的禁令，节省不必要的开支，赈济抚恤贫穷孤弱，这样恩泽就会顺畅下达，百姓就喜悦快乐了。"宋由不能采用何敞的意见。

尚书南阳人宋意上疏说："陛下至为孝顺，恩爱亲人极为深厚，礼遇宠爱诸王，如同家人一般，允许他们的车子进入殿门，入席时不必下拜，分给美味，减少自己的膳食，赏赐优厚。刘康、刘焉有幸以庶出的身份，受封大国，陛下的恩德宠爱超过标准，礼遇尊敬诸王超过了制度。《春秋》的大义，所有叔伯、兄弟，皆为臣属，这是为了尊礼地位尊贵的人，使卑者遵守卑下的本分，强大主干，削弱支庶。陛下道德功业兴隆昌盛，应当成为万代榜样，不应当因为私人的恩情毁坏了尊卑秩序，失去君臣的正确标准。而且平西王刘羡等六个王，都有妻有子成立家业，官员属下都已齐备，应当早日回到封国，为子孙奠定根基。然而诸王宅第相望，长期逗留京城，骄傲奢侈，僭越制度拟于人君，恩宠食禄过分厚重。陛下应当割断不忍之情，以大义切断私情，派遣刘康、刘焉，各自回归封国，命令刘羡等在方便时迅速就国，以满足众人的愿望。"章帝没有来得及遣送诸王。

壬辰日，章帝在章德宫前殿去世，享年三十一岁。章帝遗诏说："不要建造寝庙，完全依照先帝的规格。"

范晔评论说："魏文帝称明帝苛察，章帝是德行高尚的长者。章帝向来善于鉴察人，不满明帝苛刻严厉，凡事遵从宽厚的原则。侍奉明德太后，尽心孝道。平均徭役减轻赋税，百姓都依赖他的恩德。为政又以忠诚宽恕为根本，用礼乐来修饰。称他是德行高尚的长者，不是很恰当吗！"

【段旨】

以上为第五段，写汉章帝驾崩，在位时厚赏亲王，尽孝太后，制礼作乐，史家称其为宽厚仁君。

【注释】

㉕①来朝：诸侯王赴京朝见皇帝。此次来朝的济南王刘康、阜陵王刘延、中山王刘焉，皆光武帝子，为章帝诸叔。㉕②留京师：诸侯王留住京师王邸。汉制，诸侯王朝会礼毕，各自回国，不得留京师；若留京师，则为殊礼。㉕③仓帑：国库。仓，粮仓。帑，钱库。㉕④奏记：下级呈送上级的署名公文。此为太尉掾何敞呈奉太尉宋由的公文。㉕⑤比年：连年。㉕⑥家被凶害：每家均遭受西羌扰边的祸害。㉕⑦中州内郡：中原各州，内地各郡。㉕⑧屈竭：枯竭。屈，竭尽、穷尽。㉕⑨损膳节用：指皇帝减少饮食，节省费用。㉖⓪国恩覆载：国家恩典如同天覆地载。㉖①腊赐：古代以十二月初八为腊日，举行祭百神活动。朝廷按定规赏赐百官腊祭费，称腊赐。㉖②赐赉：赏赐。㉖③有度：指国家赏赐有一定限额、标准。《后汉书》卷四十三《何敞传》李贤注引《汉官仪》曰："腊赐大将军、三公钱各二十万，牛肉二百斤，粳米二百斛；特进、侯十五万，卿十万，校尉五万，尚书三万，侍中、将、大夫各二万，千石、六百石各七千，虎贲、羽林郎二人共三千以为祀门户直。"㉖④夏禹玄圭：《尚书·禹贡》，"禹赐玄圭，告厥成功"。夏禹治水功成，赏赐玄圭。玄圭，黑色的玉制礼器。㉖⑤周公束帛：周公姬旦接受币帛的赏赐。《后汉书》卷四十三《何敞传》李贤注曰："《尚书》曰：召公出取币，入锡周公。"币，古代用以赏赐馈赠的丝帛。㉖⑥责深负大：责任深重，肩负大任。㉖⑦匡正纲纪：整治制度。匡，纠正、扶正。㉖⑧济安元元：周济安抚百姓黎民。㉖⑨空空无违：勤勤恳恳、不违礼法。空空，通"悾悾"，勤恳的样子。㉗⓪赈恤穷孤：赈济贫穷，抚恤孤弱。㉗①悦豫：欢乐。豫，

【原文】

太子即位，年十岁，尊皇后曰皇太后。

三月丁酉㉚⑤[12]，用遗诏徙西平王羡为陈王，六安王恭为彭城王。

癸卯㉚⑥，葬孝章皇帝于敬陵㉚⑦。

南单于宣死，单于长之弟屯屠何立㉚⑧，为休兰尸逐侯鞮单于。

太后临朝㉚⑨，窦宪㉛⓪以侍中内干机密㉛①，出宣诰命，弟笃为虎贲中

安乐、喜悦。㉗尚书：官名，在殿中职掌文书。主官为尚书令。㉗宋意（？至公元九〇年）：字伯志，南阳安众（今河南邓州东北）人，官至司隶校尉。传附《后汉书》卷四十一《宋均传》。㉗烝烝：不断进取。㉗车入殿门：门，指司马门。太子、诸王、百官入宫，到了司马门都要下车，故又称止车门。章帝殊礼待诸王，允许车入殿门。㉗即席不拜：入席就座，不行君臣礼。汉制，臣对君，须先行礼而后才能就席。㉗分甘损膳：节省膳食，把御厨美食分赐诸王。甘，美味食物。㉗优渥：优裕。渥，优厚。㉗支庶：旁支庶子。嫡长子之外诸子皆为支庶。刘康、刘焉，于章帝为亲叔，于宗法为支庶。㉘恩宠逾制：恩德宠爱，超过标准。㉘礼敬过度：礼遇尊敬诸王的礼仪超过制度定规。㉘无所不臣：国君的宗室，无论尊长，皆为臣属，应尽臣礼。因《春秋》主旨尊王，故云此为《春秋》之义。㉘尊尊卑卑：尊礼地位尊贵的人，使卑者遵守卑下的本分。㉘强干弱枝：加强皇帝权威为强干，使诸侯王处弱势为弱枝。皇帝为主干，诸王为支庶。㉘西平王羡等六王：此六王为明帝诸子，章帝诸弟。明帝九子，章帝继大统，诸子为八王，章和二年时已有二王去世，还有六王。章帝不愿诸弟就国，皆留京师。六王为西平王羡、彭城王恭、乐成王党、下邳王衍、梁王畅、淮阳王昺。㉘皆妻子成家：指六王都已娶妻生子，自成一个家庭。㉘官属备具：谓诸王封国官员已齐备。㉘基址：基础。㉘磐：盘桓；逗留。㉙骄奢僭拟：骄傲奢侈，僭越法制，妄比皇帝。㉙宜割情不忍：应该割断不忍之情。㉙以义断恩：用大义来切断私恩。㉙速就便时：以方便时迅速就国。㉙以塞众望：用以满足众人愿望。㉙壬辰：正月甲午朔，无壬辰。㉙范晔（公元三九八至四四五年）：南朝刘宋史学家，字蔚宗，顺阳（今河南淅川）人，历官宣城太守、左卫将军、太子詹事，着《后汉书》行于世。传见《宋书》卷六十九。㉙魏文帝：曹丕。㉙察察：明辨；精明。㉙长者：德行高尚的人。㉚厌：不满。㉚苛切：指政治苛刻急切。㉚明德太后：章帝养母明帝马皇后，伏波将军马援之女。㉚平徭简赋：平均徭役简省赋税。㉚文：修饰。

【语译】

太子刘肇即位，年十岁，尊称窦皇后为皇太后。

三月初五日丁酉，遵照章帝的遗诏徙封西平王刘羡为陈王，六安王刘恭为彭城王。

十一日癸卯，将孝章皇帝安葬在敬陵。

南匈奴单于宣去世，单于长的弟弟栾提屯屠何继位，就是休兰尸逐侯鞮单于。

窦太后临朝摄政，窦宪以侍中之职在宫中掌管中枢机要，出宫宣布太后的诰令，

郎将[312]，笃弟景、瓌并为中常侍[313]，兄弟皆在亲要之地[314]。宪客崔骃[315]以书戒宪曰："《传》曰：'生而富者骄，生而贵者傲。'生富贵而能不骄傲者，未之有也。今宠禄初隆，百僚观行，岂可不'庶几夙夜，以永终誉[316]'乎！昔冯野王[317]以外戚居位，称为贤臣；近阴卫尉[318]克己复礼，终受多福。外戚所以获讥于时[319]，垂愆于后[320]者，盖在满而不挹[321]，位有余而仁不足[322]也。汉兴以后，迄于哀、平，外家二十，保族全身，四人而已[323]。《书》曰：'鉴于有殷。'[324]可不慎哉！"

庚戌[325]，皇太后诏："以故太尉邓彪[326]为太傅，赐爵关内侯，录尚书事[327]，百官总己以听。"窦宪以彪有义让[328]，先帝[329]所敬，而仁厚[330]委随[331]，故尊崇之。其所施为，辄外令彪奏，内白太后，事无不从[332]。彪在位，修身而已，不能有所匡正。宪性果急[333]，睚眦之怨[334]，莫不报复。永平时，谒者韩纡考劾宪父勋狱[335]，宪遂令客斩纡子，以首祭勋冢。

癸亥[336]，陈王羡、彭城王恭、乐成王党、下邳王衍、梁王畅始就国。

夏，四月戊寅[337]，以遗诏罢郡国盐铁之禁，纵民煮铸。

五月，京师旱。

北匈奴饥乱，降南部者岁数千人。秋，七月，南单于上言："宜及北虏分争，出兵讨伐，破北成南，并[13]为一国，令汉家长无北念[338]。臣等生长汉地，开口仰食，岁时赏赐，动辄亿万。虽垂拱[339]安枕，惭无报效之义。愿发国中[340]及诸部[14]故胡[341]新降[342]精兵，分道并出，期十二月同会虏地。臣兵众单少，不足以防内外[343]，愿遣执金吾[344]耿秉[345]、度辽将军[346]邓鸿及西河、云中、五原、朔方、上郡太守并力而北，冀因圣帝威神，一举平定。臣国成败，要在今年，已敕诸部严[347]兵马，唯裁哀省察。"太后以示耿秉。秉上言："昔武帝单极天下[348]，欲臣虏[349]匈奴，未遇天时，事遂无成。今幸遭天授，北虏分争，以夷伐夷[350]，国家之利，宜可听许。"秉因自陈受恩，分[351]当出命效用[352]。太后议欲从之。尚书宋意上书曰："夫戎狄简贱[353]礼义，无有上下[354]，强者为雄，

弟弟窦笃任虎贲中郎将，窦笃的弟弟窦景、窦瓌均任中常侍，兄弟都在亲近皇帝的机要之地。窦宪的门客崔骃写信劝诫窦宪说："古书说：'生来就富有的人容易骄傲，生来就尊贵的人容易傲慢。'生来富贵而能不骄纵傲慢的人，是没有的。现在您的恩宠官禄刚刚隆盛，百官都在观察您的行为，怎么可以不'希望日夜谨慎，用以永保终身荣誉'呢！过去冯野王以外戚的缘故身居高位，被称作贤臣；近来阴卫尉克己复礼，终于享受到很多福佑。外戚之所以受到当世人的讥讽，在后世留下恶名，大概就是因为权势太大而不知收敛，官位太高而仁德不足。汉朝建立以后，到哀帝、平帝时，外戚共二十家，保全家族的，只有四家而已。《尚书》说：'以殷为镜鉴。'能不谨慎吗！"

三月十八日庚戌，皇太后下诏："任命前任太尉邓彪为太傅，赐关内侯的爵位，总领尚书事务，百官全部听从他的管理。"窦宪因为邓彪有让封侯给弟弟的义行，为先帝章帝所敬重，而且仁爱宽厚随和，所以尊敬推崇他。窦宪有所举措，就让邓彪在外朝上奏，自己则在内官向窦太后报告，事情没有不听从的。邓彪在职，只是修养自身而已，不能对朝政有所纠正。窦宪的个性果断急躁，连瞪眼睛这样细小的仇怨，都没有不报复的。永平年间，谒者韩纡审理讯问窦宪父亲窦勋的案子，窦宪就命令宾客砍死韩纡的儿子，拿他的头祭奠窦勋墓。

癸亥日，陈王刘羡、彭城王刘恭、乐成王刘党、下邳王刘衍、梁王刘畅开始回封国。

夏，四月十七日戊寅，遵照章帝的遗诏取消郡国制盐、冶铁的禁令，允许百姓煮盐铸铁。

五月，京师洛阳发生旱灾。

北匈奴因饥荒大乱，归降南匈奴的每年有数千人。秋，七月，南匈奴单于上书说："应乘北匈奴分裂争斗之际，出兵讨伐，攻破北匈奴，成为南匈奴，并成一个国家，让汉朝永远没有北边的忧虑。臣等生长在汉地，开口仰赖汉朝食物，岁节时令的赏赐，动辄以亿万计。虽然垂衣拱手安枕无忧，但惭愧没有报效的义行。希望征发南匈奴和各部旧胡新投降的精兵，分路一齐出动，约定十二月共同在北匈奴的地方会师。臣的兵众很少，不足以防卫内部和对外作战，希望朝廷派遣执金吾耿秉、度辽将军邓鸿以及西河郡、云中郡、五原郡、朔方郡、上郡太守合力北进，希望依靠圣明皇帝的神威，一举平定北匈奴。臣的国家成败，关键在今年，臣已经命令各部落整备兵马，希望体察定夺。"太后把奏书给耿秉看。耿秉上书说："从前汉武帝倾尽全天下之力，想要臣服匈奴，没有遇到天时，事情才没有成功。现在有幸遇到上天赐予的好时机，北匈奴内部分裂争斗，用南匈奴来征伐北匈奴，有利国家，应当可以听从。"耿秉趁势陈说自己蒙受皇恩，理当拼死效劳。窦太后和大臣商议想要听从耿秉的建议。尚书宋意上书说："戎狄简慢轻视礼义，没有上下尊卑，强者称雄，

弱即屈服。自汉兴以来，征伐数矣，其所克获，曾不补害。光武皇帝躬服金革之难[355]，深昭天地之明，故[15]因其来降，羁縻畜养，边民得生，劳役休息，于兹四十余年[356]矣。今鲜卑[357]奉顺，斩获万数，中国坐享大功，而百姓不知其劳，汉兴功烈[358]，于斯为盛。所以然者，夷虏相攻，无损汉兵者也。臣察鲜卑侵伐匈奴，正[16]是利其抄掠。及归功圣朝，实由贪得重赏。今若听南虏还都北庭，则不得不禁制鲜卑。鲜卑外失暴掠之愿，内无功劳之赏，豺狼贪婪，必为边患。今北虏西遁，请求和亲，宜因其归附，以为外捍[359]，巍巍之业，无以过此。若引兵费赋，以顺南虏，则坐失上略，去安即危矣。诚不可许。”

会齐殇王子都乡侯畅[360]来吊国忧[361]，太后数召见之。窦宪惧畅分宫省之权，遣客刺杀畅于屯卫之中[362]，而归罪于畅弟利侯刚，乃使侍御史与青州刺史杂考[363]刚等。尚书颍川韩棱以为“贼在京师，不宜舍近问远，恐为奸臣所笑”。太后怒，以切责[364]棱，棱固执其议。何敞说宋由曰：“畅宗室肺府，茅土藩臣，来吊大忧，上书须报，亲在武卫，致此残酷[365]。奉宪之吏[366]，莫适讨捕[367]，踪迹不显，主名[368]不立。敞备数股肱[369]，职典贼曹[370]，欲亲至发所[371]，以纠其变[372]。而二府执事以为故事[17]，三公不与贼盗[373]，公纵奸慝[374]，莫以为咎，敞请独奏案之[375]。”由乃许焉。二府闻敞行，皆遣主者[376]随之。于是推举[377]，具得事实[378]。太后怒，闭宪于内宫。宪惧诛，因自求击匈奴以赎死。

冬，十月乙亥[379]，以宪为车骑将军，伐北匈奴，以执金吾耿秉为副，发[380]北军五校[381]、黎阳[382]、雍营[383]、缘边十二郡[384]骑士及羌、胡兵[385]出塞。

公卿举故张掖太守邓训[386]代张纡为护羌校尉。迷唐率兵万骑来至塞下，未敢攻训，先欲胁小月氏胡[387]。训拥卫[388]小月氏胡，令不得战。议者咸以羌、胡相攻，县官[389]之利，不宜禁护。训曰：“张纡失信，众羌大动，凉州吏民，命县丝发。原诸胡所以难得意者，皆恩信不厚耳。今因其追急，以德怀之，庶能有用。”遂令开城及所居园门[390]，悉驱群胡妻子内[391]之，严兵守卫。羌掠无所得，又不敢逼诸胡，

弱者就屈服。自从汉朝建立以来，征伐多次，所攻克收获的，还不曾弥补损失。光武皇帝亲冒战争的危险，深深昭示了天地的圣明，所以乘着南匈奴来归降，控制豢养他们，边疆百姓得以生存，劳役得以停止，到现在四十多年了。现今鲜卑国奉顺汉朝，斩杀、俘获北匈奴以万数，中国坐享大功，而百姓不知其中劳苦，汉朝建立以来的功业，这时最为盛大。之所以这样，是因为夷人互相攻击，没有损害到汉朝的兵卒。臣考察鲜卑攻打匈奴，就是因为抢掠有利可图。至于把功劳归于汉朝，其实是因为贪图得到朝廷的重赏。现今如果听从南匈奴回去定都北庭，就不得不控制鲜卑。鲜卑对外失去了暴掠的想法，对内没有功劳之赏，豺狼贪婪，一定会成为边境的祸患。现今北匈奴逃到西边，请求和亲，应当趁北匈奴归附，将其作为对外的屏障，宏伟的功业，没有可以超过这个的了。如果征发军队，耗费赋税，以顺从南匈奴的要求，就会坐失上好的策略，去安就危，实在不能答应。"

正逢齐殇王的儿子都乡侯刘畅来吊祭章帝之丧，窦太后屡次召见他。窦宪担心刘畅瓜分了他官省中的权力，派门客在屯卫军的驻处刺杀刘畅，却嫁祸于刘畅的弟弟利侯刘刚，并派侍御史和青州刺史会同审讯刘刚等人。尚书颍川人韩稜认为"凶手在京城，不应该舍近问远，恐怕会被奸臣耻笑"。太后大怒，因此严厉地责备韩稜，韩稜坚持自己的意见。何敞说服宋由说："刘畅是宗室至亲，封有土地的藩臣，来京参加先帝丧礼，呈上奏书，等待回复，身在武装卫士之中，却遭到这样的残杀。办理此案的官吏，没有目的地追捕，犯罪的踪迹不明，凶手抓不到。何敞充数股肱大臣，职务主管追捕贼盗的贼曹，想要亲自到案发地，以督察事情的进展。但司徒、司空两府的主事官员认为，依旧例，三公不参与抓捕盗贼之事，公然纵容奸贼，没有人对此加以追罪，何敞请求独自具名上奏审理此案。"宋由于是答应了。两府听说何敞行动了，都派主管官员随同何敞办案。于是推理举发，全部获得真相。窦太后大怒，把窦宪禁闭在内宫。窦宪担心被杀，于是自己请求攻打匈奴以赎死罪。

冬，十月十七日乙亥，任命窦宪为车骑将军，征伐北匈奴，任命执金吾耿秉担任副将，调动北军五校尉、黎阳营、雍营、沿边十二郡的骑兵以及羌族、匈奴兵出塞征讨。

公卿推荐前张掖郡太守邓训代替张纡担任护羌校尉。迷唐率领一万骑兵来到关塞前，不敢攻打邓训，想先胁迫小月氏胡。邓训领兵护卫小月氏胡，命令不许和迷唐交战。商议的人都认为羌人、胡人互相攻打，对朝廷有利，不应该保护小月氏胡。邓训说："张纡失去信任，众羌大肆起兵，凉州官吏百姓，生命就像悬在一根头发上。先前各胡之所以难以满意，都是因为恩信不够深厚。现今趁着他们被追杀危急，用恩德去抚慰他们，可能起到作用。"于是命令打开城门及自己所居住的官府后园门，组织所有胡人的妻儿进去，派军队严密守卫。羌人抢夺一无所获，又不敢进逼各胡族，

因即解去。由是湟中[392]诸胡皆言：“汉家常欲斗我曹，今邓使君待我以恩信，开门内我妻子，乃是得父母也。”咸欢喜叩头曰：“唯使君所命！”训遂抚养教谕，大小莫不感悦。于是赏赂诸羌种，使相招诱，迷唐叔父号吾将其种人八百户来降。训因发湟中秦[393]、胡、羌兵四千人出塞，掩击迷唐于写谷[394]，破之。迷唐乃去大、小榆，居颇岩谷[395]，众悉离散。

【段旨】

以上为第六段，写窦太后临朝，窦宪专权自恣。张掖太守邓训代张纡为护羌校尉，恩威并用，羌人远遁。

【注释】

[305]丁酉：三月初五日。[306]癸卯：三月十一日。[307]敬陵：章帝陵，在京师洛阳城东南三十九里。[308]南单于宣死二句：南单于宣，即伊屠于闾鞮单于宣，公元八五至八八年在位。南单于长，即湖邪尸逐侯鞮单于长，公元六三至八五年在位，在单于宣之前为单于。屯屠何，单于长之弟屯屠何，继宣为单于，号休兰尸逐侯鞮单于。[309]太后临朝：窦太后摄政称制。汉制，少帝即位，太后代摄政。在前殿朝群臣，太后东面，少帝西面。群臣奏事，书写两份，一份呈太后，一份呈少帝。[310]窦宪（？至公元九二年）：字伯度，扶风平陵（今陕西咸阳西北）人，东汉开国功臣窦融曾孙，窦太后之兄。永元元年（公元八九年）以车骑将军击北匈奴，追至燕然山。官至大将军，其弟窦笃、窦景、窦瓌皆幸贵，横暴京师。永元四年，和帝诛宪，族灭窦氏。传附《后汉书》卷二十三《窦融传》。[311]干机密：主持中枢机要事务。干，主管。[312]虎贲中郎将：官名，光禄勋属官，主虎贲中郎，宿卫宫殿。[313]中常侍：官名，出入禁中，常侍皇帝左右。原为士人，后用宦官。[314]亲要之地：指侍中、中常侍身处亲近皇帝的机要之地。[315]崔骃（？至公元九二年）：字亭伯，涿郡安平（今河北安平）人。博学多才，通训诂百家之言，善文学。官至窦宪车骑将军府主簿、长岑县长。传见《后汉书》卷五十二。[316]庶几夙夜二句：希望日夜不懈，才能永保终身荣耀。引自《诗经·周颂·振鹭》。庶几，希望、但愿。[317]冯野王：字君卿，西汉名将冯奉世之子，为汉元帝冯昭仪之兄。官至大鸿胪、琅邪太守，以外戚居位而不骄于人，称为贤臣。传附《汉书》卷七十九《冯奉世传》。[318]阴卫尉：阴兴，光武帝阴皇后之母弟，官至卫尉，谦让不受侯封，拒任大司马官，赢得光武帝的赞赏。传附《后

便立刻撤兵离去。因此湟中的各胡都说："汉朝常常想要让我们互相争斗，现在邓使君以恩信对待我们，开城门收容我们的妻儿，这才是得到父母了。"大家都欢喜磕头说："一切听从使君的命令！"邓训于是抚育教导他们，上下没有不感动喜悦的。于是赏赐钱财给羌人各族，让他们互相招降劝诱，迷唐的叔父号吾率领他的八百户族人来降。邓训就此征发湟中汉人、胡人、羌兵四千人出塞，在写谷袭击迷唐，把他打败了。迷唐便离开大、小榆谷，移居颇岩谷，部众全都离散了。

汉书》卷三十二《阴识传》。⑲ 获讥于时：被当世人讥讽。⑳ 垂愆于后：在后世留下恶名。㉑ 满而不挹：容器注满水而不舀出，必将外溢，喻权势太大而不知收敛。㉒ 位有余而仁不足：官位太高而品德不足以相配。㉓ 外家三句：指西汉一朝，从高祖刘邦至哀帝、平帝，历十代帝王，外戚二十家，只有四家善终。胡三省注外家二十为：吕氏、张氏、薄氏、窦氏、王氏、陈氏、卫氏、李氏、赵氏、上官氏、史氏、许氏、霍氏、邛成王氏、元后王氏、赵氏、傅氏、丁氏、冯氏、卫氏。唯文帝薄太后、窦后、景帝王后、邛成王后四人保全家族。事详《汉书》卷九十七《外戚传》和卷九十八《元后传》。㉔ 书曰二句：引自《尚书·召诰》之辞。㉕ 庚戌：三月十八日。㉖ 故太尉邓彪：邓彪章帝时一度为太尉，视事四年致仕，故称"故太尉"。邓彪传见《后汉书》卷四十四。㉗ 录尚书事：东汉大臣加"录尚书事"为宰相职。录，总领。㉘ 彪有义让：邓彪父邓邯，封鄳乡侯，父卒，彪让国于弟邓凤，明帝高其节。㉙ 先帝：指明帝。㉚ 仁厚：仁爱宽厚。㉛ 委随：性情随和。㉜ 其所施为四句：意谓窦宪有所举措，就让邓彪在外朝秉承他的意旨上奏，窦宪则入宫向太后解说，这样内外一致，没有一件事不被准奏。这是效法王莽当年抬出孔光做傀儡的故伎重演。其所施为，指窦宪所要实施举办的事情。㉝ 果急：果决急躁。㉞ 睚眦之怨：瞪眼睛这样细小的仇怨。㉟ 韩纡考劾宪父勋狱：事见本书卷四十五明帝永平五年。㊱ 癸亥：三月癸巳朔，无癸亥。㊲ 戊寅：四月十七日。㊳ 令汉家长无北念：使汉家永远没有北方的顾虑。谓共灭北匈奴，南匈奴为汉家保塞，是永无北方之患。㊴ 垂拱：此指垂衣拱手，无事可做。㊵ 国中：指南匈奴所辖领地。㊶ 故胡：指南匈奴旧部。㊷ 新降：新近来降的北匈奴。㊸ 防内外：内部治安与对外作战。㊹ 执金吾：官名，掌京师治安。㊺ 耿秉（？至公元九一年）：字伯初，扶风茂陵（今陕西兴平东北）人，官至征西将军、光禄勋。传附《后汉书》卷十九《耿弇传》。㊻ 度辽将军：武官名，巡护南匈奴。㊼ 严：整饬；整备。㊽ 单极天下：倾尽全国的力量。单，通"殚"，耗尽。㊾ 臣虏：臣服；征服。㊿ 以夷伐夷：用南匈奴之众以伐北匈奴。夷指匈奴。(51) 分：职分；本分。(52) 出命效用：拼命贡献力量。(53) 简贱：简慢轻视。(54) 上下：指君臣尊卑

之分。355躬服金革之难：亲身蒙受披军装参战之苦。356四十余年：光武帝建武二十四年（公元四八年）接受南匈奴投降，至本年章和二年（公元八八年），共四十一年。357鲜卑：古种族名，居于匈奴左地，在今内蒙古东部及黑龙江、吉林毗连地区。358功烈：功勋业绩。359外捍：外面的防御。360畅：刘畅，封都乡侯。其父齐殇王刘石，乃光武帝兄刘缜之孙。361来吊国忧：来京师吊唁，参加章帝的葬礼。国忧，指章帝去世。362杀畅于屯卫之中：据《后汉书》卷四十三《何敞传》，“刺杀畅于城门屯卫之中”。363杂考：联合审理案件。刘畅弟刘刚封利侯，利邑在今山东博兴东的利城村。窦宪既杀刘畅，又诬陷刘刚，派侍御史与青州刺史联合审讯刘刚，既转移案件，又绝后患。364切责：严厉责备。365亲在武卫二句：谓刘畅在京师屯卫军中，竟遭残酷杀害。366奉宪之吏：执法之臣，指负责法律案件的官吏。367莫适讨捕：没有目的的追捕，即盲目追捕。368主名：凶手；主犯。369股肱：骨干。370贼曹：主管追捕盗贼的部门。371发所：案发现场。372以纠其变：以督察事态的发展。373二府执事以为故事二句：二府，指司徒、司空府，宋由在太尉府，三府合为三公府。西汉邴吉为丞相，认为三公不当参与抓捕盗贼事务，遂成为惯例。374奸慝：奸恶的人。375敞请独奏案之：何敞请求单独具名上奏，参与破案。因窦宪有皇太后袒护，韩稜上言遭切责，何敞为他鸣不平，请独奏，不牵连太尉宋由受责。376主者：主管贼盗之曹。377推举：推敲举发，即严明审案。378具得事实：全部获得真相。指真相大白。379乙亥：十月十七日。380发：征发；征调。381北军五校：北军五校指屯骑、越骑、步兵、长水、射声五校尉所掌宿卫兵。382黎阳：指黎阳营，光武帝置，统领幽、冀、并三州骑兵。黎阳在今河南浚县。383雍营：指屯驻在雍县（在今陕西宝鸡

【原文】

孝和皇帝[396]上

永元元年（己丑，公元八九年）

春，迷唐欲复归故地，邓训发湟中六千人，令长史[397]任尚将之，缝革为船[398]，置于箄[399]上以渡河，掩击迷唐，大破之，斩首前后一千八百余级，获生口二千人，马牛羊三万余头，一种[400]殆尽。迷唐收其余众西徙千余里，诸附落[401]小种皆畔之。烧当豪帅东号稽颡归死[402]，余皆款塞纳质[403]。于是训绥接归附[404]，威信大行，遂罢屯兵[405]，各令归郡，唯置弛刑徒[406]二千余人，分以屯田、修理坞壁[407]而已。

窦宪将征匈奴，三公、九卿诣朝堂上书谏，以为：“匈奴不犯边塞，

市凤翔区）护卫西汉诸陵的扶风校尉营兵。㊳缘边十二郡：指上郡、西河、五原、云中、定襄、雁门、朔方、代郡、上谷、渔阳、安定、北地十二个地处北边的郡。㊳羌胡兵：由归义的羌人、匈奴人组成的骑兵。㊳邓训（公元四〇至九二年）：字叔平，南阳新野（今河南新野）人，东汉开国功臣邓禹第六子，和帝邓皇后父，官至护羌校尉。传附《后汉书》卷十六《邓禹传》。㊳小月氏胡：月氏人原居甘肃河西走廊，西汉初为匈奴所破，西迁中亚，留居的部分月氏人退入祁连山及湟水流域，与羌人杂居，称小月氏胡。㊳拥卫：派兵守卫。㊳县官：代指天子、国家。㊳园门：护羌校卫所居官舍后园门。㊳内：通“纳”，使……入内。㊳湟中：湟水流域腹地。此指青海湖区东北一带，小月氏胡聚居地。㊳秦：指汉兵。秦征服周边民族，故周边民族称中原人为秦。㊳写谷：《东观汉记》作“雁谷”，在今青海湟源东。㊳颇岩谷：今地不详，当在青海贵德以西腹地。

【校记】

［12］丁酉：原无此二字。据章钰校，甲十六行本、乙十一行本、孔天胤本皆有此二字，今据补。［13］并：原作“共”。据章钰校，甲十六行本、乙十一行本、孔天胤本皆作“并”，今据改。［14］部：原作“郡”。据章钰校，甲十六行本、乙十一行本皆作“部”，张敦仁《通鉴刊本识误》同，今据改。［15］故：原无此字。据章钰校，甲十六行本、乙十一行本、孔天胤本皆有此字，张敦仁《通鉴刊本识误》同，今据补。［16］正：严衍《通鉴补》改作“止”。［17］故事：原无此二字。据章钰校，甲十六行本、乙十一行本、孔天胤本皆有此二字，张敦仁《通鉴刊本识误》、张瑛《通鉴校勘记》同，今据补。

【语译】

孝和皇帝上

永元元年（己丑，公元八九年）

春，迷唐想要重新回到旧地，邓训征发湟中六千人，命令长史任尚率领，用皮革缝制成船，放在木筏上渡河，袭击迷唐，大败迷唐，前后杀死敌人一千八百多人，抓获二千人，马牛羊三万多头，迷唐一族几乎被灭绝。迷唐搜集残余部众西迁一千多里，那些依附迷唐的小部落都反叛它。烧当族首领东号磕头请死投降，其余各部羌人都叩开边关送纳人质。于是，邓训安抚接待归顺的羌人，威信高涨，便撤除屯驻的部队，各让他们回到本郡，只留下解除刑具的二千多刑徒，分别进行屯田、修理城塞。

窦宪准备讨伐匈奴，三公、九卿到朝堂上书劝谏，认为：“匈奴不侵犯边塞，

而无故劳师远涉，损费国用，徼功万里[408]，非社稷之计。”书连上，辄寝[409]。宋由惧，遂不敢复署议[410]，而诸卿稍自引止[411]。唯袁安、任隗[412]守正不移，至免冠朝堂固争[413]，前后且[414]十上[415]，众皆为之危惧，安、隗正色自若。侍御史鲁恭[416]上疏曰：“国家新遭大忧[417]，陛下方在谅暗[418][18]，百姓阙然[419]，三时不闻警跸之音[420]，莫不怀思皇皇，若有求而不得[421]。今乃以盛春之月兴发军役，扰动天下，以事戎夷，诚非所以垂恩中国，改元正时[422]，由内及外[423]也。万民者，天之所生，天爱其所生，犹父母爱其子，一物有不得其所，则天气为之舛错[424]，况于人乎！故爱民者必有天报。夫戎狄者，四方之异气也[19]，与鸟兽无别，若杂居中国，则错乱天气，污辱善人[425]。是以圣王之制，羁縻[426]不绝而已。今匈奴为鲜卑所破，远藏于史侯河[427]西，去塞数千里，而欲乘其虚耗[428]，利其微弱，是非义之所出也。今始征发，而大司农调度不足，上下相迫，民间之急，亦已甚矣。群僚百姓咸曰不可，陛下独[20]奈何以一人之计[429]，弃万人之命，不恤其言乎！上观天心，下察人志，足以知事之得失。臣恐中国不为中国，岂徒匈奴而已哉！”尚书令韩稜、骑都尉朱晖[430]、议郎京兆乐恢[431]皆上疏谏，太后不听。

又诏使者为宪弟笃、景并起邸第，劳役百姓。侍御史何敞上疏曰：“臣闻匈奴之为桀逆久矣。平城之围[432]，慢书之耻[433]，此二辱者，臣子所为捐躯而必死，高祖、吕后忍怒含忿，舍而不诛。今匈奴无逆节之罪，汉朝无可惭之耻，而盛春东作[434]，兴动大役，元元怨恨，咸怀不悦。又猥[21]为卫尉[435]笃、奉车都尉[436]景缮修馆第，弥街绝里[437]。笃、景亲近贵臣，当为百僚表仪。今众军在道，朝廷焦唇，百姓愁苦，县官无用[438]，而遽起[439]大第，崇饰玩好，非所以垂[440]令德[441]、示无穷[442]也。宜且罢工匠，专忧北边[443]，恤民之困。”书奏，不省。

窦宪尝使门生赍书诣尚书仆射[444]郅寿[445]，有所请托。寿即送诏狱，前后上书，陈宪骄恣，引王莽以诫国家。又因朝会刺讥宪等以伐匈奴、起第宅事，厉音正色[446]，辞旨甚切。宪怒，陷寿以买公田、诽谤[447]，下吏[448]，当诛。何敞上疏曰：“寿机密近臣，匡救为职，若怀默不言，其罪当诛。

却无故劳军远征，耗费国家财用，在万里之外邀取功业，这不是为国家着想的计策。”奏书接连呈上，总是被搁置。宋由害怕了，就不敢再签名奏议此事，而众卿也逐渐自行停止进言。只有袁安、任隗坚守正道不变，甚至摘掉冠帽在朝堂上坚持谏诤，前后近十次上书，众人都替两人感到忧虑恐惧，袁安、任隗镇静自如。侍御史鲁恭上疏说：“国家刚刚遭遇先帝去世的大忧，陛下正在守丧，百姓恍惚若失，夏秋冬三季没有听到天子出巡时的警跸之声，没有不深切忧虑的，就像有所追求而得不到的样子。现在竟然在盛春之月兴起征发军役，扰动天下，去讨伐戎夷，实在不是施恩中国百姓，改年号正时节，由内及外施政的做法。万民是上天所降生，上天爱护它所降生的，如同父母爱他的子女，有一物没有得到适当的安顿，那么天气就会为此发生错乱，何况是人呢！所以爱人民的国君必能得到上天的回报。戎狄如同四边怪异之气，与鸟兽没有区别，如果杂居在中国，就会使天气发生错乱，玷污中国百姓。因此圣王的法制只是控制他们，不断绝往来罢了。现在匈奴被鲜卑打败，远藏在史侯河的西边，距离边塞数千里，却想乘其虚弱疲弊，利用他们的微弱，这不是正义的行为。现在刚开始征发军队，而大司农财用不够，上下相逼胁，民间急困，就已经很严重了。群臣百姓都说不可出征，陛下为何因为一人的计策，抛弃万人的生命，不考虑群臣百姓的言论呢！上观天的心意，下察人的志向，足以知道事情的得失。臣担忧中国将不再是中国，难道只是为了匈奴而已吗！”尚书令韩稜、骑都尉朱晖、议郎京兆人乐恢都上疏谏止，窦太后不听从。

和帝又下诏派使者为窦宪的弟弟窦笃、窦景一起建造府第，让百姓服劳役。侍御史何敞上疏说：“臣听说匈奴凶暴违逆已经很久了。高祖在平城被围困，吕后遭受冒顿单于侮慢书信的耻辱，这两件国耻，臣子愿意以必死的决心捐躯雪耻，高祖、吕后却含忿忍怒，放弃匈奴不去诛伐。现今匈奴没有忤逆朝廷的罪行，汉朝也没有值得惭愧的耻辱，却在盛春耕作时节，发动大的军役，百姓怨恨，都心怀不悦。又随意替卫尉窦笃、奉车都尉窦景修建馆舍府第，满街遍里。窦笃、窦景是朝廷亲近贵臣，应当做百官的表率。现今出征大军还在途中，朝廷忧心如焚，百姓忧愁苦难，国家没有用度，却突然建造大宅，大肆装饰奇珍异宝，这不是用以垂示美德、传之永久的做法。应该暂时解散工匠，专心考虑北边的战争，体恤百姓的困苦。”奏书呈上，不加理会。

窦宪曾经让门生拿着书信谒见尚书仆射郅寿，请托他办事。郅寿当即把窦宪的门生送到诏狱，先后上书，陈述窦宪骄横放纵，引用王莽的例子劝诫朝廷。又趁朝会时批评窦宪等人征伐匈奴、建造府第的事情，声色严厉，言辞恳切。窦宪大怒，陷害郅寿买公田、诽谤朝廷，下吏治罪，判当诛杀。何敞上疏说：“郅寿是位于中枢机要的近臣，以匡正挽救朝政为职守，如果保持沉默有话不说，罪应诛杀。

今寿违众正议㊾，以安宗庙，岂其私邪！臣所以触死瞽言㊿，非为寿也。忠臣尽节，以死为归。臣虽不知寿，度其甘心安之⑤①。诚不欲圣朝行诽谤之诛，以伤晏晏之化⑤②，杜塞忠直，垂讥无穷。臣敞谬与机密，言所不宜，罪名明白，当填牢狱，先寿僵仆，万死有余。”书奏，寿得减死论⑤③，徙合浦⑤④。未行，自杀。寿，恽之子也。

夏，六月，窦宪、耿秉出朔方鸡鹿塞⑤⑤，南单于出满夷谷⑤⑥，度辽将军邓鸿出稒阳塞⑤⑦，皆会涿邪山⑤⑧。宪分遣副校尉阎盘、司马耿夔⑤⑨、耿谭将南匈奴精骑万余，与北单于战于稽落山⑥⑩[22]，大破之，单于遁走。追击诸部，遂临私渠北鞮海⑥①，斩名王已下万三千级，获生口甚众，杂畜百余万头，诸裨小王率众降者，前后八十一部二十余万人。宪、秉出塞三千余里，登燕然山⑥②，命中护军⑥③班固刻石勒功，纪汉威德而还。遣军司马吴汜、梁讽奉金帛遗北单于。时虏中乖乱⑥④，汜、讽及北单于于西海⑥⑤上，宣国威信，以诏致赐，单于稽首⑥⑥拜受。讽因说令修呼韩邪故事⑥⑦。单于喜悦，即将其众与讽俱还。到私渠海，闻汉军已入塞⑥⑧，乃遣弟右温禺鞮王奉贡入侍，随讽诣阙⑥⑨。宪以单于不自身到，奏还其侍弟⑦⑩。

秋，七月乙未⑦①，会稽山崩。

九月庚申⑦②，以窦宪为大将军，中郎将刘尚⑦③为车骑将军，封宪武阳侯，食邑二万户，宪固辞封爵，诏许之。旧大将军位在三公下，至是，诏宪位次太傅下、三公上，长史、司马秩中二千石⑦④。封耿秉为美阳侯。

窦氏兄弟骄纵，而执金吾景尤甚，奴客⑦⑤缇骑⑦⑥强夺人财货，篡取罪人，妻略妇女。商贾闭塞，如避寇雠。又擅发缘边诸郡突骑有才力者，有司莫敢举奏。袁安劾景“擅发边兵[23]，惊惑吏民，二千石不待符信而辄承景檄⑦⑦，当伏显诛⑦⑧”，又奏“司隶校尉河南尹阿附贵戚⑦⑨，不举劾⑧⑩，请免官案罪”。并寝不报⑧①。驸马都尉⑧②瓌，独好经书，节约自修。

尚书何敞上封事⑧③曰：“昔郑武姜之幸叔段⑧④，卫庄公之宠州吁⑧⑤，爱而不教，终至凶戾⑧⑥。由是观之，爱子若此，犹饥而食⑧⑦之以毒，适⑧⑧所以害之也。伏见大将军宪，始遭大忧，公卿比奏，欲令典

现在郅寿冒犯众人秉正直言，以安定宗庙，难道是出于私心吗！臣之所以冒死胡乱上言，并非为了郅寿。忠臣尽节，视死如归。臣虽然不了解郅寿，揣测他是甘心尽忠而死。实在不希望圣明的朝廷因诽谤的罪名诛杀大臣，以伤害宽容厚道的教化，杜绝了忠正直言，留下讥讽于后世。臣何敞谬在机要之职，说了不当说的话，罪名清楚，应当关入牢狱，在郅寿之前先处死，万死还有余辜。”奏书呈上，郅寿被判处减免死刑，流放合浦郡。还未押送，郅寿就自杀了。郅寿是郅恽的儿子。

夏，六月，窦宪、耿秉从朔方郡鸡鹿塞出击，南单于从满夷谷出击，度辽将军邓鸿从稒阳塞出击，均会师涿邪山。窦宪分别派遣副校尉阎盘、司马耿夔、耿谭率南匈奴精锐骑兵一万多人，和北单于在稽落山交战，大败北匈奴，北单于逃走。追击北匈奴各部，最终到达私渠北鞮海，杀死匈奴名王以下一万三千人，捕获很多人，得到各种牲畜一百多万头，各裨王、小王率领部众归降的，前后有八十一部二十多万人。窦宪、耿秉军出塞外三千多里，登上燕然山，命令中护军班固刻石记功，记录汉朝的威德，然后回师。派军司马吴汜、梁讽拿着黄金丝绸送给北单于。当时匈奴内部大乱，吴汜、梁讽在西海附近追赶上北单于，宣示了汉朝的威信，以诏书名义进行赏赐，单于磕头拜受。梁讽趁机劝说北单于效法呼韩邪单于归附汉朝的旧例。单于很高兴，立即率他的部众和梁讽一起返回。到达私渠海，听说汉军已经进入塞内，就派弟弟右温禺鞮王捧着贡礼进京侍奉，随梁讽进宫。窦宪因为单于没有亲自到来，奏请送还单于入侍的弟弟。

秋，七月十一日乙未，会稽山发生崩塌。

九月初七日庚申，任命窦宪为大将军，中郎将刘尚为车骑将军，封窦宪为武阳侯，食邑二万户，窦宪坚决推辞封爵，下诏允许了。惯例，大将军地位在三公之下，至此，下诏窦宪的地位在太傅之下、三公之上，他的长史、司马禄秩为二千石。封耿秉为美阳侯。

窦氏兄弟骄横放肆，而执金吾窦景尤为过分，家奴、宾客、缇骑强夺他人财货，劫走罪犯，霸占抢夺妇女。商人门户紧闭，好像躲避强盗一样。又擅自征用沿边各郡突击骑兵中有武艺者，主管官员不敢揭发检举。袁安弹劾窦景“擅自征发边兵，惊扰蛊惑吏民，二千石官员未见调兵虎符就接受窦景的文书调动军队，应受到公开诛杀”，又弹奏“司隶校尉河南尹讨好依附贵戚，不揭发弹劾，请求把他免官治罪”。这些奏书都被搁置不做批复。唯独驸马都尉窦瓌喜好经书，崇尚节约，自我修养。

尚书何敞上密封奏书说：“从前郑武姜宠幸少子叔段，卫庄公宠爱庶子州吁，溺爱而不教育，终于成为顽凶恶徒。由此看来，像这样爱护儿子，好比儿子饿了却喂毒药给他，恰恰是害了他。臣私下看见大将军窦宪，在国家刚刚遭遇大丧时，公卿接连上奏，

干[489]国事。宪深执谦退，固辞盛位，恳恳勤勤，言之深至。天下闻之，莫不说[490]喜。今逾年未几[491]，大[24]礼[492]未终，卒然[493]中改，兄弟专朝，宪秉[494]三军[495]之重，笃、景总宫卫之权，而虐用百姓，奢侈僭逼[496]，诛戮无罪，肆心[497]自快。今者论议讻讻[498]，咸谓叔段、州吁复生于汉。臣观公卿怀持两端[499]，不肯极言[500]者，以为宪等若有匪懈之志[501]，则已受吉甫褒申伯之功[502]；如宪等陷于罪辜，则自取陈平、周勃顺吕后之权[503]，终不以宪等吉凶为忧也。臣敞区区[504]诚欲计策两安[505]，绝其绵绵，塞其涓涓[506]，上不欲令皇太后损文母之号，陛下有誓泉之讥[507]，下使宪等得长保其福祐也。驸马都尉瓌，比请退身，愿抑家权[508]，可与参谋，听顺其意，诚宗庙至计[509]，窦氏之福。”时济南王康[510]尊贵骄甚，宪乃白出敞为济南太傅。康有违失，敞辄谏争，康虽不能从，然素敬重敞，无所嫌牾[511]焉。

冬，十月庚子[512]，阜陵质王延[513]薨。

是岁，郡国九大水[514]。

【段旨】

以上为第七段，写邓训大破西羌。窦宪出击北匈奴，大获全胜，居功骄恣，窦氏气焰，炙手可热。

【注释】

[396]孝和皇帝：章帝刘炟第四子，讳肇，窦太后养以为子，故废长立之，为东汉第四代皇帝，公元八九至一〇五年在位。《伏侯古今注》曰：“‘肇’之字曰‘始’。”[397]长史：护羌校尉长史，掌理校尉府事务。[398]缝革为船：用皮革缝制成船，即动物皮船。[399]箄：木筏。[400]一种：一个种落。指西羌迷唐部。[401]附落：依附迷唐的西羌小部落。[402]稽颡归死：磕头归附请死，即投降。[403]款塞纳质：叩开边塞送纳人质。[404]绥接归附：安抚接纳归附的羌众。[405]罢屯兵：解散屯驻击羌的部队，班师各回本郡。[406]弛刑徒：解除刑具的刑徒。[407]坞壁：防御用的城堡、障塞。[408]徼功万里：在万里之外战场上邀取功名。[409]辄寝：就被搁置。[410]署议：在上奏议案上署名。[411]引止：停止建言。[412]袁安、任隗：袁安时为司徒，任隗为司空。[413]免冠朝堂固争：摘下官帽在朝会殿堂上强谏。[414]且：将近。[415]十上：上呈十次奏章。[416]鲁恭（公元三一至一一二年）：字仲康，扶风平陵（今

想让他主持国事。窦宪深执谦让，坚决推辞高位，勤勤恳恳，言辞恳切。天下人听了，没有不高兴的。现在才过一年多，三年的丧礼还没有结束，突然中途改变做法，兄弟专擅朝廷，窦宪掌管三军重职，窦笃、窦景总管宫中守卫大权，却暴虐役使百姓，奢侈僭越，杀害无辜，肆意自快。现在人们议论纷纷，都说叔段、州吁又出现在汉朝了。臣观察公卿大臣心怀两端，不肯直言极谏，是认为窦宪等人如果有勤恳不懈的意愿，就已经有像尹吉甫褒赞申伯那样的功勋；如果窦宪等人陷于罪孽，就是自取陈平、周勃权且顺从吕后权力的祸患，始终不因窦宪等人做事好坏而忧虑。臣何敞真诚希望能够有两全的计策，切断祸患的线索，堵塞祸患的源头，对上不想让皇太后有损'文母'的美号，让陛下受到誓与母后'黄泉相见'的讥刺，对下使窦宪等人得以永保福佑。驸马都尉窦瓌，接连请求辞职，希望抑制窦家的权势，可以让他参与商议，听从他的意见，这实在是国家最好的计策，窦家的福分。"当时济南王刘康极其尊贵骄纵，窦宪就劝说太后把何敞调出京任济南王太傅。刘康有过错，何敞就进谏劝阻，刘康虽然不能听从，但是一向敬重何敞，没有任何嫌恶抵牾。

冬，十月十八日庚子，阜陵质王刘延去世。

这一年，九个郡国发生大水灾。

陕西兴平东北）人，历仕章帝、和帝、安帝三朝，官至司徒。传见《后汉书》卷二十五。㊶⑦ 大忧：指章帝崩。㊶⑧ 谅暗：居丧时住的房子，多借指天子守丧。㊶⑨ 阙然：若有所失的样子。㊷⓪ 三时不闻警跸之音：天子出巡戒严，出称警，入称跸。和帝在章和二年二月即位，第二年春议击匈奴，因在谅暗不出，故已历夏、秋、冬三时不闻警跸之音。㊷① 怀思皇皇二句：深切思念，好像有求而不能得到。皇皇，通"惶惶"，惶恐貌。语出《礼记·檀弓上》："既殡，瞿瞿如有求而弗得；既葬，皇皇如有望而弗至。"㊷② 改元正时：改变年号纠正时令。是年改元永元。新君即位第二年改元，应施惠政于民，故鲁恭上疏有是议。㊷③ 由内及外：先安定内部，施恩百姓，然后再及外事。㊷④ 舛错：错乱；不正常。㊷⑤ 善人：指汉民。㊷⑥ 羁縻：笼络控制。羁，马络头。縻，牛缰绳。㊷⑦ 史侯河：今地不详。㊷⑧ 虚耗：虚弱困乏。㊷⑨ 一人之计：指窦宪一个人的计策。㊸⓪ 朱晖：字文季，南阳宛（今河南南阳）人，官至尚书令。时为骑都尉。传见《后汉书》卷四十三。㊸① 乐恢：字伯奇，京兆长陵（今陕西咸阳东北）人，官至尚书仆射，为窦宪迫害自杀。时为议郎。传见《后汉书》卷四十三。㊸② 平城之围：公元前二〇〇年，高祖北伐匈奴，被困平城。事详本书卷十一高帝七年。平城，在今山西大同东北。㊸③ 慢书之耻：匈奴冒顿单于致书吕太后，出言不逊。事详本书卷十二惠帝三年。慢书，侮辱性的书信。㊸④ 东作：春耕。岁起于东，人始耕作，故谓春耕为东作。㊸⑤ 卫尉：官名，掌守卫皇宫。㊸⑥ 奉车都

尉：官名，光禄勋属官，掌皇帝车马。㊲弥街绝里：占满街道里巷。谓窦氏宅第，工程浩大，连片占满街道里巷。㊳县官无用：国家没有用度，指财政紧张。㊴遽起：突然兴建。㊵垂：垂示。㊶令德：美德。㊷示无穷：昭示永远，以为表率。㊸专忧北边：专心考虑北边讨伐北匈奴之事。㊹尚书仆射：尚书台副长官。㊺郅寿：字伯考，历官冀州刺史、尚书令、尚书仆射。因上书以王莽比拟窦宪，被窦宪迫害自杀。寿为光武时名臣郅恽之子，父子同传，见《后汉书》卷二十九。㊻厉音正色：声音严厉，脸色严肃。㊼诽谤：汉律，诽谤朝廷，罪大逆。㊽下吏：交付官吏审判。㊾违众正议：违逆众人，秉正议论。㊿触死瞽言：冒死上言。瞽言，放肆大言。典出《论语·季氏》，孔子曰："侍于君子有三愆，……未见颜色而言谓之瞽。"㊿度其甘心安之：揣度郅寿，他甘心尽忠直言而死。㊿晏晏之化：宽厚的教化。晏晏，宽容的样子。㊿减死论：减免死刑论处。㊿合浦：郡名，边南海。治所合浦，在今广西合浦东北。㊿鸡鹿塞：边塞名，在今内蒙古磴口西北。㊿满夷谷：地名，在内蒙古固阳。㊿稒阳塞：稒阳县边塞，县治在今内蒙古固阳。㊿涿邪山：今蒙古古尔班赛汗山。㊿司马耿夔：司马，军官名，位在校尉下，亦称军司马。主军法。耿夔，传附《后汉书》卷十九《耿弇传》。㊿稽落山：山名，在今蒙古境内。㊿私渠北鞮海：湖泊名，今蒙古乌布苏诺尔湖。㊿燕然山：今蒙古杭爱山。㊿中护军：官名，大将军府将领。㊿乖乱：混乱。㊿西海：蒙古高原上湖名，今地不详。㊿稽首：叩首；行叩拜礼。㊿修呼韩邪故事：效法呼韩邪单于归附汉朝旧事。㊿汉军已入塞：汉军已入关塞返回汉地。㊿诣阙：到京师洛阳。阙，宫门两侧高台，借指皇宫。㊿还其侍弟：遣还匈奴使者单于弟右温禺鞮王。侍，入侍汉皇为人质。㊿乙未：七月十一日。㊿庚申：九月初七日。㊿中郎将刘尚：中郎将，光禄勋属官，主中郎，掌卫皇宫门户。㊿旧大将军四句：旧，指东汉中兴之初。太尉、司徒、司空为三公。大将军位原在三公下，今以窦宪克敌功大，升级大将军位在太傅之下、三公之上。大将军府长史、司马各一人，原秩千石，今秩中二千石，与九卿等列。㊿奴客：家奴、宾客。㊿缇骑：身着红黄色衣服的护从骑士。缇，红黄色丝织品。㊿二千石不待符信句：二千石，指郡守、郡尉，禄秩二千石、比二千石。他们未见调兵虎符，只凭窦景签发的公文就擅自调兵。符信，指调兵的虎符或符节等信物。㊿当伏显诛：应伏罪公开诛戮。㊿阿附贵戚：攀附显贵外戚。贵戚，指窦氏。㊿不举劾：不揭发劾奏。㊿并寝不报：两道奏章均被留中，得不到回复。㊿驸马都尉：武官名，光禄勋属官，为陪侍天子乘车的近臣。㊿封事：密封的奏章。㊿郑武姜之幸叔段：郑武姜，郑庄公之母，偏爱少子叔段。郑庄公立，武姜请以郑国的大邑京封叔段，谓之京城太叔。后来京城太叔欲偷袭郑国都，被庄公讨伐，兵败出奔共，而称共叔段。事详《春秋左传》鲁隐公元年。㊿卫庄公之宠州吁：卫庄公姬杨，卫桓公姬完之父，宠庶子州吁。州吁好兵，卫庄公不禁；大夫石碏谏，不听。及桓公立，州吁乃弑桓公而自立，卫人杀州吁，卫国不宁。事详《春秋左传》鲁隐公三年、四年。㊺凶戾：凶暴。㊼食：拿食物给人吃。㊽适：恰恰。㊾典干：职掌；掌管。㊿说：通“悦”。(491)逾年未几：刚过一年多一点。(492)大礼：指三年之丧礼。(493)卒然：突然。卒，通“猝”。(494)秉：执掌。(495)三军：泛指全国之军。(496)僭逼：超越礼制逼近皇帝。(497)肆心：恣意妄为。(498)论议讻讻：议论纷纷。(499)怀持两端：心怀两端，指没有是非。(500)极言：直言规谏。(501)匪懈之志：勤劳忠贞的志向。匪懈，不懈怠，兢兢业业。(502)吉甫褒申伯之功：吉甫，即尹吉甫，西周第十一任王周宣王时贤大夫。申伯，申国国君，周宣王之舅，为周卿士，筑城于谢，尹吉甫作诗赞美他。所作之诗，即《诗·大雅·崧高》。(503)陈平、周勃顺吕后之权：陈平、周勃，两人为西汉开国功臣，《史记》《汉书》两书中均有传。高祖崩，吕太后临朝，违高祖之约，大封诸吕为王。时陈平为相，周勃为太尉，顺从吕太后之意，权宜听从封诸吕为王，而暗中策划诛除诸吕。(504)区区：一心一意。(505)计策两安：规划使国家（皇室）与外戚全都平安的策略。(506)绝其绵绵二句：断绝灾害的引线，堵塞祸乱的源头。胡三省注引周人《金人铭》曰：“涓涓不壅，终为江河；绵绵不绝，或成网罗。”涓涓，细流。绵绵，细丝。(507)不欲令皇太后二句：不想让皇太后有损“文德之母”的称号，也不使陛下有发誓“黄泉相见”的讥刺。文母，周文王之母，仪范天下，诗人颂之。誓泉之讥，郑庄公平定共叔段之乱，归罪于母亲的偏爱，置武姜于城颍，并发誓说：“不及黄泉，无相见也。”后经颍考叔劝谏，母子和好如初。(508)驸马都尉瓌三句：驸马都尉窦瓌，接连请求辞官致仕，希望抑制窦家的权势。(509)至计：最高的谋略。(510)济南王康：光武帝少子刘康。(511)嫌牾：嫌隙抵牾。(512)庚子：十月十八日。(513)阜陵质王延：阜陵王刘延，光武帝子，死后谥为质王。《谥法》曰：“名实不爽曰质。”(514)郡国九大水：有九个郡国发生大水灾。

【校记】

［18］谅暗：据章钰校，甲十六行本、乙十一行本皆作“谅阴”。〖按〗谅暗，亦作“亮阴”“梁暗”“凉阴”。［19］也：原无此字。据章钰校，甲十六行本、乙十一行本、孔天胤本皆有此字，今据补。［20］独：原无此字。据章钰校，甲十六行本、乙十一行本、孔天胤本皆有此字，今据补。［21］猥：据章钰校，此下甲十六行本、乙十一行本、孔天胤本皆有“复”字。［22］稽落山：章钰校所据胡克家本作“稽洛山”。笔者所据胡克家本作“稽落山”，“落”字稍小，似是后来改刻。据章钰校，甲十六行本、乙十一行本皆作“稽落山”。［23］兵：原作“民”。据章钰校，甲十六行本、乙十一行本皆作“兵”，张敦仁《通鉴刊本识误》同，今据改。［24］大：原误作“入”。据章钰校，甲十六行本、乙十一行本、孔天胤本皆作“大”，张敦仁《通鉴刊本识误》同，今据校正。

【原文】

二年（庚寅，公元九〇年）

春，正月丁丑[515]，赦天下。

二月壬午[516]，日有食之。

夏，五月丙辰[517]，封皇弟寿为济北王，开为河间王，淑为城阳王。绍封[518]故淮南顷王[519]子侧为常山王。

窦宪遣副校尉阎盘[520][25]将二千余骑掩击北匈奴之守伊吾[521]者，复取其地。车师[522]震慑，前、后王各遣子入侍。

月氏求尚公主，班超拒还其使，由是怨恨，遣其副王谢将兵七万攻超。超众少，皆大恐。超譬[523]军士曰："月氏兵虽多，然数千里逾葱岭来，非有运输，何足忧邪！但当收谷坚守，彼饥穷自降，不过数十日决[524]矣！"谢遂前攻超，不下，又钞掠无所得。超度其粮将尽，必从龟兹[525]求食，乃遣兵数百于东界要[526]之。谢果遣骑赍金银珠玉以赂龟兹。超伏兵遮击[527]，尽杀之，持其使首以示谢。谢大惊，即遣使请罪，愿得生归，超纵遣之。月氏由是大震，岁奉贡献。

初，北海哀王[528]无后，肃宗以齐武王首创大业而后嗣废绝[529]，心常愍之，遗诏令复齐、北海二国。丁卯[530]，封芜湖侯无忌[531]为齐王，北海敬王庶子威[532]为北海王。

六月辛卯[533]，中山简王焉[534]薨。焉，东海恭王[535]之母弟，而窦太后，恭王之甥也[536]。故加赙钱[537]一亿，大为修冢茔，平夷吏民冢墓以千数，作者万余人，凡征发摇动六州十八郡。

诏封窦宪为冠军侯，笃为郾侯，瓌为夏阳侯。宪独不受封。

秋七月乙卯[538]，窦宪出屯凉州[539]，以侍中邓叠[540]行征西将军[541]事为副。

北单于以汉还其侍弟，九月，复遣使款塞称臣，欲入朝见。冬，十月，窦宪遣班固、梁讽迎之。会南单于复上书求灭北庭，于是遣左谷蠡王师子等将左右部八千骑出鸡鹿塞，中郎将耿谭遣从事[542]将护之，袭击北单于。夜至，围之，北单于被创，仅而得免。获阏氏[543]及男女五人，

【语译】

二年（庚寅，公元九〇年）

春，正月二十六日丁丑，大赦天下。

二月初二日壬午，发生日食。

夏，五月初七日丙辰，册封皇帝的弟弟刘寿为济北王，刘开为河间王，刘淑为城阳王。接续封原淮南顷王的儿子刘侧为常山王。

窦宪派遣副校尉阎盘率领二千多骑兵截击北匈奴守卫伊吾的军队，再度夺取伊吾地。车师国震恐，前、后王各派遣儿子进京侍奉皇帝。

月氏国请求娶公主，班超拒绝并遣返他的使者，月氏国因此怨恨，派遣他的副王谢率领七万士兵攻打班超。班超兵众少，都十分惊恐。班超劝谕士兵说："月氏军队虽然多，但是跋涉几千里越过葱岭而来，没有后勤运输，有什么值得担心的呢！只要收藏粮食坚守，他们饥饿困窘，自然归降，不过几十天就会决出胜负了！"谢进军攻打班超，攻不下城池，又抢掠不到东西。班超推测月氏粮米即将吃完，必定向龟兹国求取粮食，就派几百名兵士在东界截击他们。谢果然派骑兵带着金银珠玉去贿赂龟兹国。班超的伏兵阻击，全部杀死他们，拿着他们使者的头给谢看。谢十分惊恐，立即派使者请罪，希望能活着回去，班超释放他们回去。月氏国因此大为震恐，每年向朝廷进献贡品。

当初，北海哀王没有嫡子，肃宗因为齐武王最早开创中兴大业，却后代宗嗣断绝，心里常常怜惜他们，遗诏命令恢复齐、北海二国。五月十八日丁卯，册封芜湖侯刘无忌为齐王，北海敬王的庶子刘威为北海王。

六月十二日辛卯，中山简王刘焉去世。刘焉是东海恭王的同母弟弟，而窦太后是恭王的外甥女。所以增加丧礼钱一亿，为他大修坟墓，铲掉了吏民坟墓数以千计，修墓的有一万多人，调发人力物资震动六州十八郡。

和帝下诏册封窦宪为冠军侯，窦笃为郾侯，窦瓌为夏阳侯。只有窦宪不接受封侯。

秋，七月初七日乙卯，窦宪出兵屯驻凉州，以侍中邓叠代理征西将军职，为副将。

北匈奴单于因为汉朝遣回他派去侍奉天子的弟弟，九月，又派使者到边塞称臣，希望入京朝见天子。冬，十月，窦宪派班固、梁讽迎接北匈奴使者。时逢南匈奴单于再次上书请求消灭北匈奴，于是派左谷蠡王师子等率领左右部八千骑兵从鸡鹿塞出发，中郎将耿谭派遣从事率领护卫南匈奴军，袭击北匈奴单于。夜晚到达，包围北匈奴，北匈奴单于受伤，只身逃了出来。生擒阏氏和男女五人，

斩首八千级，生虏数千口。班固至私渠海而还。是时，南部党众益盛，领户三万四千，胜兵五万⑭。

【段旨】

以上为第八段，写班超在西域以少胜众，大败月氏国的侵犯，威震西域。窦宪遣将监护南匈奴，再次大破北匈奴。

【注释】

⑮丁丑：正月二十六日。⑯壬午：二月初二日。⑰丙辰：五月初七日。⑱绍封：续封，封前王嗣子承继宗祠。⑲淮南顷王：孝明帝子刘昺。章和元年（公元八七年），刘昺薨，未及立嗣，而章帝崩，今乃绍封。⑳阏盘：胡三省注认为即前出征北匈奴战于稽落山之阏盘。《后汉书》卷八十八《西域传》作"阏盘"。㉑伊吾：西域城名，原为匈奴呼衍王所控制，在今新疆哈密西。㉒车师：西域国名，西汉宣帝时分为前、后两部。其地在今新疆吐鲁番、奇台地区。㉓譬：晓谕；宣喻。㉔决：指决出胜负。㉕龟兹：西域国名，王城延城，在今新疆库车。㉖要：通"徼"，伏击、截击。㉗遮击：拦击。㉘北海哀王：刘基，为光武帝兄刘缜次子刘兴之孙，元和三年（公元八六年）薨，无后。㉙齐武王首创大业句：齐武王，光武帝兄刘缜，首举义旗，因功高震主为更始帝刘玄所害。光武帝封其二子为王，长子刘章为齐王，因追谥刘缜为齐武王；次子刘兴为北海王。齐王

【原文】

三年（辛卯，公元九一年）

春，正月甲子⑮，帝用曹褒新礼⑯，加元服⑰。擢褒监羽林左骑⑱。

窦宪以北匈奴微弱，欲遂灭之。二月，遣左校尉耿夔、司马任尚出居延塞⑲，围北单于于金微山⑳，大破之，获其母阏氏[26]，名王已下五千余级。北单于逃走，不知所在㉑。出塞五千余里而还，自汉出师所未尝至也。封夔为粟邑侯。

窦宪既立大功，威名益盛，以耿夔、任尚等为爪牙，邓叠、郭璜

杀了八千人，生俘几千人。班固到达私渠海然后返回。这时，南匈奴的部众越来越多，统领三万四千户，精兵五万人。

刘章之孙刘晃因罪国除；北海王刘兴之孙刘基无后，至是齐武王继嗣绝。章帝怜之，遗诏令复齐、北海二国。传见《后汉书》卷十四。㉚丁卯：五月十八日。㉛无忌：齐王刘晃之子，今复齐国，继嗣为齐王。㉜北海敬王庶子威：刘威，刘基之弟，北海敬王刘睦之庶子，今继嗣为北海王。㉝辛卯：六月十二日。㉞中山简王焉：刘焉，光武帝子，谥为简王。《谥法》："一德不懈曰简。"光武帝十子封王，共一传，见《后汉书》卷四十二。㉟东海恭王：刘强，初为太子，后废为东海王，谥为恭王。《谥法》："既过能改曰恭。"刘强、刘焉为同母亲兄弟，母为光武帝郭皇后。㊱窦太后二句：窦太后母沘阳公主，东海恭王刘强之女。窦太后则为恭王刘强的外甥女。㊲赙钱：奠仪钱。㊳乙卯：七月初七日。㊴凉州：州名，领陇西、武威等十郡二属国。治所武威郡姑臧，在今甘肃武威。㊵邓叠：窦宪心腹，官至卫尉，封穰侯。窦宪败，连坐被诛。㊶行征西将军：邓叠以侍中代理征西将军之职，高于侍中，故称行。行，代理。㊷从事：属吏名。耿谭为使匈奴中郎将，属吏有从事。㊸阏氏：单于正妻。㊹胜兵五万：精兵有五万。

【校记】

［25］阎盘：原作"阎砮"。据章钰校，乙十一行本作"阎盘"，与本卷上文一致，今据改。

【语译】

三年（辛卯，公元九一年）

春，正月十九日甲子，和帝采用曹褒新制定的仪礼，行戴冠礼。提拔曹褒监管羽林左骑。

窦宪认为北匈奴衰弱，想要趁机消除他们。二月，派左校尉耿夔、司马任尚出兵居延塞，在金微山包围北单于，大败他们，生擒单于的母亲阏氏，杀掉名王以下五千多人。北单于逃走，不知所终。汉军远出塞外五千多里然后班师，自汉朝出师以来未曾到过这么远。册封耿夔为粟邑侯。

窦宪立了大功后，威名更加显赫，以耿夔、任尚等作为爪牙，邓叠、郭璜为心腹，

为心腹，班固、傅毅[552]之徒典文章，刺史、守、令多出其门，竞[27]赋敛吏民[553]，共为赂遗。司徒袁安、司空任隗举奏诸二千石并所连及，贬秩免官者[28]四十余人，窦氏大恨。但安、隗素行高，亦未有以害之。尚书仆射[554]乐恢[555]刺举[556]无所回避，宪等疾之。恢上书[29]曰："陛下富于春秋[557]，纂承大业[558]，诸舅不宜干正[559]王室，以示天下之私。方今之宜，上以义自割，下以谦自引[560]，四舅[561]可长保爵土之荣，皇太后永无惭负宗庙之忧，诚策之上者也。"书奏，不省。恢称疾乞骸骨，归长陵。宪风厉[562]州郡，迫胁[563]恢饮药死。于是朝臣震慑[564]，望风承旨[565]，无敢违者。袁安以天子幼弱，外戚擅权，每朝会进见，及与公卿言国家事，未尝不喑呜流涕，自天子及大臣，皆恃赖[566]之。

冬，十月癸未[567]，上行幸长安，诏求萧、曹[568]近亲宜为嗣者，绍其封邑[569]。

诏窦宪与车驾会长安。宪至，尚书以下议欲拜之，伏称万岁[570]。尚书韩棱正色[571]曰："夫上交不谄，下交不渎[572][30]，礼无人臣称万岁之制！"议者皆惭而止。尚书左丞[573]王龙私奏记[574]、上牛酒[575]于宪，棱举奏龙，论为城旦[576]。

龟兹、姑墨、温宿诸国皆降。十二月，复置西域都护、骑都尉、戊己校尉官[577]。以班超为都护，徐幹为长史。拜龟兹侍子白霸为龟兹王，遣司马姚光送之。超与光共胁龟兹，废其王尤利多而立白霸，使光将尤利多还诣京师。超居龟兹它干城[578]，徐幹屯疏勒，惟焉耆、危须、尉犁以前没都护[579]，犹怀二心，其余悉定。

庚辰[580]，上至自长安[31]。

初，北单于既亡，其弟右谷蠡王于除鞬自立为单于[581]，将众数千人止[582]蒲类海[583]，遣使款塞[584]。窦宪请遣使立于除鞬为单于，置中郎将领护，如南单于故事。事下公卿议，宋由等以为可许。袁安、任隗奏以为："光武招怀南虏[585]，非谓可永安内地，正以权时之算[586]，可得捍御北狄[587]故也。今朔漠[588]已[32]定，宜令南单于反其北庭，并领降众，无缘更立于除鞬以增国费。"事奏，未以时定[589]。安惧宪计遂行，乃独上封事曰："南单于屯先父[590]举众归德，自蒙恩以来四十余年[591]，三帝[592]积累以遗陛下，

班固、傅毅这类人掌管文书，刺史、太守、县令大都出自他的门客，争着向吏民强征赋役，共同贿赂。司徒袁安、司空任隗揭发举奏那些二千石官，互相牵连，被降职免官的有四十多人，窦宪大为痛恨。但袁安、任隗向来德行高洁，窦宪也没办法陷害他们。尚书仆射乐恢检举揭发窦宪无所避讳，窦宪等人仇恨他。乐恢上奏说："陛下年少，继承帝业，几位舅舅不应该主持朝政，以此向天下显示无私。现在恰当的做法是，皇上要以大义自行割舍私爱，在下的要谦让自行引退，四位国舅可以长久保留爵位封土的荣耀，皇太后永远没有辜负宗庙的担忧，这才真正是上策。"奏疏呈上，和帝不理睬。乐恢称病请求辞官，回到长陵县。窦宪示意州郡长官，胁迫乐恢服毒而死。于是朝臣震惊恐惧，观察窦宪的动静，奉承他的旨意，没有敢违背的。袁安因为天子幼小，外戚专权，每次朝会进见和帝，以及与公卿大臣谈论国家大事，没有不呜咽流泪的，从和帝到朝中大臣，都依赖袁安。

冬，十月十二日癸未，和帝巡幸长安，下诏寻找萧何、曹参近亲中适合为后嗣的，继承他们的封邑。

和帝下诏命窦宪和皇上在长安会见。窦宪到达，尚书以下大臣商议想要跪拜他，伏地口呼万岁。尚书韩稜严肃地说："与地位高的人交往不谄媚，与地位低的人交往不轻慢，礼仪中没有对人臣口呼万岁的制度！"建议的人都羞愧不已而作罢。尚书左丞王龙私自上奏记给窦宪，奉献牛肉和美酒，韩稜举报弹劾王龙，判处王龙城旦刑。

龟兹、姑墨、温宿等国都归降了。十二月，重新设置西域都护、骑都尉、戊己校尉官。任命班超为西域都护，徐幹为长史。任龟兹的侍子白霸为龟兹王，派司马姚光护送他回国。班超和姚光共同胁迫龟兹，废掉原来的王尤多利，而立白霸为王，派姚光把尤多利带回京城。班超住在龟兹国它干城，徐幹驻扎疏勒国，只有焉耆国、危须国、尉犁国因为以前攻陷都护，仍然对汉朝心怀二意，其余各国全部归服。

十二月初十日庚辰，和帝从长安返回京城。

当初，北匈奴单于逃跑后，他的弟弟右谷蠡王于除鞬自立为单于，率领几千人屯驻蒲类海，派遣使者到关塞请求内附。窦宪请求派遣来的使者立于除鞬为单于，设置中郎将统领护卫，如同南匈奴单于惯例。事情交给公卿大臣讨论，宋由等人认为可以答应。袁安、任隗上奏认为："光武帝招徕安抚南匈奴，并不是认为可以永久安居内地，只是权宜之计，可以用以抵御北匈奴的缘故。现在北方大漠已经平定，应该命令南匈奴单于返回北王廷，一并统领归降的部众，没有理由另外立于除鞬为单于而增加国家的费用。"建议奏上，未能当即决定。袁安害怕窦宪的计划得以施行，于是独自上密封奏事说："南匈奴单于屯屠何的先人率领部众归德汉朝，自蒙汉朝恩典以来已有四十多年，三位皇帝积累基业以传给陛下，陛下实在应该遵循先人

陛下深宜追[33]述先志，成就其业。况屯首创[34]大谋，空尽北虏，辍而弗图⑬，更立新降，以一朝之计，违三世之规，失信于所养⑭，建立于无功⑮。《论语》曰：'言忠信，行笃敬，虽蛮貊行焉。'⑯今若失信于一屯，则百蛮不敢复保誓矣。又乌桓、鲜卑新杀北单于⑰，凡人之情，咸畏仇雠，今立其弟，则二虏怀怨。且汉故事⑱，供给南单于，费直岁一亿九十余万，西域岁七千四百八十万。今北庭弥远，其费过倍，是乃空尽天下，而非建策之要⑲也。"诏下其议，安又与宪更相难折⑳。宪险急负势，言辞骄讦㉑，至诋毁㉒安，称光武诛韩歆、戴涉故事㉓，安终不移。然上竟从宪策。

【段旨】

以上为第九段，写窦宪扶植北匈奴残部另立单于与南匈奴抗衡，以夷制夷。

【注释】

㊺甲子：正月十九日。㊻曹褒新礼：曹褒重新修订的礼仪。曹褒（？至公元一〇二年），字叔通，鲁国薛（在今山东滕州南）人，官至将作大匠、河内太守、侍中。曹褒博学，为儒者宗师。传见《后汉书》卷三十五。㊼加元服：行加冠礼。元服，冠、帽子。元，首。㊽监羽林左骑：为羽林左监，属光禄勋，主领羽林左骑。㊾居延塞：边塞名，属张掖属国。在今内蒙古额济纳旗。㊿金微山：今阿尔泰山。551北单于逃走二句：此役金微山之战，彻底消除了匈奴边患。北匈奴不能在蒙古高原立足，西迁欧洲。552傅毅：字武仲，扶风茂陵（今陕西兴平东北）人。善文学。窦宪为车骑将军，征傅毅为主记室；宪为大将军，以傅毅为司马。传见《后汉书》卷八十上《文苑传》。553竞赋敛吏民：争着向吏民百姓征收赋役。554尚书仆射：尚书台副长官。555乐恢：见本卷永平元年。556刺举：监察检举。557富于春秋：年少。时和帝年十三岁。558纂承大业：指继承皇位。559干正：匡正。这里是主持的意思。560上以义自割二句：在上位的（指和帝），要用大义割舍私爱（意谓解除诸窦权力）；在下位的（指诸窦）要谦让，自己辞职。561四舅：窦宪、窦笃、窦景、窦瓌。562风厉：暗示；示意。风，通"讽"。563迫胁：逼迫要挟。564震慑：震惊慑服。565望风承旨：观察动静，迎合旨意办事。566恃赖：依靠；依赖。567癸未：十月十二日。568萧曹：指西汉功臣萧何、曹参。569绍其封邑：继承萧何、

的遗愿，成就这个事业。况且屯屠何首先提出征伐北匈奴的大计，彻底消灭北匈奴，现在朝廷弃屯屠何而不用，另立新归降的于除鞬为单于，以一时的计策，违反三朝的规矩，失信于南单于，去扶植无功于汉的于除鞬。《论语》说：'说话忠诚守信，行为笃厚恭敬，即使在蛮貊之地也行得通。'现在如果失信于屯屠何一人，那么所有的蛮族都不敢再遵守誓约了。而且，乌桓国、鲜卑国刚杀死北匈奴单于，按人之常情，都畏惧仇敌，现在立北匈奴单于的弟弟，那么乌桓、鲜卑二国就会对汉朝心怀怨恨。况且汉朝的旧例，供给南匈奴单于，每年费用价值一亿九十多万，供给西域每年七千四百八十万。现今北王廷更加遥远，供给的费用超过一倍，这是要耗尽天下财富，而不是制定正确的决策。"和帝将此奏交给大臣讨论，袁安又和窦宪互相诘难。窦宪阴险刻急，依恃权势，言辞骄横，揭人短处，甚至诋毁袁安，提到光武帝杀韩歆、戴涉的往事，袁安始终不为所动。但和帝最终听从了窦宪的建议。

曹参的封邑。⑤⑦⓪伏称万岁：拜伏磕头，呼喊万岁。⑤⑦①正色：脸色严肃。⑤⑦②上交不谄二句：引自《易经·系辞下》。意谓与在上位的人交往，不可谄媚；跟在下位的人交往，不可轻慢。⑤⑦③尚书左丞：官名，尚书令下设左丞、右丞各一人。左丞掌理文书等综合事务，右丞管理印章及纸笔财用。⑤⑦④私奏记：私自上书。⑤⑦⑤上牛酒：进献牛和酒。⑤⑦⑥论为城旦：判处为城旦刑。城旦，筑城墙苦役。⑤⑦⑦西域都护句：西域都护为巡护西域诸国官。骑都尉，光禄勋属官，本监羽林骑。戊己校尉，巡护西域各国，亦掌屯田。章帝建初元年罢置西域都护、戊己校尉，今复置。⑤⑦⑧它干城：西域都护府治所，在今新疆库车西南。⑤⑦⑨焉耆、危须句：明帝永平十八年（公元七五年）焉耆等国附从龟兹攻陷西域都护陈睦。焉耆、危须、尉犁，西域三小国，紧邻，在今新疆焉耆、尉犁一带。没，陷没。⑤⑧⓪庚辰：十二月初十。⑤⑧①于除鞬自立为单于：公元九一至九三年在位。⑤⑧②止：驻屯。⑤⑧③蒲类海：即今新疆巴里坤湖，在哈密西北。⑤⑧④款塞：叩关塞，请求归附。⑤⑧⑤南虏：指南匈奴。⑤⑧⑥权时之算：权宜之计；临时措施。⑤⑧⑦北狄：指北匈奴。⑤⑧⑧朔漠：北方大漠。朔，北方。⑤⑧⑨未以时定：未及时定可否。即皇帝未立即裁定。⑤⑨⓪南单于屯先父：南单于屯，即休兰尸逐侯鞮单于屯屠何，公元八八至九三年在位。先父，先人。指醢落尸逐鞮单于比，公元四八至五六年在位。公元四八年比效稽侯狦呼韩邪单于故事，率南匈奴归附东汉。⑤⑨①蒙恩以来四十余年：指南匈奴自单于比于光武帝建武二十四年（公元四八年）归汉，至和帝永元三年（公元九一年），已历四十四年。⑤⑨②三帝：指光武帝、明帝、章帝。⑤⑨③辍而弗图：弃而不用。辍，停止、弃置。图，考虑。这里指任用。⑤⑨④所养：所豢养。指南匈奴。⑤⑨⑤无功：指无功于汉朝的北匈奴于除鞬。⑤⑨⑥《论语》曰四句：

引自《论语·卫灵公》，系孔子答子张之言。㊾⑦乌桓、鲜卑新杀北单于：章和元年（公元八七年），乌桓、鲜卑杀优留单于。㊾⑧故事：旧例。㊾⑨非建策之要：不是正确决策的关键之处。⑥⑩⑩难折：辩难；诘难。⑥⑩①宪险急负势二句：窦宪阴险刻急，仗势压人，言辞傲慢，进行人身攻击。讦，揭人之短。⑥⑩②诋毁：诬陷诽谤。⑥⑩③光武诛韩歆、戴涉故事：韩歆、戴涉皆光武帝大司徒，因直谏触怒光武帝，无罪被诛。事详本书卷四十三，韩歆被责免自杀，在建武十五年；戴涉下狱死，在建武二十年。

【校记】

［26］阏氏：张敦仁《通鉴刊本识误》认为此下脱“斩”字，属下句读。［27］竟：原无此字。据章钰校，甲十六行本、乙十一行本、孔天胤本皆有此字，张敦仁《通鉴刊本识误》同，今据补。［28］者：原无此字。据章钰校，甲十六行本、乙十一行本、孔天胤本皆有此字，今据补。［29］书：据章钰校，甲十六行本、乙十一行本、孔天胤本皆作“疏”。［30］渎：据章钰校，甲十六行本、乙十一行本、孔天胤本皆作“黩”。［31］庚辰上至自长安：原无此七字。据章钰校，甲十六行本、乙十一行本、孔天胤本皆有此七字，张敦仁《通鉴刊本识误》、张瑛《通鉴校勘记》同，今据补。［32］已：据章钰校，甲十六行本、乙十一行本皆作“既”。［33］追：据章钰校，甲十六行本、乙十一行本皆作“遵”。［34］创：据章钰校，甲十六行本、乙十一行本皆作“唱”，张瑛《通鉴校勘记》同。

【研析】

本卷集中研析窦宪其人其事，重点研析北伐匈奴的历史功绩。

第一，太尉郑弘弹劾窦宪过恶。窦宪是东汉开国功臣安丰侯窦融的第四代孙。窦宪父窦勋、祖窦穆因纵诞不法，与轻浮子弟交游，请托郡县，干乱政事被诛杀。导火索是窦穆假传阴太后诏书，命令六安侯刘盱休掉妻子，改娶窦穆之女。永平五年（公元六二年），刘盱妇家揭发窦穆的丑恶，汉明帝大怒，下诏诸窦罢官，窦穆遣归故里，窦勋因尚东海王刘强女沘阳公主留居京师。后窦穆在乡里又犯罪，死于平陵狱，窦勋死于洛阳狱，窦氏门庭衰落。谒者韩纡曾审问窦勋，窦宪含恨在心。章帝建初二年（公元七七年）册立窦宪妹妹为皇后，窦宪拜为郎，稍迁为侍中、虎贲中郎将。弟窦笃黄门侍郎，窦景、窦瓌中常侍。窦氏一门又显贵起来。诸侯王，以及阴氏、马氏外戚莫不畏惮。窦宪公然以低价强买沁水公主的园田。沁水公主是章帝之妹，窦宪也敢欺压。郑弘上书弹劾窦宪，说他奸恶“上达于天，下通地下”，请求章帝以虞舜诛除“四凶”的决心，诛杀窦宪，用以避免重蹈王氏新莽颠覆国家之祸，并“消除人神共有的愤怒”。作为一个贵族纨绔子弟，窦宪兄弟确实是恶棍。

第二，窦宪犯禁。汉章帝驾崩，和帝即位，窦太后临朝，窦宪肆无忌惮，为所欲为。他为了报复韩纡审判父亲窦勋的往事，杀了韩纡的儿子，用韩纡儿子的人头去祭奠父亲的坟冢。皇室都乡侯刘畅到京师吊唁明帝，受到窦太后的亲爱，窦宪担心刘畅被重用，分了他的权柄。刘畅是光武帝兄刘伯升的第五代孙。进京有禁军保护。窦宪派刺客在禁军营房杀了刘畅，嫁祸于刘畅之弟刘刚。刘刚在青州，不在京师。窦太后派侍御史与青州刺史组成合议庭审问刘刚。尚书韩稜抗辩说："盗贼在京师，不应舍近求远，恐为奸臣所笑。"窦太后大怒，严厉斥责韩稜，韩稜坚持不屈。太尉府贼曹何敞自告奋勇冒死请求参加合议庭会审。司徒府、司空府也派出了会审官员。三公府与侍御史、青州刺史组成的大合议庭审理中，查出了真凶是窦宪。窦太后感到脸面无光，把窦宪禁闭在内宫，释放了刘刚。韩稜、何敞坚持正义，为平反冤案，敢与皇太后据理力争，大勇精神令人敬佩。

第三，窦宪北伐匈奴。窦宪有将帅之才，他害怕被诛杀，请求立功赎罪，北伐匈奴。汉章帝于章和二年（公元八八年）冬十月十七日任命窦宪为车骑将军，以执金吾耿秉为副帅，班固为中护军，准备大举北伐匈奴。这道出征诏书引起轩然大波，满朝文武上奏谏止，窦太后不听。袁安、任隗在朝堂上脱帽强争也改变不了窦太后的决心。和帝永元元年（公元八九年）六月，窦宪率众出征，多路深入，汉匈两军主力在稽洛山决战，大破匈奴，单于逃走，斩名王以下一万三千级，获牲口杂畜一百余万头。汉军登燕然山刻石颂功而回。这篇刻石为班固所写，史称《燕然山铭》，范晔载于《后汉书》卷二十三《窦宪传》中。

窦宪北伐匈奴是中国对外战争史上一次伟大的胜利。经过这次打击，匈奴逐渐消亡了。汉武帝动员全国之力，前后征战数十年才打败了匈奴。当然，窦宪时的匈奴，力量大衰，而窦宪运用的部队，主力是沿边各郡的地方部队，以及归义的羌胡，中央禁军数量不多，然而获此盖世功勋，不能不钦佩窦宪的军事才能，以及窦太后的全力支持。窦宪为的是立功赎罪，窦太后为的是捞回面子，重整窦家雄风，主观动机渺小，而客观功业巨大，有利于中原农耕民族的发展，这是应当肯定的。

窦宪急躁暴戾，本性难移，作恶多端，随着窦太后之死，诸窦被诛杀，窦氏家庭再度衰落。

卷第四十八　汉纪四十

起玄黓执徐（壬辰，公元九二年），尽旃蒙大荒落（乙巳，公元一〇五年），凡十四年。

【题解】

本卷记事起公元九二年，迄公元一〇五年，凡十四年，当和帝永元四年至元兴元年，载和帝一朝史事。和帝是一个平庸之君，没有大作为，尚不昏暴，友爱诸王，留居京师，为了减轻民劳，让岭南停止进贡鲜荔枝。和帝诛杀权臣窦宪是一快事，班固受牵连下狱死，所作《汉书》未完，由其妹班昭完成。班超在西域，不断进取，大破焉耆国，西域五十六国附汉。班超派使者甘英出使大秦国。班超年迈，荣归祖国，至洛阳一月而卒。北匈奴残部被歼，南匈奴争位内乱，匈奴势衰，鲜卑兴起。东汉最大的边患仍是西羌，叛服不定，耗损东汉国力。东汉重置西海郡，用以安抚羌人。和帝驾崩，邓太后临朝，明察善断，避免了一场宫廷冤狱大案的发生。

【原文】

孝和皇帝下

永元四年（壬辰，公元九二年）

春，正月，遣大将军左校尉[①]耿夔授于除鞬印绶，使中郎将[②]任尚持节卫护屯伊吾，如南单于故事[③]。

初，庐江周荣[④]辟袁安府，安举奏窦景及争立北单于事，皆荣所具草[⑤]。窦氏客太尉掾徐齮深恶[⑥]之，胁[⑦]荣曰："子为袁公腹心之谋，排奏[⑧]窦氏，窦氏悍士[⑨]、刺客满城中，谨备之矣！"荣曰："荣，江淮孤生[⑩]，得备宰士[⑪]，纵为窦氏所害，诚所甘心。"因敕[⑫]妻子："若卒遇飞祸[⑬]，无得殡敛，冀[⑭]以区区腐身[⑮]觉悟朝廷。"

三月癸丑[⑯]，司徒袁安薨。

闰月丁丑[⑰]，以太常丁鸿[⑱]为司徒。

【语译】

孝和皇帝下

永元四年（壬辰，公元九二年）

春，正月，派大将军左校尉耿夔授给予除鞬印绶，令中郎将任尚持符节，护卫屯驻伊吾，仿照南单于惯例。

当初，庐江郡人周荣被征召到袁安的司徒府任职，袁安上奏弹劾窦景和反对封立北匈奴单于这两事情的奏章，都是周荣起草的。窦氏的宾客、太尉掾徐齮深切怨恨周荣，威胁周荣说："你是袁公的心腹谋臣，排挤奏告窦氏，窦氏的武士、刺客布满城中，你要小心防备他们啊！"周荣说："我周荣是江淮孤陋书生，能够备位宰相府属吏，纵然被窦氏所害，实在是心甘情愿。"因此告诫妻子儿女说："如果我突然遭遇飞来横祸，不要入棺埋葬，希望以我渺小腐朽之身使朝廷觉悟。"

三月十四日癸丑，司徒袁安去世。

闰三月初九日丁丑，任命太常丁鸿为司徒。

夏，四月丙辰⑲，窦宪还至京师。

六月戊戌朔⑳，日有食之。丁鸿上疏曰："昔诸吕擅权，统嗣几移㉑；哀、平之末，庙不血食㉒。故虽有周公㉓之亲，而无其德，不得行其势也。今大将军虽欲敕身自约㉔，不敢僭差，然而天下远近，皆惶怖承旨。刺史㉕、二千石㉖初除㉗，谒辞㉘、求通待报㉙，虽奉符玺㉚，受台敕㉛，不敢便去㉜，久者至数十日，背王室，向私门。此乃上威损，下权盛也。人道悖于下，效验见于天，虽有隐谋，神照其情，垂象见戒，以告人君㉝。禁微㉞则[1]易，救末㉟则难。人莫不忽于微细以致其大㊱，恩不忍诲㊲，义不忍割㊳，去事之后㊴，未然之明镜㊵也。夫天不可以不刚㊶，不刚则三光㊷不明；王不可以不强㊸，不强则宰牧从横㊹。宜因大变，改政匡失，以塞㊺天意。"

丙辰㊻，郡国十三地震。

旱，蝗。

窦氏父子兄弟并为卿、校，充满朝廷，穰侯邓叠、叠弟步兵校尉㊼磊及母元、宪女婿射声校尉㊽郭举、举父长乐少府㊾璜共相交结。元、举并出入禁中，举得幸太后㊿，遂共图为杀害(51)，帝阴知(52)其谋。是时，宪兄弟专权，帝与内外臣僚莫由亲接，所与居者阉宦而已。帝以朝臣上下莫不附宪，独中常侍钩盾令(53)郑众(54)谨敏有心几(55)，不事豪党，遂与众定议诛宪。以宪在外(56)，虑其为乱，忍而未发。会宪与邓叠皆还京师，时清河王庆(57)恩遇尤渥(58)，常入省宿止(59)。帝将发其谋，欲得《外戚传》(60)，惧左右，不敢使，令庆私从千乘王(61)求，夜，独内之(62)。又令庆传语郑众，求索故事(63)。庚申(64)，帝幸北宫(65)，诏执金吾、五校尉(66)勒兵屯卫南、北宫，闭城门，收捕郭璜、郭举、邓叠、邓磊，皆下狱死。遣谒者仆射(67)收宪大将军印绶，更封为冠军侯(68)，与笃、景、瓌皆就国。帝以太后故，不欲名诛(69)宪，为选严能相督察之(70)。宪、笃、景到国，皆迫令自杀(71)。

初，河南尹(72)张酺(73)数以正法绳治窦景(74)。及窦氏败，酺上疏曰："方宪等宠贵，群臣阿附唯恐不及，皆言宪受顾命之托，怀伊、吕(75)之

夏，四月十八日丙辰，窦宪返回京师。

六月初一日戊戌，发生日食。丁鸿上疏说："从前众吕氏专擅朝权，刘姓皇统继嗣差点转移；到汉哀帝、汉平帝的末年，刘姓宗庙香火断绝。所以虽然有周公那样的亲属关系，却没有周公那样的美德，不能让他们执掌国事。现在大将军虽然想要修身自我约束，不敢僭越等级，然而天下远近的人，都畏惧他，仰承他的旨意。刺史、二千石官初次任命，先拜见大将军，向他辞行，请求通名，等待回报，虽然已经拿到符节玺印，接受尚书台敕命，却不敢随便离开，久的要等待几十天，背离王室，投向私门。这便是皇上威信受损，而臣下权势过大啊。人道悖逆于下，效验就在天上显现，即使只有隐秘的计谋，神明却能照清它的实情，垂示天象显见警戒，用以告诫人君。禁止祸乱在细微之时比较容易，挽救灾祸于快成事实之时就很困难。人们没有不忽视细微以致酿成大祸的，恩情不忍教诲，仁义不忍割舍，直至事情发生之后，对未发生前的隐情才如明镜般清楚。天道不可以不刚健，不刚健则日月星不明亮；君王不可以不强大，不强大则宰臣就会肆意而为。应该趁着日食大变，改革政治，匡救过失，用以回报天意。"

六月十九日丙辰，有十三个郡国发生地震。

大旱，发生蝗灾。

窦氏父子兄弟都做了九卿、校尉，布满朝廷，穰侯邓叠、邓叠的弟弟步兵校尉邓磊以及母亲元、窦宪的女婿射声校尉郭举、郭举的父亲长乐少府郭璜互相结交。元、郭举都出入宫中，郭举得到窦太后的宠爱，于是共同图谋杀害天子，汉和帝暗中知道他们的阴谋。当时，窦宪兄弟专擅朝柄，汉和帝与内外臣僚无法亲身接近，与汉和帝一起居住的只有宦官。汉和帝因为朝中大臣上下没有不依附窦宪的，只有中常侍钩盾令郑众谨慎机敏，不依附豪党，于是就与郑众商定谋议诛杀窦宪。因为窦宪出兵在外，担心他作乱，忍耐着没有采取行动。恰逢窦宪和邓叠都回到京城，当时清河王刘庆受到皇帝恩遇尤为丰厚，常常进入宫中住宿。汉和帝将要实施谋划，想要看《汉书·外戚传》，害怕身边人泄密，不敢派身边的人，就命令刘庆私下向千乘王刘伉求取，夜间，单独召见刘庆。又命令刘庆传话给郑众，查找过去诛杀外戚的例证。六月二十三日庚申，汉和帝驾临北宫，下诏执金吾、北军五校尉带兵驻守南宫、北宫，关闭城门，逮捕郭璜、郭举、邓叠、邓磊，全都关在狱中处死。派谒者仆射收回窦宪大将军的印绶，改封为冠军侯，和窦笃、窦景、窦瓌都回到各自的封国。汉和帝因为窦太后的缘故，不想公开诛杀窦宪，为他选派精明能干的人做封国相监督他们。窦宪、窦笃、窦景到达封国，全都被逼迫自杀。

当初，河南尹张酺屡次依照法令惩治窦景。等到窦氏失败，张酺上疏说："当窦宪等人尊宠显贵时，群臣阿谀依附唯恐不及，都说窦宪受先皇帝临终遗诏托付，怀

忠，至乃复比邓夫人于文母⑯。今严威既行，皆言当死，不复[2]顾其前后，考折厥衷。臣伏见夏阳侯瓌每存忠善，前与臣言，常有尽节之心，检敕⑰宾客，未尝犯法。臣闻王政骨肉之刑，有三宥之义⑱，过厚不过薄⑲。今议者欲为瓌选严能相⑳，恐其迫切㉑，必不完免㉒，宜裁加㉓贷宥㉔，以崇厚德。”帝感其言，由是瓌独得全。窦氏宗族宾客以宪为官者㉕，皆免归故郡。

初，班固奴尝醉骂洛阳令种兢，兢因逮考窦氏宾客，收捕固，死狱中。固尝著《汉书》，尚未就，诏固女弟曹寿妻昭㉖踵而成之。

华峤㉗论曰：“固之序事㉘，不激诡㉙，不抑抗㉚，赡㉛而不秽㉜，详㉝而有体㉞，使读之者亹亹而不厌㉟，信哉其能成名也！固讥㊱司马迁是非颇谬于圣人，然其论议，常排死节㊲，否正直㊳，而不叙杀身成仁之为美㊴，则轻仁义、贱守节甚矣！”

【段旨】

以上为第一段，写汉和帝诛杀窦宪，班固被牵连下狱死，所写《汉书》未竟，由其妹班昭续写完成。

【注释】

①左校尉：大将军部属有左校尉、右校尉。②使中郎将：使匈奴中郎将之省称。南匈奴归附，置此官，持节，主护南单于。今以任尚为使匈奴中郎将，持节，屯伊吾，主护北匈奴。③如南单于故事：仿照南单于惯例。④周荣：字平孙，庐江舒县（今安徽庐江县西南）人，辟司徒袁安府，历官尚书令，颍川、山阳二郡太守。传见《后汉书》卷四十五。⑤具草：起草。⑥深恶：深为痛恨。⑦胁：威胁；恫吓。⑧排奏：排挤弹劾。⑨悍士：剽悍的武士。⑩孤生：孤陋书生；孤陋之人。谦称。⑪宰士：宰相府属吏。汉代称之公府属掾。⑫敕：告诫。⑬卒遇飞祸：突然遭遇飞来之祸。卒，通“猝”。⑭冀：希望。⑮腐身：指遗体。⑯癸丑：三月十四日。⑰丁丑：闰三月初九日。⑱丁鸿（？至公元九四年）：字孝公，颍川定陵（今河南舞阳北）人，精通欧阳《尚

有伊尹、吕尚的忠心，甚至还将邓夫人比作文母。现在皇上威严已经实行，又都说应当诛杀，不再顾及他们的前后言行，察视自己的内心。臣私下看到夏阳侯窦瓌始终保有忠诚和善良，从前和臣交谈，常有尽节效死之心，约束告诫宾客，从未犯法。臣听说圣王之政，对于惩治亲族犯罪，有三次赦免的义理，宁肯失之于宽厚，不愿失之于刻薄。现在议论的人希望为窦瓌选派严厉能干的侯国相，担心侯国相急切严厉，窦瓌一定不能保全性命，应当略加宽容宥赦，以增加天子的厚德。”汉和帝被张酺的话所感动，因此只有窦瓌一家得以保全。窦氏宗族宾客因为窦宪的关系而做官的，都被免官回归原郡。

当初，班固的家奴曾经喝醉酒骂洛阳县令种兢，种兢就着逮捕拷问窦家宾客的机会，逮捕班固，班固死在狱中。班固曾经编写《汉书》，还没有完成，汉和帝下诏让班固的妹妹、曹寿的妻子班昭继续完成《汉书》。

华峤评论说："班固记述史事，不偏激，不毁谤，不贬抑，不虚誉，内容充实而不芜杂，详尽而有章法，使阅读的人津津有味而不厌倦，班固能成名确实令人信服啊！班固批评司马迁的是非观多背离了圣人，然而班固对人物的评论，常常排斥死节之士，否认正直的人，而不记叙杀身成仁的美德，那么，轻视仁义、贱视守节太严重了！"

书》，章帝时参与白虎观论议“五经”异同，官至少府。和帝即位迁太常，继袁安为司徒，上封事诛窦宪。传见《后汉书》卷三十七。⑲丙辰：四月十八日。⑳戊戌朔：六月初一日。㉑统嗣几移：刘姓皇统继嗣差点转移。㉒庙不血食：刘姓宗庙香火断绝。血食，古代祭祀杀牲作祭品，故称血食。㉓周公：西周佐武王辅成王的周公旦，武王之弟，成王之叔。㉔敕身自约：洁身自好。㉕刺史：官名，汉武帝划全国为十三部，每部置刺史一人，职司纠察郡二千石官及地方豪强。西汉成帝改为州牧，东汉光武帝建武十八年，复改为刺史。㉖二千石：指郡国守相。㉗初除：刚刚任命。㉘谒辞：初除时拜谒，赴任前辞行。㉙求通待报：请求通名大将军，等待接见或不接见的回答。㉚奉符玺：得到皇帝赐予的符节玺印。㉛受台敕：初除者到尚书台接受敕令。㉜不敢便去：指新任官员即使有符玺、台敕，但未得大将军窦宪的命令，不敢随便离京赴任。㉝垂象见戒二句：上天垂示天象变易，用以告诫人君。此指戊戌朔的日食。㉞禁微：禁止祸乱在细微之时，即防微杜渐之意。㉟救末：挽救灾祸于已成。末，末尾，指灾祸不可收拾之时。㊱人莫不忽于微细句：人们没有不是因为忽视细微，以致终于酿成大祸的。㊲恩不忍诲：因

恩情不忍教诲。㊳义不忍割：因仁义不忍割爱。㊴去事之后：灾祸发生过后。㊵未然之明镜：祸伏于隐微，事后才知这隐微已昭如明镜。未然，还未成为事实。㊶刚：刚健。㊷三光：日、月、星。㊸强：强大。㊹宰牧从横：宰臣肆意而为。㊺塞：回报。㊻丙辰：六月十九日。㊼步兵校尉：掌领禁卫步兵。㊽射声校尉：掌领禁卫射箭部队。为五校尉之一，属北军中候管领。㊾长乐少府：掌管皇太后所居长乐宫事务。㊿举得幸太后：郭举得到窦太后的宠爱。51共图为杀害：共同谋划废杀和帝刘肇。52阴知：暗中了解。53钩盾令：官名，少府属官，掌禁苑。宦官出任。54郑众（？至公元一一四年）：字季产，南阳犨（在今河南鲁山县东南）人，与和帝定策诛窦宪，以功迁大长秋，封鄛乡侯。东汉宦官用权，自郑众始。传见《后汉书》卷七十八《宦者列传》。55心几：心计；有城府。56宪在外：时窦宪出屯凉州。57清河王庆：章帝长子刘庆（公元七八至一〇六年），章帝宋贵人子，建初四年（公元七九年）立为皇太子，因遭窦皇后谮毁，废为清河王。传见《后汉书》卷五十五。58尤渥：特别优厚。59入省宿止：入宫禁与和帝同起居。60欲得《外戚传》：想从《汉书·外戚传》中寻找诛外戚的历史根据。61千乘王：和帝兄刘伉，封千乘王。其母氏不详。传见《后汉书》卷七十八。62夜二句：夜里刘庆送来《外戚传》，和帝单独召见。内，通“纳”。63求索故事：查找前汉文帝诛薄昭，武帝诛窦婴的例证。64庚申：六月二十三日。65帝幸北宫：和帝前往北宫，靠近禁卫北军。66执金吾五校尉：执金吾掌宫外警戒，为九卿之一。北军五校尉掌五校宫中宿卫兵，有屯骑校尉、越骑校尉、步兵校尉、长水校尉、射声校尉，属北军中候。67谒者仆射：官名，为谒者主官，属光禄勋。谒者，典司宾赞受事，上章报问。68更封为冠军侯：永元元年（公元八九年）窦宪北征匈奴还，以功封武阳侯，宪固辞不受；今又封冠军侯，迫其以侯就国，让出政权。更封，改封。69名诛：公开诛之，即判罪正法。70为选严能相督察之：为窦宪等选择严厉而干练的人做封国相，以监督观察窦宪等行动。71皆迫令自杀：宪、笃、景兄弟三人均被和帝逼迫自杀。72河南尹：官名，京师洛阳行政长官，位列九卿。73张酺：字孟侯，汝南细阳县（旧治在安徽太和东）人，精通《尚书》，历仕汉明帝、章帝、和帝三朝，官至太尉。传见《后汉书》卷四十五。74数以正法绳治窦景：多次依法制裁窦景。据《后汉书·张酺传》记载，酺为魏郡太守时，魏郡人郑据上奏窦景罪，窦景依势派执金吾掾夏猛持私信请托张酺，让他治郑据儿子的罪，进行报

【原文】

初，窦宪纳妻，天下郡国皆有礼庆[100]。汉中郡[101]亦当遣吏，户曹[102]李郃[103]谏曰：“窦将军椒房之亲[104]，不修德礼而专权骄恣[105]，危亡之祸，可翘足[106]而待，愿明府[107]一心王室，勿与交通[108]。”太守固遣之，

复。张酺不受请托，逮捕夏猛下狱。张酺调任河南尹，窦景家人击伤市卒，官吏依法逮捕。窦景怒，派人打伤市丞，张酺派属吏严查此案，将伤人者流放。⑮伊、吕：伊，伊尹，名阿衡，佐商汤贤相。吕，吕尚，名姜子牙，佐周文王、武王贤相。⑯比邓夫人于文母：邓夫人，窦宪死党穰侯邓叠之母，名元。文母，周文王妻、武王母，有文德贤名。群臣中趋炎附势之徒以邓夫人比拟文母。⑰检敕：约束告诫。⑱王政骨肉之刑二句：谓圣王之政，对于惩治亲族犯罪，应有三次赦免之义。见《礼记·文王世子》。宥，宽宥、赦免。⑲过厚不过薄：宁肯失之于宽厚，而不要失之于刻薄。⑳相：诸侯国相，官名，掌诸侯国百官。㉑迫切：急迫严厉。㉒完免：保全性命。㉓裁加：稍加。裁，通“才”。㉔贷宥：宽待；宽大。㉕以宪为官者：依靠窦宪做上官的人。㉖固女弟曹寿妻昭：班固妹妹，为曹寿妻，名班昭，东汉史学家，继班固续成《汉书》的八表及《天文志》。又作《女诫》，论妇女之行，在中国历史上有很大影响。和帝召班昭入宫给皇后及诸贵人讲学，赐号“大家”，故史称曹大家。传见《后汉书》卷八十四《列女传》。㉗华峤（？至公元二九三年）：字叔骏，西晋平原高唐（今山东禹城西南）人，官至秘书监。著有《汉后书》（一称《后汉书》）行于世，早佚。论曰云云，即引自该书。传附《晋书》卷四十四《华表传》。㉘序事：记叙史事。㉙不激诡：不偏激，不诋毁。㉚不抑抗：不贬损，不虚誉。抑，退。抗，进。㉛赡：内容充实丰富。㉜秽：芜杂。㉝详：详尽。㉞有体：有体例；有章法。㉟亹亹而不厌：津津有味而不厌烦。亹亹，勤勉不倦的样子。㊱讥：排斥；批评。班固在《汉书·司马迁传》后赞中批评司马迁：“又其是非颇缪于圣人，论大道则先黄老而后六经，序游侠则退处士而进奸雄，述货殖则崇势利而羞贱贫，此其所蔽也。”㊲然其论议二句：班固评论人物，常常排斥死节。《汉书·龚胜传》记龚胜义不出仕王莽，绝食十四日而死，班固叙老父吊词曰：“龚生竟夭天年，非吾徒也。”㊳否正直：否定刚正、言直之士。《汉书》载王陵、汲黯两位直臣事迹，论两人为戆。㊴不叙杀身成仁之为美：指《汉书》不为忠义立传。

【校记】

［1］则：据章钰校，甲十六行本、乙十一行本皆作“者”。［2］复：原无此字。据章钰校，甲十六行本有此字，张敦仁《通鉴刊本识误》同，今据补。

【语译】

当初，窦宪娶妻，天下郡国都有礼物祝贺，汉中郡也应该派官吏送礼，户曹史李郃劝阻太守说：“窦将军是太后的至亲，不修德行礼节，却专权骄横，危亡的灾祸，马上就会来临，希望明府一心忠于朝廷，不要和他交往。”太守坚持要派人去，李郃

郃不能止，请求自行，许之。郃遂所在迟留，以观其变，行至扶风[109]，而宪就国。凡交通者皆坐免官，汉中太守独不与[110]焉。

帝赐清河王庆奴婢、舆马、钱帛、珍宝，充牣其第[111]。庆或时不安，帝朝夕问讯，进膳药[112]，所以垂意甚备。庆亦小心恭孝，自以废黜，尤畏事慎法，故能保其宠禄焉。

帝除袁安子赏为郎，任隗子屯为步兵校尉[113]，郑众迁大长秋[114]。帝策勋班赏，众每辞多受少，帝由是贤之，常与之议论政事，宦官用权自此始矣。

秋，七月己丑[115]，太尉宋由以窦氏党策免，自杀。

八月辛亥[116]，司空任隗薨。

癸丑[117]，以大司农尹睦为太尉。太傅邓彪以老病上还枢机职[118]，诏许焉，以睦代彪录尚书事。

冬，十月己亥[119][3]，以宗正刘方[120]为司空。

武陵、零陵、澧中蛮叛[121]。

护羌校尉邓训卒，吏民羌胡旦夕临[122]者日数千人。羌胡或以刀自割，又刺杀其犬马牛羊，曰："邓使君已死，我曹亦俱死耳!"前乌桓吏士[123]皆奔走道路，至空城郭[124]。吏执，不听[125]，以状白校尉徐傿[126]。傿叹息曰："此为义也!"乃释之。遂家家为训立祠[127]，每有疾病，辄请祷求福。

蜀郡太守聂尚代训为护羌校尉，欲以恩怀诸羌，乃遣译使招呼迷唐，使还居大、小榆谷[128]。迷唐既还，遣祖母卑缺[129]诣尚，尚自送至塞下，为设祖道[130]，令译田汜等五人护送至庐落[131]。迷唐遂反，与诸种共生屠裂汜等[132]，以血盟诅[133]，复寇金城塞[134]。尚坐免。

无法阻止，就请求亲自前往，太守答应了他。李郃就在路上拖延滞留，观望事情的变化，走到扶风郡时，窦宪返回自己的封国。凡与窦宪来往的人都被论罪免官，唯独汉中郡太守没有受牵连。

汉和帝赏赐清河王刘庆奴婢、车马、金钱、丝帛、珍宝，塞满了清河王的府第。刘庆有时身体不适，汉和帝早晚问候，送膳食、药物，关怀备至。刘庆也小心谨慎，恭敬孝顺，自己认为被废黜，尤其害怕生事，谨守法规，所以能保住他的恩宠和禄位。

汉和帝任命袁安的儿子袁赏为郎，任隗的儿子任屯为步兵校尉，郑众升任大长秋。汉和帝记功勋于策书，颁布奖赏，郑众总是推辞的多接受的少，汉和帝因此欣赏他，常和他议论政事，宦官掌权从此开始了。

秋，七月二十三日己丑，太尉宋由因是窦家同党被策书免职，自杀。

八月十五日辛亥，司空任隗去世。

十七日癸丑，任命大司农尹睦为太尉。太傅邓彪因年老病重上书请求辞去机要之职，皇帝下诏书准许了，任命尹睦代替邓彪掌管尚书事。

冬，十月初四日己亥，任命宗正刘方为司空。

武陵蛮、零陵蛮、澧中蛮发生叛乱。

护羌校尉邓训去世，属吏、汉民、羌人、胡人早晚哭灵的每天数千人。羌人、胡人有的用刀子自残，又杀死犬马牛羊，说："邓使君已经死了，我们这些人也和他一起死吧！"邓训先前任护乌桓校尉时的吏士全来奔丧，以致城郭都空了。官吏逮捕他们，仍不听禁令，就把情况报告校尉徐傿。徐傿叹息说："这是为了道义啊！"便放了他们。于是家家为邓训立祠堂，每遇疾病，就祭祀祈祷求福。

蜀郡太守聂尚接替邓训任护羌校尉，想用恩信安抚众羌，于是派翻译使者召唤迷唐，让他返回大、小榆谷。迷唐回来后，派遣祖母卑缺前去拜会聂尚，聂尚亲自送她到塞下，为她设饯行礼，命令翻译田汜等五人护送她回到聚落。迷唐却造反，和羌人各种落一起活活屠杀肢解田汜等，用他们的血诅咒盟誓，又进犯金城塞。聂尚被论罪免官。

【段旨】

以上为第二段，写李郃有先知之明，回护汉中太守免受窦宪案的牵连。邓训去世，西羌再次反叛。

【注释】

⑩礼庆：送礼庆祝。⑩汉中郡：治所南郑，在今陕西汉中。⑩户曹：郡府机构，主民事、农桑、祭祀。设掾、史。此时李郃任户曹史。⑩李郃：字孟节，汉中南郑县（今陕西汉中）人，精通“五经”和方术。官至司空、司徒。传见《后汉书》卷八十二上《方术列传上》。⑩椒房之亲：指外戚。椒房，皇后所居宫，此用作后妃代称。窦宪为章帝皇后兄，故称“椒房之亲”。⑩专权骄恣：专断朝政，骄纵恣意。⑩翘足：形容时间之短暂，一翘足之工夫。⑩明府：对郡太守的敬称。⑩交通：交结；交往。⑩扶风：郡名，为关中三辅之一，治所在槐里县，今陕西兴平。⑩与：通“预”。⑪充牣其第：塞满了清河王府。充、牣，均为满之意。牣，亦作“仞”。⑪进膳药：赐送饮食和医药。⑪帝除袁安子二句：和帝因袁安、任隗刚正，不阿附窦氏，故重用二人子。⑪大长秋：官名，掌皇后事务。东汉时常用宦官。⑪己丑：七月二十三日。⑪辛亥：八月十五日。⑪癸丑：八月十七日。⑪枢机职：指录尚书事。枢，户枢。机，弩牙。故用枢机指机要部门或职务。⑪己亥：十月初四日。⑫刘方：字伯况，平原郡（今山东德州一带）人。⑫武陵、零陵、澧中蛮叛：武陵郡、零陵郡及澧中所居少数民族起事反抗东汉朝廷。武陵郡

【原文】

五年（癸巳，公元九三年）

春，正月乙亥[135]，宗祀[136]明堂[137]，登灵台[138]，赦天下。

戊子[139]，千乘贞王伉[140]薨。

辛卯[141]，封皇弟万岁为广宗[142]王。

甲寅[143]，太傅邓彪薨。

戊午[144]，陇西地震。

夏，四月壬子[145]，绍封阜陵殇王兄鲂为阜陵王[146]。

九月辛酉[147]，广宗殇王万岁薨，无子，国除。

初，窦宪既立于除鞬为北单于，欲辅归北庭[148]，会宪诛而止。于除鞬自畔还北，诏遣将兵长史王辅以千余骑与任尚共追讨，斩之，破灭其众。

耿夔之破北匈奴也[149]，鲜卑因此转徙据其地[150]。匈奴余种留者尚有十余万落，皆自号鲜卑，鲜卑由此渐盛。

治所临沅，在今湖南常德。零陵郡治所泉陵，在今湖南零陵。澧中，澧水流域，在湖南境西北。⑫旦夕临：早晚哭灵。临，哭吊死者的礼仪。⑬前乌桓吏士：邓训任护乌桓校尉时的旧部属。乌桓治所在代郡马城县，在今河北怀安。⑭至空城郭：邓训旧部属奔走道路，使马城为之一空。⑮吏执二句：巡捕官员逮捕擅离职守的邓训旧部属，仍不能制止。不听，不听禁令。⑯校尉徐傿：继邓训为护乌桓校尉的徐傿。⑰立祠：立祠堂。⑱乃遣译使二句：迷唐离开大、小榆谷事，见上卷章和二年。邓训驱逐迷唐，而聂尚采取不同于邓训的政策，故招徕之。⑲卑缺：迷吾之母，迷唐之祖母。⑳祖道：饯行礼。㉑庐落：部落营地。㉒生屠裂汜等：活活将田汜等五人剖腹挖心杀死。㉓以血盟诅：用人血诅咒盟誓。㉔金城塞：金城郡边塞。金城郡治所允吾，在今青海民和。金城郡属县有金城县，在今甘肃兰州市西固区。

【校记】

［3］乙亥：原无此二字。据章钰校，甲十六行本、乙十一行本、孔天胤本皆有此二字，张瑛《通鉴校勘记》同，今据补。

【语译】

五年（癸巳，公元九三年）

春，正月十一日乙亥，汉和帝在明堂祭祀祖先，登上灵台，大赦天下。

二十四日戊子，千乘贞王刘伉去世。

二十七日辛卯，册封皇弟刘万岁为广宗王。

二月二十一日甲寅，太傅邓彪去世。

二十五日戊午，陇西发生地震。

夏，四月二十日壬子，汉和帝下诏封阜陵殇王的哥哥刘鲂为阜陵王。

九月初一日辛酉，广宗殇王刘万岁去世，没有子嗣，撤销封国。

当初，窦宪立于除鞬为北单于，想帮助他返回北匈奴王庭，恰在这时窦宪被杀，计划就停止了。于除鞬自己反叛返回北方，汉和帝下诏派遣将兵长史王辅率领一千余骑兵和任尚共同追击讨伐，杀死于除鞬，打败并消灭了他的部众。

耿夔攻破北匈奴后，鲜卑趁机迁移占据了北匈奴的故地。匈奴残留下来的部族还有十多万户，全都自称鲜卑人，鲜卑因此日益强盛。

冬，十月辛未[151]，太尉尹睦薨。

十一月乙丑[152]，太仆张酺为太尉。酺与尚书张敏等奏："射声校尉曹褒，擅制汉礼，破乱圣术，宜加刑诛。"书凡五奏。帝知酺守学不通[153]，虽寝其奏，而汉礼遂不行[154]。

是岁，武陵郡兵破叛蛮，降之。

梁王畅[155]与从官卞忌祠祭求福，忌等谄媚云："神言王当为天子。"畅与相应答，为有司所奏，请征诣诏狱[156]。帝不许，但削成武、单父二县[157]。畅惭惧[158]，上疏深自刻责[159]，曰："臣天性狂愚[160]，不知防禁，自陷死罪，分伏显诛[161]。陛下圣德，枉法[162]曲平[163]，横赦贷臣[164]，为臣受污[165]。臣知大贷[166]不可再得，自誓束身约妻子[167]，不敢复出入失绳墨[168]，不敢复有所横费[169]。租入有余，乞裁食睢阳、谷熟、虞、蒙、宁陵五县[170]，还余所食四县[171]。臣畅小妻[172]三十七人，其无子者，愿还本家[173]。自选择谨敕奴婢[174]二百人，其余所受虎贲[175]、官骑[176]及诸工技[177]、鼓吹[178]、仓头[179]、奴婢、兵弩[180]、厩马，皆上还本署[181]。臣畅以骨肉近亲，乱圣化[182]，污清流[183]，既得生活，诚无心面目[184]以凶恶复居大宫[185]，食大国[186]，张官属[187]，藏杂物[188]，愿陛下加恩开许。"上优诏[189]不听。

护羌校尉贯友[190]遣译使构离诸羌[191]，诱以财货，由是解散[192]。乃遣兵出塞，攻迷唐于大、小榆谷，获首虏八百余人，收麦数万斛。遂夹[193]逢留大河[194]筑城坞，作大航[195]，造河桥[196]，欲度兵击迷唐。迷唐率部落远徙，依赐支河曲[197]。

单于屯屠何死，单于宣弟安国立[198]。安国初为左贤王，无称誉。及为单于，单于适之子右谷蠡王师子以次转[199]为左贤王[200]。师子素勇黠[201]多知[202]，前单于宣及屯屠何皆爱其气决，数遣将兵出塞，掩击北庭，还，受赏赐，天子[203]亦加殊异[204]。由是国中尽敬师子而不附安国，安国欲杀之。诸新降胡，初在塞外[205]数为师子所驱掠，多怨之。安国因是[4]委计降者，与同谋议。师子觉其谋，乃别居五原[206]界，每龙庭[207]会议，师子辄称病不往。度辽将军皇甫棱知之，亦拥护不遣，单于怀愤益甚。

冬，十月辛未日，太尉尹睦去世。

十一月初六日乙丑，任命太仆张酺为太尉。张酺和尚书张敏等人上奏："射声校尉曹褒，擅自制定汉朝礼仪，毁坏圣明的法则，当判刑处死。"总共上了五次奏书。汉和帝知道张酺墨守家学不知变通，虽然搁置了他的奏书，但曹褒制定的汉礼也不施行。

这一年，武陵郡军队攻破反叛的蛮人，招降了他们。

梁王刘畅与随从官卞忌祭祀求福，卞忌等奉承讨好说："神灵说王当为天子。"刘畅和卞忌等互相讨论，被有关部门奏劾，请求征召刘畅前往诏狱治罪。汉和帝没有准许，只是削减了刘畅的封邑成武、单父两个县。刘畅羞愧恐惧，上疏深刻自责，说道："臣生性狂妄愚蠢，不知防备禁忌，自己身陷死罪，理应受极刑诛杀。陛下圣明仁德，违背法律宽大处理，硬是赦免了臣，为臣蒙受恶名。臣知道如此宽大赦免不可能得到两次，臣发誓约束自己，约束妻儿，不敢再在行为上逾越法令，不敢再有恣意浪费的行为。租税收入有富裕，请求只食邑睢阳、谷熟、虞、蒙、宁陵五县，归还剩余的食邑四个县。臣畅有小妾三十七人，其中没有子女的，请求将她们送还娘家。臣自己选择谨慎守规矩的奴婢二百人，其余所受赏赐的虎贲士、官骑以及各种工匠技人、鼓吹手、仆隶、奴婢、兵器、马匹，全部上缴还给原来的官署。臣畅身为圣上的骨肉近亲，却扰乱神圣的教化，玷污了清明的士风。既然得以活下来，实在无颜脸以凶恶之身继续住巨大的王宫，食邑大封国，设立官吏僚属，收藏丰厚的用具。希望陛下赐加恩惠答应臣的请求。"汉和帝下恩诏，不批准刘畅的请求。

护羌校尉贯友派遣翻译使者挑拨离间众羌，以财物金钱引诱他们，众羌因此瓦解。贯友便派兵出塞，在大、小榆谷攻击迷唐，杀死及俘虏了八百多人，缴获小麦数万斛。于是在逢留段黄河两岸修建城堡，造大船，修河桥，想让士兵渡河追击迷唐。迷唐率领部落远徙，居住到赐支河曲。

匈奴单于屯屠何死，单于宣的弟弟安国立为单于。安国当初任左贤王，没有好名声。等到当了单于，单于适的儿子右谷蠡王师子按次序升为左贤王。师子向来勇猛狡黠，智慧过人，前单于宣及屯屠何都喜爱师子的勇气和果断，多次派遣他领兵出塞，袭击北匈奴王庭，回师后，接受赏赐，汉朝皇帝也对他特加殊礼。因此匈奴国中都敬奉师子而不归附安国，安国想杀掉师子。那些刚投降的北匈奴人，当初在塞外屡次被师子所追击掳掠，大多怨恨他。安国由此把计划寄托在投降者身上，与他们一同谋划商议。师子发觉了安国的图谋，就迁居到五原郡界内，每次龙庭集会朝议，师子就推托生病不去。度辽将军皇甫稜知道此事后，也拥护师子，不让他去，单于安国更加心怀愤恨。

【段旨】

以上为第三段，写北匈奴残部被歼，南匈奴争单于位分裂，北方鲜卑坐大。护羌校尉贯友大破西羌。

【注释】

⑬⑤乙亥：正月十一日。⑬⑥宗祀：祭祀祖先。⑬⑦明堂：帝王宣明政教、举行重大典礼的皇家大会堂。⑬⑧灵台：帝王观天象之台。⑬⑨戊子：正月二十四日。⑭⓪千乘贞王伉：千乘王刘伉，章帝子，谥曰贞。谥法，直道不挠，事君无猜，清白守节均为“贞”。⑭①辛卯：正月二十七日。⑭②广宗：县名，属巨鹿郡，在今河北广宗。⑭③甲寅：正月乙丑朔，无甲寅日。甲寅为二月二十一日。⑭④戊午：正月无戊午，当为二月二十五日。⑭⑤壬子：四月二十日。⑭⑥绍封阜陵殇王兄句：阜陵殇王刘冲无子，故以其兄刘鲂续封。刘冲为阜陵王刘延之子，刘延又为光武帝子。传附《后汉书》卷四十二《光武十王阜陵质王延列传》。殇，谥法，未家短折称“殇”。⑭⑦辛酉：按书法，当为“辛酉朔”，九月初一日。⑭⑧初三句：事见上卷永元三年。⑭⑨耿夔之破北匈奴也：事见上卷永元三年。⑮⓪鲜卑因此转徙据其地：鲜卑为古代北方民族名，原为东胡的一支，以居鲜卑山而得名。鲜卑拓跋氏从北方南徙，大约就在此时。⑮①辛未：十月庚寅朔，无辛未。辛未为十一月十二日。⑮②乙丑：十一月初六日。⑮③守学不通：恪守家学，未能通达。⑮④汉礼遂不行：汉礼指曹褒制定的新礼。此事见上卷章帝章和元年。⑮⑤梁王畅：刘畅，明帝子。传见《后汉书》卷五十。⑮⑥诏狱：审理皇帝下诏立案的监狱。⑮⑦成武、单父二县：成武县治在今山东成武，单父县治在今山东单县。⑮⑧惭惧：惭愧；恐惧。⑮⑨深自刻责：深深地自我责备。⑯⓪狂愚：狂妄愚蠢。⑯①分伏显诛：理受极刑处死。显诛，公开诛戮。⑯②枉法：曲法；不依法办案。⑯③曲平：曲法申恩，宽大处理。⑯④横赦贷臣：对臣下强行赦罪，强行宽大。⑯⑤为臣受污：替臣蒙受恶名。天下以赦畅为纳污，所以是替畅受污。污，污秽。此指恶名。⑯⑥大贷：重大赦免。此指赦死罪。⑯⑦束身约妻子：约束自身，约束妻子儿女。⑯⑧不敢复出入失绳墨：不敢再在行为上越轨不守规矩。绳墨，木工正曲直的器具，喻法度。⑯⑨横费：滥用；恣意浪费。⑰⓪乞裁食睢阳句：乞求仅仅留下睢阳等五县为食邑。裁，通“才”，仅仅、只。睢阳，梁国治所，在今河南商丘。谷熟，县治在今河南商丘东南。虞，县治在今河南虞城西北。蒙，县治在今河南商丘东北。宁陵，县治在

今河南宁陵。⑰ 还余所食四县：奉还余下食邑四县给朝廷。四县即下邑（今安徽砀山）、尉氏（今河南尉氏）、薄（今山东曹县南）、郾（今河南郾城南）。⑫ 小妻：小妾。⑬ 本家：娘家。⑭ 谨敕奴婢：谨慎小心的奴婢。⑮ 虎贲：即虎贲士，侍卫皇帝、诸侯王的近卫军。⑯ 官骑：王室骑兵，王室称驺骑。⑰ 工技：从事手工技艺的工匠。⑱ 鼓吹：敲鼓吹奏乐器的乐工。⑲ 仓头：奴仆。因以深青色布包头，故称。⑱ 兵弩：指皇家所赐武器弓弩。⑱ 皆上还本署：把所得朝廷赏赐都送还原来所属的机关。本署，指赏赐品原所属的机关。如虎贲郎，原属虎贲中郎将。官骑，原属太仆。诸工技，原属少府尚方令。鼓吹，原属少府黄门。仓头、奴婢，属少府永巷、御府、奚官等令。兵弩，属少府考工令。厩马，属太仆。⑱ 乱圣化：扰乱圣明的教化。⑱ 污清流：污秽清明的士风。⑱ 无心面目：无心无颜。⑱ 以凶恶复居大宫：以凶恶之身仍为大国封王。⑱ 食大国：食邑大封国。⑱ 张官属：设置官员僚属。⑱ 藏杂物：享受优厚的生活。杂物，即什物，指生活器具。这里以丰藏生活器具指代优厚的生活。⑱ 优诏：下恩诏，即宽赦抚恤的诏书。⑲ 贯友：接替聂尚任护羌校尉。⑲ 构离诸羌：挑拨离间西羌各部落。构，设计陷害。⑲ 解散：诸羌联盟瓦解。⑲ 夹：从左右相持或相对，此处指沿河两岸。⑲ 逢留大河：叫作逢留的这段黄河。指今青海贵德所在一段河曲。⑲ 作大航：制造大木筏。⑲ 造河桥：在河道狭窄处建桥。⑲ 赐支河曲：即古析支河曲，在今青海阿尼玛卿山河曲，黄河在此弯曲一百八十度后向东南流。⑲ 单于宣弟安国立：单于宣，即伊屠于闾鞮单于宣，公元八五至八八年在位。单于宣弟继屯屠何为单于，是为安国单于，公元九三至九四年在位。⑲ 以次转：依单于继承顺序升转。⑳ 左贤王：匈奴俗，单于以下的首领分为左右。左尊右卑。左贤王高于右贤王，位仅次单于，是为储君。安国单于原为左贤王，今已为单于，依次则右谷蠡王师子当为左贤王。⑳ 勇黠：勇敢善战而狡黠。⑳ 多知：智慧过人。知，通“智”。⑳ 天子：东汉皇帝。⑳ 加殊异：特加殊礼。⑳ 在塞外：指南匈奴疆域之外，即以前属北匈奴时。⑳ 五原：郡名，治所九原，在今内蒙古包头西。⑳ 龙庭：单于所居王城。原在塞外，此时南单于居塞内，故将其所居亦称龙庭，在西河郡美稷县，即今内蒙古准格尔旗境内。

【校记】

［4］因是：原无此二字。据章钰校，甲十六行本、乙十一行本、孔天胤本皆有此二字，张敦仁《通鉴刊本识误》同，今据补。

【原文】

六年（甲午，公元九四年）

春，正月，皇甫稜免，以执金吾朱徽行度辽将军[208]。时单于与中郎将[209]杜崇不相平，乃上书告崇。崇讽[210]西河太守令断单于章[211]，单于无由自闻，崇因与朱徽上言："南单于安国疏远故胡[212]，亲近新降[213]，欲杀左贤王师子及左台且渠[214]刘利等。又右部降者谋共迫胁安国起兵背畔，请西河、上郡、安定[215]为之儆备[216]。"帝下公卿议，皆以为："蛮夷反覆，虽难测知，然大兵聚会，必未敢动摇。今宜遣有方略[217]使者之单于庭，与杜崇、朱徽及西河太守并力，观其动静。如无他变，可令崇等就安国会其左右大臣，责其部众横暴为边害者，共平罪诛[218]。若不从命，令为权时方略[219]，事毕之后，裁行赏赐[220]，亦足以威示百蛮[221]。"帝从之[5]。于是徽、崇遂发兵造其庭。安国夜闻汉军至，大惊，弃帐[222]而去，因举兵欲诛师子。师子先知，乃悉将庐落[223]入曼柏城[224]。安国追到城下，门闭，不得入。朱徽遣吏晓[6]譬[225]和之，安国不听。城既不下，乃引兵屯五原。崇、徽因发诸郡骑追赴之急，众皆大恐，安国舅骨都侯喜为等虑并被诛，乃格杀[226]安国，立师子为亭独尸逐侯鞮单于[227]。

己卯[228]，司徒丁鸿薨。

二月丁未[229]，以司空刘方为司徒，太常张奋[230]为司空。

夏，五月，城阳怀王淑[231]薨，无子，国除。

秋，七月，京师旱。

西域都护班超发龟兹、鄯善等八国兵合七万余人讨焉耆，到其城下，诱焉耆王广、尉犁王汎等于陈睦故城[232]，斩之，传首京师。因纵兵钞掠，斩首五千余级，获生口万五千人，更立焉耆左侯[233]元孟为焉耆王。超留焉耆半岁，慰抚之。于是西域五十余国悉纳质内属，至于海滨[234]，四万里外，皆重译[235]贡献。

南单于师子立，降胡五六百人夜袭师子。安集掾[236]王恬将卫护士与战，破之。于是降胡遂相惊动，十五部二十余万人皆反，胁立前单于屯屠何子薁鞮日逐王逢侯为单于，遂杀略吏民，燔烧邮亭[237]、庐帐，

【语译】

六年（甲午，公元九四年）

春，正月，皇甫稜被免职，任命执金吾朱徽代理度辽将军。当时单于和中郎将杜崇关系不好，就上书告发杜崇。杜崇暗示西河郡太守，让他拦截安国单于的奏章，单于没有办法自己报告朝廷。杜崇就和朱徽上奏说："南单于安国疏远旧有的胡族，亲近新降服的北匈奴人，想杀害左贤王师子及左台且渠刘利等人。而且，右部归降的胡人图谋共同胁迫安国起兵背叛汉朝，请求西河郡、上郡、安定郡为此警戒防备。"汉和帝把此书下到公卿商议，都认为："蛮夷反复无常，虽然难以预知，但是大兵聚集，一定不敢动荡，现在应该派有谋略的使者到单于王庭，与杜崇、朱徽以及西河太守合力，观察单于的动静。如果没有其他叛乱行为，可以让杜崇等人前往安国王庭，集合他的左右大臣，谴责他的部众中横行暴虐为害边境的人，共同裁定罪责，以及是否该杀。如果单于不听从命令，令杜崇等见机行事，事情完毕之后，酌量赏赐，也足以向各蛮族显示权威。"和帝听从了。于是朱徽、杜崇就征发军队到单于王庭。安国夜里听到汉军到来，大惊，丢弃庐帐离去，想趁此发兵诛杀师子。师子预先得到消息，就把部落全部迁进曼柏城。安国追到城下，城门关闭，无法进入。朱徽派遣属吏向安国晓以利害，劝他讲和，安国不听从。安国既然攻不下曼柏城，就率兵驻守五原郡。杜崇、朱徽于是发遣各郡骑兵追赶甚急，匈奴部众都十分惊恐，安国的舅舅骨都侯喜为等人担心一起被杀，于是格杀了安国，立师子为亭独尸逐侯鞮单于。

正月二十一日己卯，司徒丁鸿去世。

二月二十日丁未，任命司空刘方为司徒，太常张奋为司空。

夏，五月，城阳怀王刘淑去世，没有儿子，撤除封国。

秋，七月，京师洛阳大旱。

西域都护班超征发龟兹、鄯善等八国军队共七万多人，讨伐焉耆国。到达焉耆国城下，诱骗焉耆王广、尉犁王泛等到陈睦旧城，杀了他们，把首级传送到京城。于是放纵士兵抄掠，杀死五千多人，俘获活口一万五千人，另立焉耆国左侯元孟做焉耆王。班超停留在焉耆国半年，劝慰安抚他们。于是西域五十多国都派人质向汉朝顺服，远至西海之滨，四万里以外的地方，都多重翻译向汉朝进贡。

南匈奴单于师子继位，归降的胡人五六百名夜袭师子。安集掾王恬带领护卫的士兵和他们交战，打败了反叛者。于是投降的胡人便相互惊扰骚动，十五个部族二十多万人全部反叛，胁迫立前单于屯屠何的儿子薁鞬日逐王逢侯为单于，于是杀戮抢掠官吏百姓，焚烧邮驿亭障、庐屋帐落，拉着辎重车前往朔方，想要渡过漠北。

将车重向朔方[238]，欲度幕北[239]。九月癸丑[240]，以光禄勋[241]邓鸿行车骑将军事，与越骑校尉冯柱、行度辽将军朱徽将左右羽林、北军五校士及郡国迹射[242]、缘边兵，乌桓校尉任尚将乌桓、鲜卑，合四万人讨之。时南单于及中郎将杜崇屯牧师城[243]，逢侯将万余骑攻围之。冬，十一月，邓鸿等至美稷，逢侯乃解围去，向满夷谷[244]。南单于遣子将万骑及杜崇所领四千骑，与邓鸿等追击逢侯于大城塞[245]，斩首四千余级。任尚率鲜卑、乌桓要击逢侯于满夷谷，复大破之，前后凡斩万七千余级。逢侯遂率众出塞，汉兵不能追而还。

以大司农陈宠为廷尉[246]。宠性仁矜，数议疑狱[247]，每附经典，务从宽恕，刻敝[248]之风，于此少衰[249]。

帝以尚书令江夏黄香[250]为东郡太守，香辞以"典郡从政，才非所宜，乞留备冗官[251]，赐以督责小职，任之宫台烦事[252]"。帝乃复留香为尚书令，增秩二千石[253]，甚见亲重。香亦祗勤物务[254]，忧公如家[255]。

【段旨】

以上为第四段，写汉军大败南单于，班超在西域大破焉耆国，西域五十六国都顺服汉朝。

【注释】

[208]度辽将军：将军名号，以渡辽水为称，主东北民族边疆事务。屯五原郡曼柏县，在今内蒙古五原南黄河北。[209]中郎将：即使匈奴中郎将，武官名，屯西河郡美稷县，监护南单于。[210]讽：暗示。[211]断单于章：拦截安国单于的奏章，使其不能上报朝廷。[212]故胡：指南匈奴本部。[213]新降：新附的北匈奴残部。[214]左台且渠：匈奴官名。[215]西河、上郡、安定：界邻南匈奴的边郡。西河郡治所离石，在今山西吕梁市离石区。上郡治所肤施，在今陕西榆林东南。安定郡治所临泾，在今甘肃镇原南。[216]儆备：戒备。儆，戒备；防备。[217]有方略：有谋略。[218]共平罪诛：由中国匈奴双方共同评判裁决他们的罪行，该杀头的杀头。[219]权时方略：临机应变，便宜行事。[220]裁行赏赐：裁量功劳多少，进行赏赐。[221]威示百蛮：向匈奴人显示威信。[222]帐：单于所居庐帐，又称穹庐。[223]庐落：居住在庐帐中的部众。[224]曼柏城：五原郡县治所。[225]晓譬：晓谕；劝导。[226]格杀：

九月癸丑日，任命光禄勋邓鸿代理车骑将军职务，与越骑校尉冯柱、代理度辽将军朱徽率领左右羽林、北军五校士以及各郡国的迹射士、缘边各郡兵，乌桓校尉任尚率领乌桓国、鲜卑国的军队，合计四万人征讨反叛的胡人。当时南匈奴单于和中郎将杜崇驻守牧师城，逢侯率领一万多骑兵进攻包围了他们。冬，十一月，邓鸿等人进军到美稷，逢侯才解除包围离去，前往满夷谷。南单于派儿子统领一万骑兵以及杜崇所统领的四千骑兵，与邓鸿等人在大城塞追杀逢侯，杀死四千多人。任尚率领鲜卑国、乌桓国在满夷谷拦击逢侯，再次大败他们，前后共杀了一万七千多人。逢侯于是率领部众逃出塞外，汉朝的军队无法追赶而返回。

任命大司农陈宠为廷尉。陈宠本性仁爱，屡次讨论有疑问的案子，常常依据经典，力求宽大仁恕，刻薄之风，至此略有收敛。

汉和帝任用尚书令江夏人黄香做东郡太守，黄香推辞说“掌管一郡从事政务，我的才能不合适，乞求留下充数闲散的官职，赐予我督责的小职，让我任宫中尚书台的杂事”。汉和帝于是重新留任黄香为尚书令，增加禄秩为二千石，很受信任器重。黄香也勤于公务，忧劳国事如同家事。

斗杀。㉗亭独尸逐侯鞮单于：公元九四至九八年在位。㉘己卯：正月二十一日。㉙丁未：二月二十日。㉚张奋（？至公元一〇二年）：字稚通，东汉初名臣张纯之子，行义好施，为官清廉，官至司空。传附《后汉书》卷三十五《张纯传》。㉛城阳怀王淑：刘淑，章帝子。传见《后汉书》卷五十五《章帝八王传》。㉜陈睦故城：西域都护陈睦所居故城，在焉耆。永平十八年（公元七五年），焉耆、龟兹趁明帝崩，国内大丧，攻没陈睦。㉝焉耆左侯：焉耆大臣，有左右将、左右侯。㉞海滨：西海之滨。西海，指里海、地中海。㉟重译：几次辗转翻译。㊱安集掾：使匈奴中郎将属官，临时设置，以安集匈奴为名。㊲邮亭：邮驿亭障。㊳朔方：郡名，治所临戎县，在今内蒙古磴口。㊴幕北：漠北。幕，通“漠”。㊵癸丑：九月乙卯朔，无癸丑。癸丑，十月二十九日。㊶光禄勋：九卿之一，掌领诸郎，禁卫皇宫殿门户。㊷迹射：迹射士，善射的特种部队，能循迹而射。㊸牧师城：汉朝在西北边疆设牧师苑以养马，故称。此城在美稷县。㊹满夷谷：地名，当在西河郡北界。㊺大城塞：大城县关塞。大城县治在今内蒙古杭锦旗东南，后属朔方郡。㊻大司农陈宠为廷尉：大司农，九卿之一，掌财政。陈宠（？至公元一〇六年），字昭公，沛国洨（在今安徽固镇县东濠城）人，历官太山、广汉太守及大司农、廷尉、大鸿胪，官至司空。传见《后汉书》卷四十六。廷尉，九卿之一，掌刑狱。㊼数议疑狱：多次审理疑难案件。㊽刻敝：刻薄。㊾少衰：略有收敛。㊿黄香（？至公元一〇六年）：字文强，江夏安陆（今湖北安陆北）人，卒官魏郡太守。传见《后汉书》卷八

十上《文苑列传上》。㉛留备冗官：留居朝廷备员散官。㉜任之宫台烦事：留任尚书令。宫，谓宫中。台，尚书台。尚书出纳王命，故云宫台烦事。㉝增秩二千石：尚书令本秩千石，今和帝特意增至二千石，与郡太守二千石相当。㉞祗勤物务：恭敬谨慎地勤劳众务，即尽忠职守。祗，敬。物务，事务。㉟忧公如家：忧劳国事如同家事。

【原文】

七年（乙未，公元九五年）

春，正月，邓鸿等军还，冯柱将虎牙营㊱留屯五原。鸿坐逗留㊲失利，下狱死[7]。后帝知朱徽、杜崇失胡和，又禁其上书，以致㊳胡反，皆[8]征㊴，下狱死。

夏，四月辛亥朔㊵，日有食之。

秋，七月乙巳㊶，易阳地裂㊷。

九月癸卯㊸，京师地震。

乐成王党㊹坐贼杀人㊺，削东光、鄡二县㊻。

八年（丙申，公元九六年）

春，二月，立贵人㊼阴氏为皇后㊽。后，识之曾孙也。

夏，四月癸亥㊾[9]，乐成靖王党薨。子哀王崇立，寻薨[10]，无子，国除。

五月，河内㊿、陈留(271)蝗。

南匈奴右温禺犊王乌居战畔出塞。秋，七月，度辽将军庞奋、越骑校尉冯柱追击破之，徙其余众及诸降胡二万余人于安定、北地。

车师(272)后部王涿鞮反，击前王尉毕大，获其妻子。

九月，京师蝗。

冬，十月乙丑(273)，北海王威以非敬王子，又坐诽谤(274)，自杀(275)。

十二月辛亥(276)，陈敬王羡(277)薨。

丁巳(278)，南宫宣室殿火。

护羌校尉贯友卒，以汉阳太守史充代之。充至，遂发湟中羌、胡出塞击迷唐。迷唐迎败充兵，杀数百人。充坐征，以代郡太守吴祉(279)代之。

【校记】

［5］帝从之：原无此三字。据章钰校，甲十六行本、乙十一行本皆有此三字，张敦仁《通鉴刊本识误》同，今据补。［6］晓：原无此字。据章钰校，甲十六行本、乙十一行本皆有此字，张瑛《通鉴校勘记》同，今据补。

【语译】

七年（乙未，公元九五年）

春，正月，邓鸿等人的军队返回，冯柱率领虎牙营留下驻守五原郡。邓鸿因行军迟滞不前、延误军机罪，被下狱处死。后来汉和帝知道朱徽、杜崇与南匈奴不和，又禁止他们上疏，导致胡人背叛，将他们都征召回京，下狱处死。

夏，四月初一日辛亥，发生日食。

秋，七月二十六日乙巳，易阳县地裂。

九月二十五日癸卯，京师洛阳发生地震。

乐成王刘党因犯杀人罪，削除东光、鄡两个县。

八年（丙申，公元九六年）

春，二月，立贵人阴氏为皇后。阴皇后是阴识的曾孙女。

夏，四月十八日癸亥，乐成靖王刘党去世。儿子哀王刘崇继立为王，不久去世，没有儿子，撤除封国。

五月，河内郡、陈留郡发生蝗灾。

南匈奴右温禺犊王乌居战背叛出塞。秋，七月，度辽将军庞奋、越骑校尉冯柱追击打败了乌居战，把他剩下的部众以及那些归降的胡人共二万多人迁到安定郡、北地郡居住。

车师国后部王涿鞮反叛，攻击前王尉毕大，活捉了尉毕大的妻子。

九月，京师洛阳发生蝗灾。

冬，十月二十三日乙丑，北海王刘威因为被指控为不是北海敬王刘睦的儿子，又犯非议朝政罪，被迫自杀。

十二月十日辛亥，陈敬王刘羡去世。

十六日丁巳，南宫宣室殿发生火灾。

护羌校尉贯友去世，任命汉阳郡太守史充代替他的职位。史充到任，就派湟中的羌人、胡人出塞攻打迷唐。迷唐迎击，打败史充的军队，杀死几百人。史充论罪被召回，以代郡太守吴祉代他的职位。

【段旨】

以上为第五段，写汉与匈奴、汉与西羌，仍不断发生战斗。和帝册立阴皇后。

【注释】

(256)虎牙营：精锐骑兵部队的称号。光武帝始设。(257)逗留：指军队进军缓慢，贻误军机。(258)致：致使；导致。(259)征：召还京师。(260)辛亥朔：四月初一日。(261)乙巳：七月二十六日。(262)易阳地裂：易阳县（在今河北永年）大地震裂。(263)癸卯：九月二十五日。(264)乐成王党：刘党，明帝子。谥号“靖”。传见《后汉书》卷五十《孝明八王列传》。(265)坐贼杀人：被控杀人。坐，犯罪、判罪。(266)东光、鄡二县：东光县治在今河北东光东，鄡县县治在今河北辛集东。(267)贵人：皇帝嫔妃称号，西汉位次昭仪，光武帝时省后宫，皇后下仅置贵人。(268)阴氏为皇后：史失其名，光武帝阴丽华皇后之兄阴识之曾孙。性猾狭，永元十五年因与和帝邓贵人（后为邓皇后）争宠，以巫蛊诅咒事发被废，忧死。传见《后汉书》卷十上。(269)癸亥：四月十八日。(270)河内：郡名，治所怀县，在今河南武陟西南。(271)陈留：郡名，治所陈留，在今河南开封东南。(272)车师：古西域国名，西汉宣帝

【原文】

九年（丁酉，公元九七年）

春，三月庚辰(280)，陇西(281)地震。

癸巳(282)，济南安王康(283)薨。

西域长史王林击车师后王(284)，斩之。

夏，四月丁卯(285)，封乐成王党子巡为乐成王。

五月，封皇后父屯骑校尉(286)阴纲为吴房(287)[11]侯，以特进(288)就第。

六月，旱，蝗。

秋，八月，鲜卑寇肥如(289)，辽东(290)太守祭参(291)坐沮败，下狱死。

闰月辛巳(292)，皇太后窦氏(293)崩。初，梁贵人(294)既死，宫省事秘，莫有知帝为梁氏出者。舞阴公主(295)子梁扈遣从兄(296)禮奏记(297)三府，以为“汉家旧典(298)，崇贵母氏，而梁贵人亲育圣躬(299)，不蒙尊号，求得申议(300)”。太尉张酺言状(301)，帝感恸良久(302)，曰：“于君意若何？”酺请追上尊号(303)，存录诸舅(304)。帝从之。会贵人姊南阳樊调妻嫕(305)上书自讼(306)曰：

时分为前后两部。后王都务涂谷，在今新疆奇台西南。前王都交河城，在今新疆吐鲁番西。㉗③乙丑：十月二十三日。㉗④诽谤：非议朝政或皇帝，称诽谤，罪大逆。㉗⑤自杀：永元二年复齐、北海二国，刘威以北海敬王刘睦庶子嗣封。刘睦为光武帝兄刘缜孙。今被指控为非敬王子及诽谤，迫令自杀。史载疏略，参见《后汉书》卷十四《齐武王缜》附传。㉗⑥辛亥：十二月十日。㉗⑦陈敬王羡：明帝子，和帝刘肇叔父。传见《后汉书》卷五十《孝明八王列传》。㉗⑧丁巳：十二月十六日。㉗⑨吴祉：东汉第八任护羌校尉，后坐免，改任护乌桓校尉，下狱死。

【校记】

[7]死：原无此字，空一格。据章钰校，甲十六行本、乙十一行本皆有此字，张敦仁《通鉴刊本识误》、张瑛《通鉴校勘记》同，今据补。[8]皆：原无此字，空一格。据章钰校，甲十六行本、乙十一行本皆有此字，张瑛《通鉴校勘记》、熊罗宿《胡刻资治通鉴校字记》同，今据补。[9]癸亥：原无此二字。据章钰校，甲十六行本、乙十一行本皆有此二字，张瑛《通鉴校勘记》同，今据补。[10]薨：原作"死"。据章钰校，甲十六行本、乙十一行本、孔天胤本皆作"薨"，熊罗宿《胡刻资治通鉴校字记》同，今据改。

【语译】

九年（丁酉，公元九七年）

春，三月初十日庚辰，陇西郡发生地震。

二十三日癸巳，济南安王刘康去世。

西域长史王林攻打车师后王，杀死了车师后王。

夏，四月二十八日丁卯，册封乐成王刘党的儿子刘巡为乐成王。

五月，册封阴皇后的父亲屯骑校尉阴纲为吴房侯，以特进官位入住京师府第。

六月，大旱，发生蝗灾。

秋，八月，鲜卑人侵犯肥如县，辽东郡太守祭参因打了败仗被判罪，下狱而死。

闰八月十四日辛巳，皇太后窦氏去世。当初，梁贵人死后，发生在宫禁中的事很隐秘，没有人知道和帝是梁氏所生。舞阴公主的儿子梁扈让堂兄梁禅写信给三公府，认为"汉朝以往惯例，尊崇皇帝母亲家族，而梁贵人亲身诞下圣明的皇帝，没有蒙受尊号，请求得到申理讨论"。太尉张酺奏明情况，汉和帝感伤哭泣了许久，说："按您的意思该怎么办？"张酺请求追上尊号，慰问录用诸位舅舅。汉和帝接受了他的建议。正逢梁贵人的姐姐南阳人樊调的妻子梁嫕上书申诉说："妾的父亲梁竦

“妾父竦冤死牢狱[307]，骸骨不掩，母氏年逾七十，及弟棠等远在绝域[308]，不知死生，愿乞收竦朽骨，使母、弟得归本郡。”帝引见嫕，乃知贵人枉殁[309]之状。三公上奏：“请依光武黜吕太后故事[310]，贬窦太后尊号，不宜合葬先帝。”百官亦多上言者。帝手诏曰：“窦氏[311]虽不遵法度，而太后[312]常自减损[313]。朕奉事十年[314]，深惟大义[315]。礼，臣子无贬尊上之文[316]，恩不忍离[317]，义不忍亏[318]。按前世上官太后[319]亦无降黜，其勿复议。”丙申[320]，葬章德皇后[321]。

烧当[12]羌迷唐率众八千人寇陇西，胁塞内诸种羌合步骑三万人击破陇西兵，杀大夏长[322]。诏遣行征西将军刘尚，越骑校尉赵世副之，将汉兵、羌、胡共三万人讨之。尚屯狄道，世屯枹罕[323]。尚遣司马寇盱监诸郡兵，四面并会[324]。迷唐惧，弃老弱，奔入临洮南[325]。尚等追至高山，大破之，斩虏千余人。迷唐引去，汉兵死伤亦多，不能复追，乃还。

九月庚申[326]，司徒刘方策免[327]，自杀。

甲子，追尊梁贵人为皇太后，谥曰恭怀，追复丧制[328]。冬，十月乙酉[329]，改葬梁太后及其姊大贵人于西陵[330]。擢樊调为羽林左监[331]。追封谥皇太后父竦为褒亲愍[332]侯，遣使迎其丧，葬于恭怀皇后陵旁。征还竦妻子。封子棠为乐平[333]侯，棠弟雍为乘氏[334]侯，雍弟翟为单父侯，位皆特进，赏赐以巨万[335]计，宠遇光于当世，梁氏自此盛矣。

清河王庆始敢求上母宋贵人冢[336]，帝许之。诏太官[337]四时给祭具。庆垂涕曰：“生虽不获供养，终得奉祭祀，私愿足矣！”欲求作祠堂，恐有自同恭怀梁后之嫌，遂不敢言，常泣向左右，以为没齿之恨[338]。后上言：“外祖母王[339]年老，乞诣雒阳疗疾。”于是诏宋氏悉归京师[340]，除庆舅衍、俊、盖、暹等皆为郎。

十一月癸卯[341]，以光禄勋河南吕盖[342]为司徒。

十二月丙寅[343]，司空张奋罢。壬申[344]，以太仆韩稜为司空。

西域都护定远侯[345]班超遣掾甘英使大秦[346]、条支[347]，穷西海，皆前世所不至，莫不备其风土[348]，传[349]其珍怪焉。及安息[350]西界，临大海[351]，欲度，船人谓英曰：“海水广大，往来者逢善风[352]，三月乃得度[353]。

含冤死在狱中，尸骨没有掩埋，母亲年过七十，和弟弟梁棠等远在荒无人烟的地方，不知是死是活，请求收埋梁竦的尸骨，让母亲、弟弟能够回到本郡。”汉和帝召见梁嫕，才知道梁贵人冤死的情形。三公上奏：“请依照光武帝贬退吕太后的旧例，贬除窦太后的尊号，不应当和先皇帝合葬。”百官也有很多人上书进言，汉和帝亲手写诏书说：“窦氏虽不遵守法度，但窦太后常常自我克制。朕侍奉窦太后十年，深思大义。根据礼制，做大臣和儿子的没有贬抑尊长的道理，从感情上不忍父母坟穴分开，从道义上不忍心做损害养母的事。考察前代上官太后也没有降黜，不要再议论此事了。”二十九日丙申，安葬章德皇后。

烧当羌迷唐率领部众八千人侵入陇西郡，胁迫塞内各羌族聚集步兵骑兵三万人打败陇西郡的军队，杀死大夏县县长。和帝下诏派刘尚代理征西将军，以越骑校尉赵世为副将，率领汉朝士兵、羌人、胡人共三万人征讨迷唐。刘尚屯驻狄道县，赵世屯驻枹罕县。刘尚派司马寇盱监督各郡军队，从四面合围。迷唐害怕，抛弃老弱病残，逃奔进入临洮县南山。刘尚等追到高山，大败迷唐，杀敌一千多人。迷唐撤退逃离，汉朝士兵死伤也很多，不能再追击，就撤兵返回。

九月二十四日庚申，司徒刘方被策书罢免，自杀。

九月二十八日甲子，追尊梁贵人为皇太后，谥号叫恭怀，补行皇后丧制。冬，十月十九日乙酉，改葬梁太后和她的姐姐大贵人于西陵。提拔樊调为羽林左监。追封皇太后的父亲梁竦的谥号为褒亲愍侯，派使者迎接他的棺柩，葬在恭怀皇后陵的旁边。召回梁竦的妻儿。册封梁竦的儿子梁棠为乐平侯，梁棠的弟弟梁雍为乘氏侯，梁雍的弟弟梁翟为单父侯，官位都为特进，赏赐以亿万计，恩宠耀于当世，梁氏从此兴旺发达。

清河王刘庆此时才敢请求到母亲宋贵人墓拜祭，汉和帝准许了。下诏太官四时供应祭祀的器具。刘庆流泪说：“生前虽不能进行供养，死后得以进行祭祀，我的心愿满足了！”刘庆还想请求建造祠堂，害怕有把自己母亲等同恭怀皇后的嫌疑，于是不敢上奏，经常当着随从的面流泪，认为是终身的遗憾。后来刘庆上奏说：“外祖母王氏年老，请求前往洛阳治病。”于是汉和帝下诏让宋氏都回京城，任命刘庆的舅舅宋衍、宋俊、宋盖、宋暹等人都为郎。

十一月初八日癸卯，任命光禄勋河南人吕盖为司徒。

十二月初一日丙寅，罢免司空张奋。初七日壬申，任命太仆韩稜为司空。

西域都护定远侯班超派属吏甘英出使大秦国、条支国，直到西海，都是前代未曾到过的地方，详细考察当地的风土人情，带回当地的奇珍异宝。到达安息国西界，濒临大海，想要渡海，船夫对甘英说：“海水广阔，往来的人遇到顺风，需要三个月

若遇迟风[354]，亦有二岁者。故入海，人皆赍三岁粮。海中善使人思土恋慕[355]，数有死亡者。"英乃止。

【段旨】

以上为第六段，写窦太后死，和帝平反梁贵人冤狱追尊为皇太后。西域汉使甘英出使大秦国。

【注释】

㉘⓪庚辰：三月十日。㉘①陇西：郡名，治所狄道，在今甘肃临洮。㉘②癸巳：三月二十三日。㉘③济南安王康：济南王刘康，光武帝子，谥曰安。传见《后汉书》卷四十二《光武十王列传》。㉘④车师后王：即涿鞮。㉘⑤丁卯：四月二十八日。㉘⑥屯骑校尉：北军禁卫五校尉之一。㉘⑦吴房：县名，县治在今河南遂平。㉘⑧特进：加官，位次三公。用以尊礼有功德的大臣或外戚。㉘⑨肥如：辽西郡属县，县治在今河北卢龙北。㉙⓪辽东：郡名，治所襄平，在今辽宁辽阳。㉙①祭参：明帝时太仆祭彤之子。祭彤为光武帝功臣祭遵从弟。祭参事迹附《后汉书》卷二十《祭遵传》后。其文载：参"稍迁辽东太守。永元中，鲜卑入郡界，参坐沮败，下狱死"。㉙②辛巳：闰八月十四日。㉙③皇太后窦氏：东汉功臣窦融之曾孙女，章帝窦皇后，和帝刘肇养母。㉙④梁贵人：和帝刘肇生母，为窦皇后迫害忧死。事见本书卷四十六章帝建初八年。㉙⑤舞阴公主：光武帝长公主，梁松之妻。梁贵人少失母，为伯母舞阴公主所养。梁贵人是梁松弟梁竦之女。㉙⑥从兄：堂兄。㉙⑦奏记：向公府陈说意见的文书。㉙⑧旧典：惯例。㉙⑨亲育圣躬：指诞育皇帝。㉚⓪申议：申理讨论。㉚①言状：说明事实，述说情状。㉚②感恸良久：感伤地哭泣了很长时间。㉚③追上尊号：追封梁贵人尊号。尊号，指皇后谥号。和帝追封梁贵人曰恭怀皇后。㉚④存录诸舅：慰问任用各位舅舅。和帝封舅梁棠乐平侯，梁雍乘氏侯，梁翟单父侯，位皆特进。㉚⑤嫕：梁嫕，和帝刘肇姨母。㉚⑥讼：申诉。㉚⑦竦冤死牢狱：章帝建初八年（公元八三年），诸窦陷害梁竦恶逆，死狱中，家属徙九真。㉚⑧绝域：人迹罕至的极远之地，指九真郡，在今越南境内。㉚⑨枉殁：冤死。㉛⓪光武黜吕太后故事：光武帝以文帝母薄太后配食高庙，尊号曰高皇后，迁吕太后庙主于园。事见本书卷四十四光武中元元年。㉛①窦氏：指窦太后家族，即窦宪兄弟等。㉛②太后：指窦太后。㉛③减损：减少抑制。㉛④奉事十年：当作母亲侍奉十年。十年，和帝嗣位至是凡十年。㉛⑤深惟大义：深思母子大道理。㉛⑥礼二句：按礼法，做臣子和儿子的没有贬抑尊长君上的道理。㉛⑦恩不忍离：从感情上说，不忍分离，指不忍让窦太后的坟穴与章帝分开。㉛⑧义不忍亏：从道义上说，也不忍做这样损害养母的事。㉛⑨上

才能渡过。如果遇到逆风，也有两年才渡过去的。所以入海，人们都要携带三年的粮食。海上航行容易使人思念故土，想念亲人，经常有人死亡。”甘英于是停止了前行。

官太后：昭帝上官皇后，上官桀之女。上官桀父子谋逆被诛，不累及上官后。事见本书卷二十二昭帝元凤元年。⑳丙申：闰八月二十九日。㉑章德皇后：即窦太后。㉒大夏长：大夏县县长。大夏为陇西属县，县治在今甘肃广河县。㉓枹罕：陇西郡属县，县治在今甘肃临夏东北。㉔四面并会：四面合围。㉕临洮南：临洮南山。临洮，陇西郡属县，县治在今甘肃岷县。㉖庚申：九月二十四日。㉗策免：皇帝下策书罢免。策，皇帝对臣下封土、授爵、免官等发布的文书。㉘追复表制：重新按皇后礼服表。㉙乙酉：十月十九日。㉚西陵：在章帝敬陵之西，故曰西陵。敬陵在洛阳西北邙山上。㉛羽林左监：羽林中郎将属官，掌领禁军羽林郎左骑。㉜愍：《谥法》，“在国逢难曰愍”。㉝乐平：侯国名，属东郡，治今山东聊城西。㉞乘氏：侯国名，属济阴郡，治今山东巨野。㉟巨万：万万。形容数目极多。㊱宋贵人冢：在洛阳城北樊濯聚。宋贵人，清河王刘庆之母。刘庆为章帝长子，最早立为皇太子。窦皇后陷害宋贵人，迫令自杀，刘庆太子亦被废。事见《后汉书》卷五十五。㊲太官：少府属官，掌膳食及燕享。㊳没齿之恨：终生的遗憾。没齿，没齿之年、终生。㊴外祖母王：宋贵人母亲姓王，史失其名。㊵诏宋氏悉归京师：宋贵人父宋杨，即清河王刘庆外祖父，章帝时任议郎，建初七年（公元八二年），窦皇后构陷宋贵人，宋氏归故里右扶风平陵（今陕西咸阳），被地方监管，今诏还京师。其时宋杨已故，所以清河王上奏只称外祖母王。事见本书卷四十六章帝建初七年。㊶癸卯：十一月八日。㊷河南吕盖：吕盖为河南尹宛陵人，字君上。㊸丙寅：十二月初一日。㊹壬申：十二月初七日。㊺定远侯：《东观汉记》载，以汉中郡南郑县之西乡千户封超为定远侯。㊻大秦：古代中国对西方罗马帝国的称呼。㊼条支：西亚古国名，在今伊拉克北境。㊽备其风土：详备地考察其风土人情。㊾传：传递；带回。㊿安息：古西域国名，在今伊朗北境。(351)临大海：到了波斯湾海边。(352)善风：好风，指顺风。(353)三月乃得度：船行三个月才能渡过海，靠岸上陆地。(354)迟风：逆风。(355)思土恋慕：思念故土，留恋爱慕不已。

【校记】

［11］房：据章钰校，甲十六行本、乙十一行本皆作“防”。［12］当：原作“唐”。据章钰校，甲十六行本、乙十一行本皆作“当”，熊罗宿《胡刻资治通鉴校字记》同，今据改。

【原文】

十年（戊戌，公元九八年）

夏，五月，京师大水㉟。

秋，七月己巳㊲，司空韩稜薨。八月丙子㊳，以太常太山巢堪为司空。

冬，十月，五州雨水㊴。

行征西将军刘尚、越骑校尉赵世坐[13]畏懦征㊵，下狱，免。谒者王信领尚营屯枹罕，谒者耿谭领世营屯白石㊶。谭乃设购赏㊷，诸种颇来内附。迷唐恐，乃请降，信、谭遂受降罢兵。十二月，迷唐等帅种人诣阙贡献㊸。

戊寅㊹，梁节王畅㊺薨。

初，居巢㊻侯刘般薨，子恺当嗣，称父遗意，让其弟宪。遁逃久之，有司奏请[14]绝恺国㊼。肃宗美其义，特优假㊽之，恺犹不出。积十余岁，有司复奏之。侍中贾逵㊾上书曰："孔子称㊿'能以礼让为国乎何有？'有司不原乐善之心，而绳(371)以循常之法(372)，惧非长(373)克让之风(374)，成(375)含弘之化(376)也。"帝纳之，下诏曰："王法崇善，成人之美，其听宪嗣爵。遭事之宜，后不得以为比(377)。"乃征恺，拜为郎。

南单于师子死，单于长之子檀立，为万氏尸逐鞮单于(378)。

十一年（己亥，公元九九年）

夏，四月丙寅(379)，赦天下。

帝因朝会召见诸儒，使中大夫(380)鲁丕(381)与侍中贾逵、尚书令黄香等相难(382)数事。帝善丕说，罢朝，特赐衣冠。丕因上疏曰："臣闻说经者，传先师之言，非从己出，不得相让(383)；相让则道不明，若规矩权衡(384)之不可枉(385)也。难者(386)必明其据(387)，说者(388)务立其义(389)，浮华无用之言，不陈于前，故精思不劳而道术(390)愈章(391)。法异者各令自说师法(392)，博观其义(393)，无令刍荛(394)以言得罪，幽远独有遗失也。"

【语译】

十年（戊戌，公元九八年）

夏，五月，京师洛阳发生大水灾。

秋，七月己巳日，司空韩稜去世。八月十五日丙子，任命太常太山人巢堪为司空。

冬，十月，五个州下雨不止。

代理征西将军刘尚、越骑校尉赵世因畏敌、懦弱被征召论罪，下狱，免官。谒者王信率领刘尚的军队驻守枹罕县，谒者耿谭率领赵世的军队驻守白石县。耿谭于是悬赏购杀迷唐，羌人各部多来归附。迷唐恐惧，便请求投降，王信、耿谭于是接受归降停战。十二月，迷唐等率领族人前往朝廷进献贡品。

十二月十九日戊寅，梁节王刘畅去世。

当初，居巢侯刘般去世，儿子刘恺本应继承爵位，刘恺满足父亲的遗愿，把侯位让给弟弟刘宪。逃走了很长时间，有关部门上奏请求撤除刘恺的封国。肃宗欣赏他的义行，特别优待而宽恕他，刘恺仍然不出来继任。过了十几年，有关部门再次奏请此事。侍中贾逵上书说："孔子称'能够用礼让来治理国家，还有什么困难呢?'主管官员不推究刘恺乐于向善之心，反而以寻常的法度加以约束，恐怕不能助长能谦让的风气，形成包容宽厚的教化。"汉和帝接受他的建议，下诏书说："王法推崇善行，成全别人的美德，同意刘宪继承爵位。事属权宜例外，以后不得援此为例。"于是征召刘恺，任命他为郎。

南匈奴单于师子去世，单于长的儿子檀继承王位，是为万氏尸逐鞮单于。

十一年（己亥，公元九九年）

夏，四月初九日丙寅，大赦天下。

汉和帝借朝会之机召见诸位儒者，让中大夫鲁丕和侍中贾逵、尚书令黄香等人互相辩难经义。和帝欣赏鲁丕的说法，退朝后，特意赐给他衣冠。鲁丕趁机上疏说："我听说，解经的人应当传授先师的言论，不是出自本人的观点，不能谦让；谦让就会使道义不明，如同圆规曲尺权衡不可随意改变。发难的人必须说明他的根据，答疑解经的人务必申明师说大义，浮夸华丽的言论不得当众陈说，所以不需要劳精伤神而经义道理却更加明白。说法不同的人各自让他们陈说所承师法，广泛观览各家大义，不要让乡野之夫因为言论获罪，深居草野之士有所遗漏。"

【段旨】

以上为第七段，写西羌归降。和帝下诏褒扬刘恺让爵。中大夫鲁丕上奏，讨论经学要博采众长，不搞一言堂，不以言论定罪。

【注释】

㊱京师大水：京城洛阳发生大水灾。㊲己巳：七月癸巳朔，无己巳。己巳为八月初八日。㊳丙子：八月十五日。㊴五州雨水：五个州（占半个中国）下雨发水。雨，降雨。㊵坐畏懦征：因畏敌、懦弱被征召论罪。坐，坐罪，被控罪。畏懦，畏惧敌人，懦弱无能。㊶白石：县名，原属金城，此时属陇西郡。县治在今甘肃临夏。㊷设购赏：指悬赏购杀迷唐。㊸诣阙贡献：到京师洛阳进贡。㊹戊寅：十二月十九日。㊺梁节王畅：梁王刘畅，明帝子，谥节王。传见《后汉书》卷五十《孝明八王列传》。㊻居巢：侯国名，属庐江郡，治所在今安徽巢湖市。㊼有司奏请绝恺国：主管部门上奏请求撤销刘恺的居巢侯国。绝，断绝、撤销。㊽假：宽贷；缓办。㊾贾逵（公元三〇至一〇一年）：东汉经学家、天文学家，字景伯，扶风平陵（今陕西咸阳西北）人，历官侍中及左中郎将。兼修今古文，后世称通儒。传见《后汉书》卷三十六。㊿孔子称：孔子说。引文之意谓："能够用礼让来治理国家，还有什么困难呢？"见《论语·里仁》。(371)绳：约束；制

【原文】

十二年（庚子，公元一〇〇年）

夏，四月戊辰(395)，秭归(396)山崩。

秋，七月辛亥朔(397)，日有食之。

九月戊午(398)，太尉张酺免。丙寅(399)，以大司农张禹(400)为太尉。

烧当羌豪迷唐既入朝，其余种人不满二千，饥窘(401)不立(402)，入居金城。帝令迷唐将其种人还大、小榆谷。迷唐以汉作河桥(403)，兵来无常，故地不可复居，辞以种人饥饿，不肯远出。护羌校尉吴祉等多赐迷唐金帛(404)，令籴谷市畜，促使出塞，种人更怀猜惊(405)。是岁，迷唐复叛，胁将湟中诸胡寇钞(406)而去。王信、耿谭、吴祉(407)皆坐征。

十三年（辛丑，公元一〇一年）

秋，八月己亥(408)，北宫盛馔门阁(409)火(410)。

裁。㊲循常之法：常规的法制。㊳长：发扬；增长。㊴克让之风：能谦让的风气。克，能。㊵成：形成；完成。㊶含弘之化：含容宽厚的教化。㊷后不得以为比：往后不准援引为例。㊸万氏尸逐鞮单于：栾提檀，公元九八至一二四年在位。㊹丙寅：四月初九日。㊺中大夫：官名，掌论议拾遗。光禄勋属官。㊻鲁丕（公元三六至一一一年）：字叔陵，扶风平陵（今陕西咸阳西北）人，经学家，官至侍中、左中郎将。传见《后汉书》卷二十五。㊼相难：讨论经义，互相辩难。㊽不得相让：经义分歧，因各守师法，而不得谦让。㊾规矩权衡：规矩，古代画圆形和方形的工具，即圆规和曲尺。规，圆规。矩，取直角的方矩。权，秤锤。衡，秤杆。㊿不可枉：不能随意弯曲。经义师法，也如同度量衡，不可随意改变。(386)难者：发难质疑的人。(387)据：师说根据。(388)说者：答疑解疑的人。(389)务立其义：务必据师法申说大义。(390)道术：经义的道理要旨。(391)愈章：更加明白。章，明显。(392)法异者各令自说师法：说法不同的人就各自让解说师承的看法。(393)博观其义：广泛地观览各家的旨义。(394)刍荛：割草打柴的人。谦辞。

【校记】

［13］坐：此字下原有一空格。据章钰校，甲十六行本、乙十一行本皆无空格，今据改。〖按〗从文义看，“坐”字下并无脱文，不当有空格。［14］请：原无此字。据章钰校，甲十六行本、乙十一行本皆有此字，今据补。

【语译】

十二年（庚子，公元一〇〇年）

夏，四月十六日戊辰，秭归县发生山崩。

秋，七月初一日辛亥，发生日食。

九月初九日戊午，太尉张酺被免官。十七日丙寅，任命大司农张禹为太尉。

烧当羌首领迷唐已进京朝见，其余族人不足二千人，饥饿窘困，无法生存，迁入金城县。汉和帝命令迷唐率领他的族人回到大、小榆谷。迷唐认为汉朝造了河桥，军队来去无常，原驻地不能再居住，就以族人饥饿为由推辞，不愿出塞远去。护羌校尉吴祉等赐给迷唐很多金钱布帛，让他们买米、卖牲畜，促使他们出塞，羌人更加心怀猜疑惊恐。这年，迷唐再次反叛，胁迫湟中各胡族人抢掠而去。王信、耿谭、吴祉都被论罪召回。

十三年（辛丑，公元一〇一年）

秋，八月二十五日己亥，北宫御厨房盛馔门阁发生火灾。

迷唐复还赐支河曲，将兵向塞。护羌校尉周鲔㊶与金城太守侯霸㊷及诸郡兵、属国㊸羌、胡合三万人出塞[15]，至允川㊹。侯霸击破迷唐，种人瓦解，降者六千余口，分徙汉阳、安定、陇西㊺。迷唐遂弱，远逾赐支河首，依发羌㊻居。久之，病死，其子来降，户不满数十。

荆州㊼雨水。

冬，十一月丙辰㊽，诏曰："幽、并、凉㊾州户口率少，边役众剧㊿，束修㊿良吏进仕路狭。抚接夷狄，以人为本，其令缘边郡口十万以上，岁举孝廉一人，不满十万，二岁举一人，五万以下，三岁举一人。"

鲜卑寇右北平㊿，遂入渔阳㊿，渔阳太守击破之。

戊辰㊿，司徒吕盖以老病致仕㊿。

巫蛮㊿许圣以郡收税不均，怨恨，遂反。辛卯㊿，寇南郡。

【段旨】

以上为第八段，写西羌降而后叛，遭到汉军沉重打击后瓦解流离。

【注释】

㊵戊辰：四月十六日。㊶秭归：县名，县治在今湖北秭归。㊷辛亥朔：七月初一日。㊸戊午：九月初九日。㊹丙寅：九月十七日。㊺张禹（？至公元一一三年）：此与西汉成帝时丞相张禹同名。字伯达，赵国襄国（今河北邢台）人，官至太傅。传见《后汉书》卷四十四。㊻饥窘：饥饿穷困。㊼不立：指无法生存。㊽汉作河桥：指永元五年（公元九三年）护羌校尉贯友所建河桥。㊾金帛：金钱和布帛。㊿猜惊：猜疑惊恐。㊿寇钞：抢掠。㊿王信、耿谭、吴祉：谒者王信，屯枹罕；谒者耿谭，屯白石；护羌校尉吴祉，屯金城。㊿己亥：八月二十五日。㊿盛馔门阁：御厨房门阁。盛馔，丰盛的食物。以此为御厨名。㊿火：失火。㊶周鲔：继吴祉为护羌校尉。㊷侯霸：与东汉初名臣侯霸同名。一年后继周鲔为护羌校尉。㊸属国：汉代为安置内附的羌、胡，在沿边地区设置的行政区划。㊹允川：地名，距赐支河曲数十里，在大、小榆谷之西。相当今

迷唐又返回赐支河曲，率兵逼近边塞。护羌校尉周鲔和金城太守侯霸，以及各郡的军队、属国的羌人、胡人共三万人出塞，抵达允川。侯霸打败迷唐，族人瓦解，投降的六千多人分别被迁徙到汉阳郡、安定郡、陇西郡。迷唐于是衰弱，远远渡过赐支河头，靠着发羌居住。过了很久，迷唐病死，他的儿子来归降，户数不到几十家。

荆州降雨发水。

冬，十一月十四日丙辰，汉和帝下诏说："幽州、并州、凉州人口都稀少，边地徭役频繁沉重，奉公自律的良吏仕进之路狭窄。安抚接纳夷狄，用人为关键，现命令人口在十万以上的边郡，每年推荐一名孝廉；人口不满十万的郡，每两年推荐一名；人口在五万以下的郡，每三年推荐一名。"

鲜卑人侵犯右北平郡，就势进入渔阳郡，渔阳太守打败了他们。

十一月二十六日戊辰，司徒吕盖因年老多病辞官回家。

巫县蛮人许圣因郡府收税不公，非常怨恨，于是反叛。辛卯日，入侵南郡。

青海青海湖东南、贵德西北的黄河以北地区。⑮汉阳、安定、陇西：皆郡名，在今甘肃东部地区。汉阳郡治所冀县，在今甘肃甘谷；安定郡治所临泾，在今甘肃镇原东南；陇西郡治所狄道，在今甘肃临洮。⑯发羌：羌别种。一说发羌为唐吐蕃之祖先。⑰荆州：州名，治所汉寿，在今湖南汉寿。汉末移至襄阳。辖境主要在今两湖地区。⑱丙辰：十一月十四日。⑲幽、并、凉：幽州辖境主要在今河北北部及辽宁、朝鲜部分地区，并州辖境主要在今山西及陕北地区，凉州辖境主要在今甘肃地区。当时三州最大的郡有十万余户，小郡户不满二千户，凉州敦煌郡只有七百四十八户。⑳边役众剧：边郡的差役多而重。剧，沉重。㉑束修：束发自修。此指奉公守法，约束自律。㉒右北平：郡名，治所土垠，在今河北丰润。㉓渔阳：郡名，治所渔阳，在今北京市密云西南。㉔戊辰：十一月二十六日。㉕致仕：退休。㉖巫蛮：居于巫山地区的少数民族。此地有巫县，县治在今重庆市巫山县。㉗辛卯：十一月癸卯朔，无辛卯，辛卯，十二月十九日。

【校记】

［15］出塞：原无此二字。据章钰校，甲十六行本、乙十一行本、孔天胤本皆有此二字，张敦仁《通鉴刊本识误》、张瑛《通鉴校勘记》同，今据补。

【原文】

十四年（壬寅，公元一〇二年）

春，安定降羌烧何[428]种反，郡兵击灭之。时西海[429]及大、小榆谷左右无复羌寇，隃麋[430]相[431]曹凤上言："自建武以来，西羌犯法者，常从烧当种起。所以然者，以其居大、小榆谷，土地肥美，有西海鱼盐之利[432]，阻大河以为固。又近塞[16]诸种，易以为非，难以攻伐，故能强大，常雄诸种，恃其拳勇[433]，招诱羌、胡。今者衰困，党援坏沮[434]，亡逃栖窜，远依发羌。臣愚以为宜及此时建复西海郡县[435]，规固二榆[436]，广设屯田，隔塞羌、胡交关[437]之路，遏绝[438]狂狡[439]窥欲之源[440]。又殖谷富边，省委输之役[441]，国家可以无西方之忧。"上从之，缮修故西海郡，徙金城西部都尉以戍之[442]，拜凤为金城西部都尉，屯龙耆[443]。后增广屯田，列屯夹河，合三十四部[444]。其功垂立，会永初中[445]，诸羌叛，乃罢。

三月戊辰[446]，临辟雍[447]飨射[448]，赦天下。

夏，四月，遣使者督荆州兵万余人，分道讨巫蛮许圣等，大破之。圣等乞降，悉徙置江夏[449]。

阴皇后多妒忌，宠遇浸衰[450]，数怀恚恨[451]。后外祖母邓朱出入宫掖，有言后与朱共挟巫蛊[452]道者，帝使中常侍张慎与尚书陈褒案[453]之，劾以大逆无道，朱二子奉、毅，后弟辅，皆考死[454]狱中。六月辛卯[455]，后坐废，迁于桐宫，以忧死。父特进纲自杀，后弟轶、敞及朱家属徙日南比景[456]。

秋，七月壬子[457]，常山殇王侧[458]薨，无子，立其兄防子侯章为常山王。

三州大水。

班超久在绝域[459]，年老思土，上书乞归曰："臣不敢望到酒泉郡[460]，但愿生入玉门关[461]。谨遣子勇随安息献物入塞，及臣生在，令勇目见中土。"朝廷久之未报[462]。超妹曹大家[463]上书曰："蛮夷之性，悖逆侮老[464]。而超旦暮入地[465]，久不见代[466]，恐开奸宄之原，生逆乱之心。而卿大夫咸怀一切[467]，莫肯远虑，如有卒暴[468]，超之气力不能从心，便为上损国

【语译】

十四年（壬寅，公元一〇二年）

春，安定郡归降的羌人烧何部反叛，郡中军队消灭了他们。当时西海和大、小榆谷附近不再有羌人侵略，隃麋国相曹凤上奏说："自建武以来，西羌犯法的事，常常是从烧当部开始。之所以这样，是因为他们居住在大、小榆谷，土地肥美，有西海鱼盐的利益，凭借大河作为险固。还有，靠近边塞的种族容易为非作歹，难以讨伐，所以能够强大，常常在羌人各部中称雄，依仗他们的武力勇气，招致引诱羌人、胡人。现今西羌衰困，外援崩毁，逃亡流窜，远去投靠发羌。臣愚见认为应当乘此时重新设置西海郡县，筹划控制大、小榆谷，广泛设置屯田，隔离羌人、胡人交通路线。断绝狂妄狡黠之徒图谋不轨的根源。再种植谷物，富裕边地，减少向边地转运的劳役，国家可以没有西边的忧患。"汉和帝听从了他的建议，修缮原来的西海郡，调遣金城西部都尉驻防这里，任命曹凤为金城西部都尉，驻守屯田龙耆县。后来增加屯田，沿黄河两岸设屯垦田，总共三十四部。大功将要告成，时逢永初年间，各羌族背叛，于是作罢。

三月二十七日戊辰，汉和帝亲临辟雍举行飨射礼，大赦天下。

夏，四月，汉和帝遣使者监督荆州兵一万多人，分路讨伐巫县蛮许圣等人，大败他们。许圣等人乞求归降，把他们全部迁往江夏郡安置。

阴皇后嫉妒心强，宠爱恩遇日渐淡薄，常常心怀愤恨。阴皇后的外祖母邓朱出入后宫掖廷，有人报告说皇后和邓朱共同施用巫蛊道术，汉和帝派中常侍张慎与尚书陈褒办理此案，他们劾罪为大逆不道。邓朱的两个儿子邓奉、邓毅，阴皇后的弟弟阴辅，都受到拷问，死在狱中。六月二十二日辛卯，阴皇后因犯罪被废，迁至桐宫，忧郁而死。阴皇后的父亲特进阴纲自杀，阴皇后的弟弟阴轶、阴敞和邓朱的家属被流放到日南郡比景县。

秋，七月十三日壬子，常山殇王刘侧去世，没有儿子，册封他哥哥刘防的儿子列侯刘章为常山王。

三个州发生大水。

班超久在远疆，年老思乡，上书请求回国说："臣不敢奢望回到酒泉郡，只希望活着进入玉门关，恭谨地派儿子班勇随着安息国进献贡品进入塞内，趁臣还活着，让班勇亲眼看到中国的土地。"朝廷很久没有回复。班超的妹妹曹大家上书说："蛮夷的本性，忤逆不道，欺侮老人。而班超旦夕入土，很久不见人接替他，恐怕会开启蛮族奸邪的源头，产生叛乱之心。而卿大夫都抱着权宜将就的想法，不肯做长远的打算，如有意外爆发事件，班超的气力已不能从心，在上将破坏国家积累几代的功业，

家累世之功，下弃忠臣竭力之用，诚可痛也！故超万里归诚⑯，自陈苦急⑰，延颈逾望⑱，三年于今，未蒙省录⑲。妾窃闻古者十五受兵⑳，六十还之㉑，亦有休息，不任职也。故妾敢触死为超求哀㉒，丐超余年㉓，一得生还，复见阙庭，使国家无劳远之虑，西域无仓卒之忧，超得长蒙文王葬骨㉔之恩，子方哀老㉕之惠。"帝感其言，乃征超还。八月，超至雒阳，拜为射声校尉。九月，卒。

超之被征，以戊己校尉㉖任尚代为都护。尚谓超曰："君侯在外国三十余年，而小人㉗猥承君后㉘，任重虑浅，宜有以诲㉙之。"超曰："年老失智。君数当大位，岂班超所能及哉！必不得已，愿进愚言：塞外吏士，本非孝子顺孙，皆以罪过徙补边屯㉚。而蛮夷怀鸟兽之心，难养易败。今君性严急，水清无大鱼，察政不得下和㉛，宜荡佚㉜简易，宽小过，总大纲㉝而已。"超去后[17]，尚私谓所亲曰："我以班君当有奇策，今所言平平耳。"尚后竟失边和，如超所言。

【段旨】

以上为第九段，写东汉安羌，重置西海郡。班超年老，荣归故里，八月到达洛阳，九月去世。

【注释】

⑧烧何：西羌种落名，与烧当羌分别为两种。⑨西海：即今青海湖。⑩隃麋：侯国名，属右扶风，故城在今陕西千阳东。⑪相：凡封国皆置相，掌治民。侯国相，与县令同等。⑫鱼盐之利：鱼，指青海湖产的鱼。盐，西海有允吾盐池。⑬拳勇：勇力。《诗经·巧言》："无拳无勇。"毛传云："拳，力也。"⑭党援坏沮：党羽外援崩坏衰弱。⑮建复西海郡县：重新恢复西海郡。建，立。西汉平帝元始四年（公元四年）大司马王莽始置西海郡，治龙耆，在今青海民和。⑯规固二榆：筹划牢固地控制大、小榆谷。规，谋划。⑰交关：交通；往来。⑱遏绝：杜绝；堵死。⑲狂狡：疯狂狡黠之徒。⑳窥欲之源：觊觎非分之想的源泉。㉑省委输之役：减少向边地转运的劳役。㉒徙金城西部都尉以戍之：将驻屯在金城（在今甘肃兰州市西固区）的西部都尉迁移到故西海郡进行戍卫。㉓屯龙耆：即西部都尉移屯于龙耆城。龙耆旧城在今青海民和。㉔合三十四部：沿

在下就会丢掉忠臣竭力效命的成果，实在让人痛惜！所以班超从万里之外表达诚心，自己陈述痛苦急迫之情，伸长脖子遥望等待，至今已三年，没有得到朝廷的审阅采纳。妾听说古代十五岁服兵役，六十岁退役回家，也都有休息停歇，不再任职。所以妾敢于冒死为班超请求朝廷的哀悯，乞求班超残年生还，一旦生还，再见到朝廷，使国家没有劳师边疆的担心，西域没有突然发生事变的忧患，班超能长久蒙受文王葬骨那样的恩典，田子方哀怜老马那样的仁惠。”汉和帝被她的话感动了，于是征召班超回朝。八月，班超到达洛阳，任命为射声校尉。九月，去世。

班超被征召回朝后，以戊己校尉任尚接替班超做都护。任尚对班超说：“君侯在国外三十多年，而小人我有幸接替您的职务，任务重大，我却思虑浅薄，您应该有教导我的话。”班超说：“我已经年老糊涂了。你多次担当大任，哪里是我班超所能赶得上的！如果一定要说，希望说几句愚浅的话：塞外的官吏士兵，本来就不是孝子贤孙，都是因犯罪过而被流放担任边疆屯戍。而蛮夷怀着禽兽样的心肠，很难养育，容易叛变。现在您的性情严急，水清就没有大鱼，苛察政治就得不到下边人的拥护，应该放松管理顺其自然，实施简单易行的政策，宽恕小过，总揽大的原则而已。”班超离开后，任尚私下对他的亲信说：“我以为班君会有新奇的策略，今天所说的平平淡淡罢了。”任尚后来最终失去边疆的和睦，正如班超所说的那样。

黄河两岸的屯田卫戍点有三十四处。合，总计。㊺会永初中：当永初年间。永初，安帝第一个年号（公元一〇七至一一三年），凡七年。永初元年西羌（塞外羌）、东羌（归附汉朝的塞内羌）联合大暴动，汉羌斗争进入新阶段。湟水流域的屯田，功败垂成。㊻戊辰：三月二十七日。㊼辟雍：为尊儒学、行典礼的场所，为三雍宫之一。㊽飨射：举行射箭比赛的礼仪。㊾江夏：郡名，治所西陵，在今湖北武汉市新洲区。㊿宠遇浸衰：宠爱恩遇日渐淡薄。451恚恨：愤怒、仇恨。452巫蛊：巫师为蛊，故曰巫蛊。其术是刻木像人诅咒以害人。汉武帝晚年，太子刘据就死于巫蛊之祸，今又重现。453案：审理。454考死：拷打致死。考，通“拷”。455辛卯：六月二十二日。456日南比景：日南，郡名。比景，县名，在今越南境内。457壬子：七月十三日。458常山殇王侧：常山王刘侧，明帝子淮阳王刘昺少子，谥殇。事附《后汉书》卷五十《孝明八王淮阳顷王昺列传》。459班超久在绝域：班超始出西域，见本书卷四十五明帝永平十六年。460酒泉郡：治所禄福，在今甘肃酒泉。461玉门关：关名，属敦煌郡，在今甘肃敦煌西北。462朝廷久之未报：朝廷拖延很久（三年）不做回答。463曹大家：班超妹班昭，嫁扶风人曹寿，博学高才，有节行法度。帝数召入宫为皇后诸贵人讲学，号曰大家，故史称曹大家。大家，宫中相尊之

称。㊽悖逆侮老：违犯礼义，轻侮老人。㊾旦暮入地：谓班超步入老年，朝不保夕，随时会死亡。㊿代：接替。[467]卿大夫咸怀一切：朝中大臣都抱着一时权宜之计，得过且过。一切，一时权宜。[468]卒暴：爆发突然事件。卒，通“猝”。[469]归诚：倾诉诚心。[470]自陈苦急：亲自陈述艰难困苦。[471]延颈逾望：伸长脖子遥望。逾，胡三省注：“当作‘隃’，读曰遥，传写误作‘逾’。”[472]省录：审阅采纳。[473]十五受兵：十五岁接受武器，指从军。[474]六十还之：六十岁退役还家。[475]触死为超求哀：冒死罪为班超求情乞怜。[476]丐超余年：乞求班超的晚年。丐，乞求。[477]文王葬骨：周文王葬无主之枯骨。典出《新序》，周文王作灵台，掘地得死人之骨，命吏埋葬。[478]子方哀老：田子方怜爱老马。子方，田子方，战国时魏文侯师，见魏文侯遗弃老马，认为“少尽其力，老而弃之，非仁也”，于

【原文】

初，太傅[487]邓禹[488]尝谓人曰：“吾将百万之众，未尝妄杀一人，后世必有兴者。”其子护羌校尉训，有女曰绥，性孝友，好书传，常昼修妇业[489]，暮诵经典，家人号曰“诸生[490]”。叔父陔曰：“尝闻活千人者，子孙有封。兄训为谒者，使修石臼河[491]，岁活数千人[492]。天道可信，家必蒙福。”绥后选入宫为贵人，恭肃小心，动有法度[493]，承事阴后，接抚同列[494]，常克己以下之[495]，虽宫人隶役，皆加恩借[496]，帝深嘉焉。尝有疾，帝特令其母、兄弟入亲医药，不限以日数。贵人辞曰：“宫禁至重，而使外舍[497]久在内省[498]，上令陛下有私幸[499]之讥，下使贱妾获不知足之谤，上下交损[500]，诚不愿也。”帝曰：“人皆以数入[501]为荣，贵人反以为忧邪！”每有宴会，诸姬竞自修饰，贵人独尚质素。其衣有与阴后同色者，即时解易[502]。若并时进见[503]，则不敢正坐离立[504]；行则偻身自卑[505]，帝每有所问，常逡巡后对[506]，不敢先后言。阴后短小[507]，举止[18]时失仪，左右掩口而笑，贵人独怆然[508]不乐，为之隐讳，若己之失。帝知贵人劳心曲体[509]，叹曰：“修德之劳，乃如是乎！”后阴后宠衰，贵人每当御见[510]，辄辞以疾。时帝数失皇子，贵人忧继嗣不广，数选进才人[511]，以博帝意。阴后见贵人德称日盛，深疾[512]之。帝尝寝病，危甚[513]，阴后密言：“我得意[514]，不令邓氏复有遗类[515]！”

是收而养之。⑲戊己校尉：官名，掌西域屯田兵。⑳小人：任尚谦称。㉑猥承君后：接替您的工作。猥，谦辞，犹言辱。㉒诲：指教。㉓皆以罪过徙补边屯：都是因犯法有过，被贬徙补充边疆戍屯。㉔察政不得下和：苛察的政治得不到下边人的拥护。㉕荡佚：放荡纵逸，不拘恒节。㉖宽小过二句：宽恕小的过失，总揽大的原则。

【校记】

［16］塞：据章钰校，甲十六行本、乙十一行本、孔天胤本此字下皆有“内”字。［17］后：原无此字。据章钰校，甲十六行本、乙十一行本、孔天胤本皆有此字，张敦仁《通鉴刊本识误》同，今据补。

【语译】

当初，太傅邓禹曾经对人说：“我率领百万军队，从未随便杀死一人，后代子孙中必有发达的。”他的儿子护羌校尉邓训，有个女儿名绥，本性孝顺善良，喜欢读经书传注，经常白天修习女红，晚上诵读经典，家人称她为“诸生”。叔父邓陔说：“听说救活一千人的，子孙必有封爵。哥哥邓训做谒者，让他修理石臼河，每年救活几千人。天道可以信赖，家族必定蒙受福祐。”邓绥后来被选进宫做贵人，恭敬严肃，小心谨慎，举止遵守规矩，侍奉阴皇后，对待同辈嫔妃，常常克制自己，谦卑待人，即便是宫人奴隶仆役，都施以恩惠，汉和帝很赞赏她。邓绥曾患病，汉和帝特地下令邓绥的母亲、兄弟入宫亲自侍奉医药，不限制天数。邓贵人推辞说：“宫禁是非常重要的地方，却让外家久住后宫，在上使皇上受到偏爱的批评，在下使贱妾我受到不知足的毁谤，上下都受到损失，实在不希望这样。”汉和帝说：“别人都以外家经常入宫为荣耀，贵人反以为忧虑啊！”每次有宴会，众妃都竞相打扮，只有邓贵人崇尚朴素。她的衣服有与阴后同颜色的，马上换掉。如果与阴皇后同时进见皇上，则不敢并肩坐立；走路时屈身以示谦卑，汉和帝每次有所询问，常延迟后答，不敢先于阴皇后回答。阴皇后矮小，举止时有失态，旁边的人捂着嘴窃笑，只有邓贵人伤感不乐，为阴皇后隐瞒，好像是自己犯了错一样。汉和帝知道邓贵人的苦心和委屈，叹息说：“修养道德的劳苦，竟然做到这样了啊！”后来阴皇后宠爱衰减，邓贵人每当被汉和帝召见时，就以生病推辞。当时汉和帝屡次失去皇子，邓贵人担心和帝子嗣不多，多次选进才人，来博得汉和帝喜欢。阴皇后见邓贵人的德誉日增，很妒忌她。汉和帝曾经病重，十分危险，阴皇后暗中说：“如果我得遂心意，不让邓家再有一个活着的！”

贵人闻之，流涕言曰："我竭诚尽心以事皇后，竟不为所祐⑯。今我当从死⑰，上以报帝之恩，中以解宗族之祸，下不令阴氏有人豕之讥⑱。"即欲饮药⑲。宫人赵玉者固禁止[19]之，因诈言"属⑳有使来，上疾已愈"，贵人乃止。明日，上果瘳㉑。及阴后之废，贵人请救，不能得。帝欲以贵人为皇后，贵人愈称疾笃，深自闭绝㉒。冬，十月辛卯㉓，诏立贵人邓氏为皇后。后辞让，不得已，然后即位。郡国贡献，悉令禁绝㉔，岁时但供纸墨而已。帝每欲官爵邓氏，后辄哀请㉕谦让，故兄骘㉖终帝世不过虎贲中郎将。

丁酉㉗，司空巢堪罢。

十一月癸卯㉘，以大司农沛国徐防㉙为司空。防上疏，以为："汉立博士十有四家㉚，设甲乙之科㉛，以勉劝㉜学者。伏见太学试博士弟子，皆以意说㉝，不修家法㉞，私相容隐，开生奸路。每有策试㉟，辄兴诤讼㊱，论议纷错㊲，互相是非。孔子称'述而不作'㊳，又曰'吾犹及史之阙文'㊴。今不依章句，妄生穿凿，以遵师为非义，意说为得理，轻侮道术㊵，浸以成俗㊶，诚非诏书实选㊷本意。改薄从忠，三代常道㊸，专精务本，儒学所先㊹。臣以为博士及甲乙策试，宜从其家章句㊺，开五十难㊻以试之，解释多者为上第，引文明者为高说㊼。若不依先师，义有相伐㊽，皆正以为非㊾。"上从之。

是岁，初封大长秋郑众为鄛乡侯㊿。

【段旨】

以上为第十段，写和帝册立邓皇后。

【注释】

㊷太傅：官名，皇帝辅弼官，东汉皇帝初即位多设此官，尊礼大臣，无实职，位在三公上。㊸邓禹：东汉开国功臣。传见《后汉书》卷十六。㊹昼修妇业：白天修习女红。㊺诸生：儒生。㊻修石臼河：事见本书卷四十六章帝建初三年。㊼岁活数千人：每年从苦役中救活数千人。㊽法度：规矩。㊾接抚同列：交往安抚诸嫔妃。㊿克己以下

邓贵人听到这话，流泪说："我竭诚尽心地侍奉皇后，竟不能得到她的宽容。现今我应当跟从皇帝死去，上可报答皇帝的恩宠，中可以此解除家族的祸患，下可不让阴氏落下人彘的讥评。"当即就要喝下毒药。宫人叫赵玉的坚决阻止她，就骗她说"刚才有使者来报，皇上的病已经痊愈"，邓贵人才作罢。第二天，汉和帝的病果然转好。等到阴皇后被废，邓贵人为她求情挽救，没能做到。汉和帝准备立邓贵人为皇后，邓贵人宣称病重，闭门不出。冬，十月二十四日辛卯，和帝下诏立贵人邓氏为皇后。皇后推让，不得已，然后就位皇后。各郡、封国进贡，一律下令禁止，每年只让供应纸墨而已。汉和帝每次想给邓氏家族的人加官晋爵，邓皇后总是哀求谦让，所以邓贵人的哥哥邓骘在汉和帝在世时官不过虎贲中郎将。

十月三十日丁酉，司空巢堪被罢免。

十一月初六日癸卯，任命大司农沛国人徐防为司空。徐防上疏，认为："汉朝设立博士十四家，设甲乙等级，用以勉励劝导学习的人。臣见到太学考试博士弟子，都是随意解说，不修习师法，私下互相容忍隐瞒，开启奸邪之路。每次举行策试，总是发生争议责难，议论纷纭交错，互相攻击。孔子说'只是转述先圣的言论，而不自我创作'，又说'我还能够看到史书存疑的地方'。现在不依照师说章句，妄自穿凿附会，以遵从师道为不合义理，随意解说为合理，轻视侮慢经典的传统解说，逐渐形成风气，实在违背了诏书依照真才实学选拔人才的本意。改变浇薄的习俗而崇尚质朴，是三代的一般做法，专心精密地务求师说本义，是儒家学者最先要务。臣认为博士和甲乙科策试，应该遵照它的家法章句，出五十道题来测试他们，解答问题最多的为第一等，把引文注明出处的为最高级。如果不依照先师的说法，申说义理有批评师说的，都应纠正，指出其错误。"汉和帝听从了这一建议。

这一年，初次封大长秋郑众为鄛乡侯。

之：克制自己，谦虚下人。⑯恩借：恩惠。⑰外舍：外家。⑱内省：内禁；内宫。⑲私幸：私于所宠幸的人。⑳上下交损：上，指和帝刘肇。下，指贵人邓绥。交损，同时受到损害。和帝有损偏心，邓贵人有损不知足。㉑数入：外戚多次入宫。㉒解易：脱去更换。㉓并时进见：指邓贵人与阴皇后同时进见和帝。㉔正坐离立："正"与"离"互文同义，皆"并"也。指邓贵人不敢与阴皇后并肩而坐、并肩而立。㉕行则偻身自卑：行走时微屈身躯，表示自己身份卑微。㉖逡巡后对：谓邓贵人回答和帝问话，总是拖延在阴皇后之后回答。㉗短小：矮小。㉘怆然：悲伤的样子。㉙劳心曲体：苦心委屈自己。㉚御见：和帝召见。㉛才人：地位低于贵人的嫔妃之号。㉜疾：通"嫉"。㉝危甚：病情恶化；病危。㉞得意：得遂心意，指做皇太后。㉟不令邓氏复有遗类：全家诛灭，

不留下一个活口。516 祐：宽容。517 从死：从殉皇帝而死。518 人豕之讥：落下人豕的话柄。人豕，吕太后残害戚夫人，断其手足、挖眼、割耳、饮哑药，然后弃置厕中，称为“人彘”。事见本书卷十二惠帝元年。519 饮药：服毒。520 属：适才；刚才。521 上果瘳：和帝病情果然好转。522 闭绝：杜门不出。523 辛卯：十月二十四日。524 郡国贡献二句：各郡、封国的进贡，一律禁止。汉制，郡国贡献，一式两份，一份送皇帝，一份送皇后。邓皇后禁绝自己的一份。525 哀请：哀告；哀求。526 兄骘：邓皇后兄邓骘，邓训长子，安帝时官至大将军。传附《后汉书》卷十六《邓禹传》。527 丁酉：十月三十日。528 癸卯：十一月初六日。529 徐防：字谒卿，沛国铚（在今安徽宿州西）人，十四年拜司空，十六年拜司徒，延平元年迁太尉，录尚书事。传见《后汉书》卷四十四。530 汉立博士十有四家：《易》有施、孟、梁丘贺、京房四家，《书》有欧阳和伯、夏侯胜、夏侯建三家，《诗》有申公、辕固、韩婴三家，《春秋》有严彭祖、颜安乐两家，《礼》有戴德、戴圣两家，凡十四家博士。531 设甲乙之科：考试定出甲乙等级。《汉书·儒林传》载，汉制，博士弟子，每年考试一次，甲等录取四十人任郎中，乙等录取二十人为太子舍人，丙等录取四十人为郡国文学掌故。532 勉劝：劝勉；鼓励。533 意说：自我发挥创意为说。534 家法：师训，即太学十四家博士所立家法。535 策试：射策为试。考试时把问题书于简，置诸案上，考生随意投射，取而作答，称为策射。策，编简。536 诤讼：争议责难。537 纷错：纷纭交错。538 孔子称“述而不作”：孔子说，“我只是转述先圣之言，不自创作”。语

【原文】

十五年（癸卯，公元一〇三年）

夏，四月甲子晦[551]，日有食之。时帝遵肃宗故事，兄弟皆留京师。有司以日食阴盛，奏遣诸王就国。诏曰：“甲子之异，责由一人。诸王幼稚，早离顾复[552]，弱冠相育[553]，常有《蓼莪》《凯风》之哀[554]。选懦之恩，知非国典，且复宿留[555]。”

秋，九月壬午[556]，车驾南巡，清河、济北、河间三王[557]并从。

四州雨水。

冬，十月戊申[558]，帝幸章陵[559]。戊午[560]，进幸云梦[561]。时太尉张禹留守，闻车驾当幸江陵[562]，以为不宜冒险远游，驿马上谏[563]。诏报曰：“祠谒既讫[564]，当南礼大江[565]。会得君奏，临汉回舆而旋[566]。”十一月甲申[567]，还宫。

见《论语·述而》。(539)又曰"吾犹及史之阙文"：孔子又说，"我还能够看到史书存疑的地方"。语见《论语·卫灵公》。(540)轻侮道术：轻视侮慢经典的传统解说。(541)浸以成俗：逐渐成为风气。(542)实选：依实学遴选人才。(543)改薄从忠二句：改变浇薄的习俗而崇尚质朴，这是三代通常的做法。司马迁有言："夏之政忠，忠之敝小人以野，故殷人承之以敬；敬之敝小人以鬼，故周人承之以文；文之敝小人以僿（一作薄），故救僿莫若以忠。三王之道若循环，终而复始。"（《史记·高祖本纪赞》）司马迁原意，忠，指政治质朴；僿，即薄，浇薄，指政治繁浮，重形式，少忠厚。纠正虚伪莫过于提倡淳朴。(544)专精务本二句：专心精致地研究师说本义，是儒家学者应最先追求的。本，指师说家法。(545)其家章句：其所学家法解说经义。章句，分章断句解说经义。(546)开五十难：出五十道题。(547)解释多者为上第二句：解答问题最多的为第一等，将引文注明出处的为最高级。(548)义有相伐：申说经义而违背师承。伐，攻伐、驳难，此指违背师说。(549)皆正以为非：都要纠正，凡违背师承都是错的。(550)封大长秋郑众为鄛乡侯：郑众定策诛窦宪，论功封侯。东汉宦官封侯自郑众始。鄛乡，属南阳郡棘阳县，在今河南新野。

【校记】

［18］止：原误作"指"。据章钰校，甲十六行本、乙十一行本皆作"止"，当是，今据校正。［19］止：据章钰校，甲十六行本、乙十一行本皆无此字。

【语译】

十五年（癸卯，公元一〇三年）

夏，四月最后一天三十日甲子，发生日食。当时汉和帝遵照汉章帝惯例，兄弟都留在京师洛阳。有关部门认为日食是阴气太重，上奏请求遣送各位诸侯王回到封国。汉和帝下诏说："甲子日的异常天象，责任在朕一人。诸位诸侯王年龄幼小，早早失去父母照顾，未养育到成年，我常常有《蓼莪》《凯风》那样的悲伤。心中恋恋不舍，明知不合国家法典，暂且再留他们住在京城。"

秋，九月二十日壬午，汉和帝南巡，清河王、济北王、河间王三王一起随从。

四个州发生水灾。

冬，十月十七日戊申，汉和帝巡幸章陵。二十七日戊午，前往巡幸云梦。当时太尉张禹留守京城，听说汉和帝的车驾要前往巡幸江陵，认为不应该冒险远游，派驿马上奏劝谏。汉和帝下诏回复说："已祭祀拜谒陵庙完毕，正要向南边祭礼大江。恰好收到您的奏书，朕到达汉水边就掉转车舆返回。"十一月二十三日甲申，回宫。

岭南[568]旧贡[20]生龙眼、荔枝，十里一置，五里一候[569]，昼夜传送。临武长[570]汝南唐羌上书曰："臣闻上不以滋味为德，下不以贡膳[571]为功。伏见交趾七郡[572]献生龙眼[573]等，鸟惊风发[574]。南州土地炎热，恶虫猛兽，不绝于路，至于触犯死亡之害。死者不可复生，来者犹可救也。此二物升殿，未必延年益寿。"帝下诏曰："远国珍羞[575]，本以荐奉宗庙[576]，苟有伤害，岂爱民之本，其敕太官勿复受献。"

是岁，初令郡国以日北[577]至按薄刑[578]。

【段旨】

以上为第十一段，写汉和帝亲爱诸王，留居京师。为了减轻民劳，停止岭南进贡鲜荔枝。

【注释】

[551]甲子晦：四月三十日。[553]早离顾复：早早失去亲人照顾。顾复，养育、照顾。典出《诗经·蓼莪》。诗曰："父兮生我，母兮鞠我。抚我畜我，长我育我，顾我复我，出入腹我。"郑玄笺曰："顾，旋视也；复，反覆也。"[553]弱冠相育：抚育到成人。此句上承"早离"，谓不能抚育到成人。弱冠，古时以男子二十岁为成人，初加冠，曰弱冠。[554]常有《蓼莪》《凯风》之哀：常常有《蓼莪》《凯风》那样的哀伤。《诗经·蓼莪》是一首追念父母的诗，诗句除前"早离顾复"条注所引外，前面尚有以下数句："蓼蓼者莪，匪莪伊蒿。哀哀父母，生我劬劳。"《凯风》见《诗经·邶风》，是一首思母诗篇。诗曰："凯风自南，吹彼棘心。棘心夭夭，母氏劬劳。"[555]选懦之恩三句：眷恋不忍的恩情，明知违背国家法典，仍暂时再留宿京师。选懦，恋恋不舍。且，暂且。[556]壬午：九月二十日。[557]清河、济北、河间三王：清河王刘庆、济北王刘寿、河间王刘开，皆章帝子，和

【原文】

十六年（甲辰，公元一〇四年）

秋，七月，旱。

辛酉[579]，司徒鲁恭免。

岭南过去进贡新鲜龙眼、荔枝，十里设一驿站，五里设一候，日夜传递运送。临武县长汝南人唐羌上奏书说："臣听说君上不把口味的享受作为美德，臣下不把进贡食物作为功绩。臣见到交趾州七郡进献新鲜龙眼等，迅疾得惊动鸟儿带起风儿。南州地区气候炎热，恶虫猛兽，沿路随处可见，以至于碰上有死亡的危险。死的人不可复生，活着的人还可以挽救。这新鲜龙眼、荔枝供上殿堂，未必能延年益寿。"汉和帝下诏说："边远地域的珍稀美味，本是用来祭祀供奉宗庙的，若对百姓有伤害，怎能是爱民的本意，告诉太官不再接收贡献礼品。"

这一年，开始命令郡国在夏至日审判罪轻的刑案。

帝刘肇兄弟。传见《后汉书》卷五十五《章帝八王传》。⑤⑧戊申：十月十七日。⑤⑨章陵：东汉皇室祖陵（光武帝刘秀父祖陵）所在，光武帝置县，在今湖北枣阳。⑥⓪戊午：十月二十七日。⑥①云梦：泽名，为古帝王巡游之地，在今湖北安陆。⑥②江陵：县名，为南郡治所，在今湖北江陵。⑥③驿马上谏：发驿站马呈上奏章，劝阻和帝远行。⑥④祠谒既讫：祭祀拜谒章陵祖庙已毕。⑥⑤南礼大江：南下观礼长江。⑥⑥临汉回舆而旋：到汉水边就掉转车驾而返回京师。⑥⑦甲申：十一月二十三日。⑥⑧岭南：五岭以南。⑥⑨十里一置二句：为运送龙眼、荔枝，每十里设一个驿站，每五里设一个哨所。置，驿站。候，即"堠"，哨所，用以伺望的设施。⑦⓪临武长：临武县县长。临武县治所在今湖南临武，为岭南入贡赴洛阳的必经之路。⑦①贡膳：进贡膳食。⑦②交趾七郡：岭南交趾州辖境七郡，为南海、苍梧、郁林、合浦、交趾、九真、日南。⑦③献生龙眼：贡献鲜龙眼。⑦④鸟惊风发：形容迅疾，惊起飞鸟，带起阵风。⑦⑤珍羞：珍稀美味。⑦⑥荐奉宗庙：祭祀供奉宗庙。当时祭祀宗庙的供品，均为各地送来的土特产，贵其为远方之物。⑦⑦日北：太阳行至北回归线，即夏至日，在阳历的六月二十一日或二十二日。⑦⑧按薄刑：审决轻罪犯。

【校记】

[20] 贡：据章钰校，甲十六行本、乙十一行本皆作"献"。

【语译】

十六年（甲辰，公元一〇四年）

秋，七月，发生旱灾。

初四日辛酉，司徒鲁恭被罢免。

庚午[580]，以光禄勋张酺为司徒。八月己酉[581]，酺薨。冬，十月辛卯[582]，以司空徐防为司徒，大鸿胪陈宠为司空。

十一月己丑[583]，帝行幸缑氏[584]，登百岯山[585]。

北匈奴遣使称臣贡献，愿和亲，修呼韩邪故约。帝以其旧礼不备[586]，未许，而厚加赏赐，不答其使[587]。

元兴元年（乙巳，公元一〇五年）

春，高句骊[588]王宫[589]入辽东[590]塞，寇略六县。

夏，四月庚午[591]，赦天下，改元。

秋，九月，辽东太守耿夔[592]击高句骊，破之。

冬，十二月辛未[593]，帝崩于章德前殿。初，帝失皇子，前后十数，后生者辄隐秘养于民间，群臣无知者。及帝崩，邓皇后乃收皇子于民间。长子胜，有痼疾[594]。少子隆，生始百余日，迎立以为皇太子，是夜，即皇帝位。尊皇后曰皇太后，太后临朝。是时新遭大忧，法禁未设，宫中亡大珠一箧[595]。太后念欲考问，必有不辜[596]。乃亲阅[597]宫人，观察颜色，即时首服[598]。又，和帝幸人[599]吉成，御者[600]共枉[601]吉成以巫蛊事，下掖庭考讯[602]，辞证明白[603]。太后以吉成先帝左右[604]，待之有恩，平日尚无恶言，今反若此，不合人情[605]，更自呼见实核[606]，果御者所为，莫不叹服以为圣明。

北匈奴重遣使诣敦煌贡献，辞以国贫未能备礼，愿请大使，当遣子入侍。太后亦不答其使，加赐而已。

雒阳令广汉王涣[607]居身平正，能以明察发擿[608]奸伏[609]，外行猛政，内怀慈仁。凡所平断[610]，人莫不悦服，京师以为有神。是岁卒官，百姓匝道[611][21]，莫不咨嗟流涕。涣丧西归，道经弘农[612]，民庶皆设盘案于路[613]。吏问其故，咸言："平常持米到雒，为吏卒所钞[614]，恒亡其半[615]。自王君在事[616]，不见侵枉，故来报恩。"雒阳民为立祠、作诗，每祭，辄弦歌[617]而荐[618]之。太后诏曰："夫忠良之吏，国家之所以为治也，求之甚勤，得之至寡。今以涣子石为郎中，以劝劳勤。"

十三日庚午，任命光禄勋张酺为司徒。八月二十二日己酉，张酺去世。冬，十月初五日辛卯，任命司空徐防为司徒，大鸿胪陈宠为司空。

十一月己丑日，汉和帝巡幸缑氏县，登百岯山。

北匈奴派使者向汉称臣贡献礼物，希望通婚和好，重新遵守呼韩邪旧约。汉和帝因为北匈奴没有践行旧礼，未予允许，但对北匈奴厚加赏赐，不接见北匈奴使臣。

元兴元年（乙巳，公元一〇五年）

春，高句丽王宫侵入辽东塞，掳掠六个县。

夏，四月庚午日，大赦天下，改年号。

秋，九月，辽东郡太守耿夔攻打高句丽，大败敌人。

冬，十二月二十二日辛未，汉和帝在章德前殿去世。当初，汉和帝失去皇子，前后十几个，后来出生的就暗地在民间养育，群臣没有知道的。等到汉和帝去世，邓皇后才从民间接回皇子。长子刘胜患有顽疾。少子刘隆出生才一百多天，被迎立为皇太子，当晚即皇帝位。尊称邓皇后为皇太后，邓太后临朝摄政。这时刚刚遭遇大丧，法律禁令尚未设立，宫中丢失一箱大珠。邓太后考虑到如果审问，一定会有无罪受牵连的人。于是亲自召见宫人，观察神色，偷珠者很快就自服认罪。此外，汉和帝宠幸之人吉成的侍者一起诬陷吉成用巫蛊害太后，送交掖庭拷问，告诫之辞和证据都很清楚。邓太后认为吉成是先帝身边的人，自己对吉成有恩，平日尚且没有说过坏话，现在反而如此，不合乎人之常情，便亲自召见，审考其实，果然是侍者诬陷，没有人不叹服邓太后，认为她圣明。

北匈奴又派使者到敦煌贡献礼物，借口国家贫穷，没能备办礼数，希望汉朝派出大使，单于当派儿子入侍朝廷。邓太后也不答复他们的使者，只予以赏赐而已。

洛阳县令广汉人王涣为人公平正直，能够明察秋毫，揭发隐藏的奸罪，外表看他推行严厉的政治，内心却怀有仁慈。凡是王涣所审决的案子，人们没有不心悦诚服的，京城的人认为他有神明相助。这一年，王涣死在任上，百姓布满道路，没有不叹息流泪的。王涣的棺柩往西运回故乡，路过弘农郡，百姓都在路上设祭案。官吏问百姓原因，都说："平常拿着米到洛阳，被吏卒勒索，常常损失一半。自从王涣在官任事，没有被抢夺，所以来报恩。"洛阳百姓为王涣立祠堂，作诗，每次祭祀，就伴着琴弦歌赋来祭祀他。邓太后下诏书说："忠良的官吏使得国家能够治理，朝廷勤于寻求这样的官吏，找到的却很少。现今再任命王涣的儿子王石做郎中，用以勉励辛劳勤奋的官吏。"

【段旨】

以上为第十二段，写和帝驾崩，邓太后临朝，明察善断，避免了一场宫中冤狱大案。洛阳令王涣清廉正直，死后，百姓为之立祠祭祀。

【注释】

⑤⑦⑨辛酉：七月初四日。⑤⑧⓪庚午：七月十三日。⑤⑧①己酉：八月二十二日。⑤⑧②辛卯：十月初五日。⑤⑧③己丑：十一月丙辰朔，无己丑。己丑，十二月初四日。⑤⑧④缑氏：县名，属河南尹，县治在今河南洛阳市偃师区南缑氏镇。⑤⑧⑤百岯山：百丕山，在今缑氏镇南。⑤⑧⑥旧礼不备：指北匈奴过去未能遵守汉匈和亲时的礼数，向汉朝纳贡称臣。⑤⑧⑦不答其使：皇帝不接见北匈奴使臣，不回答其请。⑤⑧⑧高句骊：古东夷国名，王城在今吉林集安。⑤⑧⑨宫：高句丽王高宫。事详《后汉书》卷八十五《东夷传》。⑤⑨⓪辽东：郡名，治所襄平，在今辽宁辽阳。⑤⑨①庚午：四月甲申朔，无庚午。庚午，五月十八日。⑤⑨②耿夔：字定公，开国名将耿弇的侄子。历官五原、辽东、云中等郡太守，官至度辽将军。传附《后汉书》卷十九《耿弇传》。⑤⑨③辛未：十二月二十二日。⑤⑨④痼疾：积久难治的病。⑤⑨⑤箧：竹箱。⑤⑨⑥不辜：无辜。下狱拷问，辞所连及，必有无辜受害者。⑤⑨⑦阅：召见审视。⑤⑨⑧首服：自首认罪。⑤⑨⑨和帝幸人：和帝宠爱的人，指吉成。⑥⓪⓪御者：侍奉吉成的宫婢。⑥⓪①共枉：共同诬陷。⑥⓪②下掖庭考讯：交给掖庭令拷打审讯。掖庭，后宫嫔妃居住的地方。⑥⓪③辞证明白：证据确凿。辞，告者之辞。证，佐证。⑥⓪④先帝左右：先帝身边的亲信。先帝，指章帝。⑥⓪⑤不合人情：不合人之常情。吉成在先帝之时，邓皇后待之有恩，当时尚未恃宠对邓皇后有恶言，今和帝已死，邓太后临朝，反为巫蛊，不合人情。⑥⓪⑥实核：审考其实。⑥⓪⑦王涣（？至公元一〇五年）：字稚子，广汉郪（在今四川中江县东南）人，为东汉循吏，终官洛阳令。传见《后汉书》卷七十六《循吏传》。⑥⓪⑧发擿：揭发；举发。⑥⓪⑨奸伏：隐藏的奸人。⑥①⓪平断：评判；审决。⑥①①百姓匝道：百姓遍布道路。⑥①②弘农：郡名，治所弘农，在今河南灵宝东北。⑥①③设盘案于路：以盘案盛祭物陈列于王涣灵柩所经的道路。⑥①④钞：掠夺，此指勒索。⑥①⑤恒亡其半：常损失一半。恒，常。⑥①⑥在事：指在官任事。⑥①⑦弦歌：赞颂王涣的祭诗，被之管弦以歌之。⑥①⑧荐：祭奠。

【校记】

［21］匝道：原作“市道”。张敦仁《通鉴刊本识误》作“匝道”，其义长，今据以校正。

【研析】

本卷研析不同类型和社会地位的几位人物，以小喻大，从一件事看一个人的品性与人格魅力。

第一，张酺守正。张酺字孟侯，汝南细阳（在今安徽太和东）人。西汉赵王张敖之后，少小从祖父学习《尚书》，又为太常桓荣弟子，经明行修，讲学乡里，聚徒以百数。历仕汉明帝、章帝、和帝三朝，官至太尉。永元四年（公元九二年），和帝打击窦宪权贵集团，不分青红皂白，全面清洗。窦宪有三个弟弟，窦笃、窦景、窦瓌。窦景跋扈；窦瓌谨守法度，约束家奴宾客，没有过错。张酺上书和帝为窦瓌申诉。张酺说："窦宪得势之时，文武官员趋炎附势唯恐不及，众口一词称赞窦宪有伊尹、姜尚的忠心。而今，这些唱赞歌的人见风转舵，又众口一词说窦家的人全都该杀。臣了解窦瓌，忠心善良，有报国之心，没有过错，应网开一面。"张酺是一个严正有操守、秉持正义的贤士。他多次打击窦家恶霸的行为。张酺为魏郡太守，窦景派人请托张酺枉法办案，张酺逮捕法办了窦景的请托人。张酺调任河南尹，窦景的家人在光天化日之下打伤街头的巡警，张酺毫不留情惩办了窦景的人。当时窦景任执金吾，炙手可热。张酺不畏权势，为时人所重。张酺出来为窦家说话，极有分量。和帝轻办了窦瓌。

东汉政治，自和帝打击窦氏外戚始，朝中存在三股势力交织，即外戚、宦官、朝官士大夫。和帝不是窦太后的亲生子，窦太后临朝，外戚得势。和帝夺回权力，依靠宦官。中常侍郑众为和帝策划，发动流血政变打击权势外戚，为东汉政治开了一个恶例。张酺为窦氏说话，表明朝官士大夫与外戚既有斗争，又可以联合。外戚势力过大，宦官与朝官士大夫都推挤外戚，但绝不联手。东汉中后期，一再上演诸侯入继大统，小皇帝身边主要是宦官，所以宦官势力有皇权护身，越来越大，桓、灵以后达于巅峰，东汉也就灭亡了。

第二，班固下狱。班固写《汉书》与司马迁齐名，并称"马班"，或《史》《汉》。华峤评论说："班固记述史事，不偏激毁谤，不贬抑虚誉，内容丰富而不芜杂，详尽而有条理，使阅读的人津津有味而不厌倦，班固能成名是令人信服的！班固讥评司马迁，认为司马迁的是非背离了圣人的原则，然而班固对人物的评论常常排斥死节之士，非议正直的人，而不记叙杀身成仁是美德，这是轻视仁义，卑贱守节到了极点！"华峤是西晋著名史学家，他对班固的评论是中肯的。华峤肯定了《汉书》是实录，丰赡而文字华美，批评班固讥评司马迁不公允，在对待死节、公正、忠义等大节上班固不如司马迁。班固还讥评司马迁受腐刑，不能做到明哲保身，而自己却下狱而死。班固受窦宪案牵连下狱有些冤屈，窦宪任用班固是公事，而班固也并没有卷入窦宪谋反案。再说，窦宪也没有谋反，但窦宪专横霸道应当打击，碍于窦太后的面子，不定谋反罪又不能打击窦宪，朝廷于是控告窦宪同党邓叠、邓磊兄弟及其母亲元等人有谋害和帝意图，如此株连，窦氏谋反罪成立。再由窦氏扩大到班固头上，更没道理。因此班固下狱是皇帝与外戚权力之争的牺牲品，着实令人同情。但是班固趋附权势，借窦家势力为非作歹，也是罪有应得。史书没有记载班固本身有什么恶行，但他的一个家奴竟敢辱骂洛阳县令种兢。种兢并非柔弱之辈，他借手中权力逮捕窦氏家庭宾客，把班固也扩大进去。班固死得冤，也是自找。文如其人，华峤批评《汉书》的缺点，不就是班固人格缺点的显现吗！在人格上，班固不如司马迁。

班固死时，《汉书》没有写完，由他的妹妹班昭完成。班昭是一位才女，她替兄长完成未竟事业，名垂千古，可使人折腰。

第三，西羌迷唐反叛。西羌居于今青海境。迷唐是西羌中烧当羌部种酋。其父迷吾，在章帝建初元年（公元七六年）反叛，东汉官兵征讨。章帝元和元年（公元八四年），迷吾打败官军，杀了护羌校尉傅育。张纡继任护羌校尉用招降办法，骗诱迷吾投降，会盟，用毒酒灌醉羌人，杀降八百余人，此为反人道的卑鄙屠杀。迷吾之子迷唐与官兵血海深仇，双方血战了十余年，迷唐种人绝大部分投降或被消灭。迷唐率领一千余众远走赐支河。蜀郡太守聂尚继任护羌校尉，改征剿为招抚，迷唐接受招降，还回原居住地大、小榆谷。迷唐派祖母卑缺为特使到聂尚驻地献礼。聂尚隆重接待卑缺，亲自设宴送行，派翻译官田汜等五人护送卑缺回到迷唐庐落。迷唐会聚诸种羌人头目，一起把田汜等五人屠杀分尸，报当年张纡杀降之仇。由此种下了东汉与西羌不可和解的仇怨。护羌校尉聂尚被罢了官。

第四，甘英通使大秦。和帝永元六年（公元九四年），西域都护班超杀焉耆王，传首京师，西域北道畅通。班超因功封定远侯。班超目光远大，他不满足于开通西域，他要探险已知的全世界。公元九五年，班超派甘英为大使向西去交通大秦国，即古罗马帝国。甘英首次越过葱岭，经过今阿富汗、伊朗、巴勒斯坦，都是前人没有走过的路。甘英记载沿途的风土人情，收购土特产品，带回中国，增进了中国对西方的了解，是东西方的文化使者，甘英是有功的。可惜甘英怕水，到了地中海东岸，望洋而叹，折返回来，编造说要水行三个月才能到达大秦，缺少船只水手，没法到达。就这样，当时东西方两个强大帝国的直接交往失之交臂，甘英的怯懦，不能辞其咎。

第五，皇太后邓绥审案。和帝永元十七年，改元元兴，即公元一〇五年，十二月，和帝驾崩。皇后邓绥立婴孩皇子刘隆即位，是为殇帝。皇后尊为皇太后。在新旧皇帝交替之中，宫中出现了一些混乱，和帝身边的侍者趁和帝之死，合起来诬陷吉成，妄说吉成使用巫蛊诅咒和帝，这引起了邓太后的警觉。和帝对吉成有恩，吉成在和帝死后还要加以诅咒，太不合人情。邓太后决定亲自审讯，结果真相大白，吉成获救。若诅咒皇帝，人证物证俱在，苦打诬服，将不止吉成一个人头落地，牵连家属，不知会有多少人伏尸法场。邓绥太后，料理国丧，万机事务缠身，还能腾出精力来平反冤案，这一件善事，就足以使上天保佑邓太后长命百岁。那几个诬陷吉成于死地，还要害其家属的侍者，堪称一盆妒火，烧得人丧失了人性。

卷第四十九　汉纪四十一

起柔兆敦牂（丙午，公元一〇六年），尽旃蒙单阏（乙卯，公元一一五年），凡十年。

【题解】

本卷记事起公元一〇六年，迄公元一一五年，凡十年，当殇帝延平元年至安帝元初二年，载安帝一朝前期史事。实际执政为邓太后，安帝垂拱。邓太后名绥，平定西羌的护羌校尉邓训之女，宽仁果决，临大事方寸不乱，是东汉继明德马太后又一贤太后。殇帝、安帝，皆邓太后策立。此时东汉内灾外患严重，邓太后倡导节俭，停止方国贡献，敕令各级官员如实奏报灾情，约束外戚，关注西域、西羌军事。邓太后敕令减刑狱，死罪复核。邓太后挫败了司空周章发动的宫廷政变，安帝得以不废。东汉国力支绌，裁撤西域都护。西羌大起叛乱，官军连战皆败，徙金城郡治以避其锋。西疆汉阳、安定、武都、汉中诸郡，并受羌祸，三辅告警。大将军邓骘提出丢弃边郡之议，受到郎中虞诩的批评。虞诩赴任武都太守，用增灶法神速到任，大破羌人，稳固了西疆。政论家仲长统著《昌言》，论东汉皇权过度集权之弊。

【原文】

孝殇皇帝[①]

延平元年（丙午，公元一〇六年）

春，正月辛卯[②]，以太尉张禹为太傅，司徒徐防为太尉，参录尚书事。太后以帝在襁褓，欲令重臣居禁内。乃诏禹舍[③]宫中，五日一归府[④]。每朝见，特赞[⑤]，与三公绝席[⑥]。

封皇兄胜为平原王。

癸卯[⑦]，以光禄勋梁鲔为司徒。

三月甲申[⑧]，葬孝和皇帝于慎陵[⑨]，庙曰穆宗。

丙戌[⑩]，清河王庆、济北王寿、河间王开、常山王章始就国，太后特加庆以殊礼[⑪]。庆子祜，年十三，太后以帝幼弱，远虑不虞，留祜与嫡母耿姬居清河邸[⑫]。耿姬，况[⑬]之曾孙也。祜母，犍为左姬[⑭]也。

【语译】

孝殇皇帝

延平元年（丙午，公元一〇六年）

春，正月十三日辛卯，任命太尉张禹为太傅，司徒徐防为太尉，参与主管尚书事务。邓太后因为汉殇帝还在襁褓之中，想让重臣住在宫内。于是下诏令张禹住在宫中，五天回府一次。每次朝会，先单独呼张禹的名字，不与三公联席而坐。

册封汉殇帝的哥哥刘胜为平原王。

二十五日癸卯，任命光禄勋梁鲔为司徒。

三月初七日甲申，安葬汉和帝于慎陵，庙号为穆宗。

三月初九日丙戌，清河王刘庆、济北王刘寿、河间王刘开、常山王刘章始前往封国，邓太后特别对刘庆给予特殊的礼遇。刘庆的儿子刘祜，十三岁，邓太后因为汉殇帝年纪幼小，长远考虑为防不测，留下刘祜和他的嫡母耿姬居住在清河王府邸。耿姬，是耿况的曾孙女。刘祜的母亲，是犍为人左姬。

夏，四月，鲜卑寇渔阳[15]，渔阳太守张显率数百人出塞追之。兵马掾[16]严授谏曰："前道险阻，贼势难量，宜且结营[17]，先令轻骑[18]侦视[19]之。"显意甚锐[20]，怒，欲斩之。遂进兵，遇虏伏发，士卒悉走[21]，唯授力战，身被十创[22]，手杀数人而死。主簿[23]卫福、功曹[24]徐咸皆自投赴显，俱没于陈。

丙寅[25]，以虎贲中郎将邓骘为车骑将军、仪同三司[26]，骘弟黄门侍郎悝为虎贲中郎将。弘、阊皆侍中。

司空陈宠薨。

五月辛卯[27]，赦天下。

壬辰[28]，河东[29]垣[30]山崩。

六月丁未[31]，以太常尹勤为司空。

郡国三十七雨水。

己未[32]，太后诏减太官、导官、尚方、内署[33]诸服御、珍膳、靡丽难成之物[34]，自非供陵庙[35]，稻粱米[36]不得导择[37]，朝夕一肉饭[38]而已。旧太官、汤官[39]经用岁且二万万，自是裁数千万。及郡国所贡，皆减其过半。悉斥卖[40]上林[41]鹰犬，离宫、别馆[42]储峙米糒、薪炭，悉令省之。

丁卯[43]，诏免遣掖庭宫人[44]及宗室没入者[45]皆为庶民。

秋，七月庚寅[46]，敕司隶校尉、部刺史[47]曰："间者[48]郡国或有水灾，妨害秋稼，朝廷惟咎[49]，忧惶悼惧[50]。而郡国欲获丰穰虚饰之誉，遂覆蔽灾害[51]，多张垦田[52]，不揣流亡[53]，竞增户口，掩匿盗贼，令奸恶无惩[54]，署用非次[55]，选举乖宜[56]，贪苛惨毒[57]，延及平民[58]。刺史垂头塞耳[59]，阿私下比[60]，不畏于天，不愧于人[61]。假贷之恩[62]，不可数恃[63]。自今以后，将纠其罚[64]。二千石长吏[65]其各实核所伤害[66]，为除田租刍稿[67]。"

八月辛卯[68]，帝崩。癸丑[69]，殡[70]于崇德前殿[71]。太后与兄车骑将军骘、虎贲中郎将悝等定策禁中，其夜，使骘持节以王青盖车[72]迎清河王子祜，斋[73]于殿中。皇太后御崇德殿，百官皆吉服[74]陪位，引拜[75]祜为长安侯[76]。乃下诏，以祜为孝和皇帝嗣，又作策命[77]。有司读策毕，太尉奉上玺绶，即皇帝位，太后犹临朝。

诏告[78]司隶校尉、河南尹、南阳太守曰："每览前代，外戚宾客浊

夏，四月，鲜卑人入侵渔阳郡，渔阳郡太守张显率领几百人出关塞追击他们。兵马掾严授进谏说："前面道路险阻，盗贼势力难以估量，应暂且安营驻扎，先派轻骑兵侦察他们的情况。"张显的斗志正盛，大怒，想要斩杀严授。于是进军，遭遇敌人伏击，士兵都逃走了，只有严授奋力作战，身受十处创伤，亲手杀死好几个敌人后死去。主簿卫福、功曹徐咸都主动前往张显身边护卫，全部在阵中战死。

四月十九日丙寅，任命虎贲中郎将邓骘为车骑将军，仪制如同三公，邓骘的弟弟黄门侍郎邓悝为虎贲中郎将。邓弘、邓阊都为侍中。

司空陈宠去世。

五月十五日辛卯，大赦天下。

十六日壬辰，河东郡垣县发生山崩。

六月初一日丁未，任命太常尹勤为司空。

三十七个郡国下雨发水。

六月十三日已未，邓太后下诏减少太官、导官、尚方、内署各种衣服车马、美味佳肴、奢靡华丽而难以做成的物品，倘若不是供奉陵墓和祖庙，稻粱米不得精选，早晚只吃一顿有肉的饭而已。过去太官、汤官日常费用每年将近二万万，自此才几千万。还有各郡国所献贡品，都减少一半以上。命令把上林苑的鹰犬全部卖掉，离宫、别馆储存的米粮、薪炭，下令一律裁省。

六月二十一日丁卯，邓太后下诏将后宫中的宫女，以及皇室因罪收押在宫廷做奴婢的人全部遣散回家，当普通平民。

秋，七月十五日庚寅，敕令司隶校尉、部刺史说："近来有些郡国发生水灾，妨害秋天庄稼，朝廷思过，忧伤惶恐，而郡国却想获得丰收的虚誉，就隐瞒灾害，夸大垦田数字，不想着逃亡的人，虚报户口，隐蔽有盗贼的情况，使奸恶得不到惩罚，官署用人不按规定，推举失宜，贪污苛削极其惨烈，祸及百姓。刺史低头塞耳，偏私包庇，不畏惧上天，不愧于民众。宽贷的恩典，不能一再依恃。从今以后，将要纠举他们的罪行。二千石大吏要切实查清本郡的实际灾情，为受灾者减免田租草料税。"

八月辛卯日，汉殇帝去世。初八日癸丑，在崇德前殿殡殓。邓太后与她哥哥车骑将军邓骘、虎贲中郎将邓悝等人在宫中确定皇位继承人，当天晚上，派邓骘持节，以诸侯王的青盖车迎接清河王的儿子刘祜，在崇德殿斋戒。皇太后亲临崇德殿，百官都穿着吉服陪侍，指引刘祜上殿封拜为长安侯。于是下诏，以刘祜为孝和皇帝的嗣子，又制作即位策命。有关官员宣读策命完毕，太尉奉上玉玺绶带，刘祜即皇帝位，太后继续临朝听政。

下诏通告司隶校尉、河南尹、南阳太守说："每次览读前代事迹，外戚的宾客扰

乱奉公[79]，为民患苦，咎在执法怠懈，不辄行其罚[80]故也。今车骑将军骘等虽怀敬顺之志，而宗门广大，姻戚不少，宾客奸猾，多干[81]禁宪[82]，其明加检敕[83]，勿兼容护[84]。”自是亲属犯罪，无所假贷。

九月，六州大水。

丙寅[85]，葬孝殇皇帝于康陵[86]。以连遭大忧[87][1]，百姓苦役，方中秘藏[88]及诸工作事[89]，减约十分居一[90]。

乙亥[91]，殒石于陈留[92]。

诏以北地梁慬[93]为西域副校尉。慬行至河西，会西域诸国反，攻都护任尚于疏勒。尚上书求救，诏慬将河西四郡[94]羌、胡五千骑驰赴之。慬未至而尚已得解，诏征尚还，以骑都尉段禧为都护，西域长史赵博为骑都尉。禧、博守它干城[95]，城小，梁慬以为不可固，乃谲说龟兹王白霸，欲入共保其城。白霸许之，吏民固谏，白霸不听。慬既入，遣将急迎段禧、赵博，合军八九千人。龟兹吏民并叛其王，而与温宿、姑墨数万兵反，共围城。慬等出战，大破之。连兵数月，胡众败走，乘胜追击，凡斩首万余级，获生口数千人，龟兹乃定。

冬，十月，四州大水，雨雹。

清河孝王庆病笃，上书求葬樊濯宋贵人[96]冢旁。十二月甲子[97]，王薨。

乙酉[98]，罢鱼龙曼延戏[99]。

尚书郎[100]南阳樊准[101]以儒风浸衰[102]，上疏曰：“臣闻人君不可以不学。光武皇帝受命中兴，东西诛战，不遑启处[103]。然犹投戈讲艺[104]，息马论道。孝明皇帝庶政万机[105]，无不简心[106]。而垂情古典[107]，游意经艺。每飨射[108]礼毕，正坐[109]自讲，诸儒并听，四方欣欣。又多征名儒，布在廊庙[110]，每宴会则论难衎衎[111]，共求政化，期门、羽林介胄之士[112]，悉通《孝经》。化自圣躬[113]，流及蛮荒。是以议者每称盛时，咸言永平[114]。今学者益少，远方尤甚。博士倚席不讲[115]，儒者竞论浮丽[116]，忘謇謇之忠，习諓諓之辞[117]。臣愚以为宜下明诏，博求幽隐[118]，宠进儒雅，以俟圣上讲习之期。”太后深纳其言，诏：“公、卿、中二千石各举隐士、大儒，务取高行[119]，以劝后进，妙简[120]博士，必得其人。”

乱奉行公事的官吏，被百姓所痛恨，错在执法松懈，不能对他们严明处罚。现今车骑将军邓骘等人虽怀有恭敬顺从的志向，但宗族广大，姻戚不少，宾客奸诈狡猾，大多冒犯朝廷禁令，要明确加以检查约束，不准互相包容庇护。”从此邓氏亲属犯罪，毫不宽恕。

九月，六个州发生大水灾。

丙寅日，把汉殇帝安葬在康陵。因为连遭国丧，百姓苦于劳役，陵墓中秘藏之物以及各种工程，都裁省减少至十分之一。

初一日乙亥，有陨石落在陈留郡。

邓太后下诏任命北地人梁慬为西域副校尉。梁慬走到河西时，适逢西域各国反叛，在疏勒国攻击都护任尚。任尚上书请求救援，下诏命令梁慬率领河西四郡的羌人、胡人五千骑兵奔驰前往疏勒。梁慬还没到而任尚已解围，诏书征召任尚回京，任命骑都尉段禧为都护，西域长史赵博为骑都尉。段禧、赵博驻守它干城，城规模小，梁慬认为不能坚守，于是用谎话劝说龟兹王白霸，想让他入城一起保卫此城。白霸答应了，龟兹国的官吏和百姓执意进谏反对，白霸不听。梁慬进入它干城以后，派部将急忙迎接段禧、赵博，集合军队八九千人。龟兹的官吏百姓一起背叛他们的国王，而与温宿国、姑墨国几万军队反叛，共同包围它干城。梁慬等人出来迎战，把他们打得大败。接连战斗数月，胡人的部众败逃，梁慬乘胜追击，共杀死一万多人，俘虏几千人，龟兹这才安定。

冬，十月，四个州发大水，下冰雹。

清河孝王刘庆病重，上书请求埋葬在樊濯宋贵人的墓旁。十二月二十一日甲子，刘庆去世。

乙酉日，取消鱼龙戏和曼延戏。

尚书郎南阳人樊准因为儒学风气日渐衰败，上奏说：“臣听说国君不可以不学习。光武皇帝受天命中兴汉室，东西诛伐征战，没有闲暇休息。但是只要有投戈休战的间隙，就讲论儒家经艺，利用战马休息的时刻讨论圣道。孝明帝政务繁多，没有不操心的。但仍留意古代典籍，注意经典六艺。每次飨射礼完毕，端坐亲自讲读，众儒一起倾听，四方欢欣。又多次征召名儒，安置在朝廷官府，每次宴会都讨论辩难，其乐融融，一起谋求政治教化，期门郎、羽林郎这些甲胄之士，都通晓《孝经》。教化源自皇上本人，播及蛮荒地区。因此议论的人每称颂盛世，全都说是永平年代。现今学者日益减少，偏远地区尤为严重。博士倚席不讲学，儒士争相讨论浮华的学问，忘记朴素正直的忠心，修习谄谀的言辞。臣愚见认为应该下一道明确的诏书，广求隐居的学者，尊崇拔擢儒雅的人士，用以等待皇上讲习的需要。”邓太后很赞成樊准的进言，下诏说：“公、卿、中二千石的官吏，各推举隐士、大儒，务必选取有高贵德行的，以此劝勉晚生后学，精选博士，一定可以得到合适的人选。”

【段旨】

以上为第一段，写邓太后临朝，倡导节俭，敕令各级官员如实反映灾情民生，约束外戚，关注西域军事。冷静处置殇帝之死，安帝平稳即位。

【注释】

①孝殇皇帝：和帝刘肇之子，名隆，公元一〇五至一〇六年在位。即位时只有三个多月大，在位八个月即夭亡。胡三省注引《伏侯古今注》曰："隆之字曰盛。"《谥法》："短折不成曰殇。"②辛卯：正月十三日。③舍：留宿；住宿。④归府：回太尉府。⑤特赞：在三公之前先独赞。赞，呼其名而朝拜皇帝。⑥与三公绝席：不与三公联席而坐，独坐于百僚之上。⑦癸卯：正月二十五日。⑧甲申：三月初七日。⑨慎陵：东汉和帝陵，在洛阳东南三十里。⑩丙戌：三月初九日。⑪殊礼：给予不同于其他诸侯王的优厚礼遇。殊，异。⑫清河邸：清河王刘庆在京师的王邸。邸，即诸侯王在京的府第。⑬况：耿况，东汉初开国功臣之一耿弇之父，为王莽上谷太守，助光武平定河北，功封隃麋侯。⑭左姬：清河王刘庆之妾，刘祜之母。耿姬为刘庆嫡妻，故为刘祜之嫡母，即大母。此为殇帝死，刘祜得入继大统伏笔。⑮渔阳：郡名，治所在今北京市密云区西南。⑯兵马掾：郡太守属吏，掌军政，东汉沿边诸郡设置。⑰结营：军队驻扎。⑱轻骑：轻装骑兵。⑲侦视：侦察。⑳意甚锐：决战锐气高昂。㉑走：逃跑。㉒创：伤口。㉓主簿：官名，中央及地方凡开府治事均设此官，掌理文书，处理日常事务。㉔功曹：助郡太守掌理人事等事务的重要属吏。㉕丙寅：四月十九日。㉖仪同三司：官名，东汉从邓骘起始置此官，即非三公而给以与三公同等的待遇。邓骘及其弟悝、弘、阊，皆邓训之子，和帝邓绥皇后的兄弟。㉗辛卯：五月十五日。㉘壬辰：五月十六日。㉙河东：郡名，治所安邑，在今山西夏县北。㉚垣：县名，属河东郡，治所在今山西垣曲东南。㉛丁未：六月初一日。㉜己未：六月十三日。㉝太官、导官、尚方、内署：皆少府属官，太官管理皇宫膳食，导官管理食粮采购，尚方制造皇室刀剑等器物，内署管理衣物。㉞靡丽难成之物：华贵而代价高昂的物品。㉟供陵庙：供奉皇帝祖考陵墓以及宗庙的物品。㊱稻粱米：稻米和粱米。粱，精细的小米。㊲导择：精选。㊳朝夕一肉饭：一天只吃一次带肉的饭。㊴汤官：少府属官，管理皇帝点心、水果、饮料。㊵斥卖：拍卖。㊶上林：东都上林苑，在洛阳西。㊷离宫、别馆：在京师之外所建造的宫殿，供皇帝巡幸居住。此句谓散布于全国各地的离宫、别馆，所储蓄的米粮、薪炭，一律裁省，不再贮存。㊸丁卯：六月二十一日。㊹掖庭宫人：后宫无位号的一般宫婢。掖庭，皇宫中嫔妃居住的地方，亦指掌管其事务的官署。㊺宗室没入者：皇族宗室妇女因犯罪而被囚入宫廷做奴婢的人。此句谓邓太后下诏让以上两种人皆释放回家当普通平民。㊻庚寅：七月十五日。㊼部刺史：十三州刺史。京畿地区设司隶校尉，不置刺史。㊽间者：近来。㊾朝廷惟咎：政府

反思过失。⑩ 忧惶悼惧：忧愁惶恐，战战兢兢。⑪ 覆蔽灾害：遮盖隐瞒灾情。⑫ 多张垦田：夸大虚报垦田数字。⑬ 不揣流亡：不考虑流亡的人口。揣，估量、考虑。⑭ 令奸恶无惩：使得奸恶罪犯逃避国法惩处。因隐瞒盗贼，于是不加诛讨、惩处。⑮ 署用非次：任用官员，不按法律规定。⑯ 选举乖宜：向朝廷推荐人才，背离标准。⑰ 贪苛惨毒：贪污严酷残忍狠毒。⑱ 延及平民：波及善良的平民。⑲ 垂头塞耳：指部刺史低着头，塞着耳朵，不闻不问。⑳ 阿私下比：徇私情，包庇属下。㉑ 不畏于天二句：上不怕天，下不愧人。语出《诗·小雅·何人斯》，原文作“不愧于人，不畏于天”。㉒ 假贷之恩：指朝廷的宽大政策。㉓ 数恃：一再依恃。㉔ 将纠其罚：将要纠察惩处。㉕ 二千石长吏：指郡国守相。㉖ 各实核所伤害：各郡切实查清本郡的实际灾情。㉗ 为除田租刍稿：免除灾区田租及刍稿税。刍稿，征收的草料税，包括作物秸秆、青草等。㉘ 辛卯：八月丙午朔，无辛卯。辛卯疑为辛亥，即八月初六日，在癸丑之前。㉙ 癸丑：八月初八日。㉚ 殡：死者入殓后停柩以待葬。㉛ 崇德前殿：殿名，在洛阳南宫。㉜ 青盖车：皇太子、皇子所乘之车。皇孙则乘绿盖车。㉝ 斋：斋戒。拥立新君前夕的虔诚仪式。㉞ 吉服：礼服。迎立新君，改丧服为吉服。㉟ 引拜：引导上殿拜邓太后加封。㊱ 祜为长安侯：白衣不可为天子，故先加封刘祜为侯，效法汉宣帝即位故事。㊲ 作策命：制作册封刘祜为和帝继嗣的诏命。㊳ 诏告：下诏宣告。㊴ 外戚宾客浊乱奉公：皇后家族及其宾客，破坏搅乱奉公执法的官吏。奉公，指秉公执法的官吏。㊵ 不辄行其罚：不立即依法进行惩处。㊶ 干：冒犯。㊷ 禁宪：禁令法律。㊸ 明加检敕：明确地严加检查约束。㊹ 勿兼容护：不允许互相纵容包庇。㊺ 丙寅：九月乙亥朔，无丙寅。㊻ 康陵：殇帝陵。在洛阳东南慎陵墓区内。㊼ 连遭大忧：国家接连遭遇皇帝死丧的大变故。指和帝、殇帝相继去世。㊽ 方中秘藏：皇帝陵中殉葬物。方中，皇帝墓穴，掘地为方圹，称方中。墓穴所藏，故称秘。㊾ 诸工作事：其他各项工程。㊿ 减约十分居一：裁省百分之九十，只留下百分之十。十分居一，十分中占一分。(91) 乙亥：九月初一日。(92) 陈留：郡名，治所陈留县，在今开封东南。(93) 梁慬：字伯威，北地郡弋居县（在今甘肃宁县南）人，安帝时抚护西域及羌人的名将。传见《后汉书》卷四十七。(94) 河西四郡：武威、张掖、酒泉、敦煌。(95) 它干城：西域都护治所，在龟兹境内，位于今新疆库车西南。(96) 宋贵人：章帝妃，清河王刘庆之母，葬于樊濯。樊濯，聚落名，在洛阳城北。(97) 甲子：十二月二十一日。(98) 乙酉：十二月甲辰朔，无乙酉。乙酉，疑为己酉。己酉，十二月初六日。(99) 鱼龙曼延戏：鱼龙戏，在水池里变化成比目鱼和黄龙的舞蹈戏。曼延戏，装扮成巨兽舞蹈的游戏。鱼龙曼延之戏，起于汉武帝元封三年。(100) 尚书郎：即尚书侍郎，尚书令属官，分六曹，每曹六人，秩四百石。(101) 樊准：字幼陵，南阳郡湖阳（在今河南唐河县湖阳镇）人，光武帝舅樊宏的族曾孙。传附《后汉书》卷三十二《樊宏传》。(102) 儒风浸衰：经学教育日益恶化。(103) 不遑启处：没有闲暇时间。(104) 投戈讲艺：在战争停顿的间隙抓紧学习。投戈，放下武器，指战争间隙。讲艺，讲说儒家经典六艺。下句“息马论道”是对偶重文。⑮庶政万机：政务繁多；各种政务。庶，众。⑯简心：操心。简，阅。⑰垂情古典：留意古代典籍。⑱飨射：古代于春秋二季举行的宴饮宾客并射箭比武选举贤才的礼仪活动，又称乡射礼。飨，宴会。射，射箭。⑲正坐：端坐。⑳布在廊庙：安置在政府各部门。廊庙，宫殿回廊和太庙，指朝廷各机构。㉑论难衎衎：讨论辩难，十分融洽。衎衎，和乐的样子。㉒介胄之士：甲胄之士，此指期门郎、羽林郎禁卫军。㉓化自圣躬：教化源自皇帝。㉔永平：明帝年号，指代明帝。㉕博士倚席不讲：博士，太学讲官。座席倚于一侧，不设讲座，不讲学。㉖竞论浮丽：争相追求浮华的表面文章。㉗习诐诐之辞：修习谄媚阿谀的言辞。㉘博求幽隐：广求隐逸之士。㉙高行：高尚的德行。㉚妙简：精选。

【原文】

孝安皇帝[121]上

永初[122]元年（丁未，公元一〇七年）

春，正月癸酉朔[123]，赦天下。

蜀郡徼外[124]羌内属。

二月丁卯[125]，分清河国封帝弟常保为广川王。

庚午[126]，司徒梁鲔薨。

三月癸酉[127]，日有食之。

己卯[128]，永昌[129]徼外僬侥种夷陆类等举种内附。

甲申[130]，葬清河孝王于广丘[131]，司空、宗正护丧事，仪比东海恭王[132]。

自和帝之丧，邓骘兄弟常居禁中。骘不欲久在内，连求还第，太后许之。

夏，四月，封太傅张禹、太尉徐防、司空尹勤、车骑将军邓骘、城门校尉邓悝、虎贲中郎将邓弘、黄门郎邓阊皆为列侯[133]，食邑各万户，骘以定策功增三千户。骘及诸弟辞让不获，遂逃避使者[134]，间关诣阙[135]，上疏自陈[136]，至于五六，乃许之。

五月甲戌[137]，以长乐卫尉[138]鲁恭[139]为司徒。恭上言："旧制，立秋[140]乃行薄刑[141]。自永元十五年以来，改用孟夏。而刺史、太守因以

【校记】

［1］忧：原作“水”。据章钰校，甲十六行本、乙十一行本、孔天胤本皆作“忧”，张瑛《通鉴校勘记》同，今据改。

【语译】

孝安皇帝上

永初元年（丁未，公元一〇七年）

春，正月初一日癸酉，大赦天下。

蜀郡塞外的羌族内附。

二月二十五日丁卯，分割清河国一部分封给安帝的弟弟刘常保为广川王。

二十八日庚午，司徒梁鲔去世。

三月初二日癸酉，发生日食。

初八日己卯，永昌郡界外僬侥族夷人陆类等率领全族人归附。

十三日甲申，在广丘安葬清河孝王，司空、宗正督办丧事，仪式比照东海恭王。

自从汉和帝逝世以后，邓骘兄弟经常住在宫中。邓骘不愿久住宫内，接连请求返回私第，邓太后答应了他。

夏，四月，封太傅张禹、太尉徐防、司空尹勤、车骑将军邓骘、城门校尉邓悝、虎贲中郎将邓弘、黄门郎邓阊全为列侯，食邑每人万户，邓骘因有决策帝位的功劳增加三千户食邑。邓骘和几个弟弟推让没有获准，于是躲避使者，绕道到宫门，上奏陈述自己的请求，到了五六次，邓太后才答应了他们。

五月初三日甲戌，任命长乐卫尉鲁恭为司徒。鲁恭上奏说：“旧制，立秋才施行轻刑。自永元十五年以来，改用孟夏。而刺史、太守因此在盛夏征召农民，拘留审

盛夏征召农民，拘对考验[142]，连滞无已[143]，上逆时气[144]，下伤农业。按《月令》'孟夏[145]断薄刑'者，谓其轻罪已正[146]，不欲令久系[147]，故时断之也。臣愚以为今孟夏之制，可从此令，其决狱案考，皆以立秋为断[148]。"又奏："孝章皇帝欲助三正[149]之微，定律著令，断狱皆以冬至之前[150]。小吏不与国同心者，率入[2]十一月[151]得死罪贼，不问曲直[152]，便即格杀[153]，虽有疑罪，不复谳正[154]。可令大辟之科[155]，尽冬月乃断[156]。"朝廷皆从之。

丁丑[157]，诏封北海王睦孙寿光侯普[158]为北海王。

九真[159]徼外、夜郎[160]蛮夷举土内属。

西域都护段禧等虽保龟兹，而道路隔塞，檄书不通[161]。公卿议者以为"西域阻远[162]，数有背叛，吏士屯田，其费无已"。六月壬戌[163]，罢西域都护[164]，遣骑都尉[165]王弘发关中兵迎禧及梁慬、赵博[166]，伊吾卢、柳中[167]屯田吏士而还。

初，烧当羌[168]豪东号之子麻奴随父来降，居于安定[169]。时诸降羌布在郡县，皆为吏民豪右[170]所徭役[171]，积以愁怨。及王弘西迎段禧，发金城、陇西、汉阳[172]羌数百千骑与俱，群县迫促发遣。群羌惧远屯不还，行到酒泉，颇[3]有散叛。诸郡各发兵邀遮[173]，或覆其庐落[174]。于是勒姐、当煎[175]大豪东岸等愈惊，遂同时奔溃。麻奴兄弟因此与种人俱西出塞[176]，先零[177]别种[4]滇零与钟羌[178]诸种大为寇掠，断陇道[179]。时羌归附既久，无复器甲，或持竹竿木枝以代戈矛，或负板案以为盾[180]，或执铜镜以象兵[181]，郡县畏懦不能制[182]。丁卯[183]，赦除诸羌相连结谋叛逆者罪。

秋，九月庚午[184]，太尉徐防以灾异、寇贼策免。三公以灾异免，自防始。

辛未[185]，司空尹勤以水雨漂流[186]策免。

讯查验，牵连拖延没完没了，上违天时，下损农业。按《月令》‘初夏决断轻刑’之语，说的是那些轻罪已经审决，不想让他们长期囚禁，所以要及时决断案件。臣愚见认为现在孟夏断刑的制度，可遵从这一月令，判案考问，都以立秋为最后期限。”又上奏说：“孝章皇帝想有助天地人三正的精妙，制定律令，决断案狱都在冬至之前。小吏有的不和朝廷同心，凡是十一月抓获的死罪囚，不管是不是冤枉，就立即处死，即使发现案情有疑问，也不再上请审正。应该命令死刑的重罪，延长到冬月结束才做判决。”朝廷都接受了他的建议。

五月初六日丁丑，下诏册封北海王刘睦的孙子寿光侯刘普为北海王。

九真郡界外的蛮人和夜郎国的蛮人全部归附朝廷。

西域都护段禧等人虽然坚守龟兹国，但道路阻隔不通，官府公文都无法传递。参加议论的公卿认为“西域险阻遥远，屡次发生背叛，官吏士兵屯田，耗费无穷”。六月二十二日壬戌，撤销西域都护，派遣骑都尉王弘征发关中军队，迎接段禧和梁慬、赵博，伊吾卢、柳中屯田的将吏士卒回归。

当初，烧当羌首领东号的儿子麻奴随父归降，安置在安定郡。当时那些来降的羌人分布在各个郡县，都被吏民豪强所役使，愁苦怨恨蓄积。等到王弘西去迎接段禧，征发金城郡、陇西郡、汉阳郡羌人成百上千骑兵一起前往，郡县紧急催促他们出发。众羌担心远方屯驻不能回来，行进到酒泉郡，很多叛逃。各郡发兵拦截，或者毁掉他们的部落庐舍。于是勒姐族、当煎族的大酋长东岸等人更加惊惧，就同时奔散。麻奴兄弟因此与族人都西出塞外，先零羌的一支部族滇零羌与钟羌各族大肆抢掠，阻断陇道。当时羌人归附已久，不再有武器铠甲，有的拿着竹竿树枝用来代替戈矛，有的背负着木板几案作为盾牌，有的拿着铜镜伪装兵器，郡县官兵害怕怯懦，不能控制他们。六月二十七日丁卯，赦免了各羌族部落互相勾结谋反叛逆人员的罪行。

秋，九月初一日庚午，太尉徐防因为发生灾异、寇贼横行而被策书罢免。三公因为灾异而被免职，从徐防开始。

初二日辛未，司空尹勤因为雨水泛滥成灾而被策书免职。

【段旨】

以上为第二段，写邓太后减轻刑狱，死罪复核。东汉裁撤西域都护，征召羌人迎接西域将士，郡县催逼，羌人大起反叛。

【注释】

⑫孝安皇帝：章帝之孙，清河王刘庆之子，名祜。公元一〇七至一二五年在位。胡三省注引《伏侯古今注》曰："祜之字曰福。"⑫永初：安帝第一个年号，公元一〇七至一一三年，凡七年。⑫癸酉朔：正月初一日。⑫徼外：塞外。徼，边境亭障，也用以指边塞。⑫丁卯：二月二十五日。⑫庚午：二月二十八日。⑫癸酉：三月初二日。⑫己卯：三月初八日。⑫永昌：郡名，治所不韦，在今云南保山市东北。⑬甲申：三月十三日。⑬广丘：县名，后更名甘陵县，县治在今河北邢台清河县。⑬仪比东海恭王：葬礼规格比照东海恭王。东海王刘强，光武帝长子，初为太子，后被废为东海王，死谥恭王。传见《后汉书》卷四十二。东海恭王的隆重葬礼见本书卷四十五明帝永平元年。⑬皆为列侯：诸大臣尽封为列侯。张禹，安乡侯；徐防，龙乡侯；邓骘，上蔡侯；邓悝，叶侯；邓弘，西平侯；邓阊，西华侯。⑬逃避使者：躲开朝廷使者，不奉诏。⑬间关诣阙：绕道辗转到皇宫门前。⑬上疏自陈：上书陈述自己的想法，即请求辞去食邑和侯位。⑬甲戌：五月初三日。⑬长乐卫尉：官名，掌管太后所居长乐宫警卫长官，秩二千石。⑬鲁恭（公元三二至一一二年）：字仲康，扶风平陵县（在今陕西咸阳西）人，和帝时官至司徒，坐事免，安帝时再任司徒。精通《鲁诗》。传见《后汉书》卷二十五。⑭立秋：二十四节气之一。⑭行薄刑：施行轻刑。⑭拘对考验：拘捕传讯，对簿公堂，调查取证。⑭连滞无已：牵连拖延没完没了。⑭逆时气：违背天时。⑭孟夏：夏季第一月，即四月。⑭正：结正；审决。⑭久系：长久拘押不判决。⑭其决狱案考二句：凡孟夏所立案审理的轻罪徒，判决的最后期限，至立秋之日为止。⑭三正：天、地、人之正道。⑮断狱皆以冬至之前：指全部重罪犯的判决，都要在冬至日之前审断完毕。冬至，二十四节气之一，在阳历的十二月二十二日前后，农历则在十一月的上半月中。事见本书卷四十七章帝元和三年。⑮率入十一月：此谓不公正的审判官，一到十一月，凡被控有死罪的重罪犯，不问是非，一律当即处死。⑮曲直：是非。此指是否有冤情。⑮格杀：击杀；诛杀。⑮谳正：汉代有谳狱制度，疑罪需上谳，由上级机构讨论定罪。⑮大辟之科：被判死刑的重罪。为古代五刑之一。⑮尽冬月乃断：可延长至农历十二月底审决。⑮丁丑：五月初六日。⑮北海王睦孙寿光侯普：北海王刘睦，其父刘兴，光武帝兄刘縯之次子，继嗣光武帝二兄刘仲，封北海

【原文】

仲长统[187]《昌言》曰："光武皇帝愠[188]数世之失权[189]，忿强臣之窃命[190]，矫枉过直[191]，政不任下，虽置三公，事归台阁[192]。自此以来，三公之职，

王。刘睦嗣位北海王，传子刘基，基死无子。和帝封睦庶子刘威为北海王，永元八年，因罪自杀。今又绍封刘睦庶孙刘普为北海王。寿光，县名，刘普封邑。刘睦、刘普，传见《后汉书》卷十四。⑲九真：郡名，在今越南中部。治胥浦（今越南清化）。⑳夜郎：西南夷国名，西汉武帝时内属为牂柯郡属国，仍保留王号。㉑檄书不通：谓交通受阻，朝廷公文无法送出。檄书，官府用以征召、晓谕的文书。㉒阻远：道路险阻而又遥远。㉓壬戌：六月二十二日。㉔罢西域都护：撤销西域都护。东汉西域都护，和帝永元三年（公元九一年）置。㉕骑都尉：光禄勋下属武官，秩比二千石。本置以监羽林骑，常派出领兵。㉖迎禧及梁慬、赵博：迎，迎接。段禧，西域都护。梁慬，西域副校尉。赵博，骑都尉。㉗伊吾卢、柳中：西域屯守城名，伊吾卢在今新疆哈密西，柳中在鄯善西南鲁克沁。㉘烧当羌：东汉时西羌的最大部族。烧当羌首长东号归降，见本书卷四十七和帝永元元年。㉙居于安定：东号降，被安置于安定郡。安定郡治所临泾，在今甘肃泾川。西羌本居于今青海高原，归附后安置于内郡则称东羌。㉚豪右：豪强。秦汉时富人居于里门右侧，故称豪右。㉛徭役：使役。㉜金城、陇西、汉阳：皆郡名，金城郡治所允吾，在今青海民和，陇西郡治所狄道，在今甘肃临洮，汉阳郡治所冀县，在今甘肃甘谷。㉝邀遮：伏击拦捕。㉞覆其庐落：将叛逃羌人整个部落居地庐帐扫荡踏平。㉟勒姐、当煎：西羌种族名。㊱出塞：指脱离所归属的郡县，出至塞外故地。㊲先零：先零羌居于青海湖，大、小榆谷一带。㊳钟羌：居于陇西郡临洮谷，今甘肃洮河上游。部族有九千余户。㊴断陇道：切断关中通凉州的陇山通道。从此，西羌与东汉之争进入了新阶段，成为东汉西疆长期的边患。㊵负板案以为盾：举负木板几案当作盾牌。㊶执铜镜以象兵：拿着铜镜反射阳光伪装兵器。㊷畏懦不能制：畏惧懦弱，无法控制。㊸丁卯：六月二十七日。㊹庚午：九月初一日。㊺辛未：九月初二日。㊻水雨漂流：大雨造成水灾，冲毁民屋。

【校记】

［2］入：原无此字。据章钰校，甲十六行本、乙十一行本、孔天胤本皆有此字，今据补。［3］颇：据章钰校，甲十六行本、乙十一行本皆作“多”，张敦仁《通鉴刊本识误》同。［4］先零别种：原无此四字。据章钰校，甲十六行本、乙十一行本、孔天胤本皆有此四字，张敦仁《通鉴刊本识误》、张瑛《通鉴校勘记》同，今据补。

【语译】

仲长统《昌言》说：“光武皇帝痛恨几代皇帝失去权柄，气愤强臣窃夺政权，矫枉过正，政权不交给臣下，虽然设立三公，政事却归尚书台。从此以后，三公的职位，

备员[193]而已。然政有不治，犹加谴责。而权移外戚之家，宠被近习之竖[194]，亲其党类[195]，用其私人，内充京师，外布州郡[196]，颠倒贤愚[197]，贸易选举[198]，疲驽守境[199]，贪残牧民[200]，挠扰百姓，忿怒四夷，招致乖叛[201]，乱离斯瘼[202]，怨气并作[203]，阴阳失和，三光亏缺[204]，怪异数至，虫螟食稼，水旱为灾。此皆戚宦之臣所致然也[205]，反以策让三公，至于死、免，乃足为叫呼苍天，号咷[206]泣血者矣！又中世[207]之选三公也，务于清悫谨慎[208]，循常习故者[209]，是乃妇女之检柙[210]，乡曲之常人[211]耳，恶[212]足以居斯位[213]邪！势既如彼，选又如此[214]，而欲望三公勋立于国家，绩加于生民，不亦远[215]乎？昔文帝之于邓通，可谓至爱，而犹展申徒嘉之志[216]。夫见任如此，则何患于左右小臣哉！至如近世[217]，外戚、宦竖，请托不行，意气不满，立能陷人[218]于不测之祸，恶可得弹正者哉！曩者[219]任之重而责之轻，今者[220]任之轻而责之重。光武夺三公之重，至今而加甚。不假后党[221]以权，数世而不行，盖亲疏之势异也。今人主诚专委三公，分任责成，而在位病民[222]，举用失贤，百姓不安，争讼不息，天地多变，人物多妖，然后可以分此罪矣！”

壬午[223]，诏太仆、少府减黄门鼓吹以补羽林士[224]，厩马[225]非乘舆常所御者[226]皆减半食，诸所造作，非供宗庙园陵之用[227]，皆且止。

庚寅[228]，以太傅张禹为太尉，太常周章[229]为司空。

大长秋郑众[230]、中常侍蔡伦[231]等皆秉势豫政，周章数进直言，太后不能用。初，太后以平原王胜[232]有痼疾[233]，而贪殇帝孩抱，养为己子，故立焉。及殇帝崩，群臣以胜疾非痼，意咸归之。太后以前不立胜，恐后为怨，乃迎帝而立之。周章以众心不附，密谋闭宫门，诛邓骘兄弟及郑众、蔡伦，劫尚书，废太后于南宫，封帝为远国王[234]而立平原王。事觉，冬，十一月丁亥[235]，章自杀。

戊子[236]，敕司隶校尉、冀、并二州刺史：“民讹言[237]相惊，弃捐旧居，老弱相携，穷困道路[238]。其各敕所部长吏躬亲晓喻[239]，若欲归本郡，在所为封长檄[240]；不欲[241]，勿强。”

十二月乙卯[242]，以颍川太守张敏[243]为司空。

虚设罢了。然而遇到政务有不治理的情况，还要谴责三公。而大权转移到外戚之家，恩宠施予身边亲近的侍从小人，亲信他们的同党，重用他们的亲朋，在内充满了京师，在外分布于州郡，贤愚颠倒，把选举人才当作交易，愚钝无能之人守卫国境，贪婪残酷的人治理民众，烦扰百姓，激怒四夷，导致他们反叛，政治纷乱，国家忧患，怨恨之气一起爆发，阴阳失调，日月星残缺不明，怪异现象多次出现，蝗虫吞噬庄稼，水旱成灾。这些都是外戚宦官之臣所使然，反而下诏谴责三公，甚至处死、免职，这足以让人呼叫苍天，泣血大哭啊！还有，汉代中叶选举三公，注重清廉忠厚小心谨慎、循规蹈矩而熟悉典章故事的人，这是对妇人的规矩，乡里的平庸人而已，怎么能担任这样的要职呢！形势既然是那样，选用人才又是如此，却希望三公为国家建立功勋，管理人民有政绩，岂不是太遥远了吗？从前汉文帝对待邓通，可以称得上极尽宠爱，但仍让丞相申徒嘉施展心志。三公大臣如此受信任，又何必担心身边的小臣呢！到了近世，外戚宦官，请托不能如愿，心愿得不到满足，立即就陷他人于无法预测的祸患，怎么可能弹劾纠正他们呢！过去，大臣的权力大而受责备轻，现在却是权力小而受责备重。光武帝剥夺三公的大权，到今天更加严重。光武帝不把权力给予外戚，但几代以后就行不通了，这是因为亲疏形势不同的缘故。现今皇上如果真的把权力都委任于三公，分别责任各负其责，那么，三公在任时若祸害百姓，用人不当，百姓不安，争讼不止，天地多变，人与物的怪异现象很多，这时就能让三公承担这些罪责了！”

九月十三日壬午，下诏：太仆、少府减少黄门鼓吹员数以补充羽林士，御厩的马若不是皇帝经常驾驭的都减少一半饲料，各项建造，凡不是供宗庙陵园使用的，都暂时停止。

九月二十一日庚寅，任命太傅张禹为太尉，太常周章为司空。

大长秋郑众、中常侍蔡伦等都秉持权势干预政务，周章数进直言，邓太后不听。当初，邓太后因为平原王刘胜患了不治之症，而贪图汉殇帝还在襁褓之中，就收养为自己的儿子，因此立汉殇帝当皇帝。等到汉殇帝去世，群臣认为刘胜的病并非不治，心意都向着他。邓太后因为过去没有立刘胜为帝，担心刘胜日后怨恨自己，就迎安帝立为皇帝。周章因为众心不服，密谋关闭宫门，诛杀邓骘兄弟和郑众、蔡伦，劫持尚书，废除邓太后，软禁在南宫，封汉安帝为偏远的诸侯国国王，而拥立平原王为帝。事情泄露，冬，十一月十九日丁亥，周章自杀。

十一月二十日戊子，下诏司隶校尉、冀州、并州二州刺史：“民间谣言相互惊扰，抛弃旧居，老弱扶携，饥困于道路。敕令所属官吏亲自劝导，如果有人想要回本郡，所在地给他们长牒文书作为凭证；不想回本郡的人，不要强迫。”

十二月十八日乙卯，任命颍川太守张敏为司空。

诏车骑将军邓骘、征西校尉任尚将五营[244]及诸郡兵五万人，屯汉阳[245]以备羌。

是岁，郡国十八地震，四十一大水，二十八大风，雨雹。

鲜卑大人燕荔阳诣阙朝贺。太后赐燕荔阳王印绶、赤车[246]、参驾[247]，令止乌桓校尉所居宁城[248]下，通胡市[249]，因筑南、北两部质馆[250]。鲜卑邑落百二十部各遣入质。

【段旨】

以上为第三段，写仲长统《昌言》论君王过度集权之弊。邓太后挫败司空周章发动的宫廷政变，汉安帝得以不废。

【注释】

⑱⑦仲长统：字公理，山阳高平（在今山东微山县）人，东汉政论家，著有《昌言》行于世。《昌言》书已佚，《后汉书·仲长统传》中有摘要。传见《后汉书》卷四十九。⑱⑧愠：怨恨。⑱⑨数世之失权：指西汉后期元、成、哀、平时政权旁落外戚手中。⑲⓪强臣之窃命：权臣窃取了国家政权。强臣，指王莽。⑲①矫枉过直：纠正偏差而超过中正。此指光武帝削夺三公权力，避免权臣窃命，但改正过火，导致朝政旁落于群竖。⑲②台阁：指尚书台。东汉尚书出纳章奏，总枢机之任。三公须加"录尚书事"，才能参与行政。⑲③备员：充数摆样子，有职无权。⑲④宠被近习之竖：恩宠只施加给皇帝身边的侍从小人。近习，亲近，指皇帝宠爱亲信的人。竖，地位低微的人，多指宦官。⑲⑤党类：朋党同类。⑲⑥内充京师二句：在朝内充斥京师各官府，在地方遍布州郡要职。⑲⑦颠倒贤愚：愚人统治贤者。⑲⑧贸易选举：把推荐人才用作交易。⑲⑨疲驽守境：软弱无能的人守卫边疆。驽，劣马，喻庸才。⑳⓪贪残牧民：贪污残暴的官吏治理百姓。牧民，治民。⑳①忿怒四夷二句：触怒四方民族，引起反叛。⑳②乱离斯瘼：政治纷乱，国家面临忧患。语出《诗经·四月》："乱离瘼矣。"离，忧。瘼，病。⑳③并作：一起爆发。⑳④三光亏缺：日、月、星缺损不圆。⑳⑤此皆戚宦之臣所致然也：水旱虫灾、三光亏缺等灾异，都是外戚和宦官专权所引起的上天警告。⑳⑥号咷：放声大哭。⑳⑦中世：指西汉中期以后。⑳⑧清悫谨慎：指清廉忠厚、谨慎小心的人。⑳⑨循常习故者：循规蹈矩、熟悉典章故事的人。㉑⓪妇女之检柙：妇人的规矩。检柙，规矩。㉑①乡曲之常人：乡里的平庸人。㉑②恶：怎能。㉑③斯位：指三公的高位。㉑④势既如彼二句：形势既然是三公无权，而用人又尽庸碌之辈。㉑⑤远：指实际与要求相差很远。㉑⑥展申徒嘉之志：展，施展，此指行使丞相职权。申徒嘉，汉文帝时丞相，他曾经惩治文帝宠臣邓通，

诏令车骑将军邓骘、征西校尉任尚率领北军五校营以及各郡兵共计五万人，屯驻汉阳以防备羌人。

这一年，十八个郡国发生地震，四十一个郡国发生大水灾，二十八个郡国刮大风、下冰雹。

鲜卑族首领燕荔阳到宫阙朝贺。邓太后赐给燕荔阳王的印绶、赤车、三匹马拉的车子，命令在乌桓校尉所居住的宁城旁居住，开放边塞汉胡贸易市场，就势建造南、北两部受降人质的馆第。鲜卑的一百二十个部落分别遣送人质。

几乎将邓通置于死地。事见本书卷十五文帝后元二年，此处为“申屠嘉”。㉑⑦近世：指东汉中期以后。㉑⑧立能陷人：立即能陷害别人。“外戚、宦竖，请托不行，意气不满，立能陷人于不测之祸”等句，意谓外戚、宦官专权，朝廷官员若不听从他们的请托，他们的愿望得不到满足，立即就陷官员于不测之祸，又怎能弹劾纠正他们呢。㉑⑨曩者：从前，指西汉前期。㉒⓪今者：现在，指东汉一朝。㉒①后党：外戚。㉒②病民：祸害百姓。㉒③壬午：九月十三日。㉒④减黄门鼓吹以补羽林士：减少后宫乐队的人数，将所减定员转拨给羽林军以增加羽林武士的人数。黄门鼓吹，定员一百四十五人，后宫典礼时掌奏乐。羽林军，左监定员八百人，右监定员九百人。㉒⑤厩马：皇帝御用马。㉒⑥非乘舆常所御者：不是皇帝经常使用的马。乘舆，皇帝乘坐的车子，代指皇帝。㉒⑦非供宗庙园陵之用：谓尚方所造不是供祭享宗庙陵园的器物。㉒⑧庚寅：九月二十一日。㉒⑨周章：字次叔，南阳随县（今湖北随州）人，官至司空。周章反对立安帝，欲发动宫廷政变立和帝长子刘胜，事败自杀。传见《后汉书》卷三十三。㉓⓪郑众：字季产，助和帝诛窦宪，官拜大长秋。东汉宦官用权自郑众始。传见《后汉书》卷七十八。㉓①蔡伦：即东汉改进造纸术的宦官，与郑众同传。㉓②平原王胜：和帝长子刘胜，因有痼疾，邓太后不立为帝，封为平原王。传见《后汉书》卷五十五。㉓③痼疾：不治之症。㉓④远国王：边远地区的诸侯国王。㉓⑤丁亥：十一月十九日。㉓⑥戊子：十一月二十日。㉓⑦讹言：谣言。㉓⑧穷困道路：饥困于道路。㉓⑨晓喻：劝导。㉔⓪长檄：长牒，书于长简上的公文书。此谓流离他乡之民，愿归本乡者，由所在地政府出具加封的长简文书，以便获得政府安置。㉔①不欲：指不愿意回归本郡的人。㉔②乙卯：十二月十八日。㉔③张敏：字伯达，河间鄚县（今河北任丘北）人，历官郡太守、司隶校尉，为政简约，用刑平正，官至司空。传见《后汉书》卷四十四。㉔④五营：北军五校尉营，即屯骑、步兵、越骑、长水、射声五校。㉔⑤汉阳：郡名，治所冀县，在今甘肃甘谷县。㉔⑥赤车：车帷、车裳、车衡、车轭皆红色。㉔⑦参驾：三马驾车。㉔⑧宁城：上谷郡属县，县治在今河北张家口市万全区。㉔⑨通胡市：开放边塞汉胡交易市场。㉕⓪质馆：供外国投降者、人质所居馆舍。质，留居出使国以示信的人质。

【原文】

二年（戊申，公元一〇八年）

春，正月，邓骘至汉阳。诸郡兵未至，钟羌数千人击败骘军于冀西[251]，杀千余人。梁慬还，至敦煌，逆诏慬留为诸军援[252]。慬至张掖[253]，破诸羌万余人，其能脱者十二三。进至姑臧[254]，羌大豪三百余人诣慬降，并慰譬，遣还故地。

御史中丞樊准以郡国连年水旱，民多饥困，上疏："请令太官、尚方、考功、上林池御诸官[255]，实减无事之物，五府调省中都官吏、京师作者[256]。又被灾之郡，百姓凋残[257]，恐非赈给所能胜赡[258]，虽有其名，终无其实。可依征和元年故事[259]，遣使持节慰安，尤困乏者徙置荆、扬孰[5]郡[260]。今虽有西屯之役[261]，宜先东州之急[262]。"太后从之，悉以公田赋与贫民[263]，即擢准与议郎吕仓并守[264]光禄大夫。二月乙丑[265]，遣准使冀州、仓使兖州禀贷[266]，流民咸得苏息[267]。

夏，旱。五月丙寅[268]，皇太后幸雒阳寺[269]及若卢狱[270]，录囚徒[271]。雒阳有囚，实不杀人，而被考自诬[272]，羸困舆见[273]，畏吏不敢言。将去，举头若欲自诉。太后察视觉之，即呼还问状，具得枉实[274]，即时收雒阳令下狱抵罪[275]。行未还宫，澍雨[276]大降。

六月，京师及郡国四十大水，大风，雨雹[277]。

秋，七月，太白入北斗[278]。

闰月辛丑[279][6]，广川王常保[280]薨，无子，国除。

癸未[281]，蜀郡徼外羌举土内属。

冬，邓骘使任尚及从事中郎河内司马钧率诸郡兵与滇零等数万人战于平襄[282]，尚军大败，死者八千余人。羌众遂大盛，朝廷不能制。湟中诸县[283]粟石万钱，百姓死亡不可胜数，而转运难剧[284]。故左校令[285]河南庞参[286]先坐法输作若卢[287]，使其子俊上书[288]曰："方今西州[289]流民扰动，而征发不绝，水潦不休[290]，地力不复，重之以大军[291]，疲之以远戍[292]，农功消于转运，资财竭于征发，田畴[293]不得垦辟，禾稼不得收入，搏手困穷[294]，无望来秋，百姓力屈[295]，不复堪命[296]。臣愚以为万里运

【语译】

二年（戊申，公元一〇八年）

春，正月，邓骘到达汉阳郡。各郡军队尚未到达，钟羌几千人在冀县西边打败邓骘的军队，杀死一千多人。梁慬从西域回师，到了敦煌郡，接到诏书要他留下作为各军援军。梁慬到达张掖，打败各部羌人一万多人，能逃脱的有十之二三。前进到姑臧县，羌人首领三百多人前往梁慬处投降，梁慬一一抚慰晓谕他们，遣送回原来的居住地。

御史中丞樊准因为郡国连年发生水旱灾害，人民大多饥饿贫困，上疏说："请命令太官、尚方、考工、上林池御等官，切实减少不必要的物品，五府减少征调中央的官吏和京城营建工匠。还有，受灾的郡，百姓凋零残破，恐怕不是赈济所能充分供给，虽然有赈救的名义，终归没有实效。可以按照征和元年的惯例，派使者持节慰问安抚，把尤为贫困的人迁徙安置到荆州、扬州丰收的各郡。现今虽然有西疆屯兵讨伐西羌之战，但应先解决东边各州的灾害之急。"邓太后听从了他的建议，把政府控制的公田全部给予贫民，当即提升樊准和议郎吕仓一起代理光禄大夫之职。二月二十九日乙丑，派樊准出使冀州、吕仓出使兖州赈济借贷，流民都得到缓解喘息。

夏，旱灾。五月初一日丙寅，邓太后驾临洛阳县官衙和若卢狱，审查囚犯。洛阳县有个囚犯，确实没有杀人，却被屈打成招，衰弱萎靡不振，用竹床抬着见皇太后，他害怕官吏不敢喊冤。要离去时，抬头似乎要自己诉说什么。邓太后观察发觉这种状况后，立即呼叫这个囚犯回来询问情况，全部得知冤情，当即收捕洛阳县令下狱抵罪。御驾尚未返回到皇宫，就下了一场大的及时雨。

六月，京城和四十个郡国发生大水灾，刮大风，下冰雹。

秋，七月，太白星进入北斗。

闰七月初七日辛丑，广川王刘常保去世，没有子嗣，废除封国。

癸未日，蜀郡界外的羌族全部内附朝廷。

冬，邓骘派任尚及从事中郎河内人司马钧率领各郡军队和滇零羌等几万人在平襄县交战，任尚的军队大败，死了八千多人。于是羌人势力强盛，朝廷无法控制。湟中各县粟米每石一万钱，百姓死亡的人无法计算，而运输十分困难。前左校令河南人庞参因犯法在若卢狱服役，叫他的儿子庞俊上书说："现今西州的流民骚动不安，而征发不断，大水不停，地力无法恢复，加之大军征讨，百姓疲于戍边远方，农事被粮饷转运取代，民众资财被征发光了，田地得不到开垦，庄稼无法收割入仓，搓着两手无计可施，窘迫穷困，来年的秋收没有希望，百姓力量耗尽，不再能役使。

粮，远就羌戎，不若总兵养众[297]，以待其疲。车骑将军骘宜且振旅[298]，留征西校尉任尚，使督凉州士民转居三辅[299]，休徭役[300]，以助其时，止烦赋[301]，以益其财，令男得耕种，女得织纴[302]。然后畜精锐，乘懈沮[303]，出其不意，攻其不备，则边民之仇报，奔北[304]之耻雪矣。"书奏，会樊准上疏荐参，太后即擢参于徒中，召拜谒者，使西督三辅诸军屯。十一月辛酉[305]，诏邓骘还师，留任尚屯汉阳为诸军节度[306]。遣使迎拜骘为大将军。既至，使大鸿胪亲迎，中常侍郊劳[307]，王、主[308]以下候望于道，宠灵显赫[309]，光震都鄙[310]。

滇零自称天子于北地，招集武都参狼[311]、上郡、西河诸杂种羌断陇道，寇钞三辅，南入益州，杀汉中太守董炳。梁慬受诏当屯金城，闻羌寇三辅，即引兵赴击，转战武功、美阳[312]间，连破走之，羌稍退散。

十二月，广汉[313]塞外参狼羌降。

是岁，郡国十二地震。

【段旨】

以上为第四段，写邓太后节省支出，赈济灾民。朝廷征讨西羌，互有胜败。

【注释】

㉛冀西：冀县之西。㉜逆诏慬留为诸军援：梁慬迎奉诏书，令其留下来作为讨羌诸军的后援。逆，迎。援，机动援军。㉝张掖：河西四郡之一，在河西走廊中部。治所觻得，在今甘肃张掖西北。㉞姑臧：县名，武威郡治所，在今甘肃武威。㉟太官、尚方句：考功，当为考工。皆少府属官。太官管理皇帝膳食，尚方制造刀剑，考工制作器械。上林池御，上林苑中共有十池监，分掌上林苑各园池林木鸟兽。㊱五府调省中都官吏句：五府尽量减少征调中央各官府官吏，以及京城营造工匠。五府，指太傅府、太尉府、司徒府、司空府、大将军府（或车骑将军府）。调，征调。省，裁减、缩小编制。中都官吏，中央政府官员。㊲凋残：凋零残破。㊳恐非赈给所能胜赡：恐怕不是政府救济所能充分供给。胜，能够承受、禁得起。赡，供给。㊴征和元年故事：汉武帝征和元年赈给百姓，史实缺载。征和四年下轮台诏，与民休息，曰："当今务在禁苛暴，止擅赋，力本农桑，毋乏武备而已。"㊵孰郡：丰收的各郡。孰，通"熟"，指丰收。㊶西屯之役：西

臣愚见认为与其运粮万里到遥远的地方去与羌人作战，不如统领军队，休养士卒，等待敌人疲乏。车骑将军邓骘应当暂时回师，留下征西校尉任尚，让他监督凉州士兵和百姓迁居三辅，停止征发徭役、兵役，以助农时，停止征收繁重的赋税，增加人民的财产，使男人能耕种，妇女能织布。然后蓄精养锐，趁着敌人懈怠和士气低落时，出其不意，攻其不备，就可以报边民之仇，雪败逃之耻。”奏书呈进，正好樊准上疏推荐庞参，邓太后当即从刑徒中提拔庞参，召见任命为谒者，派他到西边监督三辅各驻军。十一月二十九日辛酉，下诏邓骘回师，留下任尚屯驻汉阳郡做各军调度。派使者迎接邓骘，拜为大将军。邓骘抵达京城后，派大鸿胪亲自迎接，中常侍在城郊慰劳，诸侯王、公主以下在道路旁守候，恩宠声威显赫，声震京城。

滇零族首领在北地郡自称天子，召集武都郡的参狼羌、上郡和西河郡的各杂种羌人，截断陇西道路，寇掠三辅，从南边进入益州，杀死汉中郡太守董炳。梁慬奉诏书之命应当驻守金城郡，听说羌人入犯三辅，马上率兵前往攻击，转战在武功县、美阳县之间，连续打跑了他们，羌人稍稍后退离散。

十二月，广汉郡塞外的参狼羌投降。

这年，十二个郡国发生地震。

疆屯兵讨伐西羌之战。㉖²宜先东州之急：应当首先救济东方冀州、兖州灾区人民。东，洛阳以东。㉖³悉以公田赋与贫民：把政府控制的公田全部授给贫民耕种。赋，授、给予。㉖⁴守：代理。㉖⁵乙丑：二月二十九日。㉖⁶禀贷：赈济借贷。禀，给。贷，借贷。㉖⁷苏息：死而复生称苏，气绝又重新呼吸称息。㉖⁸丙寅：五月初一日。㉖⁹皇太后幸雒阳寺：邓绥皇太后巡察洛阳县府衙。寺，官府。㉗⁰若卢狱：少府所属特别监狱，关押审讯将相大臣。东汉初省，和帝永元五年重置。㉗¹录囚徒：上级官员为考察吏政而审讯囚犯。录，省察、甄别。㉗²被考自诬：屈打成招。被，受。考，通“拷”，严刑拷打。自诬，自己被迫承认有罪。㉗³羸困舆见：衰弱困乏，用竹床抬着见皇太后。舆，篮舆，竹编的舆床。㉗⁴枉实：被冤枉的实情。㉗⁵抵罪：因失职而受到相应的处罚。㉗⁶澍雨：及时雨。㉗⁷大风二句：据《东观汉记》载，这次风灾，拔树发屋；这次冰雹，大如芋头、鸡蛋。㉗⁸太白入北斗：太白星进入北斗。按照古代的天文占法的解释，太白入北斗，象征宰相有凶。㉗⁹辛丑：闰七月初七日。㉘⁰广川王常保：清河王刘庆少子，安帝之弟。㉘¹癸未：闰七月乙未朔，无癸未。癸未，应为八月二十日。㉘²平襄：县名，属汉阳郡，县治在今甘肃通渭西北。㉘³湟中诸县：金城郡湟水流域各县，即临羌、破羌、允吾等县。㉘⁴转运难剧：运输十分困难。剧，甚。㉘⁵左校令：官名，将作大匠属官，有左、右校令。左校令掌

左营工匠罪徒。㉘㉖庞参（？至公元一三六年）：字仲达，河南缑氏（在今河南洛阳市偃师区东南）人，历官左校令、汉阳太守、护羌校尉、度辽将军，为东汉安边名将。后官至太尉。传见《后汉书》卷五十一。㉘㉗坐法输作若卢：犯法被拘系在若卢监狱服役。㉘㉘子俊上书：罪徒不能直接上书皇帝，故庞参使其子庞俊上书。㉘㉙西州：指西部的凉州。㉙⓪水潦不休：大水不断。不休，无休止。㉙①重之以大军：加之大军征讨。重，又。㉙②疲之以远戍：征发去远方戍边，使农夫精疲力竭。㉙③田畴：田地。㉙④搏手困穷：两手相搓，无计可施，窘迫困顿。㉙⑤力屈：力竭。㉙⑥不复堪命：不再能役使。㉙⑦总兵养众：统领军队，让兵众休养。㉙⑧振旅：班师。㉙⑨转居三辅：迁居关中。三辅，京兆尹、左冯翊、右扶风。㉚⓪休徭役：停止征调民夫及兵役。㉚①止烦赋：停止征收苛重的赋税。㉚②织纴：织作布帛。㉚③乘懈沮：利用敌人懈怠以及士气低落的时机。㉚④奔北：败逃。㉚⑤辛酉：十一

【原文】

三年（己酉，公元一〇九年）

春，正月庚子㉛④，皇帝加元服㉛⑤，赦天下。

遣骑都尉任仁督诸郡屯兵救三辅。仁战数不利，当煎、勒姐羌攻没破羌县㉛⑥，钟羌攻没临洮县㉛⑦，执陇西南部都尉。

三月，京师大饥，民相食。壬辰㉛⑧，公卿诣阙谢㉛⑨。诏："务思变复，以助不逮。"㉜⓪

壬寅㉜①，司徒鲁恭罢。恭再在公位㉜②，选辟㉜③高第至列卿、郡守者数十人。而门下耆[7]生㉜④，或不蒙荐举，至有怨望者。恭闻之，曰："学之不讲，是吾忧也㉜⑤。诸生不有乡举㉜⑥者乎！"终无所言，亦不借之议论。学者受业，必穷核㉜⑦问难㉜⑧，道成㉜⑨，然后谢遣㉝⓪之。学者曰："鲁公谢与议论㉝①，不可虚得。"

夏，四月丙寅㉝②，以大鸿胪九江夏勤为司徒。

三公以国用未足，奏令吏民入钱谷得为关内侯㉝③、虎贲、羽林郎、五官㉝④、大夫㉝⑤、官府吏㉝⑥、缇骑㉝⑦、营士㉝⑧各有差㉝⑨。

甲申㉞⓪，清河愍王虎威薨，无子。五月丙申㉞①，封乐安王宠子延平为清河王，奉孝王后。

月二十九日。⑯节度：调度。⑰郊劳：在京郊迎接慰劳。这是礼遇立大功还朝的重臣所享受的隆重待遇。⑱王、主：诸侯王及诸公主。⑲宠灵显赫：恩宠声威显赫。灵，显赫的声威。⑩光震都鄙：声震京师。⑪参狼：西羌部种名，居于武都郡。武都郡治所下辨，在今甘肃成县西北。⑫武功、美阳：二县名，属左扶风。二县相邻，美阳在武功北。武功县治在今陕西武功西，美阳县治在今武功西北。⑬广汉：郡名，属益州。广汉郡与武都郡连界，在武都之南。故广汉郡内的参狼羌与武都郡内的参狼羌为同种。

【校记】

［5］孰：据章钰校，孔天胤本作"熟"。〖按〗二字同。［6］辛丑：原无此二字。据章钰校，甲十六行本、乙十一行本皆有此二字，张瑛《通鉴校勘记》同，今据补。

【语译】

三年（己酉，公元一〇九年）

春，正月初九日庚子，汉安帝行加冠礼，大赦天下。

朝廷派骑都尉任仁督率各郡驻兵援救三辅。任仁战斗屡次失利，当煎羌、勒姐羌攻陷破羌县，钟羌攻下临洮县，活捉了陇西南部都尉。

三月，京城大饥荒，人吃人。初二日壬辰，公卿大臣到宫门前向皇上谢罪。安帝下诏说："要致力于思考改正错误，恢复正轨，以辅助我的不足。"

三月十二日壬寅，司徒鲁恭被免职。鲁恭两次在三公位，选举征辟的人官至列卿、郡守的有几十人。而他门下的老弟子，有的没有得到推荐，以致有人抱怨他。鲁恭听到后说："不讲习学问，这是我所忧虑的。诸生不是有乡里选举的机会吗！"始终不替他们说话，也不凭借议论提高声名。学生们跟随他学习，鲁恭一定要他们深究考查义理，诘问辩难，学业成功后，辞谢让其离去。学生们说："鲁公辞谢和评议，都不可虚得。"

夏，四月初七日丙寅，任命大鸿胪九江人夏勤为司徒。

三公因为国家经费不足，奏请令吏民捐献钱财谷米可以做关内侯、虎贲郎、羽林郎、五官郎、大夫、官府吏、缇骑和营士，各有等差。

四月二十五日甲申，清河愍王刘虎威去世，没有儿子。五月初七日丙申，册封乐安王刘宠的儿子刘延平为清河王，作为孝王刘庆的后代。

六月，渔阳乌桓与右北平㉜胡千余寇代郡、上谷㉝。

汉人韩琮随匈奴南单于入朝。既还，说南单于云："关东水潦，人民饥饿死尽，可击也。"单于信其言，遂反。

秋，七月，海贼张伯路等寇滨海九郡，杀二千石、令、长。遣侍御史㉞巴郡庞雄督州郡兵击之，伯路等乞降，寻复屯聚。

九月，雁门㉟乌桓率众王无何允与鲜卑大人丘伦等，及南匈奴骨都侯㊱[8]，合七千骑寇五原㊲，与太守战于高渠谷㊳，汉兵大败。

南单于围中郎将㊴耿种于美稷㊵。冬，十一月，以大司农陈国何熙行车骑将军事，中郎将庞雄为副，将五营及边郡兵二万余人，又诏辽东太守耿夔率鲜卑及诸郡兵[9]共击之。以梁慬行度辽将军事。雄、夔击南匈奴薁鞬日逐王，破之。

十二月辛酉㊶，郡国九地震。

乙亥㊷，有星孛于天苑㊸。

是岁，京师及郡国四十一雨水。并、凉二州大饥，人相食。

太后以阴阳不和，军旅数兴，诏岁终飨遣卫士勿设戏作乐㊹，减逐疫侲子之半㊺。

【段旨】

以上为第五段，写司徒鲁恭为官公正，两为三公，用人不徇私情。乌桓侵扰边郡。

【注释】

⑭庚子：正月初九日。⑮皇帝加元服：安帝行加冠礼。是年安帝十六岁。古男子二十加冠，以示成人。皇帝行加冠礼始得亲政。元服，加于首上之服，即冠。⑯破羌县：县名，属金城郡，县治在今青海海东市乐都区东。⑰临洮县：县名，陇西郡南部都尉治所，县治在今甘肃岷县。⑱壬辰：三月二日。⑲公卿诣阙谢：三公九卿因京师大饥而到宫门前向皇帝请罪。⑳务思变复二句：要致力于思考改变过错，恢复正轨，以辅佐我的不足。务，致力于。变复，改正错误，回到正确的轨道上。㉑壬寅：三月十二日。㉒恭再在公位：鲁恭两次在三公位。和帝永元十二年，代吕盖为司徒；安帝永初元年，代梁

六月，渔阳郡的乌桓人与右北平的胡人共一千多人侵扰代郡、上谷郡。

汉人韩琮随匈奴南单于入京朝拜。回去后，建议南单于说："关东水灾，人民饥饿死亡殆尽，我们可以进攻他们。"单于相信了他的话，于是反叛。

秋，七月，海贼张伯路等人侵入临海的九个郡，杀死二千石、县令、长。派侍御史巴郡人庞雄督率州郡的军队攻打他们。张伯路等人乞求归降，不久又聚合在一起。

九月，雁门郡的乌桓率众王无何允和鲜卑族首领丘伦等人，以及南匈奴骨都侯，集合七千骑兵寇掠五原郡，与五原郡太守在高渠谷交战，汉军大败。

南匈奴单于在美稷县包围使匈奴中郎将耿种。冬，十一月，任命大司农陈国人何熙代理车骑将军事务，中郎将庞雄为副职，率领五营与边郡士兵共二万多人，又下诏辽东郡太守耿夔率领鲜卑和诸郡一起攻击南匈奴。任命梁慬代理度辽将军事务。庞雄、耿夔进攻南匈奴薁鞬日逐王，击败了他们。

十二月初五日辛酉，九个郡国发生地震。

十九日乙亥，有彗星出现在天苑星区。

这一年，京城和四十一个郡国雨水成灾。并州、凉州大饥荒，人吃人。

邓太后因为阴阳不和，战事不断发生，下诏年底设宴慰劳复员卫士时，不再设角抵戏奏乐，逐疫童子减少一半人数。

鲔为司徒。㉓选辟：选举征召。㉔门下耆生：鲁恭门下的老弟子。耆，六十岁老人之称。㉕学之不讲二句：不讲习学问，这是我所忧虑的。讲，讲习、研求。此引孔子之言，见《论语·述而》。㉖乡举：家乡的乡里进行举荐。㉗穷核：深究考查义理。㉘问难：诘问辩难。㉙道成：学业成功。㉚谢遣：辞谢让其离去。㉛谢与议论：辞谢和评议。㉜丙寅：四月初七日。㉝关内侯：秦汉二十级爵之第十九级，位仅次列侯。㉞虎贲、羽林郎、五官：皆郎官之名。㉟大夫：有光禄大夫、太中大夫、中散大夫、谏议大夫。㊱官府吏：中央各官府执事人员。㊲缇骑：身着赤黄色衣的骑士，为执金吾部属。㊳营士：北军五校营兵。㊴各有差：各有不同的等级。㊵甲申：四月二十五日。㊶丙申：五月初七日。㊷右北平：郡名，郡治土垠，在今河北唐山市丰润区。㊸代郡、上谷：皆郡名。代郡治高柳，在今山西阳高。上谷郡治沮阳，在今河北怀来东南。㊹侍御史：御史大夫府属官，受公卿奏事，弹劾举奏大臣犯法者。㊺雁门：郡名，雁门郡治所阴馆，在今山西代县西北。㊻骨都侯：匈奴贵族官名，位在大当户下。㊼五原：郡名，治所九原，在今内蒙古包头西。㊽高渠谷：地名，在九原境内。据《东观汉记》载，"战于九原高梁谷"，梁与渠两字相似，不知孰误。㊾中郎将：此为"使匈奴中郎将"之省称。㊿美稷：

县名，属西河郡，县邑在今内蒙古准格尔旗西北。㉛辛酉：十二月初五日。㉜乙亥：十二月十九日。㉝有星孛于天苑：有彗星出现在天苑星区。《晋书·天文志》："天苑十六星在昂、毕南，天子之苑囿，养兽之所也。"㉞诏岁终飨遣卫士句：邓太后下诏，年终举行欢送期满卫士的宴会上，停止角抵戏表演和奏乐。西汉旧制，宫廷卫士，年终移交换班，皇帝设宴招待期满卫士，仪式极为隆重。文武百官出席，各就各位，礼宾官（谒者）持节引导卫士从端门进宫，卫司马拿着旗帜、乐器在旁并行，站定位置。再由侍御史持节慰劳，宣读诏书慰问疾苦，接受卫士的上书。然后赐宴奏乐，观看摔跤游戏。礼毕，遣送卫士回乡种田。㉟减逐疫侲子之半：减少一半逐疫童子。侲子，幼童。逐疫童子定员一百二十人，选中黄门子弟十岁以上、十二岁以下。

【原文】

四年（庚戌，公元一一〇年）

春，正月，元会[356]，彻乐，不陈充庭车[357]。

邓骘在位，颇能推进贤士，荐何熙[358]、李郃[359]等列于朝廷。又辟弘农杨震[360]、巴郡陈禅[361]等置之幕府，天下称之。震孤贫好学，明欧阳《尚书》，通达博览，诸儒为之语曰"关西[362]孔子杨伯起"。教授二十余年，不答州郡礼命[363]，众人谓之晚暮[364]，而震志愈笃。骘闻而辟之，时震年已五十余，累迁荆州刺史、东莱[365]太守。当之郡，道经昌邑[366]，故所举荆州茂才王密为昌邑令，夜怀金十斤以遗震。震曰："故人知君，君不知故人，何也？"密曰："暮夜无知者。"震曰："天知，地知，我知，子知，何谓无知者！"密愧而出。后转涿郡[367]太守。性公廉[368]，子孙常蔬食[369]、步行[370]。故旧或欲令为开产业[371]，震不肯，曰："使后世称为清白吏子孙，以此遗之，不亦厚乎！"

张伯路复攻郡县，杀守令，党众浸盛[372]。诏遣御史中丞王宗持节发幽、冀诸郡兵，合数万人，征宛陵[373]令扶风法雄[374]为青州刺史，与宗并力讨之。

南单于围耿种数月，梁慬、耿夔击斩其别将于属国故城[375]。单于自将迎战，慬等复破之，单于遂引还虎泽[376]。

【校记】

［7］者：据章钰校，乙十一行本作“旧”。［8］侯：原无此字。据章钰校，甲十六行本、乙十一行本、孔天胤本皆有此字，张敦仁《通鉴刊本识误》、张瑛《通鉴校勘记》同，今据补。［9］兵：原无此字。据章钰校，甲十六行本、乙十一行本、孔天胤本皆有此字，张敦仁《通鉴刊本识误》、张瑛《通鉴校勘记》同，今据补。

【语译】

四年（庚戌，公元一一〇年）

春，正月，元旦朝会，停止演奏音乐，不在庭中陈列皇帝仪仗车辇。

邓骘在位，很善于推荐贤士，荐举何熙、李郃等人列位朝廷。又征辟弘农郡人杨震、巴郡人陈禅等人在自己的幕府任职，天下人赞扬邓骘。杨震少孤家贫好学，通晓欧阳《尚书》，博览通识，众儒生称他为“关西孔子杨伯起”。教授学生二十多年，不接受州郡的征辟，大家说他年老以后再出仕就太晚了，而杨震的志向更加坚定。邓骘听说后就征召他。当时杨震已经五十多岁，接连升任荆州刺史、东莱郡太守。杨震应当前往东莱郡上任时，途中经过昌邑县，过去他推荐的荆州茂才王密担任昌邑县令，夜晚怀揣十斤黄金来送给杨震，杨震说：“老朋友了解你，你却不了解老朋友，为什么呢？”王密说：“夜晚无人知道。”杨震说：“天知，地知，我知，你知，怎么能说无人知道呢！”王密惭愧而去。杨震后来改任涿郡太守，品性公正廉洁，子孙经常吃素食，徒步出行。故友旧交中有人想让他置办产业，杨震不肯，说：“让后世称赞他们是清白官吏的子孙，把这个留给他们，不也很丰厚吗！”

海贼张伯路再次攻打郡县，杀死太守县令，党徒逐渐众多。皇帝下诏派御史中丞王宗持符节前往，调动幽州、冀州各郡的军队，合计几万人，征召宛陵县令扶风人法雄任青州刺史，与王宗合力讨伐海贼。

南匈奴单于包围了耿种几个月，梁慬、耿夔在属国故城击杀他的大将。单于亲自率兵迎战，梁慬等人再次击败他们，单于便率兵退回虎泽。

丙午㊼，诏减百官及州郡县奉各有差。

二月，南匈奴寇常山㊽。

滇零遣兵寇褒中㊾，汉中太守郑勤移屯褒中。

任尚军久出无功，民废农桑，乃诏尚将吏兵[10]还屯长安，罢遣南阳、颍川、汝南吏士。

乙丑㊿，初置京兆虎牙都尉于长安，扶风都尉于雍(381)，如西京三辅都尉故事(382)。

谒者庞参(383)说邓骘，徙边郡不能自存者入居三辅。骘然之，欲弃凉州，并力北边。乃会公卿集议，骘曰："譬若衣败坏，一以相补，犹有所完(384)。若不如此，将两无所保。"公卿皆以为然[11]。郎中陈国虞诩(385)言于太尉张禹曰："若大将军之策，不可者三：先帝开拓土宇，劬劳(386)后定，而今惮小费，举而弃之，此不可一也。凉州(387)既弃，即以三辅为塞(388)，则园陵单外(389)，此不可二也。喭(390)曰：'关西出将，关东出相(391)。'烈士武臣，多出凉州，土风壮猛，便习兵事。今羌、胡所以不敢入据三辅为心腹之害者，以凉州在后故也。凉州士民所以推锋执锐(392)，蒙矢石于行陈(393)，父死于前，子战于后，无反顾(394)之心者，为臣属于汉故也。今推而捐之(395)，割而弃之(396)，民庶(397)安土重迁，必引领而怨曰：'中国弃我于夷狄！'虽赴义从善之人，不能无恨。如卒然起谋(398)，因天下之饥敝，乘海内之虚弱，豪雄相聚，量材立帅(399)，驱氐、羌以为前锋，席卷而东(400)，虽贲、育(401)为卒，太公(402)为将，犹恐不足当御。如此则函谷(403)以西，园陵旧京非复汉有，此不可三也。议者喻以补衣犹有所完，诩恐其疽食侵淫(404)而无限极也。"禹曰："吾意不及此，微子之言(405)，几败国事。"诩因说禹："收罗凉土豪杰，引其牧守子弟于朝(406)，令诸府各辟数人(407)，外以劝厉答其功勤(408)，内以拘致防其邪计(409)。"禹善其言，更集四府(410)，皆从诩议。于是辟西州豪杰为掾属，拜牧守、长吏子弟为郎，以安慰之。

邓骘由是恶诩，欲以吏法中伤之(411)。会朝歌(412)贼宁季等数千人攻杀长吏，屯聚连年，州郡不能禁，乃以诩为朝歌长。故旧皆吊(413)之，

正月二十一日丙午，下诏按等级减少百官和各州郡县官吏的俸禄。

二月，南匈奴寇掠常山郡。

滇零派兵寇掠褒中县，汉中郡太守郑勤移兵驻守褒中县。

任尚长期出兵没有战功，百姓荒废了农桑之业，于是诏令任尚率领官吏和士兵返回屯驻长安，解散遣返南阳郡、颍川郡、汝南郡的官吏和士兵。

二月初十日乙丑，初次在长安设立京兆虎牙都尉，在雍县设立扶风都尉，参照西汉三辅都尉旧例。

谒者庞参劝说邓骘，把沿边各郡不能自己生存的百姓迁到三辅。邓骘赞同他的意见，想放弃凉州，合力防守北边。于是召集公卿讨论，邓骘说："这好比衣服破了，拿一件补另一件，还有完整的。如果不这样，将会两件衣服都保不住。"公卿都认为是这样。郎中陈国人虞诩对太尉张禹说："如果按大将军的计划，有三点不可以：先皇帝开拓疆域，勤劳而后安定，而现在却害怕花费一点军费，将它们全部抛弃，这是第一点不可以。凉州既然被抛弃，就是拿三辅作为边塞，那么先皇帝的园陵就孤单在外，这是第二点不可以。俗谚说：'关西出将，关东出相。'烈士武臣，大多出自凉州，凉州民风雄壮勇猛，熟悉兵事。现在羌人、胡人之所以不敢进占三辅而成为心腹之害，就是因为凉州在后面的缘故。凉州士民之所以手执锐利的武器，冒着箭矢飞石冲锋陷阵，父亲战死之后，儿子又继续战斗，毫无退缩之心，是因为他们是汉朝的臣民。现在扔掉他们，割舍遗弃他们，百姓安居故土，不肯轻易迁徙，必然伸颈远望发出怨言：'中国把我们抛弃给夷狄了！'即便是重义向善的人，也不可能没有怨恨。如果突然起而谋叛朝廷，趁天下饥馑疲惫，海内虚弱，豪杰互相聚集，衡量才干推立统帅，驱使氐人、羌人为前锋，像卷席子一样向东挺进，虽有孟贲、夏育做士兵，太公任将帅，恐怕也无法抵挡。如果是这样，那么函谷关以西，先帝的陵园、旧都长安都不再是汉朝所有，这是第三点不可以。议论的人用补衣尚有一件完整的衣服做比喻，我担心这块疮疽侵蚀溃烂没有止境。"张禹说："我考虑得还没有如此深刻，没有你这番话，几乎败坏了国家大事。"虞诩因此劝说张禹："网罗凉州当地豪杰，引荐州牧郡守的子弟到朝廷任职，命令众官府各自征用几个人，表面上是勉励回报他们父兄的功勋，内里实际上是控制他们，防止他们出邪谋。"张禹赞同他的话，重新集合四府会议，全部采纳了虞诩的建议。于是征辟西州的豪杰做中央掾属，任命州牧、郡守、高官的子弟为郎官，借此来安慰他们。

邓骘因此怨恨虞诩，想用官吏之法来中伤他。正逢朝歌县盗贼宁季等几千人攻杀县长吏，屯聚数年，州郡无法禁止，于是委任虞诩为朝歌县长。故友旧交都慰问他，

诩笑曰："事不避难，臣之职也[414]。不遇盘根错节，无以别利器[415]，此乃吾立功之秋[416]也。"始到，谒河内太守马稜。稜曰："君儒者，当谋谟[417]庙堂[418]，乃在朝歌，甚为君忧之。"诩曰："此贼犬羊相聚，以求温饱耳，愿明府不以为忧。"稜曰："何以言之?"诩曰："朝歌者，韩、魏之郊[419]，背太行[420]，临黄河，去敖仓[421]不过百里。而青、冀之民流亡万数，贼不知开仓招众，劫库兵[422]，守成皋[423]，断天下右臂[424]，此不足忧也。今其众新盛，难与争锋[425]。兵不厌权[426]，愿宽假辔策[427]，勿令有所拘阂[428]而已。"及到官，设三科以募求壮士[429]，自掾史[430]以下各举所知，其攻劫者为上，伤人偷盗者次之，不事家业者为下，收得百余人。诩为飨会[431]，悉贯其罪[432]，使入贼中诱令劫掠[433]，乃伏兵以待之，遂杀贼数百人。又潜遣贫人能缝者佣作贼衣[434]，以采线[435]缝其裾，有出市里[436]者，吏辄禽[437]之。贼由是骇散[438]，咸称神明，县境皆平。

【段旨】

以上为第六段，写大将军邓骘欲丢弃边郡以避西羌，受到郎中虞诩的批评。邓骘怀恨，借刀杀人，任用虞诩为朝歌长，虞诩到任，盗贼悉平，一方安定。

【注释】

㉟元会：元旦朝会。㊀彻乐二句：在元会上不奏乐，不在大殿陈列皇帝仪式用车辇。陈，陈列。充庭车，每逢大朝会，展览皇帝的车辆仪仗，称充庭车。因本年大饥馑，又有战事，从简。[358]何熙：字孟孙，陈国（今河南周口市淮阳区）人，历官司隶校尉、大司农。传附《后汉书》卷四十七《班梁传》。[359]李郃：字孟节，汉中南郑（今陕西汉中）人，官至司空、司徒。传见《后汉书》卷八十二上。[360]杨震（约公元五四至一二四年）：字伯起，弘农华阴（今陕西华阴东）人，官至太尉，敢直谏，为权奸不容，饮鸩而死。传见《后汉书》卷五十四。[361]陈禅（？至公元一二七年）：字纪山，巴郡安汉（在今四川南充）人，曾为辽东太守，东胡归义。传见《后汉书》卷五十一。[362]关西：弘农在函谷关之西，故称。[363]不答州郡礼命：不接受地方州郡长官的征辟。礼，指延聘之礼。[364]晚暮：迟暮，指年已老，出仕太迟。[365]东莱：郡名，治所黄县，在今山东龙口。[366]昌邑：县名，属山阳郡，县治在今山东巨野。[367]涿郡：郡名，治所涿县，在今河

虞诩笑着说："遇事不回避困难，这是臣子的职责。不遇到盘根错节，就无法分辨锋利的工具，这才是我立功的时机。"虞诩初到任，拜见河内太守马稜。马稜说："你是儒学人士，应该在朝廷上出谋划策，却在朝歌县任职，很为你担忧。"虞诩说："这些盗贼不过是犬羊相聚，以此谋求温饱罢了，希望太守您不要为此忧心。"马稜问："为什么这么说?"虞诩说："朝歌，是古代韩国、魏国的交界处，背靠太行山，面朝黄河，离敖仓不过百里。而青州、冀州百姓流亡的人以万计，盗贼不知道打开粮仓招徕部众，劫取武库的兵器，据守成皋，切断朝廷的右臂，这不值得担忧。现在他们的部众刚刚增多，很难和他们争胜。兵不厌诈，希望您放宽法律尺度，不要在用人上有所拘束。"等到虞诩到任，制定三个等级来招募勇士，从掾史以下各人推举所了解的人中，以那些打家劫舍的人为上等，伤人偷盗的人为次等，不务家业的人为下等，聚集了一百多人。虞诩摆下宴会，全部赦免了他们的罪行，派他们引诱贼人抢劫，然后埋伏军队等待盗贼，杀死盗贼几百人。又暗中派能缝制衣服的穷人受雇为贼人做衣服，用彩色线缝在他们的裙上，盗贼一有人出现在街市乡里，官吏就把他抓住。盗贼因此受惊逃散，百姓都说虞诩神明，朝歌县全境都平定下来。

北涿州。㊳性公廉：品性公正廉洁。㊴蔬食：素食。㊵步行：徒步走路，不乘用公家车骑。㊶为开产业：替子孙置产业。开，置。㊷浸盛：日益众多。㊸宛陵：县名，属河南尹，县治在今安徽宣城。㊹法雄：字文强，扶风郿（在今陕西眉县东北）人，战国时齐襄王法章之后裔。历官宛陵令、青州刺史、南郡太守，所在有政声。传见《后汉书》卷三十八。㊺属国故城：指属国都尉治所，在西河郡美稷县界。㊻虎泽：地名，在美稷县西北，今内蒙古鄂尔多斯市东胜区东南。㊼丙午：正月二十一日。㊽常山：封国名，治所元氏，在今河北元氏西北。㊾褒中：县名，属汉中郡，县治在今陕西汉中西北。㊿乙丑：二月初十日。㊀雍：县名，县治在今陕西宝鸡市凤翔区。㊁如西京三辅都尉故事：仿效西汉置三辅都尉的前例。西京，长安，此指西汉。西京三辅都尉，京兆有京辅都尉，冯翊有左辅都尉，扶风有右辅都尉。三辅都尉统辖三辅地区军队治安。东汉安帝始在长安置京兆虎牙都尉，在雍置扶风都尉，因凉州近羌屡屡进犯三辅，故置以率兵护卫西汉帝陵。㊂庞参：东汉安羌名将。传见《后汉书》卷五十一。㊃一以相补二句：牺牲一件坏衣去补另一件，还可以有一件好衣。此为邓骘欲弃守凉州的托词。㊄虞诩：字升卿，陈国武平（在今河南柘城南）人，为人刚正不阿，仕安帝、顺帝两朝，九次被降职，三次入狱，刚正之性，终老不改。传见《后汉书》卷五十八。㊅劬劳：勤劳。㊆凉州：指陇西、安定、北地郡，均为凉州所部。㊇即以三辅为塞：等于是把关中三辅地区

作为边塞。(389)园陵单外：祖宗坟墓孤单在外。西汉诸帝墓在三辅，三辅既为边塞，祖陵孤悬，安全不可保障。(390)喭：传言；谚语。(391)关西出将二句：秦汉时民谚。秦将白起、王翦，汉兴公孙贺、傅介子、李广、李蔡、赵充国、辛武贤等名将皆出于函谷关以西凉州。丞相萧何、曹参、魏相、邴吉、韦贤、韦玄成、平当、孔光等皆出于关东。(392)推锋执锐：手执锐利武器。(393)蒙矢石于行陈：在军阵中冒着敌人的箭矢滚石。蒙，冒着、承受。陈，通“阵”。(394)反顾：回头看，退缩。(395)推而捐之：把他们推开扔掉。(396)割而弃之：把他们割舍丢弃。(397)民庶：庶民；百姓。(398)卒然起谋：突然起来谋叛朝廷。卒，通“猝”。(399)量材立帅：衡量才能推立为统帅。(400)席卷而东：像卷席子一样向东挺进。席卷，形容气势迅猛，横扫无遗。(401)贲、育：孟贲、夏育，传说的古代勇士。(402)太公：西周开国宰相姜子牙。(403)函谷：关名，在今河南灵宝北。(404)疽食侵淫：脓疮溃烂，日益扩大，以致体无完肤。疽，恶疮。食，通“蚀”，溃烂。(405)微子之言：没有您的建言。微，无、没有。(406)引其牧守子弟于朝：引荐凉州地方官子弟在京师做官。(407)令诸府各辟数人：规定各官府都要任用几个凉州人。辟，辟除、任用。(408)外以劝厉答其功勤：外表是勉励回报他们父兄的功勋。答，报答。(409)内以拘致防其邪计：内里实际是控制他们，防止他们的邪谋。拘致，控制。邪计，邪谋、谋反。(410)四府：太傅、太尉、司徒、司空四府，集议以驳正大将军邓骘弃凉州之议。(411)以吏法中伤之：用官吏之法来诬蔑、迫害虞诩，假公报私。(412)朝歌：县名，属河内郡，县治在今河南淇县。(413)吊：慰问；安慰。(414)事不避难二句：做事不回避艰难，这是臣下应有的责任。(415)不遇盘根错节二句：不遇到盘根

【原文】

三月，何熙军到五原曼柏[439]，暴疾，不能进，遣庞雄与梁慬、耿种将步骑万六千人攻虎泽，连营稍前。单于见诸军并进，大恐怖，顾让[440]韩琮曰：“汝言汉人死尽，今是何等人也！”乃遣使乞降，许之。单于脱帽徒跣[441]，对庞雄等拜陈[442]，道死罪[443]。于是赦之，遇待如初。乃还所钞[444]汉民男女，及羌所略转卖入匈奴中者合万余人。会熙卒，即拜梁慬为度辽将军。庞雄还，为大鸿胪。

先零羌复寇褒中。郑勤欲击之，主簿段崇谏，以为“虏乘胜，锋不可当，宜坚守待之”。勤不从，出战，大败，死者三千余人。段崇及门下史王宗、原展[445]以身捍刃[446]，与勤俱死。徙[12]金城郡居襄武[447]。

错节，就无法分辨锋利的工具。⑯秋：收获时节，喻关键时机、紧要时刻。⑰谋谟：谋划；制定谋略。⑱庙堂：朝廷。⑲韩、魏之郊：战国时韩、魏两国的交界地。⑳背太行：背靠太行山。㉑敖仓：秦汉时筑于军事要地的大粮仓，在今河南荥阳东北敖山，地当黄河和济水分流处。㉒劫库兵：抢劫武库的兵器。㉓成皋：县名，自古为军事要地，旧城在今河南荥阳西。㉔右臂：指要害部分。因人习惯以右手做事，故喻之。㉕争锋：争胜。㉖兵不厌权：兵不厌诈。权，权谋。㉗宽假辔策：放宽法律尺度。辔策，马缰绳和马鞭，用以喻法律。㉘拘阂：拘束。㉙设三科以募求壮士：制定三等标准招募勇士。即下文的公开抢人的人为上等，打架伤人及偷盗的人为中等，游手好闲的人为下等。这些都是恶少年，虞诩招募他们深入敌人内部为奸细，用其所长。㉚掾史：此指县属吏，掾有廷掾，为百石小吏，史有狱史、佐史、斗食、令史、掾史等。㉛飨会：宴会。㉜贳其罪：赦免他们的罪行。㉝诱令劫掠：引诱贼人离开驻地出来抢劫。㉞佣作贼衣：受雇为贼人做衣服。㉟采线：彩色的线。㊱出市里：出现在街市乡里。㊲禽：通“擒”。㊳骇散：受惊逃散。

【校记】

［10］兵：原作“民”。据章钰校，甲十六行本、乙十一行本皆作“兵”，今据改。［11］公卿皆以为然：原无此六字。据章钰校，甲十六行本、乙十一行本、孔天胤本皆有此六字，张敦仁《通鉴刊本识误》、张瑛《通鉴校勘记》同，今据补。

【语译】

三月，何熙军到达五原郡曼柏县，何熙突患重病，不能前进，派庞雄和梁慬、耿种率领步兵骑兵一万六千人攻占虎泽，军营相连，逐渐前移。单于看见各军齐头并进，非常恐惧，回头责备韩琮说：“你说汉人都死光了，现在这些是什么人！”于是派使者乞求归降，何熙同意了。单于脱帽赤脚，向庞雄等人叩拜谢罪，自称死罪。于是赦免了单于，像当初一样对待他。单于便归还掠去的汉族男女和羌人掳走转卖给匈奴的共一万多人。这时正巧何熙去世，当即任命梁慬为度辽将军。庞雄返回京城，担任大鸿胪。

先零羌又入侵褒中县。郑勤想要攻击他们，主簿段崇劝谏，认为“敌人乘胜，势不可挡，应该坚守等待机会”。郑勤不听，出战，大败，死了三千多人。段崇和门下史王宗、原展用身体抵挡敌人的兵刃，与郑勤一起战死。把金城郡治所迁到襄武县。

戊子[448]，杜陵园火[449]。

癸巳[450]，郡国九地震。

夏，四月，六州蝗[451]。

丁丑[452]，赦天下。

王宗、法雄与张伯路连战，破走之。会赦到[453]，贼以军未解甲[454]，不敢归降。王宗召刺史太守[455]共议，皆以为当遂击之[456]。法雄曰："不然。兵凶器，战危事，勇不可恃，胜不可必。贼若乘船浮海，深入远岛，攻之未易也。及有赦令，可且罢兵以慰诱其心，势必解散，然后图之，可不战而定也。"宗善其言，即罢兵。贼闻大喜，乃还所略人。而东莱郡[457]兵独未解甲，贼复惊恐，遁走辽东，止海岛上。

秋，七月乙酉[458]，三郡大水。

骑都尉任仁与羌战累败，而兵士放纵[459]，槛车征诣廷尉，死。护羌校尉段禧[460]卒，复以前校尉侯霸代之，移居张掖[461]。

九月甲申[462]，益州郡地震。

皇太后母新野君[463]病，太后幸其第，连日宿止。三公上表固争，乃还宫。冬，十月甲戌[464]，新野君薨，使司空护丧事，仪比东海恭王[465]。邓骘等乞身行服[466]，太后欲不许，以问曹大家[467]。大家上疏曰："妾闻谦让之风，德莫大焉。今四舅[468]深执忠孝，引身自退。而以方垂未静[469]，拒而不许。如后有毫毛加于今日，诚恐推让之名不可再得[470]。"太后乃许之。及服除[471]，诏骘复还辅朝政，更授前封[472]。骘等叩头固让，乃止。于是并奉朝请[473]，位次三公下，特进、侯上[474]，其有大议，乃诣朝堂，与公卿参谋。

太后诏阴后家属皆归故郡[475]，还其资财五百余万。

三月初四日戊子，汉宣帝杜陵陵园发生火灾。

初九日癸巳，有九个郡国发生地震。

夏，四月，六个州发生蝗灾。

二十三日丁丑，大赦天下。

王宗、法雄与海贼张伯路连续交战，大败海贼，海贼逃走。遇上赦令到达，海贼因为朝廷军队没有解除盔甲，不敢前来投降。王宗召集青州刺史及辖内郡太守共同商议，都认为应当乘势追击他们。法雄说：“不对。兵器是凶器，战争是危险行为，不可仗恃勇猛，不必非要战胜。海贼如果乘船渡海，深入远方岛屿，攻打他们就不易了。趁有赦令，可以暂且停战以安抚诱导他们，海贼势必会解散，然后再设法收降他们，就可以不战而平定。”王宗赞同他的建言，立即停战。海贼听了很高兴，于是归还掠走的人口。只有东莱郡军队没有解除戒备，海贼又受到惊吓，逃到辽东郡，驻留在海岛上。

秋，七月初三日乙酉，三个郡发生大水灾。

骑都尉任仁与羌人交战屡屡失败，而士兵又放任妄为，朝廷用囚车征召任仁到廷尉论罪，被处死。护羌校尉段禧去世，再次让前任校尉侯霸接替他的职务，将校尉府移居张掖郡。

九月初三日甲申，益州郡发生地震。

邓太后的母亲新野君患病，邓太后亲临其府第探望，连日住在那里。三公上奏表力劝，才回宫。冬，十月二十三日甲戌，新野君去世，派司空主持丧事，仪式比照东海恭王。邓骘等请求辞官服丧，太后不想批准，以此事询问曹大家。曹大家上疏说：“臣妾听说谦让之风，是最大的美德。现在四位舅舅坚持忠孝，自行引退。太后因边疆尚未安定，拒不批准。如果以后有丝毫差错加在今天的事情上，臣妾真担忧不会再有第二次获得谦让之名的机会。”邓太后就批准了邓骘等的请求。等到服丧期满，下诏邓骘重新辅理朝政，再次授予以前的封爵。邓骘等人磕头坚决推让，这才作罢。于是让邓骘等四舅定期进宫参加朝会，地位仅次于三公，在特进、列侯之上，如有重大议事，就前往朝堂，与公卿共同参谋讨论。

邓太后下诏让阴皇后的家属都回到故乡南阳郡，返还没收的五百多万财产。

【段旨】

以上为第七段，写汉军大胜匈奴、海贼而败于西羌，徙金城郡治以避其锋。

【注释】

㊴曼柏：县名，属五原郡，县治在今内蒙古达拉特旗东南。㊵顾让：回头责备。顾，回头看。让，责备。㊶单于脱帽徒跣：单于，即万氏尸逐鞮单于檀，公元九八至一二四年在位。他脱下单于帽，赤着脚，表示请罪。㊷拜陈：叩拜陈说。㊸道死罪：口称犯死罪，当死。㊹钞：掳掠。㊺原展：人名，姓原，名展。㊻以身捍刃：以身抵挡敌人的兵刃。为了护卫郑勤，以自己的身体挡住敌人的兵刃。㊼徙金城郡居襄武：将金城郡治所迁到襄武。襄武，县名，属陇西郡，县治在今甘肃陇西东南。㊽戊子：三月初四日。㊾杜陵园火：宣帝杜陵陵园失火。㊿癸巳：三月初九日。(451)六州蝗：六州发生蝗灾。据《东观汉记》载，六州为司隶、豫、兖、徐、青、冀。(452)丁丑：四月二十三日。(453)会赦到：遇上赦免诏书到达。(454)军未解甲：指朝廷军队尚未解除戒备。解甲，脱下盔甲，指解除戒备。(455)刺史太守：青州刺史及所辖郡太守。(456)当遂击之：应当乘机攻打他们。(457)东莱郡：辖今山东半岛尖端地区，治所黄县，在今山东龙口。(458)乙酉：七月初三日。(459)放纵：无纪律约束，恣意所为。(460)护羌校尉段禧：段禧曾任骑都尉、西域都护，安帝永初二年接替侯霸任护羌校尉。护羌校尉，主西羌事务。(461)移居张掖：护羌校尉治所西汉宣帝时在金城郡令居（在今甘肃永登西北），东汉时移居临羌（在今青海湟源南），永初二年因金城羌人起事暂移治于陇西郡狄道县（今甘肃临洮），现移治河西张掖

【原文】

五年（辛亥，公元一一一年）

春，正月庚辰朔(476)，日有食之。

丙戌(477)，郡国十地震。

己丑(478)，太尉张禹免。甲申(479)，以光禄勋颍川李修为太尉。

先零羌寇河东，至河内，百姓相惊，多南奔度河。使北军中候(480)朱宠将五营士屯孟津(481)，诏魏郡、赵国、常山、中山(482)缮作坞候(483)六百一十六所。羌既转盛，而缘边二千石、令、长多内郡人，并无守战意，皆争上徙郡县以避寇难(484)。三月，诏陇西徙襄武(485)，安定徙美阳(486)，北地徙池阳(487)，上郡徙[13]衙(488)。百姓恋土，不乐去旧(489)，遂乃刈其禾稼，发彻室屋，夷营壁，破积聚(490)。时连旱蝗饥荒，而驱蹙(491)劫掠(492)，流离分散，随道死亡(493)，或弃捐老弱(494)，或为人仆妾，丧其太

郡觻得（今甘肃张掖西北）。㊽甲申：九月初三日。㊾新野君：邓绥太后之母，封新野君。汉制，妇人封君，仪比公主。㊿甲戌：十月二十三日。465东海恭王：事见本书卷四十四明帝永平元年。466乞身行服：辞官守三年之丧。467曹大家：即东汉史学家班昭（约公元四九至一二〇年），班固、班超之妹，和帝时经常入宫为后妃讲学，因其夫为曹世叔，宫中尊称为曹大家。传见《后汉书》卷八十四。468四舅：指邓骘、邓悝、邓弘、邓阊。469方垂未静：边疆战乱未宁。方垂，边陲。垂，通"陲"。470如后有毫毛加于今日二句：意谓若四舅不守丧，今后有了过错，即使很小，加上今日不守丧，更会怪罪他们，那时再想得到推让守丧之名，也没有第二次机会了。毫毛，喻细微之过。471服除：服丧期满。472更授前封：重新提出封拜四舅为侯。前封，指安帝初即位封四舅为侯，皆辞不受，见本卷永初元年。473并奉朝请：四舅皆享受出入宫禁的特权。奉朝请，定期进宫朝见皇帝。474位次三公下二句：四舅朝会时位次在三公之下，在特进及列侯之上。475诏阴后家属皆归故郡：和帝阴皇后被废，家属远徙日南郡，今下诏还归本土南阳郡。阴后家南徙事见上一卷和帝永元十四年。

【校记】

［12］徙：张敦仁《通鉴刊本识误》认为此字上脱"于是"二字。

【语译】

五年（辛亥，公元一一一年）

春，正月初一日庚辰，发生日食。

初七日丙戌，十个郡国发生地震。

初十日己丑，太尉张禹被罢免。初五日甲申，任命光禄勋颍川人李修为太尉。

先零羌入侵河东，到达河内郡，百姓相互惊扰，大多向南逃跑渡过黄河。朝廷派北军中候朱宠率领五营士卒驻守孟津，下诏魏郡、赵国、常山国、中山国修筑土堡哨所六百一十六座。羌人的势力日益壮大，而沿边的郡二千石官员、县令、长大多出身内地各郡，并没有坚守奋战的想法，都争先上书请求把郡县迁到内地，以逃避羌人入侵之难。三月，下诏陇西郡治迁到襄武县，安定郡治迁到美阳县，北地郡治迁到池阳县，上郡治迁到衙县。百姓眷恋故土，不愿意离开故乡，于是官兵割掉禾稼，拆毁房屋，推平营寨城墙，破坏粮储。当时连年发生旱灾、蝗灾、饥荒，而被羌人驱逐劫掠，百姓流离失散，沿途死亡，有的抛弃老弱，有的做了人家的仆妾，

半[495]。复以任尚为侍御史，击羌于上党羊头山[496]，破之，乃罢孟津屯。

夫余王寇乐浪。高句骊王宫与濊貊寇玄菟。

夏，闰四月丁酉[497]，赦凉州、河西四郡[498]。

海贼张伯路复寇东莱，青州刺史法雄击破之。贼逃还辽东，辽东人李久等共斩之，于是州界清静。

秋，九月，汉阳人杜琦及弟季贡、同郡王信等与羌通谋，聚众据上邽[499]城。冬，十二月，汉阳太守赵博遣客杜习刺杀琦，封习讨奸侯。杜季贡、王信等将其众据樗泉营[500]。

是岁，九州蝗，郡国八雨水。

【段旨】

以上为第八段，写先零羌侵扰深入内地河东。

【注释】

⑯庚辰朔：正月初一日。⑰丙戌：正月初七日。⑱己丑：正月初十日。⑲甲申：正月初五日。⑳北军中候：官名，职掌北军屯骑、越骑、步兵、长水、射声五校尉营监察事。㉑孟津：黄河渡口，军事要冲地，在今河南孟州南。㉒魏郡、赵国、常山、中山：四郡国均属冀州。㉓缮作坞候：修筑土堡及哨所。担心羌人自河东、河内郡攻入冀州界内，故修筑坞候进行防备。㉔皆争上徙郡县以避寇难：边疆郡守县令长，都争着上书把郡、县政府迁移到安全地带逃避羌人入侵之难。㉕陇西徙襄武：陇西郡治所从狄道（今甘肃临洮南）移治襄武（在今甘肃陇西县东南）。㉖安定徙美阳：安定郡治所从临泾（在今甘肃镇原南）内移至右扶风美阳县（在今陕西扶风）。㉗北地徙池阳：北地郡治所从富

【原文】

六年（壬子，公元一一二年）

春，正月甲寅[501]，诏曰："凡供荐新味[502]，多非其节[503]，或郁养强孰[504]，或穿掘萌芽[505]，味无所至而夭折生长[506]，岂所以顺时育物[507]乎！

人口损失大半。朝廷重新任命任尚为侍御史，在上党羊头山攻击羌人打败了他们，于是解散孟津的屯兵。

夫余王入侵乐浪郡。高句丽王宫和濊貊侵犯玄菟郡。

夏，闰四月十九日丁酉，赦免凉州、河西四郡不愿内迁的民众。

海盗张伯路再次入侵东莱郡，青州刺史法雄击败他们。海贼逃回辽东郡，辽东人李久等一起杀死他们，于是青州境内平静下来。

秋，九月，汉阳郡人杜琦和弟弟杜季贡、同郡人王信等人和羌人串通谋反，聚众占领上邽城。冬，十二月，汉阳郡太守赵博派门客杜习刺杀杜琦，册封杜习为讨奸侯。杜季贡、王信等人率领自己的部众占领樗泉营。

这一年，九个州发生蝗灾，八个郡国发生雨水灾害。

平（在今宁夏吴忠西南）内徙至左冯翊的池阳（在今陕西泾阳北）。㊽上郡徙衙：上郡治所从肤施（今陕西榆林南）内徙左冯翊衙县（在今陕西白水县）。㊾不乐去旧：不愿离开故土。㊿遂乃刈其禾稼四句：指政府采取逼民祸民的措施，派出军队，毁坏庄稼，拆除房屋，夷平城墙营寨，烧毁粮储。遂乃，于是就。刈，割除。发彻，拆除、毁坏。夷，平。491驱蹙：驱赶迫促。蹙，逼迫、追逼。492劫掠：抢劫抢夺。493随道死亡：沿途死亡。494弃捐老弱：将老弱抛弃。495太半：大半。496上党羊头山：上党郡（治所在今山西长子）的羊头山。其山主峰在今山西高平北。497丁酉：闰四月十九日。498赦凉州、河西四郡：赦凉州、河西四郡不愿内迁之民。499上邽：县名，县治在今甘肃天水市西南。500樗泉营：地名，具体所在不详。

【校记】

［13］徙：原作“治”。据章钰校，甲十六行本、乙十一行本皆作“徙”，今据改。

【语译】

六年（壬子，公元一一二年）

春，正月十一日甲寅，汉安帝下诏说：“凡进献新鲜美味，大多不合时令，有的是在温室中加温培养强行使其成熟，有的是人工刨土助长提前发芽，还没有滋味就提前收摘，这难道是顺应天时养育万物的做法吗！古书说：‘不是正常时节的食物，

《传》曰：‘非其时不食。’[508]自今当奉祠陵庙[509]及给御者[510]，皆须时乃上[511]。”凡所省二十三种。

三月，十州蝗。

夏，四月乙丑[512]，司空张敏罢。己卯[513]，以太常刘恺为司空。

诏建武元功二十八将皆绍封[514]。

五月，旱。

丙寅[515]，诏令中二千石下至黄绶，一切复秩[516]。

六月壬辰[517]，豫章员溪原山崩[518]。

辛巳[519]，赦天下。

侍御史唐喜讨汉阳贼王信，破斩之。杜季贡亡，从滇零。是岁，滇零死，子零昌立，年尚少，同种狼莫为其计策，以季贡为将军，别居丁奚城[520]。

七年（癸丑，公元一一三年）

春，二月丙午[521]，郡国十八地震。

夏，四月乙未[522]，平原怀王胜[523]薨，无子，太后立乐安夷王宠[524]子得为平原王。

丙申晦[525]，日有食之。

秋，护羌校尉侯霸、骑都尉马贤击先零别部牢羌于安定，获首虏千人。

蝗。

元初元年（甲寅，公元一一四年）

春，正月甲子[526]，改元。

二月乙卯[527]，日南地坼[528]，长百余里。

三月癸亥[529]，日有食之。

诏遣兵屯河内通谷冲要[530]三十六[14]所，皆作坞壁，设鸣鼓，以备羌寇。

夏，四月丁酉[531]，赦天下。

京师及郡国五旱，蝗。

五月，先零羌寇雍城[532]。

秋，七月[15]，蜀郡[533]夷寇蚕陵[534]，杀县令。

不吃。'从现在起，凡是要供奉祭祀陵园宗庙和供应给天子的食物，都必须到时节才进献。"总计减少了二十三种供品。

三月，十个州发生蝗灾。

夏，四月乙丑日，司空张敏被免职。初七日己卯，任命太常刘恺为司空。

下诏，对光武帝建武时的开国功臣云台二十八将，后裔绝国的，一律恢复封国。

五月，发生旱灾。

二十五日丙寅，诏令中二千石的官员下至黄色印绶的二百石官员，一律恢复原来的俸禄。

六月二十一日壬辰，豫章郡员溪县的原山崩塌。

初十日辛巳，赦免天下。

侍御史唐喜讨伐汉阳郡盗贼王信，打败并杀了他。杜季贡逃亡，投奔滇零。这一年，滇零去世，滇零的儿子零昌立为王，年龄还小，同族人狼莫为他出谋划策，任命季贡为将军，另外居住在丁奚城。

七年（癸丑，公元一一三年）

春，二月丙午日，十八个郡国发生地震。

夏，四月二十九日乙未，平原怀王刘胜去世，没有儿子，邓太后立乐安夷王刘宠的儿子刘得为平原王。

最后一天三十日丙申，发生日食。

秋，护羌校尉侯霸、骑都尉马贤在安定郡攻击先零羌的一支牢羌，杀死及俘虏共一千人。

发生蝗灾。

元初元年（甲寅，公元一一四年）

春，正月初二日甲子，改年号。

二月二十四日乙卯，日南郡地裂，长达一百余里。

三月初二日癸亥，发生日食。

下诏派军队屯驻河内郡山谷交通要道三十六处，全都建造碉堡，设置鸣鼓，用以防备羌人入侵。

夏，四月初七日丁酉，大赦天下。

京师及五个郡国大旱，发生蝗灾。

五月，先零羌侵犯雍城。

秋，七月，蜀郡夷人侵犯蚕陵县，杀死县令。

九月乙丑[535]，太尉李修罢。

羌豪号多与诸种钞掠武都、汉中，巴郡板盾蛮[536]救之，汉中五官掾[537]程信率郡兵与蛮共击破之。号多走还，断陇道[538]，与零昌[539]合。侯霸、马贤与战于枹罕[540]，破之。

辛未[541]，以大司农山阳司马苞为太尉。

冬，十月戊子朔[542]，日有食之。

凉州刺史皮杨击羌于狄道，大败，死者八百余人。

是岁，郡国十五地震。

【段旨】

以上为第九段，写西羌为害东汉西疆沿边诸郡，汉阳、安定、武都、汉中并受侵扰。

【注释】

⑤⓪①甲寅：正月十一日。⑤⓪②供荐新味：进贡皇上新鲜食品。⑤⓪③多非其节：大多不合时令；许多食品不在自然生长时节长成。⑤⓪④郁养强孰：指建温室，蓄火保持一定温度，强行培植蔬果成熟。郁，通“燠”，温暖。孰，通“熟”。⑤⓪⑤穿掘萌芽：人工挖掘助植物破土发芽。⑤⓪⑥味无所至而夭折生长：还没有滋味就提早收摘。味无所至，指未成熟。夭折生长，指提早收摘。⑤⓪⑦顺时育物：顺应天时，育养万物。⑤⓪⑧《传》曰二句：语出《论语·乡党》，“不时，不食”。不到正常时节的食品，不吃。⑤⓪⑨奉祠陵庙：供奉祭祀陵园及宗庙的食品。⑤①⓪给御者：供给皇上御用的食品。⑤①①须时乃上：等待时节成熟再上供进献。⑤①②乙丑：四月癸酉朔，无乙丑。乙丑，疑为丁丑之误。丁丑，四月初五日。⑤①③己卯：四月初七日。⑤①④诏建武元功二十八将句：下诏，对光武帝建武时的开国功臣云台二十八将，后裔绝国的，一律恢复封国。元功，开国功臣。明帝时追奖功臣，图画二十八将于南宫云台，史称云台二十八将。有邓禹、吴汉等人。二十八人名见《后汉书》卷二十二《马武传》后。⑤①⑤丙寅：五月二十五日。⑤①⑥诏令中二千石二句：中二千石，为九卿，青绶。四百石至二百石的低级官吏，黄绶。安帝永初四年减百官俸禄，今下诏恢

九月初七日乙丑，太尉李修被免职。

羌人酋长号多和各部族抢掠武都郡、汉中郡，巴郡的板盾蛮人援救郡民，汉中郡五官掾程信率领本郡军队和蛮人一起击败了羌人。号多逃回原地，切断陇道，与零昌会合。侯霸、马贤在枹罕县和叛羌交战，打败他们。

九月十三日辛未，任命大司农山阳郡人司马苞为太尉。

冬，十月初一日戊子，发生日食。

凉州刺史皮杨在狄道县攻击羌人，大败，死了八百多人。

这年，十五个郡国发生地震。

复各级官员原来的俸禄。⑰壬辰：六月二十一日。⑱豫章员溪原山崩：豫章郡员溪县的原山崩塌。员溪县，今地不详。豫章郡治所南昌，在今江西南昌。⑲辛巳：六月初十日。⑳丁奚城：在今宁夏灵武南。㉑丙午：二月戊辰朔，无丙午。丙午，三月初九日。㉒乙未：四月二十九日。㉓平原怀王胜：平原王刘胜，和帝刘肇长子，谥为怀王。传见《后汉书》卷五十五。㉔乐安夷王宠：乐安王刘宠，和帝兄千乘王刘伉之子。传见《后汉书》卷五十五。㉕丙申晦：四月三十日。㉖甲子：正月初二日。㉗乙卯：二月二十四日。㉘地坼：大地震使地裂。㉙癸亥：三月初二日。㉚通谷冲要：往来山谷要道。限隔并州与冀州的太行山与恒山，其间有许多山谷通道，在冲要之处建筑哨所土堡。㉛丁酉：四月初七日。㉜雍城：即雍县县城，属右扶风，在今陕西宝鸡市凤翔区。㉝蜀郡：郡名，治所成都，在今四川成都。㉞蚕陵：县名，属蜀郡，县治在今四川茂县西北。㉟乙丑：九月初七日。㊱巴郡板盾蛮：巴郡，辖今四川东北部地区，治所江州，在今重庆市。板盾蛮，古代巴人的一支，居于嘉陵江上游，今四川阆中一带。因作战时使用木板为盾，故以为名。㊲五官掾：郡守属吏，署理功曹及各曹事务。㊳断陇道：切断雍州与凉州之间的陇山通道。㊴零昌：西羌大酋长。㊵枹罕：县名，县治在今甘肃临夏东北。㊶辛未：九月十三日。㊷戊子朔：十月初一日。

【校记】

［14］三十六：据章钰校，甲十六行本、乙十一行本、孔天胤本皆作“三十三”。［15］秋，七月：原无此三字。据章钰校，甲十六行本、乙十一行本、孔天胤本皆有此三字，张敦仁《通鉴刊本识误》、张瑛《通鉴校勘记》同，今据补。

【原文】

二年（乙卯，公元一一五年）

春，护羌校尉庞参以恩信招诱诸羌，号多等帅[543]众降。参遣诣阙，赐号多侯印，遣之。参始还治令居[544]，通河西道。

零昌分兵寇益州，遣中郎将尹就讨之。

夏，四月丙午[545]，立贵人荥阳阎氏为皇后[546]。后性妒忌，后宫李氏生皇子保[547]，后鸩杀李氏。

五月，京师旱，河南及郡国十九蝗。

六月丙戌[548]，太尉司马苞薨。

秋，七月辛巳[549]，以太仆泰山马英为太尉。

八月，辽东鲜卑围无虑[550]。九月，又攻夫犁营[551]，杀县令。

壬午晦[552]，日有食之。

尹就击羌党吕叔都等，蜀人陈省、罗横应募刺杀叔都，皆封侯，赐钱。

诏屯骑校尉班雄屯三辅。雄，超之子也。以左冯翊司马钧行征西将军[553]，督关中诸郡兵八千余人。庞参将羌、胡兵七千余人，与钧分道并击零昌。参兵至勇士[554]东，为杜季贡所败，引退[555]。钧等独进，攻拔丁奚城，杜季贡率众伪逃。钧令右扶风仲光等收羌禾稼[556]。光等违钧节度[557]，散兵[558]深入，羌乃设伏要击[559]之。钧在城中，怒而不救。冬，十月乙未[560]，光等兵败，并没[561]，死者三千余人，钧乃遁还[562]。庞参既失期，称病引还[563]。皆坐征[564]，下狱，钧自杀。时度辽将军梁慬亦坐事抵罪[565]。校书郎中[566]扶风马融[567]上书称参、慬智能，宜宥过责效[568]。诏赦参等，以马贤代参领护羌校尉[569]，复以任尚为中郎将，代班雄屯三辅。

怀[570]令虞诩说尚曰："兵法，弱不攻强，走不逐飞[571]，自然之势也。今虏皆马骑，日行数百里，来如风雨，去如绝弦[572]。以步追之，势不相及。所以虽屯兵二十余万，旷日而无功也。为使君计，莫如罢诸郡兵，各令出钱数千，二十人共市一马[573]，以万骑之众，逐数千之虏，追尾[574]掩截[575]，其道自穷[576]。便民利事，大功立矣！"尚即上言，用其计，遣轻骑击杜季贡于丁奚城，破之。

【语译】

二年（乙卯，公元一一五年）

春，护羌校尉庞参用恩惠、信义招徕劝诱各部羌人，号多等率部众归降。庞参派人护送他们到京城，安帝赐给号多侯爵印绶，遣送号多返回。庞参始将治所从张掖迁回令居，打通河西道。

零昌分兵寇掠益州郡，朝廷派中郎将尹就征讨他们。

夏，四月二十一日丙午，册立贵人荥阳人阎氏为皇后。阎皇后生性妒嫉，后宫李氏生了皇子刘保，阎皇后用鸩酒毒死李氏。

五月，京城发生旱灾，河南郡和十九个郡国发生蝗灾。

六月初二日丙戌，太尉司马苞去世。

秋，七月二十八日辛巳，任命太仆泰山郡人马英为太尉。

八月，辽东郡的鲜卑人包围无虑县。九月，又攻打夫犁营，杀死县令。

最后一天三十日壬午，发生日食。

尹就攻打羌族的吕叔都等人，蜀郡人陈省、罗横应征刺杀叔都，两人都被封为侯，赏赐钱币。

汉安帝下诏令屯骑校尉班雄驻防三辅。班雄是班超的儿子。任命左冯翊人司马钧代理征西将军，督领关中各郡军队八千多人。庞参率领羌人、胡人士兵七千多人，与司马钧分路一起进攻零昌。庞参的军队到达勇士县以东，被杜季贡打败，率军后退。司马钧等人独自进军，攻下丁奚城，杜季贡率部众假装逃跑。司马钧命令右扶风人仲光等收割羌人的庄稼。仲光等人违反司马钧的调度，分兵深入，羌人就设伏兵截击他们。司马钧在城中，生仲光的气，不去援救。冬，十月十三日乙未，仲光等人兵败，同时战死，死了三千多人，司马钧便逃了回来。庞参已经误了约定日期，就借口有病率兵撤回。司马钧、庞参两人都因罪被征回，下狱，司马钧自杀。当时度辽将军梁慬也因他事被判罪。校书郎中扶风人马融上书说庞参、梁慬有智慧，有能力，应当宽赦两人的罪过，责成他们戴罪立功。汉安帝下诏赦免庞参等人，任命马贤代替庞参兼领护羌校尉，又任命任尚为中郎将，代替班雄屯驻三辅。

怀县县令虞诩劝任尚说：“根据兵法，弱者不攻打强者，地上跑的不追逐天上飞的，这是自然的情势。现在敌人都骑着马，日行数百里，来如风雨，去如离弦的箭。用步兵追逐他们，形势上肯定追不上。所以虽然驻兵二十多万，旷日持久，没有功绩。替使君考虑，不如遣散各郡的军队，命令他们各出几千钱，二十人共买一匹马，以一万骑兵之众追赶几千敌人，尾随追击，出其不意地拦击，他们的寇掠之路自然就断了。这既方便百姓又有利杀敌，大功即可告成了！”任尚随即上报，采用虞诩的计策，派轻骑在丁奚城攻打杜季贡，打败了他。

太后闻虞诩有将帅之略，以为武都太守。羌众数千遮[577]诩于陈仓崤谷[578]，诩即停军[579]不进，而宣言“上书请兵，须到当发”。羌闻之，乃分钞傍县[580]。诩因其兵散，日夜进道，兼行百余里[581]。令吏士各作两灶，日增倍之[582]，羌不敢逼。或问[583]曰：“孙膑减灶[584]而君增之；兵法日行不过三十里，以戒不虞[585]，而今日且二百里[586]，何也？”诩曰：“虏众多，吾兵少，徐行[587]则易为所及，速进则彼所不测。虏见吾灶日增，必谓郡兵来迎，众多行速，必惮追我。孙膑见弱[588]，吾今示强，势有不同故也。”既到郡，兵不满三千，而羌众万余，攻围赤亭[589]数十日。诩乃令军中，强弩勿发，而潜发小弩[590]。羌以为矢力弱，不能至，并兵急攻[591]。诩于是使二十强弩共射一人[592]，发无不中。羌大震，退。诩因出城奋击[593]，多所伤杀。明日，悉陈其兵众[594]，令从东郭门出，北郭门入，贸易衣服[595]，回转数周[596]。羌不知其数，更相恐动[597]。诩计贼当退，乃潜遣[598]五百余人于浅水设伏[599]，候其走路[600]。虏果大奔[601]，因掩击，大破之，斩获甚众，贼由是败散。诩乃占相地势[602]，筑营壁百八十所，招还流亡，假赈[603]贫民，开通水运[604]。诩始到郡，谷石千，盐石八千，见户[605]万三千。视事三年，米石八十，盐石四百，民增至四万余户，人足家给，一郡遂安。

十一月庚申[606]，郡国十地震。

十二月，武陵[607]澧中蛮[608]反，州郡讨平之。

己酉[609]，司徒夏勤罢。

庚戌[610]，以司空刘恺为司徒，光禄勋袁敞[611]为司空。敞，安之子也。

前虎贲中郎将邓弘[612]卒。弘性俭素[613]，治欧阳《尚书》[614]，授帝禁中[615]。有司奏赠弘骠骑将军，位特进，封西平侯[616]。太后追弘雅意[617]，不加赠位、衣服，但赐钱千万，布万匹，兄骘等复辞不受。诏封弘子广德[618]为西平侯。将葬，有司复奏发五营轻车骑士[619]，礼仪如霍光故事[620]。太后皆不听，但白盖双骑[621]，门生挽送。后以帝师之重，分西平之都乡，封广德弟甫德为都乡侯。

邓太后听说虞诩有将帅的谋略，任命他为武都郡太守。几千羌人在陈仓县崤谷截击虞诩，虞诩当即停军不前，并扬言“上书请朝廷派兵，必须等到援兵才出发”。羌人听到这个消息，就分散开来抢劫旁边的县。虞诩乘羌人兵力分散，日夜不停进军，兼程行军一百多里。命令吏士各造两个灶，每天增加一倍，羌人不敢靠近。有人问他说：“孙膑减灶而您增灶；兵法说每天行军不超过三十里，以备不测，而现在每日行军将近二百里，是什么缘故？”虞诩说：“敌人数量多，我兵力少，慢走就容易被他们赶上，快速行进是他们没有料到的。羌人看到我军的灶每天增加，一定认为是各郡的军队来迎接，军队多，行动快，必然不敢追击我们。孙膑示弱，我现在示强，这是形势有所不同的缘故。”虞诩到达武都郡，士兵不满三千人，而羌人一万多，攻打包围赤亭几十天。虞诩于是下令军中，不准发射强弩，只暗中发射小弩箭。羌人认为箭力道弱小，射不到，联兵急速进攻。虞诩于是命二十个强弩共同射一个人，发射没有不命中的。羌人极为震惊，败退。虞诩就势出城奋力攻击，杀伤许多敌人。第二天，把全部士兵排列好，命令他们从东门出去，由北门进来，更换衣服，来回转几圈。羌人不知汉军的数量，互相惊恐扰动。虞诩估计羌人要撤走，就暗中派五百多人在浅水处埋伏，守候羌人的退路。羌人果然大批逃走，汉军突袭，大败羌人，斩杀并俘虏了许多人，敌人于是溃败逃散。虞诩便观察地形，建造了一百八十多个营垒，召回流亡的百姓，借贷救济贫民，开凿水道运输。虞诩刚到郡时，谷一石一千钱，盐一石八千钱，现存户口有一万三千户。任职三年，米每石八十钱，盐每石四百钱，百姓户口增加到四万多户，人人富足，家家丰裕，全郡从此安定。

十一月初九日庚申，十个郡国发生地震。

十二月，武陵郡的澧中蛮反叛，州郡征讨平定了他们。

二十八日己酉，司徒夏勤被免官。

二十九日庚戌，任命司空刘恺为司徒，光禄勋袁敞为司空。袁敞是袁安的儿子。

前任虎贲中郎将邓弘去世。邓弘生性节俭朴素，研治欧阳《尚书》，在宫中教授皇上。主管官员上奏请追赠邓弘为骠骑将军，位居特进，封为西平侯。邓太后追念邓弘平素志向，不加赠官位、衣服，只是赐给一千万钱、一万匹布，邓弘的哥哥邓骘等人又推辞不受。下诏封邓弘的儿子邓广德为西平侯。要埋葬邓弘时，主管官员又上奏请求派五校营轻车骑士护送灵柩，礼仪参照霍光惯例。邓太后都未采纳，只是用白盖丧车，两匹马驾车，门生挽车护送。后来因邓弘身为安帝老师的贵重身份，分出西平侯国的都乡，册封邓广德的弟弟邓甫德为都乡侯。

【段旨】

以上为第十段，写西羌叛乱，为害日益猖獗，三辅告警。虞诩赴任武都太守，用增灶法骗诱羌人，神速到任，大破羌人，安定一方。

【注释】

543帅：通“率”，率领。544还治令居：护羌校尉治所，从张掖迁回令居。参见本卷前永初四年移治事。545丙午：四月二十一日。546立贵人荥阳阎氏为皇后：贵人，位次于皇后。阎贵人荥阳县（在今河南荥阳东北）人，因其母与邓太后兄弟邓弘之妻为亲姐妹，故得邓太后之力为皇后，即安思阎皇后，名阎姬。传见《后汉书》卷十下《皇后纪》。547保：顺帝刘保。548丙戌：六月初二日。549辛巳：七月二十八日。550无虑：县名，辽东属国属县，县治在今辽宁北镇南。551夫犁营：驻镇于夫犁县的政府军。夫犁县，属辽东属国，治在今辽宁义县东。不常置。552壬午晦：九月三十日。553行征西将军：兼职征西将军。征西将军，讨西羌军总指挥。554勇士：县名，汉阳郡属县，县治在今甘肃榆中县北。555引退：领兵撤退。此役庞参先为杜季贡所败，后司马钧部亦败。556收羌禾稼：收割羌人庄稼，一断其粮饷，二诱其出战。557违钧节度：仲光等违背司马钧的调度，擅自分兵深入。558散兵：分散兵力。559要击：拦腰截击。要，通“腰”。560乙未：十月十三日。561并没：同时战死。指仲光等将领同时战死，所率三千人全军覆没。据《后汉书》卷八十七《西羌传》载，此役右扶风太守仲光、安定太守杜恢、北地太守盛包三将同时战死。562遁还：逃回。563引还：率兵撤回。564坐征：以罪征还。565坐事抵罪：因他事（非军事失职）被控而判罪。566校书郎中：官名，以郎中职在兰台校书。567马融（公元七九至一六六年）：东汉著名经学家、文学家，字季长，右扶风茂陵（今陕西兴平东北）人，遍注群经，有门生千余人，郑玄、卢植皆出其门。传见《后汉书》卷六十上。568宥过责效：宽赦罪过，责其后效，即责其戴罪立功。569马贤代参领护羌校尉：马贤代庞参任护羌校尉。马贤两为护羌校尉，此为第一次，后永和元年再任。570怀：县名，为河内郡治所，县治在今河南武陟西南。571走不逐飞：地下跑的不追逐天上飞的。572来如风雨二句：指羌骑来时如暴风骤雨，去时像离弦的箭。573二十人共市一马：让二十个人共同购买一匹马。意为免除郡国步兵的兵役，让他们出钱共同买马，一人出数千钱，二十人合计约数万钱，可买一匹马，供骑兵用。574追尾：尾随追击。575掩截：出其不意地拦击。576其道自穷：羌人寇掠之路自然就断了。穷，尽、完。577遮：拦截。578陈仓崤谷：陈仓，县名，县治在今陕西宝鸡陈仓镇。崤谷，陈仓境内的山谷，即大散关。579停军：军队停止不前，即驻军于陈仓。580分钞傍县：羌人分兵掳掠陈仓周围之县。581兼行百余里：加倍赶路，行军一百余里。582日增倍之：每天增加一倍。即第一天每个战士做两个炉灶，第二天每个战士加倍做四个炉灶。583或问：有人问。584孙膑减灶：公元前三四一年齐魏马陵之战，齐军师孙膑用减灶退兵之计诱使魏将庞涓追击，庞涓在马陵中伏被擒。事见本书卷二周显王二十八年。㊹585日行不过三十里二句：进军日行不过三十里，目的是保持战斗力用以防备预料不到的情况发生。586今日且二百里：现今每天行军将近二百里。587徐行：缓慢进军。588见弱：示人以弱。589赤亭：亭名，在下辨县境。下辨为武都郡治所，在今甘肃成县西北。590潜发小弩：偷偷发射小弩箭。潜发，射暗箭。591并兵急攻：合兵猛攻。592使二十强弩共射一人：用二十张强劲的弩弓合射一人。593奋击：奋勇攻击。594悉陈其兵众：悉数陈列他的军队。595贸易衣服：指兵士从东城郭门出去，从北城郭门进入，入城后改换服装。贸易，变易、更换。596回转数周：指全军出城又进城，回转了几圈，造成疑兵，让羌人误以为有几倍兵力。597更相恐动：互相恐慌扰动。598潜遣：指暗中派出伏兵。599于浅水设伏：指在羌人撤退渡河的水浅处设埋伏。虞诩知道羌人撤退时，一定会从水浅处渡河，故预先在此设伏。600候其走路：在其退路上等候。601大奔：大批逃跑。602占相地势：观察地形。603假赈：借贷周济。604开通水运：开凿水运道路。虞诩从沮县（今陕西勉县）到下辨开通一条供漕运的水路。605见户：现存之户。见，通“现”。606庚申：十一月初九日。607武陵：郡名，治所临沅，在今湖南常德。608澧中蛮：居于澧水流域的蛮族。澧水，在常德北，流经澧县注入洞庭湖。609己酉：十二月二十八日。610庚戌：十二月二十九日。611袁敞：字叔平，章帝时司徒袁安之子，官至司空。父子同传，见《后汉书》卷四十五。612邓弘：邓骘之弟，为虎贲中郎将，因遭母丧辞官，故称“前虎贲中郎将”。613俭素：节俭朴素。614治欧阳《尚书》：研习欧阳氏今文《尚书》。西汉欧阳生所传伏生《尚书》，故称欧阳《尚书》。615授帝禁中：在宫中教授安帝欧阳《尚书》学。616西平侯：西平县侯。西平县属汝南郡，治今河南西平。617雅意：素志；一向坚守的志节。618广德：邓弘长子。619五营轻车骑士：五营，即北军五校尉营。意在动员北军五营的轻车骑兵护送邓弘灵柩。620礼仪如霍光故事：西汉辅政昭帝、宣帝的大将军霍光，死后举行隆重葬礼，宣帝派太中大夫、侍御史持节主办丧事，中二千石官修建坟冢，赐黄肠题凑，用禁卫军五校送葬。621白盖双骑：用白盖丧车，两匹马驾车。

【研析】

本卷史事研析下列四事。

第一，东汉裁撤西域都护。班超在西域和睦各国，联防抗击北匈奴，人民安居乐业，依附汉朝没有赋税。西域各国臣民视班超为父母，亲爱如家人。公元一〇二年，班超回国，任尚继任为西域都护，违背班超和睦政策，崇尚严苛，加上贪污、大国沙文主义，数年间西域人民愤怨不已，纷纷起来反抗，中西交通阻断，汉朝官兵的屯田区域成了几个孤岛。安帝永初元年（公元一〇七年）六月，东汉政府决定撤销西域都护以及伊吾卢、柳中等屯田战士，全部回国。班超和数万将士，历时三十年的惨淡经营，被一个不称职的任尚先生一旦毁弃，教训是极为深刻的。

第二，南匈奴反叛。南匈奴自西汉宣帝时呼韩邪单于归附以来，受到汉朝保护，安置内地沿边诸郡。东汉政府每年抚御物资财币一亿多，恩不可谓不重，情不可谓不厚。一个投靠南匈奴的汉奸叫韩琮，在安帝永初三年六月随南匈奴栾提檀单于入朝。韩琮沿途察看，看到中国大雨成灾，人民饥困，东汉朝廷被西羌之乱闹得焦头烂额。韩琮和栾提檀朝见安帝回去后，韩琮劝说单于反叛，栾提檀觉得确实是个好时机，于是起兵反汉。在南匈奴煽动下，雁门郡的乌桓部落也造了反。乌桓与南匈奴联兵在五原郡高渠谷大败汉军。这一年，东汉有九个郡国发生地震，京师及四十一个郡大雨成灾，并州、凉州大灾荒，人吃人。南匈奴的反叛，使陷入困境的东汉政府雪上加霜。南匈奴恩将仇报，未脱野蛮习俗，匈奴人不但没有复兴，反而日渐衰微终被历史抹去。当然最可恨的还是汉奸韩琮。他和西汉时的中行说是一类人，背叛民族，唆使外族人杀戮同胞，只不过是从异族人嘴里分一些余弃。凡是汉奸都是民族的罪人，将永远地钉在历史的耻辱柱上。

第三，仲长统著《昌言》。仲长统，东汉政论家。他看到东汉朝廷孱弱不堪，国家武备不能讨平小小的西羌叛乱，满朝文武极少贤才，忧心如焚，写作《昌言》告诉人民原因，大声疾呼改善政治。仲长统认为光武帝过度集权，三公高位虚设，皇帝大权旁落，小人当道，政治体制被扭曲。祸乱根源，就是皇帝过度集权之弊。仲长统说，西汉文帝时申屠嘉，对于汉文帝的嬖宠邓通敢于传讯，灭了得势小人的威风，得到汉文帝的支持。如此，皇帝身边的亲信不敢为非。东汉建立，三公即司徒、司空、太尉没有权力，三公在位只是摆摆样子，而发生灾变，却要三公承担责任。三公无权，皇帝一人管不过来，大权不是旁落外戚，就是旁落宦竖，于是东汉朝廷外戚与宦竖控制了朝政。外戚与宦竖，又引进自己的亲戚宾友，成为私党，充斥于京师，布满于州郡，这些人只知贪残，逼迫人民，触怒四方外族，引起叛乱，致使国家瘫痪。于是怨愤之气，一时并发，阴阳三光，失去秩序，怪异事情，不断出现，地震、水旱、虫害不断，这都是皇后家族和宦官擅权引发的警告。纠弊的办法，就是把权力还给三公，那时再出现天谴的警告，惩罚三公才是合理的啊。仲长统看到了国家的积弊，他利用古时人们的信仰，用天变、灾害来抨击时政，用心良苦，用意纯正，目的是想唤醒朝廷，重用朝官，抑制外戚和宦官。邓太后虽然贤明，但哪肯放下手中的权力。邓太后临终前，堂弟邓康进言太后归权皇帝，立即遭罢免。仲长统的呼喊，只不过是发发言论而已。

第四，虞诩增灶惑敌。虞诩字升卿，陈国武平人。虞诩为人刚正不阿，仕安帝、顺帝两朝，九次被降职，三次入狱，刚正之气，终老不改，是一个铮铮铁骨的大丈夫。安帝永初四年，大将军邓骘没有能力靖乱西羌，竟然采纳谒者庞参建议，收缩力量，放弃凉州，全力对付南匈奴。虞诩当时只是一个初级禁卫官郎中，没有资格参加朝议，就进言太尉张禹，提出凉州不可放弃的三大理由：一是先帝流血流汗开拓的疆土不可丢弃；二是弃了凉州，三辅关中地方成了边塞，西汉皇室祖宗坟墓没有保护；三是关西出将，关东出相。关西人民擅长征战，丢弃关西，就是丢了捍卫国家长城之士。再说，关西人民多少年来与敌人战斗，保卫了国家，怎么能因为省几个军费就丢弃他们呢？张禹认为虞诩说得对，重新举行四府会议，否定了邓骘的主张，保有了河西。邓骘觉得没面子，就恶毒地想借刀杀人。当时朝歌盗贼群起，朝廷派兵征剿都没有取胜，虞诩一个文士，哪有能力制服惯匪。邓骘于是推荐虞诩任朝歌县长，冠冕堂皇地公报私仇。虞诩面对邓骘设下的陷阱，不怨天，不尤人，勇敢地接受挑战，正好发挥他的才干，实现人生最大的价值。虞诩到任，很快就平定了惯匪，他使用的巧计方法，被盗贼认为有神灵相助。虞诩的声誉上达朝廷。邓太后认为他有将帅之才，在安帝元初二年（公元一一五年），调任虞诩为武都郡太守。西羌痛恨虞诩，集合了几千人在陈仓崤谷伏击虞诩。虞诩到了谷口，宣称等待援军再行进，用以麻痹羌人。趁羌人放松戒备，虞诩日夜兼程推进，第一天奔驰一百余里，虞诩命战士每人造两个灶。第二天加倍，每人造四个灶。连续几天行军，每天二百里。羌人尾追，看到炊灶倍增，认为官军援军源源不断增加，不敢发动进攻。虞诩甩掉羌人，从容抵达武都下辨，官军只有三千人，羌虏数万人来进攻，虞诩用计破敌，一郡平安。战国时孙膑用减灶方法，示敌以弱，大破魏军；虞诩用增灶方法，示敌以强。兵法说，部队行军每日不能超过三十里，以保持战斗力，虞诩每天行军近二百里，为的是迅速甩掉羌人的追击。形势不同，兵法活用，虞诩是一代人杰。虞诩不仅有才，更有节操，敢于对抗炙手可热的大将军皇亲国戚。虞诩的大勇，来自对国家的忠诚，公而忘私，着实令人敬佩。

卷第五十　汉纪四十二

起柔兆执徐（丙辰，公元一一六年），尽阏逢困敦（甲子，公元一二四年），凡九年。

【题解】

本卷记事起公元一一六年，迄公元一二四年，凡九年，当安帝元初三年至延光三年，载安帝一朝后期史事。这一时期灾害严重。十三个郡国地震，三十三个郡国大水，二十七个郡国大雨，又三十五个郡国地震，四十一个郡国冰雹。当时的思想观念，认为朝政阴盛阳衰，外戚势重，上天示警。德高望重的大臣司空袁敞不阿附邓氏，以他事策免逼迫袁敞自杀。邓太后堂弟越骑校尉邓康建言太后归政皇帝被罢官。邓太后临终恋权不放，等到驾崩，安帝亲政，邓氏外戚立即遭到报复，邓骘等诸舅被贬杀。安帝乳母王圣、亲信宦官江京等一群奸佞得势，谗害太子刘保，刘保被废为济阴王。群小又陷害太尉杨震。公元一一七年羌人大叛，羌祸导致国库空虚，十余年间军费支出达二百四十亿。班勇受命重新开通西域。匈奴入侵车师，朝廷主张闭玉门关弃西域之声再起，尚书令陈忠严厉驳斥，诏令班勇为长史驻屯柳中。

【原文】

孝安皇帝中

元初三年（丙辰，公元一一六年）

春，正月，苍梧、郁林、合浦[①]蛮夷反。二月，遣侍御史任逴督州郡兵讨之。

郡国十地震。

三月辛亥[②]，日有食之。

夏，四月，京师旱。

五月，武陵蛮反，州郡讨破之。

癸酉[③]，度辽将军邓遵[④]率南单于击零昌[⑤]于灵州[⑥]，斩首八百余级。

越嶲[⑦]徼外夷举种内属[⑧]。

【语译】

孝安皇帝中

元初三年（丙辰，公元一一六年）

春，正月，苍梧郡、郁林郡、合浦郡的蛮夷反叛。二月，派遣侍御史任逴督领州郡的军队征讨叛夷。

十个郡国发生地震。

三月初二日辛亥，发生日食。

夏，四月，京城发生旱灾。

五月，武陵郡的蛮人反叛，州郡征讨，打败了叛蛮。

二十五日癸酉，度辽将军邓遵率领南单于在灵州攻打零昌，杀敌八百多人。

越嶲郡界外的夷人举族归附。

六月，中郎将任尚遣兵击破先零羌于丁奚城⑨。

秋，七月，武陵蛮复反，州郡讨平之。

九月，筑冯翊北界⑩候坞⑪五百所以备羌。

冬，十一月，苍梧、郁林、合浦蛮夷降。

旧制：公卿、二千石、刺史不得行三年丧⑫。司徒刘恺⑬以为“非所以师表百姓，宣美风俗”。丙戌⑭，初听大臣行三年丧。

癸卯⑮，郡国九地震。

十二月丁巳⑯，任尚遣兵击零昌于北地⑰，杀其妻子，烧其庐落[1]，斩首七百余级。

四年（丁巳，公元一一七年）

春，二月乙巳朔⑱，日有食之。

乙卯⑲，赦天下。

壬戌⑳，武库灾㉑。

任尚遣当阗种羌榆鬼等刺杀杜季贡㉒，封榆鬼为破羌侯。

司空袁敞㉓廉劲不阿权贵，失邓氏㉔旨。尚书郎张俊有私书与敞子俊，怨家封上之㉕。夏，四月戊申㉖，敞坐策免，自杀。俊等下狱当死。俊上书自讼㉗，临刑，太后诏以减死论㉘。

己巳㉙，辽西㉚鲜卑连休等入寇，郡兵与乌桓大人于秩居等共击，大破之，斩首千三百级。

六月戊辰㉛，三郡雨雹。

尹就坐不能定益州㉜，征抵罪，以益州刺史张乔领其军屯，招诱叛羌，稍稍降散。

秋，七月，京师及郡国十雨水。

九月，护羌校尉任尚㉝复募效功种羌号封刺杀零昌，封号封为羌王。

冬，十一月己卯㉞，彭城靖王恭㉟薨。

越巂夷以郡县赋敛烦数，十二月，大牛种封离等反，杀遂久㊱令。

甲子㊲，任尚与骑都尉马贤共击先零羌狼莫，追至北地，相持六十余日，战于富平河上㊳，大破之，斩首五千级，狼莫逃去。于是西河㊴虔人种羌万人诣邓遵降，陇右㊵平。

是岁，郡国十三地震。

六月，中郎将任尚派遣军队在丁奚城打败先零羌。

秋，七月，武陵郡蛮人再次反叛，州郡征讨，平定了叛蛮。

九月，在左冯翊北界建筑五百处哨所土堡，用以防备羌人。

冬，十一月，苍梧郡、郁林郡、合浦郡蛮夷投降。

过去的制度：公卿、二千石官员、刺史不许守三年丧。司徒刘恺认为“这不是做百姓表率，宣扬美化风俗的做法”。十一月十一日丙戌，开始准许大臣守三年丧。

十一月二十八日癸卯，九个郡国发生地震。

十二月十二日丁巳，任尚派遣军队在北地郡攻击零昌，杀死零昌的妻子儿女，烧毁他们的房舍村落，杀死七百多人。

四年（丁巳，公元一一七年）

春，二月初一日乙巳，发生日食。

十一日乙卯，赦免天下。

十八日壬戌，兵器库发生火灾。

任尚派当阗族羌人榆鬼等刺杀杜季贡，册封榆鬼为破羌侯。

司空袁敞廉洁刚正，不逢迎权贵，违失邓氏心意。尚书郎张俊写私信给袁敞的儿子袁俊，仇家用密封奏疏把这件事上奏汉安帝。夏，四月初五日戊申，袁敞获罪被策书免职，自杀。袁俊等人下狱，按罪当处死。袁俊上奏为自己诉冤，临刑时，邓太后下诏改判减死刑一等。

四月二十六日己巳，辽西郡鲜卑人连休等入侵，辽西郡兵与乌桓酋长于秩居等人共同抗击，大败鲜卑人，杀死一千三百人。

六月二十六日戊辰，三个郡下冰雹。

尹就因不能平定益州获罪，征回京师论罪，任命益州刺史张乔兼领尹就的驻军，张乔招徕劝导反叛的羌人，羌人逐渐投降散去。

秋，七月，京师和十个郡国降雨发水。

九月，护羌校尉任尚又征募效功种羌人号封刺杀零昌，册封号封为羌王。

冬，十一月初九日己卯，彭城靖王刘恭去世。

越巂郡的夷人因为郡县赋税征敛烦多，十二月，大牛族人封离等反叛，杀死遂久县令。

十二月二十五日甲子，任尚与骑都尉马贤共同攻击先零羌人狼莫，追赶到北地郡，对峙六十多天，在富平黄河边交战，大败狼莫，杀敌五千人，狼莫逃走。于是西河郡虔人种羌一万人前往邓遵处归降，陇右平定。

这一年，十三个郡国发生地震。

【段旨】

以上为第一段，写东汉十三个郡国发生地震、冰雹灾害，西疆羌祸仍在继续，汉军疲于征战。

【注释】

①苍梧、郁林、合浦：皆郡名，三郡同属交州。苍梧郡治所广信，在今广西梧州；郁林郡治所布山，在今广西桂平西；合浦郡治所合浦，在今广西合浦东北。②辛亥：三月初二日。③癸酉：五月二十五日。④度辽将军邓遵：据《后汉书·匈奴传》，自置度辽将军以来，皆权行其事，只有邓遵因是邓太后堂弟，为真将军，即实职。⑤零昌：人名，先零羌酋长。⑥灵州：县名，属北地郡，县治在今宁夏灵武西北。⑦越巂：郡名，治所邛都，在今四川西昌。⑧徼外夷举种内属：边塞外蛮夷，整个部落归附中国。内属，内附、归附。⑨丁奚城：边城名，属北地郡，在今宁夏灵武南。⑩冯翊北界：左冯翊北边郡界，与安定郡、北地郡接壤。⑪候坞：哨所、土堡。⑫旧制二句：文帝时遗诏大臣守丧，以日易月，此后遂形成大臣守丧一月之制。所谓“旧制”，即指此。⑬刘恺：字伯豫，汉宣帝庶子楚孝王刘嚣之玄孙，居巢侯刘般少子，官至太尉。传见《后汉书》卷三十九。⑭丙戌：十一月十一日。⑮癸卯：十一月二十八日。⑯丁巳：十二月十二日。⑰北地：郡名，治所富平，在今宁夏吴忠。⑱乙巳朔：二月初一日。⑲乙卯：二月十一日。⑳壬戌：二月十八日。㉑武库灾：京师洛阳兵器库失火。㉒杜季贡：汉阳

【原文】

五年（戊午，公元一一八年）

春，三月，京师及郡国五旱。

夏，六月，高句骊[41]与濊貊[42]寇玄菟[43]。

永昌、益州、蜀郡[44]夷皆叛应封离，众至十余万，破坏二十余县，杀长吏，焚掠百姓，骸骨委积，千里无人。

秋，八月丙申朔[45]，日有食之。

代郡[46]鲜卑入寇，杀长吏。发缘边甲卒、黎阳营兵[47]屯上谷[48]以备之。冬，十月，鲜卑寇上谷，攻居庸关[49]。复发缘边诸郡黎阳营兵、积射士[50]步骑二万人屯列[51]冲要[52]。

邓遵募上郡[53]全无种羌雕何刺杀狼莫，封雕何为羌侯。自羌叛十

（今甘肃甘谷东）人，永初五年（公元一一一年）反叛，战败后亡入先零羌中为将军，屯据丁奚城。㉓袁敞（？至公元一一七年）：字叔平，袁安之子。精通《易经》，历仕和帝、安帝两朝，官至司空。传见《后汉书》卷四十五。㉔邓氏：指邓太后邓绥以及邓骘兄弟。㉕封上之：即上封事，直接上奏皇帝的秘密奏疏。汉制，臣民举报重大事件才上封事。这里指揭发尚书郎张俊与袁敞之子袁俊通私信。㉖戊申：四月初五日。㉗自讼：自我分辩、诉冤。㉘减死论：改判减死刑一等，免死罪。㉙己巳：四月二十六日。㉚辽西：郡名，治所阳乐，在今辽宁义县西。㉛戊辰：六月二十六日。㉜益州：州名，辖境在今四川及云南、贵州及陕西汉中市地区。治所广汉郡雒县，在今四川广汉北。㉝护羌校尉任尚：据《后汉书·西羌传》，安帝元初二年至顺帝永建四年，护羌校尉为马贤；安帝元初二年至五年，任尚为中郎将，与马贤并肩作战。㉞己卯：十一月初九日。㉟彭城靖王恭：彭城王刘恭，明帝子，死后谥为靖王。传见《后汉书》卷五十。㊱遂久：县名，属越嶲郡，县治在今云南丽江。㊲甲子：十二月二十五日。㊳富平河上：指流经富平（今宁夏吴忠）的黄河岸上。㊴西河：郡名，治所平定，在今内蒙古鄂尔多斯东南。羌人出没于西河郡北界，当今内蒙古准格尔旗一带。㊵陇右：指陇山以西，凉州东部，即今甘肃东部地区。陇，陇山。古人以西为右。

【校记】

［1］落：原作“舍”。据章钰校，甲十六行本、乙十一行本、孔天胤本皆作“落”，张敦仁《通鉴刊本识误》同，今据改。

【语译】

五年（戊午，公元一一八年）

春，三月，京师和五个郡国发生旱灾。

夏，六月，高句丽和濊貊入侵玄菟郡。

永昌郡、益州郡、蜀郡的夷人全都反叛响应封离，部众达十多万人，攻破毁坏了二十多个县，杀死县里高官，放火抢劫百姓，尸骨堆积，千里无人。

秋，八月初一日丙申，发生日食。

代郡的鲜卑人入侵，杀死郡县高官。征发缘边精锐军队、黎阳营士兵驻扎上谷郡用来防备鲜卑。冬，十月，鲜卑人入侵上谷郡，攻打居庸关。朝廷再次征发缘边各郡黎阳营士兵、积射士步兵骑兵二万人，驻守边塞军事要地。

邓遵招募上郡全无种羌人雕何刺杀狼莫，册封雕何为羌侯。自从羌人叛乱的十余年间，军旅之费，凡用二百四十余亿，府帑[54]空竭，边民及内郡死者不可胜数，并、凉二州[55]，遂至虚耗。及零昌、狼莫死，诸羌瓦解，三辅[56]、益州无复寇警。诏封邓遵为武阳[57]侯，邑三千户。遵以太后从弟，故爵封优大[58]。任尚与遵争功，又坐诈增首级、受赇枉法赃千万已上，十二月，槛车[59]征尚，弃市[60]，没入财物。邓骘子侍中凤尝受尚马，骘髡[61]妻及凤以谢罪。

是岁，郡国十四地震。

太后弟悝、阊皆卒，封悝子广宗为叶[62]侯，阊子忠为西华[63]侯。

【段旨】

以上为第二段，写羌祸导致东汉政府国库空虚，十余年间耗费二百四十亿。

【注释】

㊶高句骊：古国名，也作“高句丽”，在今东北地区长白山一带和朝鲜半岛北部。㊷濊貊：部族名，在今东北地区和朝鲜半岛，又称“貉”“貉貊”等。㊸玄菟：郡名，治所在今辽宁沈阳东。㊹永昌、益州、蜀郡：皆郡名，属益州。永昌郡治所不韦，在今云南保山市东北；益州郡治所滇池，在今云南昆明市晋宁区；蜀郡治所成都，在今四川成都。㊺丙申朔：八月初一日。㊻代郡：郡名，治所高柳，在今山西阳高西北。㊼黎阳营兵：屯驻黎阳（今河南浚县）营地的政府军。㊽上谷：郡名，治所沮

【原文】

六年（己未，公元一一九年）

春，二月乙巳[64]，京师及郡国四十二地震。

夏，四月，沛国[65]、勃海[66]大风，雨雹[67]。

五月，京师旱。

六月丙戌[68]，平原哀王得[69]薨，无子。

秋，七月，鲜卑寇马城塞[70]，杀长吏。度辽将军邓遵及中郎将马续

几年时间，军队的费用，总计支出二百四十多亿，国库枯竭，边地的人民及内地各郡死去的人不计其数，并州、凉州两州，乃至耗尽。等到零昌、狼莫死了，各羌族瓦解，三辅、益州不再有外敌入侵的警报。下诏封邓遵为武阳侯，食邑三千户。邓遵因为是邓太后的堂弟，所以封爵优厚，封地广大。任尚与邓遵争功，又因虚报杀敌人数、受贿违法的赃款达千万以上而被论罪，十二月，用囚车召回任尚，判处弃市死刑，没收所有财物。邓骘的儿子侍中邓凤曾接受任尚的马匹，邓骘剃去妻子和邓凤的头发来谢罪。

这年，十四个郡国发生地震。

邓太后的弟弟邓悝、邓阊均去世，册封邓悝的儿子邓广宗为叶侯，邓阊的儿子邓忠为西华侯。

阳，在今河北怀来东南。㊾居庸关：关名，设于居庸县的关隘，属上谷郡，在今北京市昌平区西北。㊿积射士：汉代兵种之一。积，通“迹”。寻迹而射的兵士，亦省称“积射”。51屯列：驻屯布防。52冲要：军事或交通要地。53上郡：郡名，治所肤施，在今陕西榆林南。54府帑：指国库。府，聚物之处。帑，藏金帛之所。55并、凉二州：东汉西北疆。并州当今山西大部及陕北、内蒙古西部地区，凉州当今甘肃、宁夏两省地区。56三辅：京兆尹、左冯翊、右扶风，在今陕西关中地区。57武阳：东郡有东武阳，泰山郡有南武阳，《后汉书·邓骘传》又作“舞阳”。不知此为何处。58优大：优厚，封地广大。59槛车：有栅栏的囚车。60弃市：刑名，死刑，在市场杀死，暴尸街头，令民众共弃。61髡：刑名，剃光头发，三年刑。这里指自剃头发，象征服刑以求宽赦。62叶：县名，属南阳郡，治所在今河南叶县。63西华：县名，属汝南郡，治所在今河南西华。

【语译】

六年（己未，公元一一九年）

春，二月十二日乙巳，京城和四十二个郡国发生地震。

夏，四月，沛国、勃海郡刮大风，下冰雹。

五月，京师发生旱灾。

六月二十六日丙戌，平原哀王刘得去世，没有儿子。

秋，七月，鲜卑人入侵马城塞，杀死县里高官。度辽将军邓遵和中郎将马续率

率南单于追击，大破之。

九月癸巳[71]，陈怀王竦[72]薨，无子，国除。

冬，十二月戊午朔[73]，日有食之，既。

郡国八地震。

是岁，太后征和帝弟济北王寿、河间王开[74]子男女年五岁以上四十余人，及邓氏近亲子孙三十余人，并为开邸第[75]，教学经书，躬自监试。诏从兄河南尹豹、越骑校尉康[76]等曰："末世[77]贵戚食禄之家，温衣美饭[78]，乘坚驱良[79]，而面墙术学[80]，不识臧否[81]，斯故祸败之[2]所从来也。"

豫章[82]有芝草生，太守刘祇欲上之，以问郡人唐檀。檀曰："方今外戚豪盛，君道微弱，斯岂嘉瑞乎！"祇乃止。

益州刺史张乔遣从事杨竦将兵至楪榆[83]，击封离等，大破之，斩首三万余级，获生口千五百人。封离等惶怖，斩其同谋渠帅，诣竦乞降。竦厚加慰纳，其余三十六种皆来降附。竦因奏长吏奸猾，侵犯蛮夷者九十人，皆减死论。

初，西域诸国既绝于汉[84]，北匈奴复以兵威役属之[85]，与共为边寇。敦煌[86]太守曹宗患之，乃上遣[87]行长史[88]索班将千余人屯伊吾[89]以招抚之，于是车师[90]前王及鄯善[91]王复来降。

初，疏勒王安国死，无子，国人立其舅子遗腹为王。遗腹叔父臣磐在月氏，月氏纳而立之。后莎车畔于阗，属疏勒，疏勒遂强，与龟兹、于阗[92]为敌国焉。

【段旨】

以上为第三段，写邓太后注重教育宗室子弟和外戚子弟。益州刺史张乔大破乱羌。

领南单于追击，把他们打得大败。

九月初四日癸巳，陈怀王刘竦去世，没有儿子，封国被废除。

冬，十二月初一日戊午，发生日食，日全食。

八个郡国发生地震。

这一年，邓太后征召和帝弟弟济北王刘寿、河间王刘开子女年龄在五岁以上者四十多人，以及邓氏近亲子孙三十多人，为他们一起建造府邸，教授学习经书，亲自监督考试。下诏堂兄河南尹邓豹、越骑校尉邓康等人说："末世贵戚吃俸禄的家庭，穿暖衣，吃美食，乘坚固的车子，驾良马，却不学无术如同面壁而立，不懂善恶得失，这是产生祸患的根源啊。"

豫章郡发现灵芝草生长，太守刘祗想要献给朝廷，拿此事询问本郡人唐檀。唐檀说："现在外戚势力强大，君主权力弱小，这难道是祥瑞吗！"刘祗才作罢。

益州刺史张乔派从事杨竦率领军队到楪榆县，攻击封离等人，大败他们，杀了三万多人，俘虏一千五百人。封离等人惶恐，杀死他的同谋首领，前往杨竦处乞求投降。杨竦对他厚加安抚，其余三十六族都来投降归附。杨竦乘此上奏揭发九十名奸诈狡猾、侵犯蛮夷的地方高官，全都判处减死一等罪。

当初，西域各国和汉朝已断绝关系，北匈奴又以兵力威吓，使他们臣属自己加以役使，和北匈奴一起侵略边界。敦煌郡太守曹宗忧心此事，便上书请朝廷派代理长史索班率领一千多人屯驻伊吾来招降安抚他们，于是车师前王和鄯善王又来投降。

当初，疏勒王安国去世，没有儿子，国人立他舅舅的儿子遗腹为王。遗腹的叔父臣磐在月氏国，月氏护送臣磐回国，立为王。后来莎车国背叛于阗国，臣属于疏勒国，疏勒国由此强盛，成为和龟兹国、于阗国势力相当的国家。

【注释】

⑭乙巳：二月十二日。⑮沛国：封国名，治所相县，在今安徽濉溪县西。⑯勃海：郡名，治所南皮，在今河北南皮东北。⑰雨雹：下冰雹。⑱丙戌：六月二十六日。⑲平原哀王得：平原王刘得，本乐安王刘宠之子，继嗣平原王刘胜，死谥哀王。刘宠，章帝孙，千乘王刘伉之子。刘胜，和帝之长子，与刘宠为从兄弟。诸王传见《后汉书》卷五十五。⑳马城塞：关塞名，置于马城县。马城县属代郡，治所在今河北怀安西北。㉑癸巳：九月初四日。㉒陈怀王竦：陈王刘竦，明帝子陈王刘羡之孙，死谥怀王。传附《后汉书》卷五十《陈敬王羡传》。㉓戊午朔：十二月初一日。㉔济北王寿、河间王开：二王刘寿、刘开，皆章帝子，和帝弟。二王传见《后汉书》卷五十五。㉕开邸第：建造府舍。邸

第，达官贵人的府舍。⑯ 河南尹豹、越骑校尉康：邓豹、邓康，邓太后堂兄。⑰ 末世：指一个朝代衰亡时期。⑱ 温衣美饭：穿轻暖之衣，吃美味之食。⑲ 乘坚驱良：坐坚固的车，骑千里良马。坚，指好车。良，指善马。⑳ 面墙术学：面对学术如同面对墙壁，什么也看不见。面墙，喻不学无术，语出《尚书》"弗学墙面"。㉑ 不识臧否：不懂善恶得失。臧，美、善。否，坏、恶。㉒ 豫章：郡名，治所南昌，在今江西南昌。㉓ 楪榆：县名，属永昌郡，县治在今云南大理东北洱海西岸。㉔ 西域诸国句：事见本书卷四十九永初元年。㉕ 以兵威役属之：用兵力威逼，使他们臣属自己加以役使。㉖ 敦煌：郡名，治所敦煌，在今甘肃敦煌西。㉗ 上遣：上书奏请派遣。㉘ 行长史：代理长史。长史，边郡太守助理，掌领

【原文】

永宁元年（庚申，公元一二〇年）

春，三月丁酉，济北惠王寿[93]薨。

北匈奴率车师后王军就共杀后部司马[94]及敦煌长史索班等，遂击走其前王，略有北道[95]。鄯善逼急，求救于曹宗。宗因此请出兵五千人击匈奴，以报索班之耻，因复取西域。公卿多以为宜闭玉门关，绝西域。太后闻军司马班勇[96]有父风，召诣朝堂[97]问之。勇上议曰："昔孝武皇帝患匈奴强盛，于是开通西域。论者以为夺匈奴府藏[98]，断其右臂。光武中兴，未遑外事。故匈奴负强[99]，驱率诸国。及至永平，再攻敦煌，河西诸郡，城门昼闭。孝明皇帝深惟[100]庙策[101]，乃命虎臣[102]出征西域，故匈奴远遁，边境得安。及至永元，莫不内属。会间者羌乱，西域复绝，北虏遂遣责诸国，备[103]其逋租[104]，高其价直，严以期会[105]。鄯善、车师皆怀愤怨，思乐事汉，其路无从。前所以时有叛者，皆由牧养失宜，还为其害故也。今曹宗徒耻于前负[106]，欲报雪[107]匈奴，而不寻出兵故事，未度[108]当时之宜也。夫要功[109]荒外[110]，万无一成。若兵连祸结[111]，悔无所及。况今府藏未充，师无后继，是示弱[112]于远夷，暴短[113]于海内，臣愚以为不可许也。旧敦煌郡有营兵三百人，今宜复之，复置护西域副校尉，居于敦煌，如永元故事[114]。又宜遣西域长史将五百人屯楼兰[115]，西当焉耆、龟兹[116]径路[117]，南强鄯善、于阗心胆，北捍[118]匈奴，东近敦煌，如此诚便。"

郡兵。内郡置丞，边郡设长史，敦煌为边郡，有长史。⑧⑨伊吾：宜禾都尉城，在今新疆哈密西。⑨⓪车师：西域国名，汉宣帝时分为前、后两部。车师前王治交河城，在今新疆吐鲁番西。车师后王治务涂谷城，在今新疆吉木萨尔南。⑨①鄯善：西域国名，国王治所在扜泥城，在今新疆若羌。⑨②于阗：与上述之疏勒、莎车，皆西域国名，三国皆在今南疆。疏勒王城在今新疆喀什，莎车王城在今新疆莎车，于阗王城在今新疆和田。

【校记】

［2］之：据章钰校，甲十六行本、乙十一行本皆无此字。

【语译】

永宁元年（庚申，公元一二〇年）

春，三月十一日丁酉，济北惠王刘寿去世。

北匈奴率领车师后王军就一起杀害后部司马和敦煌郡长史索班等人，趁势攻击赶走车师前王，占领控制了北道。鄯善国危急，向曹宗求救。曹宗因此请求出兵五千人进攻匈奴，以报复索班被杀的耻辱，就此再次夺取西域。多数公卿认为应当关闭玉门关，与西域断绝关系。邓太后听说军司马班勇有他父亲的风范，召他到朝堂询问。班勇上言说："从前孝武皇帝担心匈奴强盛，于是开通西域。议论的人认为这是夺取匈奴的府库，切断了匈奴的右臂。光武帝中兴，来不及关注国外的事情。所以匈奴自恃强大，驱使统率西域各国。等到了永平年间，一再攻击敦煌，河西各郡城门在白天都要关闭。孝明皇帝深思国策，于是命令虎臣出征西域，所以匈奴远远逃走，边境得以安宁。等到了永元年间，西域各国没有不臣服汉朝的。时逢羌人作乱，西域再次断绝往来，北匈奴于是派使者到各国索取，让偿还积欠的贡赋，提升价值，严格规定期限。鄯善国、车师国都心怀怨愤，乐意侍奉汉朝，却不知道这条路怎么走。以前之所以时常有背叛的，都因为管理不当，反受其害的缘故。现在曹宗只是因为前次战败感到耻辱，想要报复匈奴以雪耻辱，却不探究过去出兵的原委，不揣度当时战略的需要。在蛮荒之地求取战功，一万次难有一次成功。如果兵连祸结，后悔也来不及了。何况现在国库尚不充足，军队没有后援，这是向远方夷族显示弱点，向海内暴露短处，臣愚见认为不能答应。过去敦煌郡有三百名营兵，现在应当恢复，重新设立护西域副校尉，驻扎在敦煌，如同永元旧例。还应该派西域长史率领五百人驻守楼兰，西边堵住焉耆国、龟兹国的要道，南边增强鄯善国、于阗国的信心和胆识，北边抵御匈奴，东边靠近敦煌，这样是最可行的。"

尚书复问勇："利害云何[119]？"勇对曰："昔永平之末，始通西域，初遣中郎将居敦煌[120]，后置副校尉于车师[121]，既为胡虏节度，又禁汉人不得有所侵扰，故外夷归心，匈奴畏威。今鄯善王尤还[122]，汉人外孙，若匈奴得志，则尤还必死。此等虽同鸟兽，亦知避害。若出屯楼兰，足以招附其心，愚以为便。"

长乐卫尉[123]镡显、廷尉綦毋参[124]、司隶校尉[125]崔据难曰："朝廷前所以弃西域者，以其无益于中国而费难供[126]也。今车师已属匈奴，鄯善不可保信[127]，一旦反覆，班将[128]能保北虏[129]不为边害乎？"勇对曰："今中国置州牧[130]者，以禁郡县奸猾盗贼也。若州牧能保盗贼不起者，臣亦愿以要斩[131]保匈奴之不为边害也。今通西域则虏势必弱，虏势弱则为患微矣，孰与归其府藏，续其断臂哉[132]？今置校尉以捍抚西域，设长史以招怀诸国。若弃而不立，则西域望绝，望绝之后，屈就北虏，缘边之郡将受困害，恐河西城门必须复有昼闭之儆[133]矣！今不廓开[134]朝廷之德而拘屯戍之费，若此，北虏遂炽，岂安边久长之策哉！"

太尉属[135]毛轸难曰："今若置校尉，则西域骆驿遣使[136]，求索无厌[137]。与之则费难供，不与则失其心。一旦为匈奴所迫，当复求救，则为役大矣。"勇对曰："今设以西域归匈奴，而使其恩德大汉，不为钞盗，则可矣。如其不然，则因西域租入之饶，兵马之众，以扰动缘边，是为富仇雠之财，增暴夷之势也。置校尉者，宣威布德[138]，以系诸国内向之心，而疑匈奴觊觎之情，而无费财耗国之虑也。且西域之人，无他求索，其来入者不过禀食而已。今若拒绝，势归北属夷虏[139]，并力以寇并、凉，则中国之费不止十亿。置之诚便。"于是从勇议，复敦煌郡营兵三百人，置西域副校尉居敦煌，虽复羁縻[140]西域，然亦未能出屯。其后匈奴果数与车师共入寇钞[141]，河西大被其害。

沈氏羌[142]寇张掖[143]。

夏，四月丙寅[144]，立皇子保为太子，改元，赦天下。

尚书又问班勇："这事的利弊如何？" 班勇回答说："从前在永平末年，开始打通西域，起初派中郎将驻在敦煌，后来在车师国设副校尉，既为控制胡人，又禁止汉人不得侵扰外族，所以外族诚心归顺，匈奴畏惧汉朝的威严。现在鄯善王尤还，是汉人的外孙，如果匈奴得志，那么尤还一定被杀。这些胡人虽同于鸟兽，却也知道躲避祸害。如果出兵屯守楼兰，足以招抚他们归顺朝廷，愚见认为这样有利。"

长乐卫尉镡显、廷尉綦毋参、司隶校尉崔据责难说："朝廷以前之所以抛弃西域，是因它对中国无益而费用难以供应。现在车师国已经臣属匈奴，鄯善国不能保证守信用，一旦反悔背叛，班将军能确保北匈奴不成为边界的祸害吗？" 班勇回答说："现今中国之所以设立州牧地方官，就是要禁止郡县的奸猾盗贼。如果州牧能够保证盗贼不起来作乱，臣也愿意接受腰斩刑来保证匈奴不为边害。现在和西域通好，那么匈奴的势力必然削弱，敌人势力削弱，那么为害就小了，这与把府库归还给匈奴，把已斩断的右臂重新接起来相比，哪一种有利呢？现在设置校尉用来捍卫安抚西域，设置长史用来招致各国归顺。如果抛弃而不置校尉，那么西域的期望就会断绝，绝望之后，就会屈服于北匈奴，沿边各郡将会遭受困扰和伤害，恐怕河西的城门一定会再次有白天关闭的警报了！现在不拓展朝廷的恩德而受屯兵戍守费用的限制，如果是这样，北匈奴就会迅速壮大，这难道是安定边疆的长久之计吗！"

太尉属毛轸责难说："现在如果设立校尉，那么西域就会络绎不绝地派来使者，索取不知满足。给他们，费用就会难以供应，不给他们，就会失去他们的诚心。一旦被匈奴所逼迫，应当会再向朝廷求助，那么发动的战役就大了。" 班勇回答说："现在假设把西域弃归匈奴，让匈奴感恩大汉，不劫掠为盗，那就可以了。如果不是这样，那么匈奴就会依靠西域的丰富租税、众多兵马，以此侵扰沿边各郡，这是增加仇人的财富，增强残暴异族的势力。设立校尉，是为了宣扬声威，布施恩德，以维系各国归附汉朝之心，而使匈奴窥伺汉朝的心意动摇，没有花费钱财、虚耗国力的忧虑。况且西域之人，没有其他要求，他们前来入塞的人不过是想得到食物而已。现在如果拒绝他们，他们势必北向归属匈奴，合力来侵扰并州、凉州，那么中国的费用就不止十亿了。设置校尉确实有利。" 于是朝廷听从班勇的建议，恢复敦煌郡的三百名营兵，设置西域副校尉驻守敦煌，虽然再度维系西域，然而也未能出兵屯戍。后来匈奴果然数次与车师国一起入侵劫掠，河西大受其害。

沈氐羌入侵张掖郡。

夏，四月十一日丙寅，立皇子刘保为太子，改换年号，赦免天下。

【段旨】

以上为第四段，写班勇受命，重新开拓西域。

【注释】

⑬济北惠王寿：济北王刘寿，章帝子，死谥惠王。传见《后汉书》卷五十五。⑭后部司马：戊己校尉部属军司马。和帝永元三年复置戊己校尉，居车师前部，又置戊部候，居车师后部候城，此即戊部候司马。⑮略有北道：攻占控制了北道。北道，指新疆天山以北通往中亚的道路。⑯班勇：班超之子，字宜僚，少有父风，安帝延光二年为西域长史，屯田柳中，立功西域。传见《后汉书》卷四十七。⑰朝堂：大殿左右百官议政之处。⑱府藏：府库财物。⑲负强：恃强。⑳惟：思。㉑庙策：朝廷对国家大事的谋略。㉒虎臣：勇武之臣。此指班勇之父班超。㉓备：偿还。㉔逋租：积欠的贡赋。此指匈奴追索西域各国属汉以后历年停贡匈奴的贡赋。逋，欠。㉕严以期会：严格地限定时间交纳。㉖负：败；失败。㉗报雪：指报伊吾役之仇，雪索班被杀之耻。㉘度：揣测。谓审时度势。㉙要功：希求建功。要，通“邀”。㉚荒外：荒服之外。古五服之一。此指边远的西域。㉛兵连祸结：战事绵延，祸患不止。㉜示弱：显示出弱点。㉝暴短：暴露出短处。㉞如永元故事：依照和帝时旧制。永元，汉和帝第一个年号。和帝永元三

【原文】

己巳[145]，绍封陈敬王子崇为陈王，济北惠王子苌为乐成王，河间孝王子翼为平原王[146]。

六月，护羌校尉马贤将万人讨沈氐羌于张掖，破之，斩首千八百级，获生口千余人，余虏悉降。时当煎[147]种[3]大豪饥五等，以贤兵在张掖，乃乘虚寇金城[148]。贤还军追之[4]，出塞，斩首数千级而还。烧当、烧何种闻贤军还，复寇张掖，杀长吏。

秋，七月乙酉朔[149]，日有食之。

冬，十月己巳[150]，司空李郃[151]免。癸酉[152]，以卫尉庐江[153]陈褒为司空。

京师及郡国三十三大水。

十二月，永昌徼外掸国王雍由调[154]遣使者献乐及幻人[155]。戊辰[156]，

年（公元九一年）复置西域都护、骑都尉、戊己校尉官。⑮ 楼兰：鄯善。⑯ 焉耆、龟兹：西域国名，焉耆王城南河城，在今新疆焉耆；龟兹王城延城，在今新疆库车。⑰ 径路：要道。⑱ 捍：抵抗。⑲ 利害云何：利弊是怎样的。示意班勇详细陈说利害。⑳ 遣中郎将居敦煌：郑众明帝时为中郎将，镇敦煌。㉑ 置副校尉于车师：指耿恭、关宠。事详本书卷三十七明帝永平十八年。㉒ 尤还：鄯善王名。㉓ 长乐卫尉：官名，长乐宫警卫长，列卿。㉔ 綦毋参：人名。綦毋，复姓，亦作綦母。㉕ 司隶校尉：官名，职掌京师近郡治安，并监察百官。㉖ 费难供：耗费难以供给。㉗ 不可保信：不能担保守信用。㉘ 班将：对班勇的尊称。班勇为军司马，故称将。㉙ 北虏：指北匈奴。㉚ 州牧：一州的行政长官。此泛指各级地方行政长官。㉛ 要斩：腰斩，汉代最重的死刑。要，通"腰"。㉜ 归其府藏二句：谓弃西域，等于是把府库财物还给匈奴，把已斩断的右臂重新接起来。归，还。续，接。㉝ 儆：与"警"字通。明帝永平中，北匈奴胁迫西域诸国一起侵犯汉边，河西郡县城门白天也不得不关闭，以防入侵。㉞ 廓开：开辟；推广。㉟ 太尉属：太尉府属吏，比二百石以下小吏。㊱ 骆驿遣使：指西域诸国不断地派遣使者前来中国。㊲ 厌：满足。㊳ 宣威布德：宣扬声威，布施恩德。㊴ 势归北属夷虏：势必北向归属匈奴。㊵ 羁縻：笼络维系。㊶ 寇钞：入侵劫掠。㊷ 沈氐羌：居于上郡、西河郡一带羌人的称号。㊸ 张掖：郡名，治所觻得，在今甘肃张掖西北。㊹ 丙寅：四月十一日。

【语译】

四月十四日己巳，续封陈敬王的儿子刘崇为陈王，济北惠王的儿子刘苌为乐成王，河间孝王的儿子刘翼为平原王。

六月，护羌校尉马贤率领一万人在张掖郡征讨沈氐羌，打败他们，杀死一千八百人，俘获一千多人，其余敌人全部投降。当时当煎族大酋长饥五等人，因马贤的军队在张掖郡，就乘虚入侵金城郡。马贤回师追击，出了边塞，杀了几千人后返回。烧当羌、烧何羌听说马贤的军队撤回，又侵犯张掖郡，杀死地方官吏。

秋，七月初一日乙酉，发生日食。

冬，十月十六日己巳，司空李郃被免职。二十日癸酉，任命卫尉庐江郡人陈褒为司空。

京师以及三十三个郡国发大水。

十二月，永昌郡境外的掸国王雍由调派使者进献乐工和魔术师。十六日戊辰，

司徒刘恺请致仕[157]，许之，以千石禄归养。

辽西鲜卑大人乌伦、其至鞬[158]各以其众诣度辽将军邓遵降。

癸酉[159]，以太常[160]杨震为司徒。

是岁，郡国二十三地震。

太后从弟越骑校尉康[161]，以太后久临朝政，宗门盛满，数上书太后，以为宜崇公室[162]，自损私权[163]，言甚切至[164]，太后不从。康谢病不朝，太后使内侍者问之。所使者乃康家先婢[165]，自通“中大人”[166]，康闻而诟[167]之。婢怨恚，还，白康诈疾而言不逊。太后大怒，免康官，遣归国[168]，绝属籍[169]。

初，当煎种饥五同种大豪卢匆、忍良等千余户别留允街[170]，而首施[171]两端。

【段旨】

以上为第五段，写马贤征讨西羌。二十三郡国大水。邓太后堂弟越骑校尉邓康建言太后归政皇帝被罢官。

【注释】

⑮己巳：四月十四日。⑯绍封三句：绍封，下诏册封宗室三王。绍，承继。陈王刘崇，明帝刘庄之孙，陈敬王刘羡之子。乐成王刘苌，章帝子济北惠王刘寿庶子，继嗣明帝子乐成王刘党一系为后嗣，故绍封为王。平原王刘翼，章帝孙，河间孝王刘开庶子。刘崇、刘苌传见《后汉书》卷五十《孝明八王列传》，刘翼传见《后汉书》卷五十五《章帝八王列传》。⑰当煎：西羌种落名。⑱金城：郡名，治所允吾，在今青海民和。⑲乙酉朔：七月初一日。⑳己巳：十月十六日。㉑李郃：见上卷注。㉒癸酉：十月二十日。㉓庐江：郡名，治所舒县，在今安徽庐江县西。㉔雍曲调：掸国国王名。㉕幻人：魔术师。据《后汉书·西南夷传》，幻人能变化、吐火、自我肢解、易牛马头，自

司徒刘恺请求退休，太后批准他，享受千石俸禄回家养老。

辽西郡鲜卑酋长乌伦、其至鞬各自率领部众前往度辽将军邓遵处投降。

二十一日癸酉，任命太常杨震为司徒。

这一年，二十三个郡国发生地震。

邓太后的堂兄越骑校尉邓康，认为邓太后长期临朝执政，宗族强盛至极，多次上书邓太后，建议尊崇皇室，自己减损邓氏私权，言辞极为诚恳，邓太后不听从。邓康称病不上朝，邓太后派宫内侍者问候邓康。派去的侍者是邓康家原来的婢女，自我通报称“中大人”，邓康听了就斥责她。婢女怨恨，回宫，报告说邓康假装有病而且出言不善。邓太后大怒，免去邓康官职，遣送回封国，削除宗族属籍。

当初，当煎族饥五的同族大酋长卢匆、忍良等一千多户另外留居在允街县，像老鼠来回张望一般迟疑不决。

称海西即大秦人。大秦即古罗马及近东地区。⑯ 戊辰：十二月十六日。⑰ 致仕：辞官退休。⑱ 乌伦、其至鞬：皆辽西鲜卑酋长名。⑲ 癸酉：十二月二十一日。⑳ 太常：官名，九卿之一，掌宗庙祭祀。㉑ 太后从弟越骑校尉康：邓康，邓珍之子，邓禹之孙。据胡注，当为邓太后堂兄。事附《后汉书》卷十六《邓禹传》。㉒ 崇公室：尊重皇权。公室，指皇室。㉓ 自损私权：劝谕邓太后自己放弃权力，抑制邓氏势力。㉔ 切至：极为恳切。㉕ 康家先婢：原先是邓康家的奴婢。㉖ 自通“中大人”：自我通报称为“中大人”。宫中宦者或侍婢年长者，宫中皆尊称“中大人”。㉗ 诟：斥骂。㉘ 遣归国：遣回封国。邓康在永初六年封夷安侯。㉙ 绝属籍：断绝血亲关系，从宗谱中除名。㉚ 允街：县名，县治在今甘肃永登东南。㉛ 首施：即首鼠。像老鼠一样瞻前顾后，观望迟疑。

【校记】

［3］种：原作“等”。据章钰校，甲十六行本、乙十一行本皆作“种”，张敦仁《通鉴刊本识误》同，今据改。［4］追之：原无此二字。据章钰校，甲十六行本、乙十一行本、孔天胤本皆有此二字，张敦仁《通鉴刊本识误》、张瑛《通鉴校勘记》同，今据补。

【原文】

建光元年⑰（辛酉，公元一二一年）

春，护羌校尉马贤召卢匆，斩之，因放兵⑰击其种人，获首虏二千余。忍良等皆亡出塞。

幽州⑰刺史巴郡冯焕⑰、玄菟太守姚光、辽东⑰太守蔡讽等将兵击高句骊，高句丽王宫遣嗣[5]子遂成诈降而袭玄菟、辽东，杀伤二千余人。

二月，皇太后寝疾⑰。癸亥⑰，赦天下。三月癸巳⑰，皇太后邓氏崩。未及大敛⑱，帝复申前命⑱，封邓骘为上蔡侯，位特进⑱。

丙午⑱，葬和熹皇后。

太后自临朝以来，水旱十载，四夷外侵，盗贼内起。每闻民饥，或达旦不寐⑱，躬自减彻⑱，以救灾厄⑱。故天下复平，岁还丰穰。

上始亲政事，尚书陈忠荐隐逸⑱及直道之士⑱颍川⑱杜根、平原⑲成翊世之徒，上皆纳用之。忠⑲，宠之子也。初，邓太后临朝，根为郎中，与同时郎上书言："帝年长⑲，宜亲政事。"太后大怒，皆令盛以缣囊⑲，于殿上扑杀⑲之，既而载出城外，根得苏⑲。太后使人检视⑲，根遂诈死⑲，三日，目中生蛆，因得逃窜，为宜城⑲山中酒家保⑲积十五年。成翊世以郡吏亦坐谏太后不归政抵罪⑳。帝皆征诣公车，拜根侍御史，翊世尚书郎。或问根曰："往者遇祸，天下同义⑳，知故⑳不少，何至自苦如此？"根曰："周旋⑳民间，非绝迹之处，邂逅发露⑳，祸及亲知，故不为也。"

戊申⑳，追尊清河孝王⑳曰孝德皇，皇妣左氏⑳曰孝德后，祖妣宋贵人⑳曰敬隐后。初，长乐太仆⑳蔡伦⑳受窦后讽旨诬陷宋贵人，帝敕使自致廷尉㉑，伦饮药死。

夏，四月，高句丽复与鲜卑入寇辽东。蔡讽追击于新昌㉑，战殁。功曹掾㉑龙端、兵马掾㉑公孙酺以身捍讽，俱殁于陈㉑。

丁巳㉑，尊帝嫡母耿姬㉑为甘陵㉑大贵人。

甲子㉑，乐成王苌㉒坐骄淫不法，贬为芜湖侯。

己巳㉒，令公卿下至郡国守相各举有道之士㉒一人。尚书陈忠以

【语译】

建光元年（辛酉，公元一二一年）

春，护羌校尉马贤招来卢匆，杀了他，就势派兵攻击卢匆的族人，俘虏杀死二千多人。忍良等人都逃出边塞。

幽州刺史巴郡人冯焕、玄菟郡太守姚光、辽东郡太守蔡讽等人率领军队攻击高句丽，高句丽王宫派儿子遂成诈称投降而袭击玄菟郡、辽东郡，杀伤二千多人。

二月，邓太后卧病不起。十二日癸亥，赦免天下。三月十三日癸巳，皇太后邓氏去世。尚未等到入棺大殓，汉安帝重申以前的诏令，册封邓骘为上蔡侯，位居特进。

二十六日丙午，安葬和熹邓皇后。

邓太后自临朝执政以来，有十年发生水旱灾害，四周蛮夷入侵，国内盗贼兴起。邓太后每次听说百姓饥饿，有时到天亮也睡不着，亲自减膳撤乐，以救助灾难。所以天下再度太平，年成恢复丰收。

汉安帝开始亲自治理政务，尚书陈忠推荐隐逸和正直有德的士人颍川人杜根、平原人成翊世等人，汉安帝全都接纳任用。陈忠是陈宠的儿子。当初，邓太后临朝听政，杜根任郎中，与同时的郎官上奏说："皇帝长大了，应亲理政事。"邓太后大怒，下令把杜根等人都装进细绢袋，在殿上捶打杀死他们，然后用车把他们扔到城外，杜根得以苏醒。太后派人查看尸体，杜根便装死，过了三天，眼里生蛆，才得以逃跑，在宜城县山中做酒家酒保，历经十五年。成翊世以郡吏身份，也因谏诤太后不还政而被论罪。汉安帝都征召他们到公交车府，任命杜根为侍御史，成翊世为尚书郎。有人问杜根说："以前碰到祸患，天下人都敬重你，有不少的知己至交，何至于使自己苦到这等地步？"杜根说："辗转隐藏在民间，并不是人迹不到之地，万一碰上熟人认出，行迹暴露，祸及亲友知己，所以不肯这么做。"

三月二十八日戊申，追尊父亲清河孝王为孝德皇，母亲左氏为孝德后，祖母宋贵人为敬隐后。当初，长乐宫太仆蔡伦受窦皇后讽喻之旨，诬陷宋贵人致死，汉安帝敕令蔡伦自己到廷尉自首，蔡伦饮毒药而死。

夏，四月，高句丽又和鲜卑人一起入侵辽东郡。蔡讽追击至新昌县，战死。功曹掾龙端、兵马掾公孙酺用身体护卫蔡讽，一同阵亡。

四月初七日丁巳，尊汉安帝的嫡母耿姬为甘陵大贵人。

十四日甲子，乐成王刘苌因骄奢淫逸不遵法律被论罪，贬为芜湖侯。

四月十九日己巳，命令公卿以下到郡太守、王国相各推举一名有德行的士人。

诏书既开谏争㉓，虑言事者必多激切㉔，或致不能容㉕，乃上疏豫通广帝意㉖曰："臣闻仁君广山薮之大㉗，纳切直之谋，忠臣尽謇谔之节㉘，不畏逆耳之害㉙。是以高祖舍周昌桀、纣之譬㉚，孝文喜袁盎人豕之讥㉛，武帝纳东方朔宣室之正㉜，元帝容薛广德自刎之切㉝。今明诏崇高宗㉞之德，推宋景㉟之诚，引咎克躬，谘访群吏。言事者见杜根、成翊世等新蒙表录，显列二台㊱，必承风响应㊲，争为切直。若嘉谋㊳异策，宜辄纳用。如其管穴㊴，妄有讥刺，虽苦口逆耳，不得事实，且优游宽容㊵，以示圣朝无讳㊶之美。若有道之士对问高者，宜垂省览，特迁一等㊷，以广直言之路。"书御㊸，有诏拜有道高第㊹士沛国施延为侍中。

初，汝南薛包少有至行㊺，父娶后妻而憎包，分出之。包日夜号泣，不能去㊻，至被欧扑㊼。不得已，庐于舍外㊽，旦入洒扫。父怒，又逐之，乃庐于里门㊾，晨昏不废㊿。积岁余，父母惭而还(251)之。及父母亡，弟子(252)求分财异居。包不能止，乃中分(253)其财，奴婢引(254)其老者，曰："与我共事久，若(255)不能使也。"田庐取其荒顿(256)者，曰："吾少时所治，意所恋也。"器物取朽败者，曰："我素所服食，身口所安也。"弟子数破其产，辄复赈给(257)。帝闻其名，令公交车特征(258)，至，拜侍中。包以死自乞，有诏赐告归，加礼如毛义(259)。

【段旨】

以上为第六段，写邓太后驾崩，汉安帝亲政，下诏求贤。

【注释】

(172)建光元年：永宁二年七月改元。(173)放兵：纵兵。(174)幽州：东汉十三州之一，辖境当今河北北部及辽宁地区。治所广阳郡蓟县，在今北京市。(175)冯焕：幽州刺史，巴郡（治所在今重庆市）人。(176)辽东：与玄菟皆郡名，为幽州东北边郡。玄菟郡治所在今辽宁沈阳东，辽东郡治所襄平，在今辽宁辽阳。(177)寝疾：卧病；病重卧床不起。(178)癸亥：二月十二日。(179)癸巳：三月十三日。(180)大敛：尸首入棺。(181)帝复申前命：安帝又发布先

尚书陈忠认为诏书既然征求直谏，担心进言的人必定有许多激烈严厉之辞，有的以至于皇上不能容忍，于是上书预先开阔汉安帝的心胸说："臣听说仁君敞开高山大湖一样博大的心胸，采纳恳切正直的谋议，忠臣尽正直敢言的节操，不怕忤逆皇上惹来的灾祸。所以汉高祖不追究周昌把自己比作桀、纣，孝文帝高兴听到袁盎关于人彘的讥讽，汉武帝采纳东方朔在宣室的劝告之辞，汉元帝容忍薛广德以自杀强谏的切直。现在皇上颁下贤明的诏书尊崇殷高宗武丁的品德，宣扬宋景公的诚心，承认错误，克制自己，向群臣询问意见。谏言国事的人看见杜根、成翊世等人新近受到表彰录用，显耀任职尚书台、御史台，必然会闻风响应，争相进献诚恳正直之言。如果是善谋奇策，就应当采纳。如果是管窥浅陋之言，随意讥讽，虽然苦口逆耳，不符合事实，也姑且大度包容，以显示朝廷无所隐讳的美德。如果有道之士回答皇上的见解高深，陛下应当亲自审阅，特别晋升一等，以此广开直言进谏之路。"奏书呈上，汉安帝下诏任命有道义而成绩优异的沛国人施延为侍中。

当初，汝南人薛包从小就有至高的品行，父亲娶了后妻而憎恨薛包，让他分家出去。薛包日夜哭泣，不愿离开，以致被殴打。不得已，薛包只好在屋外盖了一间庐舍，早晨回家洒扫。父亲很生气，又赶他走，于是在里门外盖庐舍居住，早晚请安从不间断。一年有余，父母羞愧而让薛包回家。等到父母去世，兄弟子侄要求分财产另外居住。薛包不能制止，于是平分家财，奴婢领走年纪大的，说："和我共同生活久了，你们差使不动他们。"田地房舍挑选荒废的，说："这是我年轻时经营的，有留恋之情。"器物挑选腐朽破烂的，说："这些是我一向穿的吃的，身体口味都习惯了。"兄弟子侄多次破败家产，薛包又救济他们。汉安帝听到薛包的事迹，命令公交车专门征召他。薛包到了京师，任命为侍中。薛包以死请求不做官，安帝下诏书准许他辞官回家，像汉章帝对待毛义一样特别加以礼待。

前的任命。永初元年（公元一〇七年），安帝初即位，封邓骘上蔡侯，骘坚辞，故此重申前命。⑱特进：加官名，授予列侯中有特殊地位的人。朝会时，特进位在三公之下、百官之上。⑱丙午：三月二十六日。⑱达旦不寐：通宵不能睡觉。达旦，直到第二天早晨。⑱减彻：指减少膳食种类，撤除饮食时的乐队伴奏。⑱救灾厄：赈济灾荒。厄，穷困、灾难。⑱隐逸：隐居的士人。⑱直道之士：正直的士人。⑱颍川：郡名，治所阳翟，在今河南禹州。⑲平原：郡名，治所平原县，在今山东平原南。⑲忠：陈忠（？至公元一二五年），安帝时直臣，官至司隶校尉、尚书令，陈宠之子。陈宠，和帝时官至司空。父子同传，见《后汉书》卷四十六。⑲帝年长：年龄长大了。⑲盛以缣囊：装入细绢口袋中。缣，双丝织的浅黄色细绢。⑲扑杀：将人装入口袋中捶打至死。⑲苏：苏

醒。[196]检视：检验查看。此指验尸，看是否死亡。[197]诈死：装死。[198]宜城：县名，属南郡，县治在今湖北宜城南。[199]保：雇工。此指酒家招待。[200]抵罪：因犯罪而判刑。[201]天下同义：全天下的人都敬重杜根的行为。[202]知故：知交故旧。[203]周旋：辗转隐藏。[204]邂逅发露：万一碰到熟人认出，则隐藏的形迹就要暴露。[205]戊申：三月二十八日。[206]清河孝王：即章帝子、和帝同父异母兄、安帝之父刘庆。传见《后汉书》卷五十五。[207]皇妣左氏：安帝之母左姬，清河王刘庆小妻。[208]祖妣宋贵人：安帝祖母，章帝之妃宋贵人。[209]长乐太仆：官名，掌皇太后长乐宫车马。[210]蔡伦：即东汉发明造纸术的宦官蔡伦，封龙亭侯。传见《后汉书》卷七十八。章帝时蔡伦为小黄门，迫害宋贵人事见本书卷四十六章帝建初七年。[211]自致廷尉：自己到廷尉府自首。[212]新昌：县名，属辽东郡，县治在今辽宁海城。[213]功曹掾：郡太守属吏，掌选举任用功劳等。[214]兵马掾：郡太守属吏，掌军事事务。[215]陈：通“阵”。[216]丁巳：四月初七日。[217]嫡母耿姬：安帝大母，清河王刘庆正妻耿夫人。[218]甘陵：清河孝王即孝德皇刘庆之陵，在清河郡厝县，安帝改名甘陵县，即今河北清河。[219]甲子：四月十四日。[220]乐成王苌：刘苌，安帝堂兄弟，济北王刘寿庶子，继嗣刘党后裔为乐成王。刘党，明帝之子，传国两次绝嗣，以刘苌继嗣。传见《后汉书》卷五十。[221]己巳：四月十九日。[222]举有道之士：推举有德行之士。此为举贤良临时所拟的科名。[223]谏争：直言规劝。争，通“诤”。[224]激切：指贤良对策的政论文，言论激烈而切直，批评切中要害而无隐饰。[225]不能容：指安帝不能忍受。[226]上疏豫通广帝意：上奏事先提请安帝开阔胸襟。豫，事先。[227]仁君广山薮之大：贤明的君主心胸开阔如高山大泽。语出《左传》：“川泽纳污，山薮藏疾，瑾瑜匿瑕，国君含垢，天之道也。”[228]謇谔之节：正直敢言的操守。謇，又作蹇，正直。谔，直言。《易经》卷四《蹇卦》：“王臣蹇蹇。”《史记》卷四十三《赵世家》载赵简子赞其直臣周舍曰：“吾闻千羊之皮，不如一狐之腋；诸大夫朝，徒闻唯唯，不闻周舍之鄂鄂，是以忧也。”[229]不畏

【原文】

帝少号聪明，故邓太后立之。及长，多不德，稍不可太后意[260]。帝乳母王圣知之。太后征济北、河间王子[261]诣京师。河间王子翼，美容仪，太后奇之，以为平原怀王后[262]，留京师。王圣见太后久不归政，虑有废置，常与中黄门[263]李闰、江京候伺左右，共毁短[264]太后于帝，帝每怀忿惧[265]。及太后崩，宫人先有受罚者[266]怀怨恚，因诬告太后兄弟悝、弘、阊先从尚书邓访取废帝故事，谋立平原王[267]。帝闻，追怒，令

逆耳之害：忠臣谏君，不怕触怒君主的祸患。典出《孔子家语》孔子之言："忠言逆耳而利于行。"㉚高祖舍周昌桀、纣之譬：汉高祖时直臣周昌曾讽谏刘邦好色如桀、纣之主，高祖舍而不罪。㉛人豕之讥：袁盎以吕太后迫害戚夫人为人豕的故事谏汉文帝不宜尊宠慎夫人。事详本书卷十三文帝二年。㉜宣室之正：宣室，未央宫前正殿，汉武帝在这里举行家宴，让其姑母窦太主的姘夫董偃入殿，东方朔谏之。事详本书卷十八武帝元光五年。㉝自刎之切：薛广德，汉元帝时御史大夫，谏说元帝不宜乘船，以自杀相迫。事详本书卷二十八元帝永光元年。㉞高宗：商王武丁，商代中兴之主，号高宗。㉟宋景：春秋时宋景公，天象变异，反躬自省而不罪大臣。㊱二台：指御史台、尚书台。杜根、成翊世平反升迁，杜根为侍御史，成翊世为尚书郎，被目为显任。㊲承风响应：闻风响应。㊳嘉谋：善谋。㊴管穴：喻见解浅陋之言，如从管中看天，从小孔中读文。㊵优游宽容：大度包容。优游，从容洒脱。㊶无讳：没有禁忌。讳，避讳。㊷特迁一等：越级一等任用。㊸书御：奏章进呈皇帝。㊹高第：成绩优秀，名列前茅。㊺至行：卓绝的品行。此指孝行。㊻不能去：不愿离开父母。㊼欧扑：殴打捶扑。㊽庐于舍外：在房屋外面建草舍。庐，作动词用，建庐舍。㊾里门：指乡村的里巷口。当时聚落称里。㊿晨昏不废：早晚请安，从不间断。(251)还：让其回家。(252)弟子：兄弟子侄。(253)中分：平分。(254)引：领。(255)若：你们。指兄弟子侄们。(256)荒顿：荒芜；荒废。(257)赈给：救助供给。(258)特征：专门征召。(259)加礼如毛义：比照毛义的待遇加于薛包。即赐谷千斛，每年八月地方官慰问，加赐羊酒。毛义事见本书卷四十六章帝元和元年。

【校记】

［5］嗣：原无此字。据章钰校，甲十六行本、乙十一行本皆有此字，张瑛《通鉴校勘记》同，今据补。

【语译】

汉安帝小时号称聪明，所以邓太后立他做了皇帝。等到长大，有很多不道德的言行，渐渐不称邓太后的心意。汉安帝的奶妈王圣知道这事。邓太后征召济北王、河间王的儿子到京城。河间王的儿子刘翼容貌仪止俊美，邓太后赏识他，作为平原怀王的后嗣，把他留在京师。王圣见太后很久不把朝政归还安帝，担忧有废置皇帝之举，常常与中黄门李闰、江京在汉安帝左右窥探，都向汉安帝说邓太后的坏话，汉安帝常常心怀愤恨和恐惧。等到邓太后去世，先前受到太后惩罚而心怀怨恨的宫人，趁机诬告邓太后的兄弟邓悝、邓弘、邓阊先从尚书邓访那儿获取废掉皇帝的旧事，谋议改立平原王。汉安帝听了，更加愤怒，命令有关官员奏劾邓悝等人大逆不

有司奏悝等大逆无道，遂废西平侯广宗、叶侯广德、西华侯忠㉖⑧、阳安侯珍㉖⑨、都乡侯甫德皆为庶人㉗⓪。邓骘以不与谋，但免特进，遣就国。宗族免官归故郡㉗①，没入骘等赀财田宅。徙邓访及家属于远郡，郡县迫逼，广宗及忠皆自杀。又徙封骘为罗侯㉗②。五月庚辰㉗③，骘与子凤并不食㉗④而死。骘从弟河南尹豹、度辽将军舞阳侯遵、将作大匠畅皆自杀。唯广德兄弟以母与阎后㉗⑤同产㉗⑥，得留京师。复以耿夔为度辽将军，征乐安侯邓康㉗⑦为太仆。丙申㉗⑧，贬平原王翼为都乡侯，遣归河间㉗⑨。翼谢绝宾客，闭门自守，由是得免。

初，邓后之立也㉘⓪，太尉张禹、司徒徐防欲与司空陈宠共奏追封后父训。宠以先世无奏请故事㉘①，争之，连日不能夺㉘②。及训追加封谥，禹、防复约宠俱遣子奉[6]礼于虎贲中郎将骘，宠不从，故宠子忠不得志于邓氏。骘等败，忠为尚书，数上疏陷成其恶㉘③。

大司农京兆㉘④朱宠痛骘无罪遇祸，乃肉袒舆榇㉘⑤上疏曰："伏惟和熹皇后圣善之德，为汉文母㉘⑥。兄弟忠孝，同心忧国，宗庙有主[7]，王室[8]是赖㉘⑦。功成身退，让国逊位，历世贵[9]戚，无与为比，当享积善履谦㉘⑧之祐。而横为宫人单辞㉘⑨所陷，利口倾险，反乱国家㉙⓪，罪无申证㉙①，狱不讯鞠㉙②，遂令骘等罹此酷滥㉙③[10]，一门七人，并不以命㉙④，尸骸流离㉙⑤，冤魂不反㉙⑥，逆天感人㉙⑦，率土丧气㉙⑧。宜收还冢次㉙⑨，宠树遗孤㉚⓪，奉承血祀㉚①，以谢亡灵。"宠知其言切㉚②，自致廷尉。陈忠复劾奏宠，诏免官归田里。众庶多为骘称枉者，帝意颇悟㉚③，乃谴让州郡㉚④，还葬骘等于北芒㉚⑤，诸从兄[11]弟皆得归京师。

帝以耿贵人兄牟平侯宝监羽林左军车骑㉚⑥，封宋杨㉚⑦四子皆为列侯，宋氏为卿、校㉚⑧、侍中、大夫、谒者、郎吏十余人。阎皇后兄弟显、景、耀，并为卿、校，典禁兵。于是内宠始盛。

帝以江京尝迎帝于邸㉚⑨，以为京功，封都乡侯，封李闰为雍乡侯，闰、京并迁中常侍。京兼大长秋㉛⓪，与中常侍㉛①樊丰、黄门令㉛②刘安、钩盾令㉛③陈达及王圣、圣女伯荣扇动㉛④内外，竞为侈虐。伯荣出入宫掖，传通奸赂。司徒杨震上疏曰："臣闻政以得贤为本，治以去秽㉛⑤为

道，于是废除西平侯邓广宗、叶侯邓广德、西华侯邓忠、阳安侯邓珍、都乡侯邓甫德的爵位，都贬为庶人。邓骘因为没有参与议谋，只免除特进，派遣回封国。邓氏宗族被免官回故乡，没收邓骘等人的资产田宅。将邓访和他的亲属迁到边远郡县，郡县官吏逼迫他们，邓广宗和邓忠都自杀。又改封邓骘为罗侯。五月初一日庚辰，邓骘和儿子邓凤都绝食而死。邓骘的堂弟河南尹邓豹、度辽将军舞阳侯邓遵、将作大匠邓畅全都自杀。唯有邓广德兄弟因为母亲和阎皇后是姐妹，得以留在京师。重新任命耿夔为度辽将军，征召乐安侯邓康为太仆。十七日丙申，贬平原王刘翼为都乡侯，派遣回到河间。刘翼谢绝宾客，闭门自保，因此得以免祸。

当初，邓太后被立为皇后，太尉张禹、司徒徐防想和司空陈宠共同奏请追封邓皇后的父亲邓训。陈宠因为前代没有奏请的惯例，反对追封，连续争议几天都不能说服他。等到邓训追加封谥，张禹、徐防又约陈宠都派儿子向虎贲中郎将邓骘送礼祝贺，陈宠没有听从，所以陈宠的儿子陈忠不为邓氏所器重。邓骘等人失势，陈忠为尚书，屡次上疏，通过诬陷构成了他们的罪恶。

大司农京兆人朱宠痛惜邓骘无罪却遭遇灾祸，于是裸露上身，用车拉着棺材，上书说："臣私下认为和熹皇后有圣善的美德，是汉朝的文母。她的兄弟忠孝，同心忧虑国家，宗庙社稷有了依靠，皇室有了依靠。功成身退，辞让封国爵位，历代的贵戚，没有可以与之相比的，应当享有积善谦让的福佑。然而，他们横遭宫人片面之词的陷害，能言善辩用心险恶，反而会祸乱国家，罪行没有确切证据，狱案不调查审讯，就使邓骘等人遭受这样随意的残酷陷害，一门七人，都死于非命，尸骨流散在外，冤魂没有返回祖先墓地，违背天理，触动了百姓，天下沮丧。应当收尸还归祖坟安葬，宠爱扶持遗留下来的孤儿，奉祀宗族香火，以慰亡灵。"朱宠知道他的言辞过于激烈，自己到廷尉等待处罚。陈忠又上奏弹劾朱宠，下诏免了朱宠的官回归家乡。百姓大多认为邓骘冤枉，汉安帝心里稍有悔悟，于是谴责州郡，把邓骘等人归葬到北芒山，邓氏的堂兄弟都得以回到京城。

汉安帝任命耿贵人的哥哥牟平侯耿宝监领羽林左军车骑，册封外曾祖父宋杨的四个儿子均为列侯，宋氏一族做卿、校尉、侍中、大夫、谒者、郎吏的有十几人。阎皇后的兄弟阎显、阎景、阎耀，都做了卿、校尉，掌管禁卫军。于是，汉安帝的内宠开始兴盛。

汉安帝因为江京曾经到清河王邸迎接自己，认为江京有功，封为都乡侯，封李闰为雍乡侯，李闰、江京都升迁为中常侍。江京兼任大长秋，和中常侍樊丰、黄门令刘安、钩盾令陈达，以及王圣、王圣的女儿王伯荣鼓动朝廷内外，争相奢华暴虐。王伯荣出入后宫，传递奸情贿赂。司徒杨震上疏说："臣听说朝政以得到贤才为根本，治国以铲除奸人为要务。因此唐尧、虞舜时俊德能治之士担任官职，流放了四个奸恶之人，天下都服从，达到天下和乐。现在九类有高尚品德的人没有被任用，佞幸

务。是以唐、虞[316]俊乂[317]在官，四凶[318]流放，天下咸服，以致雍熙[319]。方今九德[320]未事，嬖幸[321]充庭。阿母[322]王圣，出自贱微，得遭千载[323]，奉养圣躬，虽有推燥居湿[324]之勤，前后赏惠，过报劳苦[325]。而无厌之心[326]，不知纪极[327]，外交属托[328]，扰乱天下，损辱清朝[329]，尘点[330]日月。夫女子、小人，近之喜，远之怨，实为难养[331]。宜速出阿母，令居外舍，断绝伯荣，莫使往来，令恩德两隆[332]，上下俱美。”奏御，帝以示阿母等，内幸皆怀忿恚。

而伯荣骄淫尤甚，通[333]于故朝阳侯刘护从兄瓌，瓌遂以为妻，官至侍中，得袭护爵。震上疏曰：“经制[334]，父死子继，兄亡弟及，以防篡[335]也。伏见诏书封故朝阳[336]侯刘护再从兄瓌袭护爵为侯，护同产弟威，今犹见在。臣闻天子专封[337]，封有功；诸侯专爵，爵有德。今瓌无他功行[338]，但以配阿母女[339]，一时之间，既位侍中，又至封侯，不稽旧制[340]，不合经义，行人喧哗[341]，百姓不安。陛下宜鉴镜既往，顺帝之则[342]。”尚书广陵翟酺[343]上疏曰：“昔窦、邓之宠，倾动四方，兼官重绂[344]，盈金积货，至使议弄神器[345]，改更社稷[346]，岂不以势尊威广[347]以致斯患乎！及其破坏[348]，头颡堕地[349]，愿为孤豚[350]，岂可得哉！夫致贵无渐，失必暴[351]；受爵非道，殃必疾[352]。今外戚宠幸，功均造化[353]，汉元[354]以来未有等比。陛下诚仁恩周洽[355]，以亲九族；然禄去公室，政移私门[356]，覆车重寻，宁无摧折[357]！此最安危之极戒[358]，社稷之深计也。昔文帝爱百金于露台[359]，饰帷帐于皂囊[360]。或有讥其俭者，上曰：‘朕为天下守财耳，岂得妄用之哉！’今自初政[361]以来，日月未久，费用赏赐，已不可算。敛天下之财，积无功之家[362]，帑藏单尽[363]，民物凋伤[364]，卒有不虞[365]，复当重赋，百姓怨叛既生，危乱可待也。愿陛下勉求[366]忠贞之臣，诛远[367]佞谄之党，割情欲之欢，罢宴私之好，心存亡国所以失之，鉴观兴王[368]所以得之，庶[369]灾害可息，丰年可招矣。”书奏，皆不省[370]。

小人却充满朝廷。乳母王圣出身低贱，能够遇到千载难逢的机会，奉养圣上，虽有克己侍奉的殷勤，前后的赏赐恩惠，已超过她的劳苦。但她贪得无厌之心，不知限度，交接外朝，请托说项，扰乱天下，损害侮辱清明的朝廷，玷污日月。女子和小人，接近他们，他们就得意；疏远他们，他们就抱怨，实在难以伺候。应赶快让乳母王圣出宫，命她住到宫外房舍，断绝与王伯荣的往来，使皇上的恩惠与道义两方面都隆盛，上下都和美。”奏章呈上，汉安帝拿给乳母王圣等人看，内宠们都心怀愤恨。

而王伯荣最为骄奢淫逸，和已故朝阳侯刘护的堂兄刘瓌通奸，刘瓌就娶了她为妻，官做到侍中，得以继承刘护的爵位。杨震上疏说：“常规的制度，父死子继，兄终弟及，以预防篡位。臣私下看到诏书册封已故朝阳侯刘护的再堂兄刘瓌承袭刘护的爵位为侯，而刘护的同胞弟弟刘威，现在还健在。臣听说天子专断封爵，分封有功之人；诸侯专有爵位，赐爵给有德之人。现在刘瓌没有其他功劳品行，只是因为娶了皇上保姆的女儿，一时之间，他不仅位至侍中，而且得以封侯，不符合原有制度，不合乎经典大义，路上行人议论纷纷，百姓不安。陛下应当以过往为鉴镜，遵从帝王的法则。”尚书广陵人翟酺上疏说：“从前窦氏、邓氏的恩宠，震动天下，身兼数职，握有数印，财货盈积，甚至议政弄权，废立皇帝，难道不是因为权势太重、威望太高而导致了这些祸害吗！等到他们破败，人头落地，想做一只猪仔，难道可能实现吗！大凡达到富贵不是循序渐进，失去的必然很快；得到官爵不是通过正道，祸殃必然迅速来临。现在外戚得宠贵幸，爵禄与创建国家的皇室相等，汉初以来还没有谁能和他们相比。陛下实在是仁爱恩德普施，亲近九族；然而朝廷已经不能控制禄位，政权移到私人手上，重蹈前人覆辙，怎能不挫败！这已是最高的警戒线，是国家的深远大计。过去，汉文帝舍不得用一百斤黄金修建露台，用送奏章的黑色绸袋做成帷帐。有人批评他太节约，汉文帝说：‘朕为天下守住钱财啊，岂能随便使用！’现在，自从皇上刚刚亲政以来，时间不长，花费和赏赐已无法计算。敛取天下的财富，聚积于无功的人家，国库枯竭，民生凋敝，突然发生未料到的变故，又要加重赋税，百姓怨恨背叛的情绪已经产生，危险乱象指日可待。但愿陛下努力访求忠贞的大臣，诛杀疏远奸邪谄媚之流，割舍情欲之欢，罢除宴乐之好，内心想着亡国的原因，观察借鉴创业君主取得天下的道理，差不多可以消灾除害，带来丰年了。”奏章呈上，汉安帝概不理会。

【段旨】

以上为第七段，写汉安帝报复诸舅，贬杀邓氏兄弟，汉安帝乳母王圣、亲信宦官江京等一帮贪婪小人得势。

【注释】

㉖⓪稍不可太后意：渐渐不称邓太后心意。㉖①济北、河间王子：济北王刘寿之子刘懿，河间王刘开之子刘翼，皆安帝刘祜的从兄弟。㉖②以为平原怀王后：以刘翼为平原怀王刘胜的后嗣。刘胜，和帝长子，早夭，无后。㉖③中黄门：宦官名，在黄门内给事，位次中常侍。㉖④毁短：说邓太后的坏话。㉖⑤忿惧：又愤恨又恐惧。㉖⑥先有受罚者：早先曾受过邓太后处罚的宫女。㉖⑦平原王：指平原王刘翼。㉖⑧西华侯忠：邓忠，和熹邓皇后弟邓阊子，嗣文爵为西华侯。西华，县名，属汝南郡，在今河南西华。㉖⑨阳安侯珍：邓珍，和熹邓皇后兄邓京子，嗣文爵为阳安侯。阳安，县名，属汝南郡，在今河南驻马店。㉗⓪皆为庶人：一律免职夺爵为平民。庶人，平民。㉗①故郡：故里所在之郡。邓氏故里在南阳郡新野县（今属河南南阳）。㉗②罗侯：罗县侯。罗县属长沙郡，在今湖南汨罗，汉时为荒远之地。邓骘原为上蔡侯。上蔡县属富庶的汝南郡。㉗③庚辰：五月初一日。㉗④不食：绝食。㉗⑤阎后：安帝皇后阎姬。㉗⑥同产：同胞兄弟姐妹。此指同胞姐妹。㉗⑦乐安侯邓康：乐安侯，应为夷安侯。夷安，县名，属北海国，在今山东高密。邓禹三子为侯，第三子邓珍为夷安侯。邓康，邓珍之子，因谏邓太后还政让权被从族谱中除名，故不及祸。㉗⑧丙申：五月十七日。㉗⑨河间：刘翼父刘开的封国。治所乐成，在今河北献县东。㉘⓪邓后之立也：邓绥立为和帝皇后见本书卷四十八和帝永元十四年。㉘①先世无奏请故事：指汉代和帝以前没有大臣上奏请求追封皇后生父的先例。㉘②夺：说服；改变。㉘③陷成其恶：通过诬陷构成了邓家罪行。㉘④京兆：三辅之一，即西汉京师长安地区，治所在今陕西西安。㉘⑤肉袒舆榇：露出臂膀，车拉着棺材。以示死谏。榇，内棺。㉘⑥文母：周文王之母太任，有贤德之名。以邓太后比拟为汉代的文母。㉘⑦王室是赖：王室依赖他们得以安定。指邓太后与邓骘谋立安帝，使皇室有了皇帝。㉘⑧积善履谦：积累善德，践行谦虚。谦，谦逊。典出《易经·坤卦·文言》："积善之家，必有余庆。"㉘⑨单辞：单方面的指控，片面之词。㉙⓪利口倾险二句：能言善辩用心险恶，反而会祸乱国家。利口，巧言利舌。这两句出自《论语·阳货》："恶利口之覆邦家者。"㉙①申证：明证；确凿证据。㉙②狱不讯鞫：狱案不审讯，不调查。讯，审问。鞫，查证。㉙③罹此酷滥：遭受这样随意残酷陷害。㉙④一门七人二句：一家七口，全部死于非命。七人，指邓骘，邓骘堂弟邓豹、邓遵、邓畅，邓畅之子邓凤，邓凤的堂弟邓广宗、邓忠，共七人。㉙⑤尸骸流离：尸首流散各地。㉙⑥冤魂不反：冤魂不能返回祖先墓地。指被贬死的邓氏不得安葬故土。㉙⑦逆天感人：违背天理，触动了百姓。㉙⑧率土丧气：天下沮丧。㉙⑨收还冢次：收尸还归故土安葬。㉚⓪宠树遗孤：宠爱扶持遗留下来的孤儿。㉚①奉承血祀：祀奉家族香火。血祀，指祭祖时杀牲取血以降神。㉚②言切：言论过激。㉚③颇悟：稍有醒悟。㉚④谴让州郡：谴责州郡逼迫邓氏太甚，导致邓广宗、邓忠自杀。㉚⑤北芒：山名，在洛阳城北临黄河之土山。㉚⑥监羽林左军车骑：掌领羽林军的左军车骑。羽林军，皇宫

禁卫军，分左、右监，各掌左、右车骑。耿宝为羽林左监。㉗宋杨：安帝祖母宋贵人之父。㉘卿校：卿，指九卿。校，指禁军诸校卫官。㉙迎帝于邸：迎立安帝于清河邸。清河邸，清河王在京师的官邸。事在延平元年。㉚大长秋：官名，职掌皇后事务，或用宦官，或用士人。㉛中常侍：宫中官名，皇帝的贴身近臣，和帝以后皆用宦官，授以重任。㉜黄门令：诸黄门宦官之长。㉝钩盾令：宦官，掌管京师及周边皇帝苑囿游观之处。㉞扇动：鼓动；煽动。扇，同“煽”。㉟去秽：铲除奸人。秽，污秽，喻奸人。㊱唐、虞：唐尧、虞舜。㊲俊乂：俊德能治之士。㊳四凶：传说中唐虞时代的四大奸恶，即浑敦、穷奇、梼杌、饕餮，被虞舜所流放。㊴雍熙：和睦。㊵九德：九种高尚品德。《尚书·皋陶谟》所载九德为：“宽而栗（宽厚而谨慎）、柔而立（温和而自立）、愿而恭（有理想而恭敬）、乱而敬（善治理而又慎重）、扰而毅（柔顺而果断）、直而温（正直而温和）、简而廉（识大体而不轻细节）、刚而塞（刚健而笃实）、强而义（坚强而正义）。”㊶嬖幸：得宠小人。㊷阿母：保姆。㊸得遭千载：能够遇到千载难逢的机会。指王圣为安帝保姆。㊹推燥居湿：让出干地，自居湿地。喻母亲养育子女的克己侍奉精神。此指王圣侍奉安帝的辛劳。语出《孝经援神契》，曰：“母之于子也，鞠养殷勤，推燥居湿，绝少分甘。”㊺过报劳苦：报答已超过了奉献劳苦而应得的回报。㊻无厌之心：贪得无厌之心。厌，满足。㊼纪极：终极；限度。㊽外交属托：交接于外朝，以私事请托。㊾损辱清朝：损害污辱清明的朝廷。㊿尘点：玷污。(331)夫女子、小人四句：典出《论语·阳货》孔子之言，“唯女子与小人为难养也，近之则不逊，远之则怨”。养，对待、侍奉。(332)恩德两隆：恩惠与道义两方面都厚重。(333)通：通奸。(334)经制：常则；通常的制度。(335)防篡：防止篡夺。(336)朝阳：县名，在今河南邓州东南。(337)专封：独自掌握封赏的权力。(338)功行：功劳品行。(339)配阿母女：娶了皇帝保姆的女儿。(340)不稽旧制：不符合原有制度。稽，相合。(341)喧哗：议论纷纷。(342)顺帝之则：遵从帝王的原则。(343)翟酺：字子超，广汉雒（今四川广汉）人，历仕安帝、顺帝两朝，官至将作大匠。传见《后汉书》卷四十八。广陵，郡名，治所在今扬州。(344)兼官重绂：身兼数职，掌握几颗印。绂，系官印的丝带，也代指官印。(345)议弄神器：议政弄权。神器，指皇位、皇权。(346)改更社稷：更换皇帝。(347)势尊威广：势力太重，威权太大。(348)破坏：破败；垮台。(349)头颡堕地：人头落地。颡，额头。(350)愿为孤豚：想当一只猪仔。孤豚，小猪。孤，小、特。(351)致贵无渐二句：富贵不是逐渐积累而得，必定会突然丧失。暴，突然。(352)受爵非道二句：官爵不是正道得来，祸殃必然迅速来临。疾，速。(353)功均造化：外戚所受之爵禄与创造国家的皇室相等。功，指爵禄。造化，造物主，此指国家的缔造者皇室。(354)汉元：汉初。(355)仁恩周洽：仁爱恩德普施。洽，浸润。(356)禄去公室二句：皇帝已不能掌握禄位任命权，国家政权落入私人手中。(357)覆车重寻二句：重陷覆车之路，怎能不遭挫败。(358)极戒：最高的警戒线。(359)文帝爱百金于露台：汉文帝吝惜一百金修建露台。爱，吝惜、舍不得。一百金，等于十家中产人家的家产。一金，即一镒，为二十四两黄金。

露台，露天台榭。㊿饰帷帐于皂囊：搜集臣下送奏章的黑色绸袋拼合制作帷帐。饰，装饰。皂囊，黑色的绸袋。皂，黑色。㉛初政：指安帝刚刚亲政。㉜积无功之家：聚集于无功的人家。㉝帑藏单尽：国库枯竭。单，通“殚”。㉞民物凋伤：民生凋敝。㉟卒有不虞：突然发生变故。卒，通“猝”。虞，度、料想。不虞，指未料到的变故。㊱勉求：努力寻求。㊲诛远：诛杀或疏远。㊳兴王：创业之君主。㊴庶：庶几；差不多。㊵皆不省：都不予理会。

【原文】

秋，七月己卯[371]，改元[372]，赦天下。

壬寅[373]，太尉马英薨。

烧当羌忍良等以麻奴[374]兄弟本烧当世嫡[375]，而校尉马贤[376]抚恤不至，常有怨心，遂相结，共胁将诸种寇湟中[377]，攻金城[378]诸县。八月，贤将先零种击之，战于牧苑[379]，不利。麻奴等又败武威、张掖郡兵于令居[380]，因胁将先零、沈氐诸种四千余户缘山西走，寇武威。贤追到鸾鸟[381]，招引之，诸种降者数千，麻奴南还湟中。

甲子[382]，以前司徒刘恺为太尉。初，清河相叔孙光坐臧抵罪[383]，遂增禁锢二世[384]。至是，居延都尉[385]范邠复犯臧罪，朝廷欲依光比。刘恺独以为[12]“《春秋》之义[386]，善善及子孙，恶恶止其身，所以进人于善也。如今使臧吏禁锢子孙，以轻从重[387]，惧及善人[388]，非先王详刑[389]之意也”。尚书[13]陈忠亦以为然。有诏：“太尉议是。”

鲜卑其至鞬寇居庸关[390]。九月，云中太守成严击之，兵败，功曹杨穆以身捍严[391]，与之俱殁[392]，鲜卑于是围乌桓校尉徐常于马城[393]。度辽将军耿夔与幽州刺史庞参发广阳、渔阳、涿郡[394]甲卒救之，鲜卑解去。

戊子[395]，帝幸卫尉冯石府，留饮十余日，赏赐甚厚，拜其子世为黄门侍郎[396]，世弟二人皆为郎中。石，阳邑侯鲂[397]之孙也，父柱尚显宗女获嘉公主，石袭公主爵，为获嘉[398]侯，能取悦当世，故为帝所宠。

【校记】

[6] 奉：原作“奏”。据章钰校，甲十六行本、乙十一行本皆作“奉”，今据改。[7] 宗庙有主：原无此四字。据章钰校，甲十六行本、乙十一行本皆有此四字，张敦仁《通鉴刊本识误》、张瑛《通鉴校勘记》同，今据补。[8] 王室：原作“社稷”。据章钰校，甲十六行本、乙十一行本皆作“王室”，张瑛《通鉴校勘记》同，今据改。[9] 贵：据章钰校，甲十六行本、乙十一行本皆作“外”，张敦仁《通鉴刊本识误》同。[10] 滥：原作“陷”。据章钰校，甲十六行本、乙十一行本皆作“滥”，今据改。[11] 兄：据章钰校，甲十六行本、乙十一行本皆作“昆”。

【语译】

秋，七月初一日己卯，改年号，赦免天下。

二十四日壬寅，太尉马英去世。

烧当羌忍良等人认为麻奴兄弟本是烧当酋长的嫡亲后代，而校尉马贤不加以抚慰救助，常有怨恨之心，于是互相勾结，共同胁迫率领羌人各部入侵湟中，进攻金城郡各县。八月，马贤率领先零羌攻击他们，在牧苑交战，战斗失利。麻奴等人又在令居县击败武威郡、张掖郡的军队，于是裹胁先零、沈氏各族四千多户，率领他们沿着祁连山西行，入侵武威郡。马贤追击到鸾鸟县，招降引诱他们，各族归降的有几千人，麻奴向南退回湟中。

八月十六日甲子，任命前任司徒刘恺为太尉。当初，清河国相叔孙光犯贪赃罪被判刑，便加刑令父子两代不得做官。现在，居延都尉范邠又犯贪赃罪，朝廷想要比照叔孙光加以处分。唯独刘恺认为“《春秋》大义，报赏善行应延及子孙，惩罚罪行只限于他本人，是为了鼓励人们向善。如今让贪赃官吏的子孙也不得为官，将轻罪重判，使善人也害怕，这不是先王详察用刑的本意”。尚书陈忠也认为是这样。汉安帝下诏：“太尉说得有道理。”

鲜卑酋长其至鞬入侵居庸关。九月，云中郡太守成严攻击他们，军队失败，功曹杨穆用身体护卫成严，和他一起战死，鲜卑人于是包围了马城县的乌桓校尉徐常。度辽将军耿夔和幽州刺史庞参征发广阳郡、渔阳郡、涿郡的甲卒援助徐常，鲜卑人解围退去。

九月十日戊子，汉安帝亲自到卫尉冯石府上，停留宴饮十几天，赏赐极为丰厚，任命冯石的儿子冯世为黄门侍郎，冯世的两个弟弟都任命为郎中。冯石是阳邑侯冯鲂的孙子，父亲冯柱娶显宗的女儿获嘉公主为妻，冯石继承公主爵位，为获嘉侯，能取得当世人的喜欢，所以被皇帝所宠幸。

京师及郡国二十七雨水。

冬，十一月己丑[399]，郡国三十五地震。

鲜卑寇玄菟。

尚书令祋讽[400]等奏，以为："孝文皇帝[14]定约礼之制[401]，光武皇帝绝告宁之典[402]，贻则万世[403]，诚不可改，宜复断大臣行三年丧。"尚书陈忠上疏曰："高祖受命，萧何创制，大臣有宁告之科[404]，合于致忧之义[405]。建武之初，新承大乱，凡诸国政，多趣简易，大臣既不得告宁而群司[406]营禄念私[407]，鲜循[408]三年之丧以报顾复之恩[409]者，礼义之方，实为凋损[410]。陛下听大臣终丧，圣功美业[411]，靡以尚兹[412]。《孟子》有言[15]：'老吾老以及人之老，幼吾幼以及人之幼，天下可运于掌。'[413]臣愿陛下登高北望，以甘陵之思[414]揆度臣子之心，则海内咸得其所。"时宦官不便之，竟寝忠奏。庚子[415]，复断二千石以上行三年丧。

袁宏论曰："古之帝王所以笃化美俗，率民[416]为善，因其自然而不夺其情，民犹有不及者，而况毁礼止哀，灭其天性乎！"

十二月，高句骊王宫[417]率马韩[418]、濊貊数千骑围玄菟[419]，夫余王[420]遣子尉仇台将二万余人与州郡并力讨破之。是岁，宫死，子遂成立。玄菟太守姚光上言，欲因其丧，发兵击之。议者皆以为可许。陈忠曰："宫前桀黠[421]，光不能讨，死而击之，非义也。宜遣使吊问，因责让前罪，赦不加诛，取其后善。"帝从之。

【段旨】

以上为第八段，写二十七郡国大雨，三十五郡国地震，西羌、鲜卑、高句丽侵扰，国家多事。

京师及二十七个郡国降雨成灾。

冬，十一月十二日己丑，三十五个郡国发生地震。

鲜卑人侵犯玄菟郡。

尚书令祋讽等人上奏，认为："孝文皇帝定下丧礼从简的制度，光武皇帝撤销了大臣告假奔丧的制度，留下万世遵守的法则，实在不可改变，应该重新禁止大臣守三年丧。"尚书陈忠上疏说："高祖接受天命，萧何创立制度，大臣有守丧告假的规定，合乎表达哀伤的大义。建武初年，刚刚遭遇大乱，各种国政，大多趋于简约，大臣既不能告假奔丧，而百官又追求功名利禄，很少有人遵守三年的丧仪以报答父母养育之恩，礼义的原则，实际上受到损害。陛下听任大臣服完丧期，这是圣美的事情，没有可以超过这个的。《孟子》说：'尊敬自己的老人并推广到尊敬别人的老人，爱护自己的孩子并推广到爱护别人的孩子，天下就可以掌控在手掌之中了。'臣希望陛下登高北望，以怀念甘陵的心思揣度臣子的心意，那么天下人就都能得其所了。"当时宦官认为这对他们不利，竟然搁置了陈忠的奏章。十一月二十三日庚子，重新禁止二千石以上的官员守三年丧。

袁宏评论说："古代的帝王之所以重视教化，使风俗善美，引导百姓行善，是为了顺其自然而不剥夺他们的情感，但百姓还有达不到的地方，何况是毁坏礼制，禁止哀悼，灭绝天性呢！"

十二月，高句丽王宫率领马韩、濊貊数千骑兵围攻玄菟郡。夫余王派儿子尉仇台率领二万多人和州郡合力征讨打败了他们。这一年，宫死，儿子遂成继位。玄菟郡太守姚光上言，想趁其大丧，发兵攻击他们。议事的人都认为可以。陈忠说："宫以前桀骜狡猾，姚光不能讨伐，现在宫死了却去攻击高句丽，不是义举。应该派使者吊唁慰问，趁此斥责高句丽以前的罪过，赦免不加诛罚，求取日后的善报。"汉安帝采纳了他的意见。

【注释】

㊲①己卯：七月初一日。㊲②改元：改年号。改永宁二年为建光元年。㊲③壬寅：七月二十四日。㊲④麻奴：烧当羌首领东号之子，和帝永元元年随父降，永初元年叛出塞。事见《后汉书》卷八十七《西羌传》。㊲⑤世嫡：嫡亲后裔。㊲⑥校尉马贤：马贤时任护羌校尉。㊲⑦湟中：湟水流域。地属金城郡。㊲⑧金城：郡名，治所在今甘肃兰州市西固区。㊲⑨牧苑：马场。汉代西北边郡没有牧苑，用以养马，供军国之用。此指金城郡界内

的马场。㊳⓪令居：县名，县治在今甘肃永登西北。㊳①鸾鸟：县名，武威郡属县，在今甘肃永昌境。㊳②甲子：八月十六日。㊳③坐臧抵罪：被控贪污判刑。臧，古“赃”字。㊳④增禁锢二世：禁止父子两代不得做官。增，加刑。禁锢，犹今之剥夺政治权利，禁锢在家，不得出仕。㊳⑤居延都尉：官名，即居延属国都尉，掌护居延城及内附的胡人。居延城，在今内蒙古额济纳旗北居延海边。㊳⑥《春秋》之义：依据《春秋》的大义。下文“善善及子孙，恶恶止其身，所以进人于善也”，意谓对美好德行的报偿，应延及子孙，对罪恶的惩处只限于本身，为的是鼓励人们向善。《春秋》，指《春秋公羊传》，昭公二十年云：“君子之善善也长，恶恶也短。恶恶止其身，善善及子孙。”㊳⑦以轻从重：将轻罪从重判罚。㊳⑧惧及善人：刑太滥，恐怕会殃及善良。㊳⑨详刑：详察用刑。详，审察。㊳⑩居庸关：关隘名，在上谷郡界，今北京市昌平区。鲜卑先寇居庸关，从上谷进入云中郡。㊴①以身捍严：用身体遮护成严。捍，护卫。㊴②殁：战死。㊴③马城：在今河北怀安。㊴④广阳、渔阳、涿郡：三郡皆属幽州。广阳郡治所蓟县，在今北京市；渔阳郡治所渔阳，在今北京市密云区西南；涿郡治所涿县，在今河北涿州。㊴⑤戊子：九月十日。㊴⑥黄门侍郎：郎官名，皇帝近侍，给事黄门（宫门）之内。㊴⑦阳邑侯鲂：冯鲂，历仕中兴三朝，光武时官至司空。封阳邑乡侯。阳邑，县名，属太原郡，在今山西晋中市太谷区。传见《后汉书》卷三十三。㊴⑧获嘉：县名，属河内郡，在今河南获嘉，汉武帝时置。㊴⑨己丑：十一月十二日。㊵⓪祋讽：人名。㊵①孝文皇帝定约礼之制：汉文帝遗诏，三年之丧，以日代月，规定三十六日即可释服。㊵②光武皇帝绝告宁之典：光武帝规定臣僚因父母之丧不得长期告假。绝，禁止。告宁，告假归家。宁，官吏亲丧，归家服

【原文】

延光元年（壬戌，公元一二二年）

春，三月丙午[422]，改元，赦天下。

护羌校尉马贤追击麻奴，到湟中，破之，种众散遁。

夏，四月癸未[423][16]，京师、郡国二十一[17]雨雹[424]，河西[425]雹大者如斗。

幽州刺史冯焕、玄菟太守姚光数纠发[426]奸恶，怨者诈作玺书[427]，谴责焕、光，赐以欧刀[428]；又下辽东都尉庞奋，使速行刑。奋即斩光，收焕[429]。焕欲自杀，其子绲疑诏文有异，止焕曰：“大人在州，志欲去恶，实无他故。必是凶人妄诈，规肆奸毒[430]。愿以事自上，甘罪无晚。”焕

丧。⑷⒀ 贻则万世：留下万世遵守的规矩。⑷⒁ 宁告之科：指大臣守丧三年的法规。⑷⒂ 致忧之义：充分哀伤的大义。语出《论语·子张》："人未有自致者也，必也亲丧乎！"⑷⒃ 群司：百官。⑷⒄ 营禄念私：追求功名利禄。⑷⒅ 鲜循：很少遵行。⑷⒆ 报顾复之恩：报答父母顾我复我的养育恩。典出《诗经·蓼莪》云："父兮生我，……顾我复我，……欲报之德，昊天罔极。"⑷⒇ 凋损：衰敝、损害。⑷⑾ 圣功美业：圣美的事情。⑷⑿ 靡以尚兹：没有可以超过这个的。⑷⒀ 孟子有言四句：引语见《孟子·梁惠王上》。⑷⒁ 甘陵之思：指安帝对其生父刘庆的怀念之情。甘陵，刘庆之墓，在今河北清河南，位于洛阳西北，故前文说"北望"。⑷⒂ 庚子：十一月二十三日。⑷⒃ 率民：导民。⑷⒄ 宫：高宫。⑷⒅ 马韩：当时朝鲜半岛南部三韩之一。三韩呈品字形，中部是辰韩国，西南是马韩国，东南是弁辰国。⑷⒆ 玄菟：郡名，其时郡治已北移至高句丽县，在今辽宁沈阳东南。⑷⒇ 夫余王：居地在今辽宁昌图以北至黑龙江哈尔滨市双城区以南。⑷㉑ 桀黠：桀骜狡猾。

【校记】

［12］为：原无此字。据章钰校，甲十六行本、乙十一行本皆有此字，今据补。［13］尚书：原无此二字。据章钰校，甲十六行本、乙十一行本皆有此二字，张瑛《通鉴校勘记》同，今据补。［14］皇帝：原无此二字。据章钰校，甲十六行本、乙十一行本、孔天胤本皆有此二字，今据补。［15］有言：原作"曰"。据章钰校，甲十六行本、乙十一行本皆作"有言"，今据改。

【语译】

延光元年（壬戌，公元一二二年）

春，三月初二日丙午，改年号，赦免天下。

护羌校尉马贤追击麻奴，到达湟中，打败他们，其部众四处逃走。

夏，四月初九日癸未，京师和二十一个郡国下冰雹，河西地区的冰雹大得像斗一样。

幽州刺史冯焕、玄菟太守姚光多次检举揭发奸恶，怨恨他们的人伪造盖皇帝印玺的诏书，斥责冯焕、姚光，赐予刑刀；又下书辽东都尉庞奋，让他迅速执行刑法。庞奋当即斩杀姚光，拘捕冯焕。冯焕想自杀，他的儿子冯绲怀疑诏书文字奇怪，阻止冯焕说："大人您在州府时，立志要除去恶人，肯定没有其他缘故。一定是恶人妄自造假，肆意奸害。希望把这件事亲自上书，甘愿受罚不晚。"冯焕听从了儿子的

从其言，上书自讼。果诈者所为，征奋，抵罪。

癸巳[431]，司空陈褒免。五月庚戌[432]，宗正彭城刘授为司空。

己巳[433]，封河间孝王子德[434]为安平王，嗣乐成靖王[435]后。

六月，郡国蝗。

秋，七月癸卯[436]，京师及郡国十三地震。

高句骊王遂成还汉生口，诣玄菟降。其后濊貊率服，东垂[437]少事。

虔人羌与上郡胡反，度辽将军耿夔击破之。

八月，阳陵[438][18]园寝火。

九月甲戌[439]，郡国二十七地震。

鲜卑既累杀郡守，胆[19]气转盛[440]，控弦[441]数万骑。冬，十月，复寇雁门、定襄。十一月，寇太原[442]。

烧当羌麻奴饥困，将种众诣汉阳[443]太守耿种降。

是岁，京师及郡国二十七雨水。

帝数遣黄门常侍及中使伯荣往来甘陵。尚书仆射陈忠上疏曰："今天心未得[444]，隔并屡臻[445]，青、冀[446]之域，淫雨漏河[447]，徐、岱[448]之滨[449]，海水盆溢[450]，兖、豫[451]蝗蝝滋生[452]，荆、扬[453]稻收俭薄[454]，并、凉[455]二州羌戎叛戾，加以百姓不足，府帑虚匮。陛下以不得亲奉孝德皇园庙，比遣中使致敬甘陵，朱轩[456]骈[457]马，相望道路，可谓孝至矣。然臣窃闻使者所过，威权翕赫[458]，震动郡县，王、侯、二千石至为伯荣独拜车下，发民修道，缮理[459]亭传[460]，多设储偫[461]，征役无度，老弱相随，动有万计，赂遗仆从，人数百匹[462]，顿踣呼嗟[463]，莫不叩心[464]。河间托叔父之属，清河有陵庙之尊，及剖符大臣，皆猥为伯荣屈节车下。陛下不问，必以为陛下欲其然也[465]。伯荣之威，重于陛下，陛下之柄，在于臣妾，水灾之发，必起于此。昔韩嫣托副车之乘，受驰视之使，江都误为一拜，而嫣受欧刀之诛[466]。臣愿明主严天元之尊[467]，正乾刚之位[468]，不宜复令女使干错万机[469]。重察左右，得无石显[470]漏泄[20]之奸；尚书纳言[471]，得无赵昌谮崇之诈[472]；公卿大臣，得无朱博阿傅之援[473]；外属近戚，得无王凤害商之谋[474]。若国政一由帝命，王事每决于己，则下不得逼上，臣不得干君，常雨大水必当霁止，四方众异不能为害。"书奏，不省。

话，上书为自己诉冤。果然是伪造者所为，征召庞奋，判处罪行。

四月十九日癸巳，司空陈褒被免职。五月初七日庚戌，任命宗正彭城人刘授为司空。

二十六日己巳，册封河间孝王的儿子刘德为安平王，以为乐成靖王的后嗣。

六月，郡国发生蝗灾。

秋，七月初一日癸卯，京师以及十三个郡国发生地震。

高句丽王遂成送还汉人和牲畜，到玄菟郡归降。此后濊貊跟着也归附了，东面边境少有战事。

虔人羌和上郡胡人反叛，度辽将军耿夔打败了他们。

八月，阳陵陵园寝庙失火。

九月甲戌日，二十七个郡国发生地震。

鲜卑已经多次杀害郡守，胆量越来越大，挽弓射箭的骑兵有几万人。冬，十月，再次侵犯雁门郡、定襄郡。十一月，入侵太原郡。

烧当羌麻奴饥荒困乏，率领部众到汉阳太守耿种处投降。

这一年，京师及二十七个郡国降雨成灾。

汉安帝几次派黄门常侍和中使伯荣往来甘陵。尚书仆射陈忠上疏说:“现在尚未得到上天的欢心，水旱灾害交替发生；青州、冀州地方，连降雨水，堤防决漏；徐州、泰山沿海地区，海水上涨倒灌；兖州、豫州蝗虫繁生；荆州、扬州稻谷歉收；并州、凉州二州羌戎反叛肆虐，加上百姓穷困，国库空虚。陛下因为不能亲自侍奉孝德皇的园陵寝庙，接连派中使到甘陵礼敬，朱红色的车辆、并驾的马匹，在道路上前后相望，可以说尽孝到了极点。但臣私下听说使者所过之处，威权显赫，震动郡县，王、侯、二千石官甚至都要单独在车下拜见伯荣，征发百姓修路，整修亭舍驿站，多多置办储备物资，征发劳役没有限度，老弱前后相继，动辄以万计，贿赂送礼给伯荣的仆人随从，每人几百匹丝帛，百姓跌倒在地上呼号叹息，没有不捶胸哀痛的。河间王身为陛下叔父的亲属，清河王国尊有陛下父母陵庙，和那些与陛下布符立信的功臣，他们都委屈地在伯荣车下屈尊问候。陛下不过问，必定以为是陛下想让他如此。伯荣的威严，比陛下还重，陛下的大权，在臣妾手上，水灾的发生，必定是这个原因造成的。过去韩嫣越格乘坐天子的副车，接受指使驰车察看有无野兽，江都王误以为是天子，向他下拜，而韩嫣受到刑刀的诛杀。臣希望圣明的君王严肃天子的尊贵，摆正君权的地位，不应再命令女使干预国家大事。仔细审察左右亲信，有没有石显泄露机密那样的奸情；尚书进言，有没有赵昌毁谤郑崇那样的奸诈；公卿大臣，有没有朱博阿附傅喜那样的援党；外戚近亲，有没有王凤伤害王商那样的阴谋。如果朝政一概出自皇帝诏命，皇帝的事都由自己决定，那么下臣就不能胁迫皇上，臣子就不能干预君主，久雨大水必会停止，四方的各种灾异就不能为害。”奏章呈上，汉安帝不理睬。

时三府⑰任轻，机事专委尚书。而灾眚变咎⑰，辄切⑰免三公。陈忠上疏曰："汉典[21]旧事⑰，丞相所请，靡有不听。今之三公，虽当其名而无其实，选举诛赏，一由尚书，尚书见任，重于三公，陵迟⑰以来，其渐久矣。臣忠心常独不安。近以地震，策免司空陈褒，今者灾异，复欲切让三公。昔孝成皇帝以妖星守心⑱，移咎丞相，卒不蒙上天之福，徒乖宋景之诚⑱。故知是非之分，较然⑱有归矣。又尚书决事，多违故典，罪法无例⑱，诋欺为先⑱，文惨言丑⑱，有乖章宪⑱。宜责求其意，割而勿听，上顺国典，下防威福⑱，置方员于规矩，审轻重于衡石⑱，诚国家之典，万世之法也。"

【段旨】

以上为第九段，写四十一郡国冰雹。尚书仆射陈忠上奏汉安帝抑制群小，尊重三公九卿大臣以息灾害。

【注释】

㊷丙午：三月初二日。㊸癸未：四月初九日。㊹郡国二十一雨雹：二十一个郡国下冰雹。㊺河西：地区名，今甘肃河西走廊地区，当时为武威、张掖、酒泉、敦煌四郡。㊻纠发：纠察举发。㊼玺书：盖皇帝印的诏书。㊽欧刀：刑刀。一说，古人以欧冶子善作剑，故称剑为欧刀。㊾收焕：拘捕冯焕。㊿规肆奸毒：肆意奸害。㉛癸巳：四月十九日。㉜庚戌：五月初七日。㉝己巳：五月二十六日。㉞河间孝王子德：河间王刘开，章帝之子，死谥孝王。其子刘德，过继乐成王刘苌为后嗣，封为安平王。即改乐成国为安平国。㉟乐成靖王：明帝子刘党，封乐成王，死谥为靖王，两传以后，两度绝嗣。传见《后汉书》卷五十《孝明八王列传》。㊱癸卯：七月初一日。㊲东垂：东部边疆。㊳阳陵：汉景帝陵。㊴甲戌：九月壬寅朔，无甲戌。甲戌，十月初三日。㊵胆气转盛：胆量越来越大。㊶控弦：弯弓射箭的骑士。㊷太原：郡名，治所晋阳，在今山西太原西南。与雁门、定襄皆东汉北方沿边诸郡。雁门郡，治所阴馆，在今山西朔州东南。定襄郡，治所善无，在今山西右玉东南。㊸汉阳：郡名，治所冀县，在今甘肃甘谷东。㊹天心未得：尚未得到上天的心。㊺隔并屡臻：水旱灾交替发生。隔并，指水旱灾交替。㊻青、冀：青州，今山东半岛。冀州，今河北中部。㊼淫雨漏河：过度下雨，黄河堤坝决漏。㊽徐、岱：徐州、泰山。㊾滨：沿海地区。㊿海水盆溢：海水上

这时三府没有实权，机要事务专门委任尚书。而灾异过失，却责让罢免三公。陈忠上疏说："汉朝法律旧例，丞相的请命，没有不听的。现在的三公，虽然有三公的名号却没有实际的职权，选拔、举荐、诛杀、奖赏，全部由尚书决定，尚书被任用，职权超过三公，三公衰弱以来，发展过程已经很久了。臣陈忠心里时常独自不安。近来因为地震，下令免掉司空陈褒，现在出现灾变，又想严厉责怪三公。以前，孝成皇帝因为火星徘徊在心宿附近，把过错转移给丞相，最终还是不能蒙受上天的赐福，徒然违背了宋景公的诚心。所以知道是非的区别，显然是有界限的。而且尚书决断大事，大多违反旧典，判刑不遵守前例，以诋毁欺骗为要务，文字惨毒，信口雌黄，违背法典。应当探求其原意，割弃不听，对上可依从国家法典，对下可预防奸臣作威作福，用方矩和圆规去画方和圆，用衡石去称量轻重，这才是国家的典章，万代的法则。"

涨倒灌。盆，通"溢"，水涌溢。㊿兖、豫：兖州，约当今山东西部地区。豫州，约当今河南。452蝗蝝滋生：蝗虫繁衍。蝝，蝗子。453荆、扬：荆州，约当今两湖地区。扬州，约当今安徽、江西、江苏等地区。454稻收俭薄：稻谷歉收。455并、凉：并州，约当今山西。凉州，约当今甘肃。456朱轩：朱红色的马车，使者所乘。457骈：并。458翕赫：隆盛；显赫。459缮理：修治。460亭传：亭舍驿传。461多设储偫：多多储备物资。偫，储备、积蓄。462赂遗仆从二句：民众给中使及伯荣的随从行贿，以求自保，就要花费几百匹绢帛。463顿踣呼嗟：跌倒在地呼号叹息。464叩心：捶心悲痛。465陛下欲其然也：皇帝想让他这样。指纵容伯荣作威作福。466昔韩嫣四句：韩嫣，汉武帝宠臣，经常与汉武帝一起出入、休息，权势炙手可热。江都王刘非入朝，随从汉武帝到上林苑打猎。韩嫣乘坐皇帝副车，受武帝指派先驱视察野兽情况，江都王误认为是汉武帝，拜倒路旁，韩嫣不为礼，江都王向窦太后哭诉，韩嫣最终被诛。467严天元之尊：严肃天子的尊贵。天元，至高无上，指皇帝。468正乾刚之位：端正君权的地位。469干错万机：干预国家大事。470石显：汉元帝时弄权宦官，常泄漏机密以谋利作奸。事见本书卷二十九元帝建昭元年。471纳言：进言。472赵昌谮崇之诈：赵昌，哀帝时尚书令。郑崇为尚书仆射，谏言哀帝宠幸董贤过度。赵昌陷害郑崇有奸谋，死狱中。事见本书卷三十四哀帝建平四年。473朱博阿傅之援：朱博，哀帝时丞相，阿谀外戚傅氏以为党援。事详本书卷三十四哀帝建平二年。474王凤害商之谋：成帝时外戚王凤谋害丞相王商。事详本书卷三十成帝河平四年。475三府：司徒、司空、太尉三府。三府长官称三公。476灾眚变咎：灾异过误。477切：责让；责备。478汉典旧事：指汉朝法律成例。479陵迟：衰败。指三公权力逐渐丧失。480妖星守心：火星徘徊于心宿附近。成帝时荧惑守心，切让丞相翟方进，使之自杀。妖，变异、反常。事见本书

卷三十三成帝绥和二年。(481)徒乖宋景之诚：汉家以灾变追究三公的做法，徒然背离了宋景公的真诚美德。春秋时宋景公头曼不肯将天灾转嫁大臣，终于蒙受上天之福。(482)较然：鲜明。较，明显、显著。(483)罪法无例：定刑判罪不依照惯例。(484)诋欺为先：首先是诋毁欺骗。(485)文惨言丑：文字惨酷，信口雌黄。(486)有乖章宪：违背法典。(487)下防威福：对下防止作威作福。(488)置方员于规矩二句：运用方矩和圆规去画方和圆，用衡石去称量轻重。喻办事应依规矩法典。衡石，秤衡，三十斤为钧，四钧为石。

【原文】

汝南太守山阳王龚(489)政崇宽[22]和，好才爱士。以袁阆(490)为功曹，引进郡人黄宪(491)、陈蕃(492)等。宪虽不屈，蕃遂就吏(493)。阆不修异操，而致名当时，蕃性气高明，龚皆礼之，由是群士莫不归心。

宪世贫贱，父为牛医。颍川荀淑(494)至慎阳，遇宪于逆旅(495)，时年十四，淑竦然(496)异之，揖与语，移日(497)不能去。谓宪曰："子，吾之师表也。"既而前至袁阆所，未及劳问，逆曰："子国有颜子(498)，宁识之乎？"阆曰："见吾叔度耶？"是时同郡戴良(499)，才高倨傲(500)，而见宪未尝不正容，及归，罔然(501)若有失也。其母问曰："汝复从牛医儿来邪？"对曰："良不见叔度，自以为无不及。既睹其人，则瞻之在前，忽焉[23]在后(502)，固难得而测矣。"陈蕃及同郡周举尝相谓曰："时月之间(503)，不见黄生，则鄙吝之萌(504)复存乎心矣。"太原郭泰(505)少游汝南，先过袁阆，不宿而退(506)；进，往从宪，累日(507)方还。或以问泰，曰："奉高(508)之器(509)，譬诸氿滥(510)，虽清而易挹(511)。叔度汪汪若千顷陂(512)，澄之不清，淆(513)之不浊，不可量也。"宪初举孝廉，又辟公府(514)。友人劝其仕，宪亦不拒之。暂到京师(515)，即还，竟无所就，年四十八终。

范晔论曰："黄宪言论风旨(516)，无所传闻。然士君子见之者，靡不服深远，去玼[24]吝(517)，将以道周性全(518)，无德而称(519)乎！余曾祖

【校记】

［16］癸未：原无此二字。据章钰校，甲十六行本、乙十一行本、孔天胤本皆有此二字，张瑛《通鉴校勘记》同，今据补。［17］二十一：原作“四十一”。据章钰校，甲十六行本、乙十一行本皆作“二十一”，今据改。［18］阳陵：原作“杨陵”。据章钰校，甲十六行本、乙十一行本皆作“阳陵”，今据改。［19］胆：据章钰校，甲十六行本、乙十一行本皆作“意”。［20］漏泄：据章钰校，甲十六行本、乙十一行本二字互乙。［21］典：原作“兴”。据章钰校，乙十一行本、孔天胤本皆作“典”，今据改。

【语译】

汝南太守山阳人王龚理政崇尚宽和，喜爱人才贤士。任命袁阆为功曹，引进郡中人士黄宪、陈蕃等人。黄宪虽不屈从，陈蕃最终前往就任为吏。袁阆不做标新立异的事，但在当世颇有名气，陈蕃品行器识高远，王龚对他们都以礼相待，因此，这些士人没有不倾心于王龚的。

黄宪家世贫贱，父亲是牛医。颍川人荀淑到了慎阳，在旅馆遇见黄宪，黄宪当时十四岁，荀淑十分惊异他的才能，向他作揖交谈，久久不愿离开。对黄宪说：“你是我的师表。”不久前往袁阆的住所，来不及寒暄，就问：“你的国家有颜回，你认识吗？”袁阆说：“看到了我们的叔度吗？”当时同郡的戴良，才高倨傲，但见到黄宪从来没有不端正容貌，等到回来，怅然若有所失。戴良的母亲问他说：“你又从牛医的儿子那里来吗？”戴良回答说：“我没有见到叔度以前，自认为无人能比得上我。见到他以后，看着他在前面，忽然又出现在后面，实在难以猜测啊。”陈蕃和同郡人周举曾经互相说：“三个月时间看不到黄生，那么卑鄙可耻的苗头就会再次萌发于心中了。”太原人郭泰年轻时游历汝南，先去拜访袁阆，没留宿就离开了；继续前行，去拜访黄宪，好几天才返回。有人问郭泰缘由，郭泰说：“奉高的器量好像是泉水支流，虽然清澈，但容易舀取。叔度磅礴好像千顷湖水，无法使它澄清，但也无法使它浑浊，不可度量。”黄宪最初被推荐为孝廉，又被三公府征召。朋友劝黄宪做官，黄宪也不拒绝他。到京师做短暂停留，随即就回来了，最终没有担任任何职务，四十八岁去世。

范晔评论说：“黄宪的言论和见解，没有流传下来什么。但是士人君子见到他的，无不佩服他的高深，去除了头脑中的污秽念头，以求道德周备、心性完美，道德至大无法称名！我的曾祖父穆侯范汪认为：‘黄宪，以柔和顺应时代，

穆侯[520]以为：'宪，隤然[521]其处顺，渊乎其似道[522]，浅深莫臻其分[523]，清浊未议其方[524]，若及门于孔氏，其殆庶乎[525]！'"

【段旨】

以上为第十段，写名士黄宪器量风采。

【注释】

⑷⑻⑼王龚：字伯宗，山阳郡高平县（今山东微山县）人，仕安帝、和帝两朝，历官郡守、司隶校尉、太仆、太常、司空，官至太尉。传见《后汉书》卷五十六。[490]袁阆：字奉高，汝南郡汝阳县（今河南商水西北）人。[491]黄宪：字叔度，汝南慎阳县（今河南正阳）人，东汉名士，不受征辟，年四十八卒，天下号为"征君"。传见《后汉书》卷五十三。[492]陈蕃：字仲举，汝南平舆县（今河南汝南东南）人，仕桓、灵二帝，为党人领袖，官至太尉、太傅，与大将军窦武谋诛宦官，事泄，被宦官王甫所害。传见《后汉书》卷六十六。[493]就吏：就职为吏。[494]荀淑：字季和，颍川郡颍阴县（今河南许昌）人，东汉经学家。传见《后汉书》卷六十二。[495]逆旅：旅店。逆，迎。[496]竦然：惊异的样子。[497]移日：日影移晷，比喻很长的时间。[498]颜子：即孔子弟子颜回。荀淑以黄宪比颜子。[499]戴良：字叔鸾，与黄宪同县人，生性高傲，自比当世孔子，大禹转世，终身不仕。传见《后汉书》卷八十三《逸民列传》。[500]倨傲：高傲看不起人。[501]罔然：失意的样子。[502]瞻之在前二句：看看好像在前面，忽然又到后面去了。这两句话是颜回赞颂孔子

【原文】

二年（癸亥，公元一二三年）

春，正月，旄牛夷[526]反，益州刺史张乔击破之。

夏，四月戊子[527]，爵乳母王圣为野王君。

北匈奴连与车师入寇河西，议者欲复闭玉门、阳关[528]以绝其患。敦煌太守张珰上书曰："臣在京师，亦以为西域宜弃。今亲践其土地，乃知弃西域则河西不能自存。谨陈西域三策：北虏呼衍王常展转蒲类、

所具道义如同深渊，深浅无法估量，清浊都不能干扰他的思想。如果赶上做孔子门下学生，那就差不多近于完美了！'"

的学问高深莫测，见《论语·子罕》。⑤⓪③时月之间：三月之间。三月为一时。⑤⓪④鄙吝之萌：卑鄙可耻的念头。⑤⓪⑤郭泰：《后汉书》作郭太，字林宗，太原郡介休（今山西介休）人，东汉末名士，太学生领袖，经学家，门徒数千人。传见《后汉书》卷六十八。⑤⓪⑥退：告退；返还。⑤⓪⑦累日：连着几天。⑤⓪⑧奉高：袁阆之字。⑤⓪⑨器：器量；才能。⑤①⓪汍滥：泉水支流。⑤①①挹：舀取。⑤①②千顷陂：千顷大湖。⑤①③淆：混杂；搅乱。⑤①④辟公府：被三公府征召。⑤①⑤暂到京师：只在京师做短暂停留。⑤①⑥风旨：见解。⑤①⑦去玼吝：扫除了头脑中的污秽念头。玼，通"疵"。⑤①⑧道周性全：道德周备，心性完美。⑤①⑨无德而称：道德至大无可比拟，故无法称名。⑤②⓪曾祖穆侯：范晔曾祖穆侯范汪，字玄平，西晋安北将军。汪生宁，宁生泰，泰生晔。⑤②①隤然：柔顺的样子。⑤②②渊乎其似道：所具道义如临深渊，不可测量。⑤②③浅深莫臻其分：深浅无法估计。⑤②④清浊未议其方：清浊不能干扰他的思想。方，指思想、方法。⑤②⑤若及门于孔氏二句：若果黄宪赶上给孔子做学生，那就差不多了。殆，近，近于为圣人。语出《易·系辞下》："颜氏之子，其殆庶几乎！"

【校记】

［22］宽：据章钰校，甲十六行本、乙十一行本皆作"温"。［23］焉：原作"然"。据章钰校，甲十六行本、乙十一行本皆作"焉"，今据改。［24］玼：原误作"玭"。据章钰校，甲十六行本、乙十一行本皆作"玼"，当是，今据校正。

【语译】

二年（癸亥，公元一二三年）

春，正月，旄牛夷反叛，益州刺史张乔打败他们。

夏，四月二十日戊子，爵封乳母王圣为野王君。

北匈奴联合车师入侵河西，有人议论要再次关闭玉门关、阳关来断绝外患。敦煌太守张珰上书说："臣在京城时，也认为应当抛弃西域。现在亲自到了这块土地，才知道抛弃西域就不能自保河西。谨呈献关于西域的三个计策：北方敌人呼衍王常

秦海之间[529]，专制[530]西域，共为寇钞。今以酒泉属国吏士二千余人集昆仑塞[531]，先击呼衍王，绝其根本，因发鄯善兵五千人胁车师后部，此上计也。若不能出兵，可置军司马，将士五百人，四郡[532]供其犁牛、谷食[533]，出据柳中[534]，此中计也。如又不能，则宜弃交河城[535]，收鄯善等，悉使入塞，此下计也。"朝廷下其议。陈忠[536]上疏曰："西域内附日久，区区东望扣关者数矣，此其不乐匈奴、慕汉之效也。今北虏已破车师，势必南攻鄯善，弃而不救，则诸国从[537]矣。若然，则虏财贿[538]益增，胆势益殖[539]，威临南羌[540]，与之交通，如此，河西四郡危矣。河西既危，不可不救，则百倍之役兴，不訾之费[541]发矣。议者但念西域绝远，恤之烦费，不见孝武苦心勤劳之意也。方今敦煌孤危，远来告急，复不辅助，内无以慰劳吏民[542]，外无以威示百蛮，蹙国减土[543]，非良计也。臣以为敦煌宜置校尉，按旧增四郡屯兵，以西抚诸国。"帝纳之。于是复以班勇为西域长史[544]，将兵五百人出屯柳中。

秋，七月，丹阳[545]山崩。

九月，郡国五雨水。

冬，十月辛未[546]，太尉刘恺罢。甲戌[547]，以司徒杨震为太尉，光禄勋东莱[548]刘熹为司徒。大鸿胪耿宝自候[549]震，荐中常侍李闰兄于震曰："李常侍国家所重，欲令公辟其兄。宝唯传上意耳[550]。"震曰："如朝廷欲令三府辟召，故宜有尚书敕。"宝大恨而去。执金吾[551]阎显亦荐所亲于震，震又不从。司空刘授闻之，即辟此二人，由是震益见怨。时诏遣使者大为王圣修第[552]，中常侍樊丰及侍中周广、谢恽等更相扇动，倾摇朝廷。震上疏曰："臣伏念方今灾害滋甚，百姓空虚，三边[553]震扰，帑藏匮乏，殆非社稷安宁之时。诏书为阿母兴起第舍，合两为一[554]，连里竟街[555]，雕修缮饰[556]，穷极巧伎[557][25]，攻山采石[558]，转相迫促，为费巨亿。周广、谢恽兄弟与国无肺府枝叶之属[559]，依倚[560]近幸奸佞之人，与之分威共权，属托[561]州郡，倾动大臣，宰司辟召，承望旨意，招来海内贪污之人，受其货赂，至有臧锢弃世之徒[562]，复得显用，白黑浑淆，清浊同源，天下讙哗，为朝结讥[563]。臣闻师言，上之所取，财尽则怨，力尽则叛，怨叛之人，不可复使[564]，惟陛下度之。"上不听。

辗转于蒲类海、秦海之间，控制着西域，一起寇掠。现在派酒泉属国吏士二千多人聚集昆仑塞，先进攻呼衍王，断绝他们的根基，然后征发鄯善军队五千人威胁车师后部，这是上计。如果不能出兵，可以设立军司马，率领五百士兵，四个郡供给他们犁、牛和粮食，出关占领柳中，这是中计。如果还是不行，就应当抛弃交河城，聚集鄯善等，让他们全部迁入塞内，这是下计。”朝廷讨论他的计策。陈忠上疏说：“西域内附时间已久，真心盼望东归，多次请求进关，这是他们不喜欢匈奴、敬慕汉朝的明证。现在北匈奴已经攻破车师，势必向南攻打鄯善，如果抛弃而不救，那么各国就会顺服北匈奴了。如果是这样，敌人的财物贡赋就会日益增多，胆量势力日益发展，威势凌驾于南部羌人，和他们交通往来，这样，河西四郡就危险了。河西要有危险，不能不救，势必发动百倍的劳役，征发无法估量的费用。发表议论的人只想到西域非常遥远，担心经营会耗费很多，却未看到孝武帝苦心经营的用意。现在敦煌孤独危险，从远方前来告急，又不帮助，对内无法安抚守边的吏民，对外无法向各族显示威信，困迫国家减少国土，不是好计策。臣认为敦煌应当设置校尉，按惯例增加四郡屯垦军队，用以安抚西域各国。”汉安帝接受了他的建议。于是再次任命班勇为西域长史，率领五百人出塞驻守柳中。

秋，七月，丹阳郡发生山崩。

九月，五个郡国降雨成灾。

冬，十月初六日辛未，太尉刘恺被免职。初九日甲戌，任命司徒杨震为太尉，光禄勋东莱人刘熹为司徒。大鸿胪耿宝亲自拜见杨震，向杨震推荐中常侍李闰的哥哥说：“李常侍为国家所重视，想让公府征辟他的哥哥。耿宝我只是传达皇上的意思罢了。”杨震说：“如果朝廷想要命令三公府辟除征召，按制应当有尚书敕令。”耿宝大为愤恨，离去。执金吾阎显也向杨震推荐他亲近的人，杨震又不听从。司空刘授听说这些事，立即征辟了这二人，于是杨震更被怨恨。当时下诏派使者为王圣大修宅第，中常侍樊丰和侍中周广、谢恽等人互相煽动，倾动朝廷。杨震上疏说：“臣私下想到当今灾害日益严重，百姓贫穷，三面边境惊扰，国库空虚，恐怕不是国家安宁的时候。皇上下诏书为皇上的乳母兴建府第，合并两个府第建成一个，把两个里巷连起来，占了一整条街，雕刻装饰，穷尽人间技术工艺，凿山采石，辗转催促，耗费巨亿。周广、谢恽兄弟与皇家没有至亲关系，甚至连远亲都拉不上，依仗皇上身边宠幸的奸佞小人，和他们分享威权，请托州郡，动摇大臣，三公府辟除征召，承顺上面的旨意，招来天下贪婪污秽之人，接受他们的贿赂，甚至那些因贪赃而被禁锢为吏、受世人唾弃之徒，再次得以重用，黑白颠倒，清浊同源，天下议论纷纷，给朝廷引来讥讽。臣听先师说，上面所取，财货取尽了民众就怨恨，民力取尽了民众就背叛，心怀怨恨背叛的人，不可以再驱使，希望陛下思考这件事。”汉安帝不听。

鲜卑其至鞬自将万余骑攻南匈奴于曼柏[565]，薁鞬日逐王战死，杀千余人。

十二月戊辰[566]，京师及郡国三地震。

陈忠荐汝南周燮[567]、南阳冯良[568]学行深纯，隐居不仕，名重于世，帝以玄纁羔币[569]聘之。燮宗族更劝之曰："夫修德立行，所以为国，君独何为守东冈之陂[570]乎？"燮曰："夫修道者度其时而动，动而不时，焉得亨乎[571]！"与良皆自载至近县[572]，称病而还。

【段旨】

以上为第十一段，写匈奴入侵车师，朝廷主张闭玉门关弃西域之声再度鹊起，尚书令陈忠严厉驳斥，诏令班勇为西域长史，驻屯柳中。

【注释】

[526]旄牛夷：居于旄牛县的夷人。旄牛属蜀郡，在今四川汉源。[527]戊子：四月二十日。[528]玉门、阳关：二关名。玉门关，在今甘肃敦煌西北；阳关，在敦煌西南。[529]展转蒲类、秦海之间：往来放牧于蒲类海与秦海之间。蒲类海，指今新疆东部巴里坤湖。秦海，李贤注认为指大秦国之海，即地中海。以当时地望形势来看，秦海应为中亚的巴尔喀什湖。[530]专制：控制。[531]昆仑塞：亭障名，即敦煌郡广至县昆仑障，为宜禾都尉治所，在今甘肃瓜州西南。[532]四郡：指河西四郡，武威、酒泉、张掖、敦煌。[533]供其犁牛、谷食：提供犁、牛、粮食等屯垦物资。[534]柳中：城名，在今新疆鄯善西南鲁克沁镇，班勇为西域长史驻屯于此。[535]交河城：在吐鲁番西北。[536]陈忠：字伯始，司空陈宠之子。精通刑律，主张缓刑，疾恶群小，礼待大臣，疏奏多言时务。历官尚书、尚书令、司隶校尉、江夏太守。陈忠言西域事，时任尚书令。传附《后汉书》卷四十六《陈宠传》。[537]诸国从：指西域各国顺从北匈奴。[538]财贿：财富贡赋。贿，西域各国之贡赋。[539]殖：生；增长。[540]南羌：南山羌，即居于祁连山以及山南湟中羌。[541]不訾之费：无法估量的费用。訾，计量。[542]慰劳吏民：慰问犒劳敦煌官吏百姓。[543]蹙国减土：伤害国家，削减领土。蹙，困迫。[544]西域长史：官名，西域都护长史，为都护的参谋官。不置都护时，长史为全权军政官。[545]丹阳：郡名，治所宛陵，在今安徽宣城。[546]辛未：十月初六日。[547]甲戌：十月初九日。[548]东莱：郡名，治所黄县，在今山东龙口东。[549]倏：

鲜卑人其至鞬亲自率领一万多骑兵到曼柏攻打南匈奴，薁鞬日逐王战死，杀死一千多人。

十二月初四日戊辰，京师和三个郡国发生地震。

陈忠推荐汝南人周燮、南阳人冯良学识高深，品行端正，隐居不仕，在当世很有名，皇帝用黑色币帛、羔皮币帛礼聘他们。周燮的宗族更相劝告他说："修德立行，是为了国家，您为什么要独守东山的坡田呢？"周燮说："修行道德的人审度时势而行动，行动得不是时候，怎么能行得通呢！"周燮和冯良都自己坐车到附近县府，推托有病，然后回家。

晋见。㊿宝唯传上意耳：耿宝我只是传达皇上的意旨罢了，表示不是自己的本心。⑤⑤①执金吾：官名，九卿之一，督巡京师的治安长官。⑤⑤②大为王圣修第：大规模地为安帝奶娘王圣修建住宅。⑤⑤③三边：东、西、北三面边疆。其时，东有鲜卑、乌桓，西有西羌，北有匈奴。⑤⑤④合两为一：合两个府第建成一个住宅。⑤⑤⑤连里竟街：指给王圣建的第舍使两里巷相连，占了一整条街。⑤⑤⑥雕修缮饰：雕刻装饰。⑤⑤⑦穷极巧伎：穷尽人间工艺。形容极尽奢华。⑤⑤⑧攻山采石：凿山采石。⑤⑤⑨与国无肺府枝叶之属：跟皇室没有至亲关系，甚至不是远亲的亲属。府，通"腑"。⑤⑥⓪依倚：依靠。⑤⑥①属托：请托。⑤⑥②臧锢弃世之徒：因贪赃而被禁锢为吏受世人唾弃之徒。⑤⑥③为朝结讥：给朝廷引来讥刺。⑤⑥④不可复使：不可以再驱使。⑤⑥⑤曼柏：城名，南匈奴内附后的安置治所，在今内蒙古鄂尔多斯市东胜区西北。⑤⑥⑥戊辰：十二月初四日。⑤⑥⑦周燮：字彦祖，汝南郡安城县（今河南汝南县东南七十里）人，精通《礼》《易》，品行廉正，为乡里所称，称病不受征召，终老田园。传见《后汉书》卷五十三。⑤⑥⑧冯良：字君郎，南阳郡（治所在今河南南阳）人，志行高洁，逃隐不受征召。与周燮同传。⑤⑥⑨玄纁羔币：黑色的币帛及羔皮作为币帛。玄，黑色。纁，黄赤色。玄纁，色杂玄、纁，帝王常用作聘请贤士的贽礼。羔币，用羔皮作弊帛，亦为征聘贤士的礼品。⑤⑦⓪东冈之陂：周燮住汝南安城，有先人草庐在城东山坡上，下有陂田，周燮常种田自给。⑤⑦①夫修道者三句：修治道的人估计时势而行动，行动得不是时候，怎能行得通呢。语出《尚书·说命中》："虑善以动，动惟厥时。"亨，通。⑤⑦②自载至近县：自己主动坐私车到附近的县府。

【校记】

［25］巧伎：据章钰校，甲十六行本二字互乙。

【原文】

三年（甲子，公元一二四年）

春，正月，班勇至楼兰，以鄯善归附，特加三绶[573]。而龟兹王白英犹自疑未下，勇开以恩信，白英乃率姑墨、温宿[574]，自缚诣勇，因发其兵步骑万余人到车师前王庭[575]，击走匈奴伊蠡王于伊和谷，收得前部五千余人，于是前部始复开通。还，屯田柳中。

二月丙子[576]，车驾东巡。辛卯[577]，幸泰山。三月戊戌[578]，幸鲁[579]。还，幸东平[580]，至东郡[581]，历魏郡、河内[582]而还。

初，樊丰、周广、谢恽等见杨震连谏不从，无所顾忌，遂诈作诏书，调发司农钱谷[583]、大匠见徒材木[584]，各起冢舍、园池、庐观[585]，役费无数。震复上疏曰："臣备台辅[586]，不能调和阴阳，去年十二月四日，京师地动，其日戊辰[587]，三者皆土[588]，位在中宫，此中臣、近官持权用事之象也。臣伏惟陛下以边境未宁，躬自菲薄[589]，宫殿垣屋倾倚[590]，枝拄而已[591]。而亲近幸臣，未崇断金[592]，骄溢[593]逾法[594]，多请徒士[595]，盛修第舍[596]，卖弄威福，道路讙哗，地动之变，殆为此发。又冬无宿雪[597]，春节未雨[598]，百僚焦心，而缮修不止，诚致旱之征也。惟陛下奋乾刚之德[599]，弃骄奢之臣，以承皇天之戒。"震前后所言转切[600]，帝既不平之，而樊丰等皆侧目[601]愤怨，以其名儒，未敢加害。会河间男子赵腾上书指陈得失，帝发怒，遂收考诏狱，结[602]以罔上不道[603]。震上疏救之，曰："臣闻殷、周哲王[604]，小人怨詈，则还自敬德[605]。今赵腾所坐，激讦谤语[606]，为罪与手刃犯法有差，乞为亏除[607]，全腾之命，以诱刍荛舆人之言[608]。"帝不听，腾竟伏尸都市。及帝东巡，樊丰等因乘舆在外，竞修第宅。太尉部掾高舒召大匠令史[609]考校[610]之，得丰等所诈下诏书，具奏，须行还上之[611]。丰等惶怖。会太史言星变逆行，遂共谮震云："自赵腾死后，深用怨怼[612]，且邓氏故吏[613]，有恚恨之心。"壬戌[614]，车驾还京师，便时太学[615]。夜，遣使者策收震太尉印绶，震于是柴门[616]绝宾客。丰等复恶之，令大鸿胪[617]耿宝奏："震大臣，不服罪，怀恚望。"有诏，遣归本郡[618]。震行至城西夕阳亭[619][26]，乃慷慨谓其诸子、门人

【语译】

三年（甲子，公元一二四年）

春，正月，班勇到楼兰，因为鄯善归附，特别赐赠鄯善王有三条绣带的王印。而龟兹王白英仍然犹豫不决未归附，班勇用恩德信义引导，白英才率领姑墨、温宿的国王，把自己捆绑着，向班勇归降，于是班勇调遣龟兹等国的一万多步兵骑兵到车师前王庭，在伊和谷打跑了匈奴伊蠡王，收编了车师前部的五千多人，于是前部才再度开通。班勇回师，在柳中屯田。

二月十三日丙子，汉安帝车驾东巡。二十八日辛卯，巡幸泰山。三月初五日戊戌，巡幸鲁国。返回时，巡幸东平国，到达东郡，经过魏郡、河内回到京城。

当初，樊丰、周广、谢恽等人见杨震接连上谏，汉安帝都不听从，于是无所顾忌，伪造诏书，调发司农掌管的钱粮、将作大匠现时掌管的工徒和木材，各自兴建冢庐、园池、楼观，工役耗费无数。杨震又上疏说："臣备位三公，不能协调阴阳，去年十二月四日，京城地震，这一天是戊辰日，地震与干支三者都属土，位在中宫，这是内臣、近侍掌权用事的征兆。臣私下考虑到陛下因为边境尚不安宁，亲自节约，宫殿墙屋倾斜了，仅仅用柱子支撑而已。而亲近宠幸的大臣，却不尊崇断金之义，不与主上同心，骄奢淫逸，逾越法度，大量征调役徒士兵，大修宅第，炫耀权势，百姓在道路上议论纷纷，地震的灾异恐怕就是因此发生。还有，冬天没有越冬的积雪，春天没有下雨，百官心急如焚，而修缮兴建不止，实在是造成旱灾的征兆。唯望陛下振奋朝廷的独断精神，抛弃骄奢的宠臣，用来回应上天的警告。"杨震前后上奏的言辞变得越来越激烈，汉安帝已经感到不高兴，而樊丰等人全都对杨震侧目愤怒，但因为他是有名的儒者，不敢伤害。时逢河间男子赵腾上书陈述朝廷政治得失，汉安帝大怒，于是收捕他到诏狱审讯，以欺君罔上大逆不道定罪。杨震上疏拯救赵腾，说道："臣听说殷周贤明的君主，如果小民怨恨咒骂，就反躬自省，培养恩德。现在赵腾所犯之罪，是言辞激烈，诽谤朝廷，作为罪行与亲手持刀杀人的犯法有所差别，乞求减免罪行，保全赵腾的性命，以劝导小民进言献策。"汉安帝不听，赵腾终被处死，横尸街头。等到汉安帝东巡，樊丰等人趁皇上在外，争相修建宅第。太尉部掾高舒招来将作大匠的令史核查此事，得到了樊丰等人伪造下达的诏书，全部写好奏章，等待汉安帝回来呈上。樊丰等人害怕了。正好太史说星辰变化逆行，于是共同毁谤杨震说："自从赵腾死后，杨震非常怨恨，况且杨震是邓氏以前的属吏，有愤怒仇恨之心。"三月二十九日壬戌，汉安帝回到京城，在太学停留，以待吉利时辰入宫。晚上，派使者以策书没收了杨震的太尉印绶，杨震于是闭门谢绝宾客。樊丰等人又陷害他，让大鸿胪耿宝上奏："杨震身为大臣，不服罪过，心怀怨恨。"安帝颁下诏书，遣送杨震回故乡本郡。杨震行至城西的夕阳亭，便悲愤地对儿

曰："死者，士之常分。吾蒙恩居上司，疾奸臣狡猾而不能诛，恶嬖女[620]倾乱而不能禁，何面目复见日月！身死之日，以杂木为棺，布单被[621]，裁[622]足盖形，勿归冢次[623]，勿设祭祀！"因饮鸩[624]而卒。弘农太守移良承樊丰等旨，遣吏于陕县[625]留停震丧，露棺道侧，谪[626]震诸子代邮行书[627]，道路皆为陨涕[628]。

【段旨】

以上为第十二段，写群小陷害太尉杨震。

【注释】

⑸特加三绶：特别赐赠鄯善王有三条绣带的王印。胡注认为"三绶"应作"王绶"。⑸姑墨、温宿：与龟兹皆西域国名，龟兹王城在今新疆库车，姑墨王城在今新疆拜城，温宿王城在今新疆温宿。⑸车师前王庭：治交河城。在今新疆吐鲁番东南。⑸丙子：二月十三日。⑸辛卯：二月二十八日。⑸戊戌：三月初五日。⑸鲁：封国名，治所鲁县，在今山东曲阜。⑸东平：封国名，治所无盐，在今山东东平。⑸东郡：郡名，治所濮阳，在今河南濮阳南。⑸魏郡、河内：两郡名。魏郡治所邺县，在今河北临漳西南；河内郡治所怀县，在今河南武陟西。⑸司农钱谷：大司农掌管的钱和粮食。⑸大匠见徒材木：将作大匠目前所掌管的工徒及木材。将作大匠，掌修宫室。⑸冢舍、园池、庐观：冢庐、园池、楼观。⑸台辅：指三公。⑸其日戊辰：去年十二月初四日为戊辰。⑸三者皆土：地震有土。戊辰日，戊与辰为天干、地支序数之五，五属土，故曰三者皆为土。⑸躬自菲薄：亲自节俭。⑸倾倚：倾斜。⑸枝拄而已：仅仅是加固支撑而已。⑸未崇断金：不遵尚断金之义，即不与主上同心。断金，典出《易经·系辞》，曰："二人同心，其利断金。"⑸骄溢：骄奢淫逸。⑸逾法：超越礼制法度。⑸多请徒士：大量征调役徒士兵。⑸盛修第舍：大修宅第。⑸宿雪：越冬的积雪。⑸春节未雨：春天节气已过，仍未下雨。⑸奋乾刚之德：振奋起朝廷的独断精神。乾刚，指朝廷、君权。⑹转

【原文】

太仆征羌侯来历[629]曰："耿宝托元舅之亲，荣宠过厚，不念报国恩，而倾侧[630]奸臣，伤害忠良，其天祸亦将至矣！"历，歙之曾孙也。

子、门徒说："死，是士人的正常本分。我蒙受皇恩位居高官，痛恨奸臣狡猾却不能诛杀，厌恶宠幸的女子作乱却不能禁止，有什么面目再见日月！我死之日，用杂木做棺材，用单层麻布遮盖尸身，只要能够盖住尸身就行了，不要归葬祖宗墓地，不要设立祭祀！"于是饮毒酒而死。弘农太守移良承奉樊丰等人的意旨，派官吏在陕县停留杨震的丧柩，棺木露天摆在道路旁边，贬谪杨震的儿子代替驿吏传递文书，路上的人都为他们流泪悲伤。

切：越来越急切激烈。⑥⓪① 侧目：斜目而视，表示愤怒。⑥⓪② 结：定罪。⑥⓪③ 罔上不道：欺骗君上犯大逆不道之罪。⑥⓪④ 哲王：贤明的君王。⑥⓪⑤ 小人怨詈二句：小民怨恨咒骂，就反躬自省，培养恩德。语出《尚书·无逸》："小人怨汝詈汝，则皇自敬德。"⑥⓪⑥ 激讦谤语：言辞激烈，诽谤政府。⑥⓪⑦ 亏除：减除；赦免。⑥⓪⑧ 以诱刍荛舆人之言：用以劝导小民为国献言进策。刍荛，樵夫。《诗经·板》："询于刍荛。"舆人，赶车人。《左传》僖公二十八年，晋文公与楚战于城濮，"听舆人之谋"云云。⑥⓪⑨ 大匠令史：将作大匠属吏。令史，掌管具体事务。⑥①⓪ 考校：核查。⑥①① 须行还上之：等待皇上车驾出行回来上报此事。须，等待。⑥①② 怨怼：怨恨。⑥①③ 邓氏故吏：杨震最初为邓骘辟除为吏，故云"故吏"。⑥①④ 壬戌：三月二十九日。⑥①⑤ 便时太学：车驾停留太学，待吉时入宫。便时，取时辰吉利之时。⑥①⑥ 柴门：杜门谢客。⑥①⑦ 大鸿胪：九卿之一，职掌典礼及少数民族事务。⑥①⑧ 本郡：故乡本郡。杨震故乡在弘农郡华阴县。⑥①⑨ 夕阳亭：洛阳城西之亭，送行人饯行分别之地。⑥②⓪ 嬖女：宠幸的女子。此指伯荣。⑥②① 布单被：用单层麻布遮盖尸身。⑥②② 裁：通"才"，仅仅。⑥②③ 勿归冢次：不要归葬祖宗墓地。⑥②④ 鸩：毒酒。⑥②⑤ 陕县：县名，县治在今河南三门峡市。⑥②⑥ 谪：贬谪；处罚。⑥②⑦ 代邮行书：代驿吏当差，传送文书。⑥②⑧ 陨涕：落泪。

【校记】

［26］夕阳亭：据章钰校，甲十六行本、乙十一行本、孔天胤本皆作"几阳亭"，熊罗宿《胡刻资治通鉴校字记》同。〖按〗《后汉书》卷五十四《杨震传》亦作"几阳亭"。

【语译】

太仆征羌侯来历说："耿宝身为皇上舅父之亲，荣耀宠幸过分深厚，不想着报答国恩，而投靠奸臣，伤害忠臣良士，上天降给他的灾祸就要来到了！"来历是来歙的曾孙。

夏，四月乙丑⑥³¹，车驾入宫。

戊辰⑥³²，以光禄勋冯石为太尉。

南单于檀死，弟拔立，为乌稽侯尸逐鞮单于。时鲜卑数寇边，度辽将军耿夔与温禺犊王呼尤徽将新降者连年出塞击之，还使屯列冲要⑥³³。耿夔征发烦剧⑥³⁴，新降者皆怨恨，大人阿族⑥³⁵等遂反，胁呼尤徽欲与俱去。呼尤徽曰："我老矣，受汉家恩，宁死，不能相随！"众欲杀之，有救者，得免。阿族等遂将其众亡去。中郎将马翼与胡骑追击，破之，斩获殆尽⑥³⁶。

日南⑥³⁷徼外蛮夷内属。

六月，鲜卑寇玄菟。

庚午⑥³⁸，阆中⑥³⁹山崩。

秋，八月辛巳⑥⁴⁰[27]，以大鸿胪耿宝为大将军。

【段旨】

以上为第十三段，写南匈奴叛离。

【注释】

⑥²⁹来历：字伯珍，东汉开国功臣来歙之曾孙。仕和帝、安帝、顺帝三朝，官至车骑将军、大鸿胪。袭封征羌侯，侯国在今河南漯河。传附《后汉书》卷十五《来歙传》。⑥³⁰倾侧：偏向；投靠。⑥³¹乙丑：四月初二日。⑥³²戊辰：四月初五日。⑥³³冲要：军事或交通

【原文】

王圣、江京、樊丰等谮太子乳母王男、厨监⑥⁴¹邴吉等，杀之，家属徙比景⑥⁴²。太子思男、吉，数为叹息。京、丰惧有后害⑥⁴³，乃与阎后妄造虚无⑥⁴⁴，构谗太子及东宫官属。帝怒，召公卿以下议废太子。耿宝等承旨，皆以为当废。太仆来历与太常桓焉⑥⁴⁵、廷尉犍为张皓议曰：

夏，四月初二日乙丑，汉安帝车驾回宫。

初五日戊辰，任命光禄勋冯石为太尉。

南匈奴单于檀去世，弟弟拔继位，是为乌稽侯尸逐鞮单于。当时鲜卑屡屡侵犯边境，度辽将军耿夔与温禺犊王呼尤徽率领刚归降的匈奴人，连年出塞攻打鲜卑，回来后，安置呼尤徽的部落在要冲屯防。耿夔征调频繁而量大，刚归降的部落都很怨恨，酋长阿族等人便反叛了，胁迫呼尤徽和他们一起离开。呼尤徽说："我老了，受汉室恩惠，宁愿死，也不能跟随你们！"大家想杀掉他，有人相救，得以免死。阿族等人于是率领他们的部众逃走。中郎将马翼和胡人骑兵追击，打败了他们，把他们几乎全部杀光。

日南郡境外的蛮夷归附朝廷。

六月，鲜卑人侵犯玄菟郡。

初八日庚午，阆中县发生山崩。

秋，八月二十日辛巳，任命大鸿胪耿宝为大将军。

要地。㉞征发烦剧：征调的人力物力频繁而量大。㉟阿族：人名，投降的鲜卑一部落酋长。㊱殆尽：几乎全没了。殆，近乎、几乎。㊲日南：郡名，在今越南中部地区。㊳庚午：六月初八日。㊴阆中：县名，属巴郡，县治在今四川阆中市。㊵辛巳：八月二十日。

【校记】

[27]八月辛巳：原作"七月辛巳"。据章钰校，甲十六行本、乙十一行本皆作"八月辛巳"，张敦仁《通鉴刊本识误》同，今据改。〖按〗七月壬辰朔，是月无辛巳。

【语译】

王圣、江京、樊丰等人诬陷太子乳母王男、厨监邴吉等，杀死了他们，家属流放比景。太子思念王男、邴吉，屡次为他们叹息。江京、樊丰害怕有后患，就与阎皇后捏造虚假证据，陷害太子和东宫官吏。汉安帝很生气，召集公卿以下官员商议废除太子。耿宝等人奉承旨意，都认为应当废除。太仆来历和太常桓焉、廷尉犍为

"经说，年未满十五，过恶不在其身。且男、吉之谋，皇[28]太子容有不知。宜选忠良保傅[646]，辅以礼义。废置事重，此诚圣恩所宜宿留[647]。"帝不从。焉，郁之子也。张皓退，复上书曰："昔贼臣江充造构谗逆，倾覆戾园，孝武久乃觉寤，虽追前失，悔之何及[648]。今皇太子方十岁，未习保傅之教，可遽责[649]乎！"书奏，不省。九月丁酉[650]，废皇太子保为济阴王，居于德阳殿[651]西钟下[652]。来历乃要结[653]光禄勋祋讽、宗正[654]刘玮、将作大匠薛皓、侍中闾丘弘[655]、陈光、赵代、施延、太中大夫九江[656]朱伥等十余人，俱诣鸿都[657]门证太子无过。帝与左右患之，乃使中常侍奉诏胁[658]群臣曰："父子一体，天性自然[659]，以义割恩[660]，为天下也。历、讽等不识大典[661]，而与群小共为讙哗，外见忠直，而内希后福[662]，饰邪违义[663]，岂事君之礼！朝廷广开言事之[29]路，故且一切假贷[664]。若怀迷不反[665]，当显明刑书[666]。"谏者莫不失色。薛皓先顿首曰："固宜如明诏。"历怫然[667]，廷诘皓曰："属通谏何言[668]，而今复背之？大臣乘朝车，处国事，固得辗转若此[669]乎！"乃各稍自引起[670]。历独守阙[671]，连日不肯去[672]，帝大怒。尚书令陈忠与诸尚书遂共劾奏历等，帝乃免历兄弟官，削国租[673]，黜历母武安公主[674]不得会见。

陇西郡始还狄道[675]。

烧当羌豪麻奴死，弟犀苦立。

庚申晦[676]，日有食之。

冬，十月，上行幸长安。十一月乙丑[677]，还雒阳。

是岁，京师及诸郡国二十三地震，三十六大水、雨雹[678]。

【段旨】

以上为第十四段，写王圣、江京集团谗害太子刘保，太子被废为济阴王。

人张皓建议说:“经书说，年龄不满十五岁，有过错不在他自己。况且王男、邴吉的计谋，皇太子或许不知道。应当选择忠诚贤良的师傅，以礼义辅导他。废立太子事关重大，这应是圣上恩德所应留意的。”汉安帝不听从。桓焉是桓郁的儿子。张皓退朝，又上书说:“从前贼臣江充捏造虚假证据，进谗谋逆，废黜了戾太子，孝武帝过了很久才觉悟，虽然追悔以前的过失，但后悔来不及了。现在皇太子才十岁，没有受过师傅的教导，怎能重加责备呢!”奏章呈上，汉安帝不理睬。九月初七日丁酉，废黜皇太子刘保为济阴王，居住在德阳殿西侧钟楼下。来历就集合光禄勋祋讽、宗正刘玮、将作大匠薛皓、侍中闾丘弘、陈光、赵代、施延、太中大夫九江人朱伥等十几人，一起到鸿都门证明太子没有过错。汉安帝和左右近臣忧虑此事，就派中常侍捧着诏书，威吓群臣说:“父子一体，是自然本性，用大义割断恩情，是为了天下。来历、祋讽等人不识大体，却和一群小人一起吵嚷，表面上显示忠诚耿直，内心不过是希望谋求未来的福祉，掩饰邪恶，违反大义，这难道是侍奉君主的礼法吗！朝廷广开言事之路，所以暂且一概宽恕。如果执迷不改，就要明正刑典。”进谏的人没有不大惊失色的。薛皓先磕头说:“本来就应当按照圣明诏书去做。”来历怒形于色，当廷责问薛皓说:“刚刚一起进谏时是怎么说的，而现在又违背诺言？大臣乘坐朝车，处理国家大事，竟然能像这样反复无常吗!”其他官员陆续起身退出朝外。来历独自守在鸿都门下，接连几天不肯离去，汉安帝大怒。尚书令陈忠和各尚书就一起弹劾来历等人，汉安帝于是免去来历兄弟的官职，削除封国的租税，贬黜来历的母亲武安公主不准入宫晋见。

陇西郡治所开始迁回狄道县。

烧当羌酋长麻奴去世，弟弟犀苦立为酋长。

九月最后一天三十日庚申，发生日食。

冬，十月，汉安帝出行巡视长安。十一月初六日乙丑回到洛阳。

这一年，京师和二十三个郡国发生地震，三十六个郡国发大水，下冰雹。

【注释】

㊶厨监：后宫掌管饮食的官吏。㊷比景：县名，属日南郡，在今越南广平省宋河下游高牢下村。㊸后害：后患。㊹妄造虚无：捏造虚假证据。㊺桓焉：字叔元，明帝师桓荣之孙，和帝时太常桓郁之子。祖孙三代修明经学，同传。见《后汉书》卷三十七。㊻保傅：少保、少傅，太子师傅。㊼宿留：停留。㊽昔贼臣江充造构谗逆五句：江充诬陷戾太子事，见本书卷二十三汉武帝征和二年、三年。造构，捏造。谗逆，进谗言

谋叛逆。倾覆，推倒。戾园，指戾太子刘据。孝武，汉武帝。觉寤，醒悟。㊾遽责：重加责备。遽，通“剧”。㊿丁酉：九月初七日。(651)德阳殿：洛阳宫中大殿，每年元旦举行朝会之殿，可容纳万人。(652)西钟下：殿西厢钟楼下。(653)要结：联合。(654)宗正：九卿之一，掌皇室事务。(655)闾丘弘：人名，闾丘为复姓。(656)九江：郡名，治所阴陵，在今安徽定远西北。(657)鸿都：皇宫藏书之所。(658)胁：威胁。(659)父子一体二句：语出《孝经·圣治章》，“父子之道，天性也”。(660)以义割恩：用大义割断父子之情。(661)不识大典：不识大体。(662)内希后福：内心希望谋求未来的福祉。(663)饰邪违义：掩饰邪恶，违背大义。(664)一切假贷：一概宽大。(665)怀迷不反：执迷不悟。反，通“返”，回心转意。(666)显明刑书：鲜明地按国法惩治。(667)怫然：愤怒的样子。(668)属通谏何言：刚刚一起进谏时说的什么。属，刚、新近。通，共、一起。(669)辗转若此：反复无常竟至如此。(670)乃各稍自引起：但是其他官员也陆续地站起来退出朝去。(671)守阙：守在鸿都门下。(672)连日不肯去：接连几天不肯离去。(673)削国租：削除来历封国征羌侯国的租税。(674)武安公主：明帝之女，安帝的祖姑，来历之母，来稜妻。食邑武安县，属魏郡，在今河北武安。(675)陇西郡始还狄道：陇西郡治所迁回狄道县。安帝永初五年（公元一一一年），陇西郡徙治襄武，在今甘肃漳县。狄道，在今甘肃临洮南。(676)庚申晦：九月三十日。(677)乙丑：十一月初六日。(678)雨雹：下冰雹。

【校记】

［28］皇：原无此字。据章钰校，甲十六行本、乙十一行本皆有此字，今据补。［29］事之：原无此二字。据章钰校，甲十六行本、乙十一行本、孔天胤本皆有此二字，张敦仁《通鉴刊本识误》同，今据补。

【研析】

本卷研析下列四事。

第一，袁敞蒙冤。袁敞字叔平，汝南郡汝阳县人。汉汝阳在今河南商水县西南。汝南袁氏是东汉著名经学传世的世家大族。袁敞父袁安，袁敞兄子袁汤，袁汤子袁逢、袁隗，五人皆位三公，史称四世三公。袁敞精通《易经》，历官将军、大夫、侍中，出为东郡太守，征拜太仆、光禄勋，元初三年（公元一一七年）为司空。袁敞仕和帝、安帝两朝，德高望重，国之干城。品性刚正廉洁，不阿权贵，大将军邓骘深为不满，想方设法抓袁敞的辫子。一个偶然事件使袁敞落入陷阱。原来是尚书郎张俊要举奏两位同僚尚书郎朱济、丁盛品行不修，两人抓住张俊与袁敞儿子袁俊有私交通信，朱济、丁盛恶人先告状，诬陷张俊泄露国家机密，把张俊、袁俊一并打入死囚牢中。袁敞被罢官，自杀。张俊上疏申辩，邓太后下诏减死一等。邓太后为了维护外戚权势，容不下贤士立于朝。邓太后临朝，在位三公，张禹、尹勤、梁鲔、徐防、张敏、李修、司马苞、马英等，都是庸才。断送西域、征讨西羌屡败的任尚，因趋附邓氏而不被罢黜。邓太后所得贤名，无非是提倡俭约，平反几桩冤案，有谦让之风而已。袁敞蒙冤，彰显了邓氏外戚的跋扈，也预示了邓氏的灭亡。

第二，杜根避祸有智慧。尚书郎杜根因上书邓太后劝其归政皇帝，遭到扑杀抛尸城外，杜根只是休克昏死，复苏后诈死，三天三夜不吃不喝不动，乃至眼中生蛆，这才躲过了检查人员的眼睛，得以逃亡山中在一家边远的酒店做杂活。杜根艰苦生活了十五年，直至邓太后死，安帝亲政才出山，被安帝征用为侍御史。有人问杜根，天下的人都愿意保护你，为何跑到山中吃苦？杜根回答说："躲藏在民间亲友中，一旦暴露，株连亲友，我杜根不做这样的事。"杜根的选择是绝佳的避祸方法。一个被通缉的逃亡犯，亲友本身是被追查的线索，而且亲友也可能害怕而揭发报案，所以投亲靠友的逃亡犯几乎没有不是悲剧告终的。秦始皇通缉张耳、陈馀，张耳、陈馀两人逃到谁也不认识的外黄县，找了一个村庄当看门人，躲过了劫难。东汉末张俭逃亡，祸及万家。杜根躲到深山，藏身酒家，智慧高人一等。这智慧来源于杜根不愿株连亲友的高尚品德。智慧是一种人生境界，杜根给我们提供了榜样。

第三，名士黄宪器量风采。黄宪，字叔度，汝南郡慎阳县人。汉慎阳县治在今河南正阳北。黄宪出生在一个贫困的牛医之家，没有条件入名门大师受教。年十四就知名当时，汝南太守王龚征召当地名士为郡吏，袁阆、陈蕃应召为郡功曹，黄宪不就征，于是名气越来越大。当代的学问泰斗，颍川荀淑称赞黄宪是当代颜渊，可以当自己的老师，太原郭林宗造访称赞黄宪的学问气度如同汪洋大海，深不可测。同郡戴良，恃才傲物，自比是当世孔子，大禹转世，谁也看不起，可是见了黄宪，甘拜下风，失魂落魄，称赞黄宪高不可攀。但是黄宪没有留下任何可为后世效法的事迹。黄宪何以有如此大的名声呢？一是他不苟言笑，使人莫测高深。二是他安贫乐道，一辈子绝不做官。假名士做不到，真名士也很少有这等境界。郭林宗有学问，但不做官，与天下士子交游被奉为领袖。名士们需要互相标榜，还需要树立一尊雕像供人膜拜，黄宪就是这样应运而生的。

第四，安帝废太子。安帝长子刘保，李妃所生。安帝皇后阎氏无子，妒忌李氏，杀之。安帝永宁元年（公元一二〇年），刘保六岁，立为皇太子。安帝为清河王刘庆妃耿氏所生，耿氏兄耿宝，牟平侯耿舒之孙。安帝入继大统即位为皇帝，耿宝为帝舅，任大将军。耿宝趋附皇后，与中常侍樊丰、江京、安帝乳母王圣、皇后兄阎显等结为同党，借故害死太子乳母王男、太子厨监邴吉。然后称太子怨恨，请安帝废太子。这是皇后阎氏在背后策划的一场不流血的宫廷政变，废储君太子为自己的未来清除障碍。安帝延光三年（公元一二四年），安帝不顾大臣谏阻，强行废太子刘保为济阴王。第二年安帝崩，阎皇后与阎显兄弟及中常侍江京、樊丰等册立济北王刘寿之幼子北乡侯为皇帝，史称少帝。阎皇后被尊为太后，临朝。阎显兄弟妒忌大将军耿宝，以耿宝与樊丰、王圣结党为名，予以诛杀，乱了自己同盟，为废太子济阴王复辟开了道路。少帝立，半年后夭亡，阎太后与阎显兄弟，还想如法炮制，征济北王、河间王幼子入京，还没到达，中黄门孙程等抢先发动宫廷政变，拥立济阴王刘保即位，是为顺帝，阎显一党伏诛。

光武帝废嫡立贤，但乱了宗法。明帝刘庄为光武帝第四子，此后章帝刘炟为明帝第五子，和帝刘肇为章帝第四子，而安帝则是诸侯王子入继大统，故安帝不费力气就废了太子。阎皇后又开了诸侯王子入继大统的先例，导致宫廷政变、宦官得势的局面。东汉一朝有五位诸侯王子入继大统：一是安帝刘祜，二是北乡侯刘懿，三是质帝刘缵，四是桓帝刘志，五是灵帝刘宏。东汉一朝七位太后临朝：一是明德马皇后，二是章德窦皇后，三是和熹邓皇后，四是安思阎皇后，五是顺烈梁皇后，六是桓思窦皇后，七是灵思何皇后。以上七位皇后，尊为皇太后皆临朝，其中邓太后、阎太后、梁太后、窦太后四位太后均贪权立幼，外戚势盛。幼君年长，依靠宦官夺权，宦官势盛。于是东汉宫廷政变，流血的与不流血的不断发生，中央政局动荡不宁。究其所以，光武帝乱宗法，开了恶例；三公权轻，无法制衡内官，此为光武帝过度集权之弊。安帝废太子及其后果，把光武帝开端的两大政治积弊彰显无遗。

卷第五十一　汉纪四十三

起旃蒙赤奋若（乙丑，公元一二五年），尽昭阳作噩（癸酉，公元一三三年），凡九年。

【题解】

本卷记事起公元一二五年，迄公元一三三年，凡九年，当安帝延光四年至顺帝阳嘉二年，载顺帝一朝前期史事。顺帝在位十九年，国家多事，史分两卷。顺帝为皇太子被废，借宦官之力得以复位，宦官孙程等十九人皆封为侯。由此，宦官势力炽盛。阎太后临朝，阎氏兄弟共掌权要，威福自由而庸劣无才，阎太后贪权立幼，策立孩提北乡侯刘懿入继大统，半年后病亡，阎氏根基不牢，顷刻倒台。顺帝亲政，欲有一番作为，征召名士及敢言之士上书言事。受征士人郎顗上疏言七事，皆有益于国。尚书令左雄建言延长地方官任期，少调动以省送往迎来之费，加大考核力度以清吏治。名士樊英徒有虚名，受朝廷征召而无奇策善言。司马光认为此等浮华之士乃少正卯之流，应加诛辟，何以征召。顺帝才劣，近于昏庸。西域用兵，敦煌太守张朗违反军令冒进，侥幸立功受赏，西域长史班勇克期进兵受罚，顺帝赏罚错位。司隶校尉虞诩惩奸被下狱。李固、马融、张衡等人对策，建言裁减宦官，宦官子弟不得入仕，提倡孝悌之礼，重民生，使百姓能养育妻子，社会自然和谐。顺帝皆不纳。

【原文】

孝安皇帝下

延光四年（乙丑，公元一二五年）

春，二月乙亥[①]，下邳惠王衍[②]薨。

甲辰[③]，车驾南巡。

三月戊午朔[④]，日有食之。

庚申[⑤]，帝至宛[⑥]，不豫[⑦]。乙丑[⑧]，帝发自宛。丁卯[⑨]，至叶[⑩]，崩于乘舆[⑪]，年三十二。

皇后与阎显兄弟[⑫]、江京、樊丰等谋曰：“今晏驾道次[⑬]，济阴王在内，邂逅[⑭]公卿立之，还为大害。”乃伪云“帝疾甚”，徙御卧车[⑮]，所在上食、问起居如故。驱驰行四日，庚午[⑯]，还宫。辛未[⑰]，遣司徒刘

【语译】

孝安皇帝下

延光四年（乙丑，公元一二五年）

春，二月乙亥日，下邳惠王刘衍去世。

二月十七日甲辰，汉安帝南巡。

三月初一日戊午，发生日食。

三月初三日庚申，汉安帝到达宛城，身体患病。初八日乙丑，汉安帝从宛城出发。初十日丁卯，到达叶县，死在轿内，终年三十二岁。

皇后和阎显兄弟、江京、樊丰等人谋划说："现在皇帝在半道上去世，济阴王在京城内，万一公卿立他为帝，回去将有大祸。"于是伪称"皇帝病得厉害"，把尸身转移到卧车上，所到之处，进食、起居问安依旧。车马奔驰走了四天，三月十三日庚午，回到宫中。十四日辛未，派司徒刘熹到郊庙、社稷，告天祈福，当晚发丧。

熹诣郊庙、社稷，告天请命⑱，其夕乃[1]发丧。尊皇后曰皇太后。太后临朝⑲。以显为车骑将军、仪同三司⑳。太后欲久专国政，贪立幼年，与显等定策禁中㉑，迎济北惠王子北乡侯懿㉒为嗣。济阴王以废黜，不得上殿亲临梓宫㉓，悲号不食，内外群僚莫不哀之。

甲戌㉔，济南孝王香㉕薨，无子，国绝。

乙酉㉖，北乡侯即皇帝位。

夏，四月丁酉㉗，太尉冯石为太傅，司徒刘熹为太尉，参禄尚书事，前司空李郃为司徒。

阎显忌大将军耿宝位尊权重㉘，威行前朝，乃风有司奏"宝及其党与中常侍樊丰、虎贲中郎将谢恽、侍中周广、野王君王圣、圣女永等更相阿党㉙，互作威福，皆大不道"。辛卯㉚，丰、恽、广皆下狱死，家属徙比景。贬宝及弟子林虑侯承皆为亭侯，遣就国，宝于道自杀。王圣母、子徙雁门。于是以阎景为卫尉，耀为城门校尉，晏为执金吾，兄弟并处权要，威福自由。

己酉㉛，葬孝安皇帝于恭陵㉜，庙曰恭宗。

九月㉝乙巳㉞，赦天下。

秋，七月，西域长史班勇发敦煌、张掖、酒泉六千骑及鄯善、疏勒、车师前部兵击后部王军就，大破之，获首虏八千余人，生得军就及匈奴持节使者，将至索班没处斩之，传首京师。

冬，十月丙午㉟，越巂㊱山崩。

【段旨】

以上为第一段，写汉安帝驾崩，阎皇后与外戚阎显兄弟专权，立孩提北乡侯刘懿为帝。

尊皇后为皇太后。阎太后临朝听政。任命阎显为车骑将军、仪同三司。阎太后想长期专断国政，立一个幼小的国君，和阎显等人在宫中决定了计策，迎接济北惠王的儿子北乡侯刘懿做继承人。济阴王因为被废掉，不能到殿上亲自哭奠安帝，悲伤号哭，不进食，朝廷内外官员没有不悲痛的。

三月十七日甲戌，济南孝王刘香去世，没有儿子，废除封国。

三月二十八日乙酉，北乡侯刘懿即皇帝位。

夏，四月十一日丁酉，太尉冯石任太傅，司徒刘熹任太尉，管理宫廷机要，前任司空李郃任司徒。

阎显顾忌大将军耿宝位尊权重，在前朝很有权威，于是暗示有关官员奏言“耿宝和同党中常侍樊丰、虎贲中郎将谢恽、侍中周广、野王君王圣、王圣的女儿王永等人互相结党，作威作福，不合正道”。四月初五日辛卯，樊丰、谢恽、周广都下狱处死，家属流放到比景。耿宝和他的侄儿林虑侯耿承，都被贬降为亭侯，遣返封国，耿宝在中途自杀。王圣母子流放到雁门。于是任命阎景为卫尉，阎耀为城门校尉，阎晏为执金吾，兄弟同居权力中枢，作威作福，为所欲为。

四月二十三日己酉，将孝安皇帝安葬在恭陵，庙号恭宗。

九月乙巳日，大赦天下。

秋，七月，西域长史班勇调动敦煌、张掖、酒泉六千骑兵，以及鄯善、疏勒、车师前王国的军队，攻打后王国国王军队，大败后王的军队，杀死和俘虏八千多人，生擒军就和匈奴持节使者，把他们带到索班战死的地方杀掉，把头颅送到京城。

冬，十月二十二日丙午，越巂郡发生山崩。

【注释】

①乙亥：二月戊子朔，无乙亥。乙亥，三月十八日。②下邳惠王衍：下邳王刘衍，明帝子，死谥惠王。传见《后汉书》卷五十。③甲辰：二月十七日。④戊午朔：三月初一日。⑤庚申：三月初三日。⑥宛：县名，南阳郡治所，在今河南南阳。⑦不豫：不适；生病。⑧乙丑：三月初八日。⑨丁卯：三月初十日。⑩叶：县名，县治在今河南叶县。⑪崩于乘舆：死在轿内。⑫阎显兄弟：阎显兄弟共四人。阎太后临朝，阎氏兄弟共掌枢要兵权。阎显为车骑将军，弟阎景为卫尉，阎耀为城门校尉，阎晏为执金吾。兄弟执权要，威福由己。事见《后汉书卷十下·皇后纪》。⑬晏驾道次：死在路上。⑭邂逅：偶然；万一。⑮徙御卧车：把安帝尸身从轿子转移到卧车上。⑯庚午：三月十三日。⑰辛未：三月十四日。⑱告天请命：祷告上天，请求降福。⑲太后临朝：阎太后临朝主政。⑳仪同三司：官名，权位比照三公。㉑定策禁中：不朝会与大臣谋议，而在宫

禁中决策。㉒北乡侯懿：刘懿，济北王刘寿之子。刘寿，章帝子。㉓亲临梓宫：亲到灵柩前哭奠安帝。㉔甲戌：三月十七日。㉕济南孝王香：济南王刘香，光武帝子刘康之孙，死谥孝王。㉖乙酉：三月二十八日。㉗丁酉：四月十一日。㉘大将军耿宝位尊权重：东汉三公为虚位，大将军为首辅执政大臣，录尚书事为实际政务官，耿宝为大将军，故位尊权重。㉙阿党：结为朋党。㉚辛卯：四月初五日。㉛己酉：四月二十三日。㉜恭陵：在洛阳东北。㉝九月：当作“六月”。《后汉书卷五·安帝纪》载：延光四年“六月乙巳，大赦天下”。又下文叙秋七月事，亦可证此文应作“六月”，而不应作“九月”。㉞乙巳：六月二十日。㉟丙午：十月二十二日。㊱越嶲：郡名，治所邛都，在今四川西昌。

【原文】

北乡侯病笃，中常侍孙程谓济阴王谒者㊲长兴渠㊳曰：“王以嫡统，本无失德，先帝用谗，遂至废黜。若北乡侯不起，相与共断㊴江京、阎显，事无不成者。”渠然之。又中黄门南阳王康，先为太子府史，及长乐太官丞㊵京兆王国等并附同于程。江京谓阎显曰：“北乡侯病不解㊶，国嗣宜以时定㊷，何不早征诸王子，简㊸所置乎？”显以为然。辛亥㊹，北乡侯薨。显白太后，秘不发丧，而[2]更征诸王子，闭宫门，屯兵自守。

十一月乙卯㊺，孙程、王康、王国与中黄门黄龙、彭恺、孟叔、李建、王成、张贤、史泛、马国、王道、李元、杨佗、陈予、赵封、李刚、魏猛、苗光等聚谋于西钟下，皆截单衣为誓。丁巳㊻，京师及郡国十六地震。是夜，程等共会崇德殿㊼上，因入章台门。时江京、刘安及李闰、陈达等俱坐省门㊽下，程与王康共就斩京、安、达。以李闰权势积为省内所服，欲引为主，因举刃胁闰曰：“今当立济阴王，毋得摇动㊾！”闰曰：“诺。”于是扶闰起，俱于西钟下迎济阴王即皇帝位，时年十一。召尚书令、仆射以下从辇幸南宫，程等留守省门，遮捍内外㊿，帝登云台，召公卿百僚，使虎贲、羽林士屯南、北宫诸门。

阎显时在禁中[51]，忧迫不知所为。小黄门樊登劝显以太后诏召越骑校尉冯诗、虎贲中郎将阎崇将兵屯平朔门以御程等。显诱诗入省，谓曰：“济阴王立，非皇太后意，玺绶[52]在此。苟尽力效功，封侯可得。”太后使授之印曰：“能得济阴王者，封万户侯；得李闰者，五千户侯。”

【校记】

［1］乃：原无此字。据章钰校，甲十一行本、孔天胤本皆有此字，今据补。

【语译】

北乡侯刘懿病重，中常侍孙程对济阴王的谒者长兴渠说：“大王是皇上的嫡子，本无过错，先帝听信谗言，才被废黜。如果北乡侯一病不起，我们一同铲除江京、阎显，事情没有不成功的。”长兴渠以为有理。另外，中黄门南阳人王康，以前做太子府史，和长乐太官丞京兆人王国等人都依附孙程。江京对阎显说：“北乡侯病情不愈，皇上继承人应及时确定，为什么不早些征召各王子，选择储嗣？”阎显认为言之有理。十月二十七日辛亥，北乡侯去世。阎显禀告阎太后，秘不发丧，而征召各王子，关闭宫门，驻军守卫。

十一月初二日乙卯，孙程、王康、王国和中黄门黄龙、彭恺、孟叔、李建、王成、张贤、史泛、马国、王道、李元、杨佗、陈予、赵封、李刚、魏猛、苗光等人，在西钟楼下聚集谋划，每人都裁块单衣做盟誓。初四日丁巳，京城和十六个郡国地震。这天夜里，孙程等人一起在崇德殿会合，进入章台门。当时江京、刘安和李闰、陈达等人都坐在禁门下，孙程和王康一同就地斩杀了江京、刘安、陈达。因为李闰有权势，一向在宫内为人所服，想拉他做领头人，因而举刀威胁李闰说：“现在应立济阴王，不得动摇变卦！”李闰说：“是。”于是扶李闰起来，一同到西钟楼下迎接济阴王即皇帝位，济阴王时年仅十一岁。召集尚书令、仆射以下随从辇车到达南宫，孙程等人留守宫门，阻断宫内和外朝的联系。新皇帝刘保登上云台，召集公卿百官，命令虎贲武士、羽林武士驻守南宫和北宫的各个宫门。

阎显当时在宫中，惊惶失措，不知道怎么办。小黄门樊登劝阎显以阎太后的诏书，征召越骑校尉冯诗、虎贲中郎将阎崇率兵把守平朔门，抵抗孙程等人。阎显诱使冯诗进宫，对他说：“济阴王即位，不是皇太后的意旨，天子玉玺和绶带在这里。如果尽力报效，就可以封侯。”太后把印信交给他，说：“能抓获济阴王的人，册封为

诗等皆许诺。辞以“卒被召[53]，所将众少”。显使与登迎吏士于左掖门外，诗因格杀[54]登，归营屯守。

显弟卫尉景遽从省中还外府[55]，收兵至盛德门。孙程传召诸尚书使收景。尚书郭镇时卧病，闻之，即率直宿羽林出南止车门，逢景从吏士拔白刃呼曰：“无干兵[56]！”镇即下车持节诏之，景曰：“何等诏[57]！”因斫[58]镇，不中。镇引剑击景堕车，左右以戟叉其胸，遂禽之，送廷尉狱，即夜死。

戊午[59]，遣使者入省，夺得玺绶，帝乃幸嘉德殿，遣侍御史持节收阎显及其弟城门校尉耀、执金吾晏，并下狱，诛，家属皆徙比景。迁太后于离宫。己未[60]，开门[61]，罢屯兵[62]。壬戌[63]，诏司隶校尉[64]：“惟阎显、江京近亲，当伏辜诛，其余务崇宽贷。”封孙程等皆为列侯，程食邑万户，王康、王国食九千户，黄龙食五千户，彭恺、孟叔、李建食四千二百户，王成、张贤、史泛、马国、王道、李元、杨佗、陈予、赵封、李刚食四千户，魏猛食二千户，苗光食千户。是为十九侯。加赐车马、金银、钱帛各有差。李闰以先不豫谋，故不封。擢孙程为骑都尉[65]。初，程等入章台门，苗光独不入。诏书录功臣[66]，令王康疏名[67]，康诈疏光入章台门。光未受符策[68]，心不自安，诣黄门令自告[69]。有司奏康、光欺诈主上，诏书勿问。以将作大匠来历为卫尉。祋讽、刘玮[3]、闾丘弘等先卒，皆拜其子为郎。朱伥、施延、陈光、赵代皆见拔用，后至公卿。征王男、邴吉家属还京师，厚加赏赐。帝之见废也，监太子家小黄门籍建、傅[70]高梵[71]、长秋长赵熹、丞[72]良贺[73]、药长夏珍皆坐徙朔方[74]。帝即位，并擢为中常侍。

初，阎显辟崔骃之子瑗[75]为吏，瑗以北乡侯立不以正，知显将败，欲说令废立。而显日沈醉，不能得见，乃谓长史[76]陈禅曰：“中常侍江京等惑蛊[77]先帝，废黜正统，扶立疏孽[78]。少帝即位，发病庙中，周勃之征，于斯复见[79]。今欲与君共求见说将军，白太后，收京等，废少帝，引立济阴王，必上当天心，下合人望，伊、霍之功[80]不下席而立，则将军兄弟传祚于无穷。若拒违天意，久旷神器[81]，则将以无罪并辜元恶[82]。此所谓祸福之会，分功之时也。”禅犹豫未敢从。会显败，瑗坐被斥，门生苏祇欲上书言状，瑗遽止之。时陈禅为司隶校尉，召瑗谓曰：

万户侯；抓到李闰的人，册封为五千户侯。”冯诗等人全都答应了。然后推辞说“突然被征召，所带的军队太少”。阎显要冯诗与樊登到左掖门外去接官吏、将士，冯诗趁机杀了樊登，回军营防守。

阎显的弟弟卫尉阎景急忙从宫中回到卫尉府，集合士兵到了盛德门。孙程传令召集各尚书收捕阎景。尚书郭镇当时卧病在床，听到命令，立即率领值宿的羽林军出南止车门，正遇到阎景率领部下拔刀大叫:“不要挡路!”郭镇立即下车，拿着符节，宣告诏书，阎景说:“什么诏书!”于是用刀砍向郭镇，没有砍中。郭镇拔剑击刺阎景，阎景坠落车下，身边随从用铁戟叉住他的胸膛，于是抓住阎景，送到廷尉狱，当晚就死了。

十一月初五日戊午，派使者进入北宫，夺得玺印、绶带。皇帝到嘉德殿，派侍御史持符节收捕阎显和他的弟弟城门校尉阎耀、执金吾阎晏，一同下狱，杀死，家属全都流放到比景。把太后迁移于离宫。初六日己未，开宫门，撤除戒严部队。初九日壬戌，下诏司隶校尉:“只有阎显、江京的近亲，当服罪处死，其余的人从宽处理。”册封孙程等人为列侯，孙程食邑万户，王康、王国食邑九千户，黄龙食邑五千户，彭恺、孟叔、李建食邑四千二百户，王成、张贤、史泛、马国、王道、李元、杨佗、陈予、赵封、李刚食邑四千户，魏猛食邑二千户，苗光食邑一千户。这就是同日所封十九侯。又加赐车马、金银、钱帛，各有不同的等级。李闰因为事先未曾参与谋划，所以没有册封。提升孙程做骑都尉。当初，孙程等人进入章台门，只有苗光没有进入。下诏记录功臣，命令王康疏奏姓名，王康谎称苗光进入章台门。苗光没有收到封侯的策文，心中不安，前往黄门令自首。有关官员奏劾王康、苗光欺骗君主，下诏不加责问。任命将作大匠来历为卫尉。祋讽、刘玮、闾丘弘等人先死了，全都任命他们的儿子做郎官。朱伥、施延、陈光、赵代都被提升任用，后来官至公卿。征召王男、邴吉的家属返回京城，赏赐丰厚。皇帝被罢黜时，派到太子宫担当监视的小宦官籍建、中傅高梵、长秋长赵熹、丞良贺、药长夏珍都获罪流放朔方。皇帝即位，全都提升为中常侍。

当初，阎显征召崔骃的儿子崔瑗为官吏，崔瑗认为北乡侯即位不合正统，知道阎显将要失败，想要劝说废立之事。但是，阎显终日沉醉，崔瑗见不到阎显，于是就对长史陈禅说:“中常侍江京等人迷惑先帝，废掉正统，扶立疏远的支族。少帝刘恭即位，在庙堂发病，周勃诛除吕氏所立少帝的征兆，今天又重现了。现在想和你一起求见将军进行劝告，禀告太后，逮捕江京等人，废黜少帝，拥立济阴王，必定上合天心，下符民望，效法商伊尹、西汉霍光扶危安宗庙之功坐而可得，那么，将军兄弟的封爵就可以传之久远。如果违背天意，皇位久缺，恐怕会以无罪而与元凶一同获罪。这是祸福的关键，建立功业的时机。”陈禅犹豫不敢接受。适逢阎显溃败，崔瑗受到谴责，门生苏祇想要上书陈述往事，崔瑗立刻阻止了他。这时陈禅为司隶校尉，召见崔瑗说:

"弟[83]听祇上书，禅请为之证。"瑗曰："此譬犹儿妾屏语[84]耳，愿使君勿复出口！"遂辞归，不复应州郡命。

己卯[85]，以诸王礼葬北乡侯。

司空刘授以阿附恶逆，辟召非其人[86]，策免。十二月甲申[87]，以少府河南陶敦为司空。

杨震门生虞放、陈翼诣阙追讼震事。诏除震二子为郎，赠钱百万，以礼改葬于华阴潼亭[88]，远近毕至。有大鸟高丈余集震丧前，郡以状上。帝感震忠直[4]，诏复以中牢具祠[89]之。

议郎陈禅[90]以为："阎太后与帝无母子恩，宜徙别馆，绝朝见[91]。"群臣议者咸以为宜。司徒掾汝南周举谓李郃曰："昔瞽瞍[92]常欲杀舜，舜事之逾谨；郑武姜谋杀庄公，庄公誓之黄泉[93]；秦始皇怨母失行[94]，久而隔绝，后感颍考叔、茅焦[5]之言，复修子道，书传美之。今诸阎新诛，太后幽在离宫，若悲愁生疾，一旦不虞，主上将何以令于天下！如从禅议，后世归咎明公。宜密表朝廷，令奉太后，率群臣朝觐如旧，以厌天心，以答人望！"郃即上疏陈之。

【段旨】

以上为第二段，写中官孙程等十九人与朝官联合推倒外戚阎氏兄弟，迎立济阴王即位，是为汉顺帝。

【注释】

㊲谒者：官名，掌宾赞受事。诸侯王亦置谒者。㊳长兴渠：人名。长兴，复姓。㊴断：铲除。㊵长乐太官丞：官名，掌长乐宫皇太后膳食。㊶病不解：病不愈。解，散、病情好转。㊷国嗣宜以时定：皇帝继承人要及时确定。㊸简：选择。㊹辛亥：十月二十七日。㊺乙卯：十一月初二日。㊻丁巳：十一月初四日。㊼崇德殿：南宫正殿。㊽省门：禁门，此指章台门。㊾毋得摇动：不要动摇变卦。㊿遮捍内外：阻断宫内与外朝的联系。[51]在禁中：在宫中。[52]玺绶：天子玺绶。[53]卒被召：突然被召。卒，通"猝"。[54]格杀：斗杀。[55]外府：卫尉府。[56]无干兵：不要碰兵器，即不要挡路。[57]何

"你只要听从苏祇上书，我为你做证。"崔瑗说："这些往事不过是像小儿、女妾的私下话，但愿你不要再出言提及！"于是辞职回家，不再接受州郡的聘请。

十一月二十六日己卯，采用诸王的礼仪埋葬了北乡侯。

司空刘授因为攀附邪恶势力，征辟任用了不称职的人，被下令免职。十二月初一日甲申，任命少府河南人陶敦做司空。

杨震的门生虞放、陈翼到宫门为杨震陈述冤情。下诏任命杨震的两个儿子为郎官，赐钱百万，按礼节改葬杨震于华阴县潼亭，远近的人都来了。有一只高一丈多的大鸟落在杨震的灵堂前，郡守把这一情形上奏。汉顺帝深感杨震忠直，诏命再用中牢祭祀。

议郎陈禅认为："阎太后和汉顺帝没有母子情义，应迁移到别的宫馆，对太后断绝朝见。"群臣议论都认为妥当。司徒掾汝南人周举对李郃说："过去舜的父亲瞽瞍常常想杀害舜，舜侍奉他却更加恭谨；郑武姜要谋杀庄公，庄公发誓不到黄泉不相见；秦始皇抱怨母亲与假宦官嫪毐通奸，长期隔绝，后来受到颍考叔、茅焦的进言而感动，重新修行儿子的孝道，史书赞美他们。现在阎氏一门刚刚被诛，太后幽禁在离宫，如果悲伤生病，一旦发生意外，皇上将何以号令天下！如果接受陈禅的建议，后世就要把罪责归咎到你们的身上。应秘密向皇上进言，让皇上侍奉太后，像过去一样率领群臣朝觐，以顺天心，以答民望！"李郃立即上疏陈述了此事。

等诏：什么诏书。㊿斫：砍。⑲戊午：十一月初五日。⑳己未：十一月初六日。㉑开门：解除戒严令，打开洛阳城门。㉒罢屯兵：撤除戒严部队。㉓壬戌：十一月初九日。㉔诏司隶校尉：下诏给司隶校尉。司隶校尉治京师治安，故以诏嘱之。㉕骑都尉：官名，掌皇宫羽林骑兵。㉖录功臣：簿录功臣。㉗疏名：疏奏名单。㉘光未受符策：苗光一直没有得到封侯的策文。㉙自告：自首。㉚傅：太子中傅。㉛高梵：人名。㉜丞：长秋丞。㉝良贺：人名。㉞朔方：北方边郡。治所临戎，在今内蒙古磴口北。㉟崔骃之子瑗：崔骃，东汉文学家，字亭伯，涿郡安平（今河北安平）人，其子崔瑗，亦有文名。父子同传，见《后汉书》卷五十二。㊱长史：大将军阎显之长史。㊲惑蛊：迷惑。㊳疏孽：疏远的支族。㊴周勃之征二句：周勃诛除吕氏所立少帝的苗头，今天又重现了。征，征兆。见，通"现"。㊵伊、霍之功：效法商伊尹、西汉霍光扶危安宗庙之功。伊尹，名阿衡，辅助商汤王建立殷朝。汤死后，长孙帝太甲立，暴虐无道，伊尹流放太甲到桐宫守汤王之墓，太甲改过自新，伊尹迎太甲回宫主政，殷朝复兴。事见《史记卷三·殷本纪》。霍光，辅助西汉昭帝中兴的大臣。昭帝崩，无子，迎立昌邑王刘贺即帝位，刘

贺荒淫，即位二十七天就被霍光废黜，改立汉武帝孙刘询即位，是为汉宣帝。霍光传见《汉书》卷六十八。㊶神器：指帝位。㊷元恶：首恶；大恶。㊸弟：但。㊹屏语：私语。㊺己卯：十一月二十六日。㊻辟召非其人：征用了不称职的人，此指刘授辟召耿宝、阎显所请托的人。见本书卷五十安帝延光二年。㊼甲申：十二月初一日。㊽潼亭：潼关西之邮亭。㊾中牢具祠：备办中牢祭祀。中牢，即少牢，有羊、豕二牲。㊿陈禅：字纪山，巴郡安汉县（在今四川南充北）人，仕安帝、顺帝两朝，官至司隶校尉。传见《后汉书》卷五十一。(91)绝朝见：断绝母子关系，不再朝见。(92)瞽瞍：传说虞舜姚重华之父，与后妻多次谋害舜，舜孝谨无怨言。(93)誓之黄泉：黄泉，地下之泉。颍考叔感喻庄公事详《左传》隐公元年。(94)秦始皇怨母失行：失行，指秦始皇母庄襄王太后与假宦官嫪毐私通。秦始皇诛嫪毐，幽囚母亲，齐人茅蕉说秦始皇以统一天下大局为重，要敬礼母亲，秦始皇迎请母亲回咸阳宫。事详本书卷六秦王九年。

【原文】

孝顺皇帝(95)**上**

永建元年（丙寅，公元一二六年）

春，正月，帝朝太后于东宫，太后意乃安。

甲寅(96)，赦天下。

辛未(97)，皇太后阎氏崩。

辛巳(98)，太傅冯石、太尉刘熹以阿党权贵免。司徒李郃罢(99)。

二月甲申(100)，葬安思皇后。

丙戌(101)，以太常桓焉为太傅，大鸿胪京兆[6]朱宠为太尉，参录尚书事，长乐少府朱伥为司徒。

封尚书郭镇为定颖侯(102)。

陇西钟羌反，校尉马贤击之，战于临洮(103)，斩首千余级，羌众皆降，由是凉州复安。

六月己亥(104)，封济南简王错子显为济南王(105)。

秋，七月庚午(106)，以卫尉来历为车骑将军。

八月，鲜卑寇代郡，太守李超战殁。

【校记】

［2］而：原无此字。据章钰校，甲十六行本、乙十一行本、孔天胤本皆有此字，今据补。［3］刘玮：原无此二字。据章钰校，甲十六行本、乙十一行本、孔天胤本皆有此二字，张敦仁《通鉴刊本识误》、张瑛《通鉴校勘记》同，今据补。［4］直：原无此字。据章钰校，甲十六行本、乙十一行本、孔天胤本皆有此字，张敦仁《通鉴刊本识误》同，今据补。［5］焦：原作“蕉”。据章钰校，甲十六行本、乙十一行本皆作“焦”，今据改。

【语译】

孝顺皇帝上

永建元年（丙寅，公元一二六年）

春，正月，汉顺帝到东宫朝见太后，太后心里才安定下来。

初二日甲寅，大赦天下。

十九日辛未，皇太后阎氏去世。

二十九日辛巳，太傅冯石、太尉刘熹因为阿附权贵被免职。司徒李郃被罢官。

二月初二日甲申，安葬安思皇后。

初四日丙戌，任命太常桓焉为太傅，大鸿胪京兆人朱宠为太尉，参录尚书政事，长乐少府朱伥为司徒。

册封尚书郭镇为定颍侯。

陇西钟羌反叛，校尉马贤攻打叛羌，在临洮交战，官军斩杀叛羌一千多人，羌族部众全都投降，因此凉州再次安定。

六月十九日己亥，册封济南简王刘错的儿子刘显为济南王。

秋，七月二十一日庚午，任命卫尉来历为车骑将军。

八月，鲜卑入侵代郡，太守李超战死。

司隶校尉虞诩⑩到官数月，奏冯石、刘熹，免之。又劾奏中常侍⑩程璜、陈秉、孟生、李闰等，百官侧目⑩，号为苛刻。三公劾奏："诩盛夏多拘系无辜⑩，为吏民患。"诩上书自讼曰："法禁者，俗之堤防；刑罚者，民之衔辔。今州曰任郡，郡曰任县，更相委远⑪，百姓怨穷。以苟容⑫为贤，尽节⑬为愚。臣所发举，臧⑭罪非一。三府恐为臣所奏，遂加诬罪。臣将从史鱼死，即[7]以尸谏⑮耳！"帝省其章，乃不罪诩。

中常侍张防卖弄权势，请托受取⑯。诩案之，屡寝不报⑰。诩不胜其愤，乃自系廷尉，奏言曰[8]："昔孝安皇帝任用樊丰⑱，交乱嫡统，几亡社稷。今者张防复弄威柄，国家之祸将重至矣。臣不忍与防同朝，谨自系以闻，无令臣袭杨震之迹！"书奏，防流涕诉帝，诩坐论输左校⑲。防必欲害之，二日之中，传考四狱⑳。狱吏劝诩自引㉑，诩曰："宁伏欧刀㉒，以示远近㉓！喑呜㉔自杀，是非孰辨邪！"浮阳侯孙程、祝阿侯张贤相率乞见㉕，程曰："陛下始与臣等造事㉖之时，常疾奸臣，知其倾国㉗。今者即位而复自为，何以非先帝乎！司隶校尉虞诩为陛下尽忠，而更被拘系；常侍张防臧罪明正，反构㉘忠良。今客星守羽林㉙，其占宫中有奸臣，宜急收防送狱，以塞㉚天变。"时防立在帝后，程叱防曰："奸臣张防，何不下殿！"防不得已，趋就东箱。程曰："陛下急收防，无令从阿母㉛求请！"帝问诸尚书，尚书贾朗素与防善，证诩之罪。帝疑焉，谓程曰："且出，吾方思之。"于是诩子觊与门生百余人，举幡候中常侍高梵车㉜，叩头流血，诉言枉状。梵入言之，防坐徙边，贾朗等六人或死或黜，即日赦出诩。程复上书陈诩有大功，语甚切激。帝感悟，复征拜议郎。数日，迁尚书仆射。

诩上疏荐议郎南阳左雄㉝曰："臣见方今公卿以下，类多拱默㉞，以树恩㉟为贤，尽节为愚，至相戒曰：'白璧不可为，容容多后福㊱。'伏见议郎左雄，有王臣蹇蹇之节㊲，宜擢在喉舌之官㊳，必有匡弼之益。"由是拜雄尚书。

司隶校尉虞诩赴任几个月，就奏劾冯石、刘熹，罢免了他们。又弹劾中常侍程璜、陈秉、孟生、李闰等人，文武百官横目怒视，说虞诩苛刻。三公弹劾上奏说："虞诩在盛夏时囚禁了很多无辜的人，成为官吏和民众的祸患。"虞诩上书自辩说："法令，是民俗的堤防；刑罚，是民众的缰绳。现在州说责任在郡，郡说责任在县，互相推卸，百姓怨恨。以苟且因循为贤能，以尽忠职守为愚蠢。臣所举发的贪赃枉法罪不止一种。三公府担心被臣下奏劾，所以对臣加以诬陷。臣将追随史鱼死去，用尸体进谏！"汉顺帝看了奏章，才没有怪罪虞诩。

中常侍张防卖弄权势，接受请托，收取贿赂。虞诩弹劾他，奏章屡次被搁置，得不到回复。虞诩忍不住愤恨，就捆起自己到廷尉，上奏说："过去孝安皇帝任用樊丰，搞乱了嫡传世统，几乎使国家灭亡。现在张防又玩弄权柄，国家的灾祸将再次降临。臣不能忍受与张防同在朝廷当官，自己捆绑下狱，让皇帝知道臣的意愿，不要让臣重蹈杨震的下场！"奏章呈上，张防向汉顺帝哭诉，虞诩被判罪，送到左校服苦役。张防要置虞诩于死地，两天内，就过了四次公堂，遭受苦刑。狱吏劝虞诩自杀。虞诩说："宁愿伏罪受刑，以昭示远近之人！抽泣自杀，又怎能辨别是非呢！"浮阳侯孙程、祝阿侯张贤携手拜见皇帝，孙程说："陛下开始与我们共创大业时，经常痛恨奸臣，知道他们毁灭国家。现在皇帝即位，却又像先帝那样做，怎样能评价先帝的缺点！司隶校尉虞诩为皇上尽忠，反被拘禁；常侍张防的贪赃之罪明显，反而陷害忠良的臣子。现在客星徘徊在羽林星区，表明宫中有奸臣，应当赶快逮捕张防下狱，以防止天变。"当时张防站在皇帝身后，孙程大声斥责他说："奸臣张防，怎么不下殿！"张防不得已，快步退入东厢。孙程说："陛下赶快逮捕张防，别让他向保姆求情！"汉顺帝询问各位尚书，尚书贾朗一向和张防友善，指证虞诩有罪。汉顺帝疑惑，对孙程说："暂且出去，朕将想想这事。"于是，虞诩的儿子虞顗和一百多位门生，举着招魂的幡旗，等候中常侍高梵的车子，磕头流血，诉说冤枉。高梵入宫禀告，张防获罪流放边地，贾朗等六人有的被处死，有的被黜免，当天赦免并放出虞诩。孙程又上书说虞诩有大功，措辞非常急切。汉顺帝醒悟，又征召虞诩为议郎。过了几天，升任尚书仆射。

虞诩上疏推荐议郎南阳人左雄说："臣看到现在公卿以下的官员，大多拱手无言，以广结人缘为贤能，以尽节操为愚蠢，甚至互相告诫：'清白的玉石不可做，碌碌庸庸多有后福。'臣发现议郎左雄，有人臣敢于赴难的操守，应当提升为尚书，必有匡辅王室的裨益。"于是任命左雄为尚书。

【段旨】

以上为第三段，写司隶校尉虞诩惩治奸佞遭诬陷下狱，经孙程营救获赦免，调任为议郎。

【注释】

⑮ 孝顺皇帝：安帝刘祜之子，名保，公元一二六至一四四年在位。胡三省注引《伏侯古今注》曰："'保'之字曰'守'。" ⑯ 甲寅：正月初二日。⑰ 辛未：正月十九日。⑱ 辛巳：正月二十九日。⑲ 司徒李郃罢：司徒李郃因瘟疫流行而被免职。⑳ 甲申：二月初二日。㉑ 丙戌：二月初四日。㉒ 郭镇为定颍侯：因擒阎显功封侯。㉓ 临洮：县名，县治在今甘肃岷县。㉔ 己亥：六月十九日。㉕ 封济南简王错子显句：济南王，光武帝子刘康的封爵。简王错，刘康之子刘错，死后谥为简王。刘错传子刘香，安帝延光四年死，无子，国绝。刘显为刘错庶子，今绍封为济南王。㉖ 庚午：七月二十一日。㉗ 虞诩：字升卿，陈国武平（今河南鹿邑西北）人，敢直言，为东汉名臣。传见《后汉书》卷五十八。㉘ 中常侍：官名，秦置，宦者与士人兼用，给事殿省，常导引应对。汉因之。和熹太后称制，不接公卿，中常侍专用宦官。这里程璜、陈秉、孟生、李闰均为宦官。㉙ 侧目：横目怒视。㉚ 盛夏多拘系无辜：按照汉代法治观念，盛夏天地万物生长，不当杀伐拘系。三公欲致罪虞诩，借此为言。㉛ 更相委远：互相推卸责任。㉜ 苟容：苟且因循。㉝ 尽节：尽忠守职。㉞ 臧：通"赃"。㉟ 尸谏：《韩诗外传》记载，春秋时卫国大夫史鱼生病将死时对儿子说："我多次推荐蘧伯玉是个贤才，但得不到重用；我又多次揭发弥子瑕是个奸佞，但得不到排斥。我是卫国的大臣，既不能任用贤才，又不能清除

【原文】

浮阳侯孙程等怀表上殿争功，帝怒；有司劾奏："程等干乱悖逆[139]，王国等皆与程党，久留京都，益其骄恣。"帝乃免程等官，悉徙封远县。因遣十九侯就国，敕洛阳令促期发遣。

司徒掾周举[140]说朱伥曰："朝廷[141]在西钟下时，非孙程等岂立！今忘其大德，录其小过。如道路夭折[142]，帝有杀功臣之讥。及今未去，宜急表之！"伥曰："今诏指方怒，吾独表此，必致罪谴[143]。"举曰："明公[144]年过八十，位为台辅，不于今时竭忠报国，惜身[145]安宠[146]，欲以何

奸佞，我死后不能停棺正堂，就停在侧屋好了。”卫国国君听到后，立即任用蘧伯玉，赶走弥子瑕。⑯受取：接受贿赂。⑰屡寝不报：虞诩的请求惩奸奏章，多次搁置，得不到回复。⑱樊丰：安帝中常侍，他迫害太尉杨震事，见上卷安帝延光三年。⑲诩坐论输左校：虞诩被判罪为输作左校。左校，将作大匠部属有左校令，掌左工徒。输作左校，即送往左校做苦役。⑳传考四狱：过了四次公堂，遭受苦刑。㉑自引：自裁；自杀。㉒伏欧刀：服罪受刑。欧刀，刑刀。㉓以示远近：以昭示远近之人。㉔喑呜：抽泣伤叹。㉕相率乞见：携手求见顺帝。㉖造事：指谋立顺帝。㉗倾国：毁灭国家。㉘构：陷害。㉙客星守羽林：有一颗新星徘徊在虚、危南的羽林星区。㉚塞：杜绝。㉛阿母：顺帝另一保姆宋娥。㉜举幡候中常侍高梵车：幡，招魂幡。候，等候，拦车呼冤。宫中权贵出行，清道戒严，禁止行人通行。汉代提倡孝道，送丧行人仍可靠边通行。虞颉等一百余人假冒送丧，靠近高梵座车喊冤。㉝左雄：字伯豪，南阳郡涅阳（在今河南南阳西南）人，官至司隶校尉。传见《后汉书》卷六十一。㉞拱默：拱手沉默，形容小心谨慎，不敢言事的样子。㉟树恩：广结人缘。㊱白璧不可为二句：谓做人要圆滑，切不可做一块清白的玉石，碌碌庸庸才有无限后福。㊲蹇蹇之节：敢于赴难的操守。蹇，难也。㊳喉舌之官：东汉称尚书为喉舌之官，指其出纳王命。

【校记】

［6］京兆：原无此二字。据章钰校，甲十六行本、乙十一行本、孔天胤本皆有此二字，张敦仁《通鉴刊本识误》、张瑛《通鉴校勘记》同，今据补。［7］即：据章钰校，甲十六行本作“则”。［8］曰：原无此字。据章钰校，甲十六行本、乙十一行本、孔天胤本皆有此字，张敦仁《通鉴刊本识误》同，今据补。

【语译】

浮阳侯孙程等人身怀奏章上殿争功，汉顺帝很生气，有关官员上奏弹劾说：“孙程等人大逆不道，王国等人都与孙程结为同党，久留京城，更加骄横放肆。”汉顺帝于是免去孙程等人的官职，都改封到僻远的县邑。趁机遣送十九侯去往自己的封国，下令洛阳令短期遣送。

司徒掾周举劝朱伥说：“皇上在西钟楼时，若非孙程等人怎能即位！现在忘记了他们的大德，计较他们的微小过失。如果他们死在半道，皇上就有杀害功臣的讥讽。趁他们还未离开，应该赶快上表救他们！”朱伥说：“现在皇帝正在气头上，我独自上奏此事，必会导致受责备。”周举说：“您年纪已过八十，位居宰辅，不在此时尽忠报

求！禄位虽全，必陷佞邪之讥，谏而获罪，犹有忠贞之名。若举言不足采，请从此辞！”伥乃表谏，帝果从之。

程徙封宜城侯⑭⑦，到国，怨恨恚怼⑭⑧，封还印绶符策，亡归京师，往来山中。诏书追求，复故爵土，赐车马、衣物，遣还国。

冬，十月丁亥⑭⑨，司空陶敦免。

朔方以西，障塞⑮⓪多坏，鲜卑因此数侵南匈奴。单于忧恐，上书乞修复障塞。庚寅⑮①，诏：“黎阳营兵⑮②出屯中山⑮③北界，令缘边郡增置步兵，列屯塞下，教习战射。”

以廷尉张皓为司空。

班勇更立车师后部故王子加特奴为王。勇又使别校诛斩东且弥⑮④王，亦更立其种人为王，于是车师六国悉平⑮⑤。

勇遂发诸国兵击匈奴，呼衍王亡走，其众二万余人皆降。生得单于从兄，勇使加特奴手斩之，以结车师、匈奴之隙⑮⑥。北单于自将万余骑入后部，至金且谷⑮⑦。勇使假司马曹俊救之，单于引去，俊追斩其贵人骨都侯。于是呼衍王遂徙居枯梧河⑮⑧上，是后车师无复虏迹⑮⑨。

【段旨】

以上为第四段，写孙程争功受贬谪，班勇大破北匈奴。

【注释】

⑬⑨干乱悖逆：扰乱政事，大逆不道。⑭⓪周举：字宣光，汝南汝阳（在今河南商水县）人。传见《后汉书》卷六十一。⑭①朝廷：指顺帝。⑭②道路夭折：死于半道。⑭③罪谴：得罪皇上而受责备。⑭④明公：对宰相的尊称。⑭⑤惜身：珍爱自身。⑭⑥安宠：固宠。指看重权位。⑭⑦程徙封宜城侯：孙程原封浮阳侯，现徙封为宜城侯。浮阳，在今河北沧

国，而珍爱自身，贪恋恩宠，还想得到什么！即使保全了高官厚禄，也必定会让人讥讽为佞邪之辈，因为进谏而获罪，仍有忠贞的名声。如果认为我的话不值得采纳，请允许我从此辞官！”朱伥于是上书劝谏，汉顺帝果然听从了。

孙程改封为宜城侯，到了封国，怨恨不平，把印绶封策归还朝廷，逃归京城，来往于山中。汉顺帝下诏寻找他，恢复了原来的封爵和食邑，赐给车马、衣物，派送回到封国。

冬，十月初九日丁亥，司空陶敦被免职。

朔方郡以西，大多数亭障要塞已经毁坏，鲜卑因此多次侵犯南匈奴。单于又担心又恐惧，上书请求修缮亭障要塞。十月十二日庚寅，下诏："黎阳营的军队屯兵驻扎中山郡北界，令沿边各郡增设步兵，分别驻守关塞，教授学习作战骑射。"

任命廷尉张皓为司空。

班勇另立车师后王国前国王的儿子加特奴为国王。班勇又派另外一支军队将领杀死东且弥王，也改立他们部落的人做国王，于是车师六国全都平定了。

班勇于是调动各国军队攻打匈奴，呼衍王逃走，他的部众两万多人全部投降。生擒了单于的堂兄，班勇让加特奴亲手杀死他，以此使车师和北匈奴结仇。北单于亲自率领一万多骑兵进入车师后王国，到达金且谷。班勇派假司马曹俊去救援，单于率军离去，曹俊追击，杀死匈奴贵族骨都侯。于是，呼衍王迁移到枯梧河附近，此后车师后王国没有再见到北匈奴骑兵的踪迹。

县。宜城，在今湖北宜城。⑱ 恚怼：愤恨不平。⑲ 丁亥：十月初九日。⑳ 障塞：哨卡亭障及要塞城堡。㉑ 庚寅：十月十二日。㉒ 黎阳营兵：东汉屯驻于黎阳（今河南浚县）的常备兵。㉓ 中山：封国名，治所卢奴，在今河北定州。㉔ 东且弥：西域国名，王城在今新疆乌鲁木齐。㉕ 车师六国悉平：以车师为首的六国，全都归附中国。六国为前车师、后车师、东且弥、移支（在新疆巴里坤湖西北，居车师之东）、蒲类（在巴里坤湖南）、卑陆（在乌鲁木齐东北阜康）。㉖ 以结车师、匈奴之隙：班勇让车师、王加特奴亲手杀死匈奴呼衍王堂兄，使车师与北匈奴结仇。㉗ 金且谷：地名，在今新疆奇台境。㉘ 枯梧河：今地不详。㉙ 是后车师无复虏迹：从此以后，车师国再也没有北匈奴骑兵的踪影。

【原文】

二年（丁卯，公元一二七年）

春，正月，中郎将张国以南单于兵击鲜卑[160]其至鞬，破之。

二月，辽东鲜卑寇辽东玄菟，乌桓校尉[161]耿晔发缘边诸郡兵及乌桓出塞击之，斩获甚众，鲜卑三万人诣辽东降。

三月，旱。

初，帝母李氏瘗[162]在洛阳北，帝初不知。至是，左右白之，帝乃发哀，亲到瘗所，更以礼殡。六月乙酉[163]，追谥为恭愍皇后，葬于恭陵[164]之北。

西域城郭诸国皆服于汉，唯焉耆王元孟[165]未降，班勇奏请攻之。于是遣敦煌太守张朗将河西四郡兵三千人配勇，因发诸国兵四万余人，分为两道击之。勇从南道，朗从北道，约期俱至焉耆。而朗先有罪，欲徼功自赎[166]，遂先期至爵离关[167]，遣司马将兵前战，获首虏二千余人。元孟惧诛，逆遣使乞降。张朗径入[168]焉耆，受降而还。朗得免诛，勇以后期征，下狱，免[169]。

秋，七月甲戌朔[170]，日有食之。

壬午[171]，太尉朱宠、司徒朱伥免。庚子[172]，以太常刘光为太尉、录尚书事，光禄勋汝南许敬为司徒。光，矩之弟也[173]。敬仕于和、安之间，当窦、邓、阎氏之盛，无所屈桡[174]。三家既败，士大夫多染污者，独无谤言及于敬，当世以此贵之。

初，南阳樊英[175]少有学行，名著海内，隐于壶山[176]之阳。州郡前后礼请，不应。公卿举贤良、方正、有道，皆不行。安帝赐策书征之[177]，不赴。是岁，帝复以策书、玄纁[178]，备礼征英，英固辞疾笃。诏切责郡县，驾载上道[179]。英不得已，到京，称疾不肯起，强舆入殿[180]，犹不能屈。帝使出就太医养疾，月致羊酒。其后帝乃为英设坛[181]，令公车令导，尚书奉引，赐几、杖[182]，待以师傅之礼，延问得失，拜五官中郎将。数月，英称疾笃，诏以为光禄大夫，赐告归[183]，令在所送谷，以岁时致牛酒。英辞位不受，有诏譬旨，勿听[184]。

【语译】

二年（丁卯，公元一二七年）

春，正月，中郎将张国利用南匈奴单于军队攻打鲜卑其至鞬，打败了鲜卑。

二月，辽东鲜卑人入侵辽东玄菟，乌桓校尉耿晔征发沿边各郡军队和乌桓人，出塞攻打鲜卑，杀死擒获很多人，鲜卑部落三万人前往辽东投降。

三月，发生旱灾。

当初，汉顺帝的母亲李氏埋葬在洛阳城北，汉顺帝最早不知道。这时，身边的人告诉了汉顺帝，汉顺帝才发丧，亲自到埋葬的地点，改用皇后礼仪殡殓。六月十一日乙酉，追尊谥号为恭愍皇后，把她埋葬在恭陵的北面。

西域的城邦各国都归顺汉朝，只有焉耆国王元孟没有降服，班勇上奏请求攻打他。于是派敦煌太守张朗率领河西四郡的三千名士兵配合班勇，趁机调动各国军队四万多人，分为两路进攻焉耆。班勇从南路，张朗从北路，约定日期一起到达焉耆。而张朗先前有罪，想获功赎罪，于是比预定日期先到爵离关，派遣司马率军上前作战，俘获杀死两千多人。元孟担心被杀，派使者请求归降。张朗直接进入焉耆，接受投降后返回。张朗因功得以免受惩罚，班勇因比张朗后到焉耆，征回下狱，免官。

秋，七月初一日甲戌，发生日食。

七月初九日壬午，太尉朱宠、司徒朱伥被免官。二十七日庚子，任命太常刘光为太尉、录尚书事，任命光禄勋汝南人许敬为司徒。刘光，是刘矩的弟弟。许敬任职在和帝、安帝时，正当窦氏、邓氏、阎氏势盛，许敬无所屈从。三家外族败落后，有很多士大夫受到牵连，只有许敬没有任何诽谤牵连到他，世人因此崇敬他。

当初，南阳人樊英从小品学兼优，名闻天下，在壶山的南面隐居。州郡前后聘请他出来做官，他不答应。公卿推荐贤良、方正、有道，他都不去。汉安帝下诏书征召他，他不前往。这一年，汉顺帝再次用策书、黑色绸缎，备全礼物征召樊英，樊英以病重为由坚决推辞。诏书严厉责备郡县，郡县强行把樊英架上车上道。樊英不得已，到了京城，说是有病不肯起身，强行把他抬到宫殿，还是不能让他屈从。汉顺帝让他出宫到太医那里治病，每月送去羔羊和美酒。后来皇帝为樊英设立讲坛，命令公车令在前引路，尚书陪同，赐予几案、手杖，用师傅的礼节对待他，询问国事得失，任命为五官中郎将。过了几个月，樊英说病情加重，下诏任命为光禄大夫，准许带着官衔回家养病，命令当地送给谷米，按季节送给牛肉和美酒。樊英辞官，不受所赐，有诏书说明圣旨，不准辞官。

英初被诏命，众皆以为必不降志[185]。南郡王逸素与英善，因与其书[186]，多引古譬谕，劝使就聘[187]。英顺逸议而至，及后应对无奇谋深策[188]，谈者以为失望。河南张楷[189]与英俱征，谓英曰："天下有二道，出与处也[190]。吾前以子之出，能辅是君也，济斯民也。而子始以不訾之身[191]，怒万乘之主，及其享受爵禄，又不闻匡救之术，进退无所据[192]矣。"

【段旨】

以上为第五段，写汉顺帝对边将赏罚错位，张朗违背军令冒进受赏，班勇守纪被罚。名士樊英徒有虚名，受朝廷征召无嘉言奇策。

【注释】

⑯鲜卑：古族名，东胡的一支。秦汉时，游牧于今西喇木伦河与洮儿河之间，附属于匈奴。北匈奴西迁后进入匈奴故地，势力渐盛。⑯乌桓校尉：官名，护乌桓校尉之省称，主管安抚和防卫乌桓。⑯瘗：埋葬。⑯乙酉：六月十一日。⑯恭陵：安帝刘祜陵，在洛阳东北。⑯焉耆王元孟：焉耆，西域国名，王城在今新疆焉耆。其王元孟，和帝永元六年（公元九四年）为班超所立。⑯欲徼功自赎：想获功赎罪。⑯爵离关：关名，在焉耆境内。⑯径入：长驱直入。⑯勇以后期征三句：班勇蒙受延误日期的罪名，被征还下狱，免职为庶人。胡三省对此评论说："夏之'政典'曰：先时者杀无赦，不及时者杀无赦。张朗先期以邀功，法所必诛，则班勇非后期也。汉之用刑，不审厥衷，勇免之

【原文】

臣光曰："古之君子，邦有道则仕，邦无道则隐[193]，隐非君子之所欲也。人莫己知而道不得行，群邪共处而害将及身，故深藏以避之。王者举逸民[194]，扬仄陋[195]，固为其有益于国家，非以徇世俗之耳目[196]也。是故有道德足以尊主[197]，智能足以庇民[198]，被褐怀

樊英当初接受诏命，大家以为他一定不会改变志节。南郡人王逸向来与樊英相好，因而写信给他，引用很多古时的事情进行说明，劝他接受聘任。樊英听从王逸的建议到了京城，等到后来回答皇帝对策，没有什么奇谋深策，议论的人感到失望。河南人张楷和樊英一起接受征召，对樊英说："天下的为人之道有两个基点，即如何出仕做官和如何避世隐退。我先前认为你出仕做官，能辅助君主，拯救民众。而你开始时以无价之身，触怒君主，等到享受了高官厚禄，又没有听到匡救国家的方法，出仕与隐退都没有原则。"

后，西域事去矣。"⑰⓪甲戌朔：七月初一日。⑰①壬午：七月初九日。⑰②庚子：七月二十七日。⑰③光二句：刘矩，桓帝时官至太尉。传见《后汉书》卷七十六。据《刘矩传》，刘光为刘矩之叔，非弟也。⑰④无所屈桡：不肯屈服于权贵。⑰⑤樊英：字季齐，南阳鲁阳（今河南鲁山县）人，精通《易》学，著有章句，世称樊氏学。传见《后汉书》卷八十二上。⑰⑥壶山：即今河南唐河县西北大狐山。⑰⑦赐策书征之：皇帝下诏书征召。⑰⑧玄纁：黑色绸缎，指代币帛。玄纁礼征，即送上一份厚礼。⑰⑨驾载上道：强行架上车上道。⑱⓪强舆入殿：强行放到担架上抬进宫中。⑱①设坛：设立讲坛。⑱②赐几、杖：赏赐给他几案、手杖。⑱③赐告归：准其带着官衔归家养病。⑱④有诏譬旨二句：有诏书宣示加官旨意，不准辞职。⑱⑤必不降志：一定不会改变志节。指坚决拒征。⑱⑥与其书：写信给樊英。⑱⑦劝使就聘：劝导樊英接受征召。⑱⑧应对无奇谋深策：回答皇帝对策，没有什么有益于国的内容。⑱⑨张楷：字公超，河南梁县（在今河南汝州西）人，精通古文《尚书》《严氏春秋》，作《尚书注》行于世。传见《后汉书》卷三十六。⑲⓪天下有二道二句：天下的为人之道有两个基点，即如何出仕做官和如何避世隐退。⑲①不訾之身：无价之身。⑲②进退无所据：出仕与隐退都没有原则。

【语译】

司马光说："古代的君子，当国家政治清明，就出来当官；国家政治暴虐，就隐退，隐退并非君子所希望的。没有人了解自己，正道又不能推行，与邪恶的人混在一起，灾害就要降临自身，所以深藏起来回避。君主起用隐逸的贤民，举荐卑微隐逸之人，为的是他们对国家有益，不是追随世俗的浅见舆论。所以，有道术德行足以使君主尊崇，有智慧和才能足以保护民众，贤者就像身穿粗衣

玉，深藏不市⑲。则王者当尽礼以[9]致之⑳，屈体以下之，虚心以访之⑳[10]，克己以从之⑳，然后能利泽施于四表⑳，功烈格于上下⑳。盖取其道，不取其人⑳，务其实，不务其名⑳也。

“其或礼备而不至，意勤而不起⑳，则姑内自循省，而不敢强致其人，曰⑳：‘岂吾德之薄而不足慕乎⑳？政之乱而不可辅乎⑳？群小在朝而不敢进乎⑳？诚心不至而忧其言之不用乎⑳？何贤者之不我从也⑳？’苟其德已厚矣，政已治矣，群小远矣⑳，诚心至矣，彼将扣阍以[11]自售⑳，又安有勤求而不至者哉⑳！荀子⑳曰：‘耀蝉⑳者，务在明其火⑳，振其木⑳而已。火不明，虽振其木，无益也。今人主有能明其德，则天下归之，若蝉之归明火也。’或者人主耻不能致⑳，乃至诱之以高位，胁之以严刑⑳。使彼诚君子邪⑳，则位非所贪，刑非所畏，终不可得而致也⑳。可致者⑳，皆贪位畏刑之人也，乌足贵哉⑳！

“若乃孝弟著于家庭⑳，行谊隆于乡曲⑳，利不苟取，仕不苟进⑳，洁己安分，优游卒岁⑳，虽不足以尊主庇民，是亦清修之吉士⑳也。王者当褒优安养，俾遂其志⑳。若孝昭之待韩福⑳，光武之遇周党⑳，以励廉耻，美风俗，斯亦可矣。固不当如范升之诋毁⑳，又不可如张楷之责望也。

“至于饰伪以邀誉⑳，钓奇以惊俗⑳，不食君禄而争屠沽之利⑳，不受小官而规⑳卿相之位，名与实反⑳，心与迹违⑳，斯乃华士⑳、少正卯⑳之流，其得免于圣王之诛幸矣，尚何聘召之有哉！”

【段旨】

以上为第六段，写司马光对浮华之士的批评。

而怀揣美玉一样，深藏不露，没有好价钱就不肯出售。那么君主应当用高规格的礼仪招来他，委屈自己，处在他的下面，虚怀若谷，去寻访他，克制自己听从他，然后才能在天下四方普施恩泽，功业能贯穿天上地下，流传万古。这是要取用他的治国之道，而不是取用他这个人，是要求得实际才能，而不追求虚名。

“还有一些人，如果君王征用的礼节齐备而贤才不应聘，心意诚挚而贤才不肯做官，圣王就应从内心反省自己，不必强迫征召，反省说：‘难道是我的品德太薄，而不足以使他仰慕吗？是政治混乱而不值得他辅佐吗？是小人立身朝廷而使他不敢仕进吗？是诚意不够而担心他的主张不被采用吗？为什么贤士不跟从我呢？’如果君王品德深厚，政治清明，远离小人，极为诚心，他们将会叩门自荐，又怎会辛勤寻找而不来呢！荀子说：‘照蝉的人务必使火光明亮，摇动树木。火光不亮，即使摇动树木也无益。现在人主能修明德治，天下就会归顺，如同蝉扑明火。’有的君主对不能招来贤士而感到羞耻，甚至用高官加以诱惑，用严刑强迫。如果他果真是君子，高位不是他所贪图的，刑罚不是他所畏惧的，君主最终还是得不到他。能够招来的都是些贪图官位、畏惧刑罚的人，这些人又怎么值得尊贵呢！

“说起那些在家有孝敬父母和友爱兄弟的美德，品行道义在乡里广为人传颂的人，不随便谋求财利，不随便出来当不义之官，廉洁安分，从容终老，虽未辅佐君主，保护民众，但也是清修的良民。君主应当褒扬安抚，使他们实现志向。像汉昭帝对待韩福，光武帝对待周党一样，用来鼓励廉耻之心，使风俗修美，这样也可以了。固然不必像范升那样去毁谤，又不可以像张楷那样去抱怨。

“至于有些人以掩饰伪善来求取名誉，以奇怪行为来惊世骇俗，不接受国君的俸禄，却去争抢屠夫酒贩一样的小利，不接受小的官职，却谋求卿相的地位，名不副实，表里不一，这就是华士、少正卯之流，能够避免圣王的诛杀，就算幸运了，还谈什么被征聘啊！”

【注释】

⑲³ 邦有道则仕二句：政治清明出来做官，政治混乱就隐退保身。语出《论语·卫灵公》，原文作：“邦有道则仕，邦无道则可卷而怀之。”卷而怀之，指把本领收藏起来。⑲⁴ 举逸民：起用隐逸之士。语出《论语·尧曰》：“举逸民，天下之民归心焉。”⑲⁵ 扬仄陋：语出《尚书·尧典》，“明明扬仄陋”。明明，明察贤者。扬仄陋，举荐卑微隐逸之人。仄，侧倾，在下位的人。陋，隐也。⑲⁶ 徇世俗之耳目：追随世俗的浅见舆论。⑲⁷ 有

道德足以尊主：有道术德行足以使君主尊崇。⑲⑧智能足以庇民：智慧和才能，足以保护人民。⑲⑨被褐怀玉二句：贤者就像身穿粗短衣而怀揣美玉一样，深藏不露，没有好价钱则不肯出售。褐，粗短衣。⑳⓪王者当尽礼以致之：作为君王，应当用高规格的礼仪招致贤者。⑳①屈体以下之二句：委屈自己，处在贤者之下，虚怀若谷，察访贤能之士。⑳②克己以从之：克制自己听从贤者之言。⑳③四表：全国四面八方。⑳④功烈格于上下：功业能贯通天上地下。以上二句化用《尚书·尧典》"光被四表，格于上下"的典故。格，至、通达。⑳⑤取其道二句：君王尊礼贤者，是为了取用他的治国之术，而不是为了取用这个人。⑳⑥务其实二句：只要求实际，不追求虚名。⑳⑦其或礼备而不至二句：还有一些人，如果君王征用的礼节齐备，心意诚挚，贤者仍然不肯出仕，那么君王应该首先自我反省，而不应强迫征召。其或，还有这样一些人。⑳⑧曰：反省的内容是……自我反省说。⑳⑨德之薄而不足慕乎：难道是品德太薄，而不足以使贤者仰慕吗？㉑⓪政之乱而不可辅乎：难道是政治混乱，而不值得贤者辅佐吗？㉑①群小在朝而不敢进乎：难道是邪恶小人立于朝廷而使贤者不敢仕进吗？㉑②诚心不至句：难道是诚意不够使贤者担忧他们的主张得不到采纳吗？㉑③何贤者之不我从也：为什么贤者不跟从我呢？㉑④群小远矣：群小已被排斥，远离朝廷。㉑⑤扣阍以自售：叩门来自我推荐。阍，宫门。㉑⑥安有勤求而不至者哉：哪有辛勤寻找而不来的呢。㉑⑦荀子（约公元前三一三至前二三八年）：名况，又名孙卿，战国后期赵人，为楚国兰陵令，为古代杰出的思想家，著有《荀子》传于世。传见《史记》卷七十四。㉑⑧耀蝉：火光照蝉，捕而为食。㉑⑨明其火：使火光明亮。㉒⓪振其木：摇动树枝。㉒①人主耻不能致：君主对不能招来贤者感到羞耻。㉒②诱之以高位二句：用高官厚禄引诱，用严刑威逼。胁，逼迫。㉒③使彼诚君子邪：如果他果真是一个君子。君子，道德高尚的人。㉒④位非所贪三句：高位不是他所贪图的，刑罚不是他所畏惧的，最终还是得不到他。㉒⑤可致者：指用厚禄和刑罚可招来的人。㉒⑥乌足贵哉：哪能值

【原文】

时又征广汉杨厚[244]、江夏黄琼[245]。琼，香之子也。厚既至，豫陈汉有三百五十年之厄[246]以为戒，拜议郎。琼将至，李固以书逆遗之[247]曰："君子谓伯夷隘，柳下惠不恭[248]。不夷不惠，可否之间[249]，圣贤居身之所珍也[250]。诚欲枕山栖谷[251]，拟迹巢、由[252]，斯则可矣。若当辅政济民，今其时也。自生民以来，善政少而乱俗多，必待尧、舜之君，此为士行其志终无时矣。尝闻语曰：'峣峣者易缺，皦皦者易污。'[253]盛名之下，

得尊贵。㉗孝弟著于家庭：在家有孝敬父母和友爱兄弟的美德。㉘行谊隆于乡曲：品行道义在乡里广为人传颂。谊，通“义”。㉙利不苟取二句：不义之财不随便谋求，不义之官不随便仕进。㉚洁己安分二句：廉洁安分，从容终老天年。㉛吉士：良民。㉜王者当褒优安养二句：君王应当褒扬安抚他们，使他们实现志向。㉝孝昭之待韩福：韩福，涿郡的孝悌之士。《汉书·昭帝纪》载，元凤元年（公元前八〇年）三月，赐郡国所选有行义之士涿郡韩福等五人回归乡里，令地方官按时给以生活补贴，让他们成为乡里楷模。㉞光武之遇周党：周党，太原处士，与会稽严光等被征至京师，不愿做官，光武帝不加罪而赐帛礼遣之。事见本书卷四十一光武建武五年。㉟范升之诋毁：范升，字辩卿，代郡（治所高柳，在今山西阳高）人，精通《论语》《孝经》《梁丘易》《老子》等。为光武帝博士，曾上疏弹劾周党等不仕为狂傲虚伪，请致以罪，光武不纳。传见《后汉书》卷三十六。㊱饰伪以邀誉：掩饰伪善以求取荣誉。㊲钓奇以惊俗：以奇怪行为来惊世骇俗。㊳争屠沽之利：争夺屠夫酒贩一样的小利。㊴规：谋求。㊵名与实反：名不副实。㊶心与迹违：表里不一。㊷华士：见于《韩非子》，西周初齐人，沽名钓誉为太公望所杀。㊸少正卯：春秋时鲁人，讲学与孔子唱对台戏，孔子为鲁司寇，上任七天就杀了少正卯。

【校记】

［9］以：原作“而”。据章钰校，甲十六行本、乙十一行本、孔天胤本皆作“以”，张敦仁《通鉴刊本识误》同，今据改。［10］屈体以下之，虚心以访之：此二句原作“屈己以访之”，今据甲十六行本、乙十一行本、孔天胤本校改。张敦仁《通鉴刊本识误》与甲十六行本同。［11］以：原作“而”。据章钰校，甲十六行本、乙十一行本、孔天胤本皆作“以”，今据改。

【语译】

当时又征召广汉人杨厚、江夏人黄琼。黄琼，是黄香的儿子。杨厚到了以后，预先陈述汉朝三百五十年来的困境作为警诫，被任命为议郎。黄琼快要到洛阳，李固派人在中途迎候，把写的信送给黄琼说：“君子认为伯夷狭隘，柳下惠傲慢。不学伯夷，也不学柳下惠，处于二者之间，是圣贤立身所珍视的。如果真心想归隐山林，效法巢父、许由，这是可行的。如果要辅佐时政，救济百姓，现在正当其时。自古以来，清明的政治少而纷乱的世俗多，如果贤良之人一定要等候有尧、舜这样的君主，才推行自己的心志，将永远没有时机。曾经听人说：‘山太高则易缺，玉太白则易污。’盛大的名声之下，很难有实际的才能与之相匹配。近来鲁阳人樊君刚刚被征

其实难副。近鲁阳樊君被征，初至，朝廷设坛席㉔，犹待神明，虽无大异，而言行所守，亦无所缺。而毁谤布流，应时折减㉕者，岂非观听望深，声名太盛乎㉖！是故俗论皆言'处士纯盗虚声㉗'。愿先生弘此远谟㉘，令众人叹服，一雪此言耳。"琼至，拜议郎，稍迁尚书仆射。琼昔随父在台阁㉙，习见故事，及后居职，达练官曹㉚，争议朝堂，莫能抗夺㉛。数上疏言事，上颇采用之。

李固，郃之子也㉜[12]，少好学，常改易姓名，杖策驱驴，负笈从师㉝，不远千里，遂究览坟籍㉞，为世大儒。每到太学，密入公府，定省父母㉟，不令同业㊱诸生知其为郃子也。

三年（戊辰，公元一二八年）

春，正月丙子㊲，京师地震。

夏，六月，旱。

秋，七月丁酉㊳[13]，茂陵园寝灾㊴。

九月，鲜卑寇渔阳㊵。

冬，十二月己亥㊶，太傅桓焉免。

车骑将军来历罢。

南单于拔死，弟休利立，为去特若尸逐就单于㊷。

帝悉召孙程等还京师。

【段旨】

以上为第七段，写杨厚、黄琼征起任议郎，名实相符。

【注释】

㉔杨厚（公元七二至一五三年）：字仲桓，广汉郡新都县（今四川成都市新都区）人，精通图谶学，能预言。传见《后汉书》卷三十上。㉕黄琼（公元八六至一六四年）：字世英，江夏郡安陆县（在今湖北安陆北）人，章帝时魏郡太守黄香之子，官至司空。传见《后汉书》卷六十一。㉖三百五十年之厄：西汉建国至顺帝永建二年，已历三百三十三年（公元前二〇六至公元一二七年）。其时东汉政治已经腐败，内忧外患严重，杨厚

召，初到时，朝廷设置讲坛，犹如对待神明，虽没有大的才能，但言行操守也没有缺失。而毁谤的流言广为传播，一时之间名声一落千丈，这难道不是众人听其名已久，对他期望太高，名声太大吗！所以世俗的论调都说‘隐士都是徒有虚名’。希望先生推行这深远的谋划，让众人叹服，消除这种说法。”黄琼到了，被任命为议郎，逐渐升为尚书仆射。黄琼过去跟随父亲在台阁，经常见到旧日的典章，等到后来任职，对官场之事明习干练，在朝堂上争议，没有人能驳倒他。多次上疏言事，汉顺帝都采纳了他的建议。

李固，是李郃的儿子，少时好学，常改变姓名，执鞭骑驴，背着书箱，向老师求学，不管路遥，终于通读各种古本秘籍，成为当世大儒。每次到太学，偷偷进入三公府，按时向父母问安，不让同学们知道他是李郃的儿子。

三年（戊辰，公元一二八年）

春，正月初六日丙子，京师发生地震。

夏，六月，发生旱灾。

秋，七月二十九日丁酉，茂陵墓园寝殿发生火灾。

九月，鲜卑侵犯渔阳郡。

冬，十二月初四日己亥，太傅桓焉被免职。

车骑将军来历被免职。

南匈奴单于拔去世，其弟休利即位，这就是去特若尸逐就单于。

汉顺帝召孙程等人返回京师洛阳。

借图谶之学，说汉兴三百五十年后有厄难，以警醒执政者。㊼李固以书逆遗之：李固写信派人在中途迎候，送到黄琼手中。㊽君子谓伯夷隘二句：君子曾认为伯夷心胸狭隘，而柳下惠傲慢。君子，指孟轲，语见《孟子·公孙丑》。伯夷，西周初贤士，本孤竹国君之子，因让位而隐于首阳山。周武王灭纣，伯夷不食周粟，饿死于首阳山。传见《史记》卷六十一。柳下惠，春秋时鲁国贤人，事迹散见于《论语》《孟子》等书。㊾不夷不惠二句：不学伯夷，也不学柳下惠，处于二者之间。㊿圣贤居身之所珍也：是圣贤立身最为珍视的。(251)诚欲枕山栖谷：意谓真心想头枕山峰，身卧山谷，归隐山林。(252)拟迹巢、由：效法巢父、许由。拟，比拟、效法。巢父、许由，传说中的圣贤，不当君王。(253)尝闻语曰三句：曾听人说，“山太高则容易缺，玉太白则容易污染”。峣峣，山高峻的样子。皦皦，洁白的样子。(254)设坛席：设立讲坛。(255)毁谤布流二句：诽谤的流言广为传播，一时之间名声一落千丈。(256)岂非观听望深二句：这难道不是众人听其名已久，对他期望过高，名声太大吗？(257)处士纯盗虚声：凡隐居之士，徒有虚名。(258)弘此远谟：推行这深

远的谋划。㉕⑨琼昔随父在台阁：琼父黄香，和帝时曾一度为尚书令。琼随父在京，明习故事。㉖⓪达练官曹：明习干练官场之事。达，明。练，习。㉖①莫能抗夺：没有人能驳倒他的议论。㉖②李固二句：李固（公元九三至一四六年），字子坚，汉中南郑（今陕西汉中）人，安帝时司徒李郃之子，官至太尉。李固直言敢谏，为外戚梁冀所害。传见《后汉书》卷六十三。㉖③负笈从师：背着书箱求师。㉖④坟籍：泛指古本秘籍。㉖⑤密入公府二句：李固秘密地到三公府，按时向父母问安。定省，按时问安。㉖⑥同业：同学。㉖⑦丙子：正月初六。㉖⑧丁酉：七月二十九日。㉖⑨茂陵园寝灾：西汉武帝陵茂陵墓园寝殿发生火灾。㉗⓪渔阳：郡名，治所在今北京市密云区西南。㉗①己亥：十二月初四日。㉗②去特若尸逐就单于：公元一二八至一四〇年在位。

【原文】

四年（己巳，公元一二九年）

春，正月丙寅[273]，赦天下。

丙子[274]，帝加元服[275]。

夏，五月壬辰[276]，诏曰："海内颇[277]有灾异，朝廷修政，太官减膳，珍玩不御[278]。而桂阳太守文砻，不惟[279]竭忠宣畅本朝[280]，而远献大珠以求幸媚，今封以还之！"

五州雨水。

秋，八月丁巳[281]，太尉刘光、司空张皓免。

尚书仆射虞诩上言："安定、北地、上郡，山川险厄[282]，沃野千里，土宜畜牧，水可溉漕。顷遭元元之灾[283]，众羌内溃，郡县兵荒，二十余年。夫弃沃壤之饶，捐自然之财，不可谓利；离河山之阻，守无险之处，难以为固。今三郡未复[284]，园陵单外[285]。而公卿选懦[286]，容头过身[287]，张解设难[288]，但计所费，不图其安[289]。宜开圣听，考行所长[290]。"九月，诏复安定、北地、上郡还旧土[291]。

癸酉[292]，以大鸿胪庞参为太尉、录尚书事，太常王龚[293]为司空。

冬，十一月庚辰[294]，司徒许敬免。

鲜卑寇朔方[295]。

【校记】

［12］也：原无此字。据章钰校，甲十六行本、乙十一行本皆有此字，今据补。［13］丁酉：原无此二字。据章钰校，甲十六行本、乙十一行本皆有此二字，张瑛《通鉴校勘记》同，今据补。

【语译】

四年（己巳，公元一二九年）

春，正月初一日丙寅，大赦天下。

十一日丙子，汉顺帝举行加冠礼。

夏，五月二十九日壬辰，汉顺帝下诏书说："全国发生许多灾异。朝廷遂修整政事，太官减少膳食，不用奇珍玩物。而桂阳太守文砻不考虑竭尽忠诚、宣示本朝因遇灾害而厉行节俭的旨意，却从远方贡献宝珠，以求谄媚宠幸，现在将原物封好退回给他！"

五个州降雨不止。

秋，八月二十五日丁巳，太尉刘光、司空张皓被免职。

尚书仆射虞诩上书说："安定、北地、上郡，山川险要，沃野千里，土地适于畜牧，河水可以灌溉通漕。近年来百姓连遭灾害，诸羌内部溃败，郡县兵荒马乱，长达二十多年。抛弃肥沃土地，扔掉自然的财货，不利于国家；离开了河山险阻的地利，防守无险之处，很难巩固边防。现在三个郡未能复原，西京诸陵孤悬于外。而公卿懦弱苟安，藏头缩脑，张口论辩，提出种种疑问，只斤斤计较耗费，不考虑边境的安全。请陛下广泛听取意见，考虑实施长久之计。"九月，下诏令安定、北地、上郡的郡治迁回原地。

九月十二日癸酉，任命大鸿胪庞参为太尉、录尚书事，太常王龚为司空。

冬，十一月二十日庚辰，司徒许敬被免职。

鲜卑人侵犯朔方郡。

十二月乙卯[296]，以宗正弘农刘崎为司徒。

是岁，于阗王放前杀拘弥[297]王兴，自立其子为拘弥王，而遣使者贡献，敦煌太守徐由上求讨之。帝赦于阗罪，令归拘弥国，放前不肯。

五年（庚午，公元一三〇年）

夏，四月，京师旱。

京师及郡国十二蝗。

定远侯班超之孙始尚帝姑阴城公主[298]。主骄淫无道[299]，始积忿怒，伏刃杀主[300]。冬，十月乙亥[301]，始坐腰斩，同产[302]皆弃市。

【段旨】

以上为第八段，写汉顺帝纳虞诩之策，加固北疆边防。班始怒杀所尚荒淫公主，被腰斩。

【注释】

㉗③丙寅：正月初一日。㉗④丙子：正月十一日。㉗⑤帝加元服：顺帝举行加冠礼。是年顺帝十五岁。㉗⑥壬辰：五月二十九日。㉗⑦颇：频繁。㉗⑧珍玩不御：不用奇珍玩物。㉗⑨不惟：不思；不领会。㉘⓪宣畅本朝：宣示本朝因遇灾而厉行节俭的旨意。㉘①丁巳：八月二十五日。㉘②险厄：险要。㉘③顷遭元元之灾：近年来百姓连遭灾害。元元，黎民百姓。㉘④三郡未复：指安定、北地、上郡等三郡治所内迁，境土至今未恢复原有旧

【原文】

六年（辛未，公元一三一年）

春，二月庚午[303]，河间孝王开薨，子政嗣。政慠很[304]不奉法[305]，帝以侍御史吴郡沈景有强能，擢为河间相。景到国，谒王[306]。王不正服[307]，箕踞殿上[308]。侍郎赞拜[309]，景峙不为礼，问王所在[310]。虎贲曰："是非王邪！"[311]景曰："王不正服，常人何别[312]！今相谒王，岂谒无礼者邪！"王惭而更服[313]，景然后拜。出，住宫门外，请王傅责之[314]曰："前

十二月二十五日乙卯，任命宗正弘农人刘崎为司徒。

这一年，于阗王放前杀死拘弥王兴，立自己的儿子为拘弥王，并且派使者进贡，敦煌太守徐由上书请求讨伐。汉顺帝赦免了于阗王的罪过，命令放前归还拘弥国，放前不答应。

五年（庚午，公元一三〇年）

夏，四月，京师洛阳发生旱灾。

京师和十二个郡国发生蝗灾。

定远侯班超的孙子班始娶汉顺帝的姑姑阴城公主。公主骄淫无度，班始久积愤恨，怀揣利刃杀死公主。冬，十月二十日乙亥，班始获罪腰斩，同胞兄弟姐妹都被处决抛尸街市。

界。㉘园陵单外：指西京诸陵孤悬于外，没有屏障。㉘选懦：懦弱苟安。㉘容头过身：不能将头挺正高昂在身，而缩头缩脑。形容胆小苟安的样子。㉘张解设难：张口论辩，头头是道。㉘但计所费二句：只斤斤计较耗费，不考虑边境的安定。㉙宜开圣听二句：皇上应广泛听取意见，考虑实行长久之计。㉙还旧土：治所迁还原地。三郡移治在安帝永初五年。安定郡由美阳迁回临泾，北地郡由池阳迁回灵武，上郡由衙县迁回肤施。㉙癸酉：九月十二日。㉙王龚：字伯宗，山阳高平（今山东独山湖东岸）人，官至司空。传见《后汉书》卷五十六。㉙庚辰：十一月二十日。㉙朔方：郡名，治所临戎，在今内蒙古磴口北。㉙乙卯：十二月二十五日。㉙拘弥：西域国名，王城宁弥，在今新疆于田东北。㉙阴城公主：清河王刘庆之女，顺帝刘保之姑。㉙骄淫无道：骄淫无度。㉚伏刃杀主：怀揣利刃杀了公主。㉚乙亥：十月二十日。㉚同产：同胞兄弟姐妹。

【语译】

六年（辛未，公元一三一年）

春，二月十七日庚午，河间孝王刘开去世，儿子刘政继位。刘政傲慢凶狠，不遵守法纪，汉顺帝因为侍御史吴郡人沈景有很强的能力，提为河间相。沈景到了河间国，拜见刘政。刘政不穿官服，两腿外伸坐在殿上。侍郎呼沈景之职名拜见河间王，沈景故意倨傲不拜礼，反问王在哪里。虎贲卫士说："这不就是大王吗！"沈景说："大王不穿官服，与一般平民百姓有什么区别！现在封国相来拜见大王，怎么能拜见一个无礼的人！"刘政自感惭愧而更换了衣服，沈景然后拜见。出宫，住在宫门

发京师，陛见受诏㉟，以王不恭，使相[14]检督㊱。诸君空受爵禄，曾无训导㊲之义！”因奏治其罪。诏书让政㊳而诘责傅㊴。景因捕诸奸人，奏案其罪，杀戮尤恶㊵者数十人，出冤狱百余人。政遂为改节㊶，悔过自修。

帝以伊吾㊷膏腴之地，傍近西域，匈奴资之以为钞暴㊸，三月辛亥㊹，复令开设屯田，如永元时事㊺，置伊吾司马㊻一人。

初，安帝薄于艺文㊼，博士不复讲习㊽，朋徒相视怠散㊾，学舍颓敝㊿，鞠为园蔬⑪，或牧儿、荛竖⑫薪刈⑬其下。将作大匠翟酺⑭上疏请更[15]修缮，诱进后学⑮，帝从之。秋，九月，缮起太学⑯，凡所造构二百四十房，千八百五十室。

护乌桓校尉耿晔遣兵击鲜卑，破之。

护羌校尉韩皓⑰转湟中屯田置两河间⑱，以逼群羌。皓坐事征，以张掖太守马续⑲代为校尉。两河间羌以屯田近之，恐必见图，乃解仇诅盟⑳，各自儆备㉑。续上移屯[16]田还湟中㉒，羌意乃安。

帝欲立皇后，而贵人有宠者四人，莫知所建，议欲探筹㉓，以神定选㉔。尚书仆射㉕南郡胡广㉖与尚书冯翊郭虔、史敞上疏谏曰：“窃见诏书，以立后事大，谦不自专，欲假之筹策，决疑灵神。篇籍所记，祖宗典故，未尝有也。恃神任[17]筮㉗，既未必当贤；就值其人，犹非德选㉘。夫岐嶷形于自然㉙，伣天必有异表㉚，宜参良家㉛，简求㉜有德，德同以年，年钧以貌㉝，稽之典经，断之圣虑㉞。”帝从之。

恭怀皇后弟子乘氏侯商之女㉟，选入掖庭为贵人，常特被引御㊱，从容辞曰㊲：“夫阳以博施为德㊳，阴以不专为义㊴。《螽斯》则百福之[18]所由兴也㊵。愿陛下思云雨之均泽，小妾得免于罪。”帝由是贤之。

外，请出河间王的师傅，责备说："我前时从京城出发，在皇帝面前接受诏书，因为王不恭敬，使相加以考核督察。各位先生白白接受爵位俸禄，完全没有做一点训导义理的事情！"因此上奏治他们的罪。汉顺帝下诏书斥责刘政并追究其师傅的失职。沈景于是逮捕了一些坏人，上奏治罪，杀死几十个作恶太多的人，放出一百多个冤囚。于是刘政改变作风，悔过自新。

汉顺帝因为伊吾的土地肥沃，靠近西域，匈奴凭借伊吾作为侵扰中国的基地。三月二十九日辛亥，汉顺帝再度命令开垦屯田，像永元时代的做法，设立一名伊吾司马。

当初，汉顺帝轻视学术，博士不再讲经研习，门徒学生们一个比一个懒惰散漫，学校房舍倒塌损坏，校园变为菜园，樵夫在校园里割草。将作大匠翟酺上疏请求重新修缮，引导后学上进，汉顺帝答应了。秋，九月，重修太学，共建造了二百四十栋房，一千八百五十间。

护乌桓校尉耿晔派兵攻打鲜卑，打败了他们。

护羌校尉韩皓把湟中的屯田安排在两河之间，用来威逼各羌族。韩皓因犯法征回京城，任命张掖太守马续接替韩皓为护羌校尉。两河之间的羌族因为屯田靠近他们，害怕受到攻击，于是相互解除仇怨，结盟发誓，各自戒备。马续上书请把屯田移回湟中，羌人心里才安定下来。

汉顺帝想册立皇后，而受宠的贵人有四个，不知该册立谁，有人提议在神灵前抽签，由神灵决定人选。尚书仆射南郡人胡广和尚书冯翊人郭虔、史敞上书劝谏说："臣等见到诏书，认为选皇后是件大事，皇上自谦不想专断，想借助竹筹，由神灵决疑。书籍所载，祖宗典故，从未有过这种事情。依靠神明卜筮，最终未必能得到贤者；即使碰巧选取了合适的人，也不可能是上好德行。说到聪明智慧，自然见于外表，天生的才德一定会有与众不同的外貌，应选取良家女子，物色有德行的女子，德行相同者则看年龄大小，年龄相当者则看容貌，依据典籍，再由圣上考虑决定。"汉顺帝采纳了。

恭怀皇后弟弟的儿子乘氏侯梁商的女儿，被选入后宫为贵人，经常被特殊召见陪侍，她很大方地推辞说："作为男人要广泛施恩才是美德，作为妇人以不专宠才叫懂得大义。《螽斯》这首诗所赞颂螽斯子孙繁衍，就是这个缘故，希望陛下考虑到雨露之恩布施均匀，臣妾得以免罪。"汉顺帝因此认为她很贤惠。

【段旨】

以上为第九段，写侍御史沈景训导诸侯王。汉顺帝重整太学，选贤士，立皇后。

【注释】

(303)庚午：二月十七日。(304)傲很：骄傲凶狠。(305)不奉法：不守法。(306)谒王：拜见河间王刘政。谒，拜见。(307)王不正服：刘政不穿官服。正服，礼服、官服。(308)箕踞殿上：两脚伸直坐于殿上，这是一种不礼貌的行为。(309)侍郎赞拜：掌司仪的侍郎呼王景之职名拜见河间王。(310)景峙不为礼二句：王景故意倨傲不拜礼河间王，询问王在哪里。(311)虎贲曰二句：虎贲郎指着河间王对王景说："这不是王吗！"(312)王不正服二句：大王不穿官服，与普通老百姓有什么区别。(313)王惭而更服：河间王刘政自感惭愧而更换了服装。(314)请王傅责之：请出河间王的师傅进行责备。(315)陛见受诏：在皇帝面前接受诏书。(316)检督：考核督察。(317)训导：教导。(318)让政：斥责刘政。(319)诘责傅：追究王的师傅失职。(320)尤恶：大恶。(321)改节：改变作风。(322)伊吾：今新疆哈密。(323)匈奴资之以为钞暴：北匈奴凭借伊吾为侵扰中国的基地。钞暴，掳掠侵扰。(324)辛亥：三月二十九日。(325)永元时事：明帝永元二年屯田伊吾。(326)伊吾司马：主管武装屯垦的官员。(327)薄于艺文：轻视学术。(328)博士不复讲习：太学教官不再讲经研习。(329)朋徒相视怠散：门徒学生一个比一个懒惰而散漫。(330)学舍颓敝：学校房舍倒塌损坏。(331)鞠为园蔬：校园变成菜园。鞠，育、生长。(332)荛竖：樵夫。(333)薪刈：割草。(334)翟酺：字子超，广汉洛县（今四川广汉）人，官至将作大匠。传见《后汉书》卷四十八。(335)诱进后学：引导后学上进。(336)缮起太学：重修太学。(337)韩皓：右扶风太守，顺帝永建四年代马贤为护羌校尉，为东汉第十五任护羌校尉。(338)两河间：指今青海贵德河曲地带。这一段河曲，上段为赐支河，下段为逢留大河，史称两河。(339)马续：顺帝永建六年代韩皓为东汉第十八任护羌校尉。(340)解仇诅盟：羌人各部互相解除仇怨，结盟发誓。(341)儆备：戒备。(342)续上移屯田还湟中：马续上奏，将屯田区转移到湟中。湟中，湟水流域，在逢留大河之北。(343)探筹：抽签。(344)以神定选：由神灵来决定皇后的人选。(345)尚书仆射：尚书令副手。(346)胡广（公元九一至一七二年）：字伯始，南郡华容（今湖北潜江市南）人，历仕安、顺、冲、质、桓、灵六帝，

【原文】

阳嘉元年（壬申，公元一三二年）

春，正月乙巳[361]，立贵人梁氏为皇后[362]。

京师旱。

三月，扬州六郡[363]妖贼章河等寇四十九县，杀伤长吏。

庚寅[364]，赦天下，改元。

为三公三十余年，为人圆滑。传见《后汉书》卷四十四。㊼恃神任筮：依靠神灵，信任卜卦。㊽就值其人二句：即使神卜赶巧选取了合适的人，也不可能是上好德行。㊾夫岐嶷形于自然：说到聪明智慧，自然见于外表。意谓人的聪明才智有生动的感受，不必问神。语出《诗经·生民》："克岐克嶷。"郑玄笺云："岐岐然意有所知，其貌嶷然，有所识别也。"㊿伣天必有异表：天生的才德一定有与众不同的外貌。典出《诗经·大明》："文王嘉止，大邦有子。大邦有子，伣天之妹。"说文王聘太姒为妻，太姒才貌好比是上帝之妹。伣，譬。(351)宜参良家：除四贵人之外，应该选取良家女子。(352)简求：选择。(353)德同以年二句：品德相同，则考虑年龄大小；年龄又相当，则看容貌。(354)稽之典经二句：依据经典，再由皇上考虑决定。(355)恭怀皇后弟子句：恭怀皇后，和帝之母梁贵人，和帝即位追尊为恭怀皇后。乘氏侯商之女，即顺帝皇后梁妠，其母，即梁商妻是恭怀皇后妹妹之女。其时梁妠为顺帝所宠四贵人之一。(356)常特被引御：经常被顺帝特别召见陪侍。(357)从容辞曰：很大方地推辞说。(358)夫阳以博施为德：作为男人要广泛施恩才是美德。(359)阴以不专为义：作为妇人以不专宠才叫懂得大义。(360)《螽斯》则百福之所由兴也：《螽斯》这篇诗所赞颂螽斯子孙繁衍，就是这个缘故。螽斯，蝗类昆虫。《诗经·螽斯》以螽斯起兴，颂扬后妃子孙众多。螽斯雌性不妒忌，雄性广施雨露，故其子孙繁衍。

【校记】

[14]使相：原作"相使"。据章钰校，乙十一行本、孔天胤本皆作"相使"，今据改。[15]更：原无此字。据章钰校，甲十六行本、乙十一行本、孔天胤本皆有此字，今据补。[16]屯：原无此字。据章钰校，甲十六行本、乙十一行本、孔天胤本皆有此字，今据补。[17]任：原作"卜"。据章钰校，甲十一行本、乙十一行本、孔天胤本皆作"任"，张敦仁《通鉴刊本识误》同，今据改。[18]之：原无此字。据章钰校，甲十六行本、乙十一行本、孔天胤本皆有此字，今据补。

【语译】

阳嘉元年（壬申，公元一三二年）

春，正月二十八日乙巳，册封贵人梁氏为皇后。

京师发生旱灾。

三月，扬州六郡的妖贼章河等侵扰四十九个县，杀伤长官。

十三日庚寅，大赦天下，改元年号为阳嘉。

夏，四月，梁商加位特进。顷之，拜执金吾。

冬，耿晔遣乌桓戎末廆㉟[19]等钞击鲜卑，大获而还。鲜卑复寇辽东属国，耿晔移屯辽东无虑城㊱以拒之。

尚书令左雄上疏曰："昔宣帝以为吏数变易㊲，则下不安业；久于其事，则民服教化㊳。其有政治者㊴，辄以玺书勉励㊵，增秩赐金㊶，公卿缺则以次用之㊷。是以吏称其职，民安其业，汉世良吏，于兹为盛㊸。今典城百里，转动无常㊹，各怀一切，莫虑长久㊺。谓杀害不辜为威风，聚敛整办为贤能㊻；以治己安民为劣弱㊼，奉法循理为不治㊽。髡钳之戮，生于睚眦㊾；覆尸之祸，成于喜怒㊿。视民如寇仇(381)，税之如豺虎(382)。监司项背相望(383)，与同疾疢(384)，见非不举，闻恶不察(385)。观政于亭传，责成于期月(386)。言善不称德，论功不据实(387)。虚诞者获誉，拘检者离毁(388)。或因罪而引高，或色斯而[20]求名(389)。州宰不覆(390)，竞共辟召(391)，踊跃升腾(392)，超等逾匹(393)。或考奏捕案，而亡不受罪(394)，会赦行赂，复见洗涤(395)，朱紫同色，清浊不分(396)。故使奸猾枉滥(397)，轻忽去就(398)，拜除如流，缺动百数(399)。乡官部吏(400)，职贱禄薄(401)，车马衣服，一出于民(402)，廉者取足，贪者充家(403)。特选横调(404)，纷纷不绝(405)，送迎烦费，损政伤民(406)。和气未洽，灾眚不消，咎皆在此(407)。臣愚以为守相、长吏惠和有显效(408)者，可就增秩，勿移徙，非父母丧，不得去官(409)。其不从法禁(410)，不式王命(411)，锢之终身(412)，虽会赦令，不得齿列(413)。若被劾奏(414)，亡不就法(415)者，徙家边郡，以惩其后(416)。其乡部亲民之吏(417)，皆用儒生清白任从政者(418)，宽其负算(419)，增其秩禄。吏职满岁，宰府州郡乃得辟举。如此，威福之路塞(420)，虚伪之端绝，送迎之役损，赋敛之源息(421)，循理之吏得成其化，率土之民各宁其所矣。"帝感其言，复申无故去官之禁(422)，又下有司考吏治真伪，详所施行(423)。而宦官不便，终不能行。

夏，四月，加位梁商为特进。不久，任命梁商为执金吾。

冬，耿晔派乌桓戎末廆等人攻袭鲜卑，大胜后返回。鲜卑再次侵扰辽东属国，耿晔把屯防移到辽东无虑城，用以抵御鲜卑。

尚书令左雄上疏说："从前，汉宣帝认为官吏调动频繁，百姓就不能安居乐业；官吏任职较久，人民才会服从教化。对有政绩的官吏，皇上就用诏书奖励他们，提级增加俸禄，或赏赐黄金，公卿有了缺额，就依据考课次序录用。所以官吏称职，人民安居乐业，汉代优秀的官吏在这一时期出现最多。现在治理一县的地方官员变换无常，各任地方官自有一套打算，不做长久考虑。以杀害无辜者为威风，以搜刮民财、备办贡物为贤能；以修身安民为无能，以奉法守制为无治理才能。髡钳徒刑，起因于小怨小愤；伏尸杀头的惨祸形成于一时喜怒。把民众当强盗，苛捐杂税像虎狼一样凶暴。朝廷派出的监督人员一批接一批，后出发的可以望见前一批的脖子和脊背，全都害了狂热病，发现错误不检举，听到邪恶也不纠正。考察只停留在驿传，责其成效要求在一年之内。说地方官好，没有具体的德政措施；夸地方官有功，说不出有什么事实。浮夸的人得到声誉，拘谨实干的人受到诽谤。有的因为有罪而引退，表示清高；有人看到上司脸色而辞职，求得名声。州郡长官不审察，争相辟举引荐，使他们身价倍涨，往往破格升迁。有的一旦败露，被上奏收审，通缉捉拿，他们就逃亡免罪，赶上大赦令颁布，或贿赂上司，就可以把罪行洗刷得干干净净，使红色与紫色混同，清白与污浊不分。因此奸猾小人到处充斥，不在乎免职和任职，任免如流水，一个空缺就会牵动几百人轮转调动。缺额动辄上百。地方乡官，或各级政府部属小吏，尽管职位低贱，俸禄微薄，他们的车马衣服，全都出自百姓，清廉的官吏只取够个人的生活费用，贪婪的官吏还要满足他的整个家族。国家常赋之外，还有特别捐税，横加勒索，没完没了；送旧迎新，费用浩大，既损害政风又祸害民众。和谐的气氛未能融洽，灾害不能消除，一切过错的原因就在这里。臣下愚昧地认为郡守国相、长吏慈惠祥和，有明显功绩的，就可以依职增加俸禄，不要调动职位，不遇父母的丧事，不得离开官职。如果有谁违法犯禁，不遵守君命，终身禁锢，虽遇大赦，也不能与他人同样安排。假若受到弹劾，就弃官逃亡避开法律制裁的人，就将他们的家属充军边郡，以警告后来的人。在乡间直接与百姓打交道的官吏，都任用清白而胜任政事的儒生，减免他们的积欠和算赋，增加俸禄。任职满了一年，中央和地方可以举荐。这样，作威作福的道路被阻塞，虚假作伪的弊端被消除，辞旧迎新的消费减少，横征暴敛的源头消失，守法讲理的官吏得以完成教化，天下百姓各安其所。"汉顺帝有感于他的话，重新申明政府各级官吏不得无故辞官的禁令，又下令有关部门制定考核各级官吏真伪的细则，认真执行。而宦官认为对其不利，从中作梗，所以计划始终没有施行。

【段旨】

以上为第十段，写尚书令左雄进言，延长地方官的任期，少调动以省送往迎来之费，加大考核力度以清吏治。

【注释】

㊱乙巳：正月二十八。㊲立贵人梁氏为皇后：册立梁妠为皇后。是年梁妠二十六岁，顺帝刘保十八岁。㊳扬州六郡：为九江、丹阳、庐江、会稽、吴、豫章六郡。㊴庚寅：三月十三日。㊵戎末廆：乌桓大人名。㊶无虑城：在今辽宁北镇南。㊷吏数变易：官吏调动频繁。㊸久于其事二句：官吏任职较久，人民才会接受教化。㊹有政治者：有政绩的官吏。㊺辄以玺书勉励：就用诏书嘉奖。㊻增秩赐金：提级增加俸禄，或赏赐黄金。㊼以次用之：依考课次序录用。㊽汉世良吏二句：汉代优秀的官吏在这时最多。如尹翁归、韩延寿、朱邑、龚遂、黄霸等。㊾转动无常：经常调动。㊿各怀一切二句：各任地方官自有一套打算，不做长久考虑。376聚敛整办为贤能：以搜刮民财、备办贡物为贤能。377以治己安民为劣弱：以修身安民为劣弱无能。378奉法循理为不治：以奉法守制为无治理才能。379髡钳之戮二句：髡钳徒刑，起因于小怨小愤。髡，髡刑，剃光头发，受此刑者，五年徒刑。钳，铁链锁颈，重于髡刑。睚眦，怒目而视，形容小怨小愤。380覆尸之祸二句：伏尸的杀头惨祸，形成于一时的喜怒。381视民如寇仇：把民众当强盗。382税之如豺虎：苛捐杂税像虎狼一样凶暴。383监司项背相望：朝廷派出的督察人员一批接一批，后出发的可以望见前一批的脖子和脊背。384与同疾疢：全都害了狂热病。疢，热病。385见非不举二句：发现错误并不检举，听到邪恶也不纠正。386观政于亭传二句：考察只停留在驿传，责其成效要求在一年之内。亭传，接待钦差的驿传。地方官整饰驿传，安排好生活，督察钦差也就停留在驿传了解地方政绩。387言善不称德二句：说地方官好，没有具体的措施；夸地方官有功，说不出有什么事实。德，德政措施。388虚诞者获誉二句：虚夸的人获得声誉，拘谨实干的人遭到诽谤。拘检，拘谨实干。389或因罪而引高二句：有的人因有罪将要败露而引退以示清高，有的人看到上司脸色而辞官，求得名声。色斯，变脸色。典出《论语·乡党》："色斯举矣。"390覆：按核；复查。391竞共辟召：争相辟举引荐。392踊跃升腾：物价直线上涨，喻身价百倍。踊跃，翻跟斗，喻

【原文】

雄又上言："孔子曰'四十不惑'[424]，礼称强仕[425]。请自今孝廉年不满四十不得察举，皆先诣公府，诸生试家法[426]，文吏课笺奏[427]，副之端

直线上升。㊈超等逾匹：超越等级，指破格提升。超等，超越正常提升的等次。逾匹，超过同辈。㊉或考奏捕案二句：有的一旦败露，被上奏收审，通缉捉拿，他们就逃亡免罪。395会赦行赂二句：赶上大赦令颁布，或贿赂上司，就可把罪行洗刷得干干净净。396朱紫同色二句：红色与紫色混同，清白跟污浊不分。397奸猾枉滥：奸猾之人到处充斥。398轻忽去就：不在乎被免职和任职。轻忽，随随便便，满不在乎。去，免职。就，任职。399拜除如流二句：任免像流水一样，一个空缺出现会牵动几百人轮转调动。拜，任职。除，免职。400乡官部吏：指地方乡官，或各级政府部属小吏。401职贱禄薄：职位低贱，俸禄微薄。402一出于民：全都出自百姓。指各级大小官吏的车马衣服，无不取之于民。403廉者取足二句：清廉的官吏只取够个人的生活费用，贪婪的官吏还要满足他的整个家族。404特选横调：国家常赋之外，还要生出特别捐税，横加勒索。特、横，皆临时苛税。选、调，征收。405纷纷不绝：指盘剥民众的花样层出不穷，没完没了。406送迎烦费二句：送旧迎新的巨大费用，既损害政风又祸害民众。407和气未洽三句：协和气氛未能融洽，灾变不能消除，一切过错的原因就在这里。眚，灾愆。408惠和有显效：慈惠祥和，有明显功绩。409去官：辞职。410不从法禁：违法犯禁，不遵守朝廷命令。411不式王命：不遵守君命。式，效法、遵守。412锢之终身：一生禁锢，不得为官。413齿列：等列；同等。414劾奏：上奏弹劾。415亡不就法：弃官逃亡避开法律制裁。416徙家边郡二句：把畏罪潜逃官吏的家属充军边郡，以警告后来的人。417乡部亲民之吏：县级以下的乡官，直接与百姓接触。418任从政者：任用胜任政事的人。419宽其负算：减免他们的积欠和算赋。汉制成人每年每人向政府缴纳一算（一百二十钱）人头税，称算赋。儒生未有俸禄，从事学业，故宽贷之。420威福之路塞：作威作福的道路被阻塞。421赋敛之源息：横征暴敛的源头消失。422复申无故去官之禁：重申政府各级官吏不得无故辞职的禁令，以便考察。423又下有司二句：又下令主管单位制定考核各级官吏真伪的细则，认真执行。详，认真。

【校记】

［19］戎末廆：原误作"戎末魔"。据章钰校，乙十一行本作"戎末廆"，张敦仁《通鉴刊本识误》同，今据校正。〖按〗司马彪《续后汉书·天文志中》与乙十一行本同。范晔《后汉书》卷九十《乌桓鲜卑传》作"戎朱廆"，"廆"字亦不误。［20］而：据章钰校，甲十六行本、乙十一行本、孔天胤本皆作"以"。

【语译】

左雄又上书说："孔子说'四十而不惑'，《礼记》说四十岁的人强壮，可以当官。请从现在开始，孝廉不满四十岁不得察举，全部先到三公府报到，接受所学师承的家法考试，出身公职的孝廉，则考试公文程序，把副本送到宫廷正南门，检查

门[428]，练其虚实[429]，以观异能[430]，以美风俗[431]。有不承科令者，正其罪法[432]。若有茂材异行[433]，自可不拘年齿[434]。”帝从之。

胡广、郭虔、史敞上书驳之曰：“凡选举因才，无拘定制[435]。六奇之策，不出经学[436]；郑、阿之政，非必章奏[437]；甘、奇显用，年乖强仕[438]；终、贾扬声，亦在弱冠[439]。前世以来，贡举之制，莫或回革[440]。今以一臣之言，划戾旧章[441]，便利未明，众心不厌[442]。矫枉变常，政之所重[443]，而不访台司[444]，不谋卿士[445]，若事下之后，议者剥异[446]，异之则朝失其便，同之则王言已行[447]。臣愚以为可宣下百官[448]，参其同异[449]，然后览择胜否[450]，详采厥衷[451]。”帝不从。

辛卯[452]，初令“郡国举孝廉，限年四十以上。诸生通章句，文吏能笺奏，乃得应选。其有茂才异行，若颜渊、子奇，不拘年齿”。

久之，广陵所举孝廉徐淑，年未四十，台郎[453]诘之，对曰：“诏书曰：‘有如颜回、子奇，不拘年齿。’是故本郡以臣充选。”郎不能屈[454]。左雄诘之曰：“昔[21]颜回闻一知十，孝廉闻一知几邪？”淑无以对，乃罢却之[455]，郡守坐免[456]。

袁宏论曰：“夫谋事作制[457]，以经世训物[458]，必使可为也[459]。古者四十而仕，非谓弹冠之会必将是年也[460]，以为可仕之时在于强盛，故举其大限以为民衷。且颜渊、子奇，旷代一有[461]，而欲以斯为格[462]，岂不偏乎！”

然雄公直[463]精明，能审核真伪[464]，决志行之[465]。顷之，胡广出为济阴太守，与诸郡守十余人皆坐谬举免黜[466]，唯汝南陈蕃[467]、颍川李膺、下邳陈球等三十余人得拜郎中。自是牧、守畏栗[468]，莫敢轻举。迄于永嘉[469]，察选清平，多得其人。

闰月庚子[470]，恭陵百丈庑灾[471]。

上闻北海郎𫖮[472]精于阴阳之学。

他们功底的虚实，观察他们的特殊才能，使政风善美。有不接受法令的人，依法定罪。如果有优秀才干与特长异能，当然可以不受年龄限制。”汉顺帝听从了。

胡广、郭虔、史敞上书驳斥左雄说：“凡是选举都要根据才能，不要局限于规定的制度。陈平六出奇计，不是出自经书；子产治郑国和晏子治东阿，并非他们精于章奏；甘罗、子奇大受重用，年龄不在四十；终军、贾谊名声显扬之时，也是刚刚成年。从前代以来，贡举制度，没有改变。现在因为一个臣子的建议，删改扭转传统规章制度，益处还未显现，众心不服。纠正违失和变革常规，是政治上的重要事情，却不征求各政府部门的意见，也不和公卿大臣商量，如果将左雄建言用诏书颁布，议论的人必将有反驳的不同意见，如果不同意反驳的不同意见，则执行起来就有困难，朝廷失去威望；如果同意反驳的不同意见，则是反对皇帝圣旨。臣愚昧地认为可以宣示百官，比较赞同的和反对的两方意见，听取好坏两种意见之后做出选择，广泛听取各种意见后再权衡决定。”汉顺帝没有听从。

十一月十八日辛卯，汉顺帝初次下令：“郡国推荐孝廉，年龄限定在四十岁以上。儒生要通达儒家经典，文官要通晓公文程序，才能接受推举。如果有优秀才干和特长异能，像颜渊、子奇一样，不受年龄限制。”

过了好久，广陵郡所推荐的孝廉徐淑年不满四十，尚书郎责问徐淑，回答说：“诏书说：‘有如颜回、子奇一样的人，不限制年龄。’所以本郡选派我应征。”尚书郎不能反驳徐淑使他屈服。左雄责问说：“过去颜回闻一知十，你这个孝廉闻一能知几呢？”徐淑无法回答，于是把徐淑罢黜，送还故乡，郡守被论罪免职。

> 袁宏评论说：“谋划事业，建立制度，用于治理世事，教化万物，一定要切实可行。古代四十岁入仕，不是说入仕一定要在这个年纪，而是认为入仕之时，在于精力强盛，所以提出大约的限度作为标准。况且颜渊、子奇是旷代奇才，却想把这种人作为标准，难道不太片面了吗！”

然而左雄公正精明，能明辨真假，决心推行。不久，胡广外任济阴太守，和十多个郡守都因推荐失误而被指控，免官罢黜，只有汝南人陈蕃、颍川人李膺、下邳人陈球等三十多人被任命为郎中。从此，郡县长官恐惧战栗，没有人敢轻易推荐。直到永嘉年间，选举清廉公正，朝廷得到了很多人才。

闰十二月二十八日庚子，恭陵寝殿的百丈走廊失火。

汉顺帝听说北海人郎𫖮对阴阳之学很精通。

【段旨】

以上为第十一段，写左雄建言，举荐孝廉，年龄限制在四十以上，并加以严格的科举考试，朝廷得到了一批人才。

【注释】

㊹孔子曰“四十不惑”：孔子说“四十岁做事才不迷惑”。语见《论语·为政》。㊺礼称强仕：语出《礼记·曲礼》，原文：“四十曰强而仕。”㊻先诣公府二句：被举荐的孝廉，先到三公府，接受所学师承的家法考试。家法，两汉经学各有师承，一家之学称家法。㊼文吏课笺奏：出身公职的孝廉，则考试公文程序。㊽副之端门：把副本送到皇宫端门。端门，皇宫正南门，尚书在此接受章奏。㊾练其虚实：检查他们功底的虚实。㊿以观异能：用以观察他们的特殊才能。431以美风俗：严格考试以促使政风善美。432有不承科令者二句：有不接受这些法令的，依法定罪。433茂材异行：优秀才干与特长异能。434不拘年齿：不受年龄限制。435凡选举因才二句：凡是选举都要根据才能，不要局限于规定的制度。436六奇之策二句：指陈平六出奇计佐高祖定天下，这些都不从经学中来。437郑、阿之政二句：子产治郑，选贤用能，晏子治东阿，请托不行，并非他们精于章奏。438甘、奇显用二句：秦甘罗、齐子奇大受重用，年龄不在强壮而仕的四十岁。战国时秦甘罗十二岁为使于赵，完成使命，位为上卿。事详《史记卷七十一·樗里子甘茂列传》。子奇年十八，齐君使治东阿，东阿大治。事载《说苑》。439终、贾扬声二句：终军、贾谊显扬声名，也是刚刚成年。终军，西汉武帝时人，年十八为谏大夫，出使南越，不辱君命。传见《汉书》卷六十四下。贾谊，汉文帝时人，年十八为汉文帝博士。传见《汉书》卷四十八。440莫或回革：没有改变。441划戾旧章：删改扭转传统规章。划，削、删改。戾，通“捩”，扭转。442便利未明二句：益处还未显现，众心不服。厌，满。443矫枉变常二句：纠正违失和变革常规，是政治上的重大事情。444不访台司：

【原文】

二年（癸酉，公元一三三年）

春，正月，诏公车征𫖮，问以灾异。𫖮上章曰：“三公上应台阶，下同元首473，政失其道，则寒阴反节474。今之在位，竞托高虚475，纳累钟之奉476，亡天下之忧477。栖迟偃仰，寝疾自逸478，被策文，得赐钱，即复起矣，何疾之易而愈之速479？以此消伏480灾眚481，兴致升平，其可得

没有征求各政府部门意见。访，访问、征求。与下文“谋”字为互文。㊺㊺㊺ 不谋卿士：没有与公卿大臣协商。㊻ 若事下之后二句：若将左雄建言用诏书颁布，议论的人必将有反驳的不同意见。剥异，驳辩所持不同意见。剥，剖析。㊼ 异之则朝失其便二句：如果不同意反驳意见，则执行起来有困难，朝廷失去威望；如果同意反驳意见，则是反对左雄建言，可是左雄的建言已成皇帝命令。异之，指异于驳义，而同于左雄之言。同之，指同于驳义，而以左雄之言为非。㊽ 宣下百官：将左雄建言宣示文武百官讨论。㊾ 参其同异：比较赞同与反驳两方意见。㊿ 览择胜否：听取好坏两种意见之后作出选择。(451) 详采厥衷：广泛听取意见后再权衡决定。(452) 辛卯：十一月十八日。(453) 台郎：尚书郎。(454) 屈：反驳对方使之屈服。(455) 罢却之：把徐淑罢黜，送还故乡。(456) 郡守坐免：广陵郡守举荐未依照新法被免职。(457) 谋事作制：谋划事业，建立制度。(458) 经世训物：治理世事，教化万物。(459) 必使可为也：一定要切实可行。(460) 古者四十而仕二句：古代四十岁做官，并不是规定做官一定要在这个年纪。四十而仕，指人到中年，精力旺盛，见解成熟，这只是方向性的指示，并非凡做官必须以四十为起点线。弹冠，指入仕做官。(461) 旷代一有：绝代奇才，天下无双。(462) 格：标准。(463) 公直：公正。(464) 能审核真伪：能明辨真伪。(465) 决志行之：决心推行。(466) 坐谬举免黜：被指控推荐失误而被免职罢黜。(467) 陈蕃：陈蕃与下文李膺、陈球均为东汉末清流领袖，为桓、灵时大臣。(468) 畏栗：畏惧战栗。(469) 永嘉：桓帝的第三个年号。(470) 庚子：闰十二月二十八日。(471) 恭陵百丈庑灾：安帝刘祜恭陵寝殿的百丈走廊失火。(472) 郎觊：字雅光，北海安丘（今山东安丘西南）人，精通《京氏易》，善说灾异。传见《后汉书》卷三十下。

【校记】

［21］昔：原无此字。据章钰校，甲十六行本、乙十一行本皆有此字，张敦仁《通鉴刊本识误》同，今据补。

【语译】

二年（癸酉，公元一三三年）

春，正月，汉顺帝下诏命公车征召郎觊，询问灾异的事情。郎觊上书说：“三公在天上与台阶相应，在人间与国君同体，政治失去规则，则天气寒冷反常。现今在职的官员，争相请托求得高位，领取丰厚的俸禄，却从不忧国忧民。游乐休息，称病卧床，自我安乐，一接到新的策命，得到赏赐，随即起身，为什么患病卧床那么容易，而痊愈又是那么快呢？靠这些人来消除灾害，得到太平盛世，怎么可能实现

乎？今选牧、守，委任三府⑱，长吏不良，既咎州、郡⑱，州、郡有失，岂得不归责举者⑱！而陛下崇之弥优，自下慢事愈甚⑱，所谓‘大网疏，小网数’⑱。三公非臣之仇，臣非狂夫之作⑱，所以发愤忘食，恳恳不已⑱者，诚念⑱朝廷，欲致兴平。臣书不择言⑱，死不敢恨！”因条便宜七事⑱：“一、园陵火灾，宜念百姓之劳，罢缮修之役⑱。二、立春以后阴寒失节⑱，宜采纳良臣⑱，以助圣化⑱。三、今年少阳之岁⑱，春当旱，夏必有水，宜遵前典，惟节惟约。四、去年八月，荧惑出入轩辕⑱，宜简出宫女，恣其姻嫁⑱。五、去年闰十月⑱，有白气从西方天苑趋参左足，入玉井⑳。恐立秋以后，将有羌寇畔戾之患。宜豫宣[22]告诸郡，严为备御。六、今月十四日乙卯，白虹贯日⑳，宜令中外官司⑳，并须⑳立秋然后考事⑳。七、汉兴以来三百三十九岁⑳，于时三期⑳，宜大蠲⑳法令，有所变更。王者随天，譬犹自春徂⑳夏，改青服绛⑳也。自文帝省刑，适三百年⑳，而轻微之禁，渐已殷积⑳。王者之法，譬犹江、河⑳，当使易避而难犯也。”

二月，顗复上书荐黄琼、李固，以为宜加擢用。又言：“自冬涉春，讫无嘉泽⑳，数有西风，反逆时节⑳。朝廷劳心⑳，广为祷祈，荐祭山川⑳，暴龙移市⑳。臣闻皇天感物，不为伪动⑳，灾变应人，要在责己⑳。若令雨可请降，水可攘止⑳，则岁无隔并⑳，太平可待。然而灾害不息者，患不在此也。”书奏，特拜郎中，辞病不就。

三月，使匈奴中郎将赵稠遣从事将南匈奴兵出塞击鲜卑，破之。

【段旨】

以上为第十二段，写受征士人郎顗上书言七事，皆有益于国。

呢？现在选择州牧、郡守，委任三公，长吏不称职，既然责怪州郡长官，州郡长官有了过错，难道不应当追究保举他们的人！皇上对下宠爱越是宽容，在下恃宠怠慢公事就越发厉害，这就是所说的‘大网稀疏，小网细密’。三公不是臣的仇人，臣也不是疯子发作，之所以要发愤忘食，恳切陈述不止，实在是想着朝廷，想要达到兴旺太平。臣上书不知忌讳，死了也不遗憾！”因而逐条陈述了七件有益于国的大事：“一、园陵失火，应当念及百姓的劳苦，停止修缮陵园的劳作。二、立春以后，寒冷反常，应选用优秀的官员，用以辅助圣王教化。三、今年属于少阳之年，春天当有旱灾，夏天肯定有水灾，应遵守前代的制度，力求节省。四、去年八月，火星出入轩辕星，应当挑选送出不宜在皇宫的宫女，任其婚嫁。五、去年闰十二月，有白气从西方天苑星趋向参星左足，进入玉井星附近。恐怕立秋以后，将有羌族反叛的灾祸。应预先通知各郡，严加防备。六、本月十四日乙卯，白虹穿越太阳，应令京师及地方所有审案法官，一律等到立秋之后才能审决案件。七、汉朝建立已三百三十九年，已经越过了三个循环期，应大修法令，有所更改。君王要顺从天道，犹如从春天到夏天，把春天青色衣服改变成夏天绛色衣服。从文帝减省刑法至今已三百年，一次次的轻微过失，日渐累积而成大罪。君主的法令，犹如长江、黄河浩浩荡荡，应当使人容易躲避，不轻易触犯。”

二月，郎𫖮再次上书推荐黄琼、李固，认为应加提拔任用。又说：“从冬天到春天，始终没有甘露，西风频繁，违反时节。朝廷忧心，广为祈祷，祭祀山川，在烈日下舞龙求雨，同时转移市场。臣听说苍天感应万物，不会为虚伪的行为所诱惑，灾难反映人事，关键在于责备自己。如果雨水可以通过请求降下，水灾可以通过祈祷来避免，那么，年年丰收，和平的日子指日可待。然而，灾害不停的原因，恐怕不在于此。”奏章呈上，郎𫖮被特别任命为郎中，郎𫖮假托有病，拒不就职。

三月，命令匈奴中郎将赵稠派从事官率领南匈奴军队出塞攻打鲜卑，打败了他们。

【注释】

⑬三公上应台阶二句：三公在天上象征台阶，在人间与君王同体。台阶，指天上的三台星，两两相对共六颗星。据胡三省注引《六符经》的解释，上阶是天子，中阶是诸侯百官，下阶是庶民。三阶和平相处，则阴阳顺适，风雨及时。元首，指国君。⑭政失其道二句：政治失去规则，则天象冷热也要反常。⑮今之在位二句：现今在职的官员，争相请托谋私利。高虚，尸位素餐，使高位虚设。⑯纳累钟之奉：领取丰厚的俸禄。纳，领取。累钟，若干钟，不止一钟。钟，六石四斗为一钟。古代俸禄以粟米多寡为计量单位。秦汉官制用石来计量品秩，如二千石、一千石等。奉，通“俸”。⑰亡天下之

忧：一点也不忧虑国家的事。亡，通“无”。[478]栖迟偃仰二句：游乐休息，装病卧床，自我安乐。栖迟偃仰，语出《诗经·北山》。毛氏注曰：“栖迟，游息也。偃仰，卧也。”寝疾，装病卧床。[479]何疾之易而愈之速：为什么患病卧床时那么容易，而痊愈又是那样的快。[480]消伏：消除。[481]灾眚：灾害。[482]今选牧、守二句：现在州牧、郡守的人选，由三公负责。[483]长吏不良二句：州郡的主事官吏不称职，既然责备州牧郡守。长吏，主事的官员。咎，责备、追究。[484]归责举者：追究不称职官员的推荐者。[485]陛下崇之弥优二句：皇上对下宠爱越是宽容，而在下恃宠怠慢公事就越发厉害。[486]所谓“大网疏，小网数”二句：这就是常说的，大网疏，小网密。此大网疏，指对三公宽；小网密，指对州牧郡守严。[487]狂夫之作：疯子发作，横乱伤人。[488]恳恳不已：恳切陈述不止。[489]诚念：实在是心系；实在是想着。[490]书不择言：笔下放肆，不知选择温和言词。意即上书不知忌讳。[491]条便宜七事：条陈有益于国七件事。[492]罢缮修之役：停止修缮陵园的劳作。[493]阴寒失节：寒冷反常。[494]采纳良臣：选用优秀的官员。[495]以助圣化：用以辅助圣王教化。[496]少阳之岁：古代迷信的倒霉年岁，具体说法不详。[497]荧惑出入轩辕：火星进出轩辕星区。[498]简出宫女二句：挑选送出不宜留在皇宫的宫女，任其婚嫁。简，选。恣，听其自由。[499]闰十月：应为闰十二月，脱“二”字。[500]有白气从西方二句：天苑、参、左足、玉井，皆天上星座名。此二句谓有一道白气从西方天苑星区出现，迅速穿过参星区西南的左足星区，又进入玉井星区。[501]白虹贯日：一条白虹穿过太阳。《晋书·天文志》云：“凡白虹者，百殃之本，众乱所基。”[502]中外官司：京师（中）及地方（外）所

【原文】

初，帝之立也，乳母宋娥与其谋，帝封娥为山阳君，又封执金吾梁商子冀为襄邑侯。尚书令左雄上封事[522]曰：“高皇[23]帝约，非刘氏不王，非有功不侯。孝安皇帝封江京、王圣等，遂致地震之异[523]。永建二年封阴谋之功[524]，又有日食之变。数术之士，咸归咎于封爵。今青州饥虚，盗贼未息，诚不宜追录小恩，亏失大典。”帝[24]不听。

雄复谏曰：“臣闻人君莫不好忠正而恶谗谀[525]，然而历世之患，莫不以忠正得罪，谗谀蒙幸[526]者，盖听忠难，从谀易也。夫刑罪[527]，人情之所甚恶；贵宠[528]，人情之所甚欲。是以时俗[529]为忠者少，而习谀者多。故令人主数闻其美，稀知其过，迷而不悟，以至于危亡。臣伏见诏书顾念阿母旧德宿恩[530]，欲特加显赏。按尚书故事[531]，无乳母爵邑之

有审案法官。503并须：一律等到。504立秋然后考事：立秋之后才能审决案件。505汉兴以来三百三十九岁：指西汉建立至顺帝阳嘉二年，即公元前二〇六至公元一三三年，共三百三十九年。506于时三期：在这三百三十九年中，已越过了三个循环期。507蠲：删改。508徂：往。509改青服绛：春天穿青色服，夏天穿绛色服，各随时令。绛，红色。510自文帝省刑二句：汉文帝十三年，至今顺帝阳嘉二年，即公元前一六七至公元一三三年，整三百年。511轻微之禁二句：一次次的轻微过失，日渐积累而成大罪。意谓法律过宽，人们易犯，积小而成大罪。512江、河：长江、黄河。法律如长江、黄河浩浩荡荡，使人望而生畏，则避开不轻易触犯。513嘉泽：甘露；喜雨。514反逆时节：违反时节；气候反常。春天应吹东风，却刮西风。515朝廷劳心：朝廷忧心。516荐祭山川：祭祀山川百神。517暴龙移市：在烈日下舞龙求雨，同时转移市场。《礼记》载，岁旱，鲁穆公问于县子。县子曰："为之徙市可也。"518皇天感物二句：上天感应万物，但不会为虚伪的行为所诱惑。519灾变应人二句：灾难反映人事，关键在于责备自己。520水可攘止：水灾可以用祈祷来避免。攘，通"禳"，祈禳。521岁无隔并：年年丰收。隔并，丰年与歉年相间。

【校记】

[22]宣：原无此字。据章钰校，甲十六行本、乙十一行本、孔天胤本皆有此字，张敦仁《通鉴刊本识误》同，今据补。

【语译】

当初，汉顺帝即位，乳母宋娥参与了谋划，汉顺帝封宋娥为山阳君，又封执金吾梁商的儿子梁冀为襄邑侯。尚书令左雄上密奏说："高祖刘邦约定，不是刘氏不封王，无功不封侯。孝安皇帝封了江京、王圣等人，便招致了地震的灾异。永建二年封赠暗中谋划人的功劳，又有日食的变异。数术方士都归罪于封赠爵位。现在青州饥荒贫困，盗贼没有平息，实在不应该追记小恩，破坏国家重大典制。"汉顺帝没有听从。

左雄再次劝谏说："臣听说国君没有不喜欢忠正的人而厌恶阿谀谄媚的人，然而历代的祸患，没有不是忠正的人得罪，而阿谀谄媚的人却蒙受宠幸的，大概是听信忠言困难，听从谗言容易。犯罪服刑，人人所厌恶；位高得宠，人人所盼望。所以，社会风气做正直尽忠的人少，习惯阿谀谄媚的人多。所以君主才会经常听到自己的优点，很少知道自己的过错，迷惑不悟，以至于危亡。臣恭敬地看到诏书中思念阿母旧日的恩德，想要给予特殊奖赏。根据尚书台过去的惯例，没有乳母封赐爵邑的

制，唯先帝时阿母王圣为野王君。圣造生谗贼废立之祸[532]，生为天下所咀嚼[533]，死为海内所欢快。桀、纣[534]贵为天子，而庸仆羞与为比者，以其无义也；夷、齐[535]贱为匹夫，而王侯争与为伍者，以其有德也。今阿母[536]躬蹈俭约，以身率下，群僚蒸庶[537]，莫不向风[538]。而与王圣并同爵号，惧违本操，失其常愿[539]。臣愚以为凡人之心，理不相远，其所不安，古今一也。百姓深惩王圣倾覆之祸，民萌[540]之命危于累卵，常惧时世复有此类[541]，怵惕之念未离于心[542]，恐惧之言未绝于[25]口。乞如前议[543]，岁以千万给奉阿母，内足以尽恩爱之欢，外可不为吏民所怪。梁冀之封，事非机急[544]，宜过灾厄之运，然后平议[545]可否。"于是冀父商让还冀封，书十余上，帝乃从之。

夏，四月己亥[546]，京师地震。五月庚子[547]，诏群公卿士各直言厥咎[548]，仍各举敦朴士一人。左雄复上疏曰："先帝封野王君，汉阳地震[549]，今封山阳君[550]而京城复震，专政在阴，其灾尤大[551]。臣前后瞽言[552]，封爵至重，王者可私人以财，不可以官，宜还阿母之封[553]，以塞灾异。今冀已高让[554]，山阳君亦宜崇其本节。"雄言切至，娥亦畏惧辞让。而帝恋恋不能已，卒封之[555]。

是时，大司农刘据以职事被谴[556]，召诣尚书，传呼促步[557]，又加以捶扑[558]。雄上言："九卿位亚三事[559]，班在大臣，行有佩玉之节[560]，动有庠序之仪[561][26]。孝明皇帝始有扑罚[562]，皆非古典。"帝纳之。是后九卿无复捶扑者。

戊午[563]，司空王龚免。六月辛未[564]，以太常鲁国孔扶为司空。

【段旨】

以上为第十三段，写左雄上奏弹劾汉顺帝乳母宋娥贪权弄势，不宜受封。

制度，只有先帝时封阿母王圣为野王君。王圣造谣陷害导致了废立太子的祸事，活着被天下人诅咒，死了使天下人高兴。夏桀、商纣贵为天子，而奴仆都羞与为伍，因为这两个暴君毫无道义；伯夷、叔齐是低贱的平民，而王侯都争相为伍，因为伯夷、叔齐具有美德。现在乳母亲身实行节俭，以身作则，群臣和百姓，莫不响应。而却和王圣一样封爵号，恐怕有违她的本心操守，失去平日的愿望。臣愚昧地认为，凡是人心按理来说相差不远，人们所不安的东西，古今相同。百姓对王圣造成的倾覆之祸深为警惕，民众的命运危若累卵，时常害怕颠覆大祸又要重演，恐惧心理未从怀中消失，恐惧的言辞不绝于口。请求按照先前的议论，每年供给乳母一千万钱，对内足以尽恩回报，对外也不会引起官民的抱怨。梁冀的封爵，不是机要紧迫的事情，应过了灾异之运，然后讨论是否可实行。”于是，梁冀的父亲梁商推让上还梁冀的封爵，十多次上书，汉顺帝这才同意了。

夏，四月二十九日己亥，京城发生地震。五月初一日庚子，诏命公侯卿士各自直言政治得失，仍然各举荐一名诚朴之士。左雄再次上奏说：“先帝封了野王君，汉阳地震，现在封山阳君，京城又地震，女人专权，灾害更大。臣此前曾瞎说，封爵极为重要，君主可以私自给人财物，但不可以给人官职，应当收回保姆宋娥的封爵，以阻止灾祸发生。现在梁冀已经辞让，山阳君也应当尊崇她本来的节操。”左雄言辞深切，宋娥也害怕了，表示辞让。而汉顺帝恋恋不已，最终封宋娥为山阳君。

这时，大司农刘据因为办事失职受到斥责，宣召他到尚书台，传呼的人大声吆喝刘据快走，又加以棍棒殴打。左雄上书说：“九卿的地位仅次于三公，班位在大臣之列，行动有佩玉的礼节，举止有教养的仪态。孝明皇帝时才有鞭打的刑罚，并非古时典制。”汉顺帝采纳了。此后，九卿没有再受到鞭打的了。

五月十九日戊午，司空王龚被免职。六月初二日辛未，任命太常鲁国人孔扶为司空。

【注释】

㉒上封事：上书密奏。汉制，臣下言非常事，越过尚书直呈皇上的密奏，称上封事。㉓致地震之异：招致地震的灾异。安帝封江京、王圣为侯，导致地震。事见上卷安帝建光元年。㉔永建二年封阴谋之功：阴谋之功，指孙程等拥立顺帝之功，已在安帝延光四年顺帝即位之初封侯。永建二年封阴谋之功，不见于史。㉕恶谗谀：厌恶阿谀谄媚。㉖蒙幸：蒙受宠幸。㉗刑罪：犯罪服刑。㉘贵宠：位高得宠。㉙时俗：社会风气。㉚旧德宿恩：旧日的恩德。㉛尚书故事：尚书台主管档案文书，其中没有乳母封侯的先例。㉜圣造生谗贼废立之祸：王圣造谣陷害致有废立太子之祸。事见上卷安帝延光三年。谗贼，造谣而致祸害。㉝咀嚼：诅咒。咀，通“诅”。㉞桀、纣：夏桀王、殷纣

王。[535]夷、齐：伯夷、叔齐。[536]阿母：保姆，指宋娥。[537]群僚蒸庶：百官及众庶百姓。蒸，同“烝”，众。[538]向风：蔚然成风。[539]惧违本操二句：恐怕有违她的本心操守，失去平日的愿望。[540]民萌：民众。萌，氓、普通群众。[541]常惧时世复有此类：百姓经常害怕颠覆大祸又要重演。[542]怵惕之念未离于心：恐惧心理未从怀中消失。[543]乞如前议：请求依照前议，对保姆宋娥不封侯而每年赏赐一千万。前议，左雄先有上书。[544]事非机急：不是机要紧迫之事。[545]平议：廷议；讨论。[546]己亥：四月二十九日。[547]庚子：五月初一日。[548]直言厥咎：直言政治得失。咎，指政治失误。[549]先帝封野王君二句：先帝，指安帝。野王君，安帝乳母王圣封爵。安帝延光二年（公元一二三年）封王圣，当年京师及三个郡国发生地震，汉阳是三郡之一。[550]山阳君：顺帝保姆宋娥封爵。[551]专政在阴二句：女人专权，灾难更大。[552]瞽言：瞎说。此左雄谦虚之言，亦为臣下对君王的套话。[553]还阿母之封：收回保姆宋娥封爵。[554]冀已高让：梁冀已经辞让，表现了崇高的德行。[555]卒封之：最终封宋娥为山阳君。[556]以职事被谴：因办事失职受到斥责。[557]传呼促

【原文】

丁丑[565]，洛阳宣德亭[566]地坼，长八十五丈。帝引公卿所举敦朴之士，使之对策，及特问以当世之敝，为政所宜。李固对曰：“前孝安皇帝变乱旧典，封爵阿母，因造妖孽[567]，改乱嫡嗣[568]，至令圣躬狼狈[569]，亲遇其艰。既拔自困殆[570]，龙兴即位[571]，天下喁喁[572]，属望风政[573]。积敝之后，易致中兴[574]，诚当沛然，思惟善道[575]。而论者犹云‘方今之事，复同于前[576]’。臣伏在草泽[577]，痛心伤臆[578]！实以汉兴以来三百余年，贤圣相继十有八主[579]，岂无阿乳之恩？岂忘贵爵之宠？然上畏天威，俯案经典[580]，知义不可，故不封也。今宋阿母虽有大功、勤谨之德，但加赏赐，足以酬其劳苦，至于裂土开国，实乖旧典[581]。闻阿母体性谦虚，必有逊让。陛下宜许其辞国之高，使成万安之福。夫妃、后之家所以少完全[582]者，岂天性当然？但以爵位尊显，颛总权柄[583]，天道恶盈[584]，不知自损[585]，故致[27]颠仆。先帝宠遇阎氏，位号太疾，故其受祸曾不旋时[586]，《老子》曰：‘其进锐者其退速也[587]。’今梁氏戚为椒房，礼所不臣[588]，尊以高爵，尚可然也。而子弟群从[589]，荣显兼加，永平、建初

步：大声吆喝催促快走。558 捶扑：棍棒殴打。559 三事：三公。560 行有佩玉之节：行动有佩玉的礼节。古时各级政府官员的礼服皆有佩玉，行步时发出摩擦之声。561 动有庠序之仪：举止有教养的仪态。庠序，学校。562 孝明皇帝始有扑罚：从汉明帝起，大臣有过受捶打于朝堂之上。明帝是亲手殴打。至是尚书催促，执事人可打大臣。至明有廷杖，往往当场毙命。563 戊午：五月十九日。564 辛未：六月初二日。

【校记】

[23] 皇：原无此字。据章钰校，甲十六行本、乙十一行本、孔天胤本皆有此字，今据补。[24] 帝：原作"诏"。据章钰校，甲十一行本、乙十一行本、孔天胤本皆作"帝"，张敦仁《通鉴刊本识误》同，今据改。[25] 于：据章钰校，甲十六行本、乙十一行本皆作"乎"。[26] 动有庠序之仪："动"字下原有"则"字。据章钰校，甲十六行本、乙十一行本皆无"则"字，今据删。〖按〗无"则"字，与上句句式一致。

【语译】

六月初八日丁丑，洛阳宣德亭地裂，长八十五丈。汉顺帝召见公卿所举荐的诚朴人士，让他们对答策问，同时还询问了当代的弊端和为政该做的事。李固对策说："以前孝安皇帝改变旧制，给保姆封爵，因而造成妖祸，扰乱了嗣统，使得圣上至今陷入危境，身陷艰难。圣上从困苦中超脱出来，如龙腾飞登上帝位，天下百姓人心向往，渴望善政蔚然成风。政治衰败之后，容易中兴，真是应当放开胸怀，谋求善道。而议论的人却说，'现在的政治，又与以前一个样'。臣身伏乡野，心胸伤痛！如实说，汉朝创立三百多年来，相继有十八位君主，哪一位没有保姆的哺乳之恩？哪里会忘记给她尊贵宠幸？然而，他们上畏天威，下考经典，知道不符合义理，所以不加封赠。现在，保姆宋娥虽拥有大功和勤谨的品德，只要加以赏赐，就足以酬报她的勤苦，至于分土建国，实在是违背了旧日的典章制度。听说保姆宋氏性情谦虚，必会谦让。陛下应当允许她辞去封国的高尚行为，使她享受万安的福祥。后妃、皇后的娘家所以很少有保全的，难道是她们天性该当如此？只因爵位尊贵显赫，独揽权柄，天道厌恶满溢，不知自我克制，所以导致败亡。先皇帝宠幸阎氏，赏赐爵号太快，所以祸害迅速降临。《老子》说：'前进太快，后退必速。'现在梁氏身为皇后，按礼制，皇帝不把皇后父母役使为臣子，崇以显爵，还说得过去。但是，梁氏的众多堂兄弟都位高名显，即使按永平、建初时期的惯例，恐怕也不是这样。应当

故事，殆不如此。宜令步兵校尉冀及诸侍中还居黄门之官590，使权去外戚，政归国家，岂不休乎591！又，诏书所以禁侍中、尚书、中臣子弟592不得为吏、察孝廉者，以其秉威权，容请托故593也。而中常侍在日月之侧594，声势振天下，子弟禄任，曾无限极595。虽外托谦默596，不干州郡597，而谄伪之徒，望风进举598。今可为设常禁，同之中臣599。昔馆陶公主600为子求郎，明帝不许，赐钱千万，所以轻厚赐，重薄位者601，为官人失才，害及百姓也。窃闻长水司马602武宣603、开阳城门候604羊迪605等，无他功德，初拜便真606，此虽小失，而渐坏旧章。先圣法度，所宜坚守，故政教一跌607，百年不复。《诗》云'上帝板板，下民卒瘅'608，刺周王变祖法度，故使下民将尽病也。今陛下之有尚书，犹天之有北斗也。斗为天喉舌，尚书亦为陛下喉舌。斗斟酌元气，运乎四时609；尚书出纳王命，赋政四海610，权尊势重，责之所归，若不平心，灾眚必至，诚宜审择其人，以毗圣政611。今与陛下共理[28]天下者，外则公、卿、尚书，内则常侍、黄门，譬犹一门之内，一家之事，安则共其福庆，危则通其祸败612。刺史、二千石，外统职事，内受法则613。夫表曲者景必邪614，源清者流必洁，犹叩树本615，百枝皆动也。由此言之，本朝号令，岂可蹉跌616！天下之纪纲，当今之急务也。夫人君之有政，犹水之有堤防，堤防完全，虽遭雨水霖潦617，不能为变618。政教一立，暂遭凶年619，不足为忧。诚令堤防穿漏，万夫同力，不能复救；政教一坏，贤智驰骛620，不能复还。今堤防虽坚，渐有孔穴621。譬之一人之身，本朝622者，心腹也，州郡者，四支也，心腹痛则四支不举。故臣之所忧，在腹心之疾，非四支之患也。苟坚堤防，务政教，先安心腹，整理本朝，虽有寇贼、水旱之变，不足介意也。诚令堤防坏漏，心腹有疾，虽无水旱之灾，天下固可以忧矣。又宜罢退宦官，去其权重623，裁置常侍二人624，方直625有德者省事左右，小黄门五人，才智闲雅者626给事殿中。如此，则论者厌塞627，升平可致也！"

扶风功曹马融对曰："今科条品制628，四时禁令，所以承天顺民者，备矣，悉矣，不可加矣。然而天犹有不平之效，民犹有咨嗟之怨629者，

命令步兵校尉梁冀和各侍中，回到黄门的职位去，使权力从外戚那里剥离，政令归于国家，这难道不是一件美事吗！还有，诏书所以阻止侍中、尚书、中臣子弟不得担任官吏、举拔孝廉，是因为他们把持政柄，容易请托主事官员作弊。而中常侍在皇帝皇后身边，声势惊动天下，其子弟进仕求禄，前途无量。他们虽然外表谦虚沉默，不干涉州郡事务，但谄媚虚伪之徒自会望风推举。现在为中常侍子弟设立禁令，与中朝百官子弟相同。过去，馆陶公主为儿子要求当一名郎官，明帝不答应，赐给一千万钱，之所以轻视厚重的赏赐，看重小小的官职，在于当官的人无才，就会害及百姓。臣听说长水司马武宣、开阳城门候羊迪等人，没有特殊功业和品德，初次任职就给予实权，这虽然是小小的失误，但逐渐破坏了旧有的制度。先圣的法度，应当坚守，所以政治教化一旦受损，百年难得恢复。《诗经》说'周厉王为政尽反先王及上天之道，天下之民都遭殃'，讥讽周厉王变更祖先的法度，使天下的民众都受到伤害。现在陛下拥有尚书，犹如上天拥有北斗。北斗是上天的喉舌，尚书也是陛下的喉舌。北斗控制元气，在四时运行；尚书接受君王的命令，传达到全国，权大势重，责任所在，如果不能心地公正，灾害必至，实在应谨慎地选拔人才，以辅佐朝政。现在和陛下共同治理天下的人，在外有公、卿、尚书，在内则有常侍、黄门，犹如一门之内，一家之事，平安则共享福庆，危难则同遭祸害。刺史、二千石对外统摄政事，对内接受朝廷法规约束。测表不正，日影必然歪斜，河源清澈则流水必然清洁，如同敲击树干，所有的树枝都摇晃。由此推断，本朝的号令，岂能有差错！天下的纲纪，是当今急务。国君拥有政令，犹如水有堤防，堤防完整，虽然连续雨浇水淹，也不能造成灾害。政治教化一经确立，即使暂时遭到凶年，也不足为忧。如果让堤防穿洞漏水，万人同心协力，再也不能救治；政治教化一旦毁损，即使贤人智士齐集奔走，也不能再挽回。现在堤防虽坚，已逐渐有了漏洞。好比一个人的身躯，朝廷是心腹，州郡是四肢，心腹疼痛则四肢举不起来。所以臣下所忧，在于心腹疾病，而不是四肢的忧虑。如果能够加固堤防，从事政治教化，先安定心腹，整顿朝廷，虽有贼人侵犯和水灾旱灾发生，也不值得介意。如果堤防坏漏，心腹有病，虽然没有水灾旱灾，天下实在令人忧心忡忡。另外，应当罢免宦官，削减他们的权力，只设立二名常侍，让品德端正的人在身边侍奉，设小黄门五名，让有聪明才智而风度翩翩的人在宫中服务。这样，批评政治的言论自然就会停止，可以达到太平！"

扶风功曹马融对策说："现在的法令规章、四时禁令，用来承顺上天、顺应民众的，已经完备了，不能增加了。然而上天仍有不满的反响，人民仍有嗟叹抱怨，

百姓屡闻恩泽之声而未见惠和之实也。古之足民者，非能家赡而人足之，量其财用，为之制度[630]。故嫁娶之礼俭，则婚者以时矣[631]；丧祭[29]之礼约，则终者掩藏矣[632]；不夺其时[633]，则农夫利矣。夫妻子以累[634]其心，产业以重其志[635]，舍此[636]而为非者，有必不多矣。”

太史令南阳张衡[637]对曰：“自初举孝廉，迄今二百岁矣[638]，皆先孝行[639]，行有余力，始学文法[640]。辛卯诏书[641]，以能章句、奏案为限[642]，虽有至孝，犹不应科[643]，此弃本而取末。曾子[644]长于孝，然实鲁钝，文学不若游、夏[645]，政事不若冉、季[646]。今欲使一人兼之，苟外有可观，内必有阙，则违选举孝廉之志[647]矣。且郡国守相，剖符宁境[648]，为国大臣，一旦免黜十有余人[649]，吏民罢[650]于送迎之役，新故交际，公私放滥，或临政为百姓所便而以小过免之，是为夺民父母使嗟号也[651]。《易》不远复[652]，《论》不惮改[653]，朋友交接且不宿过[654]，况于帝王，承天理物[655]，以天下为公者乎！中间以来[656]，妖星见于上[657]，震裂著于下[658]，天诫详矣[659]，可为寒心。明者销祸于未萌，今既见矣，修政恐惧，则祸转为福矣[660]。”

上览众对，以李固为第一，实时出阿母还舍[661]，诸常侍悉叩头谢罪，朝廷肃然。以固为议郎，而阿母、宦者皆疾之，诈为飞章[662]以陷其罪。事从中下[663]，大司农南郡黄尚等请之于梁商[664]，仆射黄琼复救明其事[665]。久乃得释，出为洛令[666]，固弃官归汉中。融博通经籍，美文辞，对奏，亦拜议郎。衡善属文，通贯六艺[667]，虽才高于世，而无骄尚之情。善机巧，尤致思于天文、阴阳、历算，作浑天仪，著《灵宪》。性恬憺不慕当世[668]，所居之官辄积年不徙。

太尉庞参，在三公中最名忠直，数为左右所毁[669]。会所举用忤帝旨[670]，司隶承风案之[671]。时当会茂才孝廉[672]，参以被奏，称疾不会。广汉上计掾段恭因会上疏[673]曰：“伏见道路行人、农夫、织妇皆曰：‘太尉参竭忠尽节，徒以直道不能曲心[674]，孤立群邪之间，自处中伤之地[675]。’夫以谗佞伤毁忠正，此天地之大禁，人主[30]之至诫[676]也。昔白起赐死，诸侯酌酒相贺[677]；季子来归，鲁人喜其纾难[678]。夫国以贤治，君以

这是因为百姓常听到要施行善政的声音，却不见善政的实惠。古代使人民富足的办法，不是靠赡养其家使家人富足，而是度量财货用度，为民众建立合理的制度。所以嫁娶的礼仪节俭，那么男女双方就可以以时婚配；丧祭礼仪简单，那么送终的人就可以及时掩埋死者了；不在农忙时节征发徭役，那么农夫就受利了。用妻子儿女来增添百姓的牵挂，用产业来加重百姓的守法意志，丢弃这些而为非所歹的人，即使有也一定不多。”

太史令南阳人张衡对策说：“自从开始举孝廉，至今已二百年了，都首先看重孝行，行而有余力，然后才学习文章法典。去年十一月十八日辛卯采纳左雄之言而下的诏书，以读通经书、会写公文为标准，即使有最高孝行的人，也不能入选应对，这是弃本逐末。曾子长于孝道，但实在愚笨，文学不如子游、子夏，政务不如冉有、季路。现在却想使一个人兼有这些品行，如果外表可观的话，内在必有缺失，那么就会违背举孝廉的本意了。况且郡守国相接受朝廷任命，安宁州境，作为国家大臣，一下子就罢免了十多个人，使官吏和民众疲于送旧迎新，新旧交接，公私混乱，有的人治政有利于百姓，却因为小错被免黜，这是夺取百姓的父母，使他们悲号无已。《易经》说不要走得太远才回头，《论语》说不要怕改正过错。朋友的交往，尚且没有隔夜不忘的仇恨，何况帝王承受天命，治理万物，以天下为公呢！近年来，天上出现妖星，地上出现震裂，上天的警告是这样明显，令人担心。明智的人将灾祸消灭于还没有萌发之前，现在已经出现灾祸，整顿政治，心怀恐惧，这样才能转祸为福啊。”

汉顺帝观看了各人的奏对，以李固为第一，立即让保姆宋娥出宫回到家中，诸常侍全都磕头谢罪，朝廷法纪肃然。任用李固为议郎，但保姆和宦官都怨恨李固，伪造匿名信，用罪名诬陷他。查办的诏书由宫中直接发出，大司农南郡人黄尚等向梁商请求营救，仆射黄琼又上书营救，说明原委。李固很久才获释放，外任为洛县令。李固弃官回到故乡汉中。马融博通经籍，文辞优美，参加了对奏，也被任命为议郎。张衡擅长作文，通贯六经，虽才华盖世，但没有骄狂的性情。通晓机械，尤其对天文、阴阳、历算思考深邃，制作浑天仪，撰著《灵宪》。性情淡泊，不羡慕当时世俗所看重的官爵财货，所任官职，多年没有迁升。

太尉庞参在三公中忠心耿耿，多次被皇上身边人诋毁。正好他所推荐的人触犯了皇帝的旨意，司隶校尉看准风向弹劾他。当时正是朝廷会见茂才、孝廉之时，庞参因为受到奏劾，称病没有出席。广汉上计掾段恭趁着朝会上奏说：“我听见路上行人和农夫、织妇都说：‘太尉庞参竭忠尽节，只是因为秉持公正原则，不肯昧心，孤立于一群邪奸小人中间，自己处于被中伤诬陷的位置上。’因为小人的中伤而毁灭忠正的臣子，这是天地的大忌，是人主最大的警戒。过去，秦国白起被赐自杀，诸侯举杯相贺；季子回归鲁国，鲁国人为他能纾解国难而喜悦。国家依赖贤臣达到治理，

忠安。今天下咸欣陛下有此忠贤，愿卒宠任以安社稷。”书奏，诏即遣小黄门视参疾，太医致羊酒⑰。后参夫人疾前妻子，投于井而杀之，洛阳令祝良奏参罪。秋，七月己未⑱，参竟以灾异免。

八月己巳⑱，以大鸿胪施延为太尉。

鲜卑寇马城⑱，代郡太守击之，不克。顷之，其至鞬⑱[31]死，鲜卑由是抄盗差稀⑱。

【段旨】

以上为第十四段，写李固、马融、张衡对策言时政，建言顺帝裁减宦官，不得举荐宦官子弟入仕，提倡孝悌之礼，重民生，使能养育妻子儿女。

【注释】

⑮丁丑：六月初八日。⑯宣德亭：亭名，在洛阳南郊，平城门外。⑰因造妖孽：指王圣兴风作浪。⑱改乱嫡嗣：指顺帝刘保为皇太子被废。⑲圣躬狼狈：陛下陷于危境。⑳拔自困殆：脱离困苦。㉑龙兴即位：如龙腾飞登上帝位。㉒天下喁喁：全国人心向往。喁喁，众鱼口向上争食，喻人心向慕。㉓属望风政：渴望善政蔚然成风。㉔积敝之后二句：政治衰败之后，容易中兴。㉕诚当沛然二句：真是应当放开胸襟，谋求善道。沛然，宽广的样子。㉖方今之事二句：谓顺帝即位以来的政治，又与从前一模一样。㉗伏在草泽：生活在乡野。草泽，野草荒泽，喻乡野。㉘痛心伤臆：痛彻心扉。㉙贤圣相继十有八主：谓汉兴三百余年，已历十八任皇帝。即高、惠、文、景、武、昭、宣、元、成、哀、平、光武、明、章、和、殇、安、少帝，凡十八主。㉚上畏天威二句：上惧上天的威严，下考经典。㉛实乖旧典：实在是违背了旧日的典章制度。㉜少完全：很少保全。㉝颛总权柄：独揽权力。㉞天道恶盈：天道厌恶满溢。㉟自损：自我克制。㊱受祸曾不旋时：脚后跟还没转过来，已大祸临头。安帝建光元年阎氏始盛，延光四年受诛，不满五年而败，故云“受祸曾不旋时”，形容时间之速。㊲其进锐者其退速也：前进太猛，后退必速。㊳今梁氏戚为椒房二句：现在梁氏身为皇后，按礼制天子不把妻子的父母役使为臣属。椒房，皇后所居宫殿之称。不臣，不得役使为臣。㊴群从：众多堂兄弟。㊵还居黄门之官：梁冀兄弟原为黄门侍郎。㊶岂不休乎：难道不是一件美事吗。㊷侍中、尚书、中臣子弟：朝官子弟。㊸容请托故：容易请托主事官员作弊。㊹在日月之侧：在皇帝皇后身边。㊺曾无限极：前途无量。㊻外托谦默：表面

君主依靠忠臣才能平安。现在天下都因为陛下有这些忠臣贤士而高兴，希望始终宠信并任用他们，使国家安定。”奏书呈上，诏命小黄门探视庞参的疾病，御医为他看病，又赏赐羔羊和美酒。后来，庞参的夫人仇恨前妻生的儿子，把儿子投到井中淹死，洛阳令祝良上奏庞参罪过。秋，七月二十日己未，庞参最终因为灾异被免职。

八月初一日己巳，任命大鸿胪施延为太尉。

鲜卑侵犯马城，代郡太守迎击，没有取胜。不久，其至鞬去世，鲜卑因此侵犯抢掠稀少。

上谦虚沉默，不做请托。⑰不干州郡：不干预州郡事务。⑱谄伪之徒二句：谄媚虚伪之徒，自会望风进举。指州郡长官阿私宦官，荐举其子弟。⑲为设常禁二句：为中常侍子弟设禁令，可比照中朝百官子弟，也一律不得参与保荐推举。⑳馆陶公主：光武帝女刘红夫，韩光之妻。她为子求郎，明帝不许。事见本书卷四十五明帝永平十八年。601轻厚赐二句：厚重的赏赐与低级的官位相比较，也是赏赐轻，官位重。602长水司马：官名，长水校尉司马之省称。司马，掌军政。北军五校尉各有司马，秩千石。603武宣：人名。604开阳城门候：掌开阳城门的守卫官。京师城门各有候一人，秩六百石。605羊迪：人名。606初拜便真：汉制，初拜官称守，岁满为真。京师官千石至六百石，都要先守一岁，然后补真。607跌：损伤。608《诗》云三句：《诗经·板》说，“周厉王为政尽反先王及天之道，天下之民都遭殃”。板，反也。瘅，病。609斗斟酌元气二句：北斗控制元气，运行四时。《汉书·天文志》云：“斗为帝车，运乎中央，临制四海。分阴阳，建四时，均五行，移节度，定诸纪；皆系于斗。”这是古人的一种天道观念，并感应于人间政治。610赋政四海：传达到全国。赋，布。611以毗圣政：用以辅佐朝政。毗，辅。612安则共其福庆二句：平安则共享福庆，危难则同遭祸害。613刺史、二千石三句：刺史、二千石，对外统摄政事，代表朝廷，对内接受朝廷法规约束。614表曲者景必邪：测表不正，日影必然歪斜。表，测日影的标杆。景，通“影”。615叩树本：敲击树干。616蹉跌：差错。617雨水霖潦：连续雨浇水淹。618不能为变：不会成灾。619暂遭凶年：暂逢凶年。620贤智驰骛：贤人智士齐集奔走。621渐有孔穴：政治上逐渐有了漏洞。胡三省注云：“当此之时，不可以言渐矣，固特婉其辞耳。”622本朝：朝廷。623去其权重：削减他们的权力。624裁置常侍二人：裁减中常侍，只留二人。西汉中常侍宦官与士人杂用。东汉专用宦官，明帝时为四人，和帝时增至十人，又小黄门由十人增至二十人。和帝、顺帝皆借宦官之力从外戚手中夺权，于是宦官日渐权重，手握王权，口含天宪，不再是深宫中的等闲皇家奴仆了。625方直：方正。626才智闲雅者：有聪明才智而风度翩翩的小黄门。627论者厌

塞：批评政治的言论自然停止。㉘科条品制：法令规章。㉙咨嗟之怨：嗟叹抱怨。㉚为之制度：建立合理的制度。㉛嫁娶之礼俭二句：嫁娶礼仪节俭，那么男女双方就可以以时婚配。㉜丧祭之礼约二句：葬礼简单，那么送终的人可以及时掩埋死者了。㉝不夺其时：农忙时节不征徭役。㉞累：牵挂。㉟产业以重其志：有家业就可以加重人民守法的意识。㊱舍此：指不丢弃产业与妻子。㊲张衡（公元七八至一三九年）：东汉天文学家、文学家，字平子，南阳西鄂（今河南南阳市卧龙区）人，制浑天仪、地震仪，观天测地。著有天文学著作《灵宪》。时任太史令，官至侍中。传见《后汉书》卷五十九。㊳自初举孝廉二句：汉武帝元光元年初举孝廉，至顺帝阳嘉二年，即公元前一三四至公元一三三年。㊴先孝行：以孝行为根本，为优先位置。㊵始学文法：然后才学习文章法典。㊶辛卯诏书：指阳嘉元年（公元一三二年），即去年十一月十八日纳左雄之言所下诏书。㊷以能章句、奏案为限：以能读通经书、会写公文为标准。㊸不应科：不能入选应对。㊹曾子：孔子弟子曾参。㊺游、夏：孔子弟子言偃子游、卜商子夏。㊻冉、季：孔子弟子冉求子有、仲由子路。㊼志：本意；目的。㊽剖符宁境：谓守相为身负朝命的守土大臣。剖符，封疆大吏执符以示信。符分为二，一半留朝廷，一半为本官所执。㊾一旦免黜十有余人：阳嘉元年因郡守触犯新选举法，所荐非实，一次免黜济阴郡守胡广等十余人。一旦，一个早上；一下子。㊿罢：通“疲”。㊿是为夺民父母使嗟号也：因小过免黜老百姓欢迎的父母官，从而使人民哀号无已。㊿《易》不远复：《易经》上说，“不要走得太远才回头”。语出《易经·复卦》：“不远复，无祇悔。”㊿《论》不惮改：《论语》上说，“不要害怕改正过错”。语出《论语·学而》，原文为：“过则勿惮改。”㊿朋友交接且不宿过：朋友相交尚且没有隔夜不忘的仇恨。㊿承天理物：承受天命，治理万物。㊿中间以来：近年来。㊿妖星见于上：天上出现妖星。胡三省引《古今注》说：“是年四月壬寅，太白昼见。五月癸巳，又昼见。”㊿震裂著于下：地下发生裂地的大地震。指永建三年（公元一二八年）京师洛阳大地震。㊿天诫详矣：上天警告是这样明显。㊿修政恐惧二句：整顿政治，心怀恐惧，这样才能转祸为福。㊿出阿母还舍：让保姆宋娥出宫回到家中。㊿诈为飞章：伪造匿名信，诬陷李固。㊿事从中下：皇帝发出查办的诏书，不经尚书，直接由皇宫中发出。㊿请之于梁商：请求时为执金吾的梁商营救。执金吾掌京师治安，有权过问。㊿仆射黄琼复救明其事：尚书仆射黄琼又上书营救，说明原委。㊿洛令：洛阳县令。据《后汉书》李固本传，“洛”，应为“雒”，广汉郡雒县县令。在今四川广汉。李固至半道弃官归本郡。㊿六艺：儒家“六经”。㊿性恬憺不慕当世：性情恬淡，不羡慕当时世俗所看重的官爵财货。㊿数为左右所毁：多次被皇帝身边的人诋毁。㊿会所举用忤帝旨：正巧他举荐的人触犯了皇帝的旨意。㊿承风案之：看准风向弹劾庞参。司隶校尉察举百官，故可弹劾太尉之罪。㊿时当会茂才孝廉：当时正好要与所举茂才、孝廉会见。㊿广汉上计掾段恭句：广汉郡的上计掾段恭借朝会机会上奏。上计掾，掌郡国户口财粮统计，每年随郡国所举茂才进京，受计（向朝廷报告一郡户口及财赋）之日，公卿皆会于廷。674 曲心：说违心的话，办违心的事。675 自处中伤之地：自己处于被中伤诬陷的位置上。676 人主之至诫：信谗害忠，这是人主最大的警戒。677 白起赐死二句：秦白起被赐死，诸侯国君举杯庆贺。白起被范雎逼迫，有怨言，秦昭王赐死。事见本书卷五周赧王五十年。678 季子来归二句：姬友回归鲁国，鲁人欢呼他拯救危难。季子，即姬友，又称季友。庆父、叔牙及季友三人为春秋时鲁桓公之子，鲁庄公之弟。庄公夫人哀姜不育，故无嫡子，而欲立庶子斑。庆父与哀姜私通，而叔牙党庆父，欲立庆父为君，被庄公和季友鸩杀。庄公卒，季友立公子斑为鲁君，庆父杀之，立公子开，是为鲁闵公。季友出奔陈国。闵公二年，庆父又杀闵公欲自立。两年之间，庆父连弑二君，鲁国大乱，流言曰："庆父不死，鲁难未已。"此时季友归国与鲁大夫共逐庆父，才安定了鲁国。事详《左传》。679 太医致羊酒：御医视疾，又赏赐羔羊美酒。680 己未：七月二十日。681 己巳：八月初一日。682 马城：代郡属县，县治在今河北怀安。683 其至鞬：鲜卑大人之名。684 差稀：稀少。

【校记】

［27］致：据章钰校，甲十六行本、乙十一行本皆作"至"。［28］理：原无此字。据章钰校，乙十一行本有此字，今据补。［29］祭：据章钰校，甲十六行本、乙十一行本、孔天胤本皆作"制"。［30］人主：原作"人臣"。据章钰校，甲十六行本、乙十一行本皆作"人主"，今据改。［31］鞬：原作"犍"。据章钰校，甲十六行本、乙十一行本皆作"鞬"，今据改。［按］胡三省注亦作"鞬"。

【研析】

本卷集中研析顺帝的复辟与施政。

第一，顺帝复辟。延光四年（公元一二五年）十一月初四日以中常侍孙程等十九名宦官为核心，发动政变，诛杀阎党宦官江京、刘安、陈达以及阎显、阎崇、阎景兄弟，夺回政权，迎立废太子济阴王刘保即位，是为顺帝。顺帝得以复辟，原因有三。其一，刘保为和帝长子，法统当立，无其他和帝子可以代替。阎太后贪权立幼，迎立诸侯王子北乡侯，既是婴孩，又半岁而亡，毫无影响。其二，刘保被废，仍封为王，未出宫，住在崇德大殿西厢钟楼下，得到孙程等一大批忠于帝胄的宦官保护，这也是政变的中坚力量。其三，阎显兄弟，庸懦才劣又暴戾贪婪。北乡侯初立，自己立脚未稳就同党争权内讧，杀大将军耿宝、安帝乳母王圣、中常侍樊丰等，削弱了自身力量，又极不得人心。阎氏外戚，根基不牢，在朝臣中很孤立，没有呼应的人。阎氏太后性妒凶残，杀刘保生母，在宫中也不得人心。阎太后临朝，败亡之速顺理成章。

顺帝一朝，政治昏暗。东汉政治以和、安二帝为分水岭。和帝之前光武、明帝、章帝三朝为鼎盛期，政治较为开明。和帝、安帝两朝维持表面的平稳，但邓太后掌权时期连年灾害，内有西羌之乱，外有匈奴、乌桓扰边，国家已呈衰败迹象。顺帝即位，外戚势力抬头，后期任用顽劣无比的梁冀为大将军，国势急剧走下坡路。司马光批评顺帝昏愚超过西汉成帝。王夫之《读通鉴论》认为顺帝为中上之君，但无忠良之臣，所以国势不张。王夫之说：“帝之废居西钟下也，顺以全生，群奸不忌，非不智也。安帝崩，不得上殿亲临，非号不食，非不仁也。孙程等拯之危亡之中而登天位，一上殿争功，而免官就封，不使终持国政，非不断也。谅虞诩之谏逐张防，听李固之言出阿母，任左雄之策请吏治，非不明也。樊英、黄琼、郎𫖮，公车接轮，纳翟酺之说，广拓学官，非不知务也。”据此，顺帝作为一国之君，还像一个君，只是没有丙吉、宋璟、张九龄、韩琦、姚崇、杜黄裳这样的大臣为辅，国是以不治。人才代代有，君不明，则臣不才。左雄、虞诩未尽其用，李固、张衡未得其用，梁冀之流放心以用，这就是顺帝之昏。顺帝不立，阎氏奸计得逞，东汉或许即行大乱。从粉碎阎党角度说，顺帝复辟，延缓了东汉政权的灭亡。

第二，顺帝赏罚错位。班勇开通了东汉第三次西域的交通，立下重大功勋。公元一二五年，班勇大破北匈奴，西域各城邦国都服于汉朝，唯有焉耆王未附。顺帝派敦煌太守张朗将河西四郡兵入援班勇，约期分两道攻击。班勇从南道，张朗从北道。张朗想独贪功劳，先期冒进，侥幸取胜，受赏。班勇按期到达，因无功，征还下狱，罢官。军事冒进，犯兵家大忌，张朗受班勇节制，冒进是不听将令的行为，应当受罚，却因侥幸有功受赏。班勇克期，是纪律严明的表现，反而被判重罪，顺帝判事不明，赏罚错位。

第三，樊英受征。南阳樊英，海内知名，安帝赐策书征召，樊英不就。顺帝再次用策书征召，樊英开始推辞，顺帝诏令郡县逼迫，樊英就征。到了京师，顺帝隆重接待，赐几杖，以师傅礼召见，问得失，拜五官中郎将。樊英如同竹笋，嘴尖皮厚腹中空，始终没说出一句善言，出一条治国良策，自觉脸上无光，称疾告归。顺帝赐以光禄大夫品秩，带薪回乡，命令地方岁时致以牛酒。司马光批评说，帝王征召贤士，诚心敬重，像樊英这样没有真才实学的浮华之士，要用对待少正卯的方法加以诛辟，用以纯正风俗。顺帝重赏虚名之士，失重贤之旨。

第四，班始愤杀公主。班超孙子班始尚清河王之女阴城公主，是顺帝的姑姑。阴城公主放纵淫荡，甚至把情夫带回家，让情夫睡在床上，逼班始藏在床下。班始不堪，怒杀公主。顺帝将班始处以腰斩，量刑至此，也算得当。顺帝将班始同胞兄弟姐妹全部处死，则是滥用刑法，逞专制淫威，不可谓明。

第五，顺帝求言。顺帝征召士人，问以灾异。北海士人郎𫖮上书言七事，皆有益于国，又荐黄琼、李固，以为宜加擢用。阳嘉二年六月初八日，洛阳宣德亭地裂，顺帝召集公卿所举荐的敦朴之士对策，问以当世政治的弊端，应当如何改进。李固、马融、张衡对策，建言顺帝裁减宦官，不得举荐宦官子弟入仕，提倡孝悌之礼，重民生，使百姓能温饱，养育妻子。顺帝借此，整肃了一番宫禁，及时遣阿母还舍，诸常侍磕头谢罪，朝廷肃然。顺帝欲有一番作为，这就是王夫之所说的中上之君，贤臣为辅，可以为善。由于东汉大权长期落入太后、宦官、群小之手，积重难返，顺帝非大有为之君，整肃朝纲，昙花一现，很快又回到了帝权旁落的原生态中。等到梁冀当朝之时，顺帝只是一个傀儡。

卷第五十二　汉纪四十四

起阏逢阉茂（甲戌，公元一三四年），尽旃蒙作噩（乙酉，公元一四五年），凡十二年。

【题解】

本卷记事起公元一三四年，迄公元一四五年，凡十二年，当顺帝阳嘉三年至冲帝永嘉元年，载顺帝一朝后期史事。这一时期，权落梁皇后外戚梁氏。皇后父梁商为大将军，梁商无治国之才，从事中郎李固劝说梁商让贤，梁商不听。梁商子梁冀为河南尹，初任方面即残暴自恣，梁氏父子结纳宦官曹节、曹腾等以固宠，挑起宦官内讧，兴大狱，政治一片乌烟瘴气。梁商恋权，尚无大恶，天时干旱，还能劝顺帝下诏求言。尚书令周举、太史令张衡建言裁宫女，减御膳，皇上亲贤远佞，总政要，不信图谶。李固反对用兵岭南言七不可，建言选贤良任郡守，招抚叛乱。张乔等人到任，兵不血刃，岭南安定。梁商死，顺帝竟然任命顽劣无赖梁冀为大将军，司马光批评顺帝昏庸甚于西汉成帝。皇甫规献奏安羌之策，顺帝不采纳。八使巡风，御史张纲弹劾梁冀，梁冀深恨之，欲置之于死地。顺帝崩，冲帝即位，梁太后感念李固，李固当政，罢贪残，任贤才，清剿东南盗匪，梁冀冷眼，伺机反扑。

【原文】

孝顺皇帝下

阳嘉三年（甲戌，公元一三四年）

夏，四月，车师后部司马率后王加特奴等[1]掩击北匈奴于阊吾陆谷①，大破之，获单于母。

五月戊戌②，诏以春夏连旱，赦天下。上亲自露坐德阳殿③东厢请雨。以尚书周举④才学优深，特加策问。举对曰："臣闻阴阳闭隔，则二气否塞⑤。陛下废文帝、光武之法，而循亡秦奢侈之欲，内积怨女，外有旷夫⑥。自枯旱以来，弥历年岁⑦，未闻陛下改过之效，徒劳至尊暴露风尘⑧，诚无益也。陛下但务其华⑨，不寻其实⑩，犹缘木希鱼⑪，却行求前⑫。诚宜推信革政⑬，崇道变惑⑭，出后宫不御之女⑮，除太官重膳之费⑯。《易传》曰：'阳感天不旋日。'⑰惟陛下留神裁察。"

【语译】

孝顺皇帝下

阳嘉三年（甲戌，公元一三四年）

夏，四月，车师后部司马率领后王国国王加特奴等在阊吾陆谷包抄北匈奴，把他们打得大败，还抓获了单于的母亲。

五月初四日戊戌，汉顺帝下诏，因为春夏连续干旱，大赦天下。汉顺帝亲自在德阳殿的东厢露天而坐，请求降雨。因为尚书周举学识优秀，汉顺帝特别询问周举。周举回答："我听说阴阳闭塞，天地二气就不通畅。陛下废弃了汉文帝、汉光武帝的法度，却沿袭亡秦的奢欲，宫内聚集了太多宫女，宫外光棍很多。自从干旱以来，已经过了一整年，没有听说陛下有改过表现，徒使陛下暴露在烈日风尘中，实在是没有益处。陛下只求外表，不找出内在原因，如同缘木求鱼，倒退着走却希望前进。实在应该推出诚信来改革政务，尊崇大道，消除民众的疑惑，释放后宫中未被皇帝召幸过的女子，取消超出需要的山珍海味。《易传》说：'皇帝所作所为，上天将立即

帝复召举面问得失，举对以“宜慎官人⑱，去贪污，远佞邪。”帝曰：“官贪污佞邪者为谁乎⑲？”对曰：“臣从下州超备机密⑳，不足以别群臣㉑。然公卿大臣数有直言者，忠贞也；阿谀苟容㉒者，佞邪也。”

太史令张衡亦上疏言：“前年京师地震土裂㉓。裂者，威分㉔；震者，民扰也㉕。窃惧圣思厌倦㉖，制不专己㉗，恩不忍割，与众共威㉘。威不可分，德不可共㉙。愿陛下思惟所以稽古率旧㉚，勿使[2]刑德八柄不由天子㉛。然后神望允塞㉜，灾消不至矣。”

衡又以中兴㉝之后，儒者争学《图》《纬》㉞，上疏言：“《春秋元命包》㉟有公输班与墨翟，事见战国。又言别有益州㊱，益州之置在于汉世。又刘向父子领校秘书㊲，阅定九流㊳，亦无《谶录》。则知《图谶》成于哀、平之际，皆虚伪之徒以要世取资㊴，欺罔较然㊵，莫之纠禁㊶。且律历㊷、卦候㊸、九宫㊹、风角㊺，数有征效㊻，世莫肯学，而竞称不占之书㊼，譬犹画工恶图犬马而好作鬼魅㊽，诚以实事难形而虚伪不穷也㊾。宜收藏㊿《图谶》，一禁绝之，则朱紫无所眩[51]，典籍无瑕玷[52]矣。”

秋，七月，钟羌良封等复寇陇西、汉阳。诏拜前校尉马贤为谒者，镇抚诸种。

冬，十月，护羌校尉马续[53]遣兵击良封，破之。

十一月壬寅[54]，司徒刘崎、司空孔扶免，用周举之言也。乙巳[55]，以大司农黄尚为司徒，光禄勋河东王卓为司空。

耿贵人数为耿氏请，帝乃绍封耿宝子箕为牟平侯。

【段旨】

以上为第一段，写汉顺帝因干旱求言，尚书周举、太史令张衡等建言裁宫女，减御膳，皇上亲贤远佞，总政要，不要信图谶。

回报，不超过一天。’希望陛下留心明断。”汉顺帝又召周举，当面询问得失，周举回答“应当慎重用人为官，罢免贪官污吏，远离佞邪小人”。汉顺帝说：“谁是贪官污吏、佞邪小人？”周举回答说：“我从外州超升备位机枢，不能完全鉴别文武百官谁优谁劣。但是，公卿大臣中多有直谏的，就是忠臣；阿谀奉承、看眼色行事的，就是佞邪小人。”

太史令张衡也上疏说：“前年京城地震土裂。土裂，象征着权威分离；地震，象征着民众骚动。臣担心圣上思虑厌倦，不理朝政，裁决不由自己决断，不忍割舍恩爱，而与众人共享威权。威权不可以分割，恩德不可以共享。希望陛下考求古制，遵循旧典，不要使刑德的八种大权脱离天子之手。这样天子的神圣威望获得充实，灾祸就可消除。”

张衡又因为中兴以来，儒生争学图谶纬书之学，便上疏说：“《春秋元命包》载有公输班和墨翟，事情见于战国。又说另外有益州，益州是在汉朝设立的。而且，刘向父子主持校订宫中图书，审阅评定九家学术，其中没有《谶录》。这就可知《图谶》是在哀帝、平帝时形成的，都是虚妄的人用来欺世盗名以骗取钱财，欺诈明显，政府却没有把它列入禁令。并且律历、卦候、九宫、风角等不断有应验，世人不肯去学，却争相称赞无法考察应验的谶纬之学，犹如画匠厌恶画狗画马，却喜欢画鬼画妖，实在是因为真实的事物难以惟妙惟肖，而虚伪的鬼怪可以随意涂抹。应当收缴《图谶》，一律禁绝，那么红色和紫色不再混淆，儒家典籍不再受到玷污。”

秋，七月，钟羌首领良封等人又侵犯陇西、汉阳。下诏任命前校尉马贤为谒者，镇抚各部落。

冬，十月，护羌校尉马续派兵攻打良封，打败了他们。

十一月十一日壬寅，司徒刘崎、司空孔扶被免职，这是因为采用了周举建议。十四日乙巳，任命大司农黄尚为司徒，光禄勋河东人王卓为司空。

耿贵人多次为耿氏请托，汉顺帝这才封耿宝的儿子耿箕为牟平侯。

【注释】

①阊吾陆谷：地名，今地不详。②戊戌：五月初四日。③德阳殿：北宫正殿。④周举（？至公元一四九年）：字宣光，汝南汝阳（今河南商水县西南）人，有直节。历官司隶校尉、光禄大夫。传见《后汉书》卷六十一。⑤否塞：闭塞。⑥内积怨女二句：宫内聚集宫女太多，不能婚配，则宫外光棍必多。⑦弥历年岁：已过了一整年。弥，满。⑧暴露风尘：暴露在烈日风尘之中。指露坐德阳殿。⑨务其华：致力于表面文章；只求其表。⑩寻其实：找出内在原因。⑪缘木希鱼：爬上树去希望得鱼。语出

《孟子·梁惠王上》:“缘木求鱼。”⑫却行求前:倒退着走,却希望前进。语出《韩诗外传》:“夫明镜所以照形,往古所以知今。恶知往古之所以危亡,无异却行而求达于前人也。”⑬推信革政:推出诚信,革新政治。⑭崇道变惑:崇尚大道,消除民众的疑惑。⑮出后宫不御之女:释放后宫未被皇帝召幸过的宫女。⑯重膳之费:超过需要的山珍海味。⑰《易传》曰二句:语出《易稽览图·中孚传》,“阳感天不旋日,诸侯不旋时,大夫不过期”。郑玄注:“阳者,天子,为善一日,天立应以善;为恶一日,天立应以恶。”皇帝所作所为,上天将立即回报,不过一天。⑱慎官人:慎重用人为官。⑲官贪污佞邪者为谁乎:谁是贪官污吏、奸佞小人。⑳臣从下州超备机密:周举说,臣从外州破格升迁到机枢位置上。下州,外州对京师而言称下州。超,越级升迁,即破格提拔。周举原为冀州刺史,擢升为尚书。机密,代指枢密岗位。㉑不足以别群臣:还不能完全鉴别群臣谁优谁劣。别,鉴别。㉒苟容:看眼色办事。㉓前年京师地震土裂:前年,应为去年。阳嘉二年六月初八日,京师地震,宣德亭地裂长八十五丈。㉔裂者二句:地裂象征权力分离。威,威权。㉕震者二句:地震象征民众骚动。㉖圣思厌倦:皇上思虑厌倦,不理朝政。㉗制不专己:自己不做裁断。㉘恩不忍割二句:皇上不忍割舍恩爱,与众人共享威权。㉙威不可分二句:威权不可分割,恩德不可共享。㉚稽古率旧:考求古制,遵循旧典。㉛勿使刑德八柄不由天子:不要使刑德八柄脱离天子之手。《周礼》载:天子控制臣子的刑杀与恩德共有八种手段:一是爵位,使臣下尊贵;二是俸禄,使臣下富有;三是赏赐,使臣下欢喜;四是安置,控制臣下的行动;五是生活,使臣下享福;六是剥夺,使臣下贫困;七是废黜,使臣下不敢犯罪;八是诛杀,使臣下不敢叛逆。㉜神望允塞:八柄使天子的神圣威望永远充实。㉝中兴:指东汉兴起。㉞《图》《纬》:图谶纬书

【原文】

四年(乙亥,公元一三五年)

春,北匈奴呼衍王侵车师后部。帝令敦煌太守发兵救之,不利。

二月丙子[56],初听[57]中官得以养子袭爵。初,帝之复位,宦官之力也,由是有宠,参与政事。御史张纲[58]上书曰:“窃寻文、明二帝[59],德化尤盛,中官常侍,不过两人,近幸赏赐,裁满数金,惜费重民,故家给人足。而顷者以来,无功小人,皆有官爵,非爱民重器[60]、承天顺道者也。”书奏,不省。纲,皓之子也。

旱。

谒者马贤击钟羌,大破之。

之学，研究预言的神秘学术。㉟《春秋元命包》：汉代流行的一种预言书。㊱益州：有大小两个范围的益州。小益州为郡，汉武帝元封二年（公元前一〇九年）置益州郡，治所在今云南昆明市晋宁区东，辖今云南中部地区；大益州为监察区，后为郡之上的行政建制，元封五年汉武帝置十三州刺史，益州辖今四川、云南及贵州的一部分地区。总之，州、郡益州皆为汉所置，而《春秋元命包》载之。㊲刘向父子领校秘书：西汉成帝、哀帝之时，刘向及其子刘歆校定皇室秘藏图书，是中国学术史上的一件大事。刘向父子同传，见《汉书》卷三十六。㊳阅定九流：校定九家学派图书。见《汉书·艺文志》。九家为儒、道、阴阳、法、名、墨、纵横、杂、农。㊴要世取资：欺世盗名以骗取钱财。㊵欺罔较然：欺诈的意图十分明显。㊶莫之纠禁：政府却没把图谶列入禁令。㊷律历：历法之学。㊸卦候:《易经》八卦之学。㊹九宫：阴阳星象之学。㊺风角：一种占卜之学。以占候四方、四隅的风向来预测吉凶。㊻征效：应验。㊼不占之书：指无法考察应验的谶纬之学。㊽画工恶图犬马句：一个拙劣的画工，厌恶画狗画马却十分爱好画鬼画妖。㊾诚以实事难形句：真实原因是实在的事物难以惟妙惟肖，而虚假的鬼怪可以随意涂抹。诚，真诚、实在是。不穷，永远画不完。㊿收藏：收缴。(51)朱紫无所眩：使红色与紫色不再混淆。眩，眼花。(52)典籍无瑕玷：使儒家经典不再受到玷污。(53)马续：顺帝永建六年（公元一三一年）为护羌校尉，为东汉第二十任。(54)壬寅：十一月十一日。(55)乙巳：十一月十四日。

【校记】

［1］等：原无此字。据章钰校，甲十六行本、乙十一行本、孔天胤本皆有此字，今据补。［2］使：据章钰校，甲十六行本、乙十一行本皆作“令”。

【语译】

四年（乙亥，公元一三五年）

春，北匈奴呼衍王侵犯车师后王国。汉顺帝命令敦煌太守发兵援助，没有获胜。

二月十六日丙子，开始允许宦官养子承袭爵位。当初，汉顺帝恢复皇位，宦官有功，由此受宠，参与政事。御史张纲上书说：“臣发现汉文帝、汉明帝在位时，道德教化尤为隆盛，设立的宦官常侍不过两人，赏赐亲信侍宠，才不过数万钱，珍惜费用，重视生民，所以家给人足。可是近年来，无功绩的小人都有官职爵位，这不是爱惜百姓、重视官职爵位、顺应天心的做法。”奏章呈上，汉顺帝不理睬。张纲，是张皓的儿子。

发生旱灾。

谒者马贤攻击钟羌人，大败羌人。

夏，四月甲子㉑，太尉施延免。戊寅㉒，以执金吾梁商为大将军，故太尉庞参为太尉。

商称疾不起且㉓一年，帝使太常桓焉㉔奉策就第即拜㉕，商乃诣阙受命㉖。商少通经传，谦恭好士，辟汉阳巨览㉗、上党陈龟㉘为掾属，李固为从事中郎，杨伦㉙为长史。

李固以商柔和自守，不能有所整裁㉚，乃奏记㉛于商曰："数年以来，灾怪屡见。孔子曰：'智者见变思形，愚者睹怪讳名。'㉜天道无亲，可为祇畏㉝。诚令王纲一整，道行忠立，明公踵伯成之高，全不朽之誉㉞，岂与此外戚凡辈耽荣好位者同日而论哉㉟！"商不能用。

秋，闰八月丁亥朔㊱，日有食之。

冬，十月，乌桓寇云中。度辽将军耿晔追击，不利。十一月，乌桓围晔于兰池城㊲，发兵数千人救之，乌桓乃退。

十二月甲寅㊳[3]，京师地震。

【段旨】

以上为第二段，写御史张纲上奏顺帝赏赐亲信应有节度，从事中郎李固劝说梁商让大将军之位与贤者，皆未采纳。

【注释】

㊹丙子：二月十六日。㊺初听：首次允许。㊻张纲（公元九八至一四三年）：字文纪，犍为武阳（今四川眉山市彭山区）人，司空张皓之子。历官侍御史、广陵太守。传见《后汉书》卷五十六。㊼文、明二帝：西汉文帝、东汉明帝。㊽重器：重视官职爵位。㊾甲子：四月初五日。㊿戊寅：四月十九日。㉓且：将近。㉔桓焉（？至公元一四三年）：字叔元，经学世家桓荣之孙，为安帝师，官至太傅。传见《后汉书》卷三十七。㉕奉策就第即拜：桓焉带着封拜梁商为大将军的策文，到梁商家里去宣读。㉖商乃诣阙受命：汉制，封爵或任命三公，在金銮殿上举行隆重的仪式，受命人在谒者、光禄勋的赞礼下向皇帝三跪九叩首。典礼完成，就站到已封拜的官位上，听皇帝讲话。西汉只有卫青因立有大功，汉武帝派特使在军中封拜卫青为大将军。梁商因外戚而贵，不敢享受就第即拜的殊礼，赶紧起床到金銮殿上受封。诣阙，指赶到殿上。㉗巨览：人

夏，四月初五日甲子，太尉施延被免职。十九日戊寅，任命执金吾梁商为大将军，前太尉庞参为太尉。

梁商称病不上朝将近一年，汉顺帝派太常桓焉带着策文，到梁商府上任命，梁商这才到宫廷接受官职。梁商从小通达经传，谦虚恭敬，喜好贤士，曾征召汉阳人巨览、上党人陈龟做掾属，李固为从事中郎，杨伦为长史。

李固因为梁商温和保守，没有能力整理朝纲决断政务，于是向梁商上书说："这些年来，灾变怪异屡屡出现。孔子说：'智慧的人看到灾变，就会思考它产生的原因；愚蠢的人看到怪异，就忌讳提起。'天道没有亲疏，可敬可畏。真要使朝纲整顿，大道运行，建立忠义，你就应当继踵伯成的崇高德行而功成身退，成就不朽的名誉，难道要跟这些沉溺荣耀、贪图官位的外戚凡辈相提并论吗！"梁商不能采用。

秋，闰八月初一日丁亥，日食。

冬，十月，乌桓侵犯云中，度辽将军耿晔追击，没有获胜。十一月，乌桓在兰池城包围了耿晔，朝廷派遣几千人救援，乌桓才退兵。

十二月三十日甲寅，京师发生地震。

名。⑱陈龟：字叔珍，上党泫氏（今山西高平）人，少有志节。桓帝时，终官度辽将军，乞骸骨；复征为尚书，弹劾梁冀不食而死。传见《后汉书》卷五十一。⑲杨伦：字仲理，陈留东昏（今河南兰考北）人，习古文《尚书》。杨伦前后三次征起，皆以直谏不合辞官归家，闭门授徒，卒于家。传见《后汉书》卷七十九上。⑳整裁：整顿吏治，裁汰冗员。㉑奏记：公文报告。㉒孔子曰三句：此处所引"孔子曰"两句话不见儒家典籍，乃纬书之语。意谓智慧的人，看见灾变，就要思考它产生的原因；愚笨的人，看见怪异，忌讳提起，以视而不见来回避。㉓祗畏：敬畏。㉔明公踵伯成之高二句：大将军应当追随伯成的高节而功成身退，保全美名。明公，对梁商的尊称。踵，追随、效法。伯成，《庄子》所载寓言人物，传说他是虞舜时一位封国诸侯，夏朝建立，他辞位去当了农夫。高，高风亮节。㉕岂与此外戚凡辈句：这岂是那些贪恋荣华禄位的凡庸外戚能比拟的。耽，嗜好、贪恋。㉖丁亥朔：闰八月初一日。㉗兰池城：属云中郡，在今内蒙古托克托北。㉘甲寅：十二月三十日。

【校记】

［3］甲寅：原误作"丙寅"。是年十二月无丙寅。据章钰校，甲十六行本、乙十一行本皆作"甲寅"，张敦仁《通鉴刊本识误》同，今据校正。

【原文】

永和元年（丙子，公元一三六年）

春，正月己巳⑲，改元，赦天下。

冬，十月丁亥⑳，承福殿火。

十一月丙子㉑，太尉庞参罢。

十二月，象林㉒蛮夷反。

乙巳㉓，以前司空王龚为太尉。龚疾宦官专权，上书极言其状。诸黄门使客诬奏龚罪，上命龚亟自实㉔。李固奏记于梁商曰："王公以坚贞之操，横为谗佞所构㉕，众人闻知，莫不叹栗㉖。夫三公尊重，无诣理㉗诉冤㉘之义，纤微感概，辄引分决㉙。是以旧典㉚不有大罪，不至重问㉛。王公卒有他变㉜，则朝廷获害贤之名，群臣无救护之节矣。语曰：'善人在患，饥不及餐。㉝'斯其时也。"商即言之于帝，事乃得释。

是岁，以执金吾梁冀为河南尹。冀性嗜酒，逸游自恣㉞，居职多纵暴非法㉟。父商所亲客洛阳令吕放以告商，商以让冀。冀遣人于道刺杀放，而恐商知之，乃推疑放之怨仇，请以放弟禹为洛阳令，使捕之㊱，尽灭其宗亲宾客百余人。

武陵太守上书，以蛮夷率服，可比汉人，增其租赋。议者皆以为可。尚书令虞诩曰："自古圣王不臣异俗㊲。先帝旧典㊳，贡赋[4]多少，所由来久矣，今猥㊴增之，必有怨叛。计其所得，不偿所费，必有后悔。"帝不从。澧中、溇中蛮㊵各争贡布非旧约，遂杀乡吏，举种反。

【段旨】

以上为第三段，写梁冀为河南尹，初任方面，即残暴违法。朝廷加征赋税，逼反蛮夷。

【语译】

永和元年（丙子，公元一三六年）

春，正月十五日己巳，改年号为永和，赦免天下。

冬，十月初七日丁亥，承福殿失火。

十一月二十七日丙子，太尉庞参被免职。

十二月，日南郡象林县的蛮夷反叛。

十二月二十六日乙巳，任命前司空王龚为太尉。王龚憎恨宦官专权，上书极言宦官的罪状。各黄门宦官诬奏王龚犯罪，汉顺帝命令王龚立即到廷尉申诉实情。李固向梁商上书说："王龚因为坚贞的操守，反而被小人谋陷，众人听了，无不叹息而恐惧。三公位尊职重，没有亲自前往廷尉府自辩申冤的道理，即便是细小的过失，也只好自杀了事。所以旧典规定，三公若没有大罪，绝不审问。王龚如果突然发生意外，朝廷就会蒙受伤害贤臣的罪名，群臣也没有了救护的节操。俗话说：'好人在患难中，为了救人，即使肚子饿了也来不及去吃饭。'现在正是救人的时候。"梁商立即向汉顺帝说明，事情才得以解决。

这一年，任命执金吾梁冀为河南尹。梁冀贪酒，纵情游乐，在职多残暴不法。父亲梁商所亲近的人洛阳令吕放禀告梁商，梁商因此责怪梁冀。梁冀派人在路上刺杀吕放，却怕梁商知道此事，就推说怀疑是吕放的仇人所杀，请求派吕放的弟弟吕禹做洛阳令，要他抓获凶犯，吕禹杀了仇人的宗族、亲戚、宾客一百多人。

武陵太守上书，认为蛮夷都已降服，可以比照汉人增加他们的租赋。朝廷上讨论此事的人都认为可以。尚书令虞诩说："自古圣王不把风俗不同的民族当作自己的臣民。历代先帝的旧制惯例，规定赋税的数量，由来已久，现在突然增加，必然会造成怨恨和骚乱。计算所得到的，还无法补偿所耗费的，一定会后悔。"汉顺帝不听从。澧中、溇中的蛮人都争着谴责不按旧约征收贡布，于是杀死乡吏，举族反叛。

【注释】

⑲己巳：正月十五日。⑳丁亥：十月初七日。㉑丙子：十一月二十七日。㉒象林：县名，日南郡属县，在今越南南部。㉓乙巳：十二月二十六日。㉔上命龚亟自实：皇上命王龚立即去廷尉辨明真假。自实，自己诉说实情。㉕构：陷害。㉖叹栗：叹息恐惧。㉗诣理：到廷尉府。㉘诉冤：自我申辩。㉙纤微感概二句：即便是细小过失，也只好自杀了结。㉚旧典：原有的法令。㉛不至重问：指按照旧典，三公若无重罪，绝不审

问。因审讯三公重狱，一般为自我辩诬，不进行审讯。重问，即重案审讯，指由多个大臣组成合议庭审讯的国家级大案。成帝时审理丞相薛宣、御史大夫翟方进，用五个二千石九卿会审，以示大臣狱重。㉒王公卒有他变：指王龚会突然自杀。卒，通"猝"。哀帝时，丞相王嘉被召廷尉对簿，王嘉以将相不对理陈冤而自杀，于是相沿成为故事。若王龚不愿对簿公堂，只有自杀一条路了。㉓语曰三句：俗话说，好人在受罪，来不及去吃饭。喻当速救好人，连吃饭的工夫也没有。㉔逸游自恣：纵情游乐。㉕居职多纵暴非法：在职多残暴不法。㉖使捕之：使吕放之弟洛阳令吕禹捕杀仇家，株连仇家的宗族、亲戚、宾客百余人。㉗不臣异俗：不把风俗不同的少数民族当作自己的臣民。㉘先帝旧典：指东汉历届皇帝的惯例。汉兴，令武陵诸蛮，大人每岁输布一匹，儿童每人输布二丈。㉙猥：猝然；突然。⑩⓪澧中、溇中蛮：居于澧水、溇水流域的蛮族。

【原文】

二年（丁丑，公元一三七年）

春，武陵蛮二万人围充城[101]，八千人寇夷道[102]。

二月，广汉属国都尉击破白马羌。

帝遣武陵太守李进击叛蛮，破平之。进乃简选良吏，抚循蛮夷，郡境遂安。

三月乙卯[103][5]，司空王卓薨。丁丑[104]，以光禄勋郭虔为司空。

夏，四月丙申[105]，京师地震。

五月癸丑[106]，山阳君宋娥坐构奸诬罔[107]，收印绶，归里舍。黄龙、杨佗、孟叔、李建、张贤、史泛、王道、李元、李刚等九侯坐与宋娥更相赂遗[108]，求高官增邑[109]，并遣就国，减租四分之一[110]。

象林蛮区怜[111]等攻县寺[112]，杀长吏。交趾刺史樊演发交趾、九真兵万余人救之。兵士惮远役，秋，七月，二郡兵反，攻其府[113]。府虽击破反者，而蛮势转盛。

冬，十月甲申[114]，上行幸长安。扶风田弱荐同郡法真[115]博通内外学[116]，隐居不仕，宜就加衮职[117]。帝虚心欲致之，前后四征，终不屈。友人郭正称之曰："法真名可得闻，身难得而见。逃名而名我随，避名而名我追[118]，可谓百世之师者矣！"真，雄之子也。

【校记】

［4］赋：据章钰校，甲十六行本、乙十一行本皆作“税”。〖按〗《后汉书》卷八十六《南蛮西南夷列传》亦作“税”。

【语译】

二年（丁丑，公元一三七年）

春，武陵蛮二万人围攻充城县，八千人侵掠夷道县。

二月，广汉属国都尉打败白马羌。

汉顺帝派武陵太守李进攻打叛乱的蛮族，打败并平定了蛮族。李进又选择良吏，安抚蛮夷，郡内终于安定。

三月初八日乙卯，司空王卓去世。三十日丁丑，任命光禄勋郭虔为司空。

夏，四月十九日丙申，京城洛阳发生地震。

五月初六日癸丑，山阳君宋娥犯了结党为奸和诬陷欺诈罪，被没收印绶，遣返乡里。黄龙、杨佗、孟叔、李建、张贤、史泛、王道、李元、李刚等九侯犯有与宋娥互相贿赂，谋求高官、增加封邑户口的罪行，一同遣回封国，减少采邑租税的四分之一。

象林郡蛮区怜等人攻打县衙，杀掉主管官吏。交趾刺史樊演调派交趾、九真的军队一万多人去救援。士兵害怕远征，秋，七月，两郡士兵反叛，攻击郡府。郡府虽然击败叛军，但是，蛮人势力逐渐强盛。

冬，十月初十日甲申，汉顺帝临幸长安，扶风人田弱举荐同郡人法真博通内学和外学，隐居不当官，应聘以高官。汉顺帝虚心征召，前后四次，始终不肯屈从。友人郭正称赞他说：“法真的名声可以听到，却难见到其人。逃避名声，而名声随着他；躲避名声，而名声追赶他。可以说是百代之师了！”法真，是法雄的儿子。

丁卯⑲，京师地震。

太尉王龚以中常侍张昉等专弄国权，欲奏诛之。宗亲有以杨震行事⑳谏之者，龚乃止。

十二月乙亥㉑，上还自长安。

【段旨】

以上为第四段，写宋娥势力倒台，张昉等奸佞依然得势。

【注释】

⑩充城：县名，县治在今湖南张家界市永定区。⑩夷道：县名，县治在今湖北宜都。⑩乙卯：三月初八日。⑩丁丑：三月三十日。⑩丙申：四月十九日。⑩癸丑：五月初六日。⑩坐构奸诬罔：被指控结党为奸和诬陷欺诈。⑩更相赂遗：互相贿赂。⑩求高官增邑：谋求高官，增加封邑户口。⑩减租四分之一：采邑租税为封君的收入，今惩罚九侯，减少其采邑租税收入的四分之一。⑪区怜：人名。⑫县寺：县衙。⑬攻其府：指交趾、九真二郡反者攻击郡衙。⑭甲申：十月初十日。⑮法真（公元一〇〇至一八八

【原文】

三年（戊寅，公元一三八年）

春，二月乙亥㉒，京师及金城、陇西地震，二郡山崩。

夏，闰四月己酉㉓，京师地震。

五月，吴郡㉔丞羊珍反，攻郡府，太守王衡破斩之。

侍御史贾昌与州郡并力讨区怜等[6]不克，为所攻围，岁余，兵谷不继。帝召公卿百官及四府㉕掾属问以方略，皆议遣大将，发荆、扬、兖、豫㉖四万人赴之。李固驳曰："若荆、扬无事，发之可也。今二州盗贼磐结㉗不散，武陵、南郡蛮夷未辑㉘，长沙、桂阳㉙数被征发，如复扰动，必更生患，其不可一也。又，兖、豫之人卒被征发，远赴万里，无有还期，诏书迫促，必致叛亡，其不可二也。南州㉚水土温暑，加有瘴气㉛，

十一月二十三日丁卯，京城洛阳发生地震。

太尉王龚因为中常侍张昉等人专断朝政，想要上奏杀掉他们。宗亲中有人用杨震的事情进谏，王龚才作罢。

十二月初二日乙亥，汉顺帝从长安返回洛阳。

年）：字高卿，安帝时青州刺史法雄之子，博学高行，终身不仕。传见《后汉书》卷八十三《逸民列传》。⑯ 内外学：东汉崇尚图谶，以“六经”为外学，纬书为内学。内学有七纬，为《易纬》《书纬》《诗纬》《礼纬》《乐纬》《孝经纬》《春秋纬》。⑰ 衮职：指三公之位。⑱ 逃名而名我随二句：逃避名声，名声随着他；躲避名声，名声追赶他。⑲ 丁卯：十一月二十三日。⑳ 杨震行事：指安帝太尉杨震弹劾中常侍樊丰等，反为所害。事见本书卷五十安帝延光三年。㉑ 乙亥：十二月初二日。

【校记】

［5］乙卯：原无此二字。据章钰校，甲十六行本、乙十一行本皆有此二字，张敦仁《通鉴刊本识误》、张瑛《通鉴校勘记》同，今据补。

【语译】

三年（戊寅，公元一三八年）

春，二月初三日乙亥，京城和金城、陇西地震，两个郡发生山崩。

夏，闰四月初八日己酉，京师地震。

五月，吴郡丞羊珍叛乱，进攻郡府，太守王衡打败叛军，杀死羊珍。

侍御史贾昌和州郡合力讨伐区怜等不能取胜，反被包围，一年多后，兵力和粮食都供应不上。汉顺帝召集公卿百官和四府幕僚，询问策略，全都主张派大将，征发荆、扬、兖、豫四州的四万人前去救援。李固驳斥说：“如果荆州、扬州没有乱事，可以征发。现在二州的盗贼盘踞不散，武陵、南郡的蛮夷没有平定，长沙、桂阳一再被征发，如果再惊动他们，必然又会发生祸乱，这是不可以的第一个原因。还有，兖州、豫州的百姓突然被征发，远赴万里，没有回来的日期，诏书催得急，必然导致叛乱逃亡，这是不可以的第二个原因。南方水温土湿，加上有湿热毒气，

致死亡者十必四五，其不可三也。远涉万里，士卒疲劳，比至岭南，不复堪斗，其不可四也。军行三十里为程⑬²，而去日南九千余里，三百日乃到，计人禀五升⑬³，用米六十万斛，不计将吏驴马之食，但负甲自致⑬⁴，费便若此，其不可五也。设军所在，死亡必众，既不足御敌，当复更发，此为刻割心腹⑬⁵以补四支，其不可六也。九真、日南相去千里，发其吏民犹尚不堪，何况乃苦四州之卒以赴万里之艰哉！其不可七也。前中郎将尹就讨益州叛羌，益州谚曰：'虏来尚可，尹来杀我。'后就征还，以兵付刺史张乔，乔因其将吏，旬月⑬⁶之间破殄⑬⁷寇虏。此发将无益之效，州郡可任之验⑬⁸也。宜更选有勇略仁惠任将帅者，以为刺史、太守，悉使共住交趾。今日南兵单无谷⑬⁹，守既不足，战又不能，可一切徙其吏民，北依交趾，事静之后，乃命归本。还募蛮夷使自相攻，转输金帛⑭⁰以为其资。有能反间⑭¹致头首⑭²者，许以封侯裂土之赏。故并州刺史长沙祝良性多勇决，又南阳张乔前在益州有破虏之功，皆可任用。昔太宗⑭³就加魏尚⑭⁴为云中守，哀帝即拜龚舍⑭⁵为泰山守，宜即拜良等，便道之官⑭⁶。"四府悉从固议，即拜祝良为九真太守，张乔为交趾刺史。乔至，开示⑭⁷慰诱⑭⁸，并皆降散。良到九真，单车入贼中⑭⁹，设方略⑮⁰，招以威信⑮¹，降者数万人，皆为良筑起府寺⑮²。由是岭外复平。

【段旨】

以上为第五段，写李固反对朝廷用兵岭南七不可，建议慎选刺史、郡守，张乔等人到任，岭南叛乱兵不血刃得以平息。

【注释】

⑫²乙亥：二月初三日。⑫³己酉：闰四月初八日。⑫⁴吴郡：郡名，治所吴县，在今江苏苏州。⑫⁵四府：大将军、太尉、司徒、司空四府。⑫⁶荆、扬、兖、豫：州名，荆州辖今两湖及两广、贵州、河南等省一部分，治所汉寿，在今湖南常德东北。扬州辖今皖南、苏南、江西、浙江、福建等地，治所历阳，在今安徽和县。兖州辖今山东西南部，

会导致十人中必然有四五个人死亡，这是不可以的第三个原因。远涉万里，士兵疲劳，等到达岭南，不能再打仗了，这是不可以的第四个原因。军队走三十里为一日程途，京城到日南郡有九千多里，三百天才到，假设每人每天供给五升米，要用六十万斛米，这还不包括将士、官吏的驴、马粮草，仅仅大军自己携带兵甲到达，费用便有如此之多，这是不可以的第五个原因。军队战斗过的地方，死亡一定很多，既然不能够抗敌，就要重新调发，这是割舍心腹来增补四肢，这是不可以的第六个原因。九真、日南相距一千里路，征发他们的官吏、民众还不能承受，何况劳苦四州的士兵以赴万里艰险！这是不可以的第七个原因。前中郎将尹就征讨益州羌族叛军，益州俗语说：'叛军来了还可，尹就来了杀我。'后来召回尹就，把军队交给刺史张乔，张乔依靠将士，一个月就消灭了敌寇。这就是即便朝廷派将发兵没有效果，而贤明的州郡长官足可胜任的证明。应该再选派勇略仁厚能胜任将帅的人，任命为刺史、太守，命他们一同驻守交趾。现在日南兵力单薄而又缺粮，既不能守，又不能战，可以迁移所有的官吏、民众，向北依靠交趾，等事情平定以后，再令其回到本郡。还可以招募蛮夷，使他们互相攻击，送给金银绸缎作为资助。有人能够深入隐藏于敌人之中做策反间谍，杀死诸蛮首领的，答应给予封侯、赐地的奖赏。前并州刺史长沙人祝良勇敢果断，还有南阳人张乔以前在益州有攻破敌虏的功劳，都可以任用。从前汉文帝就地任命魏尚为云中郡太守，汉哀帝立刻任命龚舍为泰山郡太守，应马上任命祝良等人，从小道赴任。"四府完全同意李固的建议，立即任命祝良为九真太守，张乔为交趾刺史。张乔到职，开诚布公宣示政策，安抚诱导，叛人都归降或解散。祝良到了九真，单独乘车进入蛮营中，说明利害，指示出路，宣示朝廷的威望和信誉来招降安抚，有几万人归降，大家还共同替祝良修筑郡府官舍。于是，岭外重新平定。

治所昌邑，在今山东昌邑。豫州辖今豫东、皖北，治所谯，在今安徽亳州。⑫磐结：如磐石之坚，树根之结。⑫未辑：未安定。⑫长沙、桂阳：两郡名。长沙郡治所临湘，在今湖南长沙。桂阳郡治所郴县，在今湖南郴州。⑬南州：东汉南部州郡，当即五岭以南之地。⑬瘴气：南方生于夏季的湿热毒气。⑬程：一站路；一日程途。大军运行，日程三十里。⑬禀五升：每日给粮五升。古升小，人日耗五升。禀，给也。⑬负甲自致：指大军自己携带兵甲到达。⑬心腹：喻内地、本土。下文的四支，喻边地。⑬旬月：一月。⑬破殄：击败消灭。益州刺史张乔破益州羌，事见本书卷四十九安帝元初二年至卷五十元初五年。⑬州郡可任之验：州郡长官可堪大任的明证。验，显明的证据。贤明州郡长官足可胜任，张乔就是明证。⑬兵单无谷：兵力单薄而又缺粮。⑭金帛：金银绸缎。⑭反间：深入隐蔽于敌人之中做策反间谍。⑭致头首：杀死诸蛮首领。⑭太宗：汉

文帝庙号。⑭魏尚：文帝时云中太守，因在一次报功中杀敌首级差了六颗被治罪。汉文帝知道后赦罪复任为云中太守。事见本书卷十四文帝十四年。⑮龚舍：楚人，哀帝两次征起，皆病免，不久，哀帝遣使拜为泰山太守。传见《汉书》卷七十二。⑯便道之官：从小道赴任。因九真、交趾两郡城被围，大道不通，故从小道赴任。⑰开示：开诚布公宣示政策。⑱慰诱：安抚诱导。⑲单车入贼中：单独乘车进入蛮营中，不带兵将以示诚心。⑳设方略：讲说利弊，指示出路。㉑招以威信：宣示政府的威望和信誉。㉒皆为良筑起府寺：大家都替祝良重建郡府官舍。

【原文】

秋，八月己未[153]，司徒黄尚免。九月己酉[154]，以光禄勋长沙刘寿为司徒。

丙戌[155]，令大将军、三公举刚毅、武猛、谋谟任将帅者各二人，特进、卿、校尉各一人。

初，尚书令左雄荐冀州刺史周举为尚书，既而雄为司隶校尉，举故冀州刺史冯直任将帅。直尝坐臧受罪[156]，举以此劾奏雄[157]。雄曰："诏书使我选武猛，不使我选清高。"举曰："诏书使君选武猛，不使君选贪污也！"雄曰："进君，适所以自伐[158]也。"举曰："昔赵宣子[159]任韩厥[160]为司马，厥以军法戮宣子仆[161]。宣子谓诸大夫曰：'可贺我矣！吾选厥也任其事[162]。'今君不以举之不才误升诸朝，不敢阿君以为君羞[163]，不寤君之意与宣子殊也。"雄悦，谢曰："吾尝事冯直之父，又与直善，今宣光以此奏吾，是吾之过也。"天下益以此贤之[164]。

是时，宦官竞卖恩势[165]，唯大长秋良贺清俭退厚[166]。及诏举武猛，贺独无所荐。帝问其故，对曰："臣生自草茅[167]，长于宫掖，既无知人之明，又未尝交加士类[168]。昔卫鞅因景监以见，有识知其不终[169]。今得臣举者，匪荣伊辱[170]，是以不敢。"帝由是赏之。

冬，十月，烧当羌那离等三千余骑寇金城，校尉马贤击破之。

十二月戊戌朔[171]，日有食之。

大将军商以小黄门南阳曹节[172]等用事于中，遣子冀、不疑与为交

【校记】

[6] 等：原无此字。据章钰校，甲十六行本、乙十一行本、孔天胤本皆有此字，张敦仁《通鉴刊本识误》同，今据补。

【语译】

秋，八月二十日己未，司徒黄尚被免职。九月己酉日，任命光禄勋长沙人刘寿为司徒。

九月十七日丙戌，命令大将军、三公推荐刚毅、武猛、有谋略，能担当将帅的各二人，推荐特进、卿、校尉各一人。

当初，尚书令左雄举荐冀州刺史周举为尚书，不久，左雄任司隶校尉，推荐前冀州刺史冯直担任将帅。冯直曾经被指控贪污而受刑，周举因此弹劾左雄推荐失误。左雄说："诏书让我推荐武猛，没有让我推荐清高。"周举说："诏书让你推荐武猛，不是让你推荐贪污！"左雄说："我推荐你，没想到是自找苦吃。"周举说："过去赵宣子任命韩厥为司马，韩厥以军法杀掉赵宣子的车夫。赵宣子对各大夫说：'你们可以祝贺我了！我选拔的韩厥非常称职。'现在，你把我这个没有才能的人错荐到中央，我绝不敢阿附你，使你蒙受羞辱，想不到你的心意和赵宣子不同。"左雄很高兴，道歉说："我曾经侍奉过冯直的父亲，又与冯直友善，现在宣光以此上告我，是我的过失。"天下人因此更为敬重左雄。

这时，宦官依仗皇帝宠幸而争相挟势卖恩，只有大长秋良贺清正节俭，淡泊谦让。等到诏书命令推荐武猛，只有良贺没有推荐。汉顺帝问他原因，回答说："臣生在贫穷的乡间，长在宫廷，既无知人之明，也不曾结交有学问的士子。过去卫鞅是通过景监才得以晋见秦君，有见识的人知道卫鞅不能善终。现今若得到臣推荐的人，不仅不会引以为荣，反而会使他蒙受羞辱，所以才不敢推荐。"汉顺帝因此奖赏了他。

冬，十月，烧当羌那离等三千多骑兵侵犯金城，校尉马贤打败了羌人。

十二月初一日戊戌，发生日食。

大将军梁商因为小黄门南阳人曹节等人在朝中掌权，派儿子梁冀、梁不疑与他

友。而宦官忌其宠，反欲陷之。中常侍张逵、蘧政、杨定等与左右连谋，共谮商及中常侍曹腾[173]、孟贲，云："欲征诸王子，图议废立，请收商等案罪。"帝曰："大将军父子我所亲，腾、贲我所爱，必无是，但汝曹共妒之耳！"逵等知言不用，惧迫[174]，遂出，矫诏收缚腾、贲于省中。帝闻，震怒，敕宦者李歙急呼腾、贲释之，收逵等下狱。

【段旨】

以上为第六段，写司隶校尉左雄、尚书周举公忠廉直，而大将军梁商与其子梁冀勾结宦官曹节、曹腾等人固宠，挑起宦官内讧而兴大狱。

【注释】

⑬ 己未：八月二十日。⑭ 己酉：九月庚午朔，无己酉。疑记载有误。⑮ 丙戌：九月十七日。⑯ 坐臧受罪：被控贪污受刑。⑰ 举以此劾奏雄：周举因此弹劾左雄举荐非人。⑱ 自伐：自找祸害。⑲ 赵宣子：春秋时晋卿，即赵衰之子赵盾。⑳ 韩厥：晋大夫，至晋景公时置六卿，韩厥亦为晋六卿之一。㉑ 厥以军法戮宣子仆：秦、晋战于河曲，赵宣子率领中军，举韩厥为司马，韩厥杀了赵宣子的车夫。大家都替韩厥捏一把汗，认为将受赵宣子的责罚。想不到赵宣子却对大家说："你们应向我祝贺，我选用了一个非常称

【原文】

四年（己卯，公元一三九年）

春，正月庚辰[175]，逵等伏诛，事连弘农太守张凤、安平相杨皓，皆坐死，辞所连染[176]，延及[177]在位大臣。商惧多侵枉[178]，乃上疏曰："《春秋》之义[179]，功在元帅[180]，罪止首恶[181]。大狱一起，无辜者众，死囚久系，纤微成大[182]，非所以顺迎和气，平政成化[183]也。宜早讫竟[184]，以止逮捕之烦。"帝纳之，罪止坐者。

二月，帝以商少子虎贲中郎将不疑为步兵校尉。商上书辞曰："不

们结为朋友。宦官对曹节受宠很妒恨，反而想陷害他。中常侍张逵、蘧政、杨定等人和身边亲信一起谋划，共同毁谤梁商和中常侍曹腾、孟贲，说："梁氏想征召各王子，图谋废黜皇帝，请求收捕梁商等人，审查他们的罪行。"汉顺帝说："大将军父子是我亲近的人，曹腾、孟贲是朕所爱惜的人，一定没有叛乱之事，只是你们这些人一起忌恨他们而已！"张逵等人知道说的话不被采用，害怕大祸临头，于是出宫，伪造诏书，在宫中收捕曹腾、孟贲。汉顺帝听到了，大怒，命令宦官李歙赶紧传命释放曹腾、孟贲，收捕张逵等人下狱。

职的人。"⑯任其事：胜任其职。⑯不敢阿君以为君羞：我绝不阿附你，使你蒙羞。⑯贤之：以左雄为贤而更加敬重，因左雄闻过则改。贤，作动词用，敬重。⑯宦官竞卖恩势：宦官仗恃皇帝宠信而争相挟势卖恩。卖恩，送人情，结党营私。⑯清俭退厚：清正节俭，淡泊谦让。⑯生自草茅：出生在贫困的乡间。草茅，指代乡野。⑯交加士类：结交有学问的士子。⑯卫鞅因景监以见二句：卫鞅，即商鞅。卫鞅入秦，请托秦孝公的宠幸宦官景监推荐，才得到晋见和重用。商鞅变法，用刑太酷，秦赵良认为他不得善终。事见本书卷二周显王三十一年。⑰今得臣举者二句：良贺谓，如今士人得到我的推荐，不仅不以为荣，反而使他感到羞辱。⑰戊戌朔：十二月初一日。⑰曹节：字汉丰，南阳新野（在今河南新野）人，桓帝时为中常侍，灵帝时以定册封长安乡侯，擅权乱政。传见《后汉书卷七十八·宦者列传》。⑰曹腾：即曹操祖父，历仕安、顺、桓、灵四帝的大宦官，封费亭侯。传亦见《宦者传》。⑰惧迫：恐惧大祸临头。

【语译】

四年（己卯，公元一三九年）

春，正月十三日庚辰，张逵等人被杀，事情牵连到弘农太守张凤、安平国相杨皓，他们都获罪被处死，口供牵连到在位的大臣。梁商担心造成过多侵害和冤枉，于是上疏说："《春秋》所书大义，功绩归于元帅，罪过只在元凶。大狱一兴，无辜受冤的人就多了，死囚长久地拘押，细小的过失，也会变成大案件，这不是顺应春天的和气，使政治平和、完善教化的办法。应当早日结案，以停止逮捕过多。"汉顺帝采纳了，只追究当事人的罪行。

二月，汉顺帝任命梁商的小儿子虎贲中郎将梁不疑为步兵校尉。梁商上书推辞

疑童孺，猥[185]处成人之位。昔晏平仲辞鄁殿以守[7]其富[186]，公仪休不受鱼飧以定其位[187]，臣虽不才，亦愿固福禄于圣世。"上乃以不疑为侍中、奉车都尉。

三月乙亥[188]，京师地震。

烧当羌那离等复反。夏，四月癸卯[189]，护羌校尉马贤[190]讨斩之，获首虏千二百余级。

戊午[191]，赦天下。

五月戊辰[192]，封故济北惠王寿子安为济北王[193]。

秋，八月，太原旱[194]。

【段旨】

以上为第七段，写梁商谏止大狱蔓延。

【注释】

⑰⑤庚辰：正月十三日。⑰⑥辞所连染：口供牵引。⑰⑦延及：株连。⑰⑧侵枉：侵害和冤枉。⑰⑨《春秋》之义：《春秋》所书大义。这里《春秋》指《左传》《公羊传》。⑱⓪功在元帅：公元前五八九年齐晋鞍之战，晋军统帅郤克战胜归来，范文子（晋大夫，士燮）归功元帅。事详《左传》成公二年。⑱①罪止首恶：公元前六五八年晋献公借道虞国收灭虢国下阳，《春秋》书作："虞师晋师灭下阳。"《公羊传》解释认为虞公弱小之国，借道大国以伐郤，是为首恶，故书于晋国之上。事详《公羊传》僖公二年。⑱②纤微成大：细小的过失也会变成大案件。⑱③顺迎和气二句：时当正月，应颁行恩惠以迎接春天的和气，使政治平和，教化民众。⑱④宜早讫竟：应尽早结案。⑱⑤猥：乃；竟然。⑱⑥晏平仲辞鄁殿以守其富：晏平

【原文】

五年（庚辰，公元一四〇年）

春，二月戊申[195]，京师地震。

南匈奴句龙王吾斯、车纽等反，寇西河[196]，招诱右贤王合兵围美稷[197]，杀朔方、代郡[198]长吏。夏，五月，度辽将军马续与中郎将梁

说："梁不疑是个孩子，竟然担任成人的职位。从前晏平仲推辞邶殿以守护他的富贵，公仪休不接受赠鱼以安定他的高位，臣虽然没有才能，也希望在圣主之世固守自己的福禄。"汉顺帝就任命梁不疑为侍中、奉车都尉。

三月初九日乙亥，京城洛阳发生地震。

烧当羌那离等人再次叛乱。夏，四月初八日癸卯，护羌校尉马贤去征讨他们，杀死那离，又杀敌人一千二百多人。

二十三日戊午，大赦天下。

五月初三日戊辰，册封前济北惠王刘寿的儿子刘安为济北王。

秋，八月，太原郡发生旱灾。

仲，齐景公时国相晏婴。齐大夫庆封乱政，被逐出齐国，齐景公将邶殿的六十个城邑的土地赏赐给晏平仲，晏子相辞不受，他认为财富过多，随即灭亡，不受邶殿，不是厌恶财富，正是为了守财富。事详《左传》襄公二十八年。邶殿，地名，在今山东昌邑西北郊。⑱⑦公仪休不受鱼飧句：公仪休，春秋时鲁相。他爱吃鱼，有人送他鱼，他拒辞不受。公仪休说："我当国相，有条件吃鱼，我若接受鱼的贿赂而被免职，那时没人送鱼，反而成为没条件吃鱼了。"事详《史记》卷一百二十《循吏列传》。⑱⑧乙亥：三月初九日。⑱⑨癸卯：四月初八日。⑲⓪护羌校尉马贤：顺帝永和元年（公元一三六年）马贤第二次被授职为护羌校尉，此是东汉第十七任护羌校尉。⑲①戊午：四月二十三日。⑲②戊辰：五月初三日。⑲③安为济北王：济北王刘寿，章帝子，三传至刘多，去年刘多死，无子，今以刘寿庶子刘安绍封。⑲④太原旱：太原郡旱。太原郡辖今山西晋中地区，治所晋阳，在今山西太原西南郊。

【校记】

［7］守：原作"安"。据章钰校，甲十六行本、乙十一行本、孔天胤本皆作"守"，今从改。

【语译】

五年（庚辰，公元一四〇年）

春，二月十七日戊申，京师发生地震。

南匈奴句龙王吾斯、车纽等人叛乱，侵入西河郡，诱使右贤王联合兵力围攻美稷，杀死朔方、代郡的官吏。夏，五月，度辽将军马续和中郎将梁并等人调发边境

并[199]等发边兵及羌、胡合二万余人掩击，破之。吾斯等复更屯聚，攻没城邑。天子遣使责让单于。单于本不预谋，乃脱帽避帐，诣并谢罪[200]。并以病征[201]，五原太守陈龟代为中郎将。龟以单于不能制下[202]，逼迫单于及其弟左贤王皆令自杀。龟又欲徙单于近亲[203]于内郡，而降者遂更狐疑。龟坐下狱，免。

大将军商上表曰："匈奴寇畔，自知罪极。穷鸟困兽，皆知救死，况种类繁炽，不可单尽[204]。今转运日增，三军疲苦，虚内给外，非中国之利。度辽将军马续素有谋谟[205]，且典边日久，深晓兵要，每得续书，与臣策合。宜令续深沟高垒[206]，以恩信招降[207]，宣示购赏[208]，明为期约[209]。如此，则丑类[210]可服，国家无事矣。"帝从之，乃诏续招降畔虏。

商又移书续等曰："中国安宁，忘战日久。良骑野合[211][8]，交锋接矢[212]，决胜当时[213]，戎狄之所长而中国之所短也。强弩乘城[214]，坚营固守[215]，以待其衰[216]，中国之所长而戎狄之所短也。宜务先所长而观其变[217]，设购开赏，宣示反悔[218]，勿贪小功以乱大谋[219]。"于是右贤王部抑鞮等万三千口皆诣续降。

己丑晦[220]，日有食之。

初，那离等既平，朝廷以来机为并州刺史，刘秉为凉州刺史。机等天性虐刻[221]，多所扰发[222]。且冻、傅难种羌遂反，攻金城[223]，与杂种羌、胡大寇三辅[224]，杀害长吏。机等并坐征，于是拜马贤为征西将军，以骑都尉耿叔为副，将左右羽林五校士[225]及诸州郡兵十万人屯汉阳[226]。

九月，令扶风、汉阳筑陇道坞[227]三百所，置屯兵。

辛未[228]，太尉王龚以老病罢。

且冻羌寇武都，烧陇关[229]。

壬午[230]，以太常桓焉[231]为太尉。

匈奴句龙王吾斯等立车纽为单于，东引乌桓，西收羌、胡等数万人攻破京兆虎牙营[232]，杀上郡都尉及军司马，遂寇掠并、凉、幽、冀四州。乃徙西河治离石[233]，上郡治夏阳[234]，朔方治五原[235]。十二月，遣使匈奴中郎将张耽将幽州、乌桓诸郡营兵击车纽等，战于马邑[236]，斩首三千级，获生口甚众。车纽乞降，而吾斯犹率其部曲与乌桓寇钞。

军队和羌人、胡人共两万多人突袭，击败了他们。吾斯等人又重新聚合在一起，攻占城池。汉顺帝派遣使者质问南匈奴单于。单于本来没有参与谋划，就脱下帽子，离开帐幕，到梁并军营请罪。梁并因为生病被征还京师，五原太守陈龟代行中郎将职。陈龟因为单于不能控制下属，逼迫单于和他的弟弟左贤王都自杀。陈龟又打算把单于的皇亲近族迁到关内的郡县，使得投降的人更加猜疑不安。陈龟被论罪下狱，免官。

大将军梁商上书说："匈奴反叛作乱，自知罪大恶极。穷困的鸟兽都知道挽救死亡，何况匈奴种族繁盛，不可能消灭干净。而今军资粮米转运日增，三军疲劳困苦，使国内空乏来供应边防，不利于中国。度辽将军马续向来有谋略，并长期主持边防，精通用兵打仗的要害，臣每次收到马续的书信，总是和臣的策略相合。应当命马续深沟高垒，利用恩德信誉招降敌人，明确颁布悬赏条例，明示投降日期。这样，敌人就可以顺服，国家就无事了。"汉顺帝听从了，于是下诏命令马续招降叛敌。

梁商又写信给马续等人说："中国安定，久无战事。精锐骑兵旷野交战，短兵相接，顷刻之间决定胜负，这是匈奴的长处，却是中国的短处。强弓守城，坚营固守，以等待敌人士气低落，这是中国的长处，却是匈奴的短处。应该先发挥我们的长处，观察形势的变化，设立悬赏，宣讲政策，使敌人后悔而归降，不要贪图小利而扰乱了长久安边的大谋。"于是，右贤王的部下抑鞮等一万三千人都到马续军营投降。

五月最后一天三十日己丑，发生日食。

当初，那离等人被平定后，朝廷任命来机为并州刺史，刘秉为凉州刺史。来机等人本性暴虐残忍，常常骚扰征调。且冻、傅难种羌族于是反叛，攻打金城，联合各部落的羌人、胡人大肆侵入三辅，杀死官吏。来机等人一起都被论罪征回，于是任命马贤为征西将军，骑都尉耿叔为副职，率领左右羽林五校士和各州郡军队共十万人驻扎在汉阳郡。

九月，命令扶风郡和汉阳郡在两郡之间的陇山通道上建筑三百所坞壁城堡，驻扎防务军队。

十四日辛未，太尉王龚因为年老多病而免职。

且冻羌侵扰武都，焚毁陇关。

二十五日壬午，任命太常桓焉为太尉。

匈奴句龙王吾斯等人立车纽为单于，向东联合乌桓，向西收拢羌族、胡族等几万人攻破京兆虎牙营，杀害上郡都尉和军司马，于是侵掠并、凉、幽、冀四州。朝廷于是就把西河的治所迁到离石，上郡的治所迁到夏阳，朔方的治所迁到五原。十二月，派出使匈奴中郎将张耽率领幽州、乌桓各郡军队攻打车纽等人，战于马邑，杀死三千人，俘获许多人口。车纽请求投降，而吾斯仍然率领他的部众和乌桓四处抢掠。

【段旨】

以上为第八段，写梁商主张以恩德信誉招降北方匈奴。

【注释】

⑮ 戊申：二月十七日。⑯ 西河：郡名，辖今内蒙古、陕西、山西三省交会地带，跨黄河两岸。治所平定，在今内蒙古鄂尔多斯市东胜区。东汉永和五年（公元一四〇年）移治离石，在今山西离石。⑰ 美稷：县名，南单于庭，县治在今内蒙古准格尔旗西北。⑱ 朔方、代郡：朔方郡在内蒙古西北部，治所临戎，在今内蒙古磴口北。代郡治所高柳，在今山西阳高。⑲ 中郎将梁并：使匈奴中郎将梁并。⑳ 脱帽避帐二句：南匈奴单于脱下官帽，离开王帐，到使匈奴中郎将梁并处请罪。㉑ 并以病征：梁并因病征还京师。㉒ 制下：控制下属。㉓ 单于近亲：单于的皇亲近族。㉔ 单尽：消灭干净。单，通“殚”，亦尽也。㉕ 素有谋谟：向来有谋略。㉖ 深沟高垒：深挖壕沟，加固营垒。㉗ 以恩信招降：用恩德信誉招抚降敌。㉘ 宣示购赏：明确颁布奖赏条例。㉙ 明为期约：明确投降日期。㉚ 丑类：这里指反叛的匈奴。㉛ 野合：旷野交战。㉜ 交锋接矢：短兵相接。㉝ 决胜当时：拼命战斗，立即决出胜负。㉞ 强弩乘城：用强弓登城而守。㉟ 坚营固守：筑造坚固营垒死守。㊱ 以待其衰：等待敌人士气低落，寻找战机。㊲ 宜务先所

【原文】

初，上命马贤讨西羌，大将军商以为贤老，不如太中大夫宋汉[237]，帝不从。汉，由之子也。贤到军，稽留不进[238]。武都太守马融上疏曰：“今杂种诸羌转相钞盗[239]，宜及其未并[240]，亟遣深入，破其支党[241]，而马贤等处处留滞[242]。羌、胡百里望尘，千里听声[243]。今逃匿避回，漏出其后[244]，则必侵寇三辅，为民大害。臣愿请贤所不可用关东兵五千[245]，裁假部队之号[246]，尽力率厉[247]，埋根行首，以先吏士[248]，三旬之中，必克破之。臣又闻吴起为将，暑不张盖，寒不披裘。今贤野次垂幕[249]，珍肴杂遝[250]，儿子侍妾[251]，事与古反[252]。臣惧贤等专守一城，言攻于西而羌出于东，且其将士将不堪命[253]，必有高克溃叛之变[254]也。”安定人皇甫规[255]亦见贤不恤[256]军事，审[257]其必败，上书言状，朝廷皆不从。

长而观其变：中国军队应当首先发挥自己的优势，即坚营固守以观察形势的变化。㉘设购开赏二句：设立奖赏，宣讲政策，使敌人后悔而归降。㉙勿贪小功以乱大谋：不要贪图小利而扰乱了长久安边的大谋。㉚己丑晦：五月三十日。㉛虐刻：暴虐残忍。㉜扰发：侵扰征调。㉝金城：县名，金城郡属县，在今甘肃兰州市西固区。㉞三辅：关中地区。㉟左右羽林五校士：左右羽林军及北军五校禁卫军。五校，即屯骑、越骑、步兵、长水、射声五校尉。㊱汉阳：郡名，治所冀县，在今甘肃甘谷县。㊲令扶风、汉阳筑陇道坞：在扶风与汉阳两郡的陇山通道上步步设防，修建坞壁城堡。㊳辛未：九月十四日。㊴陇关：即大震关，在今甘肃张家川西南陇山上。㊵壬午：九月二十五日。㊶桓焉：字叔元，明经笃行，为顺帝师，官至太尉。传见《后汉书》卷三十七。㊷京兆虎牙营：驻防长安的虎牙士。㊸徙西河治离石：西河郡治所从平定移治离石县。㊹上郡治夏阳：上郡治所肤施，今移治左冯翊的夏阳县。夏阳在今陕西韩城南。㊺朔方治五原：朔方郡治从临戎移治五原县。五原，在今内蒙古包头西。㊻马邑：县名，县治在今山西朔州。秦汉时为北方重要边塞。

【校记】

［8］野合：原作“夜合”。据章钰校，甲十六行本、乙十一行本、孔天胤本皆作“野合”，张敦仁《通鉴刊本识误》同。〖按〗“野合”义长，今从改。

【语译】

当初，汉顺帝命令马贤讨伐西羌，大将军梁商认为马贤已经老了，不如太中大夫宋汉，汉顺帝没有听从梁商建议。宋汉，是宋由的儿子。马贤到军营，逗留不进。武都太守马融上疏说：“现在各部落羌人辗转轮番抢掠诸县，应当趁他们还没有合兵一处，快速发兵深入，打败这些从属部落，而马贤等人处处滞留。羌人和胡人可以在百里之外看到政府军的尘土，千里之外就听到了动静。现在逃避躲藏，绕到马贤军队的后方，必然会侵扰三辅，成为百姓的大害。臣希望得到马贤认为不可用的五千关东兵，临时编拟一个部队番号，愿全力鼓励，前进不退，做全军先锋，三十天之内，必能攻破敌兵。臣又听说吴起作将领时，热天不撑伞，冷天不披裘衣。现在马贤驻扎野外，设置帷幕，山珍美肴摆了一大堆，妻妾儿女在侧，事事与古代名将相反。臣怕马贤等人专守一个城池，声称攻击西部，而羌人从东方跑出，将要发生将士不听从命令的局势，必将爆发类似于高克全军溃散的变乱。”安定人皇甫规也发现马贤不懂军事，洞悉他必定失败，上书说明情况，朝廷一概不听。

【段旨】

以上为第九段，写马贤不懂军事而任护羌校尉。

【注释】

㉗ 宋汉：字仲和，曾官西河太守，永建元年（公元一二六年）为东平相、度辽将军，以威恩著称。迁太仆，拜太中大夫。传见《后汉书》卷二十六。㉘ 稽留不进：迟留不向前推进。㉙ 转相钞盗：多股羌人，辗转轮番抢掠诸县。㉚ 未并：没有会合统一。㉛ 支党：从属部落。㉜ 处处留滞：进军迟缓，走走停停。㉝ 羌、胡百里望尘二句：羌人、匈奴人在百里之外就看到了政府军的尘土，在千里之外就听到了动静。形容政府军行进迟缓，机密全失。㉞ 逃匿避回二句：逃避躲藏，迂回绕到政府军后方。㉟ 臣愿请句：马

【原文】

六年（辛巳，公元一四一年）

春，正月丙子[258]，征西将军马贤与且冻羌战于射姑山[259]，贤军败，贤及二子皆没，东、西羌[260]遂大合。闰月，巩唐羌寇陇西，遂及三辅，烧园陵，杀掠吏民。

二月丁巳[261]，有星孛于营室[262]。

三月上巳[263]，大将军商大会宾客，宴于洛水[264]。酒阑[265]，继以《薤露之歌》[266]。从事中郎[267]周举闻之，叹曰："此所谓哀乐失时[268]，非其所也，殃将及乎[269]！"

武都太守赵冲[270]追击巩唐羌，斩首四百余级，降二千余人。诏冲督河西四郡兵为节度。

安定上计掾皇甫规上疏曰："臣比年以来，数陈便宜[271]。羌戎未动，策其将反，马贤始出，知其必败，误中之言，在可考校[272]。臣每惟贤等拥众四年，未有成功，县师之费[273]，且百亿计，出于平民，回入奸吏[274]。故江湖之人，群为盗贼，青、徐荒饥[275]，襁负流散[276]。夫羌戎溃叛，不由承平[277]，皆因边将失于绥御[278]，乘常守安则加侵暴[279]，苟竞小利

融请求把马贤认为不可使用的关东兵五千人归他统率。这五千人是从关东各郡临时征发的民兵。㉔⑥裁假部队之号：临时编拟一个部队番号。裁假，仅仅借用，临时编拟。裁，通“才”。㉔⑦尽力率厉：全力鼓励。厉，通“砺”。㉔⑧埋根行首二句：前进不退，以为全军先锋。埋根，《后汉书·马融列传》李贤注：“言不退。”行首，进行在前头，即做先锋。㉔⑨野次垂幕：驻扎野外，设置帐幕。㉕⓪珍肴杂遝：山珍海味摆列一大堆。㉕①儿子侍妾：妻妾儿女在侧。㉕②事与古反：言今马贤为将骄淫奢侈与古之吴起同士卒共甘苦，行事相反。㉕③且其将士将不堪命：将要发生将士不听命令的局势。且，将要。不堪命，不能忍受，无法接受马贤的贻误军机的将令。㉕④高克溃叛之变：高克，春秋时郑文公将，率军御狄人，贪财而玩忽使命，滞留河上成天游荡，结果全军溃散。㉕⑤皇甫规：字威明，安定朝那（在今甘肃平凉西北）人，东汉安羌名将。传见《后汉书》卷五十五。㉕⑥恤：考虑。㉕⑦审：洞悉。

【语译】

六年（辛巳，公元一四一年）

春，正月二十一日丙子，征西将军马贤和且冻羌在射姑山交战，马贤的军队战败，马贤和两个儿子都死掉，东、西羌人于是合为一体。闰月，巩唐羌侵入陇西，于是到达三辅，焚毁园陵，杀害并抢掠官吏百姓。

二月初三日丁巳，在营室星区出现孛星。

三月初九日上巳，大将军梁商盛会宾客，在洛水之滨设宴。酒筵将尽，接着又唱《薤露之歌》。从事中郎将周举听到了，叹息说：“这哀乐演奏得不是时候，也不是地方，灾祸快要降临了！”

武都太守赵冲追击巩唐羌，杀死四百多人，降伏了两千多人。下诏命令赵冲督导河西四郡的军队，负责调度。

安定上计掾皇甫规上疏说：“臣近年来，多次陈述便利国家的建议。羌人还未行动时，臣就预料到其将要反叛，马贤一出兵，就知道必定失败，不幸言中的事情，是可以验证的。臣每次想到马贤等人统军四年，没有功业，出师远征的耗费近百亿，全部出自百姓，返回来落到贪官奸吏手中。所以江湖上的人，成群结为盗贼，青州、徐州发生饥荒，百姓背负婴儿四处流散。羌戎的叛乱，并不是由太平无事而引起的，都是因为边将失于安抚管理，羌人平常安分时，地方官就对百姓侵扰施暴；羌人叛

则致大害[280]，微胜则虚张首级[281]，军败则隐匿不言。军士劳怨，困于猾吏[282]，进不得快战以徼功[283]，退不得温饱以全命[284]，饿死沟渠，暴骨中原[285]。徒见王师之出，不闻振旅之声[286]。酋豪泣血，惊惧生变[287]，是以安不能久，叛则经年[288]，臣所以搏手扣心而增叹[289]者也！愿假臣两营、二郡屯列坐食之兵[290]五千，出其不意，与赵冲共相首尾。土地山谷，臣所晓习，兵势巧便[291]，臣已更之[292]。可不烦方寸之印[293]，尺帛之赐，高可以涤患[294]，下可以纳降[295]。若谓臣年少官轻，不足用者，凡诸败将，非官爵之不高，年齿之不迈[296]。臣不胜至诚[297]，没死自陈[298]。”帝不能用。

【段旨】

以上为第十段，写皇甫规上奏安羌之策，顺帝不予采用。

【注释】

㉘⑧丙子：正月二十一日。[259]射姑山：在今甘肃庆阳北。[260]东、西羌：内附羌人居于安定、北地、上郡、西河等郡者称东羌。金城塞外以及居于陇西、汉阳、金城等边郡的羌人称西羌。[261]丁巳：二月初三日。[262]有星孛于营室：在营室星区出现孛星。《晋书·天文志》：“营室二星，天子之宫也，又为军粮之府及土功事。”[263]上巳：古代以农历三月上旬的巳日为上巳节，宫人及百姓皆到河边洗沐祈祷消灾。顺帝永和六年上巳为癸巳日，三月初九日。后来以三月三日为上巳节。[264]宴于洛水：在洛水之滨大宴宾客。[265]酒阑：酒筵快要结束。[266]继以《薤露之歌》：接着唱《薤露之歌》。薤，一种开紫色花的小草。《薤露之歌》情调哀伤，用作挽歌。其词曰：“薤上露，何易晞。露稀明朝还复落，人死一去何时归。”译意：薤草上的露水哟，太阳一出就晒干。露水晒干明朝又出现，只是人死不再还。[267]从事中郎：官名，大将军府掾属，参决谋议。[268]哀乐失时：演奏哀乐不是时候。祈福节突然唱起哀乐，是人们一种压抑感情的突发，所以周举为之叹息。[269]殃将及乎：难道将有祸事发生吗。《左传》庄公二十年，郑伯闻王子颓舞乐，对虢叔曰：“哀乐失时，殃咎必至。”[270]武都太守赵冲：《后汉书·西羌传》作“武威太守”。胡三省注：“冲以追羌之功，诏督河西四郡兵，则武威太守为是。武都西北接汉阳，东北接扶风，南接

乱，仍不加安抚，为了贪图小利而进剿，终于酿成大祸；偶有小胜，就虚报斩敌首级浮夸战功；一旦战败就隐瞒实情不向外说。军士劳苦怨恨，受到狡猾官员的压制，进不能速战以立功，退不能保证温饱以活命，饿死沟渠，暴骨荒野。只看到王师出兵，没有听到捷报的消息。夷狄首领悲伤得哭出血来，惊恐惧怕而产生变乱，所以保持安定的时间不会长久，叛乱却一年又一年，这就是臣为何击手捶胸，无限悲叹的原因了！希望拨给臣两营、两个郡中担任留守未出征的预备军五千名，出其不意，和赵冲相为首尾。羌人的地理形势，臣向来熟知，掌握形势，运兵作战，臣也有实践经验。可以不必颁发印绶和赏赐布帛，战后最好的结果是清除灾患，最差的结局也可以接受他们归降。如果以为臣年轻官小，不值得任用，凡是战败的将领都不是官爵不高、年龄不大的。臣万分诚恳，冒死陈述。”汉顺帝没能采用。

汉中，无缘远督河西四郡兵。”㉗①便宜：便利国家的建议。㉗②考校：验证。㉗③县师之费：出征军费。㉗④回入奸吏：出征军费辗转回到了奸吏手中。㉗⑤青、徐荒饥：青州、徐州闹饥荒。青州，辖今山东半岛。徐州，辖今苏北地区。青徐二州为人口稠密地区。㉗⑥襁负流散：人民拖儿带女流散。襁，背婴儿的背带。襁负，背负婴儿。㉗⑦不由承平：羌人叛乱，并不是因为太平无事而起。承平，太平。㉗⑧绥御：安抚治理。㉗⑨乘常守安则加侵暴：羌人平常安分时，地方官则侵扰暴虐。㉘⓪苟竞小利则致大害：羌人叛乱仍不加安抚，为了贪图小利而进剿，终于酿成大祸。㉘①微胜则虚张首级：偶有小胜，就虚报斩敌首级浮夸战功。㉘②困于猾吏：受奸猾官员压制。㉘③快战以徼功：速战以立战功。㉘④全命：活命。㉘⑤暴骨中原：抛尸原野。㉘⑥振旅之声：捷报消息。㉘⑦酋豪泣血二句：羌人酋长哭干眼泪，继而泣血，惊恐惧怕而产生变乱。㉘⑧安不能久二句：保持安定不能持久，而叛乱起来一年又一年。㉘⑨搏手扣心而增叹：击手捶胸，无限悲痛。㉙⓪假臣两营、二郡句：此句意谓从雍营、虎牙营、安定、陇西的地方军中拨付五千人给我统领。假，借、拨付。两营，指扶风雍营、京兆虎牙营。二郡，指安定、陇西两郡。屯列坐食之兵，担任留守未出征的预备队。㉙①兵势巧便：指掌握形势，运用兵队作战的经验、谋略。㉙②更之：对军事有实践经验。更，经。㉙③不烦方寸之印：不用颁印封官。不烦，不劳。㉙④涤患：根除祸乱。㉙⑤纳降：接受羌人投降。㉙⑥年齿之不迈：年纪不老。㉙⑦不胜至诚：万分诚恳。㉙⑧没死自陈：冒着死罪，陈述我的心怀。

【原文】

庚子㉙，司空郭虔免。丙午㉚，以太仆赵戒为司空。

夏，使匈奴中郎将张耽、度辽将军马续率鲜卑到谷城㉛，击乌桓于通天山㉜，大破之。

巩唐羌寇北地。北地太守贾福与赵冲击之，不利。

秋，八月，乘氏忠侯梁商病笃，敕子冀等曰："吾生无以辅益朝廷，死何可耗费帑藏㉝！衣衾、饭含㉞、玉匣㉟、珠贝之属，何益朽骨！百僚劳扰㊱，纷华㊲道路，只增尘垢㊳耳，宜皆辞之。"丙辰㊴，薨，帝亲临丧㊵。诸子欲从其诲，朝廷不听，赐以东园秘器㊶、银镂、黄肠㊷、玉匣。及葬，赐轻车、介士㊸，中宫亲送㊹。帝至宣阳亭㊺[9]，瞻望车骑㊻。壬戌㊼，以河南尹、乘氏侯梁冀为大将军，冀弟侍中不疑为河南尹。

臣光曰："成帝不能选任贤俊，委政舅家，可谓暗㊽矣，犹知王立㊾之不材，弃而不用。顺帝援大柄，授之后族，梁冀顽嚚㊿凶暴，著于平昔，而使之继父之位，终于悖逆(321)，荡覆汉室，校(322)于成帝，暗又甚焉。"

初，梁商病笃，帝亲临幸，问以遗言。对曰："臣从事中郎周举，清高忠正，可重任也。"由是拜举谏议大夫。

九月，诸羌寇武威。

辛亥晦(323)，日有食之。

冬，十月癸丑(324)，以羌寇充斥，凉部震恐，复徙安定居扶风，北地居冯翊(325)。十一月庚子(326)，以执金吾张乔行车骑将军事，将兵万五千人屯三辅。

荆州盗贼起，弥年(327)不定，以大将军从事中郎李固为荆州刺史。固到，遣吏劳问境内，赦寇盗前衅(328)，与之更始(329)。于是贼帅夏密等率其魁党六百余人自缚归首，固皆原(330)之，遣还，使[10]自相招集，开示威法(331)，半岁间，余类悉降，州内清平。奏南阳太守高赐等臧秽(332)，赐

【语译】

三月十六日庚子，司空郭虔被免职。二十二日丙午，任命太仆赵戒为司空。

夏，派使匈奴中郎将张耽、度辽将军马续率领鲜卑人到谷城，在通天山进攻乌桓，把他们打得大败。

巩唐羌侵扰北地郡。北地郡太守贾福和赵冲迎击，没有获胜。

秋，八月，乘氏忠侯梁商病得很重，告诫儿子梁冀等人说："我活着对朝廷没有帮助，死后怎么可以耗费国家库藏！衣被、口中含物、玉匣、珠宝贝币之类，对尸骨有什么益处！百官送葬，劳苦烦扰，在道路上喧哗，只会增加我的污点，应该都加以谢绝。"初四日丙辰，梁商去世，汉顺帝亲自吊丧。梁商的儿子们想听从梁商的教诲，朝廷不答应，赐予东园葬器、银镂、黄肠、玉匣。等到下葬，诏赐朝廷派出兵车及甲士送葬，梁皇后亲自送丧。汉顺帝到宣阳亭，遥望送葬的车队远远离去。初十日壬戌，任命河南尹、乘氏侯梁冀为大将军，梁冀的弟弟侍中梁不疑为河南尹。

司马光说："汉成帝不能选用贤才，把政务托付给舅父，可谓昏庸，但还知道王立无才，弃而不用。汉顺帝把大权交给皇后家族，梁冀顽劣愚昧，凶恶残忍，平时已很昭然，却要让他继承父亲的地位，终于毒弑质帝，大逆不道，颠覆汉朝，汉顺帝与汉成帝相比，更加昏庸。"

当初，梁商病重，汉顺帝亲自探望，问梁商有何遗言。梁商回答说："臣的从事中郎周举，清高忠正，可以重用。"因此，任命周举为谏议大夫。

九月，羌族各部侵入武威。

九月三十日辛亥，发生日食。

冬，十月初二日癸丑，由于羌人到处横行霸道，凉州惊恐，再次迁徙安定治所到扶风，北地治所到冯翊。十一月二十日庚子，任命执金吾张乔代理车骑将军，率军一万五千人屯驻三辅。

荆州盗贼兴起，数年不能平定，任命大将军从事中郎李固为荆州刺史。李固到任，派官吏慰问境内民众，赦免盗贼以前的罪过，让他们重新做人。于是盗贼首领夏密等人率领他的头领六百多人，捆绑自己，归降自首，李固全都宽恕他们，遣送回乡，让他们相互召集旧部，宣讲朝廷威信法令，半年时间，残余的同党全部归降，州内清静太平。李固弹劾南阳太守高赐等人贪赃的丑事，高赐等人重赂大将军梁冀，

等重赂大将军梁冀，冀为之千里移檄[333]，而固持之愈急[334]，冀遂徙固为泰山[335]太守。时泰山盗贼屯聚历年，郡兵常千人追讨，不能制。固到，悉罢遣归农，但选留任战者[336]百余人，以恩信招诱之，未满岁，贼皆弭散[337]。

【段旨】

以上为第十一段，写汉顺帝任用顽劣愚昧的梁冀为大将军，司马光认为汉顺帝比汉成帝更加昏庸。李固外任地方，盗贼平息，社会和谐。

【注释】

㉙⑨庚子：三月十六日。㉚⓪丙午：三月二十二日。㉚①谷城：在今山西临县。㉚②通天山：即石楼山，在今山西石楼。㉚③帑藏：国家库藏。㉚④饭含：古代葬礼，给死者口里塞上玉石、珍珠、贝币，供死者在地下为饮食之费，称饭含。含于死者之口的物品，大夫饭以玉，含以贝；士人饭以珠，含以贝。贝，用贝壳做的钱币。㉚⑤玉匣：金线穿玉片织成的金缕玉衣。㉚⑥百僚劳扰：指给大臣举行隆重国葬，百官送葬，劳苦烦扰。㉚⑦纷华：喧哗。㉚⑧只增尘垢：只会增加我的污点。㉚⑨丙辰：八月初四日。㉛⓪临丧：吊丧。㉛①东园秘器：东园府所做葬器。东园，少府属官，专为皇家制作葬器。㉛②银镂、黄肠：东园秘器棺椁，棺用白银雕花称银镂，椁用黄心柏木称黄肠。㉛③赐轻车介士：诏赐朝廷派出兵车及甲士送葬。此仿效宣帝时霍光葬礼。㉛④中宫亲送：皇后梁妠亲自送葬。梁妠，梁商之女。㉛⑤帝至宣阳亭：顺帝刘保送丧到宣阳亭。宣阳亭在洛阳正南门宣阳门外。㉛⑥瞻望车骑：顺帝刘保在亭上遥望丧葬车骑远远离去。㉛⑦壬戌：八月初十日。㉛⑧暗：昏

【原文】

汉安元年（壬午，公元一四二年）

春，正月癸巳[338]，赦天下，改元。

秋，八月，南匈奴句龙吾斯与薁鞬台耆等复反，寇掠并部[339]。

丁卯[340]，遣侍中河内杜乔、周举、守光禄大夫周栩、冯羡、魏郡栾巴、张纲、郭遵、刘班分行州郡[341]，表贤良，显忠勤，其贪污有罪者，

梁冀为高赐等人说情，传檄千里，而李固抓住不放，追查更急，梁冀就把李固调为泰山郡太守。当时泰山的盗贼聚集多年，郡中常派上千人的部队追击讨伐，不能制伏。李固到任，把郡兵全部遣散务农，只选留有战斗力的士兵一百多人，用恩德和诚信招降诱导盗贼，不到一年，盗贼全部消散。

庸。⑲王立：成帝舅，王凤之弟，不成材器，成帝摒弃不用。事见本书卷三十二成帝元延元年。⑳顽嚚：顽劣愚昧。㉑悖逆：指梁冀弑杀质帝。㉒校：考核；比较。㉓辛亥晦：九月三十日。㉔癸丑：十月初二。㉕复徙安定居扶风二句：安帝永初五年（公元一一一年）安定郡治所从临泾移治扶风美阳，北地郡治所从富平移治左冯翊池阳，顺帝永建四年（公元一二九年）移还本治，今又内迁安定治美阳，北地治池阳。㉖庚子：十一月二十日。㉗弥年：连年。㉘前衅：先前过愆。㉙更始：重新做人。㉚原：赦免。㉛使自相招集二句：李固让夏密等回去互相招集旧部，宣讲朝廷威信和法令。㉜臧秽：贪污丑事。臧，通“赃”。㉝千里移檄：传檄千里。檄，紧急军情文书。梁冀为了替贪官高赐说情，动用紧急情报传驿送信。㉞持之愈急：抓住不放，追查更紧。㉟泰山：郡名，治所奉高，在今山东泰安东。㊱任战者：有战斗力的士兵；胜任作战的士兵。㊲弭散：消散。

【校记】

［9］帝至宣阳亭：据章钰校，甲十六行本、乙十一行本皆作“帝幸宣阳亭”。“至”字孔天胤本亦作“幸”。［10］使：原无此字。据章钰校，甲十六行本、乙十一行本、孔天胤本皆有此字，张敦仁《通鉴刊本识误》同，今据补。

【语译】

汉安元年（壬午，公元一四二年）

春，正月十四日癸巳，大赦天下，改元。

秋，八月，南匈奴句龙吾斯和薁鞬台耆等人再次叛乱，抢劫并州部。

八月二十一日丁卯，派遣侍中河内人杜乔、周举、守光禄大夫周栩、冯羡、魏郡人栾巴、张纲、郭遵、刘班分别巡行州郡，表彰贤良人才，显扬忠诚勤劳的人，

刺史、二千石驿马上之[342]，墨绶以下便辄收举[343]。乔等受命之部[344]，张纲独埋其车轮于雒阳都亭[345]，曰：“豺狼当路，安问狐狸[346]！”遂劾奏：“大将军冀、河南尹不疑以外戚蒙恩，居阿衡之任[347]，而专肆贪叨[348]，纵恣无极[349]，多树谄谀以害忠良，诚天威所不赦，大辟所宜加也[11]。谨条其无君之心十五事[350]，斯皆臣子所切齿者也。”书御[351]，京师震竦[352]。时皇后宠方盛，诸梁姻戚[12]满朝[353]，帝虽知纲言直[354]，不能用也。杜乔至兖州，表奏泰山太守李固政为天下第一，上征固为将作大匠。八使所劾奏，多梁冀及宦者亲党，互为请救[355]，事皆寝遏[356]。侍御史河南种暠[357]疾之，复行案举[358]。廷尉吴雄、将作大匠李固亦上言：“八使所纠，宜急诛罚。”帝乃更下八使奏章，令考正其罪[359]。

梁冀恨张纲，思有以中伤[360]之。时广陵[361]贼张婴寇乱扬、徐间积十余年，二千石不能制[362]，冀乃以纲为广陵太守。前太守率多求兵马，纲独请[13]单车之职[363]。既到，径诣婴垒门[364]。婴大惊，遽走闭垒[365]。纲于门外罢遣吏兵[366][14]，独留所亲者十余人[367]，以书喻婴[368]，请与相见。婴见纲至诚，乃出拜谒[369]。纲延置上坐[370]，譬之曰：“前后二千石多肆贪暴[371]，故致公等怀愤相聚[372]。二千石信有罪[373]矣，然为之者又非义也[374]。今主上仁圣，欲以恩[15]德服叛，故遣太守来，思以爵禄相荣[375]，不愿以刑罚相加，今诚转祸为福之时也。若闻义不服[376]，天子赫然震怒，荆、扬、兖、豫大兵云合[377]，身首横分[378]，血嗣俱绝[379]。二者利害，公其深计[380]之。”婴闻，泣下曰：“荒裔愚民[381]，不能自通朝廷，不堪侵枉[382]，遂复相聚偷生，若鱼游釜中[383]，知其不可久，且以喘息须臾[384]间耳。今闻明府[385]之言，乃婴等更生之辰[386]也。”乃辞还营。明日，将所部万余人与妻子面缚归降[387]。纲单车入婴垒，大会[388]，置酒为乐，散遣部众，任从所之[389]，亲为卜居宅[390]，相田畴[391]，子弟[16]欲为吏者，皆引召之，人情悦服，南州晏然。朝廷论功当封，梁冀遏[392]之。在郡一岁，卒，张婴等五百余人为之制服行丧[393]，送到犍为，负土成坟[394]。诏拜其子续为郎中，赐钱百万。

对于犯有贪污罪的刺史、二千石以上的官员，派驿马快速上奏，县级以下的赃官就立即收案举劾。杜乔等人接受命令前往各部，只有张纲把车子停在洛阳的近郊驿亭，说：“豺狼在道，哪有工夫去找狐狸！”于是上书弹劾：“大将军梁冀、河南尹梁不疑凭借外戚关系，蒙受恩德，居宰相之位，却一味贪污，恣情纵欲没有限度，大量任用谄谀之人，陷害忠良，实在是上天所不赦，应该处以死刑。我一一罗列出他们目无国君的十五件事，这都是大臣子民所痛恨的。”奏章呈上，京城惊动。当时梁皇后正受宠幸，梁氏亲戚布满朝廷，汉顺帝虽然知道张纲的言辞切中要害，却不能采纳。杜乔到了兖州，上表推荐泰山太守李固的政绩为天下第一，汉顺帝征召李固为将作大匠。八位使臣所进奏弹劾的人多是梁冀和宦官的亲朋党羽，皇亲和宦官互相拜托救助，所弹劾的事全被搁置。侍御史河南人种暠深恶痛绝，再次上书弹劾。廷尉吴雄、将作大匠李固也上言：“八位使臣所纠举的官员，应赶快惩罚。”汉顺帝才出示八位使臣的奏章，命令有关部门考查问罪。

梁冀怀恨张纲，想要加害于他。当时广陵贼人张婴侵扰扬州、徐州长达十几年，广陵太守无法控制，梁冀就任命张纲为广陵太守。以前的太守大多要求增派军队，唯有张纲请求单车上任。张纲到任，就直接前往张婴的军营垒门。张婴大惊，急匆匆跑进军营关闭垒门。张纲在门外遣散随从官员和士兵，只留下十几个亲信，写信开导张婴，请求相见。张婴见到张纲极为诚恳，于是出营门拜见。张纲请张婴到郡府，安排在首席的贵宾座位上，向他说明：“前前后后的郡守大多肆意贪心暴虐，使你们愤怒而聚众起兵。郡守确有罪责，但你们的作为也不合大义。现在皇帝仁爱圣明，想用恩德使叛逆归服，所以派太守来，想把爵位官禄送给你们，不愿施加刑罚，这正是转祸为福的时机。如果你们听闻了大义还不顺服，天子一旦震怒，荆、扬、兖、豫的大军四面云集，你们将身首异处，子孙灭绝。这两种后果的利害关系，你们要深加考虑。”张婴听后，流泪说：“我们这些荒野愚民，自己不能上通朝廷，忍受不了迫害冤枉，于是聚集在一起，苟且偷生，好像鱼游釜中，知道日子不会长久，只是获得片刻的喘息罢了。今日听到英明的太守的开导，正是我们重获新生的时候。”于是告辞回营。第二天，率领一万多部众，带着妻子儿女，当面捆绑，向张纲投降。张纲单独乘车进入张婴军营，举行盛大宴会，饮酒为乐，遣散部众，随各人所奔，亲自为他们选择住宅，安置田亩，有子弟想做小吏的，都招来任命，人人心悦诚服，南方的州郡安定下来。朝廷评论功绩，应封赠张纲，梁冀从中阻挠。张纲在郡中任职一年，去世，张婴等五百多人为他制作丧服，办理丧事，把灵柩送到犍为郡，背土垒坟。汉顺帝下诏任命张纲的儿子张续为郎中，赐钱一百万。

【段旨】

以上为第十二段，写汉顺帝委派八使巡风，张纲弹劾梁冀，梁冀怀恨，想借盗贼之手杀害张纲，任命张纲为广陵太守，张纲到任，十余年为乱的盗匪请降。

【注释】

㉝㉘癸巳：正月十四日。㉝㉙并部：并州部。㉞⓪丁卯：八月二十一日。㉞①分行州郡：顺帝派出杜乔、周举等八使分部巡查州郡政治。此为顺帝时一大政治事件，史称八使巡风。㉞②驿马上之：对郡国守相二千石高官失职贪污，派驿马快速上奏。㉞③墨绶以下便辄收举：县令以下赃官八使就立即收案举劾。墨绶，县令、县长印绶为黑色。收举，收案举劾。㉞④受命之部：接受使命各到所分之部巡察。㉞⑤雒阳都亭：洛阳京师的近郊驿亭。㉞⑥豺狼当路二句：豺狼在道，哪有工夫去找狐狸。豺狼，指梁冀兄弟。狐狸，指地方贪官。㉞⑦居阿衡之任：居宰相之位。阿衡，商朝官名，为宰相之职。伊尹为商贤相，任阿衡，因此阿衡又为伊尹的代称。㉞⑧专肆贪叨：一味贪污。㉞⑨纵恣无极：恣情纵欲没有边际。㉟⓪条其无君之心十五事：一条一条罗列了十五件目无君上的违法大事。㉟①书御：奏章进呈皇帝。㉟②京师震竦：此事震动了京城。㉟③诸梁姻戚满朝：梁家宗室亲友布满朝廷。㉟④言直：切中要害。㉟⑤互为请救：皇亲和宦官交互营救。㉟⑥事皆寝遏：所弹劾的事全被搁置。寝，奏章已达皇帝被留中。遏，奏章被尚书阻截。㉟⑦种暠（公元一〇三至一六三年）：字景伯，河南郡洛阳人，桓帝时官至司徒。传见《后汉书》卷五十六。㉟⑧复行案举：再次弹劾。㉟⑨考正其罪：调查定罪。考，复核。㊱⓪中伤：陷害。㊱①广陵：郡名，治所广陵，在今江苏扬州。㊱②二千石不能制：广陵太守无法控制局面。㊱③单车之职：单车上任，不请兵相随。㊱④径诣婴垒门：直接前往张婴的军营垒门。㊱⑤遽走闭垒：急匆匆跑进军营关闭垒门拒守。㊱⑥纲于门外罢遣吏兵：张纲在张婴军垒门外令随从官员及士兵退回去。㊱⑦独留所亲者十余人：只留下十几个亲信随员。㊱⑧以书喻婴：写信

【原文】

是时二千石长吏有能政者[395]，有雒阳令[396]渤海[17]任峻[397]、冀州刺史京兆苏章[398]、胶东相陈留吴祐[399]。雒阳令自王涣之后，皆不称职。峻能选用文武吏，各尽其用，发奸不旋踵[400]，民间不畏吏，其威禁猛于涣[401]，而文理政教[402]不如也。章为冀州刺史，有故人为清河太守，章行部，欲案其奸臧[403]，乃请太守为设酒肴[404]，陈平生之好甚欢[405]。太守

开导张婴。㊱⑨乃出拜谒：于是出营门拜见。㊲⓪纲延置上坐：张纲请张婴到郡府，安排在首席的贵宾座位上。㊲①多肆贪暴：从前太守多数都十分贪心凶暴。㊲②怀愤相聚：胸怀愤恨而聚合起事。㊲③二千石信有罪：郡守确实有罪。㊲④然为之者又非义也：但是你们的做法也不合大义。㊲⑤思以爵禄相荣：我考虑的是让你们立功赎罪，把爵位官禄送给你们。㊲⑥若闻义不服：如果明白了大义仍不归服，后果就要自负。义，指朝廷的恩德政策。㊲⑦云合：会合。㊲⑧横分：切断。这里是谓身首异处。㊲⑨血嗣俱绝：子孙全都灭绝，无人祭祀。祭祀用牲，故子孙祭祀称血嗣。㊳⓪深计：深切考虑。㊳①荒裔愚民：荒野愚民。㊳②不堪侵枉：忍受不了贪官污吏的迫害诬枉。㊳③鱼游釜中：鱼游锅中，喻朝不保夕。㊳④喘息须臾：得到片刻的喘息，喻活一天算一天。㊳⑤明府：英明的府君。太守的尊称。㊳⑥更生之辰：获得新生的日子。㊳⑦面缚归降：当面捆绑，向张纲投降。㊳⑧大会：举行盛大宴会。㊳⑨任从所之：任凭各人投奔。㊴⓪卜居宅：选择住宅。㊴①相田畴：安置田亩。相，寻找、量度。㊴②遏：阻止。㊴③制服行丧：制作丧服穿在身上。即守丧。㊴④负土成坟：运土垒坟。

【校记】

［11］多树谄谀三句：原无此三句。据章钰校，甲十六行本、乙十一行本、孔天胤本皆有此三句，张敦仁《通鉴刊本识误》、张瑛《通鉴校勘记》同，今据补。［12］戚：据章钰校，甲十六行本、乙十一行本皆作“族”。［13］请：原无此字。据章钰校，甲十六行本、乙十一行本皆有此字，今据补。［14］纲于门外罢遣吏兵：原无“外”字，“兵”作“民”。据章钰校，甲十六行本、乙十一行本、孔天胤本皆有“外”字，“民”作“兵”，张敦仁《通鉴刊本识误》同，今据增改。［15］恩：据章钰校，甲十六行本、乙十一行本皆作“文”，张敦仁《通鉴刊本识误》同。［16］弟：原作“孙”。据章钰校，甲十六行本、乙十一行本、孔天胤本皆作“弟”，张敦仁《通鉴刊本识误》同，今据改。

【语译】

这时二千石官员中有治政能力的有洛阳令渤海人任峻、冀州刺史京兆人苏章、胶东国相陈留人吴祐。担任洛阳令的官员自从王涣以后，都不称职。任峻能够选派文武官员，各尽其才，揭发奸人只在转瞬之间，民众不再害怕官吏，任峻的威严禁令比王涣勇猛，但推行文化教育不如王涣。苏章做冀州刺史，有位老朋友做清河太守，苏章到任，想要立案追查他贪污的事，于是请清河太守做客，摆下丰盛的宴会，

喜曰："人皆有一天，我独有二天[406]！"章曰："今夕苏孺文与故人饮者，私恩[407]也；明日冀州刺史案事[408]者，公法[409]也。"遂举正其罪[410]，州境肃然。后以摧折权豪忤旨[411]坐免[412]。时天下日敝[413]，民多愁苦，论者日夜称章[414]，朝廷遂不能复用[415]也。祐为胶东[416]相，政崇仁简，民不忍欺。啬夫[417]孙性[418]，私赋民钱，市衣以进其父[419]。父得而怒曰："有君如是，何忍欺之！"促归伏罪[420]。性惭惧诣阁[421]，持衣自首。祐屏左右[422]问其故，性具谈父言。祐曰："掾以亲故受污秽之名，所谓'观过斯知仁矣[423]'。"使归谢其父，还以衣遗[424]之。

冬，十月辛未[425]，太尉桓焉、司徒刘寿免。

罕羌邑落五千余户诣赵冲降，唯烧何种据参栾[426]未下。

甲戌[427]，罢张乔军屯。

十一月壬午[428]，以司隶校尉下邳[429]赵峻为太尉，大司农胡广为司徒。

【段旨】

以上为第十三段，写苏章惩贪，铁面无私。吴祐仁厚清廉，民不欺诈。

【注释】

[395]二千石长吏有能政者：在二千石郡守中有治政能力的人。[396]雒阳令：洛阳县令，治京师之民，亦为二千石。[397]任峻：人名，与三国时任峻别为一人。此任峻，渤海人；三国时任峻，中牟人。[398]京兆苏章：字孺文，扶风郡平陵（今陕西咸阳西）人。此称京兆，泛言之，平陵在京兆地区。传见《后汉书》卷三十一。[399]吴祐：字季英，陈留长垣（今河南长垣）人。传见《后汉书》卷六十四。[400]发奸不旋踵：举发奸人只在一转身之间。即捉奸能立即破案。旋踵，转过脚后跟。[401]其威禁猛于涣：任峻的威严禁令超过了王涣。[402]文理政教：推行文化教育。[403]案其奸臧：立案追查他的贪赃罪。[404]乃请太守为设酒肴：于是请清河太守做客，摆下丰盛的宴会。[405]陈平生之好甚欢：畅叙平生的友情，十分欢好。[406]二天：有两个天。第二层天，指故友苏章必能掩盖自己的过恶。[407]私恩：私交。[408]案事：调查案件。[409]公法：国法。[410]遂举正其罪：苏章终于揭发了友人

畅叙平生的友情，十分欢好。清河太守高兴地说："别人只有一个天，我却有两个天！"苏章说："今天晚上我和老友饮酒，是私交；明天冀州刺史调查案件，是国法。"苏章最后还是揭发了清河太守的过恶将其治罪，全州肃然。后来苏章因为打击权贵豪门违抗了圣旨，被论罪免官。当时全国政治日益腐败，民多怨苦，论政的人每天都在赞赏苏章，但朝廷终究没有再任用苏章。吴祐做胶东国相，为政崇尚仁爱简约，民众不忍心欺诈吴祐。啬夫孙性私自向民众收税敛钱，买衣服送给父亲。孙性的父亲得到衣服，却生气地说："你有这样好的长官，怎么忍心欺骗他！"催促孙性去认罪。孙性羞愧恐惧地来到相府，拿着衣服自首。吴祐屏退左右，询问缘故，孙性把父亲的话详细叙说了。吴祐说："你为了父亲而不惜败坏自己的名声，正是所谓'考察一个人所犯的过失，就知道这是个什么样的人'。"吴祐命令孙性回去向父亲谢罪，又把衣服赠送给了孙性。

冬，十月二十六日辛未，太尉桓焉、司徒刘寿被免职。

罕羌部落五千多户前往赵冲那里投降，只有烧何种占据参栾县不肯投降。

二十九日甲戌，罢除张乔掌管的军屯。

十一月初七日壬午，任命司隶校尉下邳人赵峻为太尉，大司农胡广为司徒。

清河太守的过恶，办了他的罪。遂，竟、终于。㊶摧折权豪忤旨：打击权贵豪门违反了圣旨。㊷坐免：以罪免职。㊸天下日敝：全国政治一天天腐败。㊹论者日夜称章：论政的人天天赞赏苏章。㊺朝廷遂不能复用：朝廷终于没有再任用。㊻胶东：侯国名，属北海国，治所在今山东平度。㊼啬夫：乡官名，掌一乡的狱事，征赋税。㊽孙性：人名。㊾私赋民钱二句：私自向乡民摊派，敛钱买衣送给父亲。㊿促归伏罪：孙性之父催促孙性回胶东自首请罪。㊶性惭惧诣阁：孙性十分惭愧恐惧，来到胶东相府。㊷屏左右：让左右之人回避。㊸观过斯知仁矣：仔细考察某人所犯的过失，就知道他是什么样的人。语出《论语·里仁》孔子之言。㊹遗：赠送。㊺辛未：十月二十六日。㊻参栾：县名，县治在今甘肃庆阳西北。㊼甲戌：十月二十九日。㊽壬午：十一月七日。㊾下邳：县名，县治在今江苏邳州南。

【校记】

［17］渤海：原无此二字。据章钰校，甲十六行本、乙十一行本、孔天胤本皆有此二字，张敦仁《通鉴刊本识误》同，今据补。

【原文】

二年（癸未，公元一四三年）

夏，四月庚戌[430]，护羌校尉赵冲[431]与汉阳太守张贡击烧当羌[432]于参栾，破之。

六月丙寅[433]，立南匈奴守义王兜楼储为呼兰若尸逐就单于[434]。时兜楼储在京师，上亲临轩授玺绶[435]，引上殿，赐车马、器服、金帛甚厚。诏太常、大鸿胪与诸国侍子于广阳门外祖会[436]，飨赐[437]，作乐、角抵、百戏[438]。

冬，闰十月，赵冲击烧当羌于阿阳[439]，破之。

十一月，使匈奴中郎将扶风马寔遣人刺杀句龙吾斯。

凉州自九月以来，地百八十震，山谷坼裂[440]，坏败城寺[441]，民压死者甚众。

尚书令黄琼以前左雄所上孝廉之选，专用儒学文吏，于取士之义犹有所遗，乃奏增孝悌及能从政者〔18〕为四科[442]，帝从之。

建康元年[443]（甲申，公元一四四年）

春，护羌从事[444]马玄为诸羌所诱，将羌众亡出塞，领护羌校尉[445]卫琚追击玄等，斩首八百余级。赵冲复追叛羌到建威鹯阴河[446]，军度竟[447]，所将降胡六百余人叛走。冲将数百人追之，遇羌伏兵，与战而殁[448]。冲虽死，而前后多所斩获，羌遂〔19〕衰耗。诏封冲子为义阳亭侯。

夏，四月，使匈奴中郎将马寔击南匈奴左部[449]，破之。于是，胡、羌、乌桓悉诣寔降。

辛巳[450]，立皇子炳为太子，改元，赦天下。太子居承光宫，帝使侍御史种暠监太子家[451]。中常侍高梵从中单驾出迎太子[452]，时太傅杜乔等疑不欲从而未决，暠乃手剑当车曰："太子，国之储副，人命所系[453]。今常侍来，无诏信[454]，何以知非奸邪？今日有死而已！"梵辞屈[455]，不敢对，驰还奏之。诏报[456]，太子乃得去。乔退而叹息，愧暠临事不惑[457]，帝亦嘉其持重，称善者良久。

【语译】

二年（癸未，公元一四三年）

夏，四月初八日庚戌，护羌校尉赵冲和汉阳太守张贡，在参栾攻击烧当羌，打败了他们。

六月二十五日丙寅，立南匈奴守义王兜楼储为呼兰若尸逐就单于。当时，兜楼储在京城，汉顺帝亲自在殿前主持仪式授予玺绶，请上正殿，赐给许多车马、器服、金钱、布帛。汉顺帝下诏命令太常、大鸿胪和各国的侍子在广阳门外给兜楼储饯行，赐宴，在宴会上演奏音乐、观看摔跤角力和各种节目。

冬，闰十月，赵冲在阿阳县攻打烧当羌，打败了烧当羌。

十一月，使匈奴中郎将扶风人马寔派人刺杀句龙王吾斯。

自九月以来，凉州发生了一百八十次地震，山崩谷裂，毁坏了城墙官舍，被压死的百姓很多。

尚书令黄琼因为从前左雄呈上的举孝廉办法，专门选用儒学文吏，这对于举拔人才仍有疏漏，于是上奏，请加“孝悌”与“从政”两项，共为四科，汉顺帝接受了。

建康元年（甲申，公元一四四年）

春，护羌从事马玄受羌人引诱，率领羌民逃到塞外，兼领护羌校尉的卫琚追击马玄等人，杀了八百多人。赵冲又追击背叛的羌人到达武威鹯阴河，军队刚刚渡河完毕，所率领归降的六百多名胡人便已叛逃。赵冲率领几百人追击，遭遇羌人伏兵，与对方交战阵亡。赵冲虽死，但他前后斩杀和俘虏的羌人很多，羌人于是衰弱了。汉顺帝下诏封赵冲的儿子为义阳亭侯。

夏，四月，委派使匈奴中郎将马寔进攻南匈奴左部，打败了他们。于是，胡人、羌人、乌桓人都向马寔归降。

四月十五日辛巳，立皇子刘炳为太子，改元，大赦天下。太子刘炳住在承光宫，汉顺帝派侍御史种暠做太子宫总管。中常侍高梵从皇宫中乘一辆车子出宫迎接太子进宫，当时，太傅杜乔等有怀疑，不想让高梵把太子接走，但没有决定，种暠于是手持利剑挡着车子说:“太子是国家的储君，是天下百姓命运的寄托。现在常侍来，没带诏书符信，怎么知道不是奸贼？今天只有一死罢了!”高梵理屈，不敢回答，飞奔回去报告。汉顺帝发出正式诏书通报杜乔、种暠，太子才得以进宫。杜乔退朝后叹息，惭愧自己不如种暠临阵不糊涂，汉顺帝也嘉勉种暠做事稳重，称赞了许久。

扬州、徐州的盗贼蜂起，彼此互相呼应，盘结在一起有好几年了。秋，八月，九江人范容、周生等人侵掠城邑，屯兵据守历阳县，成为江淮的大祸。朝廷派御史中丞冯绲督率州中军队讨伐叛贼。

扬、徐盗贼群起，盘互连岁㊿。秋，八月，九江㊿范容、周生等寇掠城邑，屯据历阳㊿，为江、淮巨患。遣御史中丞冯绲㊿督州兵讨之。

庚午㊿，帝崩㊿于玉堂前殿。太子即皇帝位，年二岁，尊皇后曰皇太后。太后临朝㊿，丁丑㊿，以太尉赵峻为太傅，大司农李固为太尉，参录尚书事㊿。

九月丙午㊿，葬孝顺皇帝于宪陵㊿，庙曰敬宗。

是日，京师及太原、雁门地震。

庚戌㊿，诏举贤良方正之士，策问之。皇甫规对曰："伏惟孝顺皇帝初勤王政，纪纲四方，几以获安㊿。后遭奸伪，威分近习㊿，受赂卖爵，宾客交错，天下扰扰，从乱如归㊿，官民并竭㊿，上下穷虚㊿。陛下体兼乾坤㊿，聪哲纯茂㊿。摄政之初，拔用忠贞，其余维纲㊿，多所改正，远近翕然㊿，望见太平。而灾异不息，寇贼纵横，殆以奸臣权重之所致也。其常侍尤无状㊿者，宜亟黜遣㊿，披扫凶党㊿，收入财贿，以塞痛怨㊿，以答天诫㊿。大将军冀、河南尹不疑，亦宜增修谦节，辅以儒术，省去游娱不急之务㊿，割减庐第无益之饰㊿。夫君者，舟也；民者，水也㊿；群臣，乘舟者也；将军兄弟，操楫者也㊿。若能平志毕力㊿，以度元元，所谓福也。如其怠弛，将沦波涛㊿，可不慎乎！夫德不称禄㊿，犹凿墉之址[20]以益其高㊿，岂量力审功，安固之道哉！凡诸宿猾㊿、酒徒、戏客，皆宜贬斥，以惩不轨。令冀等深思得贤之福，失人之累㊿。"梁冀忿之，以规为下第，拜郎中。托疾，免归。州郡承冀旨，几陷死者再三，遂沈废于家㊿，积十余年㊿。

扬州刺史尹耀、九江太守邓显讨范容等于历阳，败殁。

冬，十月，日南蛮夷复反，攻烧县邑。交趾刺史九江夏方招诱降之。

十一月，九江盗贼徐凤、马勉等[21]攻烧城邑，凤称无上将军，勉称皇帝，筑营于当涂山㊿中，建年号，置百官。

十二月，九江贼黄虎等攻合肥㊿。

是岁，群盗发宪陵㊿。

八月初六日庚午，汉顺帝在玉堂前殿去世。太子即皇帝位，年仅二岁，尊称梁皇后为皇太后。梁太后临朝听政，十三日丁丑，任命太尉赵峻为太傅，大司农李固为太尉，参决尚书事务。

九月十二日丙午，在宪陵埋葬孝顺皇帝，庙号敬宗。

这一天，京师和太原、雁门发生地震。

九月十六日庚戌，下诏举荐贤良方正的人才，策问政事。皇甫规对策说："臣考虑到先皇顺帝开始理政时，建立纲纪，国家差不多出现太平景象。后来遇到奸贼的包围，威权落到身边亲近人之手。他们收受贿赂，卖官鬻爵，交结宾客，天下骚乱，民众投奔叛乱如同归家，官吏和民众都走投无路，国家和民众都财穷力尽。陛下以慈母之身，君临天下，聪明圣洁，品行纯洁。临朝听政初期，选拔忠正坚贞之士，烦琐的法令规章，很多都被改革修正，远近和睦团结，看见了太平局面。然而灾害怪异现象不断出现，盗贼纵横，这恐怕是奸臣权势太强盛所导致的。那些尤为无善行的常侍，应该立即淘汰，凶人奸党一起扫除，没收奸人的财富，用以平息民众的怨愤，以回答上天的警告。大将军梁冀、河南尹梁不疑，也应加强修养谦逊的节操，并学习儒术，裁除游乐的不急需开支，削减个人居宅无益的豪华装饰。君王是船，人民是水，群臣是乘船的人，梁氏将军兄弟是划桨的人。如果意志坚定，全力以赴，为民谋取平安，这就是福气。如果放松怠慢，会被波涛吞没，能不慎重吗！品德与爵禄不相称，犹如挖墙脚来增加墙的高度，这怎么是根据力量，明察役事，加固墙头的办法呢！老奸巨猾的人、酒肉朋友、无聊的宾客，应该一律贬斥，以惩罚违法的人。责令梁冀等人深刻反省得贤才的福气和误交朋友所受的拖累。"梁冀愤恨他，把皇甫规列为下等，任命为郎中。皇甫规借口有病，免职回家。州郡官员承奉梁冀的意旨，多次差点置皇甫规于死地，皇甫规终于被埋没禁锢在家，长达十几年。

扬州刺史尹耀、九江太守邓显等人在历阳讨伐范容等人，战败身亡。

冬，十月，日南郡蛮夷再次背叛，攻打并焚烧县城。交趾刺史九江人夏方招抚诱降了他们。

十一月，九江盗贼徐凤、马勉等攻打并焚烧城邑，徐凤自称无上将军，马勉称皇帝，在当涂山中建造营垒，建立年号，设立百官。

十二月，九江贼人黄虎等攻打合肥。

这一年，一群强盗发掘了宪陵。

【段旨】

以上为第十四段，写顺帝驾崩，冲帝即位，诏举贤良对策，皇甫规借对策讥刺梁冀非治国之才，被列为下第，禁锢乡里十余年。

【注释】

㊷⓪ 庚戌：四月初八日。㊶ 护羌校尉赵冲：汉安元年以武威太守赵冲为护羌校尉，系东汉第十八任护羌校尉。㊷ 烧当羌：羌人有烧当、烧何两种，胡三省注认为此谓烧何羌，“当”应作“何”。㊸ 丙寅：六月二十五日。㊹ 呼兰若尸逐就单于：公元一四三至一四七年在位。㊺ 上亲临轩授玺绶：顺帝刘保亲自在殿前主持封授单于仪式，颁发玉玺王印。轩，殿前堂陛之间，近檐之处两边有槛楯，如车之轩，故亦称轩。临轩，当即殿前。㊻ 于广阳门外祖会：在广阳门外给栾提兜楼储饯行。㊼ 飨赐：赐宴。㊽ 作乐、角抵、百戏：在宴会上作乐、观看摔跤角力和各种节目。㊾ 阿阳：县名，县治在今甘肃静宁。㊿ 山谷坼裂：山坼谷裂，山崩谷裂。441 坏败城寺：震塌城墙官舍。442 四科：入选孝廉的四种人，即儒生、文吏、孝悌、能从政者。443 建康元年：是年四月改元。444 护羌从事：官名，助理护羌校尉参议军事。445 领护羌校尉：代理护羌校尉。446 建威鹯阴河：建威，县名，在威都县北，属武都郡。此“建威”为“武威”之误。鹯阴河，在武威东南，入河之口有鹯阴县，即今甘肃靖远。447 军度竟：全军刚渡河完毕。448 与战而殁：与对方交战阵亡。449 南匈奴左部：即句龙吾斯的残余部众。450 辛巳：四月十五日。451 监太子家：官名，太子宫总管。452 高梵从中单驾出迎太子：高梵从皇宫中乘一辆车出宫迎接太子进宫。453 人命所系：天下人民生命的寄托。454 无诏信：没有诏书符信。455 辞屈：理短。456 诏报：顺帝发出正式诏书通令杜乔、种暠。457 愧暠临事不惑：杜乔惭愧自己不如种暠遇事不糊涂。458 盘互连岁：一股股的起事民众互相呼应，盘结在一起有了好几年。459 九江：郡名，治所阴陵，在今安徽定远西北。460 历阳：县名，县治在今安徽和县。461 冯绲：字鸿卿，巴郡宕渠（在今四川渠县东北）人，官至廷尉。传见《后汉书》卷三十八。462 庚午：八月初六日。463 帝崩：顺帝刘保死，年三十岁。464 太后临朝：梁太后梁妠临朝称制，政权落入大将军梁冀之手。465 丁丑：八月十三日。466 参录尚书事：参决尚书事务。即太傅赵峻、太尉李固共同执掌政权。东汉三公加“录尚书事”才有实权。467 丙午：九月十二日。468 宪陵：顺帝陵，在洛阳西十五里。469 庚戌：九月十

【原文】

孝冲皇帝[499]

永嘉元年（乙酉，公元一四五年）

春，正月戊戌[500]，帝崩于玉堂前殿。梁太后以扬、徐盗贼方盛，欲须所征诸王侯到乃发丧。太尉李固曰：“帝虽幼少，犹天下之父。今日崩

六日。⑩几以获安：国家差不多出现太平景象。⑪威分近习：威权旁落左右亲近人之手。⑫从乱如归：人民投奔叛乱，如同归家。⑬官民并竭：官吏和民众都走投无路。即官民矛盾尖锐，严重对立。⑭上下穷虚：国家与民众都财穷力尽。⑮陛下体兼乾坤：指皇太后梁妠以慈母之身君临天下。⑯聪哲纯茂：聪明圣洁，品性纯洁。⑰维纲：法令规章。⑱翕然：和睦团结。⑲无状：不成体统，无善行。⑳宜亟黜遣：应立即淘汰。㉑披扫凶党：凶人奸党一起扫除。㉒收入财贿二句：没收奸人的财富，用以平息民众的怨愤。㉓以答天诫：并用以回答上天的警告。㉔省去游娱不急之务：裁除游乐的不急需开支。㉕割减庐第无益之饰：削减个人居宅无益的豪华装饰。㉖君者四句：《孔子家语》载孔子云，"君者，舟也；庶人者，水也。水所以载舟，亦所以覆舟。君以此思危。则危可知也"。皇甫规之言即本此。㉗操楫者也：持桨划船的人。㉘平志毕力：意志坚定，全力以赴。㉙将沦波涛：国家之舟将要沉没于波涛之中。㉚德不称禄：品德与禄位不相称。即才德不称职。㉛犹凿墉之址以益其高：好比是挖墙脚来垒高墙头。墉，城墙。址，同"趾"，根基。㉜宿猾：老奸巨猾之徒。㉝令冀等深思二句：责令梁冀等深刻反省得贤才的福气，反之误交朋友就要受拖累。㉞沈废于家：被埋没禁锢在家中。㉟积十余年：皇甫规被禁锢在家累计达十余年。顺帝建康元年（公元一四四年）被禁锢，至桓帝延熹二年（公元一五九年）梁冀伏诛复出，共十六年。㊱当涂山：当涂县之山。当涂县属九江郡，县治在今安徽淮南市东北。㊲合肥：县名，属九江郡，县治在今安徽合肥。㊳群盗发宪陵：一群强盗发掘了顺帝的宪陵。

【校记】

［18］者：原无此字。据章钰校，甲十六行本、乙十一行本、孔天胤本皆有此字，今据补。［19］遂：据章钰校，甲十六行本、乙十一行本皆作"由是"。［20］址：原作"趾"。据章钰校，甲十六行本作"址"，今据改。［21］等：原无此字。据章钰校，甲十六行本、乙十一行本、孔天胤本皆有此字，今据补。

【语译】

孝冲皇帝

永嘉元年（乙酉，公元一四五年）

春，正月初六日戊戌，汉冲帝在玉堂前殿去世。梁太后因为扬州、徐州盗贼正严重，想等到征召的各王侯到了再发丧。太尉李固说："皇帝年龄虽小，但仍是天下

亡，人神感动，岂有人子[501]反共掩匿乎！昔秦皇沙丘之谋及近日北乡之事，皆秘不发丧，此天下大忌，不可之甚者也！”太后从之，即暮发丧。

征清河王蒜及渤海孝王鸿之子缵皆至京师[502]。蒜父曰清河恭王延平，延平及鸿皆乐安夷王宠之子，千乘贞王伉[503]之孙也。清河王为人严重，动止有法度[504]，公卿皆归心[505]焉。李固谓大将军冀曰：“今当立帝，宜择长年，高明有德，任亲政事者[506]，愿将军审详大计[507]。察周、霍之立文、宣[508]，戒邓、阎之利幼弱[509]。”冀不从，与太后定策禁中。丙辰[510]，冀持节以王青盖车迎缵入南宫。丁巳[511]，封为建平侯，其日即皇帝位，年八岁。蒜罢归国。

将卜山陵[512]，李固曰：“今处处寇贼，军兴费广，新创宪陵，赋发非一[513]。帝尚幼小，可起陵于宪陵[22]茔内[514]，依康陵制度[515]。”太后从之。己未[516]，葬孝冲皇帝于怀陵。

太后委政宰辅，李固所言，太后多从之，黄门[23]宦官为恶者一皆斥遣，天下咸望治平，而梁冀深忌疾之。

初，顺帝时所除官多不以次[517]，及固在事，奏免百余人。此等既怨，又希望冀旨[518]，遂共作飞章[519]诬奏固曰：“太尉李固，因公假私，依正行邪[520]，离间近戚[521]，自隆支党[522]。大行在殡，路人掩涕[523]，固独胡粉饰貌[524]，搔头弄姿，盘旋偃仰，从容冶步[525]，曾无惨怛伤悴之心[526]。山陵未成，违矫旧政[527]，善则称己，过则归君，斥逐近臣，不得侍送[528]。作威作福，莫固之甚矣！夫子罪莫大于累父，臣恶莫深于毁君[529]，固之过衅，事合诛辟[530]。”书奏，冀以白太后，使下其书，太后不听。

广陵贼张婴复聚众数千人反，据广陵。

二月乙酉[531]，赦天下。

西羌叛乱积年，费用八十余亿。诸将多断盗牢禀[532]，私自润入，皆以珍宝货赂左右[533]。上下放纵[534]，不恤军事，士卒不得其死者，白骨相望于野。左冯翊梁并以恩信招诱叛羌，离湳、狐奴等五万余户皆诣并降，陇右[535]复平。

太后以徐、扬盗贼益炽，博求将帅。三公举涿令北海滕抚[536]有文

的君父。今天去世，人神感动，岂有当人臣的共同隐藏君父的死期呢！从前，秦始皇死后的沙丘阴谋和近时北乡侯的事情，都是秘不发丧，这是天下大忌，绝对不可以！”梁太后同意了，当晚就发丧。

征召清河王刘蒜和渤海孝王刘鸿的儿子刘缵到京城。刘蒜的父亲是清河恭王刘延平，刘延平和刘鸿都是乐安夷王刘宠的儿子，千乘贞王刘伉的孙子。清河王为人庄严稳重，行为举止有规矩，公卿大臣都一致赞成立他为皇帝。李固对大将军梁冀说：“现在选立皇帝，应当选择年纪稍长，高明有德行，能亲自处理朝政的人，希望将军深思熟虑国家大计。想想周勃立文帝、霍光立宣帝，预防像邓氏、阎氏一样推立幼弱，以利于自己。”梁冀不听从，和太后在宫中决定了国家立君大事。正月二十四日丙辰，梁冀持节用王侯乘坐的青盖车迎接刘缵到南宫。二十五日丁巳，封刘缵为建平侯，当天即皇帝位，年仅八岁。刘蒜被遣返回到封国。

朝廷将要为汉冲帝刘炳选择陵地，李固说：“现在处处是盗贼，调动军队，耗费巨大，刚刚建造宪陵，不是一处征收赋税。皇帝年纪还小，可以在宪陵陵园中造陵，依照康陵的规模及前例安葬冲帝。”梁太后采纳了李固的建议。正月二十七日己未，把孝冲皇帝葬在怀陵。

梁太后让宰臣管理政事，李固的进言，梁太后大多听从，黄门宦者中作恶的一概驱逐，天下都向往太平，但梁冀对李固深恶痛绝。

当初，汉顺帝时任命官员，多不依旧制按次序逐级升迁，等到李固当政，上奏罢免一百多人。这些人都怨恨李固，又为了迎合梁冀的心意，于是共同捏造匿名信诬告李固说：“太尉李固，假公济私，表面上是正人君子，实际行为却是个奸邪小人，挑拨皇室宗亲与皇帝的感情，自己壮大私党。先帝出殡安葬时，路上的行人掩面哭泣，只有李固涂脂抹粉，搔首弄姿，左顾右盼，俯仰做作，行为妖冶，丝毫没有一点忧伤悲痛的感情。先帝山陵还没有造成，李固就改变旧有的规章制度，好的就说自己所为，过失就归于君主，驱逐亲近的臣子，不能侍奉在君侧，不能为君送葬。作威作福，没有人超过李固！儿子的罪，没有比连累父母更大的了；臣子的罪恶，没有比损伤君主更严重的，李固的过恶，理应诛杀。”奏章呈上，梁冀面见梁太后，要求办理此事，梁太后没有听从。

广陵郡贼人张婴再次聚集几千人反叛，占据广陵。

二月二十四日乙酉，大赦天下。

西羌连年叛乱，耗费八十多亿。各将领大多克扣军粮，层层中饱私囊，都拿珍宝贿赂长官左右亲近。上下放纵，不理军务，士卒死亡不得其所，白骨相望，遍布原野。左冯翊梁并用恩德、信誉招诱叛变的羌人，离湳、狐奴等五万多户都向梁并归降，陇右再次平定。

梁太后因为徐州、扬州盗贼日益猖狂，朝廷广求将帅。三公举荐涿县县令北海

武才，诏拜抚九江都尉，与中郎将赵序助冯绲，合州郡兵数万人共讨之。又广开赏募，钱、邑各有差[537]。又议遣太尉李固，未及行。三月，抚等进击众贼，大破之，斩马勉、范容、周生等千五百级。徐凤以余众烧东城县[538]。夏，五月，下邳[539]人谢安应募，率其宗亲设伏击凤，斩之。封安为平乡侯。拜滕抚中郎将，督扬、徐二州事。

丙辰[540]，诏曰："孝殇皇帝即位逾年，君臣礼成。孝安皇帝承袭统业，而前世遂令恭陵在康陵之上[541]，先后相逾[542]，失其次序，令其正之。"

六月，鲜卑寇代郡。

秋，庐江[543]盗贼攻寻阳[544]，又攻盱台[545]。滕抚遣司马王章击破之。

九月庚戌[546]，太傅赵峻薨。

滕抚进击张婴。冬，十一月丙午[547]，破婴，斩获千余人。丁未[548]，中郎将赵序坐畏懦、诈增首级[549]，弃市。

历阳[550]贼华孟自称黑帝，攻杀九江太守杨岑。滕抚进击，破之，斩孟等三千八百级，虏获七百余人。于是东南悉平，振旅而还。以抚为左冯翊。

永昌[551]太守刘君世铸黄金为文蛇，以献大将军冀。益州刺史种暠纠发逮捕，驰传上言，冀由是恨暠。会巴郡[552]人服直聚党数百人，自称天王，暠与太守应承讨捕，不克，吏民多被伤害。冀因此陷之，传逮暠、承。李固上疏曰："臣伏闻讨捕所伤，本非暠、承之意，实由县吏惧法畏罪，迫逐深苦[553]，致此不详[554]。比盗贼群起，处处未绝。暠、承以首举大奸而相随受罪[555]，臣恐沮伤州县纠发之意，更共饰匿[556]，莫复尽心。"太后省奏，乃赦暠、承罪，免官而已。金蛇输司农[557]，冀从大司农杜乔借观之，乔不肯与。冀小女死，令公卿会丧，乔独不往。冀由是衔[558]之。

人滕抚有文才武略，下诏任命滕抚为九江都尉，和中郎将赵序辅助冯绲，集合州郡数万军队共同征讨叛贼。又广设赏招募，悬赏的金钱和封爵采邑按功劳大小各有等级。又议论派遣太尉李固前往，还未来得及动身。三月，滕抚等人进击众贼，把敌人打得大败，杀死马勉、范容、周生等一千五百多人。徐凤带领残部烧毁东城县。夏，五月，下邳人谢安接受招募，率领他的宗族，设下埋伏攻击徐凤，斩杀了徐凤。册封谢安为平乡侯。任命滕抚为中郎将，督导扬、徐二州军事。

五月二十六日丙辰，下诏说："孝殇皇帝在位已超过一年，君臣名分已定。孝安皇帝继承大统，而过去竟使恭陵排在康陵之上，后辈超过了先辈，次序颠倒，现今应当改正。"

六月，鲜卑侵犯代郡。

秋，庐江盗贼攻打寻阳，又攻打盱台。滕抚派司马王章打败了他们。

九月二十二日庚戌，太傅赵峻去世。

滕抚进击张婴。冬，十一月十九日丙午，打败了张婴，杀死和俘虏了一千多人。二十日丁未，中郎将赵序因为畏惧怯懦和谎报斩敌人数，被判处死刑。

历阳盗贼华孟自称黑帝，杀死九江太守杨岑。滕抚进击，打败了他，杀死华孟等三千八百人，俘虏七百多人。于是东南全部安定，军队凯旋。任命滕抚为左冯翊。

永昌太守刘君世用黄金铸造文蛇，进呈给大将军梁冀。益州刺史种暠揭发并逮捕了刘君世，利用驿传向朝廷报告，梁冀由此怀恨种暠。适逢巴郡人服直聚集几百人，自称天王，种暠和太守应承前往讨伐，没有获胜，官吏和民众多受伤害。梁冀借此陷害种暠，通过驿传抓获种暠和应承。李固上书说："臣听说讨伐所造成的官民的损伤，本不是种暠、应承之意造成的，实在是由于县里的官吏害怕法令，怕承担罪责，逼迫人民作战，使人民陷入深深的痛苦之中，官民受损伤的局面，原来是县里的官吏不了解形势造成的。等到盗贼群起，到处没有平息。种暠、应承因为首先揭发奸恶而立即受到罪罚，臣担心这样会挫伤州县揭发贼情的诚意，以后会互相隐瞒，不肯再尽忠心。"梁太后看了奏章，于是赦免了种暠、应承，只免官而已。金蛇收归国库，由大司农收藏，梁冀想从大司农杜乔那里借来观看，杜乔不同意。梁冀的小女儿死了，命令公卿会丧，只有杜乔不去。梁冀因此仇恨杜乔。

【段旨】

以上为第十五段，写冲帝即位不足半年而亡，质帝即位，梁太后临朝，李固当政，罢贪残，任用贤才，清剿东南盗贼，梁冀怀恨，伺机反扑。

【注释】

㊾孝冲皇帝：名炳，顺帝刘保之子，虞贵人所生。二岁即位，只在位五个月即夭逝，故谥为冲帝。胡三省注引《伏侯古今注》曰："炳之字曰明。"500戊戌：正月初六日。501人子：当作人臣。502征清河王蒜句：刘蒜与刘缵，堂兄弟，均乐安王刘宠之孙。刘蒜父刘延平，与刘缵父刘鸿为亲兄弟。刘延平继嗣清河王，故刘蒜为清河王。刘鸿为千乘王，刘缵即帝位后，刘鸿徙封渤海王，故此称缵为渤海孝王鸿之子。刘蒜、刘缵兄弟二人同时被征，因在诸侯王入继大统问题上朝廷大臣与大将军梁冀意见不统一。503千乘贞王伉：千乘王刘伉，刘宠之父，章帝之子，建初四年封千乘王，死后谥为贞王。刘宠继嗣后，和帝永元七年改千乘国曰乐安国。504动止有法度：行为举止有规矩。505公卿皆归心：满朝公卿大臣一致主张立清河王刘蒜为帝。归心，倾心、一致赞成。506任亲政事者：能亲自胜任朝政。507审详大计：深思熟虑国家大计。审，同"详"，仔细。508周、霍之立文、宣：指周勃立文帝，霍光立宣帝。509邓、阎之利幼弱：指邓绥皇太后立殇帝刘隆及安帝刘祜，阎姬皇太后立北乡侯，立幼以贪权，贻害国家，邓、阎两外戚亦受祸，希望梁冀引以为戒。510丙辰：正月二十四日。511丁巳：正月二十五日。512卜山陵：为冲帝刘炳选择墓地。513赋发非一：不是一处征收赋税。514可起陵于宪陵茔内：谓冲帝陵可在顺帝陵墓旁建造。515依康陵制度：依照康陵规模及前例安葬冲帝。康陵，殇帝陵，建于和帝慎陵墓园内。516己未：正月二十七日。517除官多不以次：升官大多不是依资历逐级升迁，受左右小人影响，将无能奸佞之辈越级提升。518又希望冀旨：又为了迎合讨好梁冀的心意。519飞章：匿名信。520依正行邪：表面上正人君子，实际行为是个奸邪之人。521离间近戚：挑拨皇室宗亲与皇帝的感情。522自隆支党：自己壮大私党。523大行在殡二句：先帝出殡安葬之时，路上行人掩面哭泣。大行，皇帝死讳称大行。524固独胡粉饰貌：李固却在脸上涂抹进口化妆品。胡粉，产于龟兹国的化妆品。525盘旋偃仰二句：左顾右盼，俯仰做作，行为妖冶。从容，舒缓俯仰的样子。治步，修治仪容，行步中仪。526曾无惨怛伤悴之心：丝毫没有忧伤悲痛的感情。527山陵未成二句：先帝山陵还未建成，李固就改变了旧有的规章制度。528侍送：侍奉在君侧，君死为君送葬。529夫子罪莫大于累父二句：说到儿子的罪过没有比连累父母更大的了，臣下的罪恶没有比诋毁君王更大的了。530固之过衅二句：李固的罪过，应当诛杀。过衅，过错、罪恶。合，应当。诛辟，诛杀。531乙酉：二月二十四日。532断盗牢禀：克扣军粮。断盗，裁割、克扣。牢、禀，义同，即廪食。533私自润入二句：指各级将领层层中饱私囊，然后又用金银财宝贿赂长官左右。534上下放纵：上上下下肆无忌惮，层层包庇。535陇右：地区名，陇山之西称陇右，当今甘肃东部地区，在陇山之西黄河之东。536滕抚：字叔辅，北海国剧县（在今山东昌乐西）人，官至左冯翊。传见《后汉书》卷三十八。537钱、邑各有差：悬赏的钱和封爵采邑按功劳大小定有等级。538东城县：县治在今安徽定远东南。539下邳：县

名，县治在今江苏邳州南。⑤④⓪丙辰：五月二十六日。⑤④①前世遂令句：前世，指安帝。康陵，即殇帝陵。安帝即位，葬殇帝，未给殇帝建陵，而葬于和帝慎陵园内。恭陵，即安帝陵。安帝继殇帝为大统，单独有陵，故规模体制在康陵之上。⑤④②先后相逾：后辈超过了先辈。殇帝为东汉第五任皇帝，在先；安帝为东汉第六任皇帝，在后，而后帝之陵反而超过了先帝之陵。⑤④③庐江：郡名，治所舒县，在今安徽庐江县西南。⑤④④寻阳：县名，县治在今湖北黄梅西南。⑤④⑤盱台：县名，属下邳国，县治在今江苏盱眙北。⑤④⑥庚戌：九月二十二日。⑤④⑦丙午：十一月十九日。⑤④⑧丁未：十一月二十日。⑤④⑨诈增首级：虚报斩敌人数。⑤⑤⓪历阳：县名，属九江郡，县治在今安徽和县。⑤⑤①永昌：郡名，治所不韦，在今云南保山市东北。⑤⑤②巴郡：郡名，治所江州，在今重庆市。⑤⑤③迫逐深苦：强迫人民作战，陷入深深的痛苦之中。⑤⑤④致此不详：造成官民受损伤的局面，原来是县吏不了解形势造成的。详，审也，审知敌人形势。⑤⑤⑤暠、承以首举大奸句：种暠、应承因出头揭发了大奸而立即受到惩处。首举大奸，语意双关，既指公开赃情，又指种暠揭发梁冀收受黄金文蛇事件。⑤⑤⑥更共饰匿：互相隐瞒。⑤⑤⑦金蛇输司农：金蛇收归国库，由大司农收藏。⑤⑤⑧衔：恨。

【校记】

［22］宪陵：原误作“建陵”。据章钰校，甲十六行本、乙十一行本皆作“宪陵”，当是。宪陵为顺帝陵。［23］黄门：原无此二字。据章钰校，甲十六行本、乙十一行本、孔天胤本皆有此二字，今据补。

【研析】

本卷研析顺帝后期政治，释例三条，从正反两个方面看出，东汉政治昏暗，顺帝心明志衰，国家不振，无可救药。

第一，招抚岭南。侍御史贾昌与岭南州郡联兵征讨南人部落反叛，一年多没有攻克，反而官军被围困。顺帝诏公卿大臣与四府合议征讨方略，一致主张大发兵征讨。议郎李固独持异议，陈述了七条不可大发兵的理由，只要州郡长官称职，无须征讨，就可招抚。四府一致采纳李固建议，朝廷调任长沙人并州刺史祝良为九真太守，南阳人张乔为交趾刺史。两人到任，张乔开诚布公，宣慰诱导，交趾叛乱的少数民族部落大多投降，另有一部分解散。祝良乘单车直接进入少数民族叛军大营，陈说利害前途，展示政府威望和信誉，叛军感悟，纷纷向官军投降。叛乱投降的有几万人。五岭地区，秩序全部恢复。事实生动证明，少数民族地区的反叛，是贪官污吏的盘剥暴行引起的反抗。只要有一个清廉的官吏，百姓视之如父母。祝良不是以暴易暴，用大军征讨，而是单车宣慰，就这一点诚信就感动了九真的叛众，不仅放下武器，还自动修建郡府官舍。

第二，皇甫规献策安羌。皇甫规，字威明。张奂，字然明。段颎，字纪明。三人的字都有一个“明”字，都是凉州人，又三人都是安羌名将，故三人合传，史称凉州三明。传见《后汉书》卷六十五，东汉西羌之祸，国家被困扰一百余年，最后为三明所安抚。征西将军马贤，既不懂军事，又无爱民之心，征讨四年，耗费数十亿钱财，还为祸一方。皇甫规，安定朝那人。朝那，在今甘肃平凉西北。这是夷汉混杂的地区，皇甫规自幼生于斯地，熟悉边地风土民情，胸藏韬略，他上书朝廷献安羌之策，请兵五千，不要军饷，不要高官，只为效忠国家，安定社会。当时皇甫规为安定郡上计掾，人微言轻，顺帝竟然不采纳。

皇甫规在上书中指出祸乱原因，是地方贪官暴吏逼使民反，而征讨之将克剥兵士，不爱民，也不爱兵，虚夸战功，讳言失败，所以长年无功。

第三,八使巡风。顺帝汉安元年（公元一四二年）八月，顺帝派遣侍中杜乔、周举，守光禄大夫周栩、冯羡、栾巴、张纲、郭遵、刘班八人，分行州郡，举荐贤良，表彰尽忠勤劳的官吏，平反冤狱，惩治贪黩，史称八使巡风。张纲，廷尉张皓之子。张皓，犍为武阳人。武阳县旧治在今四川眉山市彭山区东。张皓是西汉名相张良第六代孙。张皓、张纲继承了祖上刚强、正义的传统，父子皆为东汉名臣，不畏权势，护持大义。张纲字文纪，少明经学，史称“虽为公子，而实厉布衣之节”。司徒府征辟，张纲以对策高第为侍御史，极端不满汉顺帝宠信宦官，发愿说:“秽恶满朝，不能奋身出命埽国家之难，虽生吾不愿也。”八使巡风，唯张纲最年轻，官位最低，其他七位都是硕学大儒，多历显位。张纲抓住这样一次难得的机会要干一番大事业，他在洛阳都亭大使出行与朝廷送行的祖道地点，即上路的地点，把车轮埋在地下，表示不去地方拍“苍蝇”，要留在京师抓“大象”。张纲说:“豺狼当道，安问狐狸!”豺狼即指大将军梁冀。张纲要拉外戚下马，气势如虹，视死如归，弹劾大将军梁冀、河南尹梁不疑。这件事震动了京城。当时梁皇后正得到宠爱，梁氏姻亲党羽满朝，汉顺帝不受理张纲的奏书，也不治张纲的罪，张纲忠诚，所言都是事实，这一点顺帝心里还算明白。

梁冀不满，利用手中职权，公报私仇。广陵大盗张婴聚众数万人，杀刺史二千石，寇乱扬州、徐州十多年，官军征讨不能取胜。梁冀点名要尚书省委派张纲任广陵太守，意在借刀杀人。张纲受命，没有推辞，单车上任，不带军队，他以个人的胆识、毅力和智慧，劝降张婴，一方安静。后来张纲离任，张婴复叛。所谓盗贼横行，都是官逼民反，黎民百姓要求很低，他们只要一个像张纲这样的清官，让他们能生存下去。贪官恶吏，不让人民生存，人民只能拿起刀枪棍棒，在死中求活。八使巡风，其他各使，未见史载一个字的政绩，只不过是走了一番过场。张纲的壮烈行为，也只是走了一个过场。东汉政权，已不可能自上而下改革了，除了走向灭亡，没有别的药可救。

卷第五十三　汉纪四十五

起柔兆阉茂（丙戌，公元一四六年），尽柔兆涒滩（丙申，公元一五六年），凡十一年。

【题解】

本卷记事起公元一四六年，迄公元一五六年，凡十一年，当质帝本初元年至桓帝永寿二年，载桓帝一朝前期史事。桓帝以诸侯入继大统，受制于外戚梁氏，不甘于傀儡地位，而与宦官结盟，结果皇权不落于外戚之手，则落于宦官之手。宦官浊流为朝官士大夫看不起，宦官心灵受辱，则横暴变本加厉。皇帝愈是贴近宦官，必然愈是疏远朝官士大夫。外戚失势，朝官士大夫被疏远，二者合流对抗宦官，其势必然把皇权更加推入宦官怀抱。于是皇帝、宦官、外戚、朝官士大夫，相互的权力之争陷入恶性循环。桓、灵时期，宦官专权达于鼎盛，东汉政权进入了黑暗期。桓帝初期，不学无术的外戚梁冀，为了一句“跋扈将军”就随意毒杀质帝，此时外戚势力最为嚣张，名臣李固、杜乔皆为梁冀害死。梁冀目空一切，大起宅第，扩建范围，僭越制度，自掘坟墓。太学生刘陶上奏桓帝纳谏亲贤，建言召李膺入朝治事，桓帝不听。三十二个郡国大闹蝗灾。崔寔《政论》倡言治乱邦要用重典。司马光则评曰宽严相济，才是治国常典。鲜卑檀石槐兴起，侵扰北疆。

【原文】

孝质皇帝①

本初元年（丙戌，公元一四六年）

夏，四月庚辰②，令郡、国举明经③诣太学，自大将军以下皆遣子受业，岁满课试④，拜官有差。又千石、六百石、四府掾属、三署郎、四姓小侯先能通经者，各令随家法，其高第者上名牒，当以次赏进⑤。自是游学增盛，至三万余生。

五月庚寅⑥，徙乐安王鸿为勃海王。

海水溢，漂没民居。

六月丁巳⑦，赦天下。

帝少而聪慧，尝因朝会目梁冀曰：“此跋扈⑧将军也！”冀闻，深恶之。闰月甲申⑨，冀使左右置毒于煮饼⑩而进之。帝苦烦甚⑪[1]，使

【语译】

孝质皇帝

本初元年（丙戌，公元一四六年）

夏，四月二十五日庚辰，命令郡、国推荐明通经学的大儒到太学，从大将军以下都把子弟送至学校读书，学满一年考试，按等级授予官职。另外千石、六百石、四府属官、三署郎、四姓小侯中已经通晓经书的，下令他们各自继承家学，考试成绩好的列入名录，按照排名顺序给以赏赐。从此，学风昌盛，增加到三万多太学生。

五月初六日庚寅，徙封乐安王刘鸿为勃海王。

海水倒溢，淹没民宅。

六月初三日丁巳，赦免天下。

汉质帝少年聪慧，曾经在朝会时看着梁冀说："这位是跋扈将军!"梁冀听了，对汉质帝深为憎恨。闰六月初一日甲申，梁冀派汉质帝左右近侍在汤饼里下毒，送给汉质帝吃。汉质帝吃后口干涩苦，胸中十分烦闷，派人赶快召见太尉李固。李固

促召太尉李固。固入前，问帝得患所由。帝尚能言，曰："食煮饼，今腹中闷，得水尚可活。"时冀亦在侧，曰："恐吐，不可饮水。"语未绝而崩。固伏尸号哭⑫，推举侍医⑬。冀虑其事泄，大恶⑭之。

将议立嗣，固与司徒胡广、司空赵戒先与冀书曰："天下不幸，频年⑮之间，国祚三绝⑯。今当立帝，天下重器⑰，诚知太后垂心⑱，将军劳虑，详择其人，务存圣明。然愚情眷眷⑲，窃独有怀⑳。远寻㉑先世废立㉒旧仪，近见㉓国家践祚㉔前事，未尝不询访公卿，广求群议，令上应天心，下合众望。《传》曰㉕：'以天下与人易，为天下得人难。'昔昌邑之立，昏乱日滋，霍光忧愧发愤㉖，悔之折骨㉗。自非博陆忠勇，延年奋发，大汉之祀，几将倾矣㉘。至忧至重，可不熟虑！悠悠万事，唯此为大㉙，国之兴衰，在此一举。"冀得书，乃召三公、中二千石、列侯，大议所立。固、广、戒及大鸿胪杜乔皆以为清河王蒜明德著闻㉚，又属最尊亲㉛，宜立为嗣，朝臣[2]莫不归心。而中常侍曹腾尝谒㉜蒜，蒜不为礼，宦者由此恶之。

初，平原王翼既贬归河间㉝，其父请分蠡吾县㉞以侯之，顺帝许之。翼卒，子志嗣。梁太后欲以女弟妻志，征到夏门亭㉟。会帝崩，梁冀欲立志。众论既异，愤愤不得意，而未有以相夺㊱。曹腾等闻之，夜往说冀曰："将军累世有椒房之亲㊲，秉摄万机㊳，宾客纵横，多有过差。清河王严明，若果立，则将军受祸不久矣！不如立蠡吾侯，富贵可长保也。"冀然其言。明日，重会公卿，冀意气凶凶㊴，言辞激切㊵，自胡广、赵戒以下莫不慑惮㊶，皆曰："惟大将军令！"独李固、杜乔坚守本议。冀厉声㊷曰："罢会㊸！"固犹望众心可立，复以书劝冀㊹，冀愈激怒。丁亥㊺，冀说太后，先策免固㊻。戊子㊼，以司徒胡广为太尉，司空赵戒为司徒，与大将军冀参录尚书事。太仆袁汤为司空。汤，安之孙也。庚寅㊽，使大将军冀持节以王青盖车迎蠡吾侯志入南宫，其日即皇帝位，时年十五。太后犹临朝政。

秋，七月乙卯㊾，葬孝质皇帝于静陵㊿。

大将军掾朱穆奏记劝戒梁冀曰："明年丁亥之岁，刑德合于乾位51，《易经》龙战之会52，阳道将胜，阴道将负。愿将军专心公朝53，割除私

进宫来到汉质帝前，问汉质帝得病的原因。当时汉质帝还能说话，说：“吃了汤饼，现在肚子胀，喝水还能活命。”当时梁冀也在旁边，说：“担心会吐，不能喝水。”话还未说完，汉质帝就死了。李固伏尸痛哭，追查弹劾值班的御医。梁冀顾虑事情泄露，深恨李固。

将要商量继位的人选，李固和司徒胡广、司空赵戒先给梁冀写信说：“天下不幸，数年之间，三个皇帝相继死去。现在应该立皇帝，这是国家最重大的事情，深知太后深切关心，将军劳神思虑，谨慎地选择继位的人，力求圣明。然而，我们心里深切思念，独有所感。查考古代君王的废立，近看汉代至此的国君即位，没有不访问公卿大臣，广泛征求群臣意见的，使立嗣上应天心，下合众望。古书上说：‘把天下送给别人容易，为天下选得人才困难。’从前，昌邑王被立为帝，昏乱日益滋长，霍光忧愁惭愧而奋发有为，悔恨得椎心折骨。如果不是博陆侯霍光忠正勇猛，延年奋发有为，大汉国统，几乎要断绝了。立君是一件最令人忧心、最重要的事情，怎能不深思熟虑！国家之事千头万绪，只有这才是最大的事，国家兴衰，就在此一举。”梁冀获得书信后，召集三公、中二千石、列侯，议论立帝大事。李固、胡广、赵戒以及大鸿胪杜乔等人都认为清河王刘蒜以有圣明的德行而著闻，是质帝的同父兄长，最为亲贵，应该立他为嗣，朝臣没有不心服的。但是，中常侍曹腾曾经晋见刘蒜，刘蒜对曹腾毫不客气，宦官因此憎恨刘蒜。

当初，平原王刘翼被贬回河间，刘翼的父亲河间孝王刘开请求划分蠡吾县给刘翼，使刘翼为侯，汉顺帝接受了。刘翼去世，儿子刘志嗣位。梁太后想把妹妹嫁给刘志，把刘志召到夏门亭。正遇到汉质帝去世，梁冀想拥立刘志。与众人的意见不同，愤然不乐，又找不到理由驳斥公卿众臣。曹腾等人听说此事，夜间前往劝梁冀说：“将军几代为皇亲国戚，掌管国政，门客众多，有不少过失。清河王严肃端正，如果继位，那么不久大将军将大祸临头了！不如立蠡吾侯，可以长保富贵。”梁冀认为曹腾的话有道理。第二天，再次会集公卿，梁冀气势汹汹，言辞偏激强硬，自胡广、赵戒以下的官员没有不慑服恐惧的，都说：“唯大将军令是从！”只有李固、杜乔坚持原议。梁冀大声严厉地说：“散会！”李固仍然认为刘蒜是众望所归，再次写信劝说梁冀，梁冀更加愤怒。闰六月初四日丁亥，梁冀说服了梁太后，先下诏免去李固的官职。初五日戊子，任命司徒胡广为太尉，司空赵戒为司徒，与大将军梁冀共同掌管宫廷机要。太仆袁汤为司空。袁汤，是袁安的孙子。初七日庚寅，命令大将军梁冀持节，以王侯的青盖车迎接蠡吾侯刘志入皇宫，当天皇帝即位，年仅十五岁。梁太后仍然临朝听政。

秋，七月初二日乙卯，把汉质帝葬于静陵。

大将军属官朱穆致书劝诫梁冀说：“明年是丁亥年，刑罚和恩德都在北方，《易经》记载，龙战之会，阳道将获得胜利，阴道将失败。希望将军专心朝政，割除私

欲，广求贤能，斥远佞恶，为皇帝置师傅，得小心忠笃敦礼之士，将军与之俱入[54]，参劝讲授[55]，师贤法古[56]，此犹倚[57]南山、坐平原也，谁能倾[58]之！议郎大夫之位，本以式序[59]儒术高行之士[60]，今多非其人，九卿之中亦有乖其任者，惟将军察焉。”又荐种暠、栾巴等，冀不能用。穆，晖之孙[61]也。

九月戊戌[62]，追尊河间孝王为孝穆皇，夫人赵氏曰孝穆后，庙曰清庙，陵曰乐成陵[63]；蠡吾先侯曰孝崇皇，庙曰烈庙，陵曰博陵[64]。皆置令、丞，使司徒持节奉策书玺绶，祠以太牢[65]。

冬，十月甲午[66]，尊帝母匽氏[67]为博园贵人。

滕抚性方直，不交权势，为宦官所恶。论讨贼功当封，太尉胡广承旨奏黜之，卒于家。

【段旨】

以上为第一段，写梁冀毒死质帝，违逆公卿迎立蠡吾侯刘志即位，是为桓帝。太尉李固被罢免。

【注释】

①孝质皇帝：名缵，章帝曾孙，渤海王刘鸿之子，诸侯王入继大统，年八岁即位。公元一四五至一四六年在位。质帝在位一年零三个月，为梁冀所弑。胡三省注引《伏侯古今注》曰：“‘缵’之字曰‘继’。”②庚辰：四月二十五日。③明经：精通经学的大儒。④岁满课试：学习一年以后进行考试。《汉书·儒林传》：太学生员，“一岁皆辄课，能通一艺以上，补文学掌故缺；其高第可以为郎中，太常籍奏”。这里指在太学专办官员子弟班，由郡国举荐明经大儒为教师。⑤当以次赏进：按排名顺序给以赏赐。以上四句谓：千石至六百石的中级官、四府（大将军、太尉、司徒、司空）部属官员、三署郎、四姓小侯等已能通晓经书，让他们各自继承家法，考试成绩好的列入名录，按排名顺序给以赏赐。三署郎，五官郎及左、右中郎。四姓小侯，即外戚子弟，初为樊、郭、阴、马四姓，明帝永平九年（公元六六年）初设四姓小侯讲官，后又有窦家、阎家，至此许多外家早已衰落，而今有外戚梁氏兴起，仍沿用四姓小侯之名。⑥庚寅：五月初六日。⑦丁巳：六月初三日。⑧跋扈：蛮横。⑨甲申：闰六月初一日。⑩煮

欲，广求贤能，远斥奸邪，为皇帝设置师傅，选择小心谨慎、熟厚礼义的人担当，将军与他一起进宫，参加讲授学习，效法古代先贤，这如同背靠南山、稳坐平原，谁能颠覆！议郎、谏议大夫等言官的职位，本来就是用来安置那些精通儒术、志行高尚的士人的，现在多非其人，九卿之中也有不能胜任的，请将军明察。”又举荐种暠、栾巴等人，梁冀没有采用。朱穆，是朱晖的孙子。

九月戊戌日，追尊河间孝王为孝穆皇，夫人赵氏为孝穆后，祭庙称为清庙，陵墓称为乐成陵；蠡吾先侯称为孝崇皇，祭庙称烈庙，陵墓称博陵。这些陵寝全都设立令、丞，派司徒持节，携带诏书、印信，以太牢之礼祭祀。

冬，十月十二日甲午，尊汉桓帝生母匽氏为博园贵人。

滕抚性格刚直，不巴结权贵，被宦官仇恨。按照讨贼战功应当封侯，但太尉胡广奉承旨意，上书黜免，滕抚死在家中。

饼：汤饼。⑪帝苦烦甚：质帝口干涩苦，胸中十分烦闷。⑫伏尸号哭：伏在质帝尸上号哭。⑬推举侍医：追查值班太医救护不力之罪。推举，推为追查，举为弹劾。⑭大恶：深切痛恨。⑮频年：连年。⑯国祚三绝：皇帝位统，三次断绝。顺帝、冲帝、质帝三帝驾崩，前后仅三年。⑰重器：指帝位。⑱垂心：深切关心。⑲眷眷：深切思念。⑳窃独有怀：独有所感。㉑远寻：查考远古的历史。㉒先世废立：古代君王的废立。㉓近见：看看近代的历史。㉔国家践祚：指汉代各次国君即位。㉕《传》曰：古书上说。传，指古书。《传》曰下引文意谓：“把天下送给别人十分容易，为天下选得人才十分困难。”据胡三省注，此为《孟子》之言。㉖忧愧发愤：忧愁惭愧而奋发有为。㉗悔之折骨：即折骨之悔，后悔到极点。㉘大汉之祀二句：大汉政权差点倾覆在昌邑王手里。西汉昭帝逝世，无子，大将军霍光征昌邑王刘贺入继大统，因昌邑王昏乱，霍光与大司农田延年等废昌邑王刘贺而改立宣帝。事见本书卷二十四昭帝元平元年。㉙悠悠万事二句：国家之事千头万绪，只有选择皇帝即位这才是最大的事。㉚明德著闻：圣明的德行久已著闻。㉛最尊亲：清河王刘蒜与质帝为堂兄弟，同为乐安王刘宠之孙。蒜为兄，是最尊；又同出一祖，是最亲。㉜谒：晋见。㉝平原王翼既贬归河间：平原王刘翼，本是河间王刘开之子，与安帝刘祜为堂兄弟。邓绥皇太后以刘翼为平原王刘胜继嗣，而刘胜为和帝之子。刘祜疑心邓太后要罢黜自己改立刘翼，于是怀恨刘翼。邓太后死，刘祜立即贬刘翼为都乡侯，逐回河间。事见本书卷五十安帝建光元年。㉞蠡吾县：县治在今河北博野。㉟夏门亭：在洛阳北门外。㊱相夺：驳斥对方，夺回主动权。此指梁冀不欲立刘蒜而志欲立刘志，但找不出理由来驳斥公卿众臣。㊲累世有椒房之亲：几代都为皇亲。椒房，皇后所居之房。和帝之母章帝梁贵人，梁竦之女，和帝即位尊为恭怀皇后。顺帝

梁皇后梁妠，梁商之女，为恭怀皇后内侄孙。两梁皇后皆出自梁氏一门血亲，故称累世椒房。㊳秉摄万机：手握万机之权，即掌管国政。㊴意气凶凶：气势汹汹。㊵言辞激切：言语偏激强硬。㊶慑惮：慑服恐惧。㊷厉声：大声严厉。㊸罢会：散会。指终止廷议。㊹固犹望众心可立二句：李固以众心属于清河王刘蒜，犹望可以立为帝，于是在廷议终止后又写信劝说梁冀。胡三省对此评论说，李固不能揭发梁冀逆弑质帝的大恶使之受国法惩治，即使事不成，也是为国尽忠壮烈而死；李固做不到这一点，却又低头周旋其间，想通过立长君来治梁冀之罪，结果免不了被梁冀害死，可以说是李固忠心有余而才能不及，故事终不成。㊺丁亥：闰六月初四日。㊻策免固：下诏罢了李固的官。㊼戊子：闰六月初五日。㊽庚寅：闰六月初七日。㊾乙卯：七月初二日。㊿静陵：质帝陵，在洛阳东南。51 明年丁亥之岁二句：明年是丁亥年，刑罚与恩德相会在北方。乾位，北方之位。按阴阳家的说法，干支纪年，该年有丁、壬出现时，恩德在北方；该年有亥、卯出现时，刑罚在北方；而明年为丁亥，是刑罚与恩德相会于北方。这意味着国家政治是以德治还是以刑治，将是谁战胜谁，明年是关键年。这是朱穆假为此说劝梁冀施德政。52《易经》龙战之会：语出《易经·坤卦·上六·爻辞》“龙战于野”，预示阳道将获得胜利，阴道将失败。在朝廷上，公卿为阳道，外戚依女宠专权为阴道。53 专心公朝：

【原文】

孝桓皇帝 68 上之上

建和元年（丁亥，公元一四七年）

春，正月辛亥朔 69，日有食之。

戊午 70，赦天下。

三月，龙[3]见谯 71。

夏，四月庚寅 72，京师地震。

立阜陵王代兄勃遒亭侯便为阜陵王 73。

六月，太尉胡广罢，光禄勋杜乔为太尉。自李固之废，朝野[4]丧气，群臣侧足而立 74，唯乔正色无所回桡 75，由是朝野皆倚望焉。

秋，七月，渤海孝王鸿薨，无子，太后立帝弟蠡吾侯悝为渤海王，以奉鸿祀。

诏以定策功，益封梁冀万三千户，封冀弟不疑为颍阳侯，蒙为西

专心朝政。㊾将军与之俱入：谓大将军梁冀与所选为帝讲学的师傅一同入宫，陪同皇帝听讲。㊿参劝讲授：陪同皇帝听讲，并努力配合师傅给皇帝灌输知识。㊱师贤法古：师与法为互文，谓效法古代先贤。㊲倚：背靠。㊳倾：倾陷；推倒。㊴式序：安置。㊵儒术高行之士：精通儒学、品行高尚的士人。㊶穆二句：朱穆（公元一〇〇至一六三年），字公叔，章帝时尚书令朱晖之孙。穆为人刚直，敢直谏。桓帝时官至冀州刺史、尚书。与朱晖同传，见《后汉书》卷四十三。㊷戊戌：九月癸丑朔，无戊戌。戊戌，应为八月十五日。㊸乐成陵：河间王刘开之王陵，在今河北献县。㊹博陵：蠡吾侯刘翼之陵，在今河北博陵。㊺太牢：牛羊猪各一头。㊻甲午：十月十二日。㊼匽氏：桓帝刘志之母，姓匽，名明，蠡吾侯刘翼的小妾。故只尊为博园贵人。

【校记】

［1］甚：原作“盛”。据章钰校，乙十六行本、乙十一行本皆作“甚”，张敦仁《通鉴刊本识误》同。〖按〗“甚”字于义较长，今从改。［2］臣：原误作“廷”。据章钰校，乙十六行本、乙十一行本、孔天胤本皆作“臣”，张敦仁《通鉴刊本识误》同。〖按〗“臣”字是，今据各本校正。

【语译】

孝桓皇帝上之上

建和元年（丁亥，公元一四七年）

春，正月初一日辛亥，发生日食。

初八日戊午，大赦天下。

三月，谯县出现了龙。

夏，四月十一日庚寅，京师洛阳发生地震。

册封阜陵王刘代的哥哥勃遒亭侯刘便为阜陵王。

六月，太尉胡广被免职，任命光禄勋杜乔为太尉。自从李固被罢免，朝廷内外丧气，群臣人人自危，只有杜乔端正严肃，不肯屈服，因而朝野都寄望于他。

秋，七月，渤海孝王刘鸿去世，没有儿子，梁太后立汉桓帝的弟弟蠡吾侯刘悝为渤海王，以奉祀刘鸿。

下诏因为梁冀定策拥立汉桓帝的功绩，增封梁冀食邑一万三千户，封梁冀的弟

平侯，冀子胤为襄邑侯，胡广为安乐侯，赵戒为厨亭侯，袁汤为安国侯。又封中常侍刘广等皆为列侯。

杜乔谏曰："古之明君皆以用贤赏罚为务。失国之主，其朝岂无贞干之臣⑯，典诰之篇⑰哉？患得贤不用其谋，韬书不施其教⑱，闻善不信其义，听谗不审其理⑲也。陛下自藩臣即位，天人属心⑳，不急忠贤之礼而先左右之封㉑，梁氏一门，宦者微孽㉒，并㉓带无功之绂㉔，裂劳臣之土㉕，其为乖滥㉖，胡可胜言㉗！夫有功不赏，为善失其望，奸回不诘㉘，为恶肆其凶。故陈资斧而人靡畏㉙，班爵位而物无劝㉚。苟遂斯道，岂伊伤政为乱而已，丧身亡国，可不慎哉！"书奏，不省。

八月乙未㉛，立皇后梁氏㉜。梁冀欲以厚礼迎之，杜乔据执旧典㉝，不听。冀属乔举汜宫为尚书，乔以宫为臧罪，不用。由是日忤㉞于冀。九月丁卯㉟，京师地震，乔以灾异策免。冬，十月，以司徒赵戒为太尉，司空袁汤为司徒，前太尉胡广为司空。

宦者唐衡、左悺等[5]共谮㊱杜乔于帝曰："陛下前当即位，乔与李固抗议㊲，以为不堪奉汉宗祀。"帝亦怨之。

十一月，清河刘文与南郡妖贼刘鲔交通，妄言清河王当统天下，欲共立蒜。事觉，文等遂劫清河相谢暠曰："当立王为天子，以暠为公。"暠骂之，文刺杀暠。于是捕文、鲔，诛之。有司劾奏蒜，坐贬爵为尉氏侯，徙桂阳㊳，自杀。

梁冀因诬李固、杜乔，云与文、鲔等交通，请逮按罪。太后素知乔忠，不许。冀遂收固下狱。门生渤海㊴王调贯械上书㊵，证固之枉，河内㊶赵承等数十人亦要铁锧㊷诣阙通诉，太后诏赦之。及出狱，京师市里皆称万岁。冀闻之，大惊，畏固名德终为己害，乃更据奏前事㊸。大将军长史吴祐㊹伤固之枉，与冀争之。冀怒，不从。从事中郎马融主为冀作章表，融时在坐，祐谓融曰："李公之罪，成于卿手。李公若诛，卿何面目视天下人！"冀怒，起，入室，祐亦径去。固遂死于狱中。临命，与胡广、赵戒书曰："固受国厚恩，是以竭其股肱㊺，不顾死亡，志欲扶持王室，比隆文、宣㊻。何图㊼一朝梁氏㊽迷谬㊾，公等曲从㊿，以吉为凶，成事为败[111]乎！汉家衰微，从此始矣。公等受主

弟梁不疑为颍阳侯，梁蒙为西平侯，梁冀的儿子梁胤为襄邑侯，胡广为安乐侯，赵戒为厨亭侯，袁汤为安国侯。又封中常侍刘广等人皆为列侯。

杜乔劝谏说："古代的明君都致力于重用贤才、赏罚分明。亡国的君主，在他当政时朝廷上难道就没有栋梁之臣和治理国家的法令规章吗？值得忧虑的是即使有贤能，也不采用他们的谋略，即使有好的法令规章，也不得施行，听到忠信的建议不能采用，听到谗言也不能分辨好坏。陛下从藩臣登上皇位，天下归心，不把召礼忠贤作为当务之急，反而把分封左右亲近放在首位。梁氏家族，卑微的宦官，都佩戴上了无功而得封侯拜官的印绶，分裂占据本应归于功臣的食邑土地，这种乖张错乱，怎么能说得尽！有功不赏，行善的人失去希望，奸邪不受惩处，作恶者更加猖狂。所以，把砍头的利斧放在面前而没有人害怕，颁布封爵官位而没有人动心。这样下去，岂止是伤害政务、造成混乱而已，还会丧身亡国，能不谨慎吗！"奏章呈上，汉桓帝不理睬。

八月十八日乙未，册立梁女莹为皇后。梁冀准备用厚礼迎接，杜乔根据旧规，不听从。梁冀又嘱咐杜乔推荐泛宫任尚书，杜乔认为泛宫有贪赃罪，不予推荐。于是，杜乔日益冒犯梁冀。九月二十一日丁卯，京城洛阳地震，杜乔因灾异而被下诏免职。冬，十月，任命司徒赵戒为太尉，司空袁汤为司徒，前太尉胡广为司空。

宦官唐衡、左悺等一起向汉桓帝诬陷杜乔，说："陛下在即位之前，杜乔和李固反对大家的意见，认为您不配奉祀汉室宗庙。"汉桓帝于是也怨恨杜乔。

十一月，清河人刘文与南郡民贼刘鲔结交，妄言清河王该统治天下，准备共同拥戴刘蒜。事情泄露，刘文等人就劫持了清河国相谢暠，说："应当立清河王为天子，请你为三公。"谢暠大骂他们，刘文杀了谢暠。于是，朝廷抓获刘文、刘鲔，处死。主管官员弹劾刘蒜，被论罪贬爵为尉氏侯，流放到桂阳，刘蒜自杀。

梁冀趁机诬告李固、杜乔，说他们与刘文、刘鲔等交往，请逮捕治罪。梁太后向来知道杜乔忠厚，不同意。梁冀于是把李固逮捕下狱。李固的门生渤海人王调颈戴刑具到宫门上书，证明李固冤枉，河内人赵承等数十人也腰挂刑具到宫门控诉，梁太后下诏赦免李固。等到李固出狱时，京城的街市里巷皆呼万岁。梁冀听说这种情况，大惊，害怕李固的声誉终将危及自己，于是再次以旧案诬奏李固。大将军长史吴祐痛惜李固蒙冤，与梁冀抗争。梁冀很生气，不听。从事中郎马融专为梁冀写文作书，当时马融恰好在座，吴祐对马融说："李固的罪状，由你一手写成。如果李固被杀，看你有什么脸见天下人！"梁冀大怒，起身，走进内室，吴祐也离去。李固最终死在狱中。临死时，李固给胡广、赵戒写信说："我蒙受朝廷的厚恩，所以竭尽一个大臣的忠贞职责，不顾生死，立志扶持汉室，希望能像汉文帝、汉宣帝时那样实现中兴大业。怎能想到梁氏一门愚昧而专横，而你们曲意随从，以吉为凶，功败垂成！汉室的衰微，由此开始了。你们受君主的厚禄，国家危亡而不扶持，此等倾

厚禄，颠而不扶[112]，倾覆大事，后之良史岂有所私！固身已矣，于义得矣，夫复何言！”广、戒得书悲惭[113]，皆长叹流涕而已。

冀使人胁[114]杜乔曰：“早从宜[115]，妻子可得全。”乔不肯。明日，冀遣骑至其门，不闻哭者，遂白太后收系之，亦死狱中。

冀暴固、乔尸[116]于城北四衢[117]，令：“有敢临者[118]加其罪。”固弟子汝南[119]郭亮尚未冠[120]，左提章钺，右秉铁锧[121]，诣阙上书，乞收固尸，不报[122]；与南阳董班俱往临哭，守丧不去。夏门亭长呵之曰：“卿曹何等腐生[123]！公犯诏书，欲干试有司乎[124]！”亮曰：“义之所动，岂知性命！何为以死相惧邪！”太后闻之，皆赦不诛。杜乔故掾陈留杨匡号泣星行[125]，到雒阳，着故赤帻[126]，托[127]为夏门亭吏，守护尸丧，积十二日。都官从事[128]执之以闻，太后赦之。匡因诣阙上书，并乞李、杜二公骸骨，使得归葬，太后许之。匡送乔丧还家，葬讫，行服[129]，遂与郭亮、董班皆隐匿，终身不仕。

梁冀出吴祐为河间相。祐自免归，卒于家。

冀以刘鲔之乱，思朱穆之言，于是请种暠为从事中郎，荐栾巴[130]为议郎，举穆高第[131]，为侍御史。

是岁，南单于兜楼储死，伊陵尸逐就单于[132]车儿立。

【段旨】

以上为第二段，写梁冀借拥立桓帝之功，排除政敌，害死李固、杜乔，朝廷奸邪结炽，正义丧尽。

【注释】

⑥⑧孝桓皇帝：名志，章帝曾孙，蠡吾侯刘翼之子，东汉第十一任皇帝，公元一四七至一六七年在位。胡三省注引《伏侯古今注》：“‘志’之字曰‘意’。”⑥⑨辛亥朔：正月初一日。⑦⓪戊午：正月初八日。⑦①谯：县名，县治在今安徽亳州。⑦②庚寅：四月十一日。⑦③便为阜陵王：阜陵王刘延，光武帝子，传国五世至刘代，代死无子，国绝。今以刘代之兄刘便亲绍封。据《后汉书》卷四十二《光武十王列传》，勃遒亭侯刘便亲，此作

覆大事，后世的良史岂能隐瞒！我生命到此结束了，在道义上却有所获，还有什么可说呢！”胡广、赵戒看了信悲痛惭愧，都流泪长叹不已。

梁冀派人威逼杜乔说：“及早安排自己的归宿，可以保全妻子儿女。”杜乔不肯。第二天，梁冀派遣骑兵到杜家，未听见哭声，于是报告梁太后逮捕杜乔，杜乔也死于狱中。

梁冀把李固、杜乔暴尸于城北的街口，下令说：“有敢吊丧的加罪惩治。”李固的弟子汝南人郭亮还未行冠礼，左手拿着奏章和大斧，右手拿着铡刀和砧板，前往宫门上书，请求为李固收尸，没有通报；郭亮和南阳人董班都到现场哭丧，守丧不离去。夏门亭长呵斥他们说：“你们真是迂腐的书呆子！公然冒犯诏书，想以身试法吗！”郭亮说：“被大义所感召，哪里还顾得上性命！为何以死来恐吓我们！”梁太后得知消息，将郭亮、董班赦免不杀。杜乔的旧属陈留人杨匡号啕大哭，日夜兼程地赶到洛阳，戴着原来当部属时的红色头巾，冒充夏门亭官吏，守护尸体，长达十二天。都官从事把杨匡抓了起来，报告了梁太后，梁太后赦免了杨匡。杨匡趁机到宫门上书，并请求为李固和杜乔收尸，让他们葬回乡里，梁太后同意了。杨匡护送杜乔灵柩回乡，葬毕，守完丧服礼，就与郭亮、董班都隐居起来，终身不仕。

梁冀外任吴祐为河间相。吴祐辞职回家，死于家中。

梁冀因刘鲔作乱，想起朱穆当初的建议，于是任用种暠为从事中郎，推举栾巴为议郎，推荐朱穆为大将军府掾治行高第，担任侍御史。

这一年，南单于兜楼储去世，伊陵尸逐就单于车儿即位。

“勃遒亭侯刘便”，当从《后汉书》。⑭侧足而立：侧身站立，即不敢正面站立，形容危惧的样子。⑮回桡：屈服。⑯贞干之臣：国家栋梁之臣。贞，通“桢”。干，通“榦”。桢榦，筑墙的夹板器具，喻国之栋梁。⑰典诰之篇：典策诏诰，指治国的法令规章汇编。⑱韬书不施其教：亡国之君即使得到了好的法令规章，也不得施行。韬书，指国家藏有典策诰令。⑲听谗不审其理：亡国之君听到谗言也分辨不出好坏。不审其理，不察谗言之所以为谗的道理。⑳属心：归心。㉑不急忠贤之礼句：不把征召礼用贤能作为当务之急，而把封爵左右放在第一位。㉒微孽：卑微小人。㉓并：梁氏与宦官。㉔带无功之绂：佩戴上无功而得封侯拜官的印绶。㉕裂劳臣之土：取得应归功臣的采邑土地。裂，裂地分封。劳臣之土，应归于功臣的爵土，今却被梁氏与宦官所取得。㉖乖滥：乖张错乱。㉗胡可胜言：怎么能说得尽。胡，曷。㉘奸回不诘：邪曲不受惩处。㉙陈资斧而人靡畏：把砍头的利斧放在面前也无人畏惧。资，利。㉚班爵位而物无劝：颁布封爵官位却没人动心。班，通“颁”。物，人物。㉛乙未：八月十八日。㉜立皇后梁氏：指桓

帝立梁女莹为皇后。梁女莹，皇太后梁妠及大将军梁冀的妹妹。⑨③旧典：据胡注引《汉书旧仪》载，汉制，聘皇后，黄金万斤。吕后为惠帝娶鲁元公主女，超典制为聘二万斤。还有其他种种礼仪规格。梁冀欲仿效惠帝纳后故事，杜乔不同意。⑨④忤：冒犯。⑨⑤丁卯：九月二十一日。⑨⑥谮：诬陷；说坏话。⑨⑦抗议：对抗众人之议，即反对。⑨⑧桂阳：郡名，治所郴县，在今湖南郴州。⑨⑨渤海：郡名，治所南皮，在今河北南皮北。⑩⓪贯械上书：颈戴刑具到宫门上书。⑩①河内：郡名，治所怀县，在今河南武陟西南。⑩②要𫓧锧：腰挂刀斧，并带上铡刀砧板。要，通"腰"。𫓧锧，腰斩刑具。贯械与要𫓧锧，均表示死谏。⑩③乃更据奏前事：于是再次提出刘文、刘鲔谋反事件株连李固。更，再次，重又。⑩④吴祐：字季英，陈留长垣（在今河南长垣东北）人，因为替李固说话，被梁冀出为河间相。传见《后汉书》卷六十四。⑩⑤竭其股肱：尽一个大臣的忠贞职责。⑩⑥比隆文、宣：文，指汉文帝，宣，指汉宣帝，两帝均以汉宗室的身份被群臣迎立为帝，中兴汉朝。今迎立诸侯王入继大统，亦欲使东汉的中兴之业上比文帝、宣帝。⑩⑦何图：怎能想到。⑩⑧一朝梁氏：指梁太后及大将军梁冀等一门梁氏。⑩⑨迷谬：愚昧而专横。⑪⓪曲从：曲意随从。⑪①成事为败：功败垂成。指立刘蒜为帝事。⑪②颠而不扶：国家危亡而不扶持。⑪③悲惭：悲哀惭愧。⑪④胁：威逼。⑪⑤早从宜：及早安排自己的归宿。即令杜乔自杀。⑪⑥暴固乔尸：把李固、杜乔露尸街头以示众。⑪⑦城北四衢：在洛阳城北面四通路

【原文】

二年（戊子，公元一四八年）

春，正月甲子[133]，帝加元服[134]。庚午[135]，赦天下。

三月戊辰[136]，帝从皇太后幸大将军冀府。

白马羌寇广汉属国[137]，杀长吏，益州刺史率板楯蛮讨破之。

夏，四月丙子[138]，封帝弟顾为平原王，奉孝崇皇祀[139]，尊孝崇皇夫人马氏[140][6]为孝崇园贵人。

五月癸丑[141]，北宫掖庭中德阳殿及左掖门火，车驾移幸南宫。

六月，改清河为甘陵[142]。立安平孝王得子经侯理为甘陵王[143]，奉孝德皇[144]祀。

秋，七月，京师大水。

三年（己丑，公元一四九年）

夏，四月丁卯晦[145]，日有食之。

口的夏门亭。⑱临者：吊丧的人。⑲汝南：郡名，治所平舆，在今河南平舆西北。⑳未冠：未加冠，即年未满二十，未成人。㉑左提章钺二句：左手拿着奏章及大斧，右手拿着腰斩刑具铡刀及砧板。㉒不报：不通报。㉓腐生：迂腐儒生；书呆子。㉔公犯诏书二句：公然冒犯诏书，想以身试法吗。公，明目张胆。㉕号泣星行：杨匡号啕大哭，日夜兼程从陈留赶到洛阳。星行，夜行。㉖着故赤帻：杨匡穿戴上原来当部属时的官服。赤帻，红色头巾。这里指官服。㉗托：冒充。㉘都官从事：官名，司隶校尉的部属，掌京都官监察，劾举不法。㉙行服：穿孝服。㉚栾巴：字叔元，魏郡内黄（在今河南内黄西北）人，顺帝时八使巡风之一。传见《后汉书》卷五十七。㉛举穆高第：荐举朱穆为大将军府掾治行高第。㉜尸逐就单于：全称为去持若尸逐就单于，公元一二八至一四〇年在位。

【校记】

［3］龙：据章钰校，乙十六行本“龙”上有“黄”字。［4］朝野：据章钰校，乙十六行本、乙十一行本皆作“内外”，张敦仁《通鉴刊本识误》同。［5］等：原无此字。据章钰校，乙十六行本、乙十一行本、孔天胤本皆有此字，张敦仁《通鉴刊本识误》同，今据补。

【语译】

二年（戊子，公元一四八年）

春，正月十九日甲子，汉桓帝行加冠礼。二十五日庚午，大赦天下。

三月二十四日戊辰，汉桓帝随梁太后临幸大将军梁冀的府第。

白马羌侵扰广汉属国，杀死地方官吏，益州刺史率领板楯蛮出兵讨伐，打败了他们。

夏，四月初三日丙子，册封汉桓帝的弟弟刘顾为平原王，奉祀孝崇皇，尊孝崇皇夫人马氏为孝崇园贵人。

五月初十日癸丑，北宫掖庭的德阳殿和左掖门失火，汉桓帝迁住南宫。

六月，清河国改名为甘陵国。封安平孝王刘得的儿子经侯刘理为甘陵王，奉祀孝德皇。

秋，七月，京师发大水。

三年（己丑，公元一四九年）

夏，四月最后一天三十日丁卯，发生日食。

秋，八月乙丑[146]，有星孛于天市[147]。

京师大水。

九月己卯[148]，地震。庚寅[149]，地又震。

郡、国五山崩。

冬，十月，太尉赵戒免，以司徒袁汤为太尉，大司农河内张歆为司徒。

是岁，前朗陵侯相荀淑卒。淑少博学有高行[150]，当世名贤李固、李膺[151]等[7]皆师宗之[152]。在朗陵[153]，涖事明治，称为神君。有子八人：俭、绲、靖、焘、汪、爽、肃、专，并有名称[154]，时人谓之八龙。所居里旧名西豪[155]，颍阴令渤海苑康[156]以为昔高阳氏[157]有才子八人，更命其里曰高阳里。

膺性简亢[158]，无所交接[159]，唯以淑为师，以同郡陈寔[160]为友。荀爽尝就谒膺，因为其御。既还，喜曰："今日乃得御李君矣！"其见慕如此。

陈寔出于单微[161]，为郡西门亭长[162]。同郡锺皓[163]以笃行称，前后九辟公府，年辈远在寔前，引与为友。皓为郡功曹[164]，辟司徒府，临辞，太守问："谁可代卿者？"皓曰："明府欲必得其人，西门亭长陈寔可。"寔闻之曰："钟君似不察人，不知何独识我？"太守遂以寔为功曹。时中常侍山阳[8]侯览[165]托太守高伦用吏，伦教署为文学掾[166]。寔知非其人，怀檄请见[167]，言曰："此人不宜用，而侯常侍不可违，寔乞从外署[168]，不足以尘明德[169]。"伦从之。于是乡论怪其非举，寔终无所言。伦后被征为尚书，郡中士大夫送至纶氏[170]，伦谓众人曰："吾前为侯常侍用吏，陈君密持教还而于外白署，比[171]闻议者以此少[172]之，此咎由故人[173]畏惮强御[174]，陈君可谓'善则称君，过则称己[175]'者也。"寔固自引愆[176]，闻者方叹息，由是天下服其德。后为太丘[177]长，修德清静[178]，百姓以安。邻县民归附者，寔辄训导譬解发遣[179]，各令还本。司官行部[180]，吏虑民有讼[181]者，白欲禁之。寔曰："讼以求直[182]，禁之，理将何申！其勿有所拘。"司官闻而叹息曰："陈君所言若是，岂有冤于人乎！"

秋，八月三十日乙丑，在天市星区出现孛星。

京师洛阳发大水。

九月十四日己卯，发生地震。二十五日庚寅，再次发生地震。

五个郡、侯国发生山崩。

冬，十月，太尉赵戒被免职，任命司徒袁汤为太尉，大司农河内人张歆为司徒。

这一年，前朗陵国相荀淑去世。荀淑年轻时学问渊博，品德高尚，当代有名的贤才李固、李膺等都尊他为师长。荀淑在朗陵国，治事公正，被称为神君。荀淑有八个儿子：荀俭、荀绲、荀靖、荀焘、荀汪、荀爽、荀肃、荀专，都有名于世，时人称之为八龙。他们所居住的乡里旧名西豪，颍阴县令渤海人苑康认为过去高阳氏有才子八人，就改名西豪里为高阳里。

李膺本性耿直严正，不与达官贵人交往，只以荀淑为师，以同郡人陈寔为朋友。荀爽曾经前往拜访李膺，顺便给他驾车。回来后，高兴地说："今天有幸为李君驾车！"李膺就是如此受人仰慕。

陈寔出身寒微，担任颍川郡西门亭长。同郡人锺皓以高尚的品行受人称赞，前后九次被公府征召，辈分远在陈寔之上，却与陈寔做朋友。锺皓担任郡功曹，被征召到司徒府，临行时，太守问："谁可以接替你的职务？"锺皓说："您如果一定要得到合适人选，西门亭长陈寔就可以。"陈寔听到此事说："钟君似乎不怎么观察人，不知为何偏偏赏识我？"太守于是任命陈寔为功曹。当时，中常侍山阳侯览托太守高伦安排一个人做官，高伦就安排这个人为文学掾。陈寔知道用非其人，于是揣着高伦所下手令进见高伦，对高伦说："这个人不宜任用，但不可得罪侯常侍，请求由郡功曹选用，你太守清明之德就可以不沾灰尘了。"高伦接受了。于是，众人责备陈寔用人不当，陈寔始终没有说什么。后来高伦被征召为尚书，郡中士大夫把他送到纶氏县，高伦对众人说："我先前为侯常侍安派官吏，陈寔暗中退还我的任命书，而对外却说是由他签署委任的，近来听到一些议论纷纷的人拿这事轻视陈寔，这个过错是因为我害怕恶霸造成的，而陈君可以称得上是'把善行归于别人，把过错归于自己'的人。"陈寔仍坚持是自己的错误，大家听到此事，开始感叹不已，于是人人敬佩陈寔的德行。陈寔后来为太丘县长，广施恩德，清静无为，百姓安定。邻县有人前来归顺，陈寔就加以训导，送回本县。上级主管官员到地方巡视，县吏害怕有人向巡察官诉冤，就向陈寔禀报想加以禁止。陈寔说："诉讼为的是求得公平，如果禁止，公理将如何申辩！不要有所禁限。"上级官员听了而叹息说："如果像陈君说得这般，哪里会有受冤的人！"

亦竟无讼者。以沛相[183]赋敛违法[184]，解印绶去[185]，吏民追思之。

锺皓素与荀淑齐名，李膺常叹曰："荀君清识难尚[186]，锺君至德可师[187]。"皓兄子瑾母[188]，膺之姑也。瑾好学慕古，有退让风，与膺同年，俱有声名，膺祖太尉修常言："瑾似我家性[189]，'邦有道，不废；邦无道，免于刑戮[190]'。"复以膺妹妻之。膺谓瑾曰："孟子以为'人无是非之心，非人也[191]'，弟于是何太无皂白[192]邪！"瑾尝以膺言白皓。皓曰："元礼祖、父在位[193]，诸宗并盛，故得然乎！昔国子好招人过[194]，以致怨恶，今岂其时邪！必欲保身全家，尔道为贵。"

【段旨】

以上为第三段，写李膺、陈寔、锺皓等名士风采。

【注释】

⑬³ 甲子：正月十九日。⑬⁴ 帝加元服：桓帝刘志行加冠礼。当年刘志十七岁。⑬⁵ 庚午：正月二十五日。⑬⁶ 戊辰：三月二十四日。⑬⁷ 广汉属国：安帝时以蜀郡北部都尉为广汉属国都尉。治所阴平，在今甘肃文县。⑬⁸ 丙子：四月初三日。⑬⁹ 奉孝崇皇祀：封刘顾为平原王，侍奉孝崇皇帝的香火祭祀。桓帝即位，追尊其父蠡吾侯刘翼为孝崇皇。仿效汉高祖尊其父太公为"太上皇"故事，只称"皇"，去"帝"字。⑭⁰ 马氏：刘翼夫人马氏，即刘顾之母。⑭¹ 癸丑：五月十日。⑭² 改清河为甘陵：甘陵，清河王章帝子刘庆的王陵，在清河。桓帝害死清河王刘蒜后，仍对"清河"之名心存余悸，于是以刘庆墓名为封国名。⑭³ 立安平孝王得句：安平王刘得，河间王刘开之子，桓帝刘志叔父。经侯刘理，与桓帝为从兄弟，今立为甘陵王，奉刘庆之祀。⑭⁴ 孝德皇：刘庆子刘祜入嗣大统为安帝，尊刘庆为孝德皇。⑭⁵ 丁卯晦：四月三十日。⑭⁶ 乙丑：八月三十日。⑭⁷ 有星孛于天市：在天市星区出现孛星。⑭⁸ 己卯：九月十四日。⑭⁹ 庚寅：九月二十五日。⑮⁰ 高行：高尚德行。⑮¹ 李膺（公元一〇九至一六八年）：字符礼，颍川襄城（今河南襄城）人，东汉党人领袖八俊之一，历官河南尹、司隶校尉、长乐少府。传见《后汉书》卷六十七。⑮² 皆师宗之：李固、李膺等都把荀淑尊为师长。⑮³ 朗陵：侯国县名，县治在今河南确山县南。⑮⁴ 并有名称：都有名于世。⑮⁵ 西豪：里名，属颍阴县（在今河南许昌）。⑮⁶ 苑康：字仲真，渤海重合县（在今山东乐陵西）人，东汉党人领袖八及之一，官至泰山太守。

最终也没有上诉的人。由于沛国相加收苛税违反法律，陈寔就弃官而去，官民都追念他。

锺皓向来与荀淑齐名。李膺常慨叹说："荀淑的清高品德和卓越见识难以追踪，锺皓的高尚品德可以作为榜样。"锺皓哥哥的儿子锺瑾的母亲，是李膺的姑妈。锺瑾好学，仰慕古人，有退让风格，与李膺同岁，都有名声。李膺的祖父太尉李修常说："锺瑾很像我家人的品性，'国家清平，做官不会被废弃；国家昏暗，也不会受到刑诛'。"他还把李膺的妹妹嫁给他。李膺对锺瑾说："孟子认为'人如果没有是非之心，他就不是个人'，你简直是黑白不分！"锺瑾曾经把李膺的这番话告诉锺皓。锺皓说："李膺的祖父、父亲在位时，各宗族旺盛，所以他才会如此！过去，齐国大夫国武子喜欢揭发别人的过失，因而被人怨恨，现在哪是他那个时代！如果想保全家人，你的处世之道最为可贵。"

传见《后汉书》卷六十七。⑮⑦高阳氏：传说的五帝之一颛顼的号。高阳氏有贤子八人，曰苍舒、隤敳、梼戭、大临、庞降、庭坚、仲容、叔达。⑮⑧简亢：耿直严正。亢，心性高傲。⑮⑨无所交接：不与达官贵人交往。⑯⓪陈寔（公元一〇四至一八七年）：字仲弓，颍川许县（在今河南许昌东）人，有高行，只做过闻喜、太丘两任县长，朝廷多次征召欲拜陈寔为三公，坚辞不就，隐终于家。传见《后汉书》卷六十二。⑯①单微：寒微；贫贱。单，孤也、薄也。⑯②为郡西门亭长：陈寔曾任颍川郡（治所阳翟，今河南禹州）西门亭长。⑯③锺皓：字季明，颍川长社（在今河南长葛东北）人，以诗律教授门徒千余人。锺皓长于陈寔，两人为忘年交，与陈寔同传。⑯④郡功曹：官名，助郡太守掌人事。⑯⑤侯览（？至公元一七二年）：山阳防东（在今山东单县东北）人，桓、灵帝时大宦官，倾陷党人的骨干人物，官至长乐太仆。传见《后汉书》卷七十八。⑯⑥文学掾：郡太守属官，掌郡学教育。⑯⑦怀檄请见：陈寔怀揣高伦所下手令进见高伦。檄，通告，此指高伦所下署某人为文学掾的手令，陈寔秘密送还。⑯⑧寔乞从外署：陈寔请求将某人由郡功曹选用。外署，即由郡功曹正式选用。外与内相对。内，指由郡太守下令选用，即今之所用走后门，令从内出。⑯⑨尘明德：使清明之德沾上灰尘。此明德指高伦。⑰⓪纶氏：县名，县治在今河南登封西南。⑰①比：等到。⑰②少：轻视；看不起。⑰③故人：高伦自称。汉代尊长者在门生故吏面前多自称故人。⑰④强御：强梁；恶霸。此指中常侍侯览。⑰⑤善则称君二句：把善行归于尊长，把过错归于自己。语出《礼记·坊记》。⑰⑥寔固自引愆：但是陈寔仍坚持自己承担过失。⑰⑦太丘：县名，县治在今河南永城西北。⑰⑧修德清静：广施恩德，清静无为。⑰⑨发遣：送回原籍。⑱⓪司官行部：上级主管官员到地方巡察。⑱①讼：控

诉。这里指百姓向巡察官诉冤。⑱讼以求直：控诉是为了求得公平。⑱沛相：沛国相。太丘县属沛国。沛国治所相县，在今安徽淮北。⑱赋敛违法：沛国相加收苛税违反法规。⑱解印绶去：太丘长陈寔拒绝向人民加收苛税，挂印辞官而去。⑱荀君清识难尚：荀淑的清高品德和卓越见识，难以追踪。⑱钟君至德可师：锺皓的高尚品德可以作为榜样。⑱皓兄子瑾母：锺瑾之母为锺皓之嫂。⑱瑾似我家性：李脩说，锺瑾很像我家家人的品性。⑲邦有道四句：国家清平，锺瑾将会做官不被废弃；国家昏暗，也不会受刑诛。此四句语出《论语·公冶长》孔子评南容之言，孔子并将侄女嫁给南容。李脩引此语评价锺瑾，亦以李膺之妹嫁锺瑾。⑲人无是非之心二句：语见《孟子·公孙丑上》。⑲太无皂白：简直是黑白不分。皂，黑色。⑲元礼祖、父在位：元礼，李膺字。李膺祖李脩

【原文】

和平元年（庚寅，公元一五〇年）

春，正月甲子[195]，赦天下，改元。

乙丑[196]，太后诏归政于帝，始罢称制。

二月甲寅[197]，太后梁氏崩。

三月，车驾徙幸北宫。

甲午[198]，葬顺烈皇后[199]。增封大将军冀万户，并前合三万户，封冀妻孙寿为襄城君，兼食阳翟租[200]，岁入五千万，加赐赤绂，比长公主[201]。寿善为妖态[202]以蛊惑[203]冀，冀甚宠惮之。冀爱监奴[204]秦宫，官至太仓令，得出入寿所，威权大震，刺史、二千石皆谒辞[205]之。冀与寿对街为宅[206]，殚极土木[207]，互相夸竞，金玉珍怪，充积藏室[208]。又广开园圃，采土筑山，十里九阪[209]，深林绝涧，有若自然[210]，奇禽驯兽飞走其间。冀、寿共乘辇车[211]，游观第内，多从倡伎[212]，酣讴竟路[213]，或连日继夜以骋娱恣[214]。客到门不得通，皆请谢门者[215]，门者累千金。又多拓林苑，周遍近县。起兔苑于河南城西，经亘[216]数十里，移檄所在调发生兔，刻其毛[217]以为识，人有犯者，罪至死刑。尝有西域贾胡不知禁忌，误杀一兔，转相告言，坐死者十余人。又起别第于城西，以纳奸亡[218]。或取良人悉为奴婢，至数千口，名曰自卖人。冀用寿言，多斥夺诸梁

为太尉，父李益为赵国相。⑲⑷ 国子好招人过：国子，国武子，即春秋时齐国大夫国佐，性情直率，好言人之过。周王室卿士单朝曾评论国佐说："在国家政治昏乱时，毫无保留地揭发别人的过失，将是怨恨的根本。"不久，国佐在齐国被诛杀。

【校记】

[6] 马氏：原无此二字。据章钰校，乙十六行本、乙十一行本、孔天胤本皆有此二字，张瑛《通鉴校勘记》同，今据补。[7] 等：原无此字。据章钰校，乙十六行本、乙十一行本、孔天胤本皆有此字，今据补。[8] 山阳：原无此二字。据章钰校，乙十六行本、乙十一行本、孔天胤本皆有此二字，张敦仁《通鉴刊本识误》、张瑛《通鉴校勘记》同，今据补。

【语译】

和平元年（庚寅，公元一五〇年）

春，正月初一日甲子，大赦天下，改元。

初二日乙丑，梁太后下诏归政给汉桓帝，停止临朝称制。

二月二十二日甲寅，太后梁氏去世。

三月，汉桓帝移往北宫。

四月初三日甲午，安葬顺烈皇后，增封大将军梁冀一万户，连同以前的共三万户，册封梁冀的妻子孙寿为襄城君，兼收阳翟县的租税，每年收入五千万，特赐红色的印绶，与长公主相同。孙寿善于以娇艳狐媚之态迷惑梁冀，梁冀对她又宠又怕。梁冀宠爱奴仆总管秦宫，让秦宫任太仓令，可以出入孙寿的住宅，权威大震，刺史和二千石官员都要对秦宫晋见、辞行。梁冀与孙寿在街道两侧相对建宅，极尽土木建筑之能事，相互夸耀竞争，金玉珍奇，装满了秘藏室。又广开园圃，挖土建造假山，宏伟曲折，十里九阪，幽深的树林，山涧悬绝，好似天然生成，奇禽驯兽飞走其间。梁冀和孙寿一同乘坐人力车，在府第园内游览，倡伎相伴，整个路途都有歌伎演唱，有时夜以继日地纵情娱乐。客人拜访，不得通报，都要先贿赂门房，看门人都累积了很多钱财。梁冀又开拓许多林苑，遍及邻近各县。在河南城西筑兔苑，纵横数十里，传令地方政府供应活兔，在兔毛上做记号，如有谁伤害兔子，罪至死刑。曾经有西域胡商不知道禁忌，误杀了一只兔，互相牵连指控，有十几个人被处死刑。又在城西修筑宅第，收容作奸犯科之徒及逃亡犯。或者抓良民充当奴婢，多达几千人，称为"自卖人"。梁冀采用孙寿的主意，罢免很多梁家宗室的在位官员，

在位者[219]，外以示谦让，而实崇孙氏[220]。孙氏宗亲冒名[221]为侍中、卿、校、郡守、长吏者十余人，皆贪饕凶淫[222]。各使私客籍属县富人[223]，被以他罪，闭狱掠拷[224]，使出钱自赎，赀物[225]少者至于死。又[9]扶风[226]人士孙奋[227]，居富而性吝，冀以马乘遗之[228]，从贷钱五千万，奋以三千万与之。冀大怒，乃告郡县，认奋母为其守藏婢[229]，云盗白珠十斛、紫金千斤以叛[230]，遂收考奋兄弟死于狱中，悉没其赀财亿七千余万。冀又遣客周流四方，远至塞外，广求异物，而使人复乘势[231]横暴，妻略妇女[232]，殴击吏卒[233]，所在怨毒[234]。

侍御史朱穆自以冀故吏，奏记[235]谏曰："明将军地有申伯之尊[236]，位为群公[237]之首，一日行善，天下归仁，终朝为恶，四海倾覆。顷者官民俱匮[238]，加以水虫为害[239]，京师诸官费用增多，诏书发调，或至十倍，各言官无见财[240]，皆当出民，搒掠[241]割剥[242]，强令充足。公赋[243]既重，私敛[244]又深，牧守长吏多非德选，贪聚无厌[245]，遇民如虏[246]，或绝命于棰楚[247]之下，或自贼[248]于迫切之求。又掠夺百姓，皆托之尊府[249]，遂令将军结怨天下，吏民酸毒[250]，道路叹嗟[251]。昔永和之末[252]，纲纪少弛[253]，颇失人望，四五岁耳，而财空户散，下有离心，马勉之徒乘敝而起，荆、扬之间几成大患。幸赖顺烈皇后初政清静，内外同力，仅乃讨定。今百姓戚戚[254]，困于永和，内非仁爱之心可得容忍，外非守国之计所宜久安也。夫将相大臣，均体元首[255]，共舆而驰，同舟而济，舆倾舟覆[256]，患实共之。岂可以去明即昧[257]，履危自安[258]，主孤时困而莫之恤[259]乎！宜时易宰守非其人者[260]，减省第宅园池之费，拒绝郡国诸所奉送[261]，内以自明，外解人惑[262]，使挟奸之吏无所依托[263]，司察之臣[264]得尽耳目[265]。宪度既张[266]，远迩清壹[267]，则将军身尊事显，德耀无穷[268]矣！"冀不纳。冀虽专朝纵横[269]，而犹交结左右宦官，任其子弟、宾客[10]为州郡要职，欲以自固恩宠[270]。穆又奏记极谏[271]，冀终不悟，报书云："如此，仆亦无一可邪！"然素重穆，亦不甚罪也。

冀遣书诣乐安太守陈蕃，有所请托，不得通。使者诈称[272]他客求谒蕃，蕃怒，笞杀之。坐左转修武令[273]。

对外表示谦让，实际上是扶植孙家宗室。孙氏宗亲冒名为侍中、卿、校、郡守、长吏的有十多人，个个贪婪荒淫。各自派人编造县邑富人名册，找个罪名，下狱拷问，让他们出钱自赎，财物出得少的，就被活活打死。有个扶风人士孙奋，富有而吝啬，梁冀赠给他一辆马车，而向他借五千万钱，士孙奋只给了三千万钱。梁冀大怒，就向郡县告状，指认士孙奋的母亲是他家库房的婢女，说她偷窃了白珠十斛、紫金千斤，背叛主人而逃走，于是收拷士孙奋兄弟，杀死在狱中，共没收他们的资产一亿七千多万。梁冀又派人周游四方，远至塞外，广求珍奇异宝，而那些被派出的人又乘势施暴，奸淫抢掠妇女，殴打地方官员和士兵，所到之处，遭人民刻骨怨恨。

侍御史朱穆自以为是梁冀的旧属，上书劝谏说："大将军的地位像申伯那样尊贵，位为群公之首，如果一天行善，天下归仁，一朝为恶，天下颠覆。最近，国家和人民都很贫穷，加以碰到水灾虫害，京城各府的费用增多，朝廷征调，有时高达平日的十倍，而各自都说官府没有现钱，全部应当由百姓承担，拷打榨取，强迫人民缴足。国家赋税已经很深重，地方官吏私下敛取又多，州牧郡守长官大多不是按德行选任的，贪得无厌，对待民众如同对待强盗，有的人被拷打而死，有的人迫于追索而自杀。还有，地方官吏掠夺百姓，都托词说是大将军的命令，于是使天下人都仇恨将军，官吏和百姓都酸苦怨恨，怨声载道。过去永和末年，国家的法纪松弛，大失人心，只四五年时间，国库空虚，人民流亡，下属离心离德，马勉等人趁机造反，在荆州、扬州一带几乎造成大灾。幸亏顺烈皇后当初清静无为治理政务，朝廷内外同力，才平定了叛贼。现在百姓哀戚，超过永和年间，对内没有仁爱之心，岂能得到人民的容忍？对外没有保家卫国的方略，岂能长治久安？大臣与皇帝同为一体，同车而驰，同舟共济，车翻船沉，患难与共。怎么可以离开光明而靠近黑暗，踏上危险之途而只求自身的安全？君主孤单，时局艰难，怎能不予以关心！应及时换掉不称职的郡县长官，减少宅第园池的费用，拒收郡国各种名目的进献，对内表明品德高洁，对外消除人民的疑惑，使仗势为恶的官吏无所依靠，主管监察的臣子得以尽职。法令制度得以贯彻，远近清平，那么将军就会身份尊贵，地位显赫，功德的光辉永远照耀了！"梁冀没有采纳。梁冀虽然专权自恣，却还要交结皇帝身边的宦官，任用他们的子弟、宾客担任州郡要职，想依赖宦官巩固自己受恩宠的地位。朱穆又上奏极力劝谏，梁冀终不悔悟，回书说："这样一来，我一无是处了！"然而，梁冀一向看重朱穆，也没有严厉处治他。

梁冀送信给乐安太守陈蕃，托他办事，没有通报。信使就冒充其他客人请见陈蕃，陈蕃大怒，用鞭子打死信使。陈蕃被论罪，贬为修武县令。

时皇子有疾，下郡县市珍药[274]。而冀遣客赍书诣京兆[275]，并货牛黄[276]。京兆尹南阳延笃[277]发书收客，曰："大将军椒房外家，而皇子有疾，必应陈进医方，岂当使客千里求利乎！"遂杀之。冀惭而不得言。有司承旨求其事，笃以病免。

夏，五月庚辰[278]，尊博园匽贵人曰孝崇后，宫曰永乐，置太仆、少府以下，皆如长乐宫故事。分巨鹿[279]九县为后汤沐邑。

秋，七月，梓潼[280]山崩。

【段旨】

以上为第四段，写梁冀专权自恣，勾结宦官同恶相济，大起宅第，扩建苑囿。

【注释】

⑲⑸甲子：正月初一日。⑲⑹乙丑：正月初二日。⑲⑺甲寅：二月二十二日。⑲⑻甲午：四月初三日。⑲⑼顺烈皇后：即梁太后梁妠。⑳⓪兼食阳翟租：襄城、阳翟二县皆属颍川郡。孙寿本封襄城君，同时兼收阳翟县田租。⑳①加赐赤绂二句：汉制，诸公主仪服同三公王侯，印带为紫色，长公主仪服同诸侯王，印带为赤色。今以梁冀妻孙寿仪服与长公主同。⑳②妖态：妖艳狐媚之态。史载孙寿善于作愁眉、啼妆、堕马髻、折腰步、龋齿笑。⑳③蛊惑：迷惑。⑳④监奴：奴仆总管。⑳⑤谒辞：晋见、辞行。⑳⑥对街为宅：在街道两侧相对为宅。⑳⑦殚极土木：极尽土木建筑之能事。殚，尽、顶点。⑳⑧充积藏室：装满秘藏的房舍。⑳⑨十里九阪：十里，言梁冀私宅花园之广。九阪，言园内假山曲折之多。㉑⓪深林绝涧二句：幽深的树林，山涧悬绝，好像天然生成。《后汉书》梁冀本传载，梁园"采土筑山，十里九坂，以象二崤，深林绝涧，有若自然，奇禽驯兽，飞走其间"。㉑①辇车：人力车。㉑②多从倡伎：众多歌伎乐队相随从。㉑③酣讴竟路：整个路途都有歌伎演唱。㉑④骋娱恣：纵情娱乐。㉑⑤请谢门者：贿赂门房。谢，送礼、贿赂。㉑⑥经亘：纵横。㉑⑦刻其毛：在兔毛上做标记。㉑⑧奸亡：作奸犯法之徒以及逃亡犯。㉑⑨斥夺诸梁在位者：梁冀免掉一些梁家宗室的在位官员，假示谦让。㉒⓪实崇孙氏：骨子里是扶植孙氏宗族。㉒①冒名：指攀附孙氏。㉒②贪饕凶淫：贪婪、残忍、凶恶、荒淫。㉒③各使私客籍属县富人：梁冀、孙寿各自派人到地方县邑编造富人名册。籍，立名册上报。㉒④闭狱掠拷：逮捕关在监狱中，然后苦刑拷打。㉒⑤赀物：财物。㉒⑥扶风：关中三辅之一右扶风。东汉时治所槐里，在今陕西兴平。㉒⑦士孙奋：人名。士孙，复姓。㉒⑧冀以马乘遗

当时皇子有病，下令郡县购买珍贵药物。梁冀派门客携带书信往见京兆尹，要求同时收购牛黄。京兆尹南阳人延笃下令逮捕梁氏门客，说："大将军是皇后家里的人，皇子有病，必该推荐名医，怎能派人到千里之外谋求私利！"于是杀了他。梁冀理亏，不好说话。有关官吏承旨追究此事，延笃因生病而被免职。

夏，五月十九日庚辰，尊奉博园匽贵人为孝崇皇后，官称永乐，设立太仆、少府以下属吏，都比照长乐宫惯例。划分巨鹿郡的九个县为孝崇后的汤沐邑。

秋，七月，梓潼县山崩。

之：梁冀送给士孙奋一辆马车。㉙认奋母为其守藏婢：指定士孙奋的母亲是梁冀家的库房婢女。㉚叛：背叛主人而逃亡。㉛乘势：仗势。㉜妻略妇女：奸淫掳掠妇女。㉝殴击吏卒：殴打地方官员及士兵。㉞所在怨毒：所到之处，遭人民刻骨怨恨。㉟奏记：下级给上级的署名文书。㊱地有申伯之尊：申伯，申国伯爵，周宣王舅。这里喻梁冀地位为国舅。㊲群公：三公。㊳匮：困乏。㊴水虫为害：水灾、蝗灾。㊵见财：库存财物。见，通"现"，现有。㊶搒掠：拷打强索。㊷割剥：榨取，如同割肉剥皮。㊸公赋：国家征赋。㊹私敛：地方官员个人盘剥。㊺厌：饱；满足。㊻遇民如虏：地方官对待人民如同对待强盗。㊼棰楚：拷打。㊽自贼：自杀。㊾尊府：指大将军梁冀府。㊿酸毒：酸苦怨恨。251道路叹嗟：人民叹息哀号于路途。252永和之末：顺帝永和末年。永和，顺帝年号之一（公元一三六至一四一年）。253纲纪少弛：国家法纪松弛。254戚戚：悲哀。255均体元首：大臣与皇帝同为一体。均体，一体。元首，指皇帝。256舆倾舟覆：车翻船沉。喻国家败亡。257岂可以去明即昧：怎能离开光明而靠近黑暗。即，就。258履危自安：怎能踏上危险之途而求得身体的安全。259恤：考虑；关怀。260时易宰守非其人者：及时撤换不称职的郡县长官。261诸所奉送：各种名目的进献。262内以自明二句：对内表明品德高洁，对外消除人民的疑惑。263使挟奸之吏无所依托：使仗势为恶之徒没有依靠。264司察之臣：主管监察的官员。265得尽耳目：得以尽其职守，为国耳目。266宪度既张：法令制度得以贯彻。张，张大、贯彻。267远迩清壹：远近清平。268德耀无穷：功德的光辉永远照耀。269专朝纵横：专权自恣。270自固恩宠：巩固自己受恩宠的地位。271极谏：极力劝谏。272诈称：冒充。273坐左转修武令：陈蕃被控降职为修武县令。左转，贬迁。修武，属河内郡，县治在今河南获嘉。274市珍药：购买珍贵药物。275京兆：指京兆尹延笃，长安市长。276货牛黄：购买牛黄。牛黄，牛胆囊中所凝成的块状物，为名贵中药。277延笃（？至公元一六七年）：字叔坚，南阳犨县（在今河南叶县西北）人，博通经传及百家之言。传见《后汉书》卷六十四。278庚辰：五月十九日。279巨鹿：县名，县治在今河北平乡西南。280梓潼：县名，属广汉郡，县治在今四川梓潼。

【校记】

［9］又：据章钰校，乙十六行本、乙十一行本、孔天胤本皆作“徙”，熊罗宿《胡刻资治通鉴校字记》同。［10］宾客：据章钰校，乙十六行本、乙十一行本、孔天胤本此二字下皆有“以”字。

【原文】

元嘉元年（辛卯，公元一五一年）

春，正月朔㉘¹，群臣朝贺[11]，大将军冀带剑入省㉘²。尚书蜀郡张陵㉘³呵叱令出，敕㉘⁴虎贲、羽林㉘⁵夺剑。冀跪谢，陵不应，即劾奏冀，请廷尉论罪㉘⁶。有诏以一岁俸赎㉘⁷，百僚肃然。河南尹不疑尝举陵孝廉，乃谓陵曰：“昔举君，适所以自罚也。”陵曰：“明府不以陵不肖，误见擢序，今申公宪，以报私恩㉘⁸。”不疑有愧色。

癸酉㉘⁹，赦天下，改元。

梁不疑好经书，喜待士，梁冀疾之，转不疑为光禄勋㉙⁰，以其子胤为河南尹。胤年十六，容貌甚陋㉙¹，不胜冠带㉙²，道路见者莫不蚩笑㉙³。不疑自耻兄弟有隙，遂让位归第，与弟蒙闭门自守。冀不欲令与宾客交通，阴使人变服㉙⁴至门，记往来者。南郡太守马融、江夏太守田明初除㉙⁵，过谒不疑㉙⁶。冀讽有司奏融在郡贪浊，及以他事陷明，皆髡笞㉙⁷徙朔方㉙⁸。融自刺不殊㉙⁹，明遂死于路。

夏，四月己丑㉚⁰，上微行㉚¹，幸河南尹梁胤府舍。是日，大风拔树，昼昏。尚书杨秉㉚²上疏曰：“臣闻天不言语，以灾异谴告。王者至尊，出入有常，警跸㉚³而行，静室㉚⁴而止，自非郊庙之事，则銮旗不驾㉚⁵。故诸侯入诸臣之家，《春秋》尚列其诫㉚⁶。况于以先王法服㉚⁷而私出盘游㉚⁸，降乱尊卑㉚⁹，等威无序㉛⁰，侍卫守空宫，玺绂㉛¹委女妾！设有非常之变㉛²，任章之谋㉛³，上负先帝，下悔靡㉛⁴及。”帝不纳。秉，震之子也。

京师旱，任城、梁国㉛⁵饥，民相食。

【语译】

元嘉元年（辛卯，公元一五一年）

春，正月初一日，群臣朝贺，大将军梁冀带剑进入禁中。尚书蜀郡人张陵呵责梁冀，让他退出，下令虎贲武士、羽林武士夺下梁冀的剑。梁冀跪下请罪，张陵不理，立即劾奏梁冀，请廷尉治罪。下诏罚梁冀一年的俸禄赎罪，百官肃然。河南尹梁不疑曾经推荐张陵为孝廉，便对张陵说："我当初推荐你，正是自找惩罚。"张陵说："你不认为我不才，谬加提拔任用，今天我伸张王法，用来报答你当初推荐我的个人恩情。"梁不疑面有愧色。

正月十六日癸酉，大赦天下，改元。

梁不疑好读经书，喜欢接待士人，梁冀讨厌他，把梁不疑调任光禄勋，任命自己的儿子梁胤为河南尹。梁胤年十六岁，容貌很丑，不适合穿官服，路上看见的人没有不讥笑的。梁不疑认为兄弟闹矛盾是耻辱的事，于是辞官回家，和弟弟梁蒙闭门休养。梁冀不想让梁不疑与宾客来往，暗中派人改装，到梁不疑家门，记下往来的客人。南郡太守马融、江夏太守田明刚接受任命，路过梁不疑家而拜访他。梁冀暗示主管官员诬奏马融在郡内贪污，并用其他事诬害田明，两人都被剃光头发，同时杖罚，充军到朔方郡。马融自杀未成，田明死在路上。

夏，四月初三日己丑，汉桓帝秘密出行，幸临河南尹梁胤的府第。这一天，大风吹起大树，白天昏暗，尚书杨秉上疏说："臣听说上天不说话，用灾异谴责警告人间。君王至尊，进出都有规章制度，清道戒严而行动，清宫而止宿，如果除非祭天或祭祀宗庙，此外銮驾从不起行。所以，诸侯进入臣子家中，《春秋》还记载为戒鉴。何况穿着先王穿用的礼服，私自外出游乐，降低了皇帝身份，使尊卑混淆，等级威仪失去了次序，侍卫守着空荡荡的皇宫，天子玺印和绶带委托给后宫！万一发生意外事变，出现任章之谋，对上有负于先帝，对下则追悔莫及。"汉桓帝没有采纳。杨秉，是杨震的儿子。

京师发生旱灾，任城、梁国发生饥荒，人吃人。

司徒张歆罢，以光禄勋吴雄为司徒。

北匈奴呼衍王寇伊吾，败伊吾司马毛恺，攻伊吾屯城。诏敦煌太守马达将兵救之，至蒲类海[316]，呼衍王引去。

秋，七月，武陵蛮反。

冬，十月，司空胡广致仕[317]。

【段旨】

以上为第五段，写尚书张陵廷责梁冀。汉桓帝私幸梁冀之子河南尹梁胤府第。

【注释】

[281]正月朔：正月初一日。[282]冀带剑入省：梁冀带剑入禁中。[283]张陵：字处冲，蜀郡成都人，官至尚书。传见《后汉书》卷三十六。[284]敕：下令。[285]虎贲、羽林：此指值班警卫虎贲郎、羽林郎。[286]论罪：治罪。[287]以一岁俸赎：利用一年的俸禄来赎罪。[288]今申公宪二句：今天我伸张国法，正是报答你当初推荐我的个人恩情。[289]癸酉：正月十六日。[290]光禄勋：九卿之一，掌宫廷禁卫。[291]容貌甚陋：容貌十分丑陋。[292]不胜冠带：不适合穿戴官服。[293]蚩笑：讥笑。[294]变服：改换服装。[295]初除：刚接受任命。[296]过谒不疑：因过其门而晋见梁不疑。[297]髡笞：处以髡刑，即剃光头发，同时杖罚。[298]徙朔方：充军朔方郡。朔方郡治所临戎，在今内蒙古磴口北。[299]不殊：不死。马融自杀未遂。[300]己丑：四月初三日。[301]微行：秘密出行。[302]杨秉（公元八二至一六五年）：字叔

【原文】

十一月辛巳[318]，京师地震。诏百官举独行之士。涿郡[319]举崔寔[320]，诣公车，称病，不对策，退而论世事，名曰《政论》。其辞曰："凡天下所以不治者，常由人主承平日久，俗渐敝而不悟，政浸衰[321]而不改，习乱安危，怢不自睹[322]。或荒耽耆欲[323]，不恤万机；或耳蔽箴诲[324]，厌伪忽真[325]；或犹豫歧路[326]，莫适所从[327]；或见信之佐，括囊守

司徒张歆被免职，任命光禄勋吴雄为司徒。

北匈奴呼衍王侵入伊吾，击败伊吾司马毛恺，攻占伊吾屯城。诏令敦煌太守马达率兵救助，到了蒲类海，呼衍王率兵离去。

秋，七月，武陵蛮叛乱。

冬，十月，司空胡广退休。

节，安帝时太尉杨震之中子，精通欧阳《尚书》兼《京氏易》，官至太尉。传见《后汉书》卷五十四。㉝警跸：禁止人行，即戒严。㉞静室：清宫。㉟自非郊庙之事二句：皇帝除非祭天或祭宗庙，此外銮驾从不起行。郊，在南郊祭天。庙，祭祀宗庙。銮旗，天子之旗。㊱春秋尚列其诫：《春秋》还记载为戒鉴。春秋时陈灵公如夏征舒之家，为夏征舒所弑；齐庄公如崔杼之家，亦为崔杼所弑。《春秋》及《左传》载其事。㊲先王法服：先王穿用的礼服。㊳盘游：转悠；乐游。㊴降乱尊卑：降低了皇帝身份，使尊卑淆乱。㊵等威无序：使等级威仪失去了次序。㊶玺绂：天子印绶。㊷非常之变：意外事变。㊸任章之谋：任章，宣帝时代郡太守任宣之子。任宣参与霍禹谋反被诛，任章逃亡到渭城（今陕西咸阳），深夜混入皇家祭庙，冒充卫士，手执铁戟，站立门口欲刺杀宣帝，幸被发觉，诛死。㊹靡：莫。㊺任城、梁国：两封国名，任城国治所在今山东济宁，梁国治所睢阳，在今河南商丘。㊻蒲类海：今新疆巴里坤湖。㊼致仕：退休。

【校记】

［11］贺：原作“会”。据章钰校，乙十六行本、乙十一行本、孔天胤本皆作“贺”，今据改。

【语译】

十一月二十八日辛巳，京城洛阳地震。诏令百官推举特立独行的高明之人。涿郡推荐崔寔，送到公交车署，推托有病，不应对策，回乡议论国事，写了《政论》。文中说：“大凡天下之所以得不到治理，常是由于君主过了许久太平日子，风俗渐渐衰弱而不能察觉，政务衰败而不改革，习惯了混乱与危局，安于现状，熟视无睹。有的人君荒淫沉溺，不理国政；有的人君耳朵闭塞，听不进规劝，喜好听假话，轻忽真实的话；有的人君在十字路口徘徊不定，不知所从；有的人君连他的亲信近臣

禄[328]；或疏远之臣，言以贱废[329]。是以王纲纵弛于上[330]，智士郁伊于下[331]，悲夫！

“自汉兴以来，三百五十余岁[332]矣，政令垢玩，上下怠懈，百姓嚣然[333]，咸复思中兴之救矣！且济时拯世之术，在于补绽决坏[334]，枝拄邪倾[335]，随形裁割[336]，要措斯世于安宁之域[337]而已。故圣人执权[338]，遭时定制[339]，步骤之差，各有云设[340]。不强人以不能，背急切而慕所闻[341]也。盖孔子对叶公[342]以来远[343]，哀公以临人[344]，景公以节礼[345]，非其不同，所急异务也[346]。俗人[347]拘文牵古[348]，不达权制[349]，奇伟所闻，简忽所见[350]，乌可与论国家之大事哉！故言事者虽合圣听[351]，辄见掎夺[352]。何者？其顽士[353]暗于时权[354]，安习所见，不知乐成，况可虑始，苟云率由旧章[355]而已。其达者或矜名妒能[356]，耻策非己[357]，舞笔奋辞以破其义[358]。寡不胜众，遂见摈弃[359]，虽稷、契[360]复存，犹将困焉[361]，斯贤智之论所以常愤郁而不伸者也。

“凡为天下者，自非上德，严之则治，宽之则乱。何以明其然也？近孝宣皇帝明于君人之道，审于为政之理，故严刑峻法，破奸轨之胆[362]，海内清肃，天下密如[363]，算计见效，优于孝文[364]。及元帝即位，多行宽政，卒以堕损[365]，威权始夺[366]，遂为汉室基祸之主[367]。政道得失，于斯可鉴[368]。昔孔子作《春秋》，褒齐桓，懿[369]晋文，叹管仲之功，夫岂不美文、武[370]之道哉？诚达权救敝[371]之理也。故[12]圣人能与世推移[372]，而俗士苦不知变，以为结绳之约[373]，可复治乱秦之绪[374]，干戚之舞[375]，足以解平城之围。夫熊经鸟伸[376]，虽延历[377]之术，非伤寒之理[378]；呼吸吐纳，虽度纪之道，非续骨之膏[379]。盖为国之法，有似治[13]身[380]，平则致养，疾则攻焉[381]。夫刑罚者，治乱之药石也；德教者，兴平之粱肉也。夫以德教除残[382]，是以粱肉治[14]疾也；以刑罚治平，是以药石供养也。方今承百王之敝[383]，值厄运之会[384]，自数世以来，政多恩贷[385]，驭委其辔，马骀其衔[386]，四牡横奔，皇路险倾[387]，方将钳勒鞬辀以救之[388]，岂暇鸣和銮，调节奏哉[389]！

都闭口不言，只求保持禄位；疏远的臣僚，说一点实情，却因为地位低下，而不被采纳。因此，国家法纪从上面开始破坏，才智之士在下面受到委屈压制，真可悲呀！

“自从汉朝建立以来，已有三百五十多年了，如今政令荒弛，上下松懈，人民怨声载道，都再次盼望中兴的到来，以拯救国家危局！况且，救世之道在于弥补裂缝，支撑倾斜，要根据实际情况采取相应措施，把当前社会安置在和平安宁的境界。所以圣明的人当权，因时制宜，颁定制度，不同的实践，各有不同的道理。不强求人所不能，不放弃紧急的事而去追求遥远无边的理想。孔子回答叶公说，好的政治就是能招来远人；回答鲁哀公说，好的政治就是要用好的官吏去治理人民；回答齐景公说，好的政治就是要简化烦琐礼仪。孔子的回答不同，并不是他的政治主张不同，而是针对不同的形势提出所要急切办理的不同的要务。迂腐的人墨守条文，受古制约束，不懂权变改制，对传闻感到奇怪惊叹，对眼前所见的现实变化漠然处之，又怎可以与之谈论国家大事！所以，上书的人虽能合乎皇上的心意，但往往被奸佞之臣在背后掣肘改变了皇上的想法。这是什么原因呢？那些顽固保守的人，不懂时势权变，安于现状，因循守旧，不乐于成就事业，更何况考虑创新，只是苟且偷安，照章办事罢了。那些通达之士自夸自己的名声、妒忌贤能，懊恨好的策谋不是出于自己之手，于是舞文弄墨，振振有词，来曲解不是出于自己之手的善策嘉谋。使得智士之谋寡不敌众，终于被抛弃，即使后稷、契还活着，也束手无策，这就是贤才智士的议论之所以遭压抑而得不到伸展的缘故。

“大凡治理天下，并不是非有很高的德教，一般情况是严格就能治平，宽松就会动乱。何以证明是这样呢？近世孝宣皇帝通晓驭民之道，洞晓为政之理，所以使用严刑峻法，令奸恶小人丧胆，全国肃然清静，天下太平，政令的设计规划能见到实效，超过了孝文帝。等到元帝即位，大多实施宽松的政令，最终使朝政衰败，国家的权威开始转移，终于成为汉室衰亡祸患的君主。政治的得失，由此可以借鉴。从前，孔子作《春秋》，表彰齐桓公，赞美晋文公，感慨管仲的功勋，孔子难道不崇拜周文王、周武王的治道吗？实在是为了通达权变以拯救时弊。所以圣人能够随着时世的变化改变策略，而庸俗的人不知道变通，认为用上古结绳记事的方法，可以再次治理秦末的千头万绪，用上古干戚之舞，就可以除去汉高祖的平城之围。像熊、鸟那样运动锻炼，虽可延年益寿，但不是治愈伤寒重病的办法；做深呼吸运动，虽然强身健体，但不是接骨的药物。治国如同调养身体，平常注意调养，有了疾病就用药物治疗。刑罚是治理混乱的药石；德教是达到太平的谷物肉类。企图用道德教化铲除残暴，等于用白米肥肉治病；用刑罚治理太平，等于用药石养身。现在，承袭历代帝王遗留下来的积弊，正值艰难之时，自近几代以来，法纪宽松，政治过宽，如同赶车人丢弃了缰绳，马儿脱掉了口勒，拉车的四匹马横奔之时，而道路又狭窄倾斜，这正是应当紧急勒马刹车救难的时候，怎么还有闲暇慢条斯理，调节铃铛的节奏！

昔文帝虽除肉刑，当斩右趾者弃市，笞者往往至死[390]。是文帝以严致平，非以宽致平也。”寔，瑗[391]之子也。山阳仲长统[392]尝见其书，叹曰：“凡为人主，宜写一通，置之坐侧。”

臣光曰：“汉家之法已严矣，而崔寔犹病其宽，何哉？盖衰世[393]之君，率多柔懦，凡愚之佐[394]，唯知姑息[395]。是以权幸之臣[396]有罪不坐，豪猾之民犯法不诛，仁恩所施，止于目前，奸宄得志，纪纲不立。故崔寔之论，以矫一时之枉，非百世之通义也。孔子曰：‘政宽则民慢[397]，慢则纠之以猛；猛则民残[398]，残则施之以宽。宽以济猛，猛以济宽，政是以和[399]。’斯不易之常道矣！”

闰月庚午[400]，任城节王崇[401]薨，无子，国绝。

以太常黄琼为司空。

帝欲褒崇梁冀，使中朝[402]二千石以上会议其礼。特进胡广、太常羊溥、司隶校尉祝恬、太中大夫边韶等咸称冀之勋德宜比周公，锡[403]之山川、土田、附庸[404]。黄琼独曰：“冀前以亲迎之劳，增邑万三千户，又其子胤亦加封赏。今诸侯以户邑为制，不以里数为限，冀可比邓禹，合食四县[405]。”朝廷从之。于是有司奏：“冀入朝不趋[406]，剑履上殿[407]，谒赞不名[408]，礼仪比萧何；悉以定陶、阳成余户增封为四县[409]，比邓禹；赏赐金钱、奴婢、彩帛、车马、衣服、甲第，比霍光；以殊元勋[410]。每朝会，与三公绝席[411]。十日一入，平尚书事[412]。宣布天下，为万世法。”冀犹以所奏礼薄，意不悦。

【段旨】

以上为第六段，写崔寔《政论》，认为治国要不断革新，以合时变，治乱要用重刑。司马光评论，单说用刑，认为一味用重刑只是矫枉，要宽严相济才是永恒的治国之道。

过去汉文帝虽然废除了肉刑，但应当砍断右趾的犯人却处以死刑，判笞刑的往往鞭打至死。这是汉文帝以严刑实现太平，而不是用宽政达到太平。”崔寔，是崔瑗的儿子。山阳人仲长统看到他的文章，感叹说：“凡是做君主的，应抄写一通，放在座侧。”

司马光说：“汉朝的法令已经够严厉了，而崔寔还患其太宽，为什么呢？因为末世的君主，大多软弱怯懦，凡庸的辅佐大臣，只知道姑息纵容。因此专权受宠的臣子有罪也不被惩治，强横狡猾的小民犯了法也不杀头，施行的仁义厚恩，只限于眼前，奸人得志，规章法令瘫痪。所以崔寔的议论，可以矫正一时的弊端，但不是百世治国的通则。孔子说：‘政令宽松则人民轻视法纪，人民轻视法纪则用严刑峻法纠正；政令太严格则人民受残害，人民忍受不了凶残压迫政府就要放宽。用宽松来补救严厉，用严厉来补救宽松，政务才能和顺。’这才是永恒治国的常道啊！”

闰十二月十八日庚午，任城节王刘崇去世，没有儿子，撤除封国。

任命太常黄琼为司空。

汉桓帝想崇扬梁冀，让朝廷二千石以上官员共议礼制。特进胡广、太常羊溥、司隶校尉祝恬、太中大夫边韶等人都认为梁冀的功勋大德可同周公相比，应赐给山川、土田、附庸。只有黄琼一人说：“梁冀以前因迎立皇帝的功绩，增加食邑一万三千户，另外他的儿子梁胤也给以封赏。现在诸侯以户邑为制，不以里数为限，梁冀可比照邓禹，总计食邑四县。”朝廷采纳了。于是，有关部门上奏：“梁冀入朝不必小步快走，佩剑和穿鞋上殿，谒者唱名朝拜时不呼梁冀姓名而只称大将军，礼仪比照萧何；全部把定陶、阳成两县的余户都封给他，合计四县，比照邓禹；赏给金钱、奴婢、彩帛、车马、衣服、甲第，比照霍光；加梁冀特殊之礼，以区别于一般三公大臣。每次朝会，与三公不同座。每十天入朝一次，处置尚书事务。向天下宣布，作为万世法则。”梁冀还是认为所奏议的礼仪太低，心中不悦。

【注释】

⑱ 辛巳：十一月二十八日。⑲ 涿郡：郡名，治所涿县，在今河北涿州。⑳ 崔寔：字子真，一名台，字符始，涿郡安平（在今河北安平）人，东汉著名政论家，著有《政论》行于世。传见《后汉书》卷五十二。㉑ 政浸衰：政治日渐衰败。㉒ 习乱安危二句：习惯了乱与危，安于现状，麻木不知警惕。怢，忘忽。不自睹，看不见、分不清。㉓ 荒耽耆欲：沉溺个人欲望。耆，通“嗜”。㉔ 耳蔽箴诲：耳朵被遮蔽，听不进任何规劝。箴，规

劝。㉕厌伪忽真：喜欢听假话，轻忽真话。厌，满足。㉖犹豫岐路：徘徊在十字路口。喻有的人君在正邪之间摇摆不定。㉗莫适所从：不明是非正邪，不知所从。㉘见信之佐二句：亲信大臣，闭口不言，只求保持禄位。括囊，把口袋结起来，喻闭起嘴巴。㉙疏远之臣二句：疏远的臣下，说一点真实情况，只因地位卑贱而不被采纳。废，指建言不被采纳。㉚王纲纵弛于上：国家法纪从上面先行破坏。纵弛，松弛、瓦解。㉛智士郁伊于下：才智之士在下受抑制。郁伊，委屈不申的样子。㉜三百五十余岁：此从西汉开国之年（公元前二〇六年）始至桓帝元嘉元年（公元一五一年），总计三百五十七年。㉝嚣然：号呼的样子。此指怨声载道。㉞补绽决坏：缝补裂坏。绽，衣缝。㉟枝拄邪倾：将倾斜的房屋加以支撑。邪，通"斜"。㊱随形裁割：补衣支屋要随形状裁制用料，喻治政要根据实际情况采取措施。㊲措斯世于安宁之域：把当前社会安置在和平安宁的境界。措，安置、治理。㊳执权：当权。㊴遭时定制：依据所遇到的时势，颁定制度，不循旧章。㊵步骤之差二句：步骤差异，即不同的实践，则各有不同的理论。㊶背急切而慕所闻：违背当前急需要办的事，而去追求遥远无边的理想。慕，追慕、寻求。所闻，指理想境界。㊷叶公：叶县县令，名高，春秋时楚大夫。公，古人对县令之尊称。㊸来远：招来远人。孔子回答叶公说，好的政治就是能招来远人。㊹临人：治理人民。孔子回答鲁哀公说，好的政治就是用好的官吏去治理人民。㊺节礼：简化礼仪。孔子回答齐景公说，好的政治就是减少烦琐礼仪。㊻非其不同二句：孔子回答不同，并不是他的政治主张不同，而是针对不同的情势提出所要急切办理的不同的要务。㊼俗人：迂腐之人。㊽拘文牵古：墨守条文，受古制约束。㊾不达权制：不懂权变改制。㊿奇伟所闻二句：说一点新鲜事物感到奇怪惊叹，眼前所见的现实变化漠然处之。简忽，轻视。(351)合圣听：皇帝喜欢。(352)辄见掎夺：每每被奸邪之人在背后掣肘改变了皇上的想法。掎，从背后牵制。夺，转变了皇帝的想法。(353)顽士：保守分子。(354)暗于时权：不懂时势权变。(355)率由旧章：因循守旧。(356)矜名妒能：自夸自己的声名而妒忌贤能。(357)耻策非己：懊恨好的策谋不是出自自己之手，因而加以反对。(358)舞笔奋辞以破其义：飞舞笔墨，振振有词，用来曲解不是出于自己之手的善策嘉谋。(359)寡不胜众二句：智士之谋因寡不敌众终于被抛弃。(360)稷、契：周朝始祖后稷，商朝始祖契。(361)犹将困焉：也将受困，束手无策。(362)破奸轨之胆：使奸邪之人吓破了胆。轨，内奸。(363)密如：肃然清静。(364)算计见效二句：宣帝时政令的设计规划，能见到实效，超过了孝文帝。(365)堕损：衰败。(366)威权始夺：国家权威开始转移。(367)基祸之主：指汉元帝是造成西汉衰亡祸患的君主。(368)鉴：借鉴。(369)懿：赞美。(370)文、武：指周文王、周武王。(371)达权救敝：通达权变以拯救时弊。(372)与世推移：随着时世的变化而变化。(373)结绳之约：用结绳记事的简约方法。(374)乱秦之绪：指乱秦之世，千头万绪。(375)干戚之舞：手执兵器的军乐之舞。干，盾牌。戚，钺、大斧。《礼记》记载，周时用朱红色的木盾和玉石制的大斧作为舞蹈器具的军乐舞，名叫《大武》，是歌颂武王伐纣的胜利。《书经》记载，大禹舞干戚于两阶，有苗归服。376熊经鸟伸：喻运动锻炼。像熊那样缘树而运动四肢，像鸟那样展翅高空而伸足。熊经，指熊善攀树，悬吊树上而投下。377延历：延年。指做熊经鸟伸的运动能延年益寿。378非伤寒之理：不是治疗伤寒重病的办法。谓运动可健身而延年，但不是治病的办法。379呼吸吐纳三句：做深呼吸运动，可以强健身体，但不是连接断骨的药物。度纪，延年；健身。膏，浓药。380治身：调养身体。381平则致养二句：平时注意营养，有了疾病就用药物治疗。攻，指用药攻疾。382以德教除残：用恩义道德铲除残暴。383承百王之敝：承受历代君王遗留下来的积敝。384值厄运之会：又正当艰难时势之时。385恩贷：指法纪宽松，使犯罪之人多蒙赦免。386驭委其辔二句：政治过宽，如同赶车人丢掉了缰绳，马儿脱去了口勒。委，弃。骀，脱。387四牡横奔二句：拉车的四匹雄马横冲直撞，而道路又狭窄倾斜。皇路，大路。388方将钳勒鞬辀以救之：谓四马横奔之时，也正是应当紧急地勒马刹车以救难的时候。钳勒，以木衔马口。钳，马辔。鞬辀，束住车辕，今语谓之刹车。389岂暇鸣和銮二句：怎么能慢条斯理，调节铃铛的节奏。和、銮，分别挂于车、马上的铃铛，马动车行，则和、銮齐鸣应和。390文帝虽除肉刑三句：表面上宽刑，实际上是加重了惩处，当斩右趾的判死刑，判笞刑的被活活打死。事详本书卷十五文帝十三年、景帝元年。391瑗：崔瑗。事见本书卷五十一安帝延光四年。392仲长统：字公理，山阳高平（在今山东独山湖东岸）人，东汉末政论家，著有《昌言》行于世。传见《后汉书》卷四十九。393衰世：末世。394凡愚之佐：衰世的辅佐大臣，多为凡庸之辈。395姑息：得过且过。396权幸之臣：指当权的奸臣。397民慢：人民轻视法纪。398民残：人民受到残害。399和：和谐；稳定。400庚午：闰十二月十八日。401任城节王崇：任城王刘崇，光武帝子东平王刘苍之孙，死谥节王。章帝元和元年分东平国为任城国，以封刘苍少子刘尚。刘尚死，以其侄刘崇嗣封，今又绝祀。402中朝：指外朝三公、九卿。403锡：赏赐。胡广等提议以山川、土田、附庸赐梁冀，即要求封梁冀为诸侯王，效法西汉尊王莽故事。404附庸：指附着于田土上的人民。405合食四县：前后所封，总计食邑四县。东汉初功臣受封，最重者食邑四县。406入朝不趋：大臣上殿，要趋迎皇帝，今梁冀可以徐行。趋，小步快走。407剑履上殿：可以带剑穿鞋上殿。408谒赞不名：谒者唱名朝拜时，不呼梁冀之名，而只称大将军。409增封为四县：梁冀初封襄邑县，袭封乘氏县，今又增定陶县、阳成县，合为四县。410以殊元勋：加梁冀特殊之礼，不同于一般大臣。元勋，三公大臣。411绝席：另坐专席，示高于三公。412平尚书事：处理尚书重要事务。平，平议、处理。

【校记】

［12］故：原无此字。据章钰校，乙十六行本、乙十一行本、孔天胤本皆有此字，张敦仁《通鉴刊本识误》同，今据补。［13］治：原作“理”。据章钰校，乙十六行本、乙十一行本皆作“治”，今据改。［14］治：原作“养”。据章钰校，乙十六行本、乙十一行本皆作“治”，张敦仁《通鉴刊本识误》、张瑛《通鉴校勘记》同，今据改。

【原文】

二年（壬辰，公元一五二年）

春，正月，西域长史王敬为于阗所杀。初，西域长史赵评在于阗病痈死[413]，评子迎丧，道经拘弥。拘弥王成国与于阗王建素有隙，谓评子曰："于阗王令胡医持毒药着创中，故致死耳。"评子信之。还，以告敦煌太守马达。会敬代为长史，马达令敬隐核[414]于阗事。敬先过拘弥，成国复说云："于阗国人欲以我为王，今可因此罪诛建，于阗必服矣。"敬贪立功名，前到于阗，设供具[415]，请建而阴图[416]之。或以敬谋告建，建不信，曰："我无罪，王长史何为欲杀我？"旦日，建从官属数十人诣敬，坐定，建起行酒，敬叱左右执之。吏士并无杀建意，官属悉得突走[417]。时成国主簿秦牧随敬在会，持刀出，曰："大事已定，何为复疑！"即前斩建。于阗侯、将输僰等遂会兵[418]攻敬，敬持建头上楼宣告曰："天子使我诛建耳！"输僰不听，上楼斩敬，县首于市。输僰自立为王，国人杀之，而立建子安国。马达闻王敬死，欲将诸郡兵出塞击于阗。帝不听，征达还，而以宋亮代为敦煌太守。亮到，开募于阗，令自斩输僰[419]。时输僰死已经月，乃断死人头送敦煌而不言其状，亮后知其诈，而竟不能讨也。

丙辰[420]，京师地震。

夏，四月甲辰[421]，孝崇皇后匽氏崩，以帝弟平原王石为丧主，敛送制度比恭怀皇后。五月辛卯[422]，葬于博陵。

秋，七月庚辰[423]，日有食之。

冬，十月乙亥[424]，京师地震。

十一月，司空黄琼免。十二月，以特进赵戒为司空。

【语译】

二年（壬辰，公元一五二年）

春，正月，西域长史王敬被于阗人杀害。起初，西域长史赵评在于阗生疮溃烂而死，赵评的儿子前往迎丧，路经拘弥王国。拘弥王成国与于阗王建一向有积怨，对赵评的儿子说："于阗王让胡医把毒药放在你父亲的疮口上，所以致使你父亲死亡。"赵评的儿子相信了。回来后，把这事告诉了敦煌太守马达。适逢王敬代理长史，马达命令王敬暗中查核这件事。王敬先经过拘弥国，成国又对他说："于阗国人想让我为王，现在可以用这一罪名诛杀于阗国王建，于阗一定屈服。"王敬贪图建立功名，前行到于阗，摆设酒席，邀请于阗王建，暗中布下埋伏想杀害他。有人把王敬的阴谋告诉了于阗王建，于阗王建不相信，说："我没有罪，王长史为什么要想杀我？"第二天，于阗王建带领几十名属官前往王敬那里，宾主坐定，建起身敬酒，王敬喝令身边卫士逮捕他。吏士都没有杀于阗王建的意图，建的属官都得以突围逃走。当时，成国的主簿秦牧随王敬在席上，拿着刀出来，说道："大事已定，为什么又迟疑不决了！"立即上前杀了于阗王建。于阗的辅国侯、大将输僰等于是合兵进攻王敬，王敬拿着于阗王建的头颅上楼宣布："天子派我来诛杀于阗王建！"输僰不听从，上楼杀死王敬，把王敬的头挂在街市。输僰自立为王，于阗国的民众杀死输僰，而立于阗王建的儿子安国为王。马达听说王敬死了，想率领各郡军队出塞攻击于阗。汉桓帝不允许，召马达返回，而任命宋亮接替敦煌太守。宋亮到职，开于阗王自新之路，招募人员，让他们自己杀死输僰以赎罪立功。当时输僰已经死了一个月了，于阗王就砍了输僰的人头送至敦煌，而不说明诛杀的经过。宋亮后来才知道其中有诈，但最终也无法追究。

正月丙辰日，京师洛阳发生地震。

夏，四月甲辰日，孝崇皇后匽氏去世，任命汉桓帝的弟弟平原王刘石主持丧事，葬礼比照恭怀皇后。五月十二日辛卯，葬皇后于博陵。

秋，七月初二日庚辰，发生日食。

冬，十月二十八日乙亥，京师洛阳发生地震。

十一月，司空黄琼被免职。十二月，任命特进赵戒为司空。

【段旨】

以上为第七段，写西域长史王敬贪求功名，人为制造了于阗国的动乱，也搭上了自己的性命。

【注释】

⑬病痈死：生疮溃烂而死。⑭隐核：暗中查核。⑮设供具：设宴。⑯阴图：暗中谋害。⑰突走：突围逃走。⑱会兵：合兵。⑲开募于阗二句：开于阗自新之路，招募

【原文】

永兴元年（癸巳，公元一五三年）

春，三月丁亥㉕，帝幸鸿池㉖。

夏，五月[15]丙申㉗，赦天下，改元。

丁酉㉘，济南悼王广㉙薨，无子，国除。

秋，七月，郡、国三十二蝗，河水溢。百姓饥穷流冗㉚者数十万户，冀州尤甚。诏以侍御史朱穆为冀州刺史。冀部令长闻穆济河，解印绶去者四十余人。及到，奏劾诸郡贪污者，有至自杀，或死狱中。宦者赵忠丧父，归葬安平，僭为玉匣㉛。穆下郡案验，吏畏其严，遂发墓剖棺，陈尸出之。帝闻，大怒，征穆诣廷尉，输作左校㉜。太学书生颍川刘陶㉝等数千人诣阙上书讼穆曰："伏见弛刑徒㉞朱穆，处公忧国，拜州之日，志清奸恶。诚以常侍贵宠，父子兄弟布在州郡，竞为虎狼，噬食小民，故穆张理天纲㉟，补缀漏目㊱，罗取残祸㊲，以塞天意㊳。由是内官㊴咸共恚疾，谤讟烦兴㊵，谗隙仍作㊶，极其刑谪㊷，输作左校。天下有识，皆以穆同勤禹、稷而被共、鲧之戾㊸，若死者有知，则唐帝怒于崇山，重华忿于苍墓矣㊹！当今中官近习㊺，窃持国柄㊻，手握王爵，口衔天宪㊼，运赏则使饿隶富于季孙㊽，呼噏㊾则令伊、颜化为桀、跖㊿。而穆独亢然(451)不顾身害，非恶荣而好辱，恶生而好死也，徒感王纲之不摄(452)，惧天纲之久失，故竭心怀忧，为上深计。臣愿黥首系趾(453)，代穆输作。"帝览其奏，乃赦之。

冬，十月，太尉袁汤免，以太常胡广为太尉。司徒吴雄、司空赵戒免，以太仆黄琼为司徒，光禄勋房植为司空。

人员，让他们自己杀死输棘以赎罪立功。开，开示、指示。募，悬赏。⑳ 丙辰：正月壬午朔，无丙辰日，疑记载有误。㉑ 甲辰：四月辛亥朔，无甲辰。甲辰，五月二十五日。㉒ 辛卯：五月十二日。㉓ 庚辰：七月初二日。㉔ 乙亥：十月二十八日。

【语译】

永兴元年（癸巳，公元一五三年）

春，三月十二日丁亥，汉桓帝巡幸鸿池。

夏，五月二十二日丙申，大赦天下，改元。

二十三日丁酉，济南悼王刘广去世，没有儿子，撤除封国。

秋，七月，三十二个郡、国蝗虫成灾，河水泛滥。百姓因为饥饿贫困而流亡的有几十万户，冀州尤为严重。汉桓帝下诏任命侍御史朱穆为冀州刺史。冀州的县城长官听说朱穆渡黄河前来，有四十多人弃官离去。等到朱穆到任，上奏弹劾各郡的贪官污吏，有的畏罪自杀，有的死在狱中。宦官赵忠的父亲死了，归葬安平，僭越礼制使用玉匣。朱穆下令郡守追查，官吏畏惧朱穆的威严，于是掘墓开棺，把尸首拖出来。汉桓帝听说此事，大怒，召朱穆到廷尉，判罪送到左校营做苦工。太学学生颍川人刘陶等几千人到宫门上书，为朱穆申辩说："我们看到减刑罚做苦工的罪徒朱穆，处事公正，忧国忧民，任命冀州刺史之时，立志廓清奸邪。实在是因为宦官常侍深受宠爱，父子兄弟分布在州郡，争相如狼似虎，吞噬小民。所以朱穆伸张国法，修补法纪的漏洞，搜捕残贼祸首，以顺天意。因此，宦官都一起仇恨朱穆，诽谤频繁兴起，谗言接连不断，最后使用刑罚惩治，送到左校营做苦工。天下有识之士，都认为朱穆如同勤劳的大禹、后稷，却遭受共工、姒鲧的惩治，如果死后的人还有知觉，那么，唐尧会在崇山发怒，虞舜会在苍梧墓中愤恨！当今宦官近臣，窃夺国家权柄，手上掌管封王赐爵的大权，嘴里说的就是王法，行赏可使饥饿的奴隶比季孙还富有，他们吹口气，可使伊尹、颜渊变成夏桀、盗跖。只有朱穆昂首直立，不顾本身的利害，不是他讨厌荣耀而喜爱受辱，不想活着而乐于去死，只是有感于王法不振，忧心朝纲久乱，所以竭尽心力，为皇帝做长期的打算。我们愿意脸上刺字，脚戴铁镣，代替朱穆做苦工。"汉桓帝看过他们的奏章，才赦免了朱穆。

冬，十月，太尉袁汤免职，任命太常胡广为太尉。司徒吴雄、司空赵戒被免职，任命太仆黄琼为司徒，光禄勋房植为司空。

武陵蛮詹山[454]等反，武陵太守汝南应奉[455]招降之。

车师后部王阿罗多与戊部候[456]严皓不相得，忿戾而反，攻围屯田，杀伤吏士。后部侯炭遮领余民畔阿罗多，诣汉吏降。阿罗多迫急，从百余骑亡入北匈奴。敦煌太守宋亮上立后故王军就质子卑君[457]为王。后阿罗多复从匈奴中还，与卑君争国，颇收其国人。戊校尉阎详[16]虑其招引北虏，将乱西域，乃开信告示，许复为王，阿罗多乃诣详降。于是更立阿罗多为王，将卑君还敦煌，以后部人三百帐[458]与之。

【段旨】

以上为第八段，写三十二郡国大蝗灾。冀州刺史朱穆惩治宦官赵忠越礼葬父。敦煌太守宋亮抚定车师后王。

【注释】

[425]丁亥：三月十二日。[426]鸿池：池名，在洛阳东。[427]丙申：五月二十二日。[428]丁酉：五月二十三日。[429]济南悼王广：济南王刘广，刘显之子，死谥悼王。济南国为光武帝子刘康封国。刘显为刘康庶孙，顺帝永建元年绍封。[430]流冗：流散。[431]僭为玉匣：玉匣即金缕玉衣，诸侯王葬礼可用，今宦者用以葬其父，是为僭制。[432]输作左校：判处在左校营做苦工。将作大匠有左校令，专掌囚徒做苦工。[433]刘陶：一名伟，字子奇，颍川颍阴（在今河南许昌）人，经学家。灵帝时官至侍御史，以直谏犯颜死狱中。传见《后汉书》卷五十七。[434]弛刑徒：减刑罚做苦工的罪徒。[435]张理天纲：伸张国法。[436]补缀漏目：补好法纪的破网，意谓严厉执法，绝不使奸恶漏网。目，网眼。[437]罗取残祸：搜捕残贼祸首。[438]以塞天意：以顺天意。[439]内官：中官；宦官。[440]谤讟烦兴：诽谤之言频繁兴起。[441]谗隙仍作：钻空子说坏话接连不断。[442]极其刑谪：最后使用刑罚惩治。[443]禹、稷而被共、鲧之戾：谓朱穆如同禹、稷之贤而遭受如同共、鲧的惩治。禹，大禹，夏朝开国之主。稷，后稷，周朝始祖。共，共工。鲧，禹父名姒鲧。在尧舜时代，禹、稷为贤人；共工、姒鲧为乖戾奸凶之人，二人后来受到虞舜的惩处。[444]若死者有知三句：如

武陵蛮首领詹山等人叛乱，武陵太守汝南人应奉招降了他们。

车师后部王国国王阿罗多与戊部候严皓不和，愤怒起兵反叛，围攻屯田，杀伤官吏和士卒。阿罗多的属下后部侯炭遮率领余众背叛阿罗多，前往汉朝投降。阿罗多处境窘迫，带着一百多骑兵逃入北匈奴。敦煌太守宋亮上书，请立车师后部王国的前国王军就送到汉朝当人质的儿子卑君为王。后来阿罗多又从匈奴回来，与卑君抢夺王位，召集了很多国人。戊校尉阎详担心阿罗多招引北匈奴，会骚扰西域，就开诚布公，同意让阿罗多再称王，阿罗多才向阎详归降。于是，再立阿罗多为王，把卑君送回敦煌，拨出后部王国的三百户归他统治。

果人死后仍有知觉，那么唐尧会在崇山发怒，虞舜会在苍梧墓中愤恨。唐帝，传说的古帝王尧，号陶唐，所以此称唐帝。崇山，山名，在今湖南张家界，传说尧死葬崇山。重华，传说的古帝王虞舜之名。虞舜继尧为帝。苍墓，指虞舜的墓地，在湖南宁远，传说舜死葬于苍梧之野。尧、舜两人为传说的五帝之一，传见《史记卷一·五帝本纪》。㊹近习：皇帝左右亲信。㊺窃持国柄：指中官近习是窃国大盗。国柄，国家政权。㊻口衔天宪：王法衔在中官近习的口中。天宪，国法。㊼季孙：鲁大夫季孙氏，三桓之一，富于鲁公室。㊽呼噏：吹口气。㊾令伊、颜化为桀、跖：使伊尹（商王朝贤明宰相）、颜渊（孔子高徒）变成夏桀王和盗跖（传说中战国时大盗）。㊿亢然：昂首直立的样子。⑤不摄：不振。⑤黥首系趾：脸上刺字，脚戴铁镣。⑤詹山：人名。⑤应奉：字世叔，汝南南顿（在今河南项城北）人，官至司隶校尉。传见《后汉书》卷四十八。⑤戊部候：官名，西域戊、己两校尉各有部候，负责戒备事务。戊部候居车师后部金满城，在今新疆奇台西北。⑤后故王军就质子卑君：安帝延光四年（公元一二五年），班勇斩后部王军就，其子卑君入质在敦煌。“后”应为“后部”。⑤三百帐：三百户。帐，游牧人帐庐。

【校记】

［15］五月：原作“四月”。张敦仁《通鉴刊本识误》作“五月”，与《后汉书》卷七《桓帝纪》相合，今据改。［16］阎详：原作“严详”。据章钰校，乙十六行本、乙十一行本皆作“阎详”，张瑛《通鉴校勘记》同，今据改。〖按〗当作“阎详”，《后汉书》卷八十八《西域传》即作“阎详”。

【原文】

二年（甲午，公元一五四年）

春，正月甲午[459]，赦天下。

二月辛丑[460]，复听刺史、二千石行三年丧。

癸卯[461]，京师地震。

夏，蝗。

东海朐山[462]崩。

乙卯[463]，封乳母马惠子初为列侯。

秋，九月丁卯朔[464]，日有食之。

太尉胡广免，以司徒黄琼为太尉。闰月[465]，以光禄勋尹颂为司徒。

冬，十一月甲辰[466]，帝校猎[467]上林苑[468]，遂至函谷关[469]。

泰山、琅邪[470]贼公孙举、东郭窦等反，杀长吏。

永寿元年（乙未，公元一五五年）

春，正月戊申[471]，赦天下，改元。

二月，司隶、冀州饥，人相食。

太学生刘陶上疏陈事曰："夫天之与帝，帝之与民，犹头之与足，相须[472]而行也。陛下目不视鸣条之事[473]，耳不闻檀车之声[474]，天灾不有痛于肌肤，震食不即损于圣体[475]，故蔑[476]三光之谬[477]，轻上天之怒。伏念高祖之起，始自布衣，合散扶伤[478]，克成帝业，勤亦至矣，流福遗祚[479]，至于陛下。陛下既不能增明烈考之轨[480]，而忽高祖之勤[481]，妄假利器，委授国柄[482]，使群丑[483]刑隶[484]，芟刈小民[485]，虎豹窟于麑场，豺狼乳于春囿[486]，货殖者[487]为穷冤之魂，贫馁者作饥寒之鬼，死者悲于窀穸[488]，生者戚于朝野[489]，是愚臣所为咨嗟长怀叹息者也！且秦之将亡，正谏[490]者诛，谀进[491]者赏，嘉言结于忠舌[492]，国命出于谗口[493]。擅阎乐于咸阳[494]，授赵高以车府[495]，权去己而不知，威离身而不顾。古今一揆[496]，成败同势。愿陛下远览强秦之倾，近察哀、平[497]之变，得失昭然，祸福可见。臣又闻危非仁不扶，乱非智不救[498]。窃见故冀州刺史南阳朱穆、前乌桓校尉臣同郡李膺，皆履正清平[499]，贞高绝俗[500]，斯实中兴之良佐，国家之柱臣也，宜还本朝，夹辅王室[501]。臣敢吐不时之

【语译】

二年（甲午，公元一五四年）

春，正月二十四日甲午，大赦天下。

二月初二日辛丑，再次允许刺史、二千石的官吏守丧三年。

初四日癸卯，京师洛阳发生地震。

夏，发生蝗灾。

东海郡朐山崩塌。

二月十六日乙卯，册封乳母马惠的儿子初为列侯。

秋，九月初一日丁卯，发生日食。

太尉胡广被免职，任命司徒黄琼为太尉。闰九月，任命光禄勋尹颂为司徒。

冬，十一月初九日甲辰，汉桓帝在上林苑打猎，随后到达函谷关。

泰山、琅邪的贼人公孙举、东郭窦等人叛乱，杀死地方官员。

永寿元年（乙未，公元一五五年）

春，正月十四日戊申，大赦天下，改元。

二月，司隶、冀州发生饥荒，人吃人。

太学生刘陶上疏陈事说："上天与皇帝，皇帝与百姓，犹如头和脚，必须相互依靠才能行动。皇帝的眼睛看不见鸣条战事，耳朵听不见战车厮杀的声音，对天灾没有肌肤之痛，地震和日食没有损伤圣体，所以轻视日月星的变异，轻视上天的震怒。臣想到高祖的兴起，由一介布衣起家，收聚流散与扶助伤残的民众，完成了帝业，艰苦勤劳达到极点，把帝王的福分一代代流传下来，传到了陛下。陛下既不能发扬光大祖宗的事业，又忽视了高祖创业的艰辛，错误地把国家政权交给别人，把权柄委授他人，使奸凶小人和宦官之流宰割百姓，让虎豹在鹿场营窟，让豺狼在花园中乳养幼崽，增殖财富的商贾被逼杀成为穷苦的冤魂之鬼，贫困冻饿之人死于饥寒成为恶鬼，死者在漫漫长夜中悲号，活着的人，无论在朝在野，无不愁苦，这就是愚臣所以久怀嗟叹的原因！秦朝将亡时，直言进谏的人被诛杀，阿谀奉承的人受赏赐；善言止于忠贞之口，国家命运系于奸佞之人。皇上纵容阎乐在咸阳专横，任命赵高为中车府令，大权旁落却毫无知觉，君威离身而不闻不问。古今道理相同，成败形势一样。希望陛下远看强秦的颠覆，近观哀帝、平帝的变乱，得失明显。臣又听说，危急之势，只有仁政才能扶持；败乱之局，只有智士才能拯救。臣私下认为前冀州刺史南阳人朱穆、前乌桓校尉、臣的同郡人李膺都品行端正、洁身自好，高尚忠贞、超越凡俗，实在是中兴的良臣和国家的支柱，应返回朝廷，辅佐皇室。臣竟敢在忌

义[502]于讳言之朝[503]，犹冰霜见日，必至消灭。臣始悲天下之可悲[504]，今天下亦悲臣之愚惑也。”书奏，不省。

夏，南阳大水。

司空房植免，以太常韩缜为司空。

巴郡、益州郡山崩。

秋，南匈奴左薁鞬台耆、且渠伯德等反，寇美稷，东羌复举种应之。安定属国都尉敦煌张奂[505]初到职，壁中唯有二百许人，闻之，即勒兵而出。军吏以为力不敌，叩头争止之。奂不听，遂进屯长城[506]，收集兵士，遣将王卫招诱东羌，因据龟兹县[507]，使南匈奴不得交通。东羌诸豪遂相率与奂共击薁鞬等，破之。伯德惶恐，将其众降，郡界以宁。羌豪遗奂马二十匹，金镰[508]八枚。奂于诸羌前以酒酹地[509]曰：“使马如羊，不以入厩，使金如粟，不以入怀。”悉以还之。前此八都尉率好财货，为羌所患苦，及奂正身洁己，无不悦服，威化大行。

【段旨】

以上为第九段，写太学生刘陶上疏汉桓帝讷谏亲贤，召还李膺入朝治事，汉桓帝不听。安定属国都尉张奂安定东羌，打败犯边的南匈奴。

【注释】

⑮⑨甲午：正月二十四日。⑯⓪辛丑：二月初二日。⑯①癸卯：二月初四日。⑯②朐山：山名，其山在东海郡朐县境内，在今江苏连云港市南。⑯③乙卯：二月十六日。⑯④丁卯朔：九月初一日。⑯⑤闰月：闰九月。⑯⑥甲辰：十一月初九日。⑯⑦校猎：围猎。⑯⑧上林苑：东汉上林苑在洛阳西。⑯⑨函谷关：关名，在今河南灵宝东北。⑰⓪泰山、琅邪：两郡名。泰山郡治所奉高，在今山东泰安东。琅邪郡治所开阳，在今山东临沂北。⑰①戊申：正月十四日。⑰②相须：相辅相成，互为依靠。⑰③鸣条之事：鸣条，山名，在今山西运城西。夏朝末主桀王败没于鸣条，被商汤王俘虏，流放而死。⑰④檀车之声：战车厮杀之声。此指商纣王败亡之事。《诗经·大明》：“牧野洋洋，檀车煌煌。”檀车，兵车。⑰⑤天灾不有痛于肌肤二句：天灾没有肌肤之痛，地震、日食没有立即损伤圣体。天灾，指水灾、旱灾、虫灾。震食，指地震、日食。⑰⑥蔑：轻视。⑰⑦三光之谬：日、月、星变异。⑰⑧合散扶伤：聚

讳直言之朝，说些不合时宜的大义，犹如冰霜见到太阳，肯定会被消灭。臣以前感到天下之人的麻木实在可悲可叹，而现在天下的人也会认为臣的愚昧实在可悲。”奏书呈上，汉桓帝不理。

夏，南阳郡发生大水。

司空房植被免职，任命太常韩缜为司空。

巴郡、益州郡发生山崩。

秋，南匈奴左薁鞬台耆、且渠伯德等人叛变，侵占美稷，东羌的各部落都再次响应。安定属国都尉敦煌人张奂刚到任，军营中只有二百多人，张奂得到情报后，马上率军出战。军吏认为寡不敌众，争相磕头阻止。张奂不听，于是进兵屯驻于长城，征召士卒，派遣将领王卫招降东羌，趁机占据了龟兹县，使南匈奴无法内外沟通。东羌各部首领于是相率归降，与张奂共同攻击左薁鞬等人，打败了南匈奴。且渠伯德惶恐不安，率领部众归降，郡境得以安宁。东羌首领送给张奂二十匹马、八枚金鐻。张奂在羌人面前洒酒地上，说：“即使马匹像羊一样多，也不能私入马厩，即使黄金像粟一样多，也不能私入怀中。”把全部赠品还给东羌。以前的八任都尉都喜好财货，使羌人深感愁苦，等到张奂洁身自爱，羌人无不心悦诚服，威名教化于是广为推行。

合流散之民，扶助伤残之民。⑷⑺⑼ 流福遗祚：把帝王的福分流传下来。⑷⑻⓪ 增明烈考之轨：发扬光大祖宗的事业。⑷⑻① 忽高祖之勤：忽视汉高祖创业的艰辛。勤，勤劳、艰辛。⑷⑻② 妄假利器二句：错误地把国家政权交给别人。妄，错谬。假、授，交出。利器、国柄，皆指政权。⑷⑻③ 群丑：奸凶之人。⑷⑻④ 刑隶：指宦官。⑷⑻⑤ 芟刈小民：宰割百姓。⑷⑻⑥ 虎豹窟于麑场二句：虎豹在鹿场中掘洞，豺狼在花园中养育幼崽。麑，鹿崽。乳，养哺。⑷⑻⑦ 货殖者：增殖财富的富人。⑷⑻⑧ 死者悲于窀穸：已死的人在漫漫长夜中悲号。窀穸，长夜。窀，厚。穸，夜。又，窀穸也指坟墓。⑷⑻⑨ 生者戚于朝野：活着的人，无论在朝在野，无不愁苦。戚，忧戚。⑷⑼⓪ 正谏：直言进谏。⑷⑼① 谀进：阿谀奉承，说假话。⑷⑼② 嘉言结于忠舌：善言止于忠贞之口。⑷⑼③ 国命出于谗口：国家命运系于奸佞人之口。⑷⑼④ 擅阎乐于咸阳：阎乐，赵高女婿，为咸阳市市长，杀秦二世的罪魁。意为让阎乐在咸阳首都专横。⑷⑼⑤ 授赵高以车府：任命赵高为中车府令，掌握了宫门。⑷⑼⑥ 一揆：一理。⑷⑼⑦ 哀、平：西汉哀帝、平帝。⑷⑼⑧ 臣又闻危非仁不扶二句：臣又听说，危急之势，只有仁爱才能扶持；败乱之局，只有智士才能拯救。⑷⑼⑨ 履正清平：行为端正，洁身自爱。⑸⓪⓪ 贞高绝俗：高尚忠贞，超越凡俗。⑸⓪① 宜还本朝二句：应该回到政府任职，辅佐皇室。⑸⓪② 不时之义：不合时宜的大义。⑸⓪③ 讳言之朝：忌讳直言之朝。⑸⓪④ 臣始悲天下之可悲：臣先前感到国家将倾而天下之人皆麻木可悲可叹。⑸⓪⑤ 张

奂（公元一〇四至一八一年）：字然明，敦煌渊泉（今甘肃瓜州东）人，东汉安羌名将，官至大司农、太常。传见《后汉书》卷六十五。⑯长城：陕北蒙恬所筑长城。⑰龟兹县：上郡属国都尉治所，因安置内附龟兹人而得名，在今陕西榆林北。⑱金𫓧：金器，形制不详。⑲以酒酹地：以酒洒地而发誓。酹，洒酒地上以示祭天地。

【原文】

二年（丙申，公元一五六年）

春，三月，蜀郡属国⑩夷反。

初，鲜卑檀石槐⑪勇健有智略，部落畏服。乃施法禁，平曲直，无敢犯者，遂推以为大人。檀石槐立庭于弹汗山[17]歠仇水上，去高柳北三百余里，兵马甚盛，东、西部大人皆归焉。因南抄缘边，北拒丁零⑫，东却夫余⑬，西击乌孙，尽据匈奴故地，东西万四千余里。

秋，七月，檀石槐寇云中⑭。以故乌桓校尉李膺为度辽将军。膺到边，羌、胡皆望风畏服，先所掠男女，悉诣塞下送还之。

公孙举、东郭窦⑮等聚众至三万人，寇青、兖、徐三州⑯，破坏郡县，连年讨之，不能克。尚书选能治剧⑰者，以司徒掾颍川韩韶为嬴⑱长。贼闻其贤，相戒不入嬴境。余县流民万余户入县界，韶开仓赈之，主者⑲争谓不可，韶曰："长活沟壑之人，而以此伏罪，含笑入地矣。"太守素知韶名德，竟无所坐。韶与同郡荀淑、锺皓、陈寔皆尝为县长，所至以德政称，时人谓之"颍川四长⑳"。

初，鲜卑寇辽东，属国都尉武威[18]段颎率所领驰赴之。既而恐贼惊去，乃使驿骑诈赍玺书召颎㉑。颎于道伪退㉒，潜于还路设伏。虏以为信然，乃入追颎。颎因大纵兵，悉斩获之。坐诈为玺书，当伏重刑㉓，以有功，论司寇㉔。刑竟㉕，拜议郎㉖。至是，诏以东方盗贼昌炽㉗，令公卿选将帅有文武材者。司徒尹颂荐颎，拜中郎将㉘，击举、窦等，大破斩之，获首万余级，余党降散。封颎为列侯。

冬，十二月，京师[19]地震。

封梁不疑子马为颍阴侯，梁胤子桃为城父侯。

【语译】

二年（丙申，公元一五六年）

春，三月，蜀郡属国夷人反叛。

当初，鲜卑人檀石槐勇敢有智谋，部落都畏惧他，服从他。檀石槐于是立法施禁，审理诉讼，民众不敢犯法作乱，于是他被选举为部落酋长。檀石槐在弹汗山歠仇水之间建立王庭，距离高柳的北面三百多里，兵马很多，东、西部首领都归顺他。因而，向南侵抄掠汉朝边境，向北反抗丁零，向东击退夫余，向西进攻乌孙，完全占领了匈奴旧地，东西一万四千多里。

秋，七月，檀石槐侵入云中郡。朝廷任命前乌桓校尉李膺为度辽将军。李膺到了边境，羌人和胡人闻风归降，将以前掠夺的男女百姓，全部送回塞下。

公孙举、东郭窦等聚集部众达到三万人，侵扰青州、兖州、徐州，毁坏郡县，朝廷连年讨伐，不能取胜。尚书选取能够平息叛乱的人，任命司徒掾颍川人韩韶为嬴县县长。贼人听说韩韶贤能，相互告诫不入嬴县县境。其他各县的一万多户流民进入嬴县，韩韶下令开仓赈济，主管仓粟的官员坚决认为不可，韩韶说："若能够使这濒临死亡的人活命，即使因此而伏法，我也能含笑进入九泉之下。"太守向来知道韩韶负有德望，最终也没有治罪。韩韶与同郡人荀淑、锺皓、陈寔都曾经当过县长，所到之地，以德政闻名，时人称为"颍川四长"。

当初，鲜卑侵犯辽东，属国都尉武威人段颎率领他的部队赶赴辽东。后来担心鲜卑受惊逃走，就派驿站骑士假传圣旨召段颎回去。段颎在路上假装撤退，暗中在半路上埋伏。敌人信以为真，就追击段颎。段颎趁机大发伏兵，把敌人全部斩杀俘虏了。但是，段颎犯有诈称圣旨的罪行，当判死刑，因为他立了功，只判了两年徒刑。刑满，被任命为议郎。这年，因为东方盗贼势盛，诏令公卿推荐文武双全的将帅。司徒尹颂推荐段颎，任命他为中郎将，去攻打公孙举、东郭窦等，大获全胜，杀敌一万多人，余贼投降解散。册封段颎为列侯。

冬，十二月，京师发生地震。

册封梁不疑的儿子梁马为颍阴侯，梁胤的儿子梁桃为城父侯。

【段旨】

以上为第十段，写鲜卑檀石槐兴起，侵扰北疆，段颎平定山东乱匪。

【注释】

⑩ 蜀郡属国：安帝延光元年（公元一二二年）以蜀郡西部都尉为属国都尉，在今四川雅安市名山区北。⑪ 檀石槐（？至公元一八一年）：鲜卑首领。东汉末建庭于高柳北弹汗山（在今山西阳高西北），制定法律，从汉朝输入铁器，制作兵器和工具。檀石槐统一鲜卑各部，据有匈奴故地，为东汉末北方劲敌。⑫ 丁零：极北方种族名，居于西伯利亚贝加尔湖畔。⑬ 夫余：东夷种族名，居于今辽宁昌图一带。⑭ 云中：郡名，治所在今内蒙古托克托东北。⑮ 公孙举、东郭窦：泰山、琅邪两郡民变首领。⑯ 青、兖、徐三州：青州，在今山东半岛。兖州，在今山东西部。徐州，在今江苏北部。⑰ 剧：繁乱。⑱ 嬴：县名，属泰山郡，县治在今山东济南市莱芜区西北。⑲ 主者：主仓粟之吏。⑳ 颍川四长：荀淑为当涂长，韩韶为嬴长，陈寔为太丘长，锺皓为林虑长。㉑ 使驿骑诈赍玺书召颎：派遣驿传骑兵带上伪造的诏书征召段颎。㉒ 颎于道伪退：段颎在进军的半路上假装奉诏撤退。㉓ 重刑：死刑。㉔ 论司寇：判二岁刑。㉕ 刑竟：服刑期满。㉖ 议郎：官名，郎官之一，属光禄勋，但不入直宿卫，而掌言议，参与朝政。㉗ 昌炽：盛多，如烈火炽盛。㉘ 中郎将：官名，职掌禁卫中郎，有五官、左、右三中郎将。东汉时，出征将领常加中郎将衔帅师出征。

【校记】

［17］弹汗山：原作“弹污山”。据章钰校，乙十一行本作“弹汗山”。〖按〗《后汉书》卷九十《鲜卑传》亦作“弹汗山”，今据改。［18］武威：原无此二字。据章钰校，乙十六行本、乙十一行本、孔天胤本皆有此二字，张敦仁《通鉴刊本识误》同，今据补。［19］京师：原无此二字。据章钰校，乙十六行本、乙十一行本皆有此二字，今据补。

【研析】

本卷研析两件大事，一是梁冀跋扈，二是崔寔《政论》。一实一虚，以察东汉国运。

第一，梁冀跋扈。梁冀字伯卓，安定乌氏（在今甘肃平凉西北）人。东汉权臣外戚，历仕顺、冲、质、桓四朝，官至大将军，专断朝政二十年。质帝年八岁，还是一个少小儿童都看不惯梁冀的横蛮，在一次早朝时，目视梁冀，童言无忌，脱口而出：“此跋扈将军也。”梁冀闻言不是自责改过，却是恶从胆边生，进鸩毒煮饼，毒杀质帝。敢于下毒弑帝的权臣，在中国历史上也数不出几个，可见梁冀是一个罪大恶极的跋扈将军。

梁冀出身贵戚，父梁商为大将军，在顺帝朝总揽朝政。商女梁妠，顺帝永建三年（公元一二八年）选入掖庭，阳嘉元年（公元一三二年）立为皇后。梁商死，未及葬，顺帝拜梁冀为大将军，梁冀弟梁不疑为河南尹。梁冀，梁皇后之兄。顺帝死，冲帝立，梁皇后尊为太后，临朝，历冲帝、质帝、桓帝三朝太后。梁冀在顺帝朝为大将军执掌朝政，到桓帝延熹二年（公元一五九年）诛死，擅权跋扈达二十年之久。梁冀少为纨绔子弟，斗鸡走狗，酗酒赌博，恣意妄为。梁冀形貌丑陋，两肩高耸，两眼直竖，说话词不达意，斗大的字认不了几个，无学无德。就这样一个流氓阿飞式的贵族少爷，因父为大将军，妹为顺帝贵人，梁冀官运亨通。初为黄门侍郎，转侍中、虎贲中郎将、越骑、步兵校尉、执金吾、河南尹、大将军，一路直线高升。梁贵人为皇后，梁冀秉政，权倾内外。

梁冀生性阴毒，视杀人如草芥。父梁商好友吕放为洛阳令，曾告语梁商管束梁冀，梁冀怀恨，派人在路上杀了吕放，转嫁为吕放的仇家，然后逮捕了这一家的全族、宾客达一百多人。梁冀任大将军后，更是无法无天。一个西域商人，误杀梁冀兔苑一只兔，连引相坐十余人被处死。百官任免，先到梁冀府谢恩送礼。辽东太守侯猛，拜见梁冀没有事先递进名帖，梁冀假托他事将侯猛腰斩。宫卫近侍，多为梁冀私党，皇帝起居动静，了如指掌。事无大小，一决于梁冀。皇帝完全成了一个傀儡。

梁冀性又极奢侈贪婪。朝廷内外，地方要员，多为私党，个个都是贪官。梁冀专权时，民变四起，都是这帮贪官逼成。扶风人士孙奋也是一个贪污聚敛之徒，为关中首富。梁冀派人送给士孙奋一匹马，向士孙奋索钱五千万，士孙奋只给了三千万。梁冀大怒，指使地方官诬告士孙奋母亲为官奴婢，偷盗白珠十斛，紫金千斤，于是收拷士孙奋兄弟，活活打死狱中，家资抄没一亿七千万。全国四方地方官进贡，备上两份礼物，先贡梁冀，后贡皇帝。梁冀俨然是一个太上皇。

梁冀大造私宅，穷极壮丽，占了京城一整条街。后花园建造假山，十里九坂，取象崤山。又在河南城西建造兔苑，周回数十里。传令各地贡纳生兔，在毛上做记号，放养兔苑，有人误捕，罪死不赦。梁氏兔苑成了国中陷阱。又在河南城西盖别墅选取良家妇女，全为奴婢，多至数千人，称“自卖人”。梁冀心犹未足，又在京城辟大林苑，比拟皇帝禁苑。范围东界荥阳，南达鲁阳，西至弘农，北到淇县，封域达千里。

梁冀妒贤嫉能，兄弟也不幸免。弟梁不疑好读经书，喜欢与士人交接，梁冀十分不满。梁不疑任河南尹，梁冀调转梁不疑为光禄勋，让出河南尹改任自己的儿子梁胤。梁胤年十六，形貌丑恶，有乃父之风，更加衣冠不整，鼻涕流连，路人见了都要耻笑，却任京师市长河南尹。梁不疑都感到羞愧，辞官家居。梁冀监视梁不疑，在其家四周布上暗探，发现士人与梁不疑交往，就借故陷害，充军或致死。大儒南郡太守马融、江夏太守田明，上任时曾去拜访梁不疑，被梁冀侦知，借故将二人判刑流放朔方。马融自杀得救，田明死于半路。

梁冀贪得无厌。桓帝立，梁冀以援立之功，享崇殊礼，入朝不趋，剑履上殿，唱拜不呼其名而称大将军，仪比萧何，食邑四县比邓禹，宅第比霍光，梁冀还认为礼薄。梁冀恶贯满盈，当梁太后死，桓帝长大，梁冀的大限就到了，但他还不知收敛。延熹二年诛梁冀，党羽上至公卿，下至列校刺史二千石高官五十七人，政吏宾客为朝官被罢免者三百余人，朝廷为之一空。抄没家资，合三十余亿，因减当年天下租税之半。梁冀巨贪，亘古未有，是中国历史上最大的贪污权臣。后世清朝和珅，差可比拟。

史称梁冀贵盛时，一门前后七人封侯，梁氏诸女三人为皇后，六人为贵人，父子二人为大将军，夫人及女食邑为封君者七人，诸男尚公主者五人。一衣裙带，皇权旁落，凶狡人专权，为害之巨，竟至于此。这就是东汉专制政体结出的恶果。

第二，崔寔《政论》。崔寔，字子真，又名台，字符始，涿郡安平人，汉安平县旧治在今河北石家庄东。东汉著名政论家，所著《政论》受到东汉另一政论家仲长统的高度评价，认为凡是当帝王的人都应当把崔寔的《政论》抄下来放在座右，天天温习。

司马光摘抄的《政论》中心有两个内容。首先是治国者要懂得社会在不断变化，不能墨守古训，治国之策要适应形势，主张变革，这是进步思想，指出顽固守旧的人，“不懂时势权变，安于现状，因循守旧，不乐于成就事业，更谈不上创新，只知道苟且偷安，照章办事”。这还是好的，更差劲的人，“只知贪求名声，妒忌贤能，懊恨好的策谋不是出于自己之手，于是舞文弄墨来曲解不是出于自己之手的善策嘉谋，使得合宜的谋略寡不敌众，终于被抛弃”。《政论》认为，这些保守人士，充斥于朝，成了奸佞佞臣的帮凶，不除掉这些人，“即使后稷、契在世，也束手无策”。崔寔一针见血，洞穿了专制政体的惰性。梁冀可以诛杀，但专制惰性不除，仍无益于治。宋朝的司马光不是权奸，是大史学家，但血液中融注了专制惰性，思想保守，是王安石革新的最大政敌。当局者迷，司马光自己是不会明白的。

《政论》第二项中心内容是论治国者要懂得治乱邦应用重刑。治乱要用重刑，原则上没有错，但针对东汉政治没有说到点子上。东汉自明帝起，兴大狱，用重刑，继任者，即使宽柔的顺帝，在权臣掌控中实际是更为苛酷，看看梁冀的滥杀无辜，刑不只是重，而且是无法无天。全国四方民变，恰恰是贪官污吏为政苛暴把良民逼上梁山。法律的权威，政府的公信力，是建立在公平公正上。不公平公正的刑法是暴政，政府为暴，人民有权利反暴，汤武革命，诛杀桀纣，就是儒家学说中的民主性成分。不过这都是早期儒家的学说，至于东汉图谶化的儒学，早把民主性扼杀了。即使是敏睿的崔寔也麻痹了，司马光自然也不懂，或者懂了也不说。如果只是抽象地谈用刑的轻重，司马光的评论没有错。治乱用重典，治国可不能一味地用重典，要宽严相济，才是常道。刘焉治蜀尚宽，豪强欺压民众，诸葛亮治蜀就济之以猛，蜀国大治。秦法苛酷，二世而亡，汉朝兴起，高祖入关，约法三章，秦民大悦。秦亡汉兴，原因是刘邦诛暴。汉初无为，有文景之治，然而制度多缺，诸侯王兴起，尾大不掉，汉武帝实施酷吏政治，济之以猛，昭宣中兴又济之以宽。所以司马光说，宽严相济才是治国的常道，原则上是没有错的。

卷第五十四　汉纪四十六

起强圉作噩（丁酉，公元一五七年），尽昭阳单阏（癸卯，公元一六三年），凡七年。

【题解】

本卷记事起公元一五七年，迄公元一六三年，凡七年，当桓帝永寿三年至延熹七年，载桓帝一朝中期史事。这一时期的最重大政治事件是桓帝诛除了梁冀，外戚梁氏垮台。单超、徐璜、具瑗、左悺、唐衡五宦官为发难功臣，同日封侯，世谓之“五侯”。宦官势盛，当时流行政治民谚：“左回天，具独坐，徐卧虎，唐雨堕。”宦官子弟布列州郡，地方廉吏刘矩、刘宠以恩信治民，百姓感戴，这样的清官凤毛麟角，无补大局。太学生刘陶上奏，阻止了朝廷铸造重币，避免了又一轮通货膨胀。皇甫规讨平三辅及河西叛羌，冯绲讨平荆州武陵蛮的叛乱。边警四起。南匈奴、乌桓、鲜卑相互策应侵扰北方沿边九郡。桓帝迫于形势需要与舆情，重新起用皇甫规、张奂、段颎三大安边名将。桓帝还惩治了一批任职州郡的宦官子弟。

【原文】

孝桓皇帝上之下

永寿三年（丁酉，公元一五七年）

春，正月己未①，赦天下。

居风②令贪暴无度，县人朱达等与蛮夷同反，攻杀令，聚众至四五千人。夏，四月，进攻九真，九真太守兒式战死。诏九真都尉魏朗讨破之。

闰月庚辰晦③，日有食之。

京师蝗。

或上言：“民之贫困以货轻钱薄④，宜改铸大钱。”事下四府⑤群僚及太学能言之士议之。太学生刘陶上议曰：“当今之忧，不在于货，在乎民饥。窃见比年⑥已来，良苗尽于蝗螟之口，杼轴空于公私之求⑦。民所患者，岂谓钱货之厚薄，铢⑧两之轻重哉！就使当今沙砾化为南金，瓦石变为和玉⑨，使百姓渴无所饮，饥无所食，虽皇、羲⑩之纯

【语译】

孝桓皇帝上之下

永寿三年（丁酉，公元一五七年）

春，正月己未日，大赦天下。

居风县县令贪婪无度，县民朱达等与蛮夷一起叛乱，攻进县城杀死县令，并聚集民众，达四五千人。夏，四月，进攻九真郡，九真太守兒式战死。诏令九真都尉魏朗征讨朱达叛贼，将其击败。

闰五月最后一天三十日庚辰，发生日食。

京师发生蝗灾。

有人上言说："民众贫困是因为钱币太轻太薄，应改铸大钱。"此事交给四府群僚与太学生中能言之士讨论。太学生刘陶上奏说："当今忧患，不在于钱币，在于民众饥困。臣私下看到近几年来，好的禾苗全部被蝗虫吃掉，织机所产布帛被公家及贪官污吏索取一空。百姓所忧虑的，怎能说是钱币的厚薄，铢两的轻重呢！即使今天的沙砾都变成南方产的金子，瓦石变成和氏宝玉，让百姓渴了没有水喝，饿了没有东西吃，

德，唐、虞⑪之文明，犹不能以保萧墙之内⑫也。盖民可百年无货，不可一朝有饥，故食为至急也。议者不达⑬农殖之本，多言铸冶之便。盖万人铸之，一人夺之，犹不能给；况今一人铸之，则万人夺之乎！虽以阴阳为炭⑭，万物为铜，役不食之民，使不饥之士⑮，犹不能足无厌之求⑯也。夫欲民殷财阜⑰，要在止役禁夺⑱，则百姓不劳而足。陛下愍海内之忧戚，欲铸钱齐货⑲以救其弊，犹养鱼沸鼎之中，栖鸟烈火之上。水木本鱼鸟之所生也，用之不时，必至焦烂。愿陛下宽锲薄之禁⑳，后冶铸之议㉑，听民庶之谣吟，问路叟之所忧㉒，瞰三光之文耀㉓，视山河之分流㉔，天下之心，国家大事，粲然皆见，无有遗惑者矣。伏念当今地广而不得耕，民众而无所食，群小竞进，秉国之位，鹰扬天下㉕，乌钞求饱，吞肌及骨，并噬无厌。诚恐卒㉖有役夫㉗穷匠㉘起于版筑之间，投斤攘臂㉙，登高远呼，使愁怨之民响应云合㉚，虽方尺之钱㉛，何有能救其危也！”遂不改钱。

冬，十一月，司徒尹颂薨。

长沙蛮反，寇益阳㉜。

以司空韩缜为司徒，以太常北海孙朗为司空。

【段旨】

以上为第一段，写太学生刘陶上奏，阻止了朝廷铸造重币，避免了通货膨胀。

【注释】

①己未：《后汉书卷七·桓帝纪》同。〖按〗正月癸未朔，无己未。己未，应为乙未，正月十三日。②居风：县名，属九真郡。九真郡在今越南中部。居风县治在今越南清化西北。③庚辰晦：闰五月三十日。④货轻钱薄：铜钱太轻太薄。货，宝货，即钱。⑤四府：大将军、太尉、司徒、司空四府。⑥比年：连年。⑦杼轴空于公私之求：织机所产布帛被公家及贪官污吏索取一空。杼，织梭。轴，机轴。⑧铢：重量单位，一两为二十四铢。⑨和玉：名贵的卞和之玉。⑩皇、羲：传说的上古圣王天皇氏、伏羲氏。⑪唐、虞：唐尧、虞舜。⑫萧墙之内：朝廷内部。萧墙是国君所用屏风，人臣至此

虽然有天皇氏、伏羲氏纯美的德行，唐尧、虞舜的昌明典章，还是不能保证朝廷无事。平民百姓可以一百年家无积财，不能一天无饭吃，所以百姓吃饭问题是最紧急的事。议论国事的人不通晓农耕的根本，而大谈铸制钱币的益处。一万人铸钱，一人夺用，尚不能满足；更何况现在是一人铸币，而上万的人抢用呢！即使以阴阳为炭，万物为铜，役使不吃饭的民众，使用不知饥饿的徒众，这样仍不能满足贪得无厌的欲望。如果真想使民富财足，首要的是停止徭役，禁止掠夺，那么百姓没有疲劳之苦而富足。皇上怜悯天下苍生忧愁凄苦，想重新铸币统一货币来拯救时弊，就像在开水锅中养鱼，让鸟在燃烧着的树木上栖息。水和树本是鱼鸟生存之地，但在那种不合适的情况下，必定会使鱼烂鸟焦。希望皇上放宽刻薄的禁令，延后讨论铸钱，垂听小民诉苦的歌谣，询问路边老人的忧虑，仰视日、月、星辰三光明暗的变化，察看山脉走向，河水分流的情况，天下民心，国家大事，都昭然可见，没有遗漏和疑惑了。臣想当今土地广阔而未加耕植，人口众多而没有吃食，小人争相进升，秉持国家权位，鹰击天下，捕鸟求饱，连皮带骨，一起吞食仍不满足。实在害怕突然有役夫穷匠起于役事之中，丢下斧头，卷起袖子，登高远呼，使满怀怨愤的民众云集响应，纵然钱币有一方尺之大，又怎能挽救这种危险呢！”于是没有改铸钱币。

冬，十一月，司徒尹颂去世。

长沙蛮族叛乱，侵扰益阳县。

任命司空韩縯为司徒，任命太常北海人孙朗为司空。

肃然起敬。⑬达：通晓。⑭以阴阳为炭：把整个天地的阴阳作为炭。⑮役不食之民二句：役使不吃饭的民众，使用不知饥饿的徒众，不休息地做工。⑯无厌之求：永不满足的贪求。⑰财阜：财物丰盛如阜。⑱止役禁夺：停止徭役，禁止贪官污吏的掠夺。⑲齐货：统一货币。⑳宽锲薄之禁：放宽刻薄的禁令。锲，刻也。㉑后冶铸之议：暂缓讨论铸重钱。㉒听民庶之谣吟二句：垂听小民诉苦的歌谣，询问路旁老人的忧虑。谣吟，民间申诉痛苦的歌谣。㉓瞰三光之文耀：仰视日、月、星三光明暗的变异。瞰，视也。日月有食，星有错行，故视其光泽变异。㉔视山河之分流：察看山脉走向，河水分流。此指山崩、川竭等灾异引起的变化，古人认为是亡国的警告。㉕鹰扬天下：鹰击天下。此喻群小凶残如同苍鹰。下文三句说苍鹰捕鸟求饱，连皮带骨，一块吞下还不满足。噬，吞食。㉖卒：通“猝”，突然。㉗役夫：指秦末陈胜、吴广。㉘穷匠：指西汉成帝时山阳铁官徒苏令。㉙投斤攘臂：丢下斧头，卷起袖子，振臂呼喊。投斤，指放下劳动的工具起来造反。斤，砍柴的斧头。㉚响应云合：如响应声，如云之合。㉛方尺之钱：夸张之言，谓天下已乱，即使有大如方尺的钱也无济于事。㉜益阳：县名，县治在今湖南益阳东。

【原文】

延熹元年（戊戌，公元一五八年）

夏，五月甲戌晦[33]，日有食之。太史令陈授因小黄门徐璜陈“日食之变咎在大将军冀”。冀闻之，讽雒阳收考授，死于狱。帝由是怒冀。

京师蝗。

六月戊寅[34]，赦天下，改元。

大雩[35]。

秋，七月甲子，太尉黄琼免，以太常胡广为太尉。

冬，十月，帝校猎广成[36]，遂幸上林苑。

十二月，南匈奴诸部并叛，与乌桓、鲜卑寇缘边九郡。帝以京兆尹陈龟[37]为度辽将军。龟临行，上疏曰：“臣闻三辰不轨[38]，擢士为相[39]；蛮夷不恭[40]，拔卒为将。臣无文武之材而忝[41]鹰扬之任[42]，虽殁躯体，无所云补。今西州边鄙，土地塉埆[43]，民数更寇虏，室家残破，虽含生气，实同枯朽。往岁并州[44]水雨，灾螟互生[45]，稼穑荒耗[46]，租更空阙[47]。陛下以百姓为子，焉可不垂抚循之恩哉！古公、西伯[48]天下归仁，岂复舆金辇宝以为民惠乎[49]！陛下继中兴之统，承光武之业，临朝听政而未留圣意[50]。且牧守不良，或出中官[51]，惧逆上旨，取过目前[52]。呼嗟之声，招致灾害[53]，胡虏凶悍，因衰缘隙[54]，而令仓库单[55]于豺狼之口，功业无铢两之效[56]，皆由将帅不忠，聚奸所致。前凉州刺史祝良初除到州，多所纠罚，太守令长，贬黜将半，政未逾时[57]，功效卓然。实应赏异，以劝功能[58]；改任牧守，去斥奸残。又宜更选匈奴、乌桓护羌中郎将、校尉[59]，简练文武，授之法令[60]；除[61]并、凉二州今年租、更，宽赦罪隶，扫除更始[62]，则善吏知奉公之祐[63]，恶者觉营私之祸[64]，胡马可不窥长城，塞下无候望之患[65]矣。”帝乃更选幽、并刺史，自营[66]、郡太守、都尉以下，多所革易。下诏为陈将军除并、凉一年租赋，以赐吏民。龟到职，州郡重足震栗[67]，省息经用，岁以亿计。

诏拜安定属国都尉张奂为北中郎将[68]，以讨匈奴、乌桓等。匈奴、乌桓烧度辽将军[69]门，引屯赤坑[70]，烟火相望，兵众大恐，各欲亡去。

【语译】

延熹元年（戊戌，公元一五八年）

夏，五月最后一天二十九日甲戌，发生日食。太史令陈授通过小黄门徐璜上奏说“出现日食变异的凶兆责任在于大将军梁冀”。梁冀听了，暗示洛阳县令拘捕考讯陈授，陈授死在狱中。汉桓帝因此对梁冀很生气。

京师发生蝗灾。

六月初四日戊寅，大赦天下，改元年号为延熹。

举行盛大的求雨大典。

秋，七月二十日甲子，太尉黄琼被免职，任命太常胡广为太尉。

冬，十月，汉桓帝在广成苑围猎，于是幸临上林苑。

十二月，南匈奴各部落一起反叛，与乌桓、鲜卑入侵边缘九郡。汉桓帝任命京兆尹陈龟为度辽将军。陈龟临行，上奏说：“臣听说日、月、星三辰不按轨道运行，提升贤士做丞相；蛮夷不恭顺，提拔士兵为将领。臣没有文武之才却担任统帅之任，即使为国捐躯，也无所补益。如今西州边疆地带，土地贫瘠，人民多次遭盗匪侵掠，家庭残败，虽然口含生气，实际如同枯朽尸骨一般。往年并州下雨发水，水灾虫灾交相发生，农耕荒芜，田赋与役钱缺失。皇上把百姓当作子女，怎能不多给予抚恤安慰呢！古公亶父、西伯，天下人民都因两位贤君有仁德而归顺，难道还需要两位贤君用车子装载金银宝物向人民施行恩惠吗！皇上继承了中兴的大统，承受了光武的功业，临朝听政却没有专注精力听政。而且州郡的长官不贤，有的是由宦官推举的，他们唯恐违背圣上意旨，只求得过且过。百姓呼救哀叹之声，引起天谴而导致灾害，外族凶恶剽悍，趁我国势衰落、人民怨恨的空隙，起兵作乱，致使国库被贪官污吏这群豺狼吃光，没有尺寸之功，这都是将帅不忠、奸臣聚集所导致的。前凉州刺史祝良刚刚接受任命到徐州，揭露惩治了许多人，太守、县令被罢免的将近一半，施政不到三月，成效卓然。实在应该奖赏特异之人，用以鼓励立功和有能力的官吏；改任郡牧、太守，撤除奸邪害人的官吏。还应另外选择匈奴、乌桓、护羌中郎将、校尉，选用文武官员，授予法令；免除并、凉二州今年的田租更赋，赦免宽大罪犯，给予重新做人的机会，这样，好的官吏知道廉洁奉公得福，坏人觉察营私之祸，胡人骑兵不敢窥视长城，边塞没有敌警之患了。”于是汉桓帝另外挑选幽州、并州刺史，从京兆虎牙营、扶风雍营、郡太守、都尉以下，多所更换。下诏书为陈将军免去并州、凉州一年的租税，以赏赐官吏百姓。陈龟到任，州郡官员并足而立，恐惧不安，每年节省的经费以亿计。

汉桓帝下诏任命安定属国都尉张奂为北中郎将，征伐匈奴、乌桓等。匈奴、乌桓焚烧度辽将军军门，率军驻扎赤坑，烟火相望，兵众大为恐惧，各自想要逃离。

奂安坐帷中，与弟子讲诵自若，军士稍安。乃潜诱乌桓，阴与和通，遂使斩匈奴、屠各渠帅，袭破其众，诸胡悉降。奂以南单于车儿不能统理国事，乃拘之，奏立左谷蠡王为单于。诏曰："《春秋》大居正⑪，车儿一心向化，何罪而黜！其遣还庭。"

大将军冀与陈龟素有隙，谮其沮毁国威，挑取功誉⑫，不为胡虏所畏，坐征还，以种暠为度辽将军。龟遂乞骸骨归田里，复征为尚书。冀暴虐日甚，龟上疏言其罪状，请诛之，帝不省。龟自知必为冀所害，不食七日而死⑬。

种暠到营所，先宣恩信，诱降诸胡，其有不服，然后加讨。羌虏先时有生见获⑭质于郡县者，悉遣还之；诚心怀抚，信赏分明，由是羌、胡皆来顺服。暠乃去烽燧，除候望⑮，边方晏然⑯无警。入为大司农。

【段旨】

以上为第二段，写南匈奴、乌桓、鲜卑联合侵犯边缘九郡，度辽将军陈龟、继任者种暠、北中郎将张奂，共同努力，安定了北疆。

【注释】

㉝甲戌晦：五月二十九日。㉞戊寅：六月初四日。㉟大雩：举行盛大的求雨大典。雩，呼喊求雨之祭。㊱广成：苑名，在今河南伊川县西。㊲陈龟：字叔珍，上党泫氏（今山西高平）人。传见《后汉书》卷五十一。㊳三辰不轨：日月星三辰运行越出常轨。㊴擢士为相：提拔贤士为宰相。㊵不恭：不恭顺。㊶忝：惭愧，谦辞。㊷鹰扬之任：统帅之任。语出《诗经·大明》："维师尚父，时维鹰扬。"鹰扬，喻尚武如鹰之飞扬。㊸埆埆：瘠薄。㊹并州：辖境当今山西。㊺灾螟互生：水灾蝗虫交相发生。㊻稼穑荒耗：农耕荒废。㊼租更空阙：田赋与役钱缺失。租，三十税一的田赋。更，代役钱，称更赋。汉制，成人每人每年戍边三日，称徭戍，可拿钱三百代替。成人轮流到京师服役一年；又每年需在地方服役一月，均可纳钱代役，每月二千。㊽古公、西伯：古公，西周先公古公亶父，因避狄从邠地迁到岐山，从之者归之如市。西伯，即周文王，天下至仁，百姓拖儿带女来归附他。㊾岂复舆金辇宝句：难道古公、西伯还需用车辆载着金银财宝向人民施加恩惠吗。辇，人力车。此谓人民归义，不是金钱所能买。㊿未留圣意：谓没有专注精力听政。51或出中官：有的牧守本出自宦官推荐。52惧逆上旨二

张奂安稳地坐在军帐中，和平日一样与弟子们讲习自如，军士逐渐安定下来。于是暗中引诱乌桓，秘密地与乌桓往来，让乌桓人杀了匈奴、屠各的主帅，袭破匈奴军队，各部胡人全部投降。张奂因南单于车儿不能管理国政，便逮捕了他，上奏请立左谷蠡王为单于。汉桓帝下诏说："《春秋》大义崇尚正统，车儿专心致力于教化，有何罪而黜免呢！应把车儿送返王庭。"

大将军梁冀与陈龟一向有仇，诽谤陈龟毁坏国家威望，谋取功业名誉，不被胡人敌虏所惧怕，获罪召回，任命种暠为度辽将军。陈龟于是请求返回故乡，又被征召为尚书。梁冀的暴虐一日比一日厉害，陈龟上奏章述说了他的罪状，请求诛杀他，汉桓帝不理睬。陈龟自知必被梁冀所害，不食七天而死。

种暠到了军营，先宣布朝廷的恩德威信，诱导各胡族投降，有不顺服的加以讨伐。羌敌中以前被捕获在郡县留做人质的，全部遣送回到各部。诚心安慰他们，奖赏分明，于是羌人、胡人都来归顺。种暠便撤销烽火台，拆掉了哨所，边境安然无事，不再有警报。种暠入朝做了大司农。

句：唯恐冒犯皇帝旨意，只求得过且过。㊸呼嗟之声二句：人民呼喊哀叹之声，引起天谴而致灾害。㊹胡虏凶悍二句：外族凶恶剽悍，趁我国势衰落，人民怨恨的空隙，起兵作乱。㊺单：通"殚"，尽。指国库被贪官污吏这群豺狼吃光。㊻铢两之效：喻细微功勋。指战事无尺寸之功。㊼逾时：超过一季，三个月。㊽实应赏异二句：实在应当奖赏祝良的异能，用以鼓励大家立功。㊾中郎将、校尉：此指护匈奴中郎将、护乌桓校尉、护羌校尉。㊿简练文武二句：选用文武全才，将法令交给他们，即授以实权。(61)除：免除。并、凉二州，免除今年的田租更赋。(62)宽赦罪隶二句：赦免宽大罪犯，给以重新做人的机会。扫除，不追究前过，一切扫除。更始，重新做人。(63)奉公之祐：奉公守法得福。(64)营私之祸：营求私利之害。(65)塞下无候望之患：边境没有敌警之患。候望，斥候瞭望。(66)营：地方驻军。指京兆虎牙营、扶风雍营等。(67)重足震栗：小心谨慎，恐惧战栗。重足，并足而立，小心恐惧的样子。(68)北中郎将：即使匈奴中郎将，驻节并州西河郡美稷县。(69)度辽将军：屯五原，在今内蒙古包头西。(70)赤坑：今地不详。(71)《春秋》大居正：《春秋》大义崇尚正统。栾提车儿在桓帝即位之年建和元年立，自立为单于以来，一心向化，故桓帝宽宥之。以为这样做才符合《春秋》书"元年，春，正月"，尊崇正统的大义。(72)谮其沮毁国威二句：诽谤陈龟损害国家威望，谋取个人功业名誉。谮，捏造。挑，亦取也。(73)不食七日而死：陈龟上书后，绝食七天饿死。东汉朝官反对外戚，以死相抗，陈龟继郑弘为第二人，亦仅此二人而已。郑弘在章帝时官至太尉，因反对窦宪被罢官而死。(74)生见获：被活捉；生俘。(75)除候望：撤除哨所。(76)晏然：安然；太平无事。

【原文】

二年（己亥，公元一五九年）

春，二月，鲜卑寇雁门[77]。

蜀郡夷寇蚕陵[78]。

三月，复断[79]刺史、二千石行三年丧。

夏，京师大水。

六月，鲜卑寇辽东[80]。

梁皇后恃姊、兄荫势[81]，恣极奢靡，兼倍前世，专宠妒忌，六宫莫得进见。及太后崩，恩宠顿衰。后既无嗣，每宫人孕育，鲜得全者。帝虽迫畏梁冀，不敢谴怒，然进御转希[82]，后益忧恚。秋，七月丙午[83]，皇后梁氏崩。乙丑[84]，葬懿献皇后于懿陵。

梁冀一门，前后七侯，三皇后[85]，六贵人，二大将军，夫人、女食邑称君者七人，尚公主者三人，其余卿、将、尹、校[86]五十七人。冀专擅威柄，凶恣日积，宫卫近侍，并树[87]所亲，禁省起居[88]，纤微[89]必知。其四方调发，岁时贡献，皆先输上第于冀[90]，乘舆乃其次焉[91]。吏民赍货求官[92]、请罪者，道路相望。百官迁召[93]，皆先到冀门笺檄谢恩[94]，然后敢诣尚书[95]。

下邳吴树为宛令，之官[96]辞冀，冀宾客布在县界，以情托树[97]。树曰："小人奸蠹[98]，比屋可诛[99]。明将军处上将之位，宜崇贤善以补朝阙[100]。自侍坐以来[101]，未闻称一长者，而多托非人，诚非敢闻！"冀默然不悦[102]。树到县，遂诛杀冀客为人害者数十人。树后为荆州刺史，辞冀，冀鸩[103]之，出，死车上。辽东太守侯猛初拜，不谒冀，冀托以他事腰斩之。

郎中[104]汝南袁著年十九，诣阙上书曰："夫四时之运，功成则退，高爵厚宠，鲜不致灾[105]。今大将军位极功成，可为至戒。宜遵县车之礼[106]，高枕颐神[107]。《传》曰：'木实繁者披枝害心[108]。'若不抑损盛权[109]，将无以全其身矣！"冀闻而密遣掩捕[110]。著乃变易姓名，托病伪死，结蒲为人，市棺殡送[111]。冀知其诈，求得，笞杀之。

太原郝絜、胡武好危言高论[112]，与著友善。絜、武尝连名奏记三

【语译】

二年（己亥，公元一五九年）

春，二月，鲜卑人入侵雁门郡。

蜀郡蛮夷侵犯蚕陵县。

三月，再次禁止刺史、二千石官员守丧三年。

夏，京师发大水。

六月，鲜卑人侵犯辽东郡。

梁皇后依仗着姐姐梁太后和兄长梁冀的势力，恣意奢侈，超过前代几倍，独占宠幸，本性妒忌，六宫嫔妃不能进见汉桓帝。等到梁太后去世，顿时失宠。梁皇后既然没有后嗣，每当宫人怀孕了，很少有保全的。汉桓帝虽然迫于畏惧梁冀，不敢责备发怒，然而梁皇后侍奉汉桓帝的时间稀少，梁皇后越来越忧虑。秋，七月初八日丙午，梁皇后去世。二十七日乙丑，将懿献皇后安葬在懿陵。

梁冀一门，前后有七位侯爵，三位皇后，六位贵人，二位大将军，夫人、女儿有食邑称为君的有七人，娶公主的有三人，其他卿、将、尹、校五十七人。梁冀专断大权，一天比一天凶狠放肆，宫中卫士和近侍都安排亲信的人，皇帝起居，细微小事都一定会知道。全国各地的调派，一年四季的贡献，都先把上品送给梁冀，天子得到次等的。官吏、百姓中携带金银珠宝贿赂求官、请求脱罪的人，在路上络绎不绝。百官升迁、征召，都先到梁冀家中呈上书信谢恩，然后才敢前往尚书府。

下邳人吴树做宛县县令，就职前辞别梁冀，梁冀的宾客散布宛县，请托吴树照顾他们。吴树说："小人奸恶害国，即使在邻县的也该诛杀。将军身处上将的地位，应当尊崇贤良善德的人士来弥补朝廷的缺失。从我造访将军陪坐以来，没有听到将军称赞一位品行高尚的人，而托付的大多是不称职的人，这实在是我不愿听到的！"梁冀沉默不快。吴树到了县城，就杀死几十个伤害百姓的梁冀客卿。吴树后来任荆州刺史，向梁冀辞别，梁冀让他喝下毒酒，他出门，死在车上。辽东太守侯猛刚刚接到任命，没有谒见梁冀，梁冀假借别的事情把他腰斩了。

郎中汝南人袁著十九岁，到宫门上书说："四时运转，完成了功业就退下，高爵深宠，很少有不造成灾祸的。现在大将军位极人臣，功业有成，可要特别警戒。应该自行引退，高卧养神。古书上说：'果实累累，会折断树枝，伤害树心。'如果不裁抑大权，即将无法保全自身了！"梁冀听到后，秘密遣人逮捕袁著。袁著改换姓名，托病诈死，用蒲草结扎成尸体，购买棺木殡葬。梁冀知道其中有诈，寻找到了袁著，打死了他。

太原人郝絜、胡武喜好发表正言高论，和袁著关系友好。郝絜、胡武曾经连名

府，荐海内高士，而不诣冀[113]。冀追怒之，敕中都官[114]移檄禽捕，遂诛武家，死者六十余人。絜初逃亡，知不得免，因舆榇奏书冀门[115]，书入，仰药而死，家乃得全。安帝嫡母耿贵人薨，冀从贵人从子[116]林虑侯承求贵人珍玩，不能得，冀怒，并族其家十余人。

涿郡崔琦[117]以文章为冀所善，琦作《外戚箴》《白鹄赋》[118]以风，冀怒。琦曰："昔管仲相齐，乐闻讥谏之言[119]；萧何佐汉，乃设书过之吏[120]。今将军屡世台辅，任齐伊、周[121]，而德政未闻，黎元涂炭[122]，不能结纳贞良以救祸败[123]，反欲钳塞士口[124]，杜蔽主听[125]，将使玄黄改色[126]、鹿马易形[127]乎！"冀无以对，因遣琦归。琦惧而亡匿，冀捕得，杀之。

冀秉政几二十年[128]，威行内外，天子拱手，不得有所亲与，帝既不平之。及陈授死[129]，帝愈怒。和熹皇后从兄子郎中邓香妻宣，生女猛[130]，香卒，宣更适梁纪，纪，孙寿之舅也。寿以猛色美，引入掖庭，为贵人。冀欲认猛为其女，易猛姓为梁[131]。冀恐猛姊婿议郎邴尊沮败[132]宣意，遣客刺杀之。又欲杀宣[133]，宣家与中常侍袁赦相比[134]，冀客登赦屋，欲入宣家，赦觉之，鸣鼓会众以告宣。宣驰入白帝，帝大怒，因如厕，独呼小黄门史[135]唐衡[136]，问："左右与外舍不相得者，谁乎[137]？"衡对："中常侍单超、小黄门史左悺与梁不疑有隙，中常侍徐璜、黄门令具瑗常私忿疾外舍放横，口不敢道。"于是帝呼超、悺入室[138]，谓曰："梁将军兄弟专朝，迫胁内外，公卿以下，从其风旨[139]。今欲诛之，于常侍意如何？"超等对曰："诚国奸贼，当诛日久。臣等弱劣，未知圣意如何耳。"帝曰："审然者，常侍密图之[140]。"对曰："图之不难，但恐陛下腹中狐疑[141]。"帝曰："奸臣胁国[142]，当伏其罪，何疑乎！"于是召璜、瑗，五人共定其议，帝啮[143]超臂出血为盟。超等曰："陛下今计已决，勿复更言[144]，恐为人所疑。"

冀心疑超等，八月丁丑[145]，使中黄门张恽入省宿[146]，以防其变[147]。具瑗敕吏收恽[148]，以"辄从外入，欲图不轨[149]"。帝御前殿[150]，召诸尚书入，发其事[151]，使尚书令尹勋持节勒丞、郎[152]以下，皆操兵[153]守省阁[154]，敛诸符节送省中[155]，使具瑗将[156]左右厩驺[157]、虎贲[158]、羽林[159]、都候剑戟士[160]合千余人[161]，与司隶校尉张彪共围冀第，使光禄勋袁盱持

向三府上奏书，推举海内高德之士，而不往梁冀府中。梁冀加怒于他们，命中都官传布檄令抓捕，于是杀了胡武全家，死了六十多人。郝絜最初逃亡，知道不能脱免，便用车拉着棺木到梁冀府中进陈奏书，奏书送进去后，饮药而死，家族才得以保全。安帝的嫡母耿贵人去世，梁冀向贵人的侄儿林虑侯耿承索取贵人的珍奇玩物，没有得到，梁冀很生气，杀死他全族十多人。

涿郡人崔琦以文章被梁冀赞美，崔琦写了《外戚箴》《白鹄赋》劝谏梁冀，梁冀大怒。崔琦说："以前管仲为齐相，喜欢听讥刺劝谏的话；萧何辅佐汉朝，设立了记录过失的官吏。现在将军为几代丞相，责任与伊尹、周公相同，但未听见有德政，百姓涂炭，不结交忠良来挽救败亡之祸，反而想要钳制堵塞士人之口，蒙蔽皇上视听，要使天地变色、指鹿为马！"梁冀无法回答，于是送崔琦回去。崔琦害怕了，逃亡躲藏起来，梁冀抓到他，把他杀了。

梁冀主持国政差不多二十年，威权施于朝廷内外，天子束手无策，不能亲自参与朝政，早已愤愤不平。等到陈授死了，汉桓帝更加生气。和熹邓皇后堂兄的儿子、郎中邓香的妻子宣，生下女儿邓猛，邓香去世，宣改嫁给梁纪，梁纪，是孙寿的舅舅。孙寿因邓猛姿色美丽，引进宫中，做了贵人。梁冀想认邓猛做女儿，改邓猛姓梁。梁冀害怕邓猛的姐夫议郎邴尊从中破坏，使宣改变主意，于是派刺客杀了他。又想杀宣，宣家和中常侍袁赦家相邻，梁冀的刺客登上了袁赦的屋顶，想进入宣家，袁赦发现了，鸣鼓聚众让宣知道。宣驰入宫中告诉汉桓帝，汉桓帝大怒，于是去厕所，单独叫来小黄门史唐衡，问道："我身边宦官与皇后娘家关系不好的，有谁？"唐衡回答说："中常侍单超、小黄门史左悺与梁不疑有仇，中常侍徐璜、黄门令具瑗常私下怨恨皇后娘家放肆霸道，嘴上不敢说。"于是汉桓帝叫单超、左悺进入汉桓帝的寝室，对他们说："梁将军兄弟专擅朝政，胁逼内外大臣，公卿以下的官员，顺从梁冀的旨意。现在想杀了梁冀，你们意下如何？"单超等人回答说："梁冀确是国家的奸贼，早就该杀。臣等势弱无力，不知道圣上是什么意思。"汉桓帝说："真是这样的，你们秘密铲除他。"单超等人回答说："铲除梁冀不难，只怕陛下心中犹豫不决。"汉桓帝说："奸臣威胁国家，应该服罪被杀，有什么犹豫的！"于是招来徐璜、具瑗，五人共同议定了计划，汉桓帝咬破了单超的手臂，以血为盟。单超等人说："陛下今天计划已定，不要再对别人提起此事，恐怕被人怀疑。"

梁冀心中怀疑单超等人，八月初十日丁丑，派中黄门张恽进入宫中值宿，以防单超等人发动事变。具瑗敕令官吏抓捕张恽，用"擅自从外面进宫，想图谋不轨"作罪名。汉桓帝登上前殿，召集各尚书进宫，公开铲除梁冀之事，命令尚书令尹勋持节部署尚书左右丞及尚书郎以下的官员，全都手执兵器守卫尚书府，收取各种符节送到宫中，命令具瑗率领左右厩的骑兵、虎贲、羽林、都候所属的剑戟士，加起来一千多人，和司隶校尉张彪一起包围了梁冀的住宅，派光禄勋袁盱持节收回梁冀

节[162]收冀大将军印绶，徙封比景都乡侯。冀及妻寿即日皆自杀，不疑、蒙[163]先卒。悉收梁氏、孙氏中外宗亲[164]送诏狱[165]，无少长皆弃市，他所连及公卿、列校、刺史、二千石，死者数十人。太尉胡广、司徒韩缜、司空孙朗皆坐阿附梁冀，不卫宫，止长寿亭[166]，减死一等[167]，免为庶人。故吏、宾客免黜者三百余人，朝廷为空。是时，事猝从中发[168]，使者交驰[169]，公卿失其度[170]，官府市里鼎沸[171]，数日乃定，百姓莫不称庆[172]。收冀财货，县官斥卖[173]，合三十余万万，以充王府用，减天下税租之半，散其苑囿，以业穷民[174]。

壬午[175]，立梁贵人为皇后[176]，追废懿陵为贵人冢[177]。帝恶梁氏，改皇后姓为薄氏[178]。久之，知为邓香女，乃复姓邓氏。

【段旨】

以上为第三段，写汉桓帝诛除梁冀。

【注释】

⑦⑦雁门：郡名，辖今山西北部。治所阴馆，在今山西朔州东南。⑦⑧蚕陵：县名，属蜀郡，因蚕陵山而得名。县治在今四川松潘西北。⑦⑨复断：再次禁止。安帝建光元年（公元一二一年）断二千石行三年之丧，桓帝永兴二年（公元一五四年）听二千石行三年之丧，再次禁断。⑧⓪辽东：郡名，辖辽宁东部。治所襄平，在今辽宁辽阳。⑧①梁皇后恃姊、兄荫势：梁皇后，桓帝懿献皇后梁女莹，为顺帝皇后梁妠、大将军梁冀之妹。她仗恃姐、兄之势，专宠六宫。荫，庇也。⑧②进御转希：谓梁皇后侍奉汉桓帝的时间日渐稀少。⑧③丙午：七月初八日。⑧④乙丑：七月二十七日。⑧⑤前后七侯二句：梁冀祖梁雍封乘氏侯；梁冀封襄邑侯，又嗣乘氏侯；梁冀子梁胤襄邑侯；梁冀二弟梁不疑颍阳侯；梁蒙西平侯；梁不疑子梁马颍阴侯；梁胤子梁桃城父侯，是为七侯。和帝母章帝梁贵人，追谥恭怀皇后；顺帝梁皇后，桓帝梁皇后，是为三皇后。⑧⑥卿、将、尹、校：指九卿、中郎将、河南尹、京兆尹、诸校尉。⑧⑦树：安置。⑧⑧禁省起居：皇帝起居。⑧⑨纤微：细微。⑨⓪先输上第于冀：地方献给皇帝的贡物，把上品先送赠梁冀。上第，上品。⑨①乘舆乃其次焉：献给皇帝的竟是次品。⑨②赍货求官：带着金银财宝行贿求官。⑨③迁召：升迁、受召调职。⑨④笺檄谢恩：呈递书信谢恩。奏、笺、檄，本指文体。奏，上达天子；笺，达于皇后、太子；檄，征召公文。这里笺檄是泛指书信。伴随书信的是重礼致谢。⑨⑤然后敢诣尚书：然后才敢到

的大将军印绶，贬为比景都乡侯。梁冀和妻子孙寿当天都自杀了，梁不疑、梁蒙在他们之前就已经死了。逮捕所有在朝廷和地方上做官的梁氏、孙氏宗亲，送至诏狱，不论老幼，全部处以死刑，其他受牵连的公卿、列校、刺史、二千石官员，死了几十人。太尉胡广、司徒韩缜、司空孙朗都坐罪依附梁冀，事发后不保护宫廷，停留在长寿亭观望，本应得死罪，减一等处分，废为平民。梁冀过去的官吏、宾客被罢免的有三百多人，朝廷为之一空。当时，诛杀梁冀的事情从宫中突然发动，使者交相奔跑，公卿失去常态，官府和街巷沸腾，几天后才安定下来，百姓没有不称道庆贺的。没收梁冀的财货，由官府拍卖，共三十多亿，用以补充王府费用，减免天下一半的赋税，把梁冀的林园分给贫民耕种。

八月十五日壬午，立梁贵人为皇后，追废懿陵，改为贵人冢。汉桓帝厌恶梁氏，改皇后姓薄。时间久了，知道她是邓香的女儿，才恢复姓邓。

尚书府上表谢恩。㊻之官：上任。㊼冀宾客布在县界二句：梁冀宾客党羽散布在宛县境内的很多，梁冀请托吴树照应。㊽奸蠹：奸恶为害。㊾比屋可诛：即使在邻县的也应诛杀。比屋，隔壁房间，喻邻县。⑽宜崇贤善以补朝阙：应该尊崇贤良善德的人士来弥补朝廷的阙失。⑾自侍坐以来：自我陪坐以来。侍坐，陪坐，吴树谦语。⑿默然不悦：默无一语，心里不高兴。⒀鸩：用鸩羽所浸的毒酒。此处用为动词。⒁郎中：郎官之一，禁卫宫门。⒂鲜不致灾：很少不招来灾祸。鲜，少。⒃县车之礼：指引退。西汉元帝时，御史大夫薛广德致仕，将皇帝赏赐的安车悬挂起来，表示荣誉。县，通“悬”。⒄高枕颐神：高卧养神。⒅木实繁者披枝害心：谓树木果实繁多，会使枝叶伤折，损害树心。《史记·范雎列传》范雎引此语作“木实繁者披其枝，披其枝者伤其心”。心，指树根。⒆抑损盛权：裁抑控制梁冀的权力。⒇密遣掩捕：秘密派人逮捕袁著。⑾结蒲为人二句：袁著家人用蒲草结扎成尸体，购买棺材安葬。⑿危言高论：公开评论政治。危言，正言、切中要害之言。⒀不诣冀：郝絜、胡武推荐名士，只上书司徒、司空、太尉三府，而不前往大将军梁冀府上书。⒁中都官：指司隶校尉部属。⒂舆榇奏书冀门：用车拉着棺木到梁冀门前呈上书，表示服罪自杀。榇，棺材。⒃贵人从子：耿贵人的内侄耿承。⒄崔琦：字子玮，涿郡（治所在今河北涿州）人，文学家。传见《后汉书》卷八十上。⒅《外戚箴》《白鹄赋》：崔琦所作讽喻梁冀的文章。《后汉书》崔琦传载《外戚箴》，结尾处有“日不常中，月盈有亏，履道者固，仗势者危”的句子，直言讽谏。⒆讥谏之言：讥刺劝谏之言。⒇设书过之吏：设置记载过失的官吏。⑿任齐伊、周：责任与商伊尹、周朝周公相等。⑿黎元涂炭：老百姓生活于泥涂炭火之中。⑿结纳贞良以救祸败：结交忠良，挽救败亡之祸。⑿钳塞士口：

钳制堵塞士人之口。⑫⑤杜蔽主听：蒙蔽皇上视听。⑫⑥将使玄黄改色：将使天地变色。喻改换朝代。天，玄色。地，黄色。⑫⑦鹿马易形：秦末宦者赵高在秦二世面前指鹿为马，以试探群臣附己与反对者，终于导致秦朝败亡。⑫⑧冀秉政几二十年：顺帝永和六年（公元一四一年）梁冀为大将军，至今延熹二年（公元一五九年），已十九年。⑫⑨陈授死：太史令陈授死于延熹元年五月。⑬⓪猛：邓猛，即桓帝邓皇后，延熹二年梁冀被诛后立为皇后，立七年被废，忧死。传见《后汉书卷十下·皇后纪下》。本传云讳猛女。⑬①易猛姓为梁：据《后汉书·皇后纪》邓猛女本传，猛随母至梁纪家，"因冒姓梁氏"，故入宫为梁贵人。⑬②沮败：败坏；阻止。⑬③又欲杀宣：铲除邓香妻宣，即切断了邓猛与邓家的关系，而梁冀成了改姓梁的梁猛之父，是唯一娘家人。⑬④相比：相邻。⑬⑤小黄门史：小黄门书史。⑬⑥唐衡：颍川人，与下文的河南人左倌、单超和下邳人徐璜、魏郡人具瑗，共五宦官协谋诛除梁冀，同日受封为五侯，世称"五侯"，东汉政权从此由外戚转入宦官手中。五侯传见《后汉书卷七十八·宦者传》。⑬⑦左右与外舍二句：在我身边的人跟外舍合不来的，还有谁。左右，指宦官。外舍，外朝，此指外戚梁冀。⑬⑧入室：入帝寝秘室。⑬⑨从其风旨：听从梁冀旨意。⑭⓪审然者二句：真是这样的，你们秘密铲除他。⑭①腹中狐疑：心里犹疑，中途变卦。⑭②胁国：威胁国家。⑭③啮：口咬。⑭④勿复更言：不要再对别人提起这事。⑭⑤丁丑：八月初十日。⑭⑥使中黄门张恽入省宿：未有圣旨，张恽竟听梁冀之言进入宫中值宿，由此可见梁冀的跋扈专横。中黄门，高于小黄门的宦官。张恽，梁冀之党。⑭⑦以防其变：防范单

【原文】

诏赏诛梁冀之功，封单超、徐璜、具瑗、左倌、唐衡皆为县侯，超食二万户，璜等各万余户，世谓之五侯⑰⑨。仍以倌、衡为中常侍。又封尚书令尹勋等七人皆为亭侯⑱⓪。

以大司农黄琼为太尉，光禄大夫中山祝恬为司徒，大鸿胪梁国盛允为司空。是时，新诛梁冀，天下想望异政⑱①。黄琼首居公位，乃举奏州郡素行暴污⑱②，至死徙者十余人，海内翕然⑱③称之。

琼辟汝南范滂⑱④。滂少厉清节⑱⑤，为州里所服。尝为清诏使⑱⑥，案察冀州，滂登车揽辔，慨然有澄清天下之志。守令臧⑱⑦污者，皆望风解印绶去。其所举奏，莫不厌塞众议⑱⑧。会诏三府[1]掾属举谣言⑱⑨，滂奏刺史、二千石权豪之党二十余人。尚书责滂所劾猥多⑲⓪，疑有私故。滂对

超等发动铲除外戚的宫廷政变。⑭⑧具瑗敕吏收恽：具瑗为黄门令，总管诸黄门，因与桓帝有密约，于是趁机逮捕张恽发难。⑭⑨辄从外入二句：擅自从宫外进入，图谋不轨。⑮⓪帝御前殿：桓帝登上前殿政事堂。⑮①发其事：公开诛除梁冀之事。⑮②勒丞、郎：统领尚书左右丞及尚书郎。⑮③操兵：手执武器。⑮④守省阁：守卫尚书府。⑮⑤敛诸符节送省中：把所有代表皇帝及朝廷的印信、符节集中起来送入宫中。敛，收聚。⑮⑥使具瑗将：诏令具瑗统率如下武装。⑮⑦左右厩驺：厩驺，管理皇帝御马的骑士，有未央厩及左、右厩。⑮⑧虎贲：虎贲郎。⑮⑨羽林：羽林郎。⑯⓪都候剑戟士：巡察皇宫的剑戟士，由左、右都候率领。⑯①合千余人：总计聚集的宫中武装力量有一千多人。⑯②持节：皇帝专使"持节"。⑯③不疑、蒙：两人为梁冀之弟。⑯④中外宗亲：在朝中和在地方上做官的梁、孙两姓宗室。⑯⑤诏狱：皇帝直接过问的最高监狱。⑯⑥不卫宫二句：胡广等被控事发后不保卫皇宫，停留在长寿亭观望。⑯⑦减死一等：应得死罪，减一等处分。⑯⑧事猝从中发：诛梁冀事突然从皇宫中发动。⑯⑨使者交驰：使者穿梭奔驰。⑰⓪公卿失其度：三公九卿大臣失去常态。⑰①鼎沸：像鼎中开水一样沸腾。⑰②百姓莫不称庆：老百姓没有不称道庆贺的。⑰③县官斥卖：政府拍卖。⑰④散其苑囿二句：将梁氏的林园分配给贫民耕种。业，耕作之业。⑰⑤壬午：八月十五日。⑰⑥立梁贵人为皇后：即立邓香女梁猛为皇后。⑰⑦追废懿陵为贵人冢：懿陵，桓帝懿献梁皇后陵，今降格为贵人冢。⑰⑧改皇后姓为薄氏：改现任皇后梁猛为薄猛。西汉文帝母薄太后，一家忠良，以为吉姓。

【语译】

诏命奖赏诛杀梁冀的功劳，封单超、徐璜、具瑗、左悺、唐衡全为县侯，单超食邑二万户，徐璜等人各一万多户，世人称为五侯。仍以左悺、唐衡为中常侍。又封尚书令尹勋等七人都为亭侯。

任命大司农黄琼为太尉，光禄大夫中山人祝恬为司徒，大鸿胪梁国人盛允为司空。这时，刚刚诛杀了梁冀，天下盼望新政。黄琼身居公位之首，就进奏揭露州郡中一向残暴贪污的人，罪至处死流放的有十多人，全国一片欢洽。

黄琼征召汝南人范滂。范滂年少时磨砺清高的节操，被州郡和乡里所佩服。曾任清诏使，考察冀州政事，范滂登上车子，手执缰绳，大有澄清天下的志向。郡守、县令贪污的，都闻风弃职离去。范滂所进奏检举的，没有不符合众议的。适逢诏命三府掾属搜集褒贬地方官的谣言，范滂进奏弹劾刺史、二千石官员、权贵和豪门之流的有二十多人。尚书责备范滂弹劾众多，怀疑有私人恩怨。范滂回答说："臣下所

曰："臣[191]之所举，自非叨秽[192]奸暴，深为民害，岂以污简札哉！间以会日[193]迫促，故先举所急，其未审者，方更参实[194]。臣闻农夫去草，嘉谷必茂；忠臣除奸，王道以清。若臣言有贰[195]，甘受显戮！"尚书不能诘[196]。

尚书令陈蕃上疏荐五处士[197]：豫章徐稚[198]、彭城姜肱[199]、汝南袁闳[200]、京兆韦著、颍川李昙。帝悉以安车、玄纁[201]备礼征之，皆不至。

稚家贫，常自耕稼，非其力不食，恭俭义让，所居服其德。屡辟公府，不起。陈蕃为豫章太守，以礼请署功曹。稚不之免[202]，既谒而退[203]。蕃性方峻[204]，不接宾客，唯稚来，特设一榻，去则县之[205]。后举有道[206]，家拜太原太守[207]，皆不就。稚虽不应诸公之辟，然闻其死丧，辄负笈赴吊[208]。常于家豫炙鸡一只[209]，以一两绵絮渍[210]酒中暴干[211]以裹鸡，径到所赴冢隧外[212]，以水渍绵[213]，使有酒气，斗米饭，白茅为藉[214]，以鸡置前，醊酒[215]毕，留谒则去[216]，不见丧主。

肱与二弟仲海、季江俱以孝友著闻，常同被而寝，不应征聘。肱尝与弟季江俱诣郡，夜于道为盗所劫，欲杀之。肱曰："弟年幼，父母所怜，又未聘娶，愿杀身济弟[217]。"季江曰："兄年德在前[218]，家之珍宝，国之英俊，乞自受戮，以代兄命。"盗遂两释焉，但掠夺衣资而已。既至，郡中见肱无衣服，怪问其故，肱托以他辞，终不言盗。盗闻而感悔，就精庐[219]求见征君[220]，叩头谢罪，还所略物。肱不受，劳以酒食而遣之[221]。帝既征肱不至，乃下彭城，使画工图[222]其形状。肱卧于幽暗[223]，以被韬面[224]，言患眩疾[225]，不欲出风[226]，工竟不得见之。

闳，安之玄孙也，苦身修节[227]，不应辟召。

著隐居讲授，不修世务。

昙继母酷[2]烈[228]，昙奉之逾谨，得四时珍玩，未尝不先拜而后进[229]，乡里以为法[230]。

帝又征安阳[231]魏桓，其乡人劝之行。桓曰："夫干禄求进，所以行其志也[232]。今后宫千数，其可损乎？厩马万匹，其可减乎？左右权豪，其可去乎？"皆对曰："不可。"桓乃慨然叹曰："使桓生行死归[233]，于诸子何有哉！"遂隐身不出。

揭发的，如果不是贪赃枉法、奸恶残暴、深为民害的人，岂容它来弄脏臣的奏章！近日因为朝会时间迫促，所以先揭发紧急的案件，其他没有查清楚的，正在参验落实。臣听说农夫除草，庄稼一定茂盛；忠臣锄奸，王道得以清明。如果臣言不一，甘受诛杀！”尚书无法反驳。

尚书令陈蕃上奏推荐五位隐士：豫章人徐稚、彭城人姜肱、汝南人袁闳、京兆人韦著、颍川人李昙。汉桓帝全都用安车、黑色和浅红色丝绸备齐礼仪征召他们，他们都不接受征召。

徐稚家中贫寒，常自己耕种，不是自己生产的东西不食用，恭敬节俭，履义谦让，所住地方的人都佩服徐稚的品德。公府屡次征召，徐稚不愿出来做官。陈蕃为豫章太守，依礼仪请徐稚任功曹。徐稚不前往上任而免职，谒见陈蕃后离去。陈蕃个性方正严肃，不交往宾客，只有徐稚前来，特别设立一张坐榻，离开后就悬挂起来。后来徐稚被推举为有道之士，在家中被委任为太原太守，他都没有接受。徐稚虽然不接受各公侯的征召，但听到他们丧亡的消息，马上就背着书箱前去吊丧。他常在家中预先烧好一只鸡，用一两绵花浸在酒中晒干，用来裹鸡，直接赶到所要祭奠的坟墓墓道外，用水浸泡酒绵，使之含有酒气，米饭一斗，用白茅草为垫子，把鸡放在前面，把酒洒到地上，留下名帖就离去，不见丧祭的主人。

姜肱和两位弟弟姜仲海、姜季江都以孝顺友爱闻名，经常共用一条被子睡觉，不接受征召。姜肱曾和弟弟姜季江一同前往郡中，夜里在路上被强盗抢劫，想要杀死他们。姜肱说：“弟弟年幼，父母怜爱，又没有娶妻，愿意被杀救下弟弟。”季江说：“哥哥年长德高，是家中珍宝，国家英才，请求自己被杀，来代替哥哥的生命。”于是强盗把他俩释放了，只抢走了些衣服路费而已。到了郡里，郡中官员看到姜肱没有衣服，奇怪地询问他们原因，姜肱借别的话搪塞，始终不说强盗抢劫之事。强盗知道了，感到后悔，就到他的学堂求见姜肱，磕头认罪，归还抢去的东西。姜肱不肯接受，摆设酒食款待强盗后送走了他们。汉桓帝既然征召不到姜肱，于是下令彭城县，让画工画出他的形象。姜肱睡在黑暗的房中，用被子盖着脸，说是患了眼花的病，不能见光和被风吹，画工最终也没有见到他。

袁闳，是袁安的玄孙，刻苦修治品性，不肯接受征召。

韦著隐居教授学生，不管世事。

李昙的继母凶暴，李昙奉养她更加恭谨，得到四季珍奇玩物，从来没有不先礼拜继母，然后进献给她的，乡里人以他为榜样。

汉桓帝又征召安阳人魏桓，他的同乡劝他前往。魏桓说：“当官食禄，求取升迁，目的是实现他的理想。现在后宫人数以千计，可以减去吗？厩中的马有万匹，可以减去吗？左右权贵豪门，可以除去吗？”同乡人都回答说：“不可以。”魏桓慨叹道：“让我生时去，死后回，对于各位先生有什么好处呢！”于是他隐居不出。

【段旨】

以上为第四段，写诛除梁冀的五宦官单超、徐璜、具瑗、左悺、唐衡同日封侯，世谓之五侯，外戚失势，宦官势增。朝官士大夫间隙求生，尚书令陈蕃荐贤五隐士，皆不应征召。

【注释】

⑰⑨五侯：单超，新丰侯；徐璜，武原侯；具瑗，东武阳侯；左悺，上蔡侯；唐衡，汝阳侯。⑱⓪尹勋等七人皆为亭侯：尹勋，宜阳都乡亭侯；霍谞，邺都亭侯；张敬，山阳曲乡亭侯；欧阳参，修武仁亭侯；李玮，宜阳金门亭侯；虞放，冤句吕都亭侯；周永，下邳高迁乡亭侯。⑱①天下想望异政：全国盼望出现新的政治局面。⑱②素行暴污：一向残暴贪污。⑱③翕然：一片欢洽。⑱④范滂（公元一三七至一六九年）：字孟博，汝南征羌（今河南漯河市郾城区东南）人，历官清诏使、光禄勋主事、汝南功曹。与太学生相结，反对宦官。在第二次党祸中死狱中。传见《后汉书》卷六十七《党锢列传》。⑱⑤少厉清节：青年时就磨砺清高的节操。厉，通“砺”。⑱⑥清诏使：太尉府派出的巡察使。⑱⑦臧：通“赃”。⑱⑧厌塞众议：符合众议。⑱⑨三府掾属举谣言：举谣言有两种方式，一为三公征采掾属所搜集的谣言，条列上奏。再一种是三府掾属会集殿上，主持人唱言州郡长官姓名治绩，清吏则同声称赞，赃吏则默不作声。善恶，亦当有歌谣为证。三府，司徒、司空、太尉。谣言，反映民间疾苦的歌谣。⑲⓪猥多：众多。⑲①臣：范滂自称。尚书发问是代表皇帝，故范滂回答称臣。⑲②叨秽：贪浊污秽。叨，贪也。⑲③会日：三府会聚朝廷的期限。⑲④参实：参验考实。⑲⑤贰：虚假不一。⑲⑥诘：反驳。⑲⑦处士：隐士。⑲⑧徐稚（公元九七至一六八年）：字孺子，豫章南昌（今江西南昌）人，东汉著名隐士。传见《后汉书》卷五十三。⑲⑨姜肱（公元九七至一七三年）：字伯淮，彭城广戚（今江苏

【原文】

帝既诛梁冀，故旧恩私，多受封爵，追赠皇后父邓香为车骑将军，封安阳侯；更封后母宣为昆阳君，兄子康、秉[234]皆为列侯；宗族皆列校、郎将，赏赐以巨万计。中常侍侯览上缣五千匹[235]，帝赐爵关内侯，又托以与议诛冀，进封高乡侯，又封小黄门刘普、赵忠等八人为乡侯，自是权势专归宦官矣。五侯尤贪纵[236]，倾动内外[237]。

时灾异数见，白马[238]令甘陵李云[239]露布上书[240]，移副三府[241]，曰：

沛县东）人，与徐稚齐名，同传。⑳袁闳：字夏甫，出身世族，为章帝司徒袁安的第四代孙。与世隔绝，筑土室而居。传见《后汉书》卷四十五。㉑玄纁：本指黑色、浅红色的丝织品。玄，黑色。纁，浅红色。㉒稚不之免：徐稚不前往上任而免职。㉓既谒而退：谒见陈蕃后离去。㉔蕃性方峻：陈蕃性情方正严肃。㉕县之：把床吊起来。县，通“悬”。㉖后举有道：安帝建光元年（公元一二一年）举有道之士。徐稚被举荐。㉗家拜太原太守：徐稚不就征召，就在他家里宣读太原太守的委任状。㉘负笈赴吊：带着书箱前往吊丧。汉代被举的人，即为举者门生，有守丧的义务。徐稚虽不就征召，但却对举者一一守丧。㉙豫炙鸡一只：预先烤好一只鸡。㉚渍：浸泡。㉛暴干：晒干。㉜径到所赴冢隧外：径直赶到所要祭奠的坟墓墓道外。㉝以水渍绵：用水浸泡酒绵，使之散出酒味。㉞白茅为藉：用白茅草为垫子。㉟醊酒：把酒洒到地上。㊱留谒则去：留下名帖后就离去。㊲济弟：救弟。㊳年德在前：年长德高，在己之前。㊴精庐：姜肱教授弟子的学堂。㊵征君：对姜肱的尊称，因曾被征召。㊶遣之：送走。㊷图：绘画。㊸肱卧于幽暗：姜肱睡在黑暗的房中。㊹以被韬面：用被子盖住脸面。韬，深藏。㊺言患眩疾：称说害了眼花的病。㊻不欲出风：不能见光和被风吹。㊼苦身修节：袁闳筑土室独居十八年，困苦自身，修治节操。㊽酷烈：凶暴。㊾先拜而后进：先礼拜继母而后献上四时珍玩。㊿乡里以为法：乡里人都以他为榜样。(231)安阳：县名，县治在今河南安阳。(232)干禄求进二句：当官食禄求升迁，目的是实现治世理想。(233)生行死归：谓当官若忤逆权贵，是生时去，死后回。

【校记】

［1］三府：原误作“三户”。据章钰校，乙十六行本、乙十一行本、孔天胤本皆作“三府”，今据校正。［2］酷：原作“苦”。据章钰校，乙十六行本、乙十一行本、孔天胤本皆作“酷”，张瑛《通鉴校勘记》同，今从改。

【语译】

汉桓帝诛杀梁冀后，旧日恩人私交，大多赐予爵位，追尊邓皇后的父亲邓香为车骑将军，封为安阳侯；又封邓皇后的母亲宣为昆阳君，邓皇后哥哥的儿子邓康、邓秉皆为列侯；宗族都做了列校、郎将，赏赐以巨万计。中常侍侯览呈献五千匹缣绸，汉桓帝赐予他关内侯的爵位，又凭借参与议论诛杀梁冀的功劳，晋封为高乡侯，又封小黄门刘普、赵忠等八人为乡侯，从此权势全集中在宦官手中了。五侯尤为贪婪放肆，震动朝廷内外。

当时灾异频繁出现，白马令甘陵人李云呈上不封缄的奏书，副本送给三府，说：

"梁冀虽恃权专擅，虐流天下，今以罪行诛，犹召家臣扼杀之耳[242]。而猥封[243]谋臣[244]万户以上，高祖闻之，得无见非[245]！西北列将[246]，得无解体！孔子曰：'帝者，谛也[247]。'今官位错乱，小人谄进[248]，财货公行[249]，政化日损，尺一拜用，不经御省[250]，是帝欲不谛乎[251]！"帝得奏震怒，下有司逮云，诏尚书都护剑戟送黄门北寺狱[252]，使中常侍管霸与御史、廷尉杂考[253]之。

时弘农五官掾[254]杜众伤[255]云以忠谏获罪，上书"愿与云同日死"。帝愈怒，遂并下廷尉。大鸿胪陈蕃上疏曰："李云所言，虽不识禁忌，干上逆旨，其意归于忠国而已。昔高祖忍周昌不讳之谏[256]，成帝赦朱云腰领之诛[257]，今日杀云，臣恐剖心之讥[258]，复议于世矣！"太常杨秉、雒阳市长[259]沐茂、郎中上官资并上疏请云[260]。帝恚甚[261]，有司[262]奏以为大不敬[263]，诏切责蕃、秉，免归田里，茂、资贬秩二等。时帝在濯龙池[264]，管霸[265]奏云等事，霸跪言曰："李云草泽愚儒[266]，杜众郡中小吏，出于狂戆，不足加罪。"帝谓霸曰："'帝欲不谛'，是何等语！而常侍欲原之邪？"顾使小黄门可其奏，云、众皆死狱中，于是嬖宠[267]益横。太尉琼自度力不能制，乃称疾不起，上疏曰："陛下即位以来，未有胜政[268]，诸梁秉权，竖宦充朝，李固、杜乔既以忠言横见残灭，而李云、杜众复以直道继踵[269]受诛，海内伤惧，益以怨结[270]，朝野之人，以忠为讳。尚书周永，素事梁冀，假其威势[271]，见冀将衰，乃阳毁示忠[272]，遂因奸计[273]，亦取封侯[274]。又，黄门[275]挟邪[276]，群辈相党，自冀兴盛，腹背相亲[277]，朝夕图谋，共构奸轨[278]。临冀当诛，无可设巧[279]，复托其恶以要爵赏[280]。陛下不加清征[281]，审别真伪[282]，复与忠臣并时显封，粉墨杂糅[283]，所谓抵[284]金玉于砂砾，碎珪璧于泥涂[285]，四方闻之，莫不愤叹[286]。臣世荷国恩[287]，身轻位重，敢以垂绝之日[288]，陈不讳之言。"书奏，不纳。

冬，十月壬申[289]，上行幸长安。

中常侍单超疾病。壬寅[290]，以超为车骑将军。

十二月己巳[291]，上还自长安。

烧当、烧何、当煎、勒姐等八种羌寇陇西金城塞[292]，护羌校尉段

"梁冀虽仗势独揽大权，祸及天下，现今因罪受诛，如同召来家臣缢死而已。而今滥封赠给密谋的臣子食邑在一万户以上，高祖听到了，怎能不怪罪呢！西北各将领，能不涣散吗！孔子说：'帝的意思就是能洞察万物。'现在官位错乱，小人谄媚得升，贿赂公行，政教一天天败坏，任官的诏书，不经皇帝过目，是皇帝不想洞察万物吗！"汉桓帝得到奏书大怒，下令有关部门逮捕李云，诏命尚书监督左右都候剑戟士押送到黄门北寺狱，命中常侍管霸和御史、廷尉会审拷问李云。

当时弘农五官掾杜众悲伤李云因为忠心进谏而获罪，上书"愿意与李云同日死"。汉桓帝更加愤怒，于是一起交付廷尉。大鸿胪陈蕃上奏说："李云所说的，虽然不知道禁忌，冒犯皇上，违反旨意，他的心意出自忠于国家而已。从前高祖容忍周昌不可赦免的谏言，成帝赦免朱云腰斩、断颈的刑罚，今天杀死李云，臣下害怕比干剖心的讥嘲，又将在社会上议论开了！"太常杨秉、洛阳市市长沐茂、郎中上官资一起上奏请求释放李云。汉桓帝极为愤怒，相关官员上奏认为这是大不敬，下诏对陈蕃、杨秉深加谴责，免职返回乡里，沐茂、上官资贬俸禄二级。当时汉桓帝在濯龙池，管霸进奏李云等人的事情，管霸跪着说："李云是乡野愚儒，杜众是郡中小吏，出于狂妄愚鲁，不值得施加罪罚。"汉桓帝对管霸说："'皇帝想不审明万物'，这是什么样的话！而常侍想要宽恕他们吗？"回头命令小黄门允许管霸的进奏，李云、杜众却都死在狱中，于是宠幸的近臣更加横行霸道。太尉黄琼衡量自己不能控制，于是托病不起，上奏说："陛下即帝位以来，没有超过前代的政事，一帮梁氏秉持大权，宦官充斥朝廷，李固、杜乔因忠言横遭残杀，而李云、杜众又因忠心相继被杀，天下悲伤恐惧，更加怨恨，朝廷内外的人，以忠心为忌讳。尚书周永一向侍奉梁冀，假借他的威势，看到梁冀将要衰败，才假装抨击梁冀，表示忠诚，终于奸计得逞，也得到封侯。另外，黄门宦官心怀邪恶，一帮人相互结党，自从梁冀兴盛以后，内结皇后，外附梁冀，早晚策划，共为奸邪。等到梁冀受诛杀时，无法弄巧，又反过来借攻击梁冀的罪恶以谋求封爵和赏赐。陛下不加以澄清，辨别真伪，又让他们和忠臣同时受到显耀的封号，使得白黑混淆，这真是把金玉投进砂砾，把玉珠摔碎在稀泥中，天下四方听到了，没有不愤怒叹息的。臣下世代蒙受国恩，身微位重，胆敢在临死之日，陈述不知避讳的言辞。"上书奏上，汉桓帝没有采纳。

冬，十月初五日壬申，汉桓帝出行到达长安。

中常侍单超患病。壬寅日，任命单超为车骑将军。

十二月初三日己巳，汉桓帝从长安返回。

烧当、烧何、当煎、勒姐等八羌族入侵陇西金城塞，护羌校尉段颎打败了叛羌，

颎㉓击破之，追至罗亭㉔，斩其酋豪以下二千级，获生口万余人。

诏复以陈蕃为光禄勋，杨秉为河南尹。单超兄子匡为济阴太守，负势贪放㉕。兖州刺史第五种㉖使从事㉗卫羽案之，得臧五六千万。种即奏匡，并以劾超。匡窘迫，赂客任方刺羽。羽觉其奸，捕方，囚系雒阳。匡虑杨秉穷竟其事，密令方等突狱亡走㉘。尚书召秉诘责㉙，秉对曰："方等无状㉚，衅㉛由单匡，乞槛车㉜征匡，考核其事，则奸慝㉝踪绪㉞，必可立得。"秉竟坐论作左校㉟。

时泰山贼叔孙无忌寇暴徐、兖，州郡不能讨，单超以是陷第五种，坐徙朔方。超外孙董援为朔方太守，稸怒㊱以待之。种故吏孙斌知种必死，结客追种，及于太原，劫㊲之以归，亡命数年，会赦得免。种，伦之曾孙也。

是时，封赏逾制㊳，内宠猥盛㊴。陈蕃上疏曰："夫诸侯上象四七㊵，藩屏上国㊶。高祖之约，非功臣不侯。而闻追录㊷河南尹邓万世父遵之微功，更爵尚书令黄隽先人之绝[3]封㊸，近习以非义授邑㊹，左右㊺以无功传赏㊻，至乃一门之内，侯者数人，故纬象失度㊼，阴阳谬序㊽。臣知封事已行㊾，言之无及，诚欲陛下从是而止㊿。又，采女(321)数千，食肉衣绮(322)，脂油(323)粉黛，不可赀计(324)。鄙谚言'盗不过五女门(325)'，以女贫家也。今后宫之女，岂不贫国乎！"帝颇采其言，为出宫女五百余人，但赐隽爵关内侯，而封万世南乡侯。

帝从容(326)问侍中陈留爰延(327)："朕何如主也？"对曰："陛下为汉中主(328)。"帝曰："何以言之？"对曰："尚书令陈蕃任事则治，中常侍黄门与政(329)则乱，是以知[4]陛下可与为善，可与为非。"帝曰："昔朱云廷折栏槛，今侍中面称朕违(330)，敬闻阙矣。"拜五官中郎将，累迁大鸿胪。会客星经帝坐(331)，帝密以问延，延上封事(332)曰："陛下以河南尹邓万世有龙潜之旧(333)，封为通侯(334)，恩重公卿，惠丰宗室(335)，加顷引见(336)，与之对博(337)，上下媟黩，有亏尊严(338)。臣闻之，帝左右者，所以咨政德也。善人同处，则日闻嘉训；恶人从游，则日生邪情。惟陛下远谗谀之人，纳謇謇之士，则灾变可除。"帝不能用。延称病，免归。

追赶到罗亭，杀死诸羌酋长以下二千人，俘虏了一万多人。

汉桓帝下诏又任命陈蕃为光禄勋，杨秉为河南尹。单超哥哥的儿子单匡任济阴太守，仗势贪污放纵。兖州刺史第五种派从事卫羽查考，得赃款五六千万。第五种立即上奏弹劾单匡，并且弹劾单超。单匡困窘，贿赂门客任方刺杀卫羽。卫羽发觉单匡的奸谋，逮捕任方，囚禁在洛阳。单匡担忧杨秉深追这件事，秘密让任方等人越狱逃亡。尚书召杨秉责问，杨秉回答说："任方等人无法无天，事情起因是由单匡引发，请用槛车征召单匡，查核此事，那么奸恶踪迹，一定可以马上获得。"杨秉最终被判刑送到左校营做苦役。

当时，泰山贼人叔孙无忌暴掠徐州、兖州，州郡无力讨伐，单超因此陷害第五种，第五种获罪流放朔方。单超的外孙董援任朔方太守，心中积怒，等着第五种。第五种的旧属孙斌知道第五种一定会被害死，联合门客追赶第五种，在太原追上了，劫持第五种返回，逃亡多年，遇赦得免。第五种，是第五伦的曾孙。

此时，封赏超过了标准，宫内美女太多。陈蕃上疏说："诸侯象征天上的二十八宿，拱卫京师。高祖规定，不是功臣不封侯。听说圣上追封河南尹邓万世父亲邓遵的细微功劳，又赐给尚书令黄隽祖先已断隔的封爵，宦官没有为国尽大义而授予封邑，皇上身边的人无功授赏，以至于一家之中，数人封侯，所以天象失常，阴阳错乱。臣下知道爵位已封，说了也无济于事，实在希望陛下自此而止。另外，宫女数千，吃肉食，穿彩绸，胭脂水粉，费用无法计算。俗语说'家庭失盗，超不过五女在门'，因为女儿多使家里贫穷。现今后宫的女子，难道不使国家贫困吗！"汉桓帝采纳陈蕃的建议颇多，释放了五百多名宫女，只赐给黄隽关内侯爵位，封邓万世为南乡侯。

汉桓帝闲谈时问侍中陈留人爰延："朕是个什么样的君主？"爰延回答说："陛下是汉朝的中等君主。"汉桓帝问："为什么这样说？"爰延回答说："尚书令陈蕃主政，国家太平，中常侍黄门参与政事，天下混乱，所以知道陛下可以为善，也可为非。"汉桓帝说："从前朱云在朝廷上折断栏杆强谏皇上，现在侍中当面陈说朕的过失，朕知道自己的缺点了。"任命爰延为五官中郎将，连续升迁为大鸿胪。适逢客星经过帝坐星，汉桓帝暗中拿此事问爰延，爰延秘密上奏说："陛下因为河南尹邓万世是陛下登基以前的老朋友，封为通侯，比公卿的恩德还深重，比宗室的恩惠还丰厚，加上不时宣见，和他一起玩对阵赌博游戏，上下嬉戏，有损尊严。臣听说，皇上身边的人，是用来咨询政德。和好人在一起，就每天听到好的教诲；和恶人在一起游乐，就每天产生邪恶的念头。希望陛下远离奸邪小人，接纳正直人士，那么灾祸就可以消解。"汉桓帝不能采纳。爰延称病，免职回乡。

【段旨】

以上为第五段，写汉桓帝重赏宦官亲信，诛杀谏臣李云等，政治更加昏暗。

【注释】

㉞ 康、秉：皆为邓香之子，邓皇后邓猛之兄。㉟ 上缣五千匹：进献缣绸五千匹。缣，细密的丝织品。㊱ 贪纵：贪婪放肆。㊲ 倾动内外：震动朝廷内外。㊳ 白马：县名，属东郡，县治在今河南滑县东。㊴ 李云：字行祖，甘陵人，直谏死狱中。传见《后汉书》卷五十七。㊵ 露布上书：不封上书，使共闻知。㊶ 移副三府：将奏书抄录副本，同时上呈司徒、司空、太尉三府。㊷ 犹召家臣扼杀之耳：如同召来家臣缢死而已。㊸ 猥封：滥封。猥，众也。㊹ 谋臣：指单超等五侯。㊺ 得无见非：怎能不怪罪。因为高祖与大臣杀白马盟：无功而侯者，天下共诛之。如今滥封谋臣单超等五侯，所以有高祖怪罪之语。非，非议、怪罪。㊻ 西北列将：西北诸将，如皇甫规、段颎等。㊼ 帝者二句：帝的意思就是能洞察万物。谛，审视。这句话出自《春秋运斗枢》纬书。㊽ 谄进：靠谄媚手段得以升迁。㊾ 财货公行：贿赂公行。㊿ 尺一拜用二句：任官诏书，不经皇帝过目。尺一，写诏书的简札长尺一。251 是帝欲不谛乎：难道是皇帝不想洞察万物吗。252 诏尚书都护剑戟句：桓帝颁下诏书，令尚书监督左右都候剑戟士押送李云到黄门北寺狱。都护，监督。北寺狱，黄门所属诏狱。253 杂考：会审考问。254 弘农五官掾：弘农郡五官掾。五官掾，总管郡属诸曹事。255 伤：哀伤；同情。256 不讳之谏：冒犯龙颜，不可赦免的谏言。周昌比汉高祖为桀、纣，高祖不加罪。257 腰领之诛：腰斩杀头之诛。成帝赦朱云直谏之罪，事见本书卷三十二成帝元延元年。258 剖心之讥：殷纣王时比干谏君，被剖心而死。这里指李云若被诛，桓帝将蒙受殷纣之暴的批评。259 雒阳市长：管理洛阳商市的财税官，属大司农。260 请云：为李云求情；请求释放李云。261 帝恚甚：桓帝极为愤怒。262 有司：主管部门。这里指三公及尚书。263 以为大不敬：认为陈蕃等救云的上奏是大不敬。大不敬，即蔑视皇帝罪，重者杀头，轻者免官。264 濯龙池：在北宫附近的御园。265 管霸：中常侍。266 草泽愚儒：乡野愚蠢的儒生。267 嬖宠：指宦官。268 胜政：超越前朝之政。269 继踵：相继；紧接着。踵，脚后跟。270 海内伤惧二句：全天下悲伤恐惧，更加怨恨。271 假其威势：依恃梁冀威势横行霸道。272 阳毁示忠：表面上抨击梁冀来表示忠诚。273 遂因奸计：奸计终于得逞。274 亦取封侯：周永被封为下邳高迁乡亭侯。275 黄门：黄门宦官。276 挟邪：心怀邪恶。277 腹背相亲：指宦官内结皇后，外附梁冀。278 共构奸轨：共为奸邪。279 无可设巧：无法弄巧，无路可走。280 复托其恶以要爵赏：反过来借攻击梁冀之恶来谋求封爵和赏赐。281 清征：据《后汉书·黄琼传》，“征”作“澂”。澂，通“澄”。清澂，即澄清、辨析。282 审别真伪：分别真假。283 粉墨杂糅：白墨混淆。284 抵：投。285 碎珪璧于泥涂：把璧玉摔碎在稀泥中。286 愤叹：愤怒叹息。287 臣世荷国恩：我

世代蒙受国恩。黄琼父黄香为和帝时尚书令，甚见亲信，故为此言。㉘垂绝之日：临死之时。㉙壬申：十月初五日。㉚壬寅：十月戊辰朔，无壬寅。壬寅为十一月初六。㉛己巳：十二月初三日。㉜金城塞：即金城县，属金城郡，在今兰州市西固区，控扼黄河津渡，为要塞。㉝段颎：字纪明，武威姑藏（今甘肃武威）人，东汉安羌名将，为东汉第二十、二十二任护羌校尉。官至太尉。传见《后汉书》卷六十五。㉞罗亭：靠近积石山的亭名，在今青海同德以西。㉟负势贪放：仗势贪污放纵。㊱第五种：第五为复姓，种名。字光先，东汉名臣第五伦（仕光武、明、章三朝，官至司空）之曾孙。官至兖州刺史。与第五伦同传，见《后汉书》卷四十一。㊲从事：官名，治中从事之省称，佐刺史察举非法，掌理文书，为刺史自辟。㊳突狱亡走：越狱逃亡。㊴诘责：质问，追究罪犯越狱的责任。㊵无状：无行状，没有品行，无法无天。㊶衅：事情起因。㊷槛车：有栅槛的囚车。㊸奸慝：奸恶。㊹踪绪：踪迹头绪。即内情。㊺论作左校：判处在左校营做苦役。㊻稸怒：蓄藏愤怒，极大的愤怒。稸，通"蓄"。㊼劫：用武力夺取囚车。㊽逾制：超过标准；越过制度。㊾猥盛：众盛。㊿诸侯上象四七：四七，指二十八宿。诸侯封国，如同天上的二十八宿，环绕北斗，拱卫中央。311藩屏上国：为京师的藩篱。即拱卫中央。上国，京师。312追录：对已死之人追叙功勋，使其后嗣得封赏，称追录、追封。桓帝以皇后邓猛之故，追叙安帝时邓遵破羌之功，而绍封其子河南尹邓万世为南乡侯。313绝封：谓尚书令黄隽祖先之爵已断，今又另封黄隽以爵位。314近习以非义授邑：谓宦官没有为国尽大义而得封邑。315左右：皇帝身边的人。316传赏：授赏。317纬象失度：天象失常。318阴阳谬序：阴阳错乱。319封事已行：爵位已封。320从是而止：到此而止。321采女：宫女。322衣绮：穿彩绸。323脂油：胭脂。324不可赀计：费用无法计算。赀，量也。325盗不过五女门：家庭失盗，超不过五女在门。此为当时俗谚。嫁女陪嫁妆，使家贫困，比失盗还甚。此喻后宫太盛，虚耗国库。桓帝时后宫近万人。326从容：闲暇；闲谈时。327爰延：字季平，陈留外黄（在今河南民权西北）人。传见《后汉书》卷四十八。328中主：中材之主，为政可上可下，取决于辅佐大臣的素质。329与政：预政；参与政治。330面称朕违：当面说朕的过失。331客星经帝坐：一颗不明星象穿行太微宫帝星旁。帝坐，天帝星座。古以北极第二星，即β星为帝星。332上封事：送进秘密奏章。333龙潜之旧：皇帝的老朋友。龙潜，指桓帝未即位时。334通侯：列侯。335恩重公卿二句：惠丰，与"恩重"为互文，均是恩惠特别厚重的意思。336加顷引见：加上不时宣见。337对博：对阵赌博游戏。338上下媟黩二句：上下嬉戏，有损陛下尊严。媟黩，狎习相慢，尊卑无别。

【校记】

［3］绝：原误作"绍"。据章钰校，乙十六行本、乙十一行本、孔天胤本皆作"绝"，张瑛《通鉴校勘记》同，今据校正。［4］知：原无此字。据章钰校，乙十六行本、乙十一行本、孔天胤本皆有"知"字，今据补。

【原文】

三年（庚子，公元一六〇年）

春，正月丙申[339]，赦天下，诏求李固后嗣。初，固既策罢，知不免祸，乃遣三子基、兹、燮皆归乡里。时燮年十三，姊文姬为同郡赵伯英妻，见二兄归，具知事本[340]，默然独悲曰："李氏灭矣！自太公[341]已来，积德累仁，何以遇此！"密与二兄谋，豫[342]藏匿燮，托言还京师，人咸信之。有顷，难作，州郡收基、兹，皆死狱中。文姬乃告父门生王成曰："君执义先公，有古人之节，今委君以六尺之孤[343]，李氏存灭，其在君矣！"成乃将燮乘江东下，入徐州界，变姓名为酒家佣，而成卖卜于市，各为异人[344]，阴相往来[345]。积十余年，梁冀既诛，燮乃以本末告酒家，酒家具车重厚遣之[346]，燮皆不受。遂还乡里，追行丧服。姊弟相见，悲感傍人[347]。姊戒燮曰："吾家血食将绝，弟幸而得济[348]，岂非天邪！宜杜绝众人，勿妄往来，慎无一言加于梁氏。加梁氏则连主上，祸重至矣，唯引咎而已。"燮谨从其诲。后王成卒，燮以礼葬之，每四节[349]为设上宾之位而祠焉。

丙午[350]，新丰侯单超卒，赐东园秘器[351]，棺中玉具[352]。及葬，发五营骑士[353]、将作大匠起冢茔。其后四侯[354]转横，天下为之语曰："左回天，具独坐，徐卧虎，唐雨堕[355]。"皆竞起第宅，以华侈相尚，其仆从皆乘牛车而从列骑[356]，兄弟姻戚，宰州临郡[357]，辜较[358]百姓，与盗无异，虐遍天下，民不堪命，故多为盗贼焉。

中常侍侯览[359]、小黄门段珪皆有田业近济北[360]界，仆从宾客，劫掠行旅。济北相滕延一切收捕，杀数十人，陈尸路衢。览、珪以事诉帝，延坐征诣廷尉，免。

左悺兄胜为河东太守，皮氏[361]长京兆赵岐[362]耻之，即日弃官西归。唐衡兄玹为京兆尹，素与岐有隙，收岐家属宗亲，陷以重法，尽杀之。岐逃难四方，靡所不历，自匿姓名，卖饼北海[363]市中。安丘孙嵩[364]见而异之，载与俱归，藏于复壁中。及诸唐死，遇赦，乃敢出。

闰月[365]，西羌余众复与烧何大豪寇张掖，晨，薄[366]校尉段颎军。

【语译】

三年（庚子，公元一六〇年）

春，正月初一日丙申，大赦天下，汉桓帝下诏寻找李固的后裔。当初，李固被罢官后，知道不能免于祸，于是把三个儿子李基、李兹、李燮都送回乡里。当时李燮十三岁，姐姐李文姬嫁给了同郡人赵伯英为妻子，看见两位兄长回来，详知事情本末，独自沉默悲伤，说道："李氏就要灭族了！自从祖父李郃以来，积恩积德，为什么遇到这种情况！"秘密与两位兄长谋议，先把李燮隐藏起来，假说他返回京城了，人们全都相信。不久，灾难发生了，州郡逮捕李基、李兹，他们都死在狱中。李文姬于是告诉父亲的门生王成说："你为我父亲秉持正义，有古人的高节，现在把未成年的孤儿托付给你，李氏家族的存亡，在于你了！"王成于是带着李燮浮江东下，进入徐州境界，改变姓名，在酒家做工，而王成在街上占卦，二人假装不认识，暗中往来。过了十几年，梁冀被诛杀后，李燮才把事情本末告诉酒店主人，酒店主人备好车马重礼送李燮归乡，李燮全部推谢不接受。于是李燮回到故乡，给老父追补丧事。姐弟相见，悲伤得感动了旁边的人。姐姐告诫弟弟说："我家血脉将要断绝，弟弟幸亏得救，难道不是天意吗！应该杜绝众人，不要随意往来，小心别说一句批评梁氏的话。批评梁氏就会牵连到皇上，灾祸就会重来，我们只能引咎自责而已。"李燮谨慎地遵守姐姐的教诲。后来王成去世，李燮按礼节埋葬了王成，每年四时都把王成的牌位放在上位祭奠。

正月十一日丙午，新丰侯单超去世，汉桓帝赐予单超御用棺木，以及棺中金缕玉衣。等到埋葬时，调派五营骑兵、将作大匠造坟。此后四侯更加横行，天下有俗语说："左回天，具独坐，徐卧虎，唐雨堕。"四人竞相建造宅第，争相奢华，他们的仆从都乘坐牛车，随从骑兵侍卫，兄弟亲戚，为州郡长官，搜刮百姓，跟盗贼无异，暴虐遍及天下，民众不堪忍受，所以许多人都去做盗贼。

中常侍侯览、小黄门段珪都有田产靠近济北国边界，他们的仆从宾客抢掠行人。济北相滕延把这些人全部抓获，杀死几十人，把尸体摆放在街上。侯览、段珪向皇帝投诉此事，滕延被诏到廷尉论罪，免去官职。

左悺的兄长左胜任河东太守，皮氏县县长京兆人赵岐对有这样的上司感到耻辱，当天弃官西去。唐衡的兄长唐玹任京兆尹，向来与赵岐有矛盾，逮捕了赵岐的家属宗亲，诬害他们犯下重罪，全部杀害。赵岐四处逃难，无所不至，隐姓埋名，在北海郡的街头卖饼。安丘人孙嵩看他与众不同，载他一同回来，藏在夹墙中。等到唐衡兄弟死了，遇到赦免，才敢出来。

闰正月，西羌残余的部众又与烧何大酋长侵犯张掖，凌晨，逼近校尉段颎的军队。

颎下马大战，至日中，刀折矢尽，虏亦引退。颎追之，且斗且行，昼夜相攻，割肉食雪㊱，四十余日，遂至积石山㊲，出塞二千余里，斩烧何大帅，降其余众而还。

夏，五月甲戌㊳，汉中㊴山崩。

六月辛丑㊵，司徒祝恬㊶薨。

秋，七月，以司空盛允为司徒，太常虞放为司空。

长沙蛮反，屯益阳，与[5]零陵蛮寇长沙。

九真余贼屯据日南，众转强盛。诏复拜桂阳太守夏方为交趾㊷刺史。方威惠素著，冬十一月，日南贼二万余人相率诣方降。

勒姐、零吾种羌围允街㊸，段颎击破之。

泰山贼叔孙无忌攻杀都尉侯章，遣中郎将宗资㊹讨破之。诏征皇甫规，拜泰山太守。规到官，广设方略，寇虏悉平。

【段旨】

以上为第六段，写宦官势盛，当时流行的政治民谚说："左回天，具独坐，徐卧虎，唐雨堕。"宦官子弟布满州郡，搜掠百姓，与盗匪无异。

【注释】

㉝丙申：正月初一日。㉞具知事本：详知事情本末。㉟太公：指祖父李郃，安帝时官至三公司空、司徒。㊱豫：同"预"，事先。六尺之孤：男儿称七尺，十五岁以下未成年人称六尺。孤，无父曰孤。各为异人：两人假装互不认识。阴相往来：暗中往来。酒家具车重厚遣之：酒店主人备好车马重礼送李燮归乡。悲感傍人：悲伤感动了旁人。得济：得救。四节：四季；四时。丙午：正月十一日。赐东园秘器：赐御用棺木。玉具：金缕玉衣。五营骑士：北军五校骑士。四侯：左、具、徐、唐。单超死，五侯折一，还有四侯。左回天四句：言四侯之横。左悺权力能回天，改变皇帝旨意；具瑗唯我独尊；徐璜凶顽如卧虎；唐衡心性如暴风骤雨。从列骑：言四侯出行有骑兵卫士相随。宰州临郡：为州郡之长。辜较：搜刮，竭泽而渔。侯览（？至公元一七二年）：山阳防东（在今山东单县东北）人，仕桓、灵二帝为中常侍，擅权大宦官。传见《后汉书》卷七十八《宦者列传》。济北：封国名，治所卢县，在今山

段颎下马大战，到了中午，刀折矢尽，敌人也撤退了。段颎追赶，一边作战一边推进，日夜相攻，割吃战马肉，饮用雪水，四十多天，就到达了积石山，出塞两千多里，斩杀烧何大帅，使其残部归降，而后班师回还。

夏，五月十一日甲戌，汉中郡山崩。

六月初九日辛丑，司徒祝恬去世。

秋，七月，任命司空盛允为司徒，太常虞放为司空。

长沙蛮反叛，屯聚益阳，与零陵蛮侵犯长沙。

九真郡残余的贼人屯据日南郡，势力变得强盛。下诏再次任命桂阳太守夏方为交趾刺史。夏方向来有威信，冬，十一月，日南郡的两万多贼人一起前往夏方那里投降。

勒姐、零吾部落羌人包围允街，段颎击败了他们。

泰山反贼叔孙无忌击杀了都尉侯章，朝廷派中郎将宗资讨伐，击败了他们。下诏征召皇甫规为泰山太守。皇甫规到任，多方设计谋略，寇贼被全部平息。

东肥城北。㊱皮氏：县名，属河东郡，县治在今山西河津。㊲赵岐（约公元一一〇至二〇一年）：初名嘉，字台卿，后避难改名岐，字邠卿，京兆长陵（今陕西咸阳东北）人，仕州郡，以廉直疾恶，人多畏之。受党锢之祸株连，逃匿避难。党锢解，官至太常。赵岐为经学家，长于治《孟子》，著有《孟子章句》，存今十三经注疏中。传见《后汉书》卷六十四。㊳北海：封国名，治所剧县，在今山东昌乐西。㊴孙嵩：字宾石，北海安丘（在今山东安丘西南）人，以复壁藏匿赵岐，知名当世。事附《赵岐传》。㊵闰月：闰正月。㊶薄：逼近。㊷割肉食雪：割吃战马肉，渴饮雪水。㊸积石山：在青海同德西南。㊹甲戌：五月十一日。㊺汉中：郡名，治所南郑，在今陕西汉中。㊻辛丑：六月初九日。㊼祝恬：字伯休，中山卢奴（今河北定州）人，历官司隶校尉、光禄大夫、司徒。㊽交趾：又称交州，两汉十三部刺史之一，辖境当今两广大部及越南北部、中部。治所番禺，在今广东广州。㊾允街：县名，属金城郡，县治在今甘肃永登东南。㊿宗资：南阳（今河南南阳）人，曾为汝南太守，任用范滂为功曹，杜绝宦官请托，打击地方豪强。

【校记】

［5］与：原无此字，今据张敦仁《通鉴刊本识误》增补。

【原文】

四年（辛丑，公元一六一年）

春，正月辛酉[376]，南宫嘉德殿火。戊子[377]，丙署[378]火。

大疫。

二月壬辰[379]，武库火。

司徒盛允免，以大司农种暠为司徒。

三月，太尉黄琼免。夏，四月，以太常沛国刘矩[380]为太尉。

初，矩为雍丘[381]令，以礼让化民，有讼者，常引之于前，提耳训告[382]，以为忿恚可忍[383]，县官不可入[384]，使归更思。讼者感之，辄各罢去。

甲寅[385]，封河间孝王子参户亭侯博为任城王[386]，奉孝王后[387]。

五月辛酉[388]，有星孛于心[389]。

丁卯[390]，原陵[391]长寿门火。

己卯[392]，京师雨雹。

六月，京兆、扶风及凉州地震。

庚子[393]，岱山[394]及博尤来山[395]并颓裂[396]。

己酉[397]，赦天下。

司空虞放免，以前太尉黄琼为司空。

犍为属国[398]夷寇钞百姓，益州刺史山昱击破之。

零吾羌与先零诸种反，寇三辅。

秋，七月，京师雩[399]。

减公卿已[400]下奉，貣[401]王侯半租，占卖[402]关内侯、虎贲、羽林、缇骑、营士、五大夫钱各有差。

九月，司空黄琼免，以大鸿胪东莱刘宠[403]为司空。

宠尝为会稽太守，简除烦苛[404]，禁察非法，郡中大治；征为将作大匠。山阴县[405]有五六老叟，自若邪山[406]谷间出，人赍百钱以送宠，曰："山谷鄙生[407]，未尝识郡朝[408]，他守时，吏发求[409]民间，至夜不绝，或狗吠竟夕[410]，民不得安。自明府[411]下车[412]以来，狗不夜吠，民不见吏，年老遭值圣明，今闻当见弃去，故自扶[413]奉送。"宠曰："吾政何能及公[414]言邪！勤苦父老[415]！"为人选一大钱[416]受之。

【语译】

四年（辛丑，公元一六一年）

春，正月初二日辛酉，南宫嘉德殿失火。二十九日戊子，丙署殿失火。

发生大瘟疫。

二月初三日壬辰，武器库失火。

司徒盛允被免职，任命大司农种暠为司徒。

三月，太尉黄琼被免职。夏，四月，任命太常沛国人刘矩为太尉。

当初，刘矩任雍丘县令，用礼仪谦让教化民众，遇到诉讼的人，常带到面前，提耳教诲，认为有些不平的愤怒是可以忍耐的，县衙不可以轻易进去，要他们回去再考虑。争讼的人被感动，常常各自罢手离去。

四月二十六日甲寅，册封河间孝王的儿子参户亭侯刘博为任城王，作为继承人奉祀孝王刘尚。

五月初四日辛酉，在心星区域出现孛星。

初十日丁卯，光武帝的原陵长寿门失火。

二十二日己卯，京师洛阳下冰雹。

六月，京兆、扶风和凉州发生地震。

十三日庚子，泰山和博县尤来山崩塌。

二十二日己酉，大赦天下。

司空虞放被免职，任命前太尉黄琼为司空。

犍为属国夷人侵扰百姓，益州刺史山昱击败了他们。

零吾羌和先零各族反叛，侵犯三辅。

秋，七月，京城设坛祈雨。

减少公卿以下的俸禄，借贷王侯一半的租税，出卖关内侯、虎贲、羽林、缇骑、营士、五大夫官职，售价各有差等。

九月，司空黄琼被免职，任命大鸿胪东莱人刘宠为司空。

刘宠曾任会稽太守，简化或废除繁杂的政令，禁止、明察非法的行为，郡里治理得很好，征召为将作大匠。山阴县有五六位老人，从若邪山谷出来，每人带着一百钱送给刘宠，说道:“我们是山野村民，不曾了解郡政府。别的郡守时，官吏到民间求取财物，到了夜里还不停止，有时通夜狗叫，民众不得安宁。自从你到任以来，夜里狗不叫，百姓见不到官吏，我们年老了才遇到政治圣明，现在听说你要离开我们，所以互相搀扶着来送你。”刘宠说:“我的政绩哪里赶得上你们所说的！辛苦各位父老了！”在每个人那里选了一个大钱留下。

冬，先零、沈氐羌与诸种羌寇并、凉二州，校尉段颎将湟中义从[417]讨之。凉州刺史郭闳贪共其功，稽固[418]颎军，使不得进。义从役久恋乡旧，皆悉叛归。郭闳归罪于颎，颎坐征下狱，输作左校，以济南相胡闳代为校尉[419]。胡闳无威略，羌遂陆梁[420]，覆没营坞[421]，转相招结，唐突[422]诸郡，寇患转盛。泰山太守皇甫规上疏曰："今猾贼就灭，泰山略平，复闻群羌并皆反逆。臣生长邠岐[423]，年五十有九，昔为郡吏，再更叛羌[424]，豫筹其事[425]，有误中之言[426]。臣素有痼疾[427]，恐犬马齿穷，不报大恩，愿乞冗官[428]，备单车一介之使[429]，劳来三辅[430]，宣国威泽[431]，以所习地形兵势佐助诸军[432]。臣穷居孤危之中[433]，坐观郡将已数十年，自鸟鼠[434]至于东岱[435]，其病一也[436]。力求猛敌，不如清平，勤明《孙吴》，未若奉法[437]。前变未远[438]，臣诚戚[439]之，是以越职尽其区区[440]。"诏以规为中郎将，持节监关西兵讨零吾等。十一月，规击羌，破之，斩首八百级。先零诸种羌慕规威信，相劝降者十余万。

【段旨】

以上为第七段，写地方廉吏刘矩、刘宠以恩信治民，百姓感戴，如此廉吏，凤毛麟角，无补大局。

【注释】

㊱辛酉：正月初二日。㊲戊子：正月二十九日。㊳丙署：宫殿名。㊴壬辰：二月初三日。㊵刘矩：字叔方，沛国萧县（今安徽萧县西北）人，官至太尉。传见《后汉书》卷七十六。㊶雍丘：县名，属陈留郡，县治在今河南杞县。㊷提耳训告：提着耳朵，谆谆教诲。㊸忿恚可忍：不平的愤怒可以忍耐。㊹县官不可入：县衙不可轻易进去。㊺甲寅：四月二十六日。㊻封河间孝王子句：任城王刘尚，光武帝子，章帝元和元年（公元八四年）封，三传至刘崇，刘崇死，无子，国除。今以章帝子河间王刘开之庶子参户亭侯刘博为任城王，以为任城王之继嗣。㊼奉孝王后：此为任城孝王刘尚，以刘博为其后嗣。㊽辛酉：五月初四日。㊾有星孛于心：在心星区域出现孛星。心星，二十八宿之一，有三颗星。《晋书·天文志》认为，中星最大是皇帝位，前星是太子位，后星是庶子位。㊿丁卯：五月初十日。391原陵：光武帝陵，在洛阳西北。392己卯：五月二十

冬，先零、沈氐羌和各种落羌侵犯并、凉二州，校尉段颎率领湟中义从讨伐叛羌。凉州刺史郭闳贪图共享战功，故意阻挠段颎的军队，让他不能前进。义从随军太久，思念家乡，全都叛走。郭闳归咎于段颎，段颎被征回下狱，送到左校做苦役，任命济南相胡闳代理校尉。由于胡闳没有威严、谋略，羌人于是猖獗，攻陷营寨哨所，招诱各部落，冲击各郡，灾祸越来越厉害。泰山太守皇甫规上疏说："现在狡猾的盗贼就要消灭，泰山大体平定，又听说各羌族全都反叛。臣生长在邠山、岐山之间，年纪五十九岁了，过去做过郡吏，两次经历羌人暴动，臣预先估计羌人暴动的局势发展，曾有误中之言。臣向来有积久难治之症，害怕像犬马一样老死，不能报答皇上大恩，请赐臣冗散官职，备好一辆车子，让我做一个使臣，慰问三辅民众，宣扬国家的声威和恩德，用臣所熟悉的地形和用兵经验帮助前线各军。臣当初孤身在危境，静观郡中将领已经历几十年，认为从西边的鸟鼠山到东边的泰山，弊病一样。力取强敌，不如政治清平，精晓《孙吴兵法》，不如奉公守法。先前的叛乱为时不远，臣实在深以为忧，所以越职尽言，以表示区区忠诚。"汉桓帝下诏任命皇甫规为中郎将，持符节监督关西军队讨伐零吾等族。十一月，皇甫规进击羌人，打败了它，斩首八百级。先零各种落羌人仰慕皇甫规的威信，相互规劝来归降的有十几万人。

二日。㊈㊂庚子：六月十三日。㊈㊃岱山：即山东泰山。㊈㊄博尤来山：博县尤来山，在今山东泰安东南。㊈㊅颓裂：山体崩裂，滑坡。㊈㊆己酉：六月二十二日。㊈㊇犍为属国：安帝永初元年（公元一〇七年），以犍为南部都尉为犍为属国都尉，领朱提、汉阳二县。治所朱提，在今云南昭通。㊈㊈雩：筑坛祈雨。㊉㊀已：通"以"。㊉㊁貣：贷字的省写。㊉㊂占卖：造册出卖。即出卖一定数量的官爵。此次出卖的官爵有关内侯、禁卫虎贲郎、羽林郎、司隶部属缇骑、北军五校营士、第十二级爵五大夫，价格各有差等。㊉㊃刘宠：字祖荣，东莱牟平（在今山东烟台市牟平区）人。传见《后汉书》卷七十六。㊉㊄简除烦苛：简化或废除烦琐的政令。㊉㊅山阴县：会稽郡治所，在今浙江绍兴。㊉㊆若邪山：山名，在会稽东南。㊉㊇山谷鄙生：山野村民。㊉㊈未尝识郡朝：不曾了解郡政府。㊉㊉发求：征发苛求。㊉⑩竟夕：通夜。㊉⑪明府：对郡太守的尊称。㊉⑫下车：上任。㊉⑬自扶：互相扶持。㊉⑭公：刘宠对诸父老尊称。㊉⑮勤苦父老：辛苦诸父老相送。㊉⑯为人选一大钱：对相送的人各选一个大钱留作纪念。㊉⑰湟中义从：湟中羌归服汉朝组成的军队，是段颎军的骨干。㊉⑱稽固：停留，阻挠行军。㊉⑲胡闳代为校尉：胡闳代段颎为东汉第二十七任护羌校尉。㊉⑳陆梁：嚣张；猖獗。㊉㉑覆没营坞：攻破营寨哨所。坞，哨卡城堡。㊉㉒唐突：冲击。㊉㉓臣生长邠岐：皇甫规生地朝那，属凉州安定郡，在今甘肃平凉西北。邠岐，指邠

山、岐山，属三辅右扶风，郊山在今陕西彬州南，岐山在今陕西岐山县北。郊岐为古名山，皇甫规引以自重桑梓。㉔再更叛羌：两次经历羌人的暴动。㉕豫筹其事：预先估计羌人暴动的局势发展。㉖有误中之言：皇甫规论马贤必败，事见本书卷五十二顺帝永和五年。㉗痼疾：积久难治之症。㉘冗官：散官。㉙备单车一介之使：只需一辆官车让我做一个使臣。㉚劳来三辅：慰问三辅民众。㉛宣国威泽：宣扬国家的声威和恩德。㉜以所习地形兵势句：用所熟习的地形及用兵经验，帮助前线各军。㉝臣穷居孤危之中：指皇甫规少时在安定郡为功曹之时。㉞鸟鼠：山名，传说其山鸟鼠同穴，在今甘肃渭源西

【原文】

五年（壬寅，公元一六二年）

春，正月壬午[441]，南宫丙署火。

三月，沈氏羌寇张掖、酒泉。皇甫规发先零诸种羌共讨陇右[442]，而道路隔绝，军中大疫，死者十三四。规亲入庵庐[443]，巡视将士，三军[444]感悦。东羌遂遣使乞降，凉州复通。

先是，安定太守孙隽受取狼藉[445]，属国都尉[446]李翕、督军御史[447]张禀多杀降羌，凉州刺史郭闳、汉阳太守赵熹并老弱不任职，而皆倚恃[448]权贵，不遵法度。规到，悉条奏其罪[449]，或免或诛。羌人闻之，翕然反善[450]，沈氏大豪滇昌、饥恬等十余万口复诣规降。

夏，四月，长沙贼起[451]，寇桂阳、苍梧[452]。

乙丑[453]，恭陵[454]东阙火。戊辰[455]，虎贲掖门火。五月，康陵[456]园寝火。

长沙、零陵[457]贼入桂阳、苍梧、南海[458]，交趾刺史及苍梧太守望风逃奔，遣御史中丞盛修督州郡募兵讨之，不能克。

乙亥[459]，京师地震。

甲申[460]，中藏府[461]丞禄署[462]火。

秋，七月己未[463]，南宫承善闼[464]火。

鸟吾羌寇汉阳，陇西、金城诸郡兵讨破之。

艾县[465]贼攻长沙郡县，杀益阳[466]令，众至万余人。谒者马睦督荆

南。㉟东岱：东岳泰山。㊱其病一也：西起鸟鼠，东到泰山，全国弊病是一样的，即官逼民反，皇甫规未明白说出，讳言之也。㊲力求猛敌四句：力取强敌，不如政治清平；精晓《孙吴兵法》，不如奉公守法。皇甫规主张安抚为主，讨伐为辅，故有是言。这里的孙吴，指《孙吴兵法》，非指孙武、吴起。㊳前变未远：指西羌变乱未久，政治苛猛历历在目，可以为鉴。西羌自安帝永初元年（公元一〇七年）暴动以来，时叛时服，已成长期边患。㊴戚：深忧。㊵越职尽其区区：超越职守尽言，以表区区忠诚。

【语译】

五年（壬寅，公元一六二年）

春，正月二十九日壬午，南宫丙署殿失火。

三月，沈氏羌人侵犯张掖、酒泉。皇甫规调发先零各部落的羌人共同讨伐陇右，但道路阻绝，军中大规模流行瘟疫，死亡的人有十之三四。皇甫规亲自进入营帐，巡视将士，全军又感动又高兴。东羌于是派使者请求归降，凉州的道路又通畅了。

此前，安定太守孙隽收受贿赂，声名狼藉，属国都尉李翕、督军御史张禀杀死很多投降的羌人，凉州刺史郭闳、汉阳太守赵熹都年老体弱，不能胜任职守，却都依仗权贵，不遵守法纪。皇甫规到职，全都逐条列出他们的罪状向汉桓帝奏报，他们有的被免官，有的被杀。羌人听了，一片和睦归服，沈氏大酋长滇昌、饥恬等十几万人又前往皇甫规那里投降。

夏，四月，长沙贼人起事，侵犯桂阳郡、苍梧郡。

乙丑日，恭陵东门失火。戊辰日，虎贲掖门失火。五月，康陵园寝失火。

长沙、零陵贼人进入桂阳郡、苍梧郡、南海郡，交趾刺史和苍梧太守望风逃跑，朝廷委派御史中丞盛脩督促州郡募兵讨伐贼人，不能取胜。

二十三日乙亥，京师发生地震。

六月初三日甲申，皇宫钱库中的俸禄署失火。

秋，七月初八日己未，南宫承善门失火。

鸟吾羌侵犯汉阳郡，陇西、金城诸郡的军队进行讨伐，打败了鸟吾羌。

艾县贼人攻打长沙郡县，杀死益阳县令，部众达一万多人。谒者马睦监督荆州

州刺史刘度击之，军败，睦、度奔走。零陵蛮亦反。冬，十月，武陵㊼蛮反，寇江陵㊽，南郡太守李肃奔走，主簿㊾胡爽扣马首谏㊿曰："蛮夷见郡无儆备[471]，故敢乘间[472]而进。明府为国大臣，连城千里，举旗鸣鼓，应声十万，奈何委符守之重[473]，而为逋逃之人[474]乎！"肃拔刃向爽曰："掾促去[475]，太守今急[476]，何暇此计！"爽抱马固谏[477]，肃遂杀爽而走。帝闻之，征肃，弃市[478]，度、睦减死一等。复爽门闾[479]，拜家一人为郎[480]。

尚书朱穆举右校令[481]山阳度尚[482]为荆州刺史。辛丑[483]，以太常冯绲[484]为车骑将军，将兵十余万讨武陵蛮。先是，所遣将帅，宦官多陷以折耗军资[485]，往往抵罪[486]，绲愿请中常侍一人监军财费。尚书朱穆奏"绲以财自嫌，失大臣之节[487]。"有诏勿劾。绲请前武陵太守应奉与俱，拜从事中郎[488]。十一月，绲军至长沙，贼闻之，悉诣营乞降。进击武陵蛮夷，斩首四千余级，受降十余万人，荆州平定。诏书赐钱一亿，固让不受，振旅还京师。推功于应奉，荐以为司隶校尉，而上书乞骸骨，朝廷不许。

【段旨】

以上为第八段，写良将皇甫规讨平三辅河西的羌乱，冯绲讨平荆州武陵蛮的叛乱。

【注释】

[441]壬午：正月二十九日。[442]陇右：陇山之东，指安定等郡。[443]庵庐：营帐。庵，草屋。庐，野外营帐。[444]三军：全军。[445]受取狼藉：收受贿赂，声名狼藉。[446]属国都尉：安定属国都尉，治所不详。[447]督军御史：监军侍御史。[448]倚恃：仗势。[449]悉条奏其罪：一条条列出全部罪状上奏。[450]翕然反善：一片和睦归服。[451]长沙贼起：长沙贼人起事。长沙，郡名，治所临湘，在今湖南长沙。[452]桂阳、苍梧：两郡名。桂阳郡属荆州，治所郴县，在今湖南郴州。苍梧郡属交州，治所广信，在今广西梧州。[453]乙丑：四月癸未朔，无乙丑。乙丑，五月十三日。[454]恭陵：安帝陵。[455]戊辰：四月亦无戊辰。戊辰，应为五月十六日。[456]康陵：殇帝陵。[457]零陵：郡名，属荆州。治所泉陵，在今湖南永州市

刺史刘度攻击他们，战败，马睦、刘度逃跑。零陵蛮也反叛了。冬，十月，武陵蛮反叛，侵犯江陵，南郡太守李肃逃跑，主簿胡爽拦住马头进谏说："蛮夷看见郡中没有戒备，所以敢趁机进犯。明府身为国家大臣，辖地连城千里，举旗鸣鼓，将有十万人响应，怎么能抛弃持符守土的重任，成为逃亡之人呢！"李肃拔出刀对着胡爽说："主簿你赶快离去，我现在窘急，哪里有时间顾及这些！"胡爽抱马力谏，于是李肃杀死胡爽逃走。汉桓帝听说此事，征召李肃，腰斩于市，刘度、马睦判处死刑减一等。免除胡爽家赋役，任命家中一人做郎官。

尚书朱穆推举右校令山阳人度尚为荆州刺史。十月二十二日辛丑，任命太常冯绲为车骑将军，率领十几万军队讨伐武陵蛮。此前，所派遣的将帅，宦官大多诬陷他们浪费军资，常常被判以受诬之罪，冯绲请一位中常侍监督军事开支。尚书朱穆上奏说"冯绲为了避免贪财的嫌疑，而丢失了大臣节操"。汉桓帝下诏不要弹劾。冯绲请求前武陵太守应奉一起前往，任命他为从事中郎。十一月，冯绲的军队到达长沙，贼人听到了消息，都到军营乞请归降。冯绲进军攻打武陵蛮夷，杀死四千多人，受降十几万人，平定了荆州。下诏赐钱一亿，冯绲坚决不受，凯旋京师。把功劳归于应奉，推荐他为司隶校尉，而自己却上书请求辞职回乡，朝廷没有答应。

零陵区。㊺⑧南海：郡名，属交州，当今广东地区。治所番禺，在今广东广州。459 乙亥：五月二十三日。460 甲申：六月初三日。461 中藏府：皇宫钱库。462 丞禄署：中藏府丞所掌的俸禄署。中藏府长官为令，副为丞。463 己未：七月初八日。464 南宫承善闼：南宫承善门。465 艾县：属豫章郡，县治在今江西修水县西。466 益阳：县名，属长沙郡，县治在今湖南益阳东。467 武陵：郡名，属荆州。治所临沅，在今湖南常德。468 江陵：县名，为荆州南郡治所，在今湖北江陵。469 主簿：郡太守属官，助理日常事务，并掌理文书。470 扣马首谏：拦住马头劝阻。471 儆备：戒备。472 乘间：趁机会。473 委符守之重：抛弃持符守土的重任。474 逋逃之人：逃亡犯。475 掾促去：主簿赶快离去。掾，掾属，此李肃呼胡爽官名。476 急：窘急。意谓逃命要紧。477 固谏：强谏。478 弃市：腰斩于市。479 复爽门闾：免除胡爽家赋役。480 拜家一人为郎：任命胡爽家一人为郎官。481 右校令：将作大匠属官，掌右工徒。482 度尚（公元一一七至一六六年）：字博平，山阳湖陆（今山东鱼台东南）人，东汉党人领袖八厨之一。官至荆州刺史，终官辽东太守。传见《后汉书》卷三十八。483 辛丑：十月二十二日。484 冯绲：字鸿卿，巴郡宕渠（今四川渠县东北）人，终官廷尉。传见《后汉书》卷三十八。485 陷以折耗军资：用浪费军资的罪名加以诬陷。486 抵罪：被判以受诬之罪。487 绲以财自嫌二句：冯绲为了避免贪财的嫌疑，而丢了大臣的节操。488 从事中郎：出征将军的参谋官。

【原文】

滇那羌寇武威、张掖、酒泉。

太尉刘矩免，以太常杨秉为太尉。

皇甫规持节为将[489]，还督乡里[490]，既无他私惠[491]，而多所举奏[492]，又恶绝[493]宦官，不与交通[494]。于是中外并怨[495]，遂共诬规货赂群羌[496]，令其文降[497]。帝玺书诮让相属[498]。

规上书自讼[499]曰："四年之秋[500]，戎丑蠢戾[501]，旧都惧骇[502]，朝廷西顾[503]。臣振国威灵，羌戎稽首[504]，所省之费一亿以上。以为忠臣之义不敢告劳[505]，故耻以片言自及微效[506]，然比方先事[507]，庶免罪悔[508]。前践州界[509]，先奏孙隽、李翕、张禀。旋师南征，又上[510]郭闳、赵熹，陈其过恶，执据大辟[511]。凡此五臣，支党半国[512]，其余墨绶[513]下至小吏，所连及者复有百余。吏托报将之怨，子思复父之耻[514]，载贽驰车[515]，怀粮步走，交构豪门[516]，竞流谤讟[517]，云臣私报诸羌[518]，雠以钱货[519]。若臣以私财，则家无担石[520]；如物出于官，则文簿易考[521]。就臣愚惑，信如言者，前世尚遗匈奴以宫姬，镇乌孙以公主[522]，今臣但费千万以怀叛羌[523]，则良臣之才略，兵家之所贵，将有何罪负义[524]违理乎！自永初以来[525]，将出不少，覆军有五[526]，动资巨亿。有旋车完封，写之权门，而名成功立，厚加爵封[527]。今臣还本土，纠举诸郡，绝交离亲[528]，戮辱旧故[529]，众谤阴害[530]，固其宜也。"

帝乃征规还，拜议郎，论功当封，而中常侍徐璜、左悺欲从求货[531]，数遣宾客就问功状[532]，规终不答。璜等忿怒，陷以前事[533]，下之于吏[534]。官属欲赋敛请谢[535]，规誓而不听，遂以余寇不绝[536]，坐系廷尉，论输左校[537]。诸公及太学生张凤等三百余人诣阙讼之，会赦归家。

【语译】

滇那羌侵犯武威、张掖和酒泉郡。

太尉刘矩被免职，任命太常杨秉为太尉。

皇甫规持节担任将职，返回故乡监察州郡军政，既无私人的恩惠，还多多举奏不法事，又痛恨宦官，拒绝他们，不与往来。于是朝中近习宦官和地方贪官都抱怨他，就一起诬告皇甫规贿赂各羌部落，要他们利用名册假装投降。汉桓帝接连下诏责备皇甫规。

皇甫规上书自辩说："去年秋季，西戎丑类蠢动猖獗，旧都长安惊惧，朝廷关注西方。臣振兴了国家的威望，羌戎叩首投降，节省军事费用一亿钱以上。臣认为这是忠臣的本分，不敢诉说劳苦，所以耻于用只言片语言及自己的微薄功劳，然而与先前的事情做一下对比，可以说臣几乎没有罪过和后悔的事。先前臣进入凉州州界，先弹劾了孙隽、李翕、张禀。后来率军南征，又上奏了郭闳、赵熹，陈述他们的过错罪恶，按我所掌握证据，他们应执行死刑。这五个臣子的党羽遍布半个国家，其他从墨绶以下到小官吏，牵连的又有一百多人。部属假借要为长官报仇，儿子一心想要为父亲雪耻，他们用车载着礼物在路上奔驰，带着粮食步行奔走，交结豪门，争相散布流言诽谤，说臣私自与诸羌交往，送给大量钱物。如果说臣是拿了别人财物，可是，臣家中没有一石存粮；如果说臣的财物出自官府，那么，账簿登记的财物很容易查考。臣很愚昧困惑，真如流言所说，前朝尚有政府用宫女赏赐匈奴，甚至把公主嫁给乌孙。现在，臣只费用了一千万钱就安慰了羌人，这正是良臣的谋略，军事家所推崇的，有什么地方违背义理呢！从永初以来，派到关外的将领不少，军队大败的有五次，动用资财亿万。有的军饷没有启封就返回京城，倾倒在权贵之门，因而名成功立，厚加封爵。现在臣返回本乡，揭露各郡的官员，与亲戚朋友断绝关系，诛杀羞辱臣的旧交故友，众人诽谤暗中害臣，本来应该如此。"

汉桓帝于是征召皇甫规回到京城，拜官议郎，论功应当封赏，而中常侍徐璜、左悺想从皇甫规身上勒索财物，多次派宾客询问他立功的情况，皇甫规始终不回答。徐璜等人大怒，用先前所加的浪费军资事诬陷他，把他交付主管官吏审判。皇甫规的部下想凑钱送礼求情，皇甫规坚决不同意，于是以没有平定羌人残敌的罪名，被判拘押廷尉狱，判处送到左校营做苦工。各位公卿和太学生张凤等三百多人到宫门申诉，遇赦，皇甫规回到家中。

【段旨】

以上为第九段，写宦官诬罔皇甫规，良将被罢官。

【注释】

(489)持节为将：持符节为将，兼使钦差之责。(490)还督乡里：皇甫规为凉州安定朝那人，今领兵征凉州西羌，回到故乡，监察州郡军政。(491)无他私惠：没有其他私人恩惠。(492)多所举奏：弹劾了许多地方贪官。(493)恶绝：痛恨拒绝。(494)交通：交结；往来。(495)中外并怨：中指朝中近习宦官，外指地方贪官。他们都怨恨皇甫规，联合起来反对。(496)货赂群羌：贿赂各羌人部落。(497)令其文降：让羌人假投降。文降，利用文簿虚假投降，即假报名册。(498)帝玺书诮让相属：桓帝接连下诏书责备。(499)自讼：自我答辩。(500)四年之秋：延熹四年之秋。(501)戎丑蠢戾：西戎丑类蠢动猖獗。(502)旧都惧骇：旧京长安惊惧。(503)西顾：注视西方。(504)稽首：叩首投降。(505)以为忠臣之义不敢告劳：我认为忠臣只有尽义务的本分，不敢诉说劳苦。不敢告劳，语义双关，用典以杜谗人之口。《诗经·十月之交》："黾勉从事，不敢告劳，无罪无辜，谗口嚣嚣。"(506)故耻以片言自及微效：所以耻于用片言只语言及自己的微薄功劳。(507)比方先事：与先前的事情做一下对比。先事，指先前几任败兵之将。(508)庶免罪悔：可以说我几乎没有罪过和后悔之事。庶，庶几、差不多。(509)前践州界：我一踏上凉州之土。前，最初。(510)上：上奏。(511)执据大辟：孙儁等五人，按我所掌握的证据，应判死刑。大辟，死刑。(512)支党半国：爪牙遍布半个国家。支党，党羽。(513)墨绶：六百石至一千石的中级官，印绶为黑色丝带。(514)吏托报将之怨二句：部属假借要为长官报仇，儿子一心要为父亲雪耻。谓被弹劾的贪官部属、儿子会疯狂反扑。(515)载贽驰车：他们用车载着礼品在路上奔驰。贽，礼物、礼金。(516)交构豪门：交结豪门。(517)竞流谤讟：争相散布流言诽谤。(518)云臣私报诸羌：说我私自与诸羌交通。报，回报、来往交通。(519)雠以钱货：送给大量钱物。(520)担石：肩挑的一石粮食。

【原文】

六年（癸卯，公元一六三年）

春，二月戊午[538]，司徒种暠薨。

三月戊戌[539]，赦天下。

以卫尉颍川许栩为司徒。

夏，四月辛亥[540]，康陵东署[541]火。

五月，鲜卑寇辽东属国[542]。

秋，七月甲申[543]，平陵[544]园寝火。

形容家贫无储积。㉑文簿易考：按簿籍登记的钱物很容易查考。㉒就臣愚惑四句：退一步说，我很愚庸，真如谣言所说，前朝尚有政府用宫女赏赐匈奴，甚至把公主出嫁给乌孙。遗匈奴以宫姬，指汉元帝以王昭君赐南匈奴呼韩邪单于和亲事。镇乌孙以公主，指汉武帝以江都王刘建女刘细君嫁乌孙昆莫以结西域。㉓费千万以怀叛羌：东汉政府讨羌，前后用去军费三百二十亿，今皇甫规安置归降仅花费一千万，成了近习宦竖攻击的口实。㉔负义：背义。㉕自永初以来：指自羌人从永初年间暴动以来。㉖覆军有五：东汉军队有五次大败，安帝永初二年（公元一〇八年），车骑将军邓骘率军五万，败于冀西，一也；征西校尉任尚率数万之众败于平襄，二也；安帝元初元年（公元一一四年），征西将军司马钧败于丁奚城，三也；顺帝永和五年（公元一四〇年），征西将军马贤率十万大军败于射姑山，四也；顺帝汉安三年（公元一四四年），护羌校尉赵冲败没于鹯阴河，五也。㉗有旋车完封四句：指前述败军之将中，有的把朝廷供应的军饷，还没有启封的整车金银发回洛阳，倾倒在权贵之门，而名成功立，厚加封爵。旋车，指开往前线的军饷车转回洛阳。写，通“泻”。㉘绝交离亲：与朋友亲戚断绝了关系。㉙戮辱旧故：诛杀包括我的旧交故友。㉚众谤阴害：众人诽谤，暗中加害。㉛欲从求货：想在皇甫规身上敲诈勒索金银财宝。在近习宦竖看来，出征将领，打胜仗归来，必多有财货。㉜数遣宾客就问功状：徐璜、左悺多次派遣宾客到皇甫规那里，询问他立功情形，意在勒索。㉝陷以前事：以先前所加的浪费军资事诬陷皇甫规。㉞下之于吏：下诏把皇甫规交付主管官吏审判。㉟官属欲赋敛请谢：皇甫规部属想凑钱送礼，向中官求情。赋敛，此处为大家凑钱。㊱遂以余寇不绝：诬陷皇甫规贪污浪费军饷之罪不成立，于是又诬以未能平定羌人之罪。㊲坐系廷尉二句：被控拘押廷尉狱，判处在左校营做苦工。

【语译】

六年（癸卯，公元一六三年）

春，二月十一日戊午，司徒种暠去世。

三月二十二日戊戌，大赦天下。

任命卫尉颍川人许栩为司徒。

夏，四月初五日辛亥，康陵东厢房失火。

五月，鲜卑人侵犯辽东属国。

秋，七月初十日甲申，平陵园寝失火。

桂阳贼李研等寇郡界，武陵蛮复反，太守陈奉[6]讨平之。宦官素恶冯绲，八月，绲坐军还，盗贼复发，免。

冬，十月丙辰[545]，上校猎广成，遂幸函谷关、上林苑。光禄勋陈蕃上疏谏曰："安平之时，游畋宜有节，况今有三空之厄哉！田野空，朝廷空，仓库空。加之兵戎未戢[546]，四方离散，是陛下焦心[547]毁颜[548]，坐以待旦[549]之时也，岂宜扬旗曜武，骋心[550]舆马之观乎？又前秋多雨，民始种麦，今失其劝种之时，而令给驱禽除路之役[551]，非贤圣恤民[552]之意也。"书奏，不纳。

十一月，司空刘宠免。十二月，以卫尉周景[553]为司空。景，荣之孙也。

时宦官方炽，景与太尉杨秉上言："内外吏职，多非其人。旧典，中臣子弟，不得居位秉势[554]。而今枝叶[555]宾客，布列职署[556]，或年少庸人，典据守宰[557]。上下忿患[558]，四方愁毒[559]。可遵用旧章[560]，退[561]贪残，塞灾谤[562]。请下[563]司隶校尉、中二千石、城门、五营校尉、北军中候，各实核所部[564]，应当斥罢，自以状言三府[565]，廉察有遗漏，续上[566]。"帝从之。于是秉条奏牧、守青州刺史羊亮等五十余人，或死或免，天下莫不肃然。

诏征皇甫规为度辽将军。初，张奂坐梁冀故吏，免官禁锢，凡诸交旧[567]，莫敢为言，唯规荐举，前后七上[568]，由是拜武威太守。及规为度辽，到营数月，上书荐奂"才略兼优，宜正元帅[569]，以从众望。若犹谓愚臣宜充军[7]事者[570]，愿乞冗官，以为奂副"。朝廷从之。以奂代规为度辽将军，以规为使匈奴中郎将。

西州[571]吏民守阙[572]为前护羌校尉段颎讼冤者甚众，会滇那等诸种羌益炽，凉州几亡，乃复以颎为护羌校尉[573]。

尚书朱穆疾[574]宦官恣横[575]，上疏曰："按汉故事，中常侍参选士人，建武以后，乃悉用宦者。自延平[576]以来，浸益贵盛[577]，假貂珰之饰[578]，处常伯之任[579]，天朝政事，一更其手[580]。权倾海内[581]，宠贵无极，子弟亲戚，并荷荣任[582]，放滥骄溢[583]，莫能禁御[584]，穷破天下，空竭小民。愚臣以为可悉罢省[585]，遵复往初[586]，更选海内清淳之士[587]明达国体[588]者，以补其处[589]，即兆庶黎萌[590]，蒙被圣化矣！"帝不纳。

桂阳贼人李研等人侵扰郡界，武陵蛮再次反叛，太守陈奉讨伐平定了他们。宦官向来讨厌冯绲，八月，冯绲因为军队回师后盗贼重新叛乱获罪，被免职。

冬，十月十三日丙辰，汉桓帝在广成围猎，于是幸临函谷关、上林苑。光禄勋陈蕃上疏劝谏说："国家安定时，打猎应有节度，何况现今有三空的厄运呢！田野空、朝廷空、仓库空。加上战争没有停止，四方民众逃散，正是陛下忧心如焚，愁眉不展，彻夜不眠之时，怎么可以耀武扬威，恣意狩猎呢？另外，去年秋天多雨，百姓开始种麦，现在延误了他们耕种的时机，却下令征发他们为皇帝围猎驱赶禽兽、修筑道路服徭役，这不是圣贤体恤关心人民的本意。"谏疏奏上，汉桓帝没有采纳。

十一月，司空刘宠被免职。十二月，任命卫尉周景为司空。周景，是周荣的孙子。

当时宦官势力正强盛，周景和太尉杨秉上书说："朝廷内外的官吏，大多用非其人。旧制，宦官子弟不得当官掌权。可是现在宦官的亲族宾客，遍布朝廷各官署，有些年轻平庸之辈，职任地方州郡长官。全国上下愤恨忧虑，四方愁苦。应当遵循旧章，黜退贪婪残暴之人，消除天灾谴告和民众的讥讽。请下诏司隶校尉、中二千石、城门、五营校尉、北军中侯，各自切实核查所属部下，应当罢免的，主动把情况呈报三府，复查有遗漏的，继续上报。"汉桓帝听从了。于是，杨秉一一奏劾青州刺史羊亮等州牧、郡守五十多人，有的处死，有的免职，天下肃然清静。

汉桓帝下诏征召皇甫规为度辽将军。当初，张奂因是梁冀故吏而获罪，免除官职，禁锢在家，张奂的所有旧交，没有人敢替张奂说话，只有皇甫规荐举张奂，前后七次上奏，因此被任为武威太守。等到皇甫规为度辽将军，到军营几个月，上书荐举张奂"才能和谋略兼优，应该担任元帅，以副众望。如果认为臣还可以充当军事长官，臣愿求一副职，作为张奂的副手"。朝廷同意了。任命张奂代替皇甫规为度辽将军，皇甫规为使匈奴中郎将。

西州的官吏和百姓守在宫门为前护羌校尉段颎诉冤的人数很多，正逢滇那等各部羌人的势力日益强盛，几乎要丢失凉州，才又任命段颎为护羌校尉。

尚书朱穆痛恨宦官恣肆横暴，上疏说："按照汉朝旧制，中常侍间或选用士人，建武以后，才全用宦官。自从延平以来，宦官地位一天天尊贵隆盛，凭借金蝉貂尾的帽饰，处于侍中的职位，朝廷政事，全都要经过他们之手。宦官权力动摇全国，宠贵没有限度，他们的子弟亲戚，都任要职，放纵骄慢，无法控制，使天下破败，小民空竭。臣认为应当全部罢免，恢复从前的制度，另外选择国内清廉淳朴、通达国家体制的人，以弥补他们的职位，这样，亿万民众就能蒙受圣明的教化了！"汉桓帝没有采纳。

后穆因进见，复口陈[591]曰："臣闻汉家旧典，置侍中、中常侍各一人省尚书事，黄门侍郎一人传发书奏，皆用姓族[592]。自和熹太后[593]以女主称制，不接公卿，乃以阉人为常侍，小黄门通命两宫。自此以来，权倾人主[594]，穷困天下，宜皆罢遣，博选耆儒宿德[595]，与参政事。"帝怒，不应。穆伏不肯起，左右传"出！"良久，乃趋而去。自此中官数因事称诏诋毁之[596]。穆素刚[597]，不得意，居无几[598]，愤懑发疽卒[599]。

【段旨】

以上为第十段，写汉桓帝迫于舆情，重新起用皇甫规、张奂、段颎等良将，惩治一批任州牧郡守的宦官子弟。

【注释】

㊳戊午：二月十一日。㊴戊戌：三月二十二日。㊵辛亥：四月初五日。㊶康陵东署：康陵东厢房。康陵，殇帝陵。㊷辽东属国：治所昌黎，在今辽宁义县。㊸甲申：七月初十日。㊹平陵：西汉昭帝陵，在今陕西咸阳西北。㊺丙辰：十月十三日。㊻兵戎未戢：战争未止。戢，止息。㊼焦心：忧心如焚。㊽毁颜：愁眉不展。㊾坐以待旦：彻夜不能安眠。㊿骋心：恣意；用心。[551]令给驱禽除路之役：下令征发农民为皇帝围猎驱赶禽兽、修筑道路服徭役。[552]恤民：体恤关心民众。[553]周景：字仲享，庐江舒县（在今安徽庐江县西南）人，周荣之孙。延熹六年为司空，与太尉杨秉同心辅政，举劾奸猾。传见《后汉书》卷四十五。周荣，章帝、和帝时地方循吏。[554]秉势：掌握权力。[555]枝叶：指宦官亲族。[556]布列职署：布满朝廷各官署。[557]典据守宰：职任地方州郡长官。[558]上下忿患：全国上下对此局面愤恨忧虑。[559]四方愁毒：全国百姓愁苦。[560]遵用旧章：遵循祖宗之法。[561]退：斥退。[562]塞灾谤：消除天灾谴告和民众的讥刺。[563]请下：请下诏。[564]各实核所部：各部门切实核查所属部下。[565]应当斥罢二句：应当罢黜的，主动把情况呈报

【校记】

［6］陈奉：原作"陈举"。据章钰校，乙十六行本、乙十一行本、孔天胤本皆作"陈奉"，张瑛《通鉴校勘记》同，今据改。〖按〗《后汉书》卷七《孝桓帝纪》、卷八十六《南蛮西南夷列传》亦作"陈奉"。［7］军：原误作"举"，今据张敦仁《通鉴刊本识误》正作"军"。

后来，朱穆有事进见，又口头陈述说："臣听说汉朝旧的典章制度，设立侍中、中常侍各一人，负责传达尚书政事，黄门侍郎一人，传达奏书，都要用名望士族。自从和熹太后以女主的地位主政，不接触公卿，才任命宦官为常侍，小黄门在皇帝和皇后之间传达旨意。从此以后，宦官权力超过君主，使天下人穷困，应当全部罢黜遣出，广泛选取年高德望的学者参与政事。"汉桓帝很生气，不回答朱穆。朱穆伏在地上不肯起来，左右的人传令"出去"过了很久，朱穆才快步离去。从此，宦官一再借传达汉桓帝命令的机会诋毁朱穆。朱穆一向刚烈，不得意，没过多久，由于愤怒引发毒疮溃烂而死。

三府。三府，三公府署的合称。东汉三府为太尉、司徒、司空。566 廉察有遗漏二句：复查有遗漏的应罢免的官员，继续上报。567 凡诸交旧：所有张奂的各位故交老友。568 七上：七次推举上奏。569 宜正元帅：张奂应为元帅，即为度辽将军。570 充军事者：充任军事长官。571 西州：指凉州。572 守阙：守在皇宫外请愿。573 乃复以颎为护羌校尉：于是再次任命段颎为护羌校尉。段颎复任，为东汉第二十二任护羌校尉。574 疾：痛恨。575 恣横：恣肆横暴。576 延平：殇帝年号（公元一〇六年）。577 浸益贵盛：宦官地位一天天尊贵隆盛起来。578 貂珰之饰：皇帝近侍官侍中的帽饰。其冠，冠前有金珰，饰以蝉，在冠的右侧饰以貂尾。西汉士人为侍中，冠戴金蝉貂尾，至东汉逐渐为宦官所垄断。579 常伯之任：侍中之任。580 一更其手：朝廷大事全都要经过宦官之手。581 权倾海内：宦官权力动摇全国。582 子弟亲戚二句：宦官子弟及亲戚，全都担任国家重任。583 放滥骄溢：放纵骄慢。584 禁御：控制。585 可悉罢省：全部罢黜宦官及子弟亲戚的权力。586 遵复往初：恢复东汉初宦官不预政的制度。587 清淳之士：清廉淳朴的士人。588 明达国体：通达国事。589 以补其处：用以填补缺位。590 兆庶黎萌：亿万民众。591 口陈：口头进呈意见。592 姓族：名望士族。593 和熹太后：邓绥皇太后。594 权倾人主：宦官权力盖过皇帝。595 博选耆儒宿德：广选年长硕学有德士人。596 中官数因事称诏诋毁之：宦官多次借传达皇帝命令的机会，诟骂朱穆。597 素刚：一向刚烈。598 居无几：没过多久。599 愤懑发疽卒：愤怒到极点，引起毒疮溃烂而死。

【研析】

本卷史事研析下列四题，分述于次。

第一，刘陶谏阻铸重币。铸造重币，就是铸造不等值的大钱。铸造大钱就是用通货膨胀的办法转嫁国家财政赤字，祸害黎民百姓。汉武帝后期，财政枯竭，造白鹿皮币，一方尺白鹿皮，缘以藻缋，面值四十万。王莽制造刀币，契刀一枚值五百，文曰“契刀五百”，错刀一枚值五千，文曰“一刀直五千”。王莽多次改变铸钱面值，每改一次，就有大批民众破产，随后兴大狱。桓帝永寿三年（公元一五七年），民众贫困交加，有人建议国家改铸大钱，事下四府、群僚广泛讨论，扩大太学生参加讨论。于是太学生刘陶上奏，抨击铸重币之害。刘陶说：“当今人民的忧患，不是钱币，而是饥馑。即使把沙砾化成黄金，把瓦片变成白玉，人民渴了不能当水喝，饥了不能当饭吃有什么用。人民可以一百年没有钱币，却不能一天没有饭吃。让人民富裕的唯一办法就是停止官府的重税和官吏的贪污，没有了重税和贪污，人民自然富足。”刘陶一针见血指出，“政府用铸大钱的方法来补救过失，好比把鱼养到沸水中，把鸟放置在烈火燃烧的树上一样。水和树木，本来是鱼和鸟的生命线，但用错地方，一定焦烂”。刘陶又警告说，如今“贪官污吏，凶残如同兀鹰，窃盗匪徒，掠夺好像乌鸦，连皮带肉把人民一口吞下还不满足，臣深忧一朝人民在困苦中崛起，有人振臂一呼，群起响应以求得一条生路，到那时，即使钱大如尺，也挽救不了危亡”。刘陶说理透彻，简洁明快，不可辩驳。东汉政府停止铸造重币的议论，人民避免了一场通货膨胀的灾难，刘陶之功也。

第二，五侯横空出世。桓帝延熹二年（公元一五九年），与小黄门史唐衡密议诛梁冀。唐衡引宦者左悺、单超、徐璜、具瑗共谋，轻而易举诛杀梁冀，恰如王夫之所说，如同瓮中捉鼠。原因是朝官士大夫自李固、杜乔死后，满朝文武噤若寒蝉，听任梁冀为所欲为，胡广之流明哲保身，阿附梁冀以分一杯羹，桓帝又是诸侯王子入继大统，不满处于傀儡的地位，朝官士大夫既不可依靠，而身边的人就是一群宦官。桓帝依靠宦官打倒外戚，夺回权力，就一心一意倒向宦官。而宦官在宫廷糜烂生活和皇帝淫威的熏陶下，养成了阿谀皇帝、崇拜权势的品位。他们只争自己的权利得失，哪管什么国计民生。桓帝依靠中官单超、左悺、具瑗、徐璜、唐衡五人诛杀梁冀，同日封五人为侯，世谓之五侯，其后超死，四侯专横，民间语曰：“左回天，具独坐，徐卧虎、唐雨堕”，皆竞起宅第，穷极壮丽。州郡牧守，率多宦官子弟姻戚。他们不仅“剥割萌黎，竞恣着欲”，而且“钩害明贤，专树党类”，真是“穷暴极毒，莫敢谁何”。也就是说，宦官五侯横空出世，宦官势力开始达于鼎盛，东汉政治从此进入了黑暗，不久爆发了祸及全国的党锢之祸，就是当朝士大夫与外戚联合反击宦官激起的政治斗争，将在下卷研析中详析，兹从略。

第三，五名士皆不应征。尚书令陈蕃举荐五位有大名声的隐逸贤士，豫章徐稚、彭城姜肱、汝南袁闳、京兆韦著、颍川李昙，桓帝派出五辆蒲轮安车，带着布帛礼品，皇帝诏书征起五位名士，全都谢绝，不应征召。五名士中徐稚名声最大，他不应征召的心态也最为典型。徐稚字孺子，豫章南昌人。家贫，自耕为食。陈蕃为豫章太守，在郡不接待宾客，只有徐稚来访，专备一榻，徐稚走后就悬吊起来不再用。陈蕃以礼请徐稚为功曹，徐稚谢绝。稍后朝廷以有道之士名义征拜徐稚为太原太守，徐稚不应征，延熹二年，陈蕃为尚书令与仆射胡广联名举荐五名士，徐稚居首，五名士皆不就。郭林宗游说京师，徐稚带话给郭林宗说："巨木就要倒下，不是一根绳子可以把它拴住，为什么每天奔忙辛苦，不能安定下来。"郭林宗听了这话感慨地说："徐稚先生可以做我的老师。"徐稚遵循的原则是："邦有道则仕，邦无道则隐。"这是一种明哲保身的哲学，不符合"天下兴亡，匹夫有责"的大义原则，徐稚的社会责任感不能与郭林宗相比。但徐稚锐敏地看到了东汉政权的衰亡无可救药，所以不应征召，不愿与权奸小人为伍，耐得住安贫乐道仍然是值得肯定。五名士不就征，都看到了东汉衰亡的前景，不愿为这个政权殉葬。

第四，冯绲请监军。桓帝延熹五年，朝廷任命太常冯绲为车骑将军，领兵十余万讨武陵蛮。在这之前，几任将领出征，都被宦官诬陷克扣军资，往往无功有罪，冯绲出征，要求桓帝派中常侍一人监军财费，尚书朱穆弹劾冯绲为了避嫌，就要求宦官监军，丢失了大臣的节操。桓帝下诏不准弹劾，也就是批准了冯绲的请求，开了宦官监军的先例。王夫之批评冯绲开了一个恶例，宦官监军，影响深远，唐代、明代的宦官监军，无一不败坏军事。王夫之的批评，打错了目标。良将皇甫规讨平三辅河西的羌乱，冯绲讨平了荆州武陵蛮的叛乱，宦官借故仍将二人下狱。冯绲不请宦官监军，会有李绲、王绲请宦官监军。唐代、明代，宦官监军，一再误事，乃至崇祯皇帝自毁长城杀袁崇焕，哪一个不是遭宦官的毒手。不是宦官有多大能量，而是皇帝猜疑而信宦官，皇权不受节制可以任情诛杀。宦官制度是专制政体上的一颗恶性肿瘤，割除恶性肿瘤，肢体随之死亡。可是专制政体不除，恶性肿瘤伴随生长。因此宦官监军是专制之弊的必然发展，而不能怪罪冯绲开了先例。